KB085683

경실련 30년

다시 경제정의다

30th Anniversary 1989~2019
경제정의실천시민연합 30년사

경실련 30년
다시 경제정의다

경제정의실천시민연합 編

발간사

경실련 창립 30주년을 맞이하여 그간의 주요활동과 자료를 정리한 30년사를 두 권의 책자로 발간하게 되었습니다. 경실련 30년의 역사는 1987년 체제 이후 대한민국의 시민사회의 역사를 구성하는 사료이고, 앞으로 전개되는 시민사회 활동의 발전방향을 제시하는 의미를 가지고 있기 때문에 경실련은 제한된 인력과 부족한 자원에도 불구하고 경실련 30년사를 정리하여 이를 시민 여러분과 국가 및 사회에 제공하기로 결정하였습니다. 경실련의 30년사는 기록과 편집과정에서 원자료를 통하여 사실을 확정하고, 관련자 면담을 통하여 당시의 사정을 종합적으로 이해한 후 언론자료를 통하여 경실련의 활동에 대한 외부의 평가를 함께 검증하여 객관성을 유지하였습니다. 따라서, 이 책자는 시각에 따라 그 내용이나 의미를 다양하게 살피는 자료로 활용할 수 있습니다.

경실련 활동은 시민사회의 성숙, 변화와 그 흐름을 같이하고 있습니다. 1987년 이후 시민의 역량이 정당정치로 집결되던 상황에서 경실련은 공정한 시장경제질서의 구축을 바라는 시민들의 비정파적 목소리를 대변하는 단체로 출발하였습니다. 이전에도 소비자단체나 인권단체 등이 시민단체로서의 역할을 수행하고 있기는 하였으나, 경실련은 각계의 전문가로 구성된 자원활동가, 캠페인 등 실무를 담당하는 전업활동가, 단체의 활동을 지지하는 회원 등이 각기 기능을 분담하고 서로의 역량을 집중하여 본격적인 제도개선의 성과를 내기 시작하였기 때문에 시민단체로 자리잡게 되었습니다. 경실련은 정부와 국회, 언론과 적절한 관계를 유지하면서 금융, 부동산, 재벌, 중소기업, 농업, 노동자 등의 개선점을 논의하고 여론을 주도하며 시민적 이익을 합법적인 수단을 통하여 법률과 정책에 반영되도록 노력하였습니다. 경실련이 시민사회의 성숙을 전제로 비정파성의 원칙과 초(탈)법적 활동의 배제원칙을 그 근간으로 삼았던 활동의 공과가 30년사의 흐름에 그대로 드러나 있습니다.

경실련의 역량이 집중된 사업은 부동산과 금융 및 재벌정책입니다. 이 부분의 국가정책이나 시장구조가 서민으로 대표되는 시민을 제대로 배려하지 못하였을 뿐 아니라 건전한 시장질서나 소득의 구조에 부정적인 영향을 끼쳤기 때문에 경실련이 이 영역에 활동을 집중할 수 밖에 없었습니다. 경실련이 30년간 이 부분에서 활동한 내용을 정리하면 대한민국 경제의 구조적 문제점을 손쉽게 확인할 수 있습니다. 각 시기별 성명서와 활동내역을 시대 상황에 대비하면 실패한 제도를 통하여 장래의 교훈을 얻을 수 있습니다. 지난 30년간 6번의 정권이 바뀌었으나 경제와 시장질서의 본질은 변하지 아니하였고, 시장과 경제상황 및 정치지형이 크게 변모하였으나, 시민의 요구에 부응하는 경제질서의 조정이 이루어지지 아니한 상황이 이 책자에 반영되어 있습니다.

경실련의 30년사를 보면 경실련의 많은 전문가들이 정부나 정당에 들어가 활동하였음에도 경실련은 이들과 일정한 거리를 두고 그 정책이나 활동을 비판하는 비정파성을 유지한 사실을 발견할 수 있습니다. 경실련은 시민을 위한 플랫폼이기에 선배들의 다양한 활동과 무관하게 독자성을 가지고 시민의 독자적 가치를 위하여 노력하였던 것입니다. 이러한 의미에서 경실련은 사람을 중심으로 하는 조직이 아니라 시

민적 가치를 중요시 하는 가치 중심의 조직으로 인정되고 있습니다. 한편, 경실련은 시민적 가치를 실용성에 기반을 둔 공정한 경쟁 및 정당한 분배의 측면에서 파악하고 있습니다. 땀흘려 일하는 사람에 대한 노동가치와 직장을 구하지 못하는 청년에 대한 취업기회의 제공을 함께 논의하고, 합리적인 경제활동에 의한 재화의 창출을 모색하기 위하여 하청구조의 개선이나 영세자영업자를 위한 배려에 중요한 의미를 부여하고 있습니다. 이러한 경실련의 유연한 가치는 실사구시의 원칙에 입각한 실용주의입니다.

경실련의 활동은 시민활동의 불안정성으로 인하여 많은 부침을 겪었습니다. 경실련 30년사는 이러한 사항도 자료를 통하여 반영하기는 하였으나 방대한 사료를 정리해야 하는 편집방식의 한계로 충분히 반영하지 못한 점이 있습니다. 경실련 40년사에는 그 내용을 정리할 수 있을 것입니다. 경실련 30년사는 전국의 지역경실련의 활동도 자료에 포함시켜 그 의미를 살필 수 있도록 정리하였습니다. 경실련은 중앙지역의 시민뿐 아니라 전국의 지역시민, 노동시민, 소상인 및 상공업 시민, 공무원 시민, 자영업 시민, 여성시민 등 모든 시민들의 의사를 경제정의적 관점에서 망라하여 조직화된 지역의 활동자료를 의미 있게 정리하였습니다.

경실련의 활동과 역사는 미래를 위한 과제와 방향을 설정함으로써 마무리될 수 있습니다. 이러한 의미에서 수차례의 토론을 거쳐 의미 있는 경실련의 활동을 100개로 압축하여 정리하고 미래의 과제도 함께 논의하였습니다. 30년사는 미래를 향하여 개방함으로써 그 의미가 심화되도록 한 것입니다. 이러한 방대한 작업에 헌신하신 전문가 선생님들과 간사님, 편집 및 집필과정을 이끌어 주신 상임집행위원장님과 사무총장님의 노고에 다시 한 번 감사를 드립니다. 역사는 과정의 기록일 뿐 아니라 방향을 제시하는 이정표입니다. 이 30년사가 시민사회의 변화를 향도하는 중요한 자료로 활용될 것으로 생각합니다.

경제정의실천시민연합 공동대표
권영준 정미화 신철영 퇴우정념 목영주

편찬사

2019년은 경제정의실천시민연합(이하 경실련)이 창립 30주년을 맞이하는 뜻깊은 해다. 경실련은 1989년 7월 8일 발기인대회를 개최하고, 같은 해 11월 정동 문화체육회관에서 1500여명의 회원과 시민들이 참석한 가운데 창립대회를 열고 정식 출범했다.

역사는 '미래를 바라보는 거울'이라는 의미에서 '사감(史鑑)'이다. 경실련의 30년 역사는 경실련의 과거, 현재, 미래를 바라보는 거울이다. 또한 경실련은 창립 후 한국 시민운동사에 한 획을 그은 단체이기에 경실련의 역사는 한국의 시민사회를 들여다보는 거울이기도 하다. 경실련은 87년 체제 이후 불완전하기는 하지만 우리 사회가 민주화과정에 들어섰다고 판단했다. 이에 경실련은 합법적인 방식으로 경제정의의 기치 하에 경제정의, 사회정의, 정치·정부개혁, 부동산·주거안정 분야에서 꾸준하게 정책대안을 제시하며 시민운동을 전개해 왔다. 그 결과 지난 30년간 금융실명제, 부동산실명제, 재벌개혁, 부패방지법, 공직자윤리법 등 굵직한 사회 이슈에서 큰 성과를 거두기도 했다.

그러나 우리 사회는 여전히 많은 문제점을 안고 있다. 한국은 지난 세기 압축된 근대화 과정에서 경제성장과 민주화의 모범국가로 세계적인 주목을 끌기도 했지만, '성장 정체'와 '양극화'라는 현재진행형 문제를 떠안고 있다. 경제적 불평등 확대는 정치적 민주주의를 형해화(形骸化)할 수 있기에 경계해야 한다. 여전히 '경제정의'가 필요한 까닭이 여기에 있다. 창립 30년을 맞이한 경실련이 다시 경제정의를 외치며 다음 한 세대를 준비하는 이유이기도 하다.

경실련은 창립 30년을 맞아 지난해부터 30년사 발간을 기획했다. 30년사 발간은 기념행사 가운데서도 가장 중요한 사업이었다. 30년사 편찬에는 중앙, 지역 경실련 사무국에서 힘을 보탰고 편찬위원들이 지혜를 모았다.

30년사 편찬 과정에서는 다음과 같은 원칙을 지키려고 노력했다.

첫째, 술이부작(述而不作, 옛 역사를 서술하되 지어내지 않는다)의 정신으로 경실련 30년사를 편찬했다.

둘째, 경실련의 30년 역사를 한정된 지면에 다 담아내는 것은 매우 어려운 작업이지만, '제1권(경실련 30년, 다시 경제정의다)과 제2권(경실련 30년 자료집)으로 구분하여 집약했다.

셋째, 제1권에서는 경실련의 역사를 망라(網羅)해서 균형 있게 담아내려고 노력했다. 창립 당시의 역사와 정신, 철학을 서술했으며, 30년 활동을 100대 의제로 집약했다. 중앙경실련과 지역경실련의 역사에 대해서도 균형 있게 서술하려고 노력했다. '경실련과 시민사회의 미래: 전망과 과제'에 대해서도 지면을 할애하여 서술했다. 제2권 자료집에서는 경실련의 발자취를 '조직 및 운영', '활동', '함께한 사람들'로 구분하여 정리했다.

넷째, 술이부작(述而不作)의 정신으로 서술했지만, 평가가 필요한 부분에서는 최대한 객관적인 평가가 되도록 노력했다.

위와 같은 의도와 편찬 방향에 따라 집필된 이 책이 세상에 나오게 되어 기쁘게 생각하지만, 소기의

성과를 거두었는지 두려움이 앞선다.

경실련의 30년 역사는 수많은 사람들에게 빚을 지고 있다. 창립 초기 반석을 마련한 창립 원로, 선배, 동료, 후배들이 그들이다. 그들이 없었다면 오늘의 경실련은 존재할 수 없었을 것이다. 경실련 활동을 지탱해준 회원이나 후원자를 비롯한 시민들도 경실련의 자산이자 역사다. 이들과 함께 다시 한 세대를 준비하고자 한다. 경실련 30년사의 제명(題名)이 『경실련 30년, 다시 경제정의다』로 정한 것은 과거 역사를 성찰하고 다음 한 세대를 준비하는 우리들의 다짐이다. 아무쪼록 이 책이 다음 세대에도 우리 사회가 정의로운 사회로 나아가는 데 좋은 밑거름이 되길 기대한다.

책을 편찬하는 과정에서 수많은 사람들의 노고가 있었다. 윤순철 사무총장을 비롯하여 사무국의 상근자들은 부담이 가중되는 상황에서도 헌신적으로 편찬 작업에 힘을 보탰다. 이들에게 고마움을 전한다. 아울러 더 나은 책이 나오도록 지혜를 모아주신 편찬위원 및 자문 집필위원들에게도 사의를 표한다.

편찬위원장 채원호(경실련 상집위원장, 가톨릭대학교 법정경학부 교수)

일러두기

경제정의실천시민연합 30년사『경실련 30년, 다시 경제정의다』는 1권과 2권으로 구성되었다. 제1권은 사진으로 보는 경실련 30년, 경실련의 창립과 정신, 경실련 30년 활동과 성과, 지역경실련의 활동과 성과, 시민운동의 미래로 구성하였다. 제2권은 경실련의 발자취, 경실련의 조직과 운영, 경실련의 활동, 함께한 사람들로 구성하였다.

제1권의 '사진으로 보는 경실련 30년'은 연혁 화보로 역사적으로 주요 활동을 선별하여 일별할 수 있도록 년도 순으로 구성하였다.

'경실련의 창립과 정신'은 창립 배경 및 초기 발전과정, 경실련의 과거와 현재, 창립과 회고, 경제정의를 향하여 등으로 구성하였다.

- 창립 배경 및 초기 발전과정은 경실련 창립의 시대적 배경과 경제정의를 위한 시민운동을 선언하며 발전해 나가는 과정을 서술하였다.
- 경실련의 과거와 현재에서, 경실련 발기선언문과 발기취지문은 창립선언문 격으로 경제정의실천시민연합의 발기의 목적과 실천 과제를 원문으로 수록하였다. 주요 연혁은 지난 30년간 조직의 주요한 변화와 법적지위, 수상내역을 수록하였다. 본부 및 기관은 창립 이후 신설되거나 해소, 통폐합된 정책기구·법인 및 특별기구·회원조직·유관기관·사업기구들의 개요와 활동 내용 그리고 활동가들을 문헌 기록을 중심으로 정리하였다. 특히 다양한 조직의 변화를 이해하기 쉽게 경실련 조직 구성 표와 각 단위의 정책기구들의 통합·변천을 표로 제시하였다. 홍보 및 출판은 경실련 본부와 각 단위들이 사용하였던 로고와 출판된 도서들을 소개하였다.
- 창립과 회고는 경실련의 창립과 활동에 공헌을 하신 8분의 원로들의 회고를 기록하였다.
- 경제정의를 향하여는 창립 당시와 현재의 경제정의의 개념과 의미를 비교, 재해석하여 향후 경실련이 추구할 경제정의 실현의 방향을 제시 하였다.

'경실련 30년 활동과 성과'는 경실련의 30년 활동은 다양한 분야와 수많은 활동 그리고 사람들이 관계되어 있다. 이 중 경실련의 정체성, 의제의 창의성, 활동의 주도성, 의미 있는 성과를 기준으로 100개의 의제를 선정하였다. 각 의제마다 해당 의제의 배경, 운동의 전개과정, 각계의 반응, 성과를 기록하였다. 그리고 100의제 중 운동 의제로서 좀 더 의미 있는 키워드를 선별하여 언론기사 검색(BIC KINDS)을 실시하였고, 추출된 53,000여건의 기사를 10년 단위로 구분하여 의제의 변화를 짚었다. 이를 다시 경제정의분야, 부동산 주거안정분야, 정치정부개혁분야, 사회정의분야로 구분하여 평가를 하였다.

'지역경실련의 활동과 성과'는 지역경실련은 최대 40여개 조직이 활동하였으나 현재는 26개 조직이 활동하고 있다. 현재 활동하는 26개 지역경실련의 창립 배경, 조직과 기구, 주요 활동 사례, 향후 과제로 소개하였다. 이미 활동이 중단되거나 해소된 지역경실련은 조직명만 기록하였고 활동 내용은 자료의 부존재로 기록하지 못하였다.

'시민운동의 미래'는 2019년 9월 현재 경실련에서 활동하는 전문가 자원봉사자와 상근활동가들을 대상으로 실시한 설문조사를 토대로 경실련의 현재 인적구성 분석, 30년 활동에 대한 인식, 중립성(비당파성)과

이념 성향, 상근활동가들의 정치참여에 대한 인식, 30년 활동에 대한 평가, 전망과 과제를 중심으로 분석하였다. 그리고 현재보다 진일보한 경실련의 조직구성과 운영을 위한 방향을 제시하였다.

제2권의 '경실련의 발자취'는 지난 1989년부터 2019년 7월까지 경실련의 활동 기록을 조사하여 약 12,000개의 연혁을 시간 순으로 기록하였다. 그리고 시민운동의 특성을 반영하여 경실련이 함께한 다른 시민단체, 지역단체들과의 연대 활동을 기록하였다. 이 기록은 창립 초기에는 기록과 문헌의 중요성을 인식하지 못하여 많은 자료들이 유실되었고 이로 인해 온전한 연혁과 연대활동의 기록에 누락이나 오기가 있을 수 있을 것이다.

'경실련의 조직과 운영'은 경실련 본부와 지역경실련의 조직운영과 활동기준이 되는 규약의 개정 역사와 현재 활용되는 각종 규약 및 규칙과 강령, 주요한 회의일지를 기록하였다.

'경실련의 활동'은 지난 30년간의 헌법소원, 입법청원, 감사청구 및 신고, 소송, 고발 및 수사의뢰 등의 목록을 정리하고 이를 일자와 주요 내용으로 요약하여 수록하였다.

'함께한 사람들'은 지난 30년간 경실련을 위해 헌신한 활동가들을 정리하여 수록하였다.

- 주요임원은 공동대표, 중앙위원회 의장단, 대의원회 의장단, 상임집행위원회·정책위원회·조직위원회·조직위원회의 장 그리고 사무총장과 협동사무총장을 기록하였다. 그리고 중앙위원회·대의원회 위원, 상임집행위원회 위원, 고문·지도위원회 위원을 각 기수별, 연도별로 정리하여 수록하였다.
- 기구 및 기관의 임원은 그동안 경실련의 각 단위에서 활동했거나 활동하고 있는 위원들의 기록을 조사하여 명단을 수록하였다.
- 회원은 경실련 활동과 발전을 위해 후원을 해주신 일반회원과 평생회원 그리고 회관 건립과 개보수를 지원해주신 회원 명단을 2019년 8월 기준으로 수록하였다.
- 상근활동가는 경실련 본부는 각 연도별로, 지역경실련은 각 지역경실련별로 기록이 있는 상근활동가들의 명단을 수록하였다.

경제정의실천시민연합 30년사는 1989년 창립 이후 처음으로 자료들을 모아 정리한 사료이다. 경실련은 그동안 10년사, 20년사를 제작하지 않았기에 축적된 자료가 매우 부족할 뿐만 아니라 이미 많은 자료들이 유실되어 사무처에 남겨진 문헌과 언론에 보도된 기록에 의존하여 30년사를 정리할 수 밖에 없었다. 이러한 환경에서 최대한 사실에 기초하여 정리하고 기록하였다.

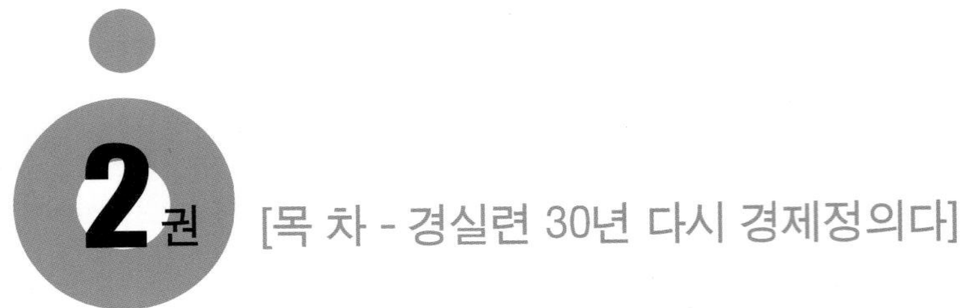

[목 차 - 경실련 30년 다시 경제정의다]

1권 [목 차 - 경실련 30년 다시 경제정의다]

시민과 함께 한
경제정의실천시민연합 30년사

I. 경실련의 발자취

1. 연혁

생산일자	세부형태	제목	출처분류	생산자(처)
19890508	회의	경실련 준비 1차 모임, 토지공개념 대안 모색 세미나	경실련	경실련준비위원회
19890524	회의	경실련 준비 2차 모임	경실련	경실련준비위원회
19890531	회의	경실련 준비 3차 모임, 주택문제 대안 모색 세미나	경실련	경실련준비위원회
19890609	회의	경실련 준비 4차 모임, 토지 주택문제의 현황과 대안	경실련	경실련준비위원회
19890708	집회	경제정의실천시민연합 발기인대회	경실련	경실련준비위원회
19890708	홍보	경실련 회보 제1호 발간	경실련	경실련준비위원회
19890711	회의	제1차 집행위원회	경실련	경실련집행위원회
19890722	정책토론	제1차 공동세미나	경실련	경실련준비위원회
19890727	보도자료	최근 재산세 과표현실화 문제 논의에 관한 우리의 견해	경실련	경실련준비위원회
19890801	조직	경실련 노점상 모임 발족	경실련	노점상 모임
19890816	회의	제6차 상임집행위원회	경실련	상임집행위원회
19890821	교육	제1차 경실련 시민학교	경실련	정책위원회
19890821	정책토론	〈제1회 한국토지주택에 관한 공청회〉 한국의 토지주택정책, 어디로 가야 할 것인가	경실련	경실련준비위원회
19890826	기타	경실련 사무실 입주식(종로5가, 서울신탁은행 4층)	경실련	사무국
19890901	보도자료	주택정책에 대한 주장 발표	경실련	경실련준비위원회
19890906	보도자료	토지정책에 관한 제안	경실련	경실련준비위원회
19890909	집회	제1차 토지공개념 입법촉구 시민대회 및 명동 · 종로 가두 캠페인	경실련	경실련준비위원회
19890909	회원	경실련 회원대회	경실련	경실련준비위원회
19890919	보도자료	토지공개념 3법 관련 부총리 면담	경실련	경실련준비위원회
19890928	정책토론	토지공개념 관련 전경련의 입장에 대한 비판	경실련	경실련준비위원회
19890930	교육	토지공개념과 경제정의 강연	경실련	부산경실련 발기준비위원회
19891012	회의	대전경실련 결성모임	경실련	경실련준비위원회
19891014	보도자료	분양가 현실화에 대한 의견	경실련	경실련준비위원회
19891018	회의	제11차 상임집행위원회(의정감시단 발족 결의-시민의 알 권리 행사와 대국회 감시, 평가)	경실련	상임집행위원회
19891018	조직	세입자보호 10대 종합대책 발표 및 〈경실련 무주택자 문제 대책본부〉 발족	경실련	무주택자문제 대책본부
19891026	보도자료	1990년 예산 및 재정운영에 대한 견해	경실련	경실련준비위원회
19891026	조직	경실련 중소상공인회 준비모임	경실련	경실련중소상공인회
19891027	교육	토지공개념 확대도입을 위한 강연회	경실련	대구경실련
19891030	간행물	경제정의 (호외)	경실련	사무국
19891030	조직	경실련 기독청년학생협의회(기청협) 발족	경실련	기독청년학생협의회
19891102	보도자료	재야원로 성명서-최근 토지주택문제에 대한 우리의 견해	경실련공동	재야원로
19891104	조직	경제정의실천시민연합 창립대회	경실련	경실련
19891104	집회	토지공개념 강화입법과 주택문제 해결을 위한 시민대회 - 국민에게 드리는 호소문 발표	경실련	정책위원회
19891104	조직	경실련 의정감시단 발족	경실련	의정감시단
19891108	보도자료	한국은행법 개정에 관한 경실련 공청회 보고	경실련	정책위원회
19891108	정책토론	한은법개정에 관한 경실련 공청회	경실련	정책위원회
19891120	보도자료	서울시 노점상 철거에 대한 입장	경실련	정책위원회
19891122	보도자료	토지공개념 강화입법 및 민생관련 입법촉구 4당대표 방문	경실련	정책위원회
19891125	보도자료	국회 건설위 법안심사소위의 경실련 의정감시단 방청 거부는 시정되어야 한다	경실련	의정감시단
19891201	조직	여성위원회 발족	경실련	여성위원회
19891205	집회	제3차 토지공개념 강화입법 및 무주택자 문제 해결 촉구 시민대회	경실련	정책위원회
19891206	보도자료	토지초과이득세법안은 원안대로 대폭 강화되어야 한다	경실련	정책위원회
19891211	회의	국회 건설위 3차, 4차회의 방청(개인자격으로)	경실련	의정감시단
19891213	보도자료	주택임대차보호법 개정안 재심의 촉구 위한 국회방문	경실련	정책위원회
19891217	집회	토지공개념 강화입법 및 주택문제 해결을 위한 시민대회 - 국회에 보내는 결의문 발표	경실련	정책위원회
19891218	회원	경실련문고 출판기념회 및 송년의 밤	경실련	사무국
19891220	보도자료	토지공개념법안의 국회 통과에 대한 의견	경실련	정책위원회
19891220	보도자료	서울시 노점상 철거에 대한 입장	경실련	정책위원회
19891222	회의	정책협의회(89년 활동평가, 90년 활동계획)	경실련	정책위원회
19891222	보도자료	경제난국 극복을 위한 특별보고(90년 경제운용 기본골격)에		

생산일자	세부형태	제목	출처분류	생산자(처)
		대한 견해	경실련	정책위원회
19891224	기타	도시빈민과 함께 하는 성탄절 예배	경실련	기독청년학생협의회
19891228	보도자료	의정활동의 개혁을 촉구한다-1989년 경실련 의정감시 활동을 끝내며	경실련	의정감시단
19900101	보도자료	경실련 신년사 발표	경실련	정책위원회
19900106	정책토론	월례세미나 - 도시빈민의 주택문제(발제 : 장성수)	경실련	정책위원회
19900110	교육	제1기 노동경제학교 개강	경실련	정책위원회
19900110	보도자료	종합토지세를 손대지 말라	경실련	정책위원회
19900115	회의	경제정의 발간 준비회의	경실련	사무국
19900116	회의	도시빈민협의회, 경제력집중연구소위, 재정/금융소위원회 회의	경실련	정책위원회
19900117	보도자료	과소비 향락 퇴폐산업은 추방되어야 한다	경실련	여성위원회
19900117	교육	제2기 노동경제학교 개강	경실련	정책위원회
19900117	보도자료	정부의 유흥업소 영업제한 조치의 지지 및 향락퇴폐업소 척결에 대한 입장	경실련	여성분과위원회
19900117	교육	대구, 부산경실련 상근활동가 교육	경실련	정책위원회
19900118	회원	조직강화를 위한 회원간담회	경실련	사무국
19900120	조직	경실련 도시빈민협의회 창립 및 1차 세미나	경실련	도시빈민협의회
19900129	보도자료	제반 경제개혁조치의 후퇴를 경계한다	경실련	정책위원회
19900130	기타	기독교계에 경실련 설명회 개최	경실련	정책위원회
19900131	교육	제1기 노동경제학교 수료식	경실련	정책위원회
19900203	보도자료	주택 임대료 인상 억제를 위한 입법 촉구(임대계약 등록제 도입, 주택법원 설립, 임대보증금 반환, 보증기금 설치 제안)	경실련	정책위원회
19900203	회원	조직강화를 위한 회원 수련대회(서울지역 구별 회원조직 검토)	경실련	사무국
19900205	정책토론	경실련 노동문제 토론회	경실련	정책위원회
19900205	교육	제1기 시민학교 개설	경실련	대구경실련
19900207	교육	제3기 노동경제학교 개강	경실련	정책위원회
19900207	보도자료	통합신당의 경제정책 기조 전환을 크게 우려한다	경실련	정책위원회
19900208	교육	제1차 경실련 도시빈민협의회 회원교육대회	경실련	도시빈민협의회
19900209	조직	경실련 중소상공인회 발족	경실련	중소상공인회
19900212	보도자료	주택 임대차 보호법 개정안 및 차지-차가 조정법 개정안 발표(계약기간만료 후 세입자의 잘못 없으면 집주인의 일방적 계약 해지 못함) 발표	경실련	정책위원회
19900212	조직	경실련기독청년학생협의회 겨울수련회	경실련	기독청년학생협의회
19900215	회원	제2차 도시빈민협의회 10개 마을 회원교육대회	경실련	도시빈민협의회
19900217	회의	제1차 경실련 중앙위원대회	경실련	중앙위원회
19900218	집회	도시빈민주거안정 촉구를 위한 시민대회	경실련	도시빈민협의회
19900220	보도자료	최근 임대료 폭등에 관한 우리의 입장.	경실련	정책위원회
19900304	집회	임대료 인상 규제 촉구 시민대회	경실련	정책위원회
19900304	조직	경실련 세입자대책협의회 결성	경실련	세입자협의회
19900312	보도자료	도시 영세민 주거 안정과 관련된 우리의 입장	경실련	정책위원회
19900313	회의	제1차 세입자협의회 모임	경실련	세입자협의회
19900316	집회	도시빈민 주거안정 촉구 시민대회	경실련	도시빈민협의회
19900316	집회	임대료 인상 규제 촉구 시민대회	경실련	대구경실련
19900316	교육	복음주의와 경제정의, Ronald J. Sider 초청강연	경실련	기독청년학생협의회
19900317	보도자료	경제관료의 교체에 대한 입장	경실련	정책위원회
19900320	간행물	도서출판 경실련 등록(208-98-47339)	경실련	사무국
19900321	보도자료	최근 개각에 따른 금융실명제 후퇴를 크게 우려한다	경실련	정책위원회
19900330	정책토론	제1차 조찬세미나	경실련	중소상인회
19900330	보도자료	경실련 운동 기금마련을 위한 그림전 - 경실련이 초대한 17인전	경실련	사무국
19900404	보도자료	경기부양 종합대책에 대한 입장	경실련	정책위원회
19900405	회원	경실련 회원가족 친목대회	경실련	사무국
19900406	조직	경실련 목회자협의회 발족	경실련	목회자협의회
19900410	조직	제1차 경실련 세입자협의회 회의	경실련	세입자협의회
19900414	보도자료	정부의 부동산 투기 억제책에 대한 입장	경실련	정책위원회
19900419	보도자료	KBS는 국민의 방송이 되어야 한다	경실련	정책위원회
19900425	정책토론	금융실명제에 관한 정책도론회	경실련	정책위원회
19900428	보도자료	경실련 주최 희생세입자 합동 추모식에 부쳐-집세폭등에 대한 정부의 정책부재를 개탄한다	경실련	세입자협의회
19900428	보도자료	세입자 결의문	경실련	세입자협의회
19900506	간행물	㈜시민의 신문 등록(다-2941)	경실련	사무국
19900507	보도자료	대통령 특별담화, 정부의 특별 보완책에 대한 논평	경실련	정책위원회

생산일자	세부형태	제목	출처분류	생산자(처)
19900512	교육	조직강화 회의 수련회	경실련	사무국
19900515	조직	경실련 경제정의연구소 설립	경실련	경제정의연구소
19900516	보도자료	시국성명	경실련	정책위원회
19900516	보도자료	이문옥 감사관 구속사건에 대한 입장	경실련	정책위원회
19900519	집회	이문옥 감사관 석방촉구 시민대회	경실련	대구경실련
19900519	집회	재벌의 토지투기 은폐 및 이문옥 감사관 구속규탄 시민대회	경실련	정책위원회
19900524	간행물	잡지 경실련 등록(라-08141)	경실련	사무국
19900524	간행물	잡지 경제정의 등록(마-1571)	경실련	사무국
19900520	보도자료	이문옥 감사관을 즉각 석방하라	경실련	경실련 변호인단
19900525	정책토론	경제정의 실현을 위한 불교인 대토론회	경실련공동	한국교수불자연합회 외
19900530	정책토론	제2차 중소상공인 조찬세미나(중소기업 은행장 초청)	경실련공동	정책위원회
19900531	회의	정치자금연구소위원회	경실련	정책위원회
19900601	교육	제1기 세입자교실 개강	경실련	정책위원회
19900602	보도자료	제2차 이문옥 감사관 석방과 정경유착 규명촉구 위한 시민대회 및 양심의 행진	경실련	정책위원회
19900602	정책토론	정기 월례세미나-재벌의 경제력 집중 연구 검토	경실련	경제력집중연구소위원회
19900608	보도자료	정부의 특별보완대책애 대한 논평	경실련	정책위원회
19900609	조직	경실련 경제부정고발센터 출범 및 현판식	경실련	경제부정고발센터
19900609	기타	이문옥 감사관 가족돕기의 날-음식장터 개최	경실련	사무국
19900609	조직	경실련 분배정의 실천노동자협의회 발족	경실련	노동분과위원회
19900614	정책토론	경제정의실현을 위한 목회자 세미나	경실련	경실련 목회자후원회
19900615	간행물	경제정의 창간호 발간	경실련	사무국
19900617	회원	경실련 세입자협의회 친목 단합대회	경실련	세입자협의회
19900618	회의	경실련 세입자협의회 정책 간담회	경실련	세입자협의회
19900620	조직	대구경실련 창립대회 겸 이문옥 감사관 석방과 정경유착 규명 촉구 시민대회	경실련	대구경실련
19900623	조직	광주 · 전남지역 경실련 창립대회 겸 이문옥 감사관 석방 촉구 시민대회	경실련	광주전남경실련
19900623	집회	이문옥 감사관 석방과 정경유착 규명 촉구 시민대회	경실련	부산경실련
19900623	조직	인천경실련 발족 선언 및 이문옥 감사관 구속 진상규명 촉구 시민대회	경실련	인천경실련
19900625	간행물	잡지 경제정의 창간	경실련	경제정의연구소
19900707	활동자료집	경실련 출범 1주년 기념자료집	경실련	사무국
19900707	집회	스포츠 신문의 선정주의 추방 촉구대회	경실련	정책위원회
19900707	보도자료	서초동 남태령지역 강제철거 저지	경실련	정책위원회
19900709	소송	주거용 비닐하우스 주민의 주민등록 이전문제 공판	경실련	정책위원회
19900713	보도자료	정부의 수돗물대책에 대한 우리의 입장	경실련공동	여성위원회 외
19900714	정책토론	세제개혁의 필요성과 기본 방향(발표 : 이진순 교수)	경실련	정책위원회
19900718	보도자료	이문옥 감사관 석방 환영식	경실련	정책위원회
19900725	보도자료	세제개편안에 대한 견해	경실련	정책위원회
19900730	보도자료	최근 서울시의 비닐하우스 주민의 주거안정 대책에 대한 조치를 환영한다	경실련	정책위원회
19900801	회원	새 가족 환영의 날	경실련	사무국
19900802	정책토론	한 · 중 · 일 토지 · 주택문제 연대회의(이근식 정책위원장, 서경석 사무총장) 참석	경실련	일본 토지 · 주택 시민포럼 주최
19900811	회원	제1차 월례 새 가족 환영의 날	경실련	사무국
19900815	조직	조직 강화위원회 야유회	경실련	조직강화위원회
19900820	간행물	경제정의 1990년 9 · 10월호	경실련	사무국
19900821	보도자료	정보사 · 객골 주거용 비닐하우스철거와 관련 서울시장에 호소문 전달	경실련	정책위원회
19900825	교육	경실련 청년협의회 발족	경실련	청년협의회
19900825	보도자료	서초동 대법원 부지 주민철거에 관한 최근 동향	경실련	정책위원회
19900827	보도자료	서초동 대법원 부지 비닐하우스 철거강행을 저지하기 위한 인간방벽을 설치하며	경실련	정책위원회
19900827	조직	수도물 살리기 위한 연합모임 결성	경실련공동	수도물살리기위한연합모임
19900829	집회	공정과세 촉구 노동자대회	경실련	정책위원회
19900831	보도자료	서울시 외면으로 서초구의 노숙중인 비닐하우스 철거민 300세대가 생존을 위협받고 있다	경실련	정책위원회
19900901	보도자료	서초구 대법원부지 철거사태에 대한 입장	경실련	정책위원회
19900901	집회	강제철거 규탄 및 철거민 이주대책 촉구대회	경실련	정책위원회
19900901	조직	경실련 중소상공인회 및 사업부 입주식	경실련	중소상공인회
19900901	정책토론	UR협상의 진전 상황과 정부의 대응방향 간담회	경실련	정책위원회

생산일자	세부형태	제목	출처분류	생산자(처)
19900903	회의	제4차 중앙상임위원회	경실련	상임집행위원회
19900906	회의	우루과이라운드 협상 대책	경실련	대외경제팀, 농업경제팀
19900907	보도자료	사회간접자본 투자재원은 토지세제의 정상화를 통해 조달하라	경실련	정책위원회
19900907	정책토론	제1차 토론마당 - 현행 세제의 문제점과 세제개혁의 기본방향	경실련	정책위원회
19900908	회원	9월 새 가족 환영의 날	경실련	사무국
19900910	조직	경실련 소비자운동본부 발족	경실련	소비자운동본부
19900911	소송	서초동 비닐하우스주민들의 주민등록 허용을 위한 행정소송 (사법부에 호소문 송부)	경실련	정책위원회
19900915	회의	제2차 중앙위원회 및 회원대회	경실련	중앙위원회
19900922	정책토론	중소상공인회 임시총회	경실련	중소상공인회
19900922	정책토론	제3차 토론마당-정부의 세제개혁안과 중소기업에 미치는 영향 및 대안	경실련	중소상공인회
19900922	집회	공정과세촉구 인천지역 노동자대회	경실련	노동자협의회
19900928	정책토론	부동산 투기근절과 불로소득 척결을 위한 조세제도 개혁 정책토론회	경실련	정책위원회
19901006	정책토론	UR 농산물협상과 그 대응방향	경실련	정책위원회
19901008	보도자료	태국 잠롱 방콕시장 방한, 경실련과 시사저널 공동초청	경실련	정책위원회
19901019	정책토론	제2차 회원 토론마당 - UR농산물 대책의 영향과 대응책	경실련	정책위원회
19901020	간행물	경제정의 1990년 11 · 12월호	경실련	사무국
19901022	기타	경실련 · 정농회 · 정농회소비자협의회 등 생활협동조합 설립 결의	경실련	정책위원회
19901024	보도자료	최근의 종합토지세 과표 현실화 후퇴조짐을 크게 경계한다. 종합토지세의 과표를 공시지가로 하라	경실련	정책위원회
19901026	보도자료	업무용 비업무용 구분을 철폐해야한다	경실련	정책위원회
19901027	보도자료	UR 농산물 협상에 대한 입장	경실련	정책위원회
19901027	정책토론	제3차 회원 토론마당 - UR협상과 정보통신 분야의 개방 (발표 : 이인표 체신부 통신개방 연구단 단장)	경실련	정책위원회
19901101	회의	제5차 중앙상임위원회	경실련	상임집행위원회
19901101	보도자료	불로소득 척결을 위한 세제개혁 이렇게 해야 한다	경실련	정책위원회
19901101	조직	깨끗한 정치제도연구특별위원회 발족	경실련	정책위원회
19901102	보도자료	지난 10월 16일의 서초동 비닐하우스에 대한 지주의 불법 철거와 경찰의 비호는 절대로 좌시되어서는 안된다	경실련	정책위원회
19901102	조직	대전경실련 창립총회	경실련	대전경실련
19901103	정책토론	핵 발전의 문제점과 대책	경실련	정책위원회
19901105	소송	제주시 탑동 공유수면 매립면허 무효 확인 심판 청구서 제출	경실련	정책위원회
19901106	보도자료	토지투기 대책없는 그린벨트 규제완화 조치를 즉각 철회하라	경실련	정책위원회
19901109	정책토론	제4차 토론마당 : 한국재벌 이대로 좋은가-경제력집중의 현황과 해소 방안, 잡지 〈경제정의〉	경실련	정책위원회
19901109	보도자료	정부 여당은 민생관련한 법안 및 예산심의를 졸속 처리하지 말라	경실련	정책위원회
19901112	보도자료	재벌들의 부동산 투기를 근본적으로 봉쇄하라	경실련	정책위원회
19901112	교육	경실련 기청협세미나	경실련	기독청년학생협의회
19901115	정책토론	제5차 토론마당 - 제주 탑동 공유수면매립, 무엇이 문제인가?	경실련	정책위원회
19901119	홍보	세제개혁 홍보만화 - 불로소득 척결을 위한 세제개혁, 이렇게 해야한다(국판 28면, 2만부 제작) 배포	경실련	정책위원회
19901122	보도자료	1991년 예산안에 대한 견해	경실련	정책위원회
19901123	보도자료	정부와 국회는 불로소득 척결을 위한 전면적 세제개혁을 단행하라.(경제학자 110인)	경실련공동	정책위원회
19901124	집회	불로소득 척결을 위한 세제 개혁 촉구대회	경실련	기독청년학생협의회
19901125	집회	세제개혁 촉구대회 및 파고다 공원까지 행진	경실련	정책위원회
19901127	회의	제2기 1차 상임집행위원회	경실련	상임집행위원회
19901129	집회	불로소득 척결을 위한 세제개혁 촉구대회 및 가두행진 (어린이대공원까지)	경실련공동	장신대기독학생연합회
19901201	집회	불로소득 척결을 위한 세제개혁 촉구 시민대회 (파고다공원) 및 거리행진(명동성당까지)	경실련	정책위원회
19901201	집회	세제개혁 촉구대회 및 행진(총신대 지하철역까지)	경실련	정책위원회
19901205	보도자료	부동산 투기 근절과 공평과세 확립을 위한 세제 개혁안 입법에 부쳐	경실련	정책위원회
19901207	청원	부동산 투기근절과 공평과세 확립을 위한 세제 개혁의 청원	경실련	정책위원회
19901207	정책토론	제6차 토론마당 - 주택청약제도 무엇이 문제인가 (공영, 민영, 임대아파트 및 주택 청약제도의 약관을 중심으로)	경실련	소비자운동본부
19901208	정책토론	부동산 투기 억제를 위한 토지세 과표현실화 공개토론회	경실련	정책위원회

생산일자	세부형태	제목	출처분류	생산자(처)
19901208	정책토론	교통, 문제점과 대책은 무엇인가?	경실련	정책위원회
19901210	정책토론	평민당 김대중 총재와 면담	경실련	정책위원회
19901212	교육	제2차 청지기 학교	경실련	기독청년학생협의회
19901214	보도자료	과표현실화계획 백지화는 경제쿠데타이다	경실련	정책위원회
19901215	정책토론	제7차 토론마당-한국의 정치현실과 새로운 청년운동의 모색(발표 : 노무현 의원)	경실련	청년협의회
19901219	보도자료	내무부 과표현실화 후퇴 발표에 대한 논평	경실련	정책위원회
19901219	보도자료	예산심의와 세제개혁에 대한 국회의 졸속처리에 부쳐	경실련	정책위원회
19901220	보도자료	내무부의 종토세 과표현실화 후퇴논리를 반박한다	경실련	정책위원회
19901222	조직	경실련 생활협동조합 발기인 대회 및 송년의 밤	경실련	사무국
19901222	집회	스포츠 신문 건전화 촉구대회	경실련	정책위원회
19901222	회의	제2기 2차 상임집행위원회	경실련	상임집행위원회
19901223	조직	제주경실련 발기인대회	경실련	제주경실련
19901224	기타	도시빈민과 함께하는 성탄예배	경실련	기독청년학생협의회
19910101	간행물	경제정의 1991년 1 · 2월호	경실련	사무국
19910105	정책토론	UR이후의 한국농업 어디로 가야하나?	경실련	정책위원회
19910105	보도자료	내무부는 불법사전선거운동 입후보예정자의 명단을 공개하고 즉각 고발조치 하라	경실련	정책위원회
19910108	보도자료	정부는 대미 경제협상에서 우리의 경제주권을 확립하라	경실련	정책위원회
19910108	보도자료	UR농산물 협상 및 한 · 미 쌍무협상에 대한 입장	경실련	정책위원회
19910108	회의	제2기 3차 상임집행위원회	경실련	상임집행위원회
19910109	보도자료	UR협상관련 입장전달목적 경실련 대표 파미	경실련	정책위원회
19910111	정책토론	한국농업, 살길이 무엇인가	경실련	정책위원회
19910111	교육	독일 유기농과 세계 식량 위기 대처방안(독일 헬무트 군데르트)	경실련	경실련생협
19910111	회의	제16차 정농회 정기총회	경실련	정농생협
19910112	보도자료	경실련 선거부정 고발창구 개설	경실련	정책위원회
19910112	회의	1991년 정책협의회	경실련	정책위원회
19910112	회의	제5차 중앙상임위원회	경실련	상임집행위원회
19910115	정책토론	선거법 연구 세미나	경실련	정책위원회
19910117	보도자료	시민정신 발휘로 페르시아만 전쟁으로 인한 어려움을 극복하자	경실련	정책위원회
19910118	정책토론	제8차 토론마당 - 공명선거감시 어떻게 할 것인가	경실련	정책위원회
19910122	보도자료	서울시는 수서-대치지구 택지를 특별분양키로 한 방침을 즉각 철회하라	경실련	정책위원회
19910123	보도자료	국회는 지방의회 의원 선거법을 개정하라	경실련공동	정책위원회
19910129	보도자료	국회는 중립적 인사들로 관행적 비리조사를 위한 특별위원회를 구성하라	경실련	정책위원회
19910129	보도자료	정의로운 주택분양질서 실현을 위해 무주택 청약가입자권익지키기 모임을 주창하며.(무주택 청약가입자 권익지키기 모임 결성)	경실련	정책위원회
19910130	소송	청약가입자 23명, 수서지구 특혜분양에 대해 취소소송 제기	경실련	소비자운동본부
19910130	보도자료	공명선거 캠페인을 위한 민간단체 1차 간담회	경실련	정책위원회
19910201	보도자료	부정부패 추방을 위하여 정부는 분배정의를 위한 제도개혁을 단행하고 국민들은 시민운동을 전개하자(예능계 입시비리)	경실련	정책위원회
19910201	정책토론	최근 물가문제, 원인과 대책은 무엇인가	경실련	정책위원회
19910202	보도자료	중앙선거관리위원회에 지방의회 선거법에 관한 질의서 발송(12개 단체)	경실련공동	정책위원회
19910202	정책토론	경제정의와 산업민주주의 - 최근 인플레이션의 원인과 대책	경실련	정책위원회
19910204	정책토론	지자체 선거 관련 여 · 야 정당 방문	경실련	깨끗한정치제도연구특별위원회
19910204	보도자료	지방의회의원 선거법 개정에 관해 여야 정당에 드리는 주장	경실련	정책위원회
19910205	보도자료	최근 인플레는 비민주적인 경제정책의 필연적 결과이다	경실련	정책위원회
19910206	정책토론	한국-일본 토지주택 정책 세미나(일본 토지주택시민포럼 방한)	경실련	정책위원회
19910207	보도자료	재벌에 대한 여신규제 완화 방침을 즉각 철회하라	경실련	정책위원회
19910207	조직	공명선거실천시민운동협의회 창립	경실련	공명선거실천시민운동협의회
19910207	보도자료	재벌에 대한 여신규제 완화방침을 즉각 철회하라	경실련	정책위원회
19910207	회원	기독청년학생 대회	경실련	기독청년학생협의회
19910208	보도자료	경실련 등 12개 단체의 질의에 중앙선거관리위원회 회답	경실련공동	정책위원회 외
19910208	조직	제주경실련 창립대회	경실련	제주경실련
19910210	조직	사법부의 공명선거 의지 촉구를 위한 긴급대책위원회	경실련 공동	정책위원회
19910212	정책토론	여신규제 완화에 대한 좌담	경실련	정책위원회
19910212	보도자료	중앙선관위의 선거법 유권해석에 즈음하여	경실련공동	공명선거실천시민운동협의회
19910212	조직	공선협 선거법개정위원회 구성	경실련공동	공명선거실천시민운동협의회
19910213	보도자료	수서비리에 대한 검찰의 축소 수사를 규탄한다	경실련	정책위원회

생산일자	세부형태	제목	출처분류	생산자(처)
19910218	보도자료	검찰의 축소. 은폐. 정략 수사를 규탄한다	경실련	정책위원회
19910218	보도자료	개각에 대한 논평	경실련	정책위원회
19910219	회의	제2기 4차 상임집행위원회	경실련	상임집행위원회
19910221	보도자료	조합주택, 문제점과 개선방안은 무엇인가	경실련	정책위원회
19910222	소송	헌법소원심판청구_지방의회의원 선거법 35조, 40조, 41조 등이 헌법에 위반되는지에 관한 헌법소원_공선협	경실련공동	정책위원회
19910222	보도자료	수서비리 규명 시민진상조사위원회 구성 및 수서비리 시민제보 창구 개설	경실련	정책위원회
19910222	보도자료	유치한 5공적 탄압을 규탄한다(종로구청장의 파고다공원 사용 불가통보 관련)	경실련	정책위원회
19910223	소송	시민대회 장소 파고다공원 사용불가 통보에 대한 종로구청장 고소	경실련	정책위원회
19910223	보도자료	정부는 더 이상 손바닥으로 하늘을 가리려 해서는 안된다 (수서사건)	경실련	정책위원회
19910223	집회	수서사건 재수사촉구 및 정경유착 부패척결을 위한 시민대회 (연설 : 이문옥 전 감사관, 정성철 변호사)	경실련	정책위원회
19910228	보도자료	안기부의 수서관련 집회 불허 압력에 대한 질의	경실련	정책위원회
19910228	보도자료	지방의회 분리선거를 반대한다	경실련	정책위원회
19910301	간행물	경제정의 1991년 3 · 4월호	경실련	사무국
19910302	보도자료	기초의회 분리선거 방침을 철회하라	경실련	정책위원회
19910302	정책토론	자본주의와 사회주의의 동양적 통합	경실련	정책위원회
19910302	정책토론	지방의회 선거법 개정 세미나	경실련	정책위원회
19910302	소송	2월 22일 제출한 헌법소원에 대해 헌법재판소로부터 재판부 지정 통보 접수	경실련	정책위원회
19910307	보도자료	경제체질을 악화시키고 부동산 투기를 심화시킬 재벌에 대한 여신규제완화 방침을 즉각 철회하라	경실련	정책위원회
19910308	보도자료	공동대표 회의 및 기초의회 의원 선거를 맞아 선거부정 고발 창구 개설 기자회견	경실련	정책위원회
19910309	보도자료	제주판 수서특혜 탑동 공유수면매립면허의 진상은 반드시 규명되어야 한다	경실련공동	정책위원회
19910311	홍보	공명선거 가두 캠페인	경실련공동	공명선거실천시민운동협의회
19910312	보도자료	기초의회 기탁금과 선거의 자유 제한 규정에 대한 헌재의 조속한 결정을 바란다	경실련공동	공명선거실천시민운동협의회
19910312	보도자료	아파트 분양값 인상 자제해야 한다	경실련	정책위원회
19910318	회의	경제정의의 관점에서 본 한국기업의 사회적 성과분석 사업 추진결의	경실련	경제정의연구소
19910319	보도자료	제조업 경쟁력 강화 대책회의와 청와대 노사관계 토론회는 관권개입의 한 형태이다	경실련	정책위원회
19910319	홍보	기초의회 의원 선거 시 공명선거 캠페인	경실련	정책위원회
19910320	보도자료	낙동강 페놀방류 사태에 항의하는 우리의 결의(수돗물 페놀오염 시민단체대책협의회 결성)	경실련공동	수돗물페놀오염대책시민단체협의회
19910321	보도자료	영남지역 식수오염에 대한 입장	경실련	정책위원회
19910322	정책토론	제9차 토론마당 - 기초의회의 위상과 기능	경실련	정책위원회
19910323	보도자료	선관위의 자세에 유감을 표명한다	경실련	정책위원회
19910323	보도자료	주택정책 기조의 대전환이 요구된다	경실련	정책위원회
19910323	보도자료	환경처장관과 대구시장을 경질하지 않기로 한 데 대한 입장	경실련	정책위원회
19910323	집회	대구시 수돗물 사태 시민 규탄대회 및 수돗물 피해 접수 창구 개설	경실련공동	경실련과 대구지역 5개 시민단체 연대
19910327	보도자료	투표율 저조에 대한 논평	경실련	정책위원회
19910328	회의	제6차 중앙상임위원회	경실련	상임집행위원회
19910328	소송	두산그룹회장, 환경처 장관을 환경오염 및 직무유기혐의로 공동고발	경실련공동	YMCA 외
19910329	보도자료	기초의회 선거에 대한 공선협의 평가	경실련공동	공명선거실천시민운동협의회
19910329	보도자료	우리는 왜 두산제품 불매운동을 전개하는가	경실련공동	수돗물페놀오염대책시민단체협의회
19910329	보도자료	정부는 여신관리제도 개편 방안을 즉각 철회하라	경실련	정책위원회
19910330	기타	경실련 정농생협 사무실 이전 (강동구 성내동에서 강남구 삼성동으로)	경실련	정농생협
19910330	집회	페놀방류 규탄과 수돗물 살리기 시민대회(파고다공원) 및 을지로 두산본사 앞까지 시가행진	경실련	정책위원회
19910404	정책토론	기초의회 입후보자 초청 간담회	경실련	정책위원회
19910404	회의	1991년도 정기총회	경실련	총회

생산일자	세부형태	제목	출처분류	생산자(처)
19910404	정책토론	수서비리 · 서울음대 입시부정 등 재발을 막기 위한 부패 추방과 도덕성 확립을 위한 원로세미나	경실련	정책위원회
19910406	정책토론	UR 농산물협상 이후 국내 농업 대책(발표 : 김성훈 교수)	경실련	정책위원회
19910406	보도자료	헌법재판소장에게 헌법소원의 조속한 심판요청 서한 전달	경실련	정책위원회
19910408	정책토론	지방의회 선거법개정을 위한 대토론회 자료집	경실련공동	공명선거실천시민운동협의회
19910409	보도자료	선거비용 초과지출 고발창구 개설	경실련	정책위원회
19910409	기타	은행잎 엑기스 특허문제를 둘러싼 재벌기업 선경의 횡포에 관한 동방제약의 진정서 접수	경실련	경제부정고발센터
19910413	교육	수서지구 특혜분양과 경제정의(강연 : 이문옥 전감사관, 서경석 사무총장)	경실련	정책위원회
19910415	보도자료	북한북한산 살리기 운동 동참	경실련	정책위원회
19910422	청원	공명선거실현을 위한 지방의회 의원 선거법 개정 청원	경실련공동	공명선거실천시민운동협의회
19910422	보도자료	지구의 날 - 생명선언 동참	경실련공동	17개 시민단체 대표
19910424	회의	제2기 5차 상임집행위원회	경실련	상임집행위원회
19910425	보도자료	쌀시장 개방을 반대한다	경실련	정책위원회
19910426	보도자료	낙동강 페놀오염 진상 규명 공동기자회견	경실련공동	수돗물 사태 시민 단체 대책회의
19910427	정책토론	제9차 토론마당 - UR농산물 협상과 한 · 미 관계	경실련	정책위원회
19910427	보도자료	재벌기업의 환경 훼손에 대하여 조속한 대책을 강구할 것을 촉구	경실련	정책위원회
19910429	보도자료	강경대군 구타 치사사건에 대한 입장	경실련	정책위원회
19910501	간행물	경제정의 1991년 5 · 6월호	경실련	사무국
19910502	보도자료	최근물가문제를 어떻게 볼 것인가 - 그 성격 및 요인과 대책	경실련	정책위원회
19910502	백서	수돗물 사태 진상보고 대회 및 백서 발간	경실련공동	수돗물 사태 시민 단체 대책회의
19910503	조직	부산경실련 창립대회	경실련	부산경실련
19910506	보도자료	경실련 공동대표 기자회견-강경대군 치사사건에 대한 시국 선언 성명 발표	경실련	정책위원회
19910507	교육	성찰과 전진을 위한 경실련 대학생 강좌 개강	경실련	정책위원회
19910511	정책토론	월례세미나 - 우리나라 중소기업의 문제와 과제	경실련	정책위원회
19910511	조직	경실련 중소기업연구위원회 발족	경실련	중소기업연구위원회
19910511	보도자료	비민주적이고 불합리한 선거법을 고치지 않는 국회의 무책임한 자세를 규탄한다	경실련공동	공명선거실천시민운동협의회
19910513	보도자료	남북한간 쌀 교역 지연에 대한 입장	경실련	정책위원회
19910517	보도자료	개각만으로는 안된다	경실련	정책위원회
19910517	보도자료	경제제도 개혁 방안	경실련	정책위원회
19910520	단행본	경실련 문고3 한국농업 이길로 가야한다(김성훈외15인)	경실련	정책위원회
19910522	회의	제2기 6차 상임집행위원회	경실련	상임집행위원회
19910529	정책토론	재벌의 경제력 집중, 문제점과 대책에 관한 공청회 보고	경실련	정책위원회
19910530	정책토론	집시법 개정 공청회	경실련	정책위원회
19910601	조직	이문옥 전 감사관, 경실련 경제부정고발센터 대표 취임	경실련	경제부정고발센터
19910601	회원	월례 회원의 날	경실련	사무국
19910601	조직	경실련 공명선거 감시단 발단식	경실련	정책위원회
19910601	보도자료	지자제 광역의회 선거에 임하는 공선협의 입장 - 지방자치마저 오염시키는 기성 정치권의 각성을 촉구한다	경실련	정책위원회
19910601	조직	광역의회 의원선거 선거부정 고발창구 개설	경실련공동	공명선거실천시민운동협의회
19910601	보도자료	은행잎 엑기스 특허분쟁에 대한 보사부의 대응에 문제 있다	경실련	경제부정고발센터
19910603	보도자료	시민의 힘으로 관권개입과 금품향응을 막아내자	경실련공동	공명선거실천시민운동협의회
19910603	보도자료	8개지역 시민감시단 발대식	경실련공동	공명선거실천시민운동협의회
19910608	보도자료	공명선거실천에 관한 각 정당에 협조공문 발송	경실련공동	공명선거실천시민운동협의회
19910608	정책토론	월례 정책세미나 - 한 · 미 정보통신협의 경과와 쟁점	경실련공동	공명선거실천시민운동협의회
19910611	소송	부정선거 사례 5건 고발	경실련공동	공명선거실천시민운동협의회
19910612	보도자료	쌀 시장개방과 관련하여 대통령께 드리는 공개질의서	경실련	정책위원회
19910612	보도자료	쌀수입개방을 절대 반대한다	경실련	정책위원회
19910612	보도자료	선경 특허에 대해 독자적으로 동등성 실험 실시키로	경실련	경제부정고발센터
19910615	회원	회원 만남의 날 행사(성바오로 서원) 및 공명선거전단 배포	경실련공동	공명선거실천시민운동협의회
19910615	집회	공명선거실천 시민대회	경실련공동	공명선거실천시민운동협의회
19910615	조직	경실련 정농생활협동조합 창립대회	경실련	정농생활협동조합
19910615	조직	경제정의실천불교시민연합 발기인 대회	경실련	경제정의실천불교시민연합
19910617	보도자료	쌀 수입 개방과 관련하여 대통령 공개질의서 발송	경실련	정책위원회
19910617	보도자료	최근 공명선거캠페인에 참가한 11명의 시민들이 연행된 사태에 대한 공선협의 입장	경실련공동	공명선거실천시민운동협의회
19910618	보도자료	공명선거 캠페인에 대한 연이은 탄압사태에 임하는 우리의 입장	경실련공동	공명선거실천시민운동협의회
19910618	보도자료	정부의 예산집행 등 경제부정 사례 공개	경실련	경제부정고발센터
19910620	보도자료	공선협 투표참여촉구와 금권타락후보 표 안찍기	경실련	정책위원회

생산일자	세부형태	제목	출처분류	생산자(처)
19910623	보도자료	광역선거 공선협 평가	경실련공동	공명선거실천시민운동협의회
19910624	정책토론	광역의회선거 어떻게 볼 것인가	경실련	정책위원회
19910624	보도자료	통화공급을 더 줄이고 금리자유화를 조속히 실시하라	경실련	정책위원회
19910625	회의	제2기 7차 상임집행위원회	경실련	상임집행위원회
19910629	보도자료	금융시장의 개방에 앞서 보완책이 선행되어야 한다	경실련	정책위원회
19910701	간행물	경제정의 1991년 7 · 8월호	경실련	사무국
19910701	교육	대학생, 기청협 여름캠프	경실련	정책위원회
19910705	회원	경실련 청년회원 모임	경실련	정책위원회
19910705	보도자료	신도시문제의 정확한 실태를 속직히 공개하고 근원적 대책을 제시하라	경실련	정책위원회
19910706	정책토론	지방의회가 지닌 문제점과 시민단체의 역할, 지방 재정의 현황과 개선방안	경실련	정책위원회
19910706	보도자료	수서비리 관련자 석방에 대한 논평	경실련	정책위원회
19910708	참고자료	경실련 출범 2주년을 맞으며-평가와 전망	경실련	정책위원회
19910708	보도자료	신도시 부실공사, 대책을 찾는다	경실련	정책위원회
19910712	보도자료	한보그룹에 대한 특혜 금융의 진상규명과 관치 금융 청산을 촉구한다	경실련	정책위원회
19910713	조직	경제정의실천불교시민연합 창립대회	경실련	경제정의실천불교시민연합
19910716	회의	제2기 제 8차 상임집행위원회	경실련	상임집행위원회
19910716	정책토론	정치자금법 연구 세미나, 깨끗한 정치제도연구 특별위원회	경실련	깨끗한정치제도연구특별위원회
19910722	조직	경실련 출범 2주년 및 경제정의 창간 1주년 기념식	경실련	사무국
19910722	보도자료	한보에 대한 특혜금융의진상규명과 관치금융의청산을촉구한다	경실련	정책위원회
19910724	보도자료	특허청 보사부 선경 간의 정경유착의 증거가 드러나고 있다	경실련	경제부정고발센터
19910725	정책토론	국제 환경문제 워크숍	경실련	정책위원회
19910726	보도자료	골프장 건설을 즉시 중단하고 책임자를 문책하라	경실련	정책위원회
19910802	보도자료	재벌그룹회장의 변칙적 토지보유 형태 고발	경실련	경제부정고발센터
19910807	보도자료	아시아토지주택시민연맹 공동성명	경실련공동	토지주택시민포럼 외
19910807	정책토론	일본, 대만, 한국 토지주택시민운동 2차 협의회 발표문	경실련공동	아시아토지주택시민연합
19910807	회의	경실련 하계 정책세미나	경실련	정책위원회
19910829	보도자료	방위비의 비중은 축소되어야 한다	경실련	정책위원회
19910830	보도자료	현 대통령의 임기 중에 제2단계 금리자유화 조치를 실시하라	경실련	정책위원회
19910901	간행물	경제정의 1991년 9 · 10월호	경실련	사무국
19910903	교육	참여와 개혁을 위한 제 1기 경실련 청년강좌	경실련	정책위원회
19910906	교육	매주 금요일, 지방 자치 시대로 향하는 시민대학 강좌 개최	경실련	조직강화위원회
19910907	정책토론	독일의 사회적 시장경제제도, 시장개방 어떻게 볼 것인가?'	경실련	정책위원회
19910907	보도자료	사회간접자본 투자재원은 토지세제의 정상화를 통해 조달하라	경실련	정책위원회
19910910	보도자료	성찰과 전진을 위한 2차 대학생 강좌	경실련	정책위원회
19910916	보도자료	경제위기 이렇게 풀어야 한다	경실련	정책위원회
19910917	회의	제7차 중앙 상임위원회, 중앙위원 후보(안) 및 규약 개정안 통과	경실련	상임집행위원회
19910926	회원	경실련 기독시민모임 발족	경실련	기독시민모임
19910930	정책토론	담배광고금지법안 입법협의회	경실련공동	기독교윤리실천운동 외
19911001	회원	기청협, 제 2회 청지기 학교	경실련	기독청년학생협의회
19911002	보도자료	정부는 종합토지세 과표현실화를 계획대로 실시하라	경실련	정책위원회
19911004	보도자료	현대그룹의 변칙증여 세무조사만으로는 안된다	경실련	정책위원회
19911005	회원	가을맞이 청년수련회	경실련	사무국
19911011	보도자료	UR농산물 협상에서 비교역적기능(NTC)품목은 반드시 인정되어야 한다	경실련	정책위원회
19911015	보도자료	재벌기업들은 호화사치품 수입을 중단하라	경실련공동	대한예수교장로회 은퇴목사회 외
19911018	정책토론	재벌의 증여 및 상속 이대로 안된다	경실련	정책위원회
19911019	회의	제2차 회원총회	경실련	총회
19911019	조직	경실련 상설 알뜰가게 개장	경실련	알뜰가게
19911021	보도자료	담배광고금지법 입법추진 공동대책위원회(가칭) 1차 모임	경실련공동	가톨릭평신도사도직협의회 외
19911022	교육	기독시민강좌 개설	경실련	정책위원회
19911023	보도자료	재벌의 상속 증여세 회피를 차단하기 위해 다음의 보완책을 강구하라	경실련	정책위원회
19911026	보도자료	시흥시 공유수면의 개발권을 즉각 시흥시에 반환하라	경실련공동	한국화약 공유수면 매립반대 시흥시민위원회 외
19911029	집회	망국적인 호화사치품 수입반대 2차 시민대회	경실련	정책위원회
19911031	정책토론	정책공청회, 골프장 건설, 이대로 좋은가	경실련	정책위원회
19911101	간행물	경제정의 1991년 11 · 12월호	경실련	사무국
19911103	회원	대학생 등산모임	경실련	사무국

생산일자	세부형태	제목	출처분류	생산자(처)
19911104	조직	익산경제정의실천시민연합 창립	경실련	익산경실련
19911105	회원	청년회 수련회	경실련	청년회
19911107	보도자료	현 경제위기에 대한 입장-경제위기 이렇게 풀어야 한다	경실련공동	공해추방운동연합 외
19911108	보도자료	경제정의연구소 연구결과 발표 기자회견	경실련	경제정의연구소
19911112	집회	망국적인 호화사치품 수입반대 3차 시민대회	경실련	정책위원회
19911115	조직	전북경제정의실천시민연합 창립	경실련	전북경실련
19911116	집회	경제개혁촉구 시민대회	경실련공동	주거권실현을위한국민연합 외
19911119	보도자료	제주도민의 의사에 반하는 제주도개발특별법 제정을 연기하라	경실련	정책위원회
19911211	기타	제1회 경제정의기업상 시상식	경실련	경제정의연구소
19911126	보도자료	관권 부정선거의 진상은 철저히 규명되어야 한다 및 전직 동장의 관권부정선거 사례 체험발표	경실련	정책위원회
19911131	정책토론	골프장 건설, 이대로 좋은가	경실련	정책위원회
19911205	보도자료	미국정부에 보내는 쌀 시장 개방에 대한 우리의 입장	경실련공동	쌀개방반대교수단 외
19911205	보도자료	쌀개방 반대 및 농업회생정책을 촉구하는 대정부 호소문	경실련공동	쌀개방반대교수단 외
19911206	보도자료	선거운동의 포괄적 제한 규정을 철폐하라	경실련	정책위원회
19911207	정책토론	금리자유화, 현단계에서 어떻게 해야 하나?	경실련	정책위원회
19911210	집회	'스포츠 신문의 퇴폐문화 규탄 시민집회'	경실련공동	대한예수교장로회 은퇴목사회 외
19911211	보도자료	선거법 위반자에 대한 엄정신속한 법 집행없이 공명선거 실현은 불가능하다	경실련	정책위원회
19911211	보도자료	경제정의 지수로 본기업평가 모형에 관한 토론회'및 '제1회 경제정의 기업상' 시상식 개최	경실련	경제정의연구소
19911215	정책토론	제10차 토론마당, UR농산물협상과 한/미 관계	경실련	정책위원회
19911216	정책토론	주택청약 저축의 문제점에 대한 공청회	경실련	정책위원회
19911216	보도자료	1992년도 서울시 예산안에 대한 우리의 입장	경실련	정책위원회
19911216	보도자료	유괴 성범죄 인신매매를 더 이상 방치할 수 없다	경실련공동	한국불교도총연합회 외
19911217	보도자료	선거운동의 포괄적 제한 규정을 존치한 여야의 선거법 개정 합의는 국민의 의사를 무시하는 처사이다	경실련	정책위원회
19911217	보도자료	선매청약자들과 장기청약저축자를 위한 대책을 우선적으로 강구하라	경실련	정책위원회
19911220	회원	91년 송년잔치	경실련	사무국
19911221	보도자료	미국의 쌀 대응전략 기자간담회	경실련	정책위원회
19920101	간행물	경제정의 1992년 1 · 2월호	경실련	사무국
19920104	보도자료	부시 미대통령의 방한을 맞이하는 우리의 입장(쌀시장 개방을 반대한다)	경실련	정책위원회
19920109	보도자료	불법적인 정치자금 수수를 매개로 한 정경유착을 근절해야 한다	경실련	정책위원회
19920110	보도자료	지방자치단체장 선거연기는 탈법이자 금권선거에 대한 의지표명이다	경실련	정책위원회
19920111	정책토론	'노대통령 농정공약 이행평가 및 새정부 신농정 제언' 세미나	경실련	정책위원회
19920113	조직	지방자치선거연기 및 정치자금 문제 진상규명 특별위원회 발족	경실련	정책위원회
19920114	보도자료	경실련 자치단체장 선거연기 철회 및 정치자금 진상규명을 위한 특별대책위원회 발족	경실련	정책위원회
19920114	보도자료	〈경제부정고발센터〉의 이문옥 대표「그래도 못다한 이야기」 출판기념회	경실련	경제부정고발센터
19920122	회의	92년 1차 중앙위원회	경실련	중앙위원회
19920125	보도자료	선거부정고발창구 활동 지침서	경실련공동	공명선거실천시민운동협의회
19920127	보도자료	대통령께 드리는 공개질의서(청와대 정치자금 수수)	경실련	정책위원회
19920127	교육	경실련 예비대학	경실련	대학생회
19920127	보도자료	청와대의 불법 정치자금수수에 대한 성명	경실련	정책위원회
19920128	회의	제 3차 상임집행위원회	경실련	상임집행위원회
19920128	조직	경실련 노동문제특별위원회 구성	경실련	상임집행위원회
19920130	회원	알뜰가게 회원의 날 행사 공선협, 귀성객 대상 2차 공명선거 가두 캠페인	경실련	알뜰가게
19920210	보도자료	공선협, 사법부 공명선거의지 촉구 기자회견	경실련공동	공명선거실천시민운동협의회
19920217	보도자료	공선협이 초대하는 신춘 가곡의 밤	경실련공동	공명선거실천시민운동협의회
19920219	보도자료	포항제철 직원 3인 상경, 공선협 사무처에서 '포항제철의 조직적 선거개입에 관한 양심선언'	경실련	정책위원회
19920224	회의	92년 경실련 조직 정책협의회	경실련	정책위원회
19920225	간행물	경실련 총서1 - 우리사회 이렇게 바꾸자(1판)	경실련	사무국
19920225	보도자료	사법부의 엄정 신속한 법집행을 촉구한다	경실련	정책위원회
19920228	보도자료	각 정당의 정책공약에 대한 평가 발표	경실련	정책위원회
19920301	간행물	경제정의 1992년 3 · 4월호	경실련	사무국
19920301	참고자료	제14대 국회의원선거 각 정당 정책공약 비교 · 평가서	경실련	정책위원회

생산일자	세부형태	제목	출처분류	생산자(처)
19920302	기타	UN환경개발회의의 뉴욕 준비회의 전체일정에 참석	경실련	국제부
19920306	보도자료	대학교 대자보 부착식, '조국을 사랑하는 대학생에게 호소합니다'	경실련	대학생회
19920307	보도자료	국회의원 입후보자 정책설문조사 결과 발표 기자회견	경실련	정책위원회
19920309	홍보	14대 국회의원 선거를 위한 경실련의 정책캠페인	경실련	정책위원회
19920309	보도자료	민생안정과 경제정의 실현을 위한 10대 개혁을 14대 총선의 쟁점으로 제시한다	경실련	정책위원회
19920312	보도자료	GNP와 도매물가통계의 통계청 이관을 반대한다	경실련	정책위원회
19920314	보도자료	민자당은 과연 정책정당인가	경실련	정책위원회
19920320	보도자료	돈 선거와 지역감정에서 정책대결로 전환을-입후보자 정책 설문조사 발표	경실련	정책위원회
19920321	보도자료	중앙선관위 유권해석에 대한 입장	경실련	정책위원회
19920322	보도자료	이지문 중위 공선협에서 부재자 투표 부정행위에 관한 증언	경실련공동	공명선거실천시민운동협의회
19920323	보도자료	나라의 앞날을 걱정하는 유권자 여러분께 드리는 호소문	경실련	정책위원회
19920331	회의	제3기 5차 상임집행위원회	경실련	상임집행위원회
19920331	보도자료	군 부재자 투표부정 진상규명 대책위원회'의 기자회견	경실련	정책위원회
19920410	조직	UN환경개발회의의 한국위원회 결성 참여	경실련	정책위원회
19920417	보도자료	'87년 이후 노사관계 평가와 시민운동의 역할모색 간담회	경실련	정책위원회
19920421	조직	성폭력 특별법 제정 추진 특별위원회	경실련	정책위원회
19920423	보도자료	현대상선의 탈세사건 처리에 문제있다	경실련	정책위원회
19920428	회의	제3기 6차 상임집행위원회 개최	경실련	상임집행위원회
19920429	교육	경실련대학생회 각대학 순회강연	경실련	대학생회
19920501	간행물	경제정의 1992년 5 · 6월호	경실련	사무국
19920504	보도자료	증권감독체계를 전면 개편해야한다	경실련	정책위원회
19920512	정책토론	공선협, 14대 총선보도 평가 세미나 개최	경실련공동	공명선거실천시민운동협의회
19920513	정책토론	환경전문 단체별 초청세미나 및 워크샵	경실련공동	경실련 외
19920513	교육	여성지도자 환경교육 실시	경실련	정책위원회
19920526	보도자료	투신사에 대한 한은특융을 반대한다	경실련	정책위원회
19920526	회의	제 3기 7차 상임집행위원회	경실련	상임집행위원회
19920526	기타	경제부정고발센터를 부정부패고발센터로 개명	경실련	상임집행위원회
19920601	정책토론	군부재자 투표부정 재발방지 대책 마련을 위한 공청회	경실련	정책위원회
19920608	정책토론	지방자치단체장 선거에 관한 공개토론회	경실련	정책위원회
19920610	회의	경실련 하계 정책협의회 계획	경실련	정책위원회
19920617	정책토론	서울 지하철 노사분규의 원만한 해결을 모색하는 공청회	경실련	노동자협의회
19920618	조직	깨끗한 정치를 위한 시민의 모임	경실련	정책위원회
19920623	정책토론	공선협, 대통령 선거법 및 선관위법 개정을 위한 공청회	경실련공동	공명선거실천시민운동협의회
19920624	보도자료	행정정보공개법을 제정해야한다-대법원의 청주시 행정정보 공개조례에 대한 판결에 즈음하여	경실련	정책위원회
19920624	교육	'92 대학생 기청협 여름캠프	경실련	대학생회
19920625	회의	'92 하계 정책 세미나, 우리나라 경제제도의 개혁방안	경실련	정책위원회
19920630	회의	제3기 8차 상임집행위원회	경실련	상임집행위원회
19920701	간행물	경제정의 1992년 7 · 8월호	경실련	사무국
19920702	정책토론	노동법 개정 간담회	경실련	노사관계특별위원회
19920706	보도자료	정부는 삼성에 대한 상용차 생산 허용 결정을 철회하라	경실련	정책위원회
19920708	정책토론	경실련 출범 3주년 기념 세미나	경실련	사무국
19920710	보도자료	농지전용 절차 간소화에는 보완조치가 반드시 필요하다	경실련	정책위원회
19920711	보도자료	삼성중공업 대형상용차 진출허용에 대한 공청회계획 안내	경실련	정책위원회
19920714	보도자료	삼성상용차 참여 허용에 관한 공청회 경실련 청년회	경실련	청년회
19920718	집회	정보사 땅 부정사건 진상규명 시민대회	경실련	정책위원회
19920718	보도자료	정보사터 매각 관련사건의 철저한 진상규명과 이의 방지를 위해 금융실명제의 조속한 실시 및 행정정보공개 제도의 확립을 촉구한다	경실련	정책위원회
19920720	집회	탑골공원에서 '정보사 땅 부정사건 진상규명 및 금융실명제 실시 촉구 시민대회'를 가진 후 명동성당까지 평화행진	경실련	정책위원회
19920723	보도자료	정보사 부지 사기사건에 대한 검찰의 수사종결 발표를 보고	경실련	정책위원회
19920724	보도자료	영종도 신공한 건설 사업에 대한 입장	경실련	정책위원회
19920725	보도자료	정부투자기관의 이사장 제도를 폐지하라	경실련	정책위원회
19920728	보도자료	수서지역 철거민들에게 형평성있는 입주대책이 마련되어야 한다	경실련	정책위원회
19920730	보도자료	신정제지 사기부도사건 소액투자자의 피해보상을 위해 소송을 제기하겠다	경실련	정책위원회
19920801	보도자료	경실련 신문 시험 1호 발간	경실련	시민의신문
19920806	보도자료	제2 이동통신 사업자 선정을 차기정부로 넘겨라	경실련	정책위원회
19920811	보도자료	한은특융은 국민부담 가중시키는 월권행위이다	경실련	정책위원회

생산일자	세부형태	제목	출처분류	생산자(처)
19920815	단행본	경실련 총서 2권 - 열린 사회 열린 정보	경실련	정책위원회
19920817	청원	공정하고 효율적인 선거관리를 위한 선거관리위원회법 개정의 청원	경실련	정책위원회
19920817	정책토론	한일시민환경단체 세미나 개최	경실련공동	한일시민환경단체
19920820	보도자료	정부는 제2 이동통신 사업자 선정을 즉각 철회하라	경실련	정책위원회
19920822	보도자료	노동운동의 새로운 방향 설정을 위한 세미나 참석 의뢰	경실련	정책위원회
19920825	보도자료	정부의 공정거래법 개정안 후퇴 움직임을 반대한다	경실련	정책위원회
19920831	회의	제4기 7차 상임집행위원회	경실련	상임집행위원회
19920901	보도자료	GATT 던켈 사무총장 방한에 대한 입장	경실련	정책위원회
19920901	간행물	경제정의 1992년 9 · 10월호	경실련	사무국
19920906	조직	광명경제정의실천시민연합 창립	경실련	광명경실련
19920916	집회	관권 선거부정 규탄및 공정수사 촉구대회	경실련	정책위원회
19920918	보도자료	단일 협동조합법 제정을 위한 공청회 취재협조	경실련공동	한국농어민후계자중앙연합회 외
19920919	조직	경실련대학생회 발기인 대회	경실련	대학생회
19920919	조직	MBC 정상화를 위한 범국민대책위원회	경실련	정책연구위원회
19920923	보도자료	전경련의 금융실명제 실시 찬성 표명	경실련	정책위원회
19920923	보도자료	성폭력 추방과 특별법 제정을 위한 공동결의 대회 참가논평	경실련	정책위원회
19920923	보도자료	전경련의 금융실명제 실시 찬성표명에 대한 논평	경실련	정책위원회
19920925	보도자료	경제개혁과 민주발전을 위한 경실련 정책캠페인 운동본부 출범 기자회견	경실련	정책위원회
19920925	보도자료	추경예산 편성은 국민에 대한 신의를 저버린 것이다	경실련	정책위원회
19920926	보도자료	경제개혁과 민주발전을 위한 정책캠페인운동본부 발족	경실련	정책위원회
19921001	참고자료	14대 대선 정책캠페인 경제개혁과 민주발전을 위한 과제	경실련	정책위원회
19921001	보도자료	제 14대 대통령선거시기 경실련 정책캠페인 "일한 만큼 대접받는 우리사회 만들자"	경실련	정책위원회
19921002	보도자료	송파구 의회는 유럽여행 강행을 중지해야 한다	경실련	시민분과위원회
19921002	정책토론	행정정보공개법 제정에 관한 공청회	경실련	정책위원회
19921005	보도자료	잠롱 전 방콕시장, 경실련 방문 및 알뜰가게 자원봉사	경실련	정책위원회
19921009	보도자료	재무부는 관치금융의 족쇄를 제거하라	경실련	정책위원회
19921010	조직	경제정의실천시민연합 창립총회	경실련	인천경실련
19921012	보도자료	서울 택시의 임금 협상을 재체결해야한다	경실련	정책위원회
19921013	보도자료	전경련의 새정부에의 정책제언에 대한 비판	경실련	정책위원회
19921014	보도자료	지방의회들의 국감 거부는 국민의 감사권을 부정하는 행위이다	경실련	정책위원회
19921019	조직	여성위원회 TV 모니터분과 시작	경실련	여성위원회
19921028	보도자료	경실련 대표단, 김대중, 정주영 후보방문	경실련	정책위원회
19921028	보도자료	제2의 수서 건영사태의 진상규명을 강력히 촉구한다	경실련	정책위원회
19921029	보도자료	차기정부가 수행해야 할 13대 개혁과제 '일한만큼 대접받는 우리사회만들자' 발간	경실련	정책위원회
19921030	보도자료	재무부장관의 기득권 수호 논리를 반박한다	경실련	정책위원회
19921030	조직	환경사회단체협의회	경실련	정책위원회
19921031	보도자료	국회는 공정거래법 개정안을 정부안보다 강화하여 통과 시켜야 한다	경실련	정책위원회
19921101	간행물	경제정의 1992년 11 · 12월호	경실련	사무국
19921102	보도자료	국회 건설위의 건영사건 실태파악 소위 구성 건의안 부결을 개탄한다	경실련	정책위원회
19921103	보도자료	3당공약의 차이점과 올바른 개혁방향'을 알리는 정책설명회	경실련	노동자협의회
19921104	보도자료	공정거래법 개정에 관한 설문조사 결과 발표	경실련	정책위원회
19921104	보도자료	전국노동자대회의 집회금지 통보는 취소되어야 한다	경실련	정책위원회
19921105	조직	주한미군의 윤금이씨 살해사건 공동대책위원회	경실련공동	정책위원회
19921107	보도자료	제3세계 네트워크 대표 마틴 코 초청 공개 강연회 개최 안내	경실련	정책위원회
19921107	정책토론	지방의원 해외연수 무엇이 문제인가 공청회 개최	경실련	시민분과위원회
19921107	조직	포항경제정의실천시민연합 창립 총회 및 강연회	경실련	포항경실련
19921114	조직	경실련 환경개발센터 창립	경실련	환경개발센터
19921117	조직	구리, 미금, 남양주 경제정의실천시민연합 창립총회 및 제1회 주택문제 공청회	경실련	구리경실련, 미금경실련, 남양주경실련
19921117	정책토론	3당후보 초청 정책토론회 (김대중, 정주영후보 참석, 김영삼 후보 불참)	경실련	정책위원회
19921120	회원	공명선거와 정책캠페인의 기금마련을 위한 일일호프	경실련	대학생회
19921125	정책토론	관치금융청산과 금융개혁을 위한 공개토론회	경실련	정책위원회
19921126	보도자료	대학생 일당동원을 개탄하며 불법선거운동을 즉각 중지할 것을 촉구한다	경실련	대학생회
19921126	보도자료	3당 정책공약 비교평가 세미나 개최	경실련	정책위원회

생산일자	세부형태	제목	출처분류	생산자(처)
19921128	참고자료	대통령 후보들과 경실련 학자들과의 정책토론	경실련	정책위원회
19921204	보도자료	11.17일 3당후보 초청 정책토론회에 대한 조선일보의 왜곡 보도 정정보도요구를 언론중재위원회 신청	경실련	정책위원회
19921207	간행물	(14대 대선 정책캠페인) 노동자 여러분 3당 공약의 차이를 아십니까	경실련	노동자회
19921211	조직	안양.의왕경제정의실천시민연합 창립	경실련	안양의왕경실련
19921217	보도자료	경제개혁과 민주발전을 위한 올바른선택-후보자의 정책을 보고 투표합시다	경실련	정책위원회
19921219	보도자료	새 대통령 당선자에게 바란다. 집권초기에 개혁을 단행하라	경실련	정책위원회
19921221	참고자료	대통령 선거 평가 토론회	경실련	정책위원회
19930104	간행물	경제정의 1993년 1 · 2월호	경실련	사무국
19930105	보도자료	강남구 담배자동자판기 설치금지조례 제4조등 위헌확인 헌법소원 심판청구에 대한 답변자료	경실련	정책위원회
19930106	보도자료	쌀시장을 개방할것인가-노태우 대통령과 김영삼 차기 대통령에 대한 공개 질의서	경실련	정책위원회
19930108	참고자료	중소기업 문제의 진단과 대책	경실련	정책위원회
19930112	보도자료	새로운 관변단체 신한국건설운동본부 추진은 즉각 중단 되어야 한다	경실련	정책위원회
19930118	보도자료	정부는 제2단계 금리자유화를 2월중에 단행하라	경실련	정책위원회
19930126	보도자료	'공금리 인하조치는 반(反)국민경제적인 기득권세력의 횡포이다'	경실련	정책위원회
19930129	보도자료	1993 경실련 대학생회 신입생 예비대학	경실련	대학생회
19930129	보도자료	노소영씨 부부의 외화은닉사건에 대한 노태우대통령의 사과와 철저한 진상규명을 촉구한다	경실련	정책위원회
19930131	정책토론	부정부패추방운동에 관한 집담회	경실련	정책위원회
19930131	조직	깨끗한 사회를 만드는 시민회 발족	경실련	시민회
19930201	보도자료	금리인하 어떻게 볼 것인가	경실련	정책위원회
19930206	참고자료	정부규제에 대한 진단과 규제완화의 방향	경실련	정책위원회
19930209	정책토론	부정부패추방운동을 위한 각계 초청 시민대토론회	경실련	정책위원회
19930210	보도자료	새 정부는 이문옥 전 감사관을 복직 시켜야 한다	경실련	정책위원회
19930211	참고자료	노태우 대통령 농정공약 이행평가 및 새정부 신농정에 대한 제언	경실련	정책위원회
19930217	정책토론	삼림보존 및 그린라운드 대책을 위한 아시아-태평양 환경 운동가 워크샵	경실련	정책위원회
19930220	보도자료	검찰은 건영 특혜 의혹사건에 대한 수사에 즉각 착수하라	경실련	정책위원회
19930220	조직	정의로운 사회를 위한 시민운동협의회(정사협)	경실련공동	정책위원회
19930220	회의	제2기 3차 정기중앙위원회 참여	경실련	중앙위원회
19930222	보도자료	김영삼 차기 대통령에게 드리는 건의문	경실련공동	정책위원회
19930222	조직	정사협, 정의로운 사회를 위한 시민운동협의회 준비위원회 발족식, 프레스센터	경실련	정의사회실현을위한시민운동협의회
19930226	정책토론	노동운동의 방향 및 임금기준의 합리성에 관한 토론회	경실련	노동자회
19930301	간행물	경제정의 1993년 3 · 4월호	경실련	사무국
19930301	조직	담배광고 금지입법 공동추진위원회	경실련공동	정책위원회
19930303	보도자료	김영삼 대통령에게 드리는 건의문	경실련	정책위원회
19930304	보도자료	제2회 KEJI경제정의기업상 시상식 및 세미나	경실련	경제정의연구소
19930304	보도자료	제2회 경제정의기업상 시상자료	경실련	경제정의연구소
19930306	참고자료	6공 1기 경제정책에 대한 평가와 새정부 경제활성화 대책에 대한 제언	경실련	정책위원회
19930308	조직	주간〈시민의 신문〉 창립총회	경실련	시민의신문
19930310	보도자료	김영삼대통령의 3.4선언을 적극 환영하며 이를 뒷받침할 제도적 장치의 마련을 촉구한다	경실련	정책위원회
19930312	정책토론	올림픽공원내 경륜장 설치의 문제점에 관한 토론회	경실련	정책위원회
19930313	보도자료	강요에 의해 한은총재를 경질한것은 구시대의 반민주적인 처사이다	경실련	정책위원회
19930313	참고자료	경실련 노동자회 창립대회	경실련	노동자회
19930316	보도자료	정부는 금융실명제 실시일정을 즉각 발표하고 금리자유화 시행을 연기하지 말라	경실련	정책위원회
19930318	보도자료	국민연금 문제해결과 발전방안	경실련	정책위원회
19930319	회의	경실련 노사정협약 모임	경실련	정책위원회
19930319	보도자료	대통령 신경제 특별담화에 대한 논평	경실련	정책위원회
19930320	조직	환경개발센터, '대학생 환경 조직녹색연대' 발대식	경실련	환경개발센터
19930322	참고자료	우리쌀 왜, 어떻게 지킬 것인가	경실련공동	우리쌀지키기범국민대책회의
19930325	보도자료	부동산투기로 치부한 고위공직자들은 응분의 책임을 져야한다	경실련	정책위원회

생산일자	세부형태	제목	출처분류	생산자(처)
19930329	조직	시민입법위원회 발족	경실련	시민입법위원회
19930330	보도자료	박준규, 임춘원 의원은 즉각 의원직을 사퇴하라	경실련	정책위원회
19930330	회의	경실련 실업인모임 발족	경실련	실업인모임
19930330	보도자료	임금동결을 강제하지 말라	경실련	정책위원회
19930331	보도자료	재산공개에서 드러난 모든 비리의혹에 대한 검찰의 엄정한 진상조사 및 사법 처리를 촉구한다	경실련	정책위원회
19930331	조직	노동자회 안산지부 발기인 대회	경실련	노동자회
19930401	조직	쌀과 기초농산물 수입개발저지 범국민운동	경실련공동	정책위원회
19930403	참고자료	신경제 무엇인 문제인가	경실련	정책위원회
19930403	집회	'재산공개 비리의혹 진상조사 및 금융실명제 실시 촉구 시민대회' 공동개최	경실련	정의사회실현을위한시민운동협의회
19930408	보도자료	법조계 비리관련 자료제출	경실련	부정부패추방운동본부
19930409	조직	순천경제정의실천시민연합 창립	경실련	순천경실련
19930410	보도자료	경실련 부추본 부정부패고발전화 1개월 활동보고	경실련	부정부패추방운동본부
19930410	보도자료	전환기 한국사회와 학생운동의 새로운 방향_경실련 대학생회 창립기념	경실련	대학생회
19930412	보도자료	공직자 부패방지를 위한 법제도의 개선방향 세미나	경실련	시민입법위원회
19930413	정책토론	고통분담론 무엇이 문제인가	경실련	정책위원회
19930415	보도자료	해고노동자의 복직과 수배노동자 수배해제 조치를 기업주와 정부에 촉구한다	경실련	정책위원회
19930417	조직	경실련 대학생회 창립대회	경실련	대학생회
19930419	보도자료	신경제5개년 계획 토지제도 개선지침에 대한 입장	경실련	정책위원회
19930420	보도자료	자원재생공사 발주 연구 조사 최종보고회 '자원재활용 활성화를 위한 민간단체의 역할에 관한 연구'	경실련	환경개발센터
19930421	보도자료	한화그룹 김승연 회장 해외부동산 구입 보도자료 발표	경실련	부정부패추방운동본부
19930424	조직	경제정의실천시민연합 청년회 창립대회	경실련	청년회
19930426	보도자료	자원의 절약과 재활용 촉진에 관한 법률의 시행령 시행규칙에 대한 건의서	경실련	정책위원회
19930428	정책토론	정치제도개선을 위한 시민대토론회 개최	경실련	정의사회실현을위한시민운동협의회
19930430	정책토론	경실련환경개발센터 제1회 정책세미나	경실련	환경개발센터
19930430	보도자료	경제개혁실현을 위한 범국민운동을 제안하며	경실련공동	한국노동조합총연맹 외
19930430	청원	공직자윤리법 개정 청원	경실련	정책위원회
19930500	간행물	영문잡지 CIVIL SOCIETY 창간	경실련	경제정의연구소
19930501	조직	경실련 과학기술위원회 창립대회	경실련	과학기술위원회
19930501	정책토론	경제개혁촉구운동 토론회	경실련	대학생회
19930501	간행물	경제정의 1993년 5 · 6월호	경실련	사무국
19930501	보도자료	조국을 사랑하는 청년학생이여 경제개혁 촉구운동에 함께 나서자	경실련	대학생회
19930501	참고자료	한국 과학기술의 현주소와 건전한 과학기술 발전을 위한 시민운동	경실련	정책위원회
19930503	보도자료	공직자 부패방지 방안과 공직자윤리법 개정 청원	경실련	정책위원회
19930507	보도자료	가칭 기업활동규제완화에 관한 특별조치법안 중 산업안전 보건법 관련조항은 전면 수정되어야 한다	경실련	정책위원회
19930512	보도자료	공직자윤리법 개정을 위한 국회 심의과정은 국민에게 공개되어야 한다	경실련	정책위원회
19930513	교육	시민강좌 "경제이야기" 개설	경실련	정책위원회
19930514	보도자료	5.18 광주민중항쟁 관련 대통령 특별담화에 대한 논평	경실련	정책위원회
19930515	참고자료	경실련 노동자회 안산지부 창립대회	경실련	노동자회
19930515	정책토론	환경개발센터, 세계환경신문사 창간 1주년 기념 심포지움 주제발표 "쓰레기 분리수거와 환경의식"	경실련	환경개발센터
19930517	보도자료	국회의 공직자윤리법 개정논의에 부쳐	경실련	정책위원회
19930520	정책토론	"신경제 5개년 계획 지침서" 남북 경제협력 부문 평가 세미나	경실련	정책위원회
19930522	보도자료	신경제 5개년 계획 환경개선부문에 대한 대안적 정책 제안 발표	경실련	환경개발센터
19930522	집회	'경제개혁촉구 범국민대회' 한국노총과 공동개최	경실련공동	한국노동조합총연맹 외
19930524	보도자료	태평양경제협의회의 농산물개방 성명에 대한 우리의 견해	경실련공동	우리쌀지키기범국민대책회의
19930525	정책토론	신경제 5개년 계획 작성지침 남북경협부문 평가 세미나	경실련	정책위원회
19930525	정책토론	세계경제의 블록화 현상과 동북아 경제권과 한민족의 역할	경실련	경제정의연구소
19930525	회의	제4기 4차 상임집행위원회	경실련	상임집행위원회
19930526	정책토론	신경제 5개년 계획 주택부문에 대한 토론회	경실련	정책위원회
19930527	조직	정사협 의식개혁토론회 및 정사협 창립대회	경실련	정의사회실현을위한시민운동협의회
19930527	보도자료	경제팀을 전면 교체하라	경실련	정책위원회
19930529	보도자료	노동정책의 중단없는 개혁을 촉구한다	경실련	정책위원회
19930529	조직	주간 시민의 신문 창간	경실련	시민의신문

생산일자	세부형태	제목	출처분류	생산자(처)
19930601	보도자료	정부는 세제 금융개혁안을 전면 수정하라	경실련	정책위원회
19930602	보도자료	올림픽공원 내 경륜장 설치계획을 즉각 철회하라	경실련	정책위원회
19930602	백서	환경개발센터, 전국 환경단체연감 '환경을 지키는 한국의 민간단체' 발간	경실련	환경개발센터
19930603	참고자료	30대 기업그룹 환경법 위반 내용 분석	경실련	경제정의연구소
19930603	정책토론	'신경제 5개년 계획 사회복지부문 평가세미나' 세미나	경실련	정책위원회
19930605	보도자료	국토이용관리법과 수도권정비계획법 개정안에 대한 입장	경실련	정책위원회
19930611	정책토론	매장문화재 보호를 위한 제도개선 방향	경실련	정책위원회
19930616	정책토론	'한의대생 유급사태, 해결할 길 없나' 긴급공청회 개최	경실련	정책위원회
19930617	보도자료	최근 한약분쟁에 대한 입장	경실련	정책위원회
19930617	조직	바른경제동인회 창립(유관기관)	경실련	바른경제동인회
19930619	보도자료	정사협, 촌지근절운동 출범식 및 캠페인	경실련	정의사회실현을위한시민운동협의회
19930621	참고자료	시민을 위한 지하철만들기 시민연대 구성 제안(4기6차 상집)	경실련공동	시민을위한지하철만들기시민연대회의
19930622	정책토론	동북아 경제권과 한반도 통일	경실련	경제정의연구소
19930624	참고자료	'93 경실련 대학생회 여름캠프	경실련	대학생회
19930629	보도자료	노사정에 바란다	경실련	정책위원회
19930629	정책토론	신환경 5개년 계획수립에 관한 정책토론회 자료집	경실련공동	공해추방운동불교인모임 외
19930701	간행물	경실련 노동자회 회보(창간호)	경실련	노동자회
19930702	정책토론	장애인 교통대책의 방향' 세미나	경실련	정책위원회
19930702	보도자료	신경제 5개년계획에 대한 논평	경실련	정책위원회
19930702	정책토론	장애인 교통대책의 방향	경실련	정책위원회
19930709	보도자료	국토이용관리법 개정안 이대로 통과되어서는 안된다	경실련	정책위원회
19930719	조직	안산경실련 창립	경실련	안산경실련
19930710	회의	경실련 출범 4주년 기념행사	경실련	사무국
19930710	정책토론	신경제 5개년 계획에 대한 경실련 평가(경실련 4주년 기념 세미나)	경실련	정책위원회
19930710	회원	노동자회 회보 창간호 발간	경실련	노동자회
19930712	청원	정보공개법 제정의 청원	경실련	정책위원회
19930713	보도자료	국토관리법, 수도권정비법 개정안 반대 성명 발표	경실련	정책위원회
19930714	보도자료	'한약조제권 분쟁의 해결을 위한 〈경실련〉의 대안' 성명 발표	경실련	정책위원회
19930720	정책토론	'교통문제 해결을 위한 교통정책' 간담회	경실련	정책위원회
19930722	참고자료	국회법 개정에 관한 설문조사 결과	경실련	정책위원회
19930722	정책토론	지구환경문제를 둘러싼 최신국제동향의 점검	경실련	환경개발센터
19930727	회의	제4기 6차 상임집행위원회	경실련	상임집행위원회
19930728	정책토론	열린정책협의회의 현단계 점검과 전망	경실련	정책위원회
19930728	정책토론	토지초과이득세 어떻게 할것인가-토지문제 근본적 해결 방안	경실련	정책위원회
19930729	회원	경실련 가족 여름캠프	경실련	정책위원회
19930804	정책토론	GKN 세계한민족청년대회	경실련공동	세계한민족청년대회
19930806	간행물	㈜시민의 신문 제3종 우편물(가)급 인가	경실련	사무국
19930808	보도자료	금융실명제 쟁취	경실련	정책위원회
19930810	보도자료	'금융실명제 실시를 적극 환영한다'	경실련	정책위원회
19930812	단행본	경실련 총서「금융실명제」발간	경실련	정책위원회
19930816	정책토론	금융실명제 부작용에 대한 근본대책	경실련	정책위원회
19930817	보도자료	금융실명제 실시관련 탈법사례 고발전화 개설 기자회견	경실련	부정부패추방운동본부
19930818	정책토론	건축 비리실태와 개선방안 토론회	경실련	정의사회실현을위한시민운동협의회
19930823	정책토론	'금융실명제 조기정착 이렇게 해야 한다' 공청회	경실련	정책위원회
19930824	보도자료	검찰은 이문옥 감사관에 대한 공소를 취하하라	경실련	정책위원회
19930824	회의	경실련 등 8개 시민운동단체 온라인정책협의회 구성	경실련	온라인정책협의회
19930825	정책토론	금융실명제 시대의 개혁과제와 그 방향 토론회	경실련	정의사회실현을위한시민운동협의회
19930826	보도자료	민자당은 정치관계법 개정 연기 시사 발언을 철회해야 한다	경실련	정책위원회
19930827	보도자료	'금융실명제 조기정착을 위해 금리자유화, 세제개혁의 조속한 시행을촉구한다' 성명 발표	경실련	정책위원회
19930831	회의	제4기 7차 상집위원회	경실련	상임집행위원회
19930900	간행물	경제정의 가을호 / 통권 19호	경실련	사무국
19930901	간행물	노동자회 회보 제2호	경실련	노동자회
19930902	보도자료	정부의 세제개편안에 대한 입장	경실련	정책위원회
19930904	정책토론	개혁의 제도화를 위한 국회법의 개정방향	경실련	시민입법위원회
19930904	정책토론	고용관련 법률(안) 무엇이 문제인가	경실련	정책위원회
19930906	보도자료	이문옥 감사관에 대한 법원의 무죄선고를 진심으로 환영하며 검찰도 이 감사관에 대한 항소를 포기할 것을 바란다	경실련	정책위원회
19930916	조직	울산경제정의실천시민연합 창립	경실련	울산경실련
19930907	정책토론	특허행정의 문제점과 개선방향' 공청회	경실련	부정부패추방운동본부

생산일자	세부형태	제목	출처분류	생산자(처)
19930909	정책토론	정치제도개혁을 위한 공청회	경실련	정의사회실현을위한시민운동협의회
19930914	보도자료	한약조제권 분쟁의 해결을 위한 경실련의 대안	경실련	정책위원회
19930915	정책토론	서울 지하철 현황과 문제점 및 개선대책에 관한 공청회	경실련공동	시민을위한지하철만들기시민연대회의
19930916	보도자료	검찰은 이문옥 감사관에 대한 항소를 취하하라	경실련	정책위원회
19930916	보도자료	탁주 약주를 비롯한 민속주 전통주 지역제한 철폐에 대한 입장	경실련	정책위원회
19930916	보도자료	한약조제권분쟁 조정위원회 결성	경실련공동	대한의사협회 외
19930916	보도자료	한약조제권분쟁 해결을 위한 조정위원회의 결성에 즈음한 성명	경실련공동	대한의사협회 외
19930917	회의	민간통일운동에 대한 입장	경실련	통일문제특별위원회
19930917	보도자료	한약분쟁 현안에 대한 긴급성명	경실련공동	한약조제권분쟁 해결을 위한 조정위원회 외
19930920	보도자료	한약조제권 분쟁의 완전 타결에 즈음한 성명	경실련	정책위원회
19930922	보도자료	대한약사회의 변명에 대한 입장	경실련	정책위원회
19930923	정책토론	금융실명제 조기정착 이렇게 해야한다	경실련	정책위원회
19930923	보도자료	한약분쟁 현상황에 대한 입장	경실련	정책위원회
19930923	보도자료	한약분쟁관련 공동 여론조사결과	경실련	정의사회를위한시민운동협의회
19930924	정책토론	경영참가와 노동조합	경실련	노동자회
19930927	회의	제4기 8차 상임집행위원회	경실련	상임집행위원회
19930927	조직	교통문제를 생각하는 시민의 모임 발족(교통광장)	경실련	교통광장
19930928	보도자료	약사회에 대한 정부의 강경책은 철회되어야 한다	경실련	상임집행위원회
19931007	정책토론	실명제시대의 주택정책의 과제	경실련	정책위원회
19931023	보도자료	삼성생명의 기아자동차 주식매입으로 드러난 기업활동의 자유와 재벌의 경영권침해문제에 대한 우리의 견해	경실련	정책위원회
19931024	회의	한약분쟁 조속해결을 촉구하기 위한 사회단체대표 사회원로 연석회의	경실련공동	사회단체대표 사회원로 연석회의
19931025	단행본	집_기쁨과 고통의 뿌리	경실련	정책위원회
19931026	보도자료	공금리 인하조치는 반국민경제적인 기득권세력의 횡포이다	경실련	정책위원회
19931026	정책토론	의료분쟁조정법 제정 촉구를 위한 시민 대토론회	경실련	정의사회실현을위한시민운동협의회
19931026	회의	제4기 9차 상임집행위원회	경실련	상임집행위원회
19931026	조직	통일문제특별위원회 발족	경실련	통일협회
19931026	조직	노사관계연구특별위원회 발족	경실련	정책위원회
19931027	정책토론	금융실명제 시대의 세제개혁 방향	경실련	정책위원회
19931027	보도자료	금융실명제 조기정착을 위해 금리자유화 새제개혁의 조속한 시행을 촉구한다	경실련	정책위원회
19931027	보도자료	정부는 농산물 조기 수입개방 정책을 즉각 철회하라	경실련공동	우리쌀지키기범국민대책회의
19931028	보도자료	수신금리 자유화도 조속히 실시하라	경실련	정책위원회
19931028	정책토론	'교통안전대책' 공청회	경실련	정책위원회
19931028	조직	춘천경제정의실천시민연합 창립대회	경실련	춘천경실련
19931029	정책토론	부동산실명제 도입_명의신탁을 중심으로	경실련	정책위원회
19931029	보도자료	업종전문화 정책에 대한 입장	경실련	정책위원회
19931030	조직	수원경제정의실천시민연합 창립	경실련	수원경실련
19931100	간행물	21세기를 개척하는 경실련 노동자회 회보(1993.11)	경실련	노동자회
19931100	간행물	경제정의 겨울호 / 통권 20호 1994년 신년특집호	경실련	사무국
19931102	정책토론	UR /BOP 농산물 수입개방과 우리의 대응 공청회	경실련공동	우리쌀지키기범국민대책회의 외
19931102	보도자료	'국회법 개정 청원'과 관련한 면담요청	경실련	정책위원회
19931102	조직	제1차 경실련 운동을 위한 작은 만찬	경실련	사무국
19931105	보도자료	정부는 기초 농산물 수입개방 결정을 즉각 철회하라	경실련	정책위원회
19931106	집회	장애인 의무교육권 확보를 위한 범국민결의대회	경실련	정의사회실현을위한시민운동협의회
19931108	정책토론	공공자금관리기금법률안에 관하여	경실련	정책위원회
19931109	정책토론	EXPO 사후관리의 방향	경실련	정책위원회
19931109	청원	개혁의 제도화를 위한 국회법 개정 청원	경실련	정책위원회
19931109	청원	금융실명제 정착과 공평과세 실현을 위한 지방세법 개정 청원	경실련	정책위원회
19931111	조직	경실련 교통광장, 시민의 지하철 만들기 시민연대회의 발족	경실련	교통광장
19931112	청원	정치관계법(정치자금법, 정당법, 국회법, 선거법) 개정 청원	경실련	정의사회실현을위한시민운동협의회
19931118	교육	시민교양교실- 금융실명제 이후, 우리 사회 어떻게 달라지나	경실련	정책위원회
19931119	청원	금융실명제 정착과 공평과세 확립을 위한 세법 개정 청원	경실련	정책위원회
19931123	조직	경실련 풀뿌리 시민회 창립총회	경실련	풀뿌리시민회
19931131	정책토론	국민이 합심하면 쌀 기초농산물 지킬수 있습니다(각분야 영향과 대책)	경실련공동	쌀과 기초농산물 수입개방저지 범대위
19931201	보도자료	쌀 시장 지킬 수 있다-UR 농산물 협상과 관련한 입장	경실련	정책위원회
19931201	보도자료	지방자치법 개정 의견	경실련	정책위원회
19931205	보도자료	국무총리 및 부총리 면담, 쌀시장 개방에 대한 경실련안 전달	경실련	정책위원회
19931206	정책토론	'국제화와 우리의 노사관계' 토론회 개최	경실련	노사관계특별위원회

생산일자	세부형태	제목	출처분류	생산자(처)
19931208	정책토론	경실련 교통광장 발족, 교통문화정착을 위한 시민운동의 과제 토론	경실련	정책위원회
19931208	보도자료	법조비리 대한변협에 진상조사 의뢰	경실련	정책위원회
19931210	정책토론	'정치학자, 정치부기자의 의식을 통해 본 정치관계법 및 국회법의 개정방향' 공청회	경실련	시민입법위원회
19931211	보도자료	지방자치법 개정 논의를 원점에서 다시 시작하라	경실련	정책위원회
19931214	정책토론	지구환경을 고려한 교통정책 방향	경실련공동	도시교통연구소 외
19931215	정책토론	UR농산물협상 타결에 대응한 우리농업, 농촌 회생대책	경실련	정책위원회
19931216	회의	제4기 11차 상임집행위원회	경실련	상임집행위원회
19931218	청원	농업진흥을 위한 농업관계법 개정 청원	경실련	정책위원회
19940000	참고자료	지역경실련 환경정책협의회 에너지 부문 보고	경실련	정책위원회
19940110	보도자료	이회창 국무총리 면담	경실련	정책위원회
19940110	교육	어린이 환경교실	경실련	환경개발센터
19940112	교육	1994 경실련 대학생회 겨울캠프	경실련	대학생회
19940114	보도자료	외국인 노동자의 인권문제 우리의 부끄러운 모습입니다	경실련공동	외국인노동자인권문제대책협의회
19940114	조직	외국인 노동자 인권문제 대책위원회 구성	경실련공동	외국인노동자인권문제대책협의회
19940115	보도자료	낙동강 수질오염 관련 이 총리 발표문 및 관계부처 합동 수질관리 개선대책에 대한 입장	경실련	정책위원회
19940117	정책토론	신정부 개혁1년을 평가한다	경실련공동	서울대 사회정의연구실천모임 외
19940118	회의	경실련통일협회 창립총회	경실련	통일협회
19940119	보도자료	외국인 노동자의 체류연장제도와 벌금제도도 근본적으로 바뀌어야 한다	경실련	정책위원회
19940121	회의	94 시민사회단체 공동정책협의회	경실련공동	시민사회단체 공동정책협의회
19940125	보도자료	정부의 외국인노동자들에 대한 노동관계법적용 조치는 반드시 소급적용의 원칙에 따라 이루어져야 한다	경실련공동	외국인노동자인권문제대책협의회
19940126	정책토론	유아대상 과목별 과외교습 반대-학원법 개정안에 부쳐	경실련공동	인간교육실현 학부모연대
19940129	정책토론	1994 제2기 경실련 예비대학	경실련	대학생회
19940201	회의	경실련 청년회	경실련	청년회
19940202	보도자료	남북한의 교역은 민족내부거래이며 정부는 이를 국제적으로 인정받기 위해 노력해야한다	경실련공동	평화연구소 외
19940202	보도자료	왜 경실련은 UR재협상을 요구하는가-UR협상은 아직 끝나지 않았다	경실련	정책위원회
19940204	보도자료	지방자치법 개정논의에 바란다	경실련공동	흥사단 외
19940205	보도자료	시민들이 우리농업 살리는 데 앞장서야 한다	경실련공동	흥사단 외
19940205	보도자료	우리농업을 살리기 위해 정부의 결단이 필요하다	경실련공동	흥사단 외
19940217	회의	삼림보존 및 그린라운드 대책을 위한 아시아-태평양 환경운동가 워크샵	경실련	상임집행위원회
19940218	정책토론	국제화와 바람직한 노사관계의 방향	경실련	정책위원회
19940219	조직	전주경제정의실천시민연합 창립대회	경실련	전주경실련
19940222	회의	제4기 12차 상임집행위원회	경실련	상임집행위원회
19940222	조직	청주경실련 발기인 대회	경실련	청주경실련
19940225	보도자료	지방자치법의 개악을 중단하라	경실련	지방자치위원회
19940226	회의	1994 전국회원총회	경실련	정책위원회
19940226	활동자료집	경실련 출범 4주년 기념자료집	경실련	사무국
19940226	보도자료	사회전분야 개혁의 전면적 확대를 촉구한다_94 회원총회 선언	경실련	정책위원회
19940226	회의	제 5기 1차 상임집행위원회	경실련	정책위원회
19940228	집회	지방자치법 개악 저지를 위한 시민대회	경실련	정책위원회
19940300	간행물	경제정의 1994년 봄호 / 통권 21호	경실련	사무국
19940304	정책토론	물가문제 제도개혁이 필요하다	경실련	정책위원회
19940307	간행물	경실련 청년회보	경실련	청년회
19940309	보도자료	일부 관변단체에 대한 지원중단의 결정을 환영하며 관계법령의 정비를 촉구한다	경실련	정책위원회
19940316	회의	제 5기 2차 상임집행위원회	경실련	상임집행위원회
19940326	보도자료	정부의 잘못된 UR 협상을 개탄하다. 부분재협상을 바라보는 입장	경실련	정책위원회
19940401	보도자료	UR 재협상에 관한 국민의 의혹을 해소하라	경실련	정책위원회
19940401	정책토론	시민을 위한 사법개혁의 길(공청회)	경실련	정책위원회
19940402	보도자료	신탁은행의 부정대출에 대한 은행감독원의 철저한 조사를 바란다	경실련	부정부패추방운동본부
19940402	보도자료	정부는 미국의 무기구매 강요를 수용해서는 안된다	경실련	통일협회
19940408	보도자료	ABS 기준마련과 소비자보호를 위한 제품공개테스트	경실련	과학기술위원회

생산일자	세부형태	제목	출처분류	생산자(처)
19940408	교육	'지방자치 활성화를 위한 시민운동의 방향과 과제' 워크숍 개최	경실련	정책위원회
19940412	보도자료	국회는 상무대 이전 비리를 국정조사해야한다	경실련	정책위원회
19940413	보도자료	보사부장관의 조합주의 의료보험체계 유지방안을 우려하며 다시 한번 의료보험일원화를 강력 촉구한다	경실련	정책위원회
19940413	보도자료	시베리아벌목장 탈출 북한 노동자 문제에 대한 우리의 입장	경실련	정책위원회
19940413	보도자료	조계사 공권력의 철수와 서의현 총무원장의 사퇴를 환영한다	경실련	경제정의실천불교시민연합
19940415	정책토론	'북핵문제 어떻게 대처할 것인가' 토론회 개최	경실련	통일협회
19910416	조직	청주경제정의실천시민연합 창립	경실련	청주경실련
19940416	조직	강북.노원.도봉 구지부 창립	경실련	경실련노원도봉지부
19940420	보도자료	소비자생활협동조합법을 조속히 제정하라, 대통령의 소비자 협동조합' 육성 의지를 환영한다.	경실련	정책위원회
19940420	회의	과학기술위원회 발족	경실련	정책위원회
19940422	보도자료	이회창 총리 경질에 대한 논평	경실련	정책위원회
19940422	보도자료	정부는 미국의 무기구매 강요를 수용해서는 안된다	경실련	정책위원회
19940423	보도자료	국회는 즉각 UR 공개청문회를 개최하라	경실련	정책위원회
19940426	회의	제5기 3차 상임집행위원회	경실련	상임집행위원회
19940502	정책토론	정부의 친재벌정책 이대로 좋은가	경실련	정책위원회
19940504	보도자료	정부는 잘못 개정된 개악『농안법』을 즉각 재개정하라	경실련	정책위원회
19940506	정책토론	농산물 물가지수, 이렇게 고쳐야 한다 - 갈치, 수박, 양파, 마늘이 물가양등의 주범인가-	경실련	정책위원회
19940510	보도자료	미래지향적 새질서 창출을 위해 보다 강력한 개혁을 촉구한다	경실련	정책위원회
19940510	보도자료	경제개혁촉구 공동대표 기자회견	경실련	공동대표단
19940511	보도자료	최근 경실련 김완배 교수에 대한 지정도매법인의 고발과 농안법 재개정 청원관 관련한 시비에 대하여	경실련	정책위원회
19940514	정책토론	공개토론회, 북한의 평화협정제의, 어떻게 대처할 것인가	경실련	통일협회
19940516	정책토론	양축농가 숙원정책 과제, 어떻게 해결할 것인가	경실련	농업개혁위원회
19940517	보도자료	금융실명제 비밀보장 강화 조치에 대한 입장	경실련	정책위원회
19940520	청원	한국은행법 개정 청원	경실련	정책위원회
19940521	정책토론	의료보험 통합일원화 및 보험적용 확대를 위한 방안	경실련공동	의료보험연대회의
19940521	보도자료	중앙은행의 독립을 촉구한다-경제학자 41인 성명	경실련	정책위원회
19940528	보도자료	김영삼 대통령은 중앙아시아 및 연해주 지역 한인의 기본권 보호 문제를 적극 제기해야 한다	경실련	통일협회
19940528	보도자료	집권여당은 잘못 개정된 개악 농안법 즉각 재개정하라	경실련	정책위원회
19940531	조직	경실련 세제개혁추진운동본부 출범	경실련	정책위원회
19940601	보도자료	공기업 민영화 추진과정에 대한 입장	경실련	정책위원회
19940601	보도자료	국회 상공위원회에 법원조직법 개정법률안 신중한 심의 요청	경실련	정책위원회
19940601	정책토론	시민의신문 창간1주년 기념세미나_지방자치와 시민운동의 과제	경실련	시민의신문
19940603	정책토론	특허심판제도 개선에 관한 공청회	경실련	정책위원회
19940609	보도자료	민자당의 중앙은행제도 개선방안 백지화에 대한 입장	경실련	정책위원회
19940609	정책토론	경실련 통일협회 창립기념토론회	경실련	통일협회
19940609	정책토론	'노사관계 개혁을 위한 노동관계법 개정의 방향' 토론회	경실련	노동자회
19940614	보도자료	한총련에 대한 정부의 구시대적 탄압은 합리적인 해결책이 될 수 없다	경실련	대학생회
19940615	보도자료	전쟁분위기 조성을 반대한다	경실련	통일협회
19940620	간행물	경제정의 1994년 여름호 / 통권 22호	경실련	사무국
19940621	보도자료	장부와 집권여당은 UR조기 국회비준 시도를 즉각 중단하라- 제3의 UR파동을 우려한다	경실련	정책위원회
19940622	정책토론	경실련 제1차 환경연수 및 환경정책협의회	경실련	환경개발센터
19940622	보도자료	국회법 개정에 관한 입장	경실련	정책위원회
19940623	조직	교통모니터 발대식	경실련	교통광장
19940627	정책토론	6.27지방선거와 선거문화혁명	경실련공동	공명선거실천시민운동협의회
19940628	보도자료	남북정상회담이 열리게 됨을 환영한다	경실련	정책위원회
19940628	회의	제5기 4차 상임집행위원회	경실련	상임집행위원회
19940629	보도자료	철도, 지하철 파업사태는 대화로 해결 되어야 한다	경실련	정책위원회
19940629	정책토론	효율적 에너지수요관리를 위한 사회적 기반 개발	경실련	환경개발센터
19940630	보도자료	서울지하철의 원만한 노사관계를 위한 중재	경실련	정책위원회
19940630	보도자료	공기업 민영화 추진과정에 대한 입장	경실련	정책위원회
19940704	보도자료	특허심판제도 개선안에 대한 입장	경실련	정책위원회
19940705	보도자료	김영삼 정부는 철도와 지하철 노동자들에 대한 비이성적인 대량 구속, 징계조치를 즉각 철회하라	경실련	정책위원회
19940706	보도자료	철도와 지하철 노동자들에 대한 대량 구속과 징계조치를 반대한다	경실련	정책위원회

생산일자	세부형태	제목	출처분류	생산자(처)
19940707	보도자료	공기업 민영화 추진과정에 대한 입장	경실련	정책위원회
19940708	보도자료	남북정상회담과 관련하여 대통령에게 드리는 건의문	경실련	통일협회
19940710	참고자료	경실련에 대한 시민 및 회원 여론조사 결과	경실련	정책위원회
19940711	정책토론	시민을 위한 검찰개혁의 길	경실련	정책위원회
19940711	정책토론	양곡도매시장의 문제점 및 개혁방향	경실련	정책위원회
19940712	보도자료	김일성 주석 사망 후 한반도 정세와 대응 방안	경실련	정책위원회
19940712	보도자료	특허심판제도에 대한 법원과 특허청의 합의를 환영한다	경실련	정책위원회
19940713	보도자료	경실련의 진의가 잘못 전달되어 국민에 걱정을 끼친 점을 유감스럽게 생각한다	경실련	통일협회
19940714	보도자료	최근 애도 조문 논란에 있어서 합리적인 제3의 목소리가 매도 당해서는 안된다	경실련	통일협회
19940721	보도자료	경실련 창립 5주년 기념행사	경실련	총회
19940726	보도자료	주사파논쟁과 학생운동의 새로운 방향	경실련	대학생회
19940730	보도자료	헌법재판소의 토지초과이득세법 위헌 결정에 대한 입장	경실련	정책위원회
19940731	교육	1994 여름 대학생회 사회개혁단	경실련	대학생회
19940801	보도자료	언론의 미래지향적이고 건설적인 방향으로의 자세전환을 강력히 촉구한다	경실련공동	연세대학교 총학생회 외
19940802	보도자료	노사문제의 원만한 해결을 위해 정부의 자제를 요망합니다	경실련	정책위원회
19940803	보도자료	'정부의 부동산투기 종합대책 발표에 대하여'	경실련	정책위원회
19940804	보도자료	8월3일 발표한 정부의 부동산투기 종합대책에 대한 경실련의 입장	경실련	정책위원회
19940811	정책토론	금융실명제1년 평가와 향후 경제개혁의 방향	경실련	정책위원회
19940811	보도자료	보건사회부가 추진중인 사회복지공동모금법안에 대한 경실련의 입장	경실련	정책위원회
19940812	보도자료	원전수뢰사건에 대한 보다 철저하고 공정한 수사를 촉구한다	경실련	정책위원회
19940816	단행본	통일준비하는 한국의 민간단체 발간	경실련	통일협회
19940820	보도자료	전면적인 세제개혁을 다시 한번 촉구한다	경실련	정책위원회
19940823	보도자료	개정 농안법을 전면 재개정할것을 촉구한다	경실련공동	흥사단 외
19940824	보도자료	종토세 과표현실화 계획 백지화 조치를 즉각 철회하라	경실련	정책위원회
19940825	보도자료	공정거래법 개정에 대한 입장	경실련	정책위원회
19940827	회의	제5기 5차 상임집행위원회	경실련	상임집행위원회
19940830	보도자료	정부와 국회는 UR 조기비준 기도를 중단하라	경실련	정책위원회
19940901	보도자료	장기적 국가이익에 유익하지않은 사상논쟁을 조속히 매듭짓고 이성적 자세로 되돌아 올것을 강력히 촉구한다	경실련	정책위원회
19940902	정책토론	지방자치와 지역경실련 운동에 관한 워크숍	경실련	정책위원회
19940902	정책토론	한국의 사회복지 어떻게 개혁할 것인가	경실련	정책위원회
19940905	정책토론	21세기를 대비한 국가전략 과제(국토 교통 환경 조세부문)	경실련	정책위원회
19940905	정책토론	LOCAL AGENDA 21과 지방정부의 대응에 관한 워크숍	경실련	환경개발센터
19940906	정책토론	중앙은행 독립촉구 캠페인, 한은법 개정에 관한 공청회	경실련	정책위원회
19940912	조직	한국시민단체협의회(시민협) 창립대회	경실련공동	한국시민단체협의회
19940913	보도자료	헌법재판관의 임명에 관한 의견	경실련	정책위원회
19940914	정책토론	한국사회와 지속가능한 인간적 사회개발(95.3 코펜하겐에서 열리는 사회개발에 관한 세계정상회의를 준비하는 민간단체 활동)	경실련공동	인간사회개발한국포럼
19940914	보도자료	세무 부정고발창구 개설	경실련	부정부패추방운동본부
19940915	보도자료	행정정보공개청구 개시	경실련	정책위원회
19940916	참고자료	1994년 시민운동의 과제와 방향	경실련	정책위원회
19940925	간행물	경제정의 1994년 가을호 / 통권 23호	경실련	사무국
19940927	회의	제5기 6차 상임집행위원회	경실련	상임집행위원회
19940928	보도자료	검찰을 규탄한다-하루살이는 걸리고 낙타는 통과하는가	경실련	정책위원회
19940929	참고자료	비공개결정서, 원전폐로 충당금 자료(법적근거, 진행사태, 재원조달방법)	경실련	정책위원회
19940929	참고자료	세무비리 척결 범시민운동을 위한 경실련의 행동계획	경실련	부정부패추방운동본부
19940929	보도자료	세무비리 척결을 위한 범시민운동을 선포한다	경실련	부정부패추방운동본부
19940929	참고자료	접수된 세무비리를 포함한 세무비리 유형 및 성격	경실련	부정부패추방운동본부
19940929	참고자료	행정정보공개 비공개 결정서, 정부가 한국전력에 대해 정한 공정투자 보수율 산출근거 자료와 법적 근거자료	경실련	정책위원회
19940930	참고자료	지하수오염 실태조사 보고서 중 전국 700군데의 지역명칭	경실련	정책위원회
19941001	보도자료	홍재형 재무부 장관의 발언에 개탄한다	경실련	정책위원회
19941004	보도자료	부정부패 비호자 검찰은 부정부패척결을 말할 자격이 없다-동아건설비리사건에 대한 우리의 입장-	경실련	대학생회
19941004	보도자료	인천 북구청 등 세무비리에 대한 전면적인 재수사를 촉구한다	경실련	대학생회
19941005	보도자료	분해성 플라스틱의 포장재로서의 환경적합성 평가' 공청회	경실련	과학기술위원회

생산일자	세부형태	제목	출처분류	생산자(처)
19941005	참고자료	비공개결정서, 태양력등 재생에너지의 전체에너지비중비율(현재)과 향후20년 동안의 비율계획	경실련	정책위원회
19941006	정책토론	세무비리 근절을 위한 세정 세제개혁 방향에 관한 경실련 토론회	경실련	부정부패추방운동본부
19941006	참고자료	세무비리 실태에 관한 경실련 설문조사	경실련	정책위원회
19941006	참고자료	하수종말처리장 운영실태 조사보고서 (제1차, 제2차)행정정보공개결정서	경실련	정책위원회
19941008	보도자료	비리 공직자에 대한 계좌추적 문제에 대한 입장	경실련	부정부패추방운동본부
19941013	정책토론	기후변동 문제를 둘러싼 국제적 동향과 한국의 대응 정책토론회	경실련	환경개발센터
19941015	정책토론	'범죄! 우리지역 얼마나 안전한가?' 토론회	경실련	정책위원회
19941018	보도자료	대한항공은 기내식용 수입쌀 사용과 외국 항공사 공급을 즉각 중단하라	경실련	농업개혁위원회
19941019	보도자료	내무부 장관에게 드리는 건의문	경실련	부정부패추방운동본부
19941019	보도자료	인천북구청사건을 계기로 본 지방세제 및 세정개혁 방향	경실련	부정부패추방운동본부
19941020	정책토론	부정부패 척결, 이대로는 안된다-공청회 발제문_공직자 부정방지를 위한 법제개혁	경실련	부정부패추방운동본부
19941021	보도자료	성수대교 붕괴에 대한 철저한 조사와 방지대책을 촉구한다	경실련	정책위원회
19941021	참고자료	세무비리 근절을 위한 시민단체의 역할	경실련	부정부패추방운동본부
19941025	정책토론	성수대교 붕괴의 원인진단과 대책 토론회 자료집	경실련	정책위원회
19941025	회의	제5기 7차 상임집행위원회	경실련	상임집행위원회
19941025	청원	중앙은행 독립을 위한 한국은행법 개정 청원안	경실련	정책위원회
19941026	정책토론	국민건강보험법안 공청회	경실련공동	의료보험연대회의
19941026	조직	의료보험통합일원화와 보험적용 확대를 위한 범국민대책위원회	경실련공동	정책위원회
19941027	교육	공직선거 및 선거부정방지법 해설(1994 지방자치대학)	경실련	정책위원회
19941028	보도자료	검찰은 이원종 전시장과 우명규 시장을 즉각 소환조사하라	경실련	정책위원회
19941028	보도자료	국가경제와 추곡수매제 개선방한(직접지불제도 도입)	경실련공동	우리농업지키기범국민운동본부
19941028	청원	한국은행법 개정의 청원	경실련	정책위원회
19941029	보도자료	개혁촉구 선언문	경실련	정책위원회
19941029	보도자료	당면개혁과제에 대한 입장	경실련	정책위원회
19941029	보도자료	12.12사태 관련자에 대한 검찰의 기소유예 조치에 대한 논평	경실련	정책위원회
19941029	조직	군산경제정의실천시민연합 창립	경실련	군산경실련
19941103	교육	지방자치정책대학-지방자치와 교통정책	경실련	정책위원회
19941103	정책토론	한국시민단체협의회 대표자 세미나	경실련공동	시민단체협의회
19941103	집회	검찰의 12.12관련자 기소 촉구대회 개최 및 성명 발표	경실련	정책위원회
19941104	보도자료	민자당은 관변단체 지원중단 보류결정을 즉각 철회하라	경실련	정책위원회
19941105	정책토론	검찰권운용 이대로는 안된다	경실련	시민입법위원회
19941107	보도자료	정부의 잘못된 추곡수매정책은 즉각 시정되어야 한다	경실련	농업개혁위원회
19941108	교육	21세기 국가비전, 경실련의 구상에 대한 참고 자료	경실련	정책위원회
19941110	보도자료	담배시장접근에 대한 한국과 미국정부간 양해각서의 개정을 촉구한다(영문서한)	경실련공동	기독교윤리실천운동 외
19941111	교육	95 WSSD와 시민단체 대응	경실련	정책위원회
19941111	정책토론	농촌의 문화전통과 공동체 의식의 회복	경실련	농업개혁위원회
19941111	보도자료	반란자 기소유예 처분에 대한 시민사회단체의 의견	경실련공동	기독교윤리실천운동 외
19941116	보도자료	12.12반란자 기소촉구 시민대회 결의문	경실련공동	기독교윤리실천운동 외
19941117	정책토론	자원봉사활동 실태와 그 발전방향	경실련공동	시민단체협의회
19941118	보도자료	양당 정치특위에 정치관계법 합의개정을 촉구하는 공개서한발송	경실련	정의사회실현을위한시민운동협의회
19941118	보도자료	차명거래 고발행위 재무부 유권해석에 대한 입장	경실련	정책위원회
19941119	교육	경실련 지방자치 정책대학 연수회	경실련	정책위원회
19941119	조직	부천경제정의실천시민연합 창립대회	경실련	부천경실련
19941121	참고자료	지방재정의 확충방안	경실련	정책위원회
19941121	정책토론	지방자치 시대를 대비한 지방세제의 개혁방향	경실련	정책위원회
19941122	보도자료	세무비리 조사를 전면 확대하라	경실련	부정부패추방운동본부
19941124	교육	21세기 한국경제 비젼과 정책과제	경실련	정책위원회
19941124	정책토론	효율적 에너지 수요관리를 위한 사회적 기반개발	경실련	환경개발센터
19941124	조직	거제경제정의실천시민연합 창립	경실련	거제경실련
19941129	보도자료	12.12 사태 관련자에 대한 검찰의 기소유예 조치에 대한 논평	경실련	정책위원회
19941129	조직	식품안전성 확보 시민연대	경실련공동	정책위원회
19941129	조직	경실련 외국인노동자센터 설립	경실련	외국인노동자센터
19941201	보도자료	민자당 단독국회에서의 지방자치법 개악을 개탄한다	경실련	정책위원회
19941201	보도자료	민자당은 세법과 예산안을 단독 처리하지 말라	경실련	정책위원회
19941203	보도자료	예산안과 민생법안의 날치기 통과를 개탄한다	경실련	정책위원회
19941203	보도자료	정부조직개편에 대한 논평	경실련	정책위원회
19941207	보도자료	삼성의 승용차 진출문제에 대한 입장	경실련	정책위원회

생산일자	세부형태	제목	출처분류	생산자(처)
19941209	회의	GKN Los Angeles Rotex Hotel Global Korean Network Meeting	경실련	국제위원회
19941210	간행물	경제정의 1994년 겨울호 / 통권 24호	경실련	사무국
19941212	집회	12.12 군사반란자 기소촉구 결의대회	경실련공동	12.12반란자 기소촉구 시민사회단체 연석회의
19941213	보도자료	이동통신설비비 폐지에 관한 경실련의 견해	경실련	정책위원회
19941213	보도자료	행정개혁은 확대 지속되어야 한다-정부조직 개편에 대한 입장	경실련	정책위원회
19941214	정책토론	세무비리 척결과 납세자 권익확보를 위한 세무행정 개혁방향	경실련	정책위원회
19941215	보도자료	'행정개혁은 확대, 지속되어야 한다-정부조직개편에 대한 경실련의 입장'을 국무총리, 황영하 총무처장관, 민주당 대표 등에게 전달	경실련	정책위원회
19941219	정책토론	열린사회를 위한 정보공개법 제정 방향	경실련공동	참여민주사회와 인권을 위한 시민연대
19941221	정책토론	정보공개법 제정을 위한 공개토론회	경실련	정책위원회
19941223	보도자료	12. 23 개각에 대한 논평	경실련	정책위원회
19941226	회의	95년도 경실련 운동에 관한 정책협의회	경실련	정책위원회
19941229	보도자료	10부제 강제 실시를 반대한다	경실련	정책위원회
19944020	보도자료	소비자생활협동조합법을 조속히 제정하라	경실련	농업개혁위원회
19950000	회의	경실련 중앙위원회 제3기 3차 회의	경실련	중앙위원회
19950106	보도자료	대통령 연두기자회견에 대한 논평	경실련	정책위원회
19950111	정책토론	서울시 교통특별대책 시민공청회	경실련	정책위원회
19950113	보도자료	부동산 실명제의 올바른 실시를 촉구한다	경실련	정책위원회
19950115	단행본	통일 그바램에서 현실로(경실련총서5)	경실련	정책위원회
19950115	참고자료	한국은행 독립 촉구 경제학자 성명서에 참여를 부탁드립니다	경실련	정책위원회
19950116	교육	제2기 지방자치 정책대학 자료집	경실련	정책위원회
19950117	보도자료	12.12와 5.18관련자에 대한 검찰의 엄정한 법집행을 촉구한다	경실련	정책위원회
19950120	정책토론	외국인 취업연수제도의 문제점과 개선방향	경실련공동	외국인노동자인권문제대책협의회
19950120	보도자료	지방세 관련 세무비리 재발방지 대책을 제시하라	경실련	부정부패추방운동본부
19950121	정책토론	경실련 미래상 토론회	경실련	정책위원회
19950121	정책토론	정당개혁 어떻게 할것인가	경실련	정책위원회
19950121	보도자료	통상산업부의 업종전문화 추진 시책에 대한 입장	경실련	정책위원회
19950123	보도자료	정부는 시민감시단을 도입하고 지방세 관련 세무비리 재발방지 대책을 제시하라	경실련	정책위원회
19950124	정책토론	부동산 실명제의 올바른 실시를 위한 방안	경실련	정책위원회
19950124	정책토론	'통일논의' 국민적 합의 가능한가	경실련	통일협회
19950125	보도자료	출자총액제한제도 예외조항 양산에 반대한다-공정거래법 시행령 개정안에 대한 입장	경실련	정책위원회
19950125	정책토론	'교과서 제도개편 어떻게 볼 것인가' 공청회	경실련	부정부패추방운동본부
19950126	정책토론	굴업도 핵폐기물 처분장 부지선정에 관한 공개토론회	경실련공동	한국YMCA전국연맹 외
19950126	보도자료	정부의 부동산실소유자명의 등기에 관한 법률안에 대한 입장	경실련	정책위원회
19950127	보도자료	IAEA전문가의 무책임한 발언에 대한 입장	경실련	정책위원회
19950127	보도자료	제4회 경제정의기업상 시상식 개최	경실련	경제정의연구소
19950128	정책토론	정경유착 근절 위한 경제개혁과제	경실련	정책위원회
19950200	조직	국제위원회 발족	경실련	국제위원회
19950203	정책토론	OECD 가입에 관한 공개토론회	경실련	정책위원회
19950204	보도자료	지방자치선거 후보공천기준에 대한 시민협 입장	경실련공동	시민단체협의회
19950207	회의	95 시민사회단체공동정책협의회	경실련공동	한국시민단체협의회
19950208	교육	1995년 경실련 대학생 겨울캠프	경실련	대학생회
19950208	회의	경실련 청년회 제3차 총회	경실련	청년회
19950208	보도자료	부동산실명제 입법예고안에 대한 의견	경실련	정책위원회
19950208	정책토론	부동산실소유자명의등기에관한 법률(안)에 대한 공청회	경실련	정책위원회
19950209	보도자료	교육부에 교과서 개편에 관한 건의안 제출	경실련	부정부패추방운동본부
19950211	조직	안동 경제정의실천시민연합	경실련	안동경실련
19950213	보도자료	OECD가입을 무기한 연기하라	경실련	정책위원회
19950213	회의	제5기 12차 상임집행위원회	경실련	상임집행위원회
19950213	보도자료	지방자치관련 제도의 개혁을 촉구한다.	경실련	정책위원회
19950214	보도자료	지방자치 선거는 어떠한 명분으로도 연기할 수 없다	경실련	정책위원회
19950216	회의	경실련의 한국은행법 개정안에 동의하며 한국은행 조속히 독립하라	경실련	정책위원회
19950216	보도자료	정부조직 개편과 한국은행법 개정에 대한 우리의 견해-한국은행의 독립을 촉구한다	경실련	정책위원회
19950216	보도자료	한국은행독립 촉구 경제학자 1천인 성명	경실련	정책위원회

생산일자	세부형태	제목	출처분류	생산자(처)
19950218	활동자료집	경실련 창립 5주년 기념자료집	경실련	사무국
19950218	정책토론	지방자치 선거에 관한 토론회	경실련	중앙위원회
19950218	보도자료	'민주화와 경제개혁에 역행하는 정부의 한국은행법 개정안을 철회하라'	경실련	정책위원회
19950220	보도자료	민자당 일각의 자치단체장선거 연기움직임을 엄중 경고하며, 지방자치법의 개정등 선거전에 가능한 개혁을 촉구한다	경실련	정책위원회
19950220	보도자료	재정경제원의 한은독립 방안에 대한 입장	경실련	정책위원회
19950221	보도자료	재정경제원의 중앙은행제도의 개편 및 금융감독기관의통합 방안은 한국은행 독립을 가로막는 개악안이다	경실련	정책위원회
19950222	보도자료	재경원의 개혁의지 후퇴에 경고하며 예외없는 실명화를 촉구한다	경실련	정책위원회
19950224	보도자료	김영삼대통령은 선거전 불가능한 지방행정구조 개편논의를 즉각 중단시키고, 6월 4대지방선거의 실시를 명확히 천명해야 한다	경실련	정책위원회
19950225	보도자료	김덕룡 사무총장에게 보내는 공개서한	경실련	정책위원회
19950227	보도자료	제172회 임시국회의 과제에 대한 입장	경실련	정책위원회
19950228	보도자료	민주화와 경제개혁에 역행하는 정부의 한국은행법 개정안을 철회하라	경실련	정책위원회
19950228	보도자료	세탁기.에어컨.텔레비전 등 가전제품에 적용된 예치금의 부담금으로의 전환에 전면적으로 반대한다	경실련	정책위원회
19950228	보도자료	정부의 OECD 가입신청과 관련한 공개질의서-홍재형 부총리겸 재정경제원장관의 답변을 바란다	경실련	정책위원회
19950228	정책토론	중앙은행제도의 올바른 정립을 위한 토론회	경실련	정책위원회
19950302	보도자료	용두사미가 된 부동산실명법의 국회통과를 반대한다	경실련	정책위원회
19950302	보도자료	굴업도 핵폐기장 지정 고시 철회를 요구하는 주민, 시민단체 공동성명	경실련공동	환경운동연합 외
19950302	청원	부동산투기 억제와 토지거래의 정상화를 위한 부동산실명법의 제정청원	경실련	정책위원회
19950302	보도자료	용두사미가 된 부동산실명법의 국회통과를 반대한다	경실련	정책위원회
19950304	보도자료	굴업도 문제관련 'IAEA 초청전문가 지자회견에 관한 입장' 성명 발표	경실련	정책위원회
19950309	정책토론	사법개혁 어떻게 할 것인가	경실련공동	시민단체협의회
19950309	정책토론	지방화시대의 버스 정책방향 공청회	경실련	교통광장
19950311	조직	하남 경제정의실천시민연합 창립대회	경실련	하남경실련
19950313	보도자료	OECD가입신청을 연기하라-김영삼 대통령의 사회개발 정상회의의 참가에 부쳐	경실련	정책위원회
19950313	간행물	경제정의 1995년 봄호 / 통권 25호	경실련	사무국
19950314	보도자료	서울 시내버스의 요금 결정과정과 결과에 심각한 문제가 있음을 지적한다	경실련	정책위원회
19950315	보도자료	퇴직예정 읍.면.동장 등에 대한 해외연수제를 폐지하고 퇴직예정 읍.면.동장 등에 대한 특별휴가제를 개선하라	경실련	부정부패추방운동본부
19950318	보도자료	국회는 이번 회기에 부동산실명법을 통과시키지 말고 재심의 할것을 다시 한번 촉구한다	경실련	정책위원회
19950320	보도자료	우리나라 사회복지의 현황과 개혁방향	경실련	정책위원회
19950322	보도자료	일본정부는 종군 위안부 문제를 해결하라-제158차 정기 수요시위를 맞이한 성명	경실련	정책위원회
19950325	보도자료	사법개혁 추진원칙과 전관예우 근절대책을 수립하기위한 경실련 부정부패추방운동본부의 공개제안	경실련	부정부패추방운동본부
19950325	보도자료	우리나라 사회복지 현실과 개혁방향-사회개발정상회의에 대한 평가	경실련	정책위원회
19950328	보도자료	OECD 가입 신청을 연기할것을 다시 한 번 촉구한다	경실련	정책위원회
19950328	회의	제6기 2차 상임집행위원회	경실련	상임집행위원회
19950329	보도자료	OECD 가입신청에 대한 논평	경실련	정책위원회
19950401	보도자료	내무부의 정부에 의한 지방자치단체 파산선고제도 도입 방침에 개탄한다	경실련	정책위원회
19950401	정책토론	한은독립 왜 필요한가	경실련	정책위원회
19950404	조직	여천경제정의실천시민연합 창립	경실련	여천경실련
19950406	보도자료	내무부의 정부에 의한 지방자치단체 파산선고제도 도입 방침을 개탄한다	경실련	정책위원회
19950406	보도자료	미국의 통상압렵에 밀린 정부의 식품 안정성 정책부재를 우려한다	경실련	정책위원회
19950406	보도자료	대법원, 대한변협에 '전관예우' 근절 및 사법제도개혁에 관한 의견전달	경실련	정책위원회

생산일자	세부형태	제목	출처분류	생산자(처)
19950407	조직	아시아태평양지역 시민사회지도자 포럼	경실련공동	정책위원회
19950414	단행본	'서울시정 100대 개혁과제' 발표회 및 출판기념회	경실련	정책위원회
19950415	보도자료	경실련 베트남 하타이지역 개발사업 착수	경실련	정책위원회
19950416	보도자료	미국의 통상압력에 밀린 정부의 식품안전성 정책부재를 우려한다	경실련	정책위원회
19950417	정책토론	한국은행독립 대토론회	경실련	정책위원회
19950419	정책토론	청년운동의 진단과 전망	경실련	청년회
19950420	정책토론	자동차산업 불공정거래와 임금격차에 관한 토론회	경실련	정책위원회
19950421	교육	경실련 4대 지방자치선거 실무교육 연수회 자료집	경실련	정책위원회
19950421	보도자료	통합선거법 개정에 바란다	경실련공동	참여연대 외
19950425	정책토론	자연공원법 개정방향에 관한 토론회	경실련	정책위원회
19950505	회원	청년통신	경실련	청년회
19950506	참고자료	서울시환경보전형 농업육성지원기금 설치 및 운용조례	경실련	정책위원회
19950511	정책토론	공명선거실현을 위한 시민토론회 안내	경실련	정책위원회
19950511	정책토론	환경영향평가법을 평가한다(지방자치시대의 환경영향평가 이렇게 개정되어야 한다)	경실련	환경개발센터
19950511	정책토론	환경영향평가제도개선 공청회	경실련	환경개발센터
19950512	조직	수입식품안전성 확보를 위한 시민농민단체연석회의	경실련공동	정책위원회
19950512	조직	1996 세계주거회의 한국민간위원회 발족	경실련공동	정책위원회
19950519	간행물	6.27지방자치선거 정책자료집-우리지역 이렇게 바꾸자	경실련공동	시민단체협의회
19950520	보도자료	지방선거 이후 환경파괴적인 지역개발에 대한 중앙정부의 시급한 대책을 촉구하는 지식인1322명의 서명	경실련	정책위원회
19950521	보도자료	6.3보궐선거에 중앙당 개입을 결정한 한나라당 태도를 우려한다	경실련	정책위원회
19950521	조직	통영경실련 창립 발기인 대회	경실련	정책위원회
19950521	보도자료	행자부가 지방자치단체에 시달한 제2건국운동 활성지침의 공개와 즉각적인 철회를 촉구한다	경실련	정부개혁위원회
19950522	보도자료	지방자치제 이후의 가속화될 환경파괴에 대한 정부의 대책을 촉구한다	경실련	정책위원회
19950524	보도자료	국회법 개정에 관한 설문조사	경실련	정책위원회
19950524	보도자료	시민입법을 위한 국회법 개정	경실련	정책위원회
19950524	보도자료	약사법 확정안에 대한 입장	경실련	정책위원회
19950524	보도자료	지방자치법 개정에 대한 의견	경실련	정책위원회
19950524	정책토론	지방자치시대, 그린벨트를 재조명한다	경실련	정책위원회
19950525	보도자료	한미 양국은 한미행정협정을 전면적으로 개정하라	경실련	정책위원회
19950526	보도자료	단체활동을 옥죄는 헌법재판소의 결정_단체의 선거운동	경실련	정책위원회
19950529	정책토론	장기공여 및 이식 관리체계 개발을 위한 세미나	경실련	부정부패추방운동본부
19950529	보도자료	최근 정부의 노사분규 대처에 대한 입장	경실련	정책위원회
19950530	정책토론	교통방송의 발전방향에 관한 토론회	경실련	정책위원회
19950530	청원	부동산투기 억제와 토지거래의 정상화를 위한 부동산 실명법의 제정청원안	경실련	정책위원회
19950530	보도자료	정치적 증시부양조치를 중단해야 한다	경실련	정책위원회
19950530	보도자료	지방자치건거에 즈음해 그린벨트를 완화하려는 움직임에 대한 입장	경실련	정책위원회
19950530	정책토론	교통방송 발전 방향에 관한 토론회	경실련	정책위원회
19950531	회의	제10기 5차 상임집행위원회	경실련	상임집행위원회
19950531	정책토론	서울시정개혁을 위한 경실련 정책 발표회	경실련	정책위원회
19950531	보도자료	청와대는 초법적 사정기관인 '사직동팀'을 즉각 해체하라	경실련	시민입법위원회
19950601	보도자료	선거관리위원회의 공정한 법적용을 촉구한다	경실련	정책위원회
19950604	보도자료	6.27 선거에 '올바른 후보자 선택을 위하여 보다 철저한 후보자에 대한 검증이 이루어 져야한다.'	경실련	정책위원회
19950605	정책토론	미군 범죄 근절과 한미행정협정의 개정 방향	경실련공동	주한미군범죄근절을위한운동본부
19950607	조직	강동.송파 구지부 발기인대회	경실련	강동송파경실련
19950610	간행물	경제정의 1995년 여름호 / 통권 26호	경실련	사무국
19950616	보도자료	서울시장 후보(조순.정원식.박찬종)의 공약에 대한 논평	경실련	정책위원회
19950617	보도자료	문화역사기행 16차 자료집	경실련	사무국
19950619	보도자료	자연 환경 보존을 위한 정부의 노력 촉구 생태계 파괴 반대 지식인 서명 캠페인 관련 국무총리 면담	경실련	정책위원회
19950620	보도자료	정부의 북한에 대한 쌀 제공을 환영한다	경실련	통일협회
19950620	보도자료	지하철노조의 결단을 환영한다	경실련	정책위원회
19950620	보도자료	특정지역과 특정업종을 겨냥한 내무부의 선심성 지방세제 개편안을 즉각 철회하라	경실련	정책위원회
19950621	보도자료	경실련 대학생회 활동일지	경실련	대학생회

생산일자	세부형태	제목	출처분류	생산자(처)
19950622	보도자료	세계경제의 지방화와 시민운동	경실련	정책위원회
19950623	보도자료	중앙은행 독립을 촉구하는 경제학자 성명	경실련	정책위원회
19950623	조직	중소기업 살리기 특별위원회 발족	경실련	정책위원회
19950627	보도자료	6.27 지방자치선거 광역자치단체장 후보 정책 설문조사 결과 발표	경실련	정책위원회
19950628	보도자료	6.27 지방자치선거 결과에 대한 논평	경실련	정책위원회
19950707	보도자료	5.18 관련자에 대한 검찰의 무혐의 처리방침을 규탄한다	경실련	정책위원회
19950707	집회	삼풍백화점 희생자 추도 및 안전한 사회를 위한 시민대회	경실련공동	환경운동연합 외
19950712	보도자료	자연공원법 개정안 주가반영안에 대한 의견	경실련	정책위원회
19950712	조직	강릉경제정의실천시민연합 창립	경실련	강릉경실련
19950713	정책토론	이끌어라, 못하겠으면 떠나라 세미나	경실련	대학생회
19950713	보도자료	'여야는 당리당략에 따른 나눠먹기식 선거구획정 합의를 전면 백지화하라'	경실련	정책위원회
19950714	정책토론	교통신호체계의 문제점과 개선방향	경실련	정책위원회
19950715	보도자료	재난관리법에 대한 입장 발표	경실련	정책위원회
19950718	보도자료	5.18관련자 불기소 결정에 대한 1차 논평	경실련	정책위원회
19950719	참고자료	금융실명제 실시 2주년 설문조사	경실련	정책위원회
19950719	보도자료	주행세에 대한 논평 발표	경실련	정책위원회
19950720	정책토론	95년 7월 월례세미나	경실련	정책위원회
19950720	보도자료	삼풍백화점 희생자 합동분향소 설치에 즈음한 자원봉사 단체 호소문	경실련공동	경제정의실천불교시민연합 외
19950720	정책토론	카드거래 감세제도 왜 필요한가?	경실련	바른경제동인회
19950721	보도자료	결의문 - 5.18 광주학살 관련자들에 대한 검찰의 불기소 결정 관련	경실련공동	경제정의실천불교시민연합 외
19950721	정책토론	경실련 지방의회 의원 연수회	경실련	정책위원회
19950721	보도자료	자동차 보험료 인상에 대한 입장 발표 '교통방송의 발전방안 수립을 외면한 운영권 다툼에 문제가 있다	경실련	정책위원회
19950721	집회	현 정부의 5.18내란죄 기소포기 규탄 시민대회	경실련공동	5.18학살자 처벌 범국민 비상대책위원회
19950722	조직	경실련 창립 6주년 기념대회 및 지방선거 이후 한국사회 변화와 시민운동의 과제 (창립6주년 기념세미나)	경실련	정책위원회
19950722	보도자료	현 시국에 대한 입장	경실련	정책위원회
19950725	보도자료	성공한 쿠데타는 법적 면책인가? 토론회 안내	경실련	시민입법위원회
19950725	정책토론	헌법적 불법은 시효가 없다	경실련	시민입법위원회
19950725	조직	5.18 학살자처벌특별법 제정 범국비상대책위원회	경실련공동	정책위원회
19950726	소송	국회의원선거구획정에 관한 헌법소원심판청구서	경실련	정책위원회
19950728	집회	고리방사능 누출 및 사고은폐 규탄 집회, 국무총리에게 의견 제출	경실련	정책위원회
19950728	보도자료	민자당의 개혁후퇴 기도를 규탄한다	경실련	정책위원회
19950802	정책토론	95 세계우리겨레청년대회	경실련	GKN
19950803	정책토론	경제개혁은 심화, 지속되어야 한다	경실련	정책위원회
19950803	정책토론	금융실명제 2주년 기념 세미나 '경제개혁은 지속, 심화 되어야 한다'	경실련	정책위원회
19950803	보도자료	금융실명제 2주년 전문가 설문조사 결과 발표	경실련	정책위원회
19950803	보도자료	'전직 대통령 4천억원 가차명계좌 보유설' 진상은 밝혀져야 한다	경실련	정책위원회
19950804	홍보	제3차 세계 우리겨레 청년대회	경실련	GKN
19950807	소송	공직선거법 선거구 획정 헌법소원심판청구	경실련	정책위원회
19950808	보도자료	삼풍참사 관련 실종자 사망처리 촉구문	경실련공동	경제정의실천불교시민연합 외
19950809	보도자료	전직대통령의 4천억 가차명계좌 보유설에 대한 즉각적이고 엄정한 수사를 촉구한다	경실련공동	경제정의실천불교시민연합 외
19950812	보도자료	금융실명제 실시 2주년 특별성명	경실련	정책위원회
19950814	보도자료	아세아-태평양지역 시민사회포럼 결의문	경실련공동	아세아 태평양지역 시민사회포럼
19950818	보도자료	정보공개법제정 입법예고안에 대한 의견	경실련	정책위원회
19950821	회의	동아시아 대기행동 네트워크 서울 제1차 회의 (동아시아 대기행동네트워크)	경실련공동	환경운동연합 외
19950825	간행물	경제정의 1995년 가을호 / 통권 27호	경실련	사무국
19950828	조직	고성경제정의실천시민연합 발기인대회	경실련	고성경실련
19950829	조직	성폭력대책기구	경실련공동	정책위원회
19950830	보도자료	정부, '민자당의 개혁 보완 대책에 대한 입장' 발표	경실련	정책위원회
19950831	정책토론	바른정치 입법청원운동본부(가칭) 창립 기념 토론회 및 창립대회	경실련공동	바른정치 입법청원운동본부
19950901	보도자료	민자당은 관변단체에 대한 재정지원 추진을 즉각 중단하라	경실련공동	시민단체협의회
19950904	조직	오산.화성경실련 창립	경실련	오산화성경실련
19950905	보도자료	학교급식 실시 제도화를 위한 기자회견	경실련공동	참교육을 위한 전국학부모회 외

생산일자	세부형태	제목	출처분류	생산자(처)
19950907	보도자료	교육위원선출 비리를 방지할 제도적 대책을 마련하라	경실련	부정부패추방운동본부
19950911	보도자료	95 세법 개정안에 대한 경실련 의견 제출	경실련	정책위원회
19950911	보도자료	민자당은 세법개정안 후퇴기도를 중단해야 하며, 재정원은 세제개혁안을 다시 마련하라	경실련	정책위원회
19950913	보도자료	제177회 정기국회에 5.18관련 특별법제정을 다시 한번 촉구한다!	경실련	정책위원회
19950921	조직	통영경제정의실천시민연합 발기인대회	경실련	통영경실련
19950922	정책토론	바른정치를 위한 정치제도의 개혁 방향	경실련공동	바른정치 입법청원운동본부
19950928	보도자료	관변단체 지원예산을 전액 삼감하라	경실련	정책위원회
19950928	보도자료	96 정부 예산안에 대한 입장	경실련	정책위원회
19950929	교육	95 경실련 지방자치담당 실무자교육	경실련	사무국
19950929	회원	경실련 청년문화강좌	경실련	청년회
19950930	정책토론	5.18내란 주동자 구속기소 및 특별법 제정을 촉구하는 전국대학 서명교수 모임 발족식 및 토론회	경실련공동	5.18 내란 주동자 구속기소 및 특별법 제정을 촉구하는 전국대학 서명교수 모임
19950930	보도자료	교육부에서 입법예고한 교육법 개정안(교육부 공고제1995-32호)에 대한 반대 의견서를 가입단체의 이름으로 교육부에 제출	경실련	정책위원회
19951004	보도자료	서경석 경제정의연구소장 사임 및 정계진출에 대한 경실련의 입장	경실련	정책위원회
19951005	보도자료	총무처에 '건설기술관리법 시행령 입법예고안 중 감리원에 대한 처벌기준 완화'와 '아파트 내부구조 변경에 대한 처벌' 및 '국세청 공무원 세우회비 지급'문제에 대한 의견서 전달	경실련	정책위원회
19951009	정책토론	세계주거회의2를 위한 한국민간위원회 창립기념토론회	경실련공동	세계주거회의를 위한 한국민간위원회(준)
19951010	보도자료	정부는 부동산투기를 조장하는 종합토지세 과표현실화율 현상유지 방침을 철회하라	경실련	정책위원회
19951011	보도자료	검찰은 '5.18위증자'를 즉각 수사,기소하라!	경실련	정책위원회
19951011	보도자료	노태우씨의 망언을 개탄한다!	경실련	정책위원회
19951011	조직	장흥경실련 발기인 대회	경실련	장흥경실련
19951011	보도자료	부동산투기를 조장하는 민자당 김윤환 대표를 해임하라' 성명 발표	경실련	정책위원회
19951011	보도자료	5.18 특별법 제정 촉구 2차 가두 서명 운동 전개	경실련	정책위원회
19951013	정책토론	지방자치시대, 환경정책과 조례 제정	경실련	환경개발센터
19951013	조직	근로자파견법 저지 공동대책위원회	경실련공동	정책위원회
19951013	조직	5세아 조기입학반대 연대회의	경실련공동	정책위원회
19951014	보도자료	검찰과 선관위는 민자당 김윤환 경북 구미을 지구당 위원장과 김석원 대구 달성군 위원장의 불법 사전선거운동 혐의를 즉각 조사하라!	경실련	정책위원회
19951016	정책토론	노태우 전대통령 비자금 진상규명과 정경유착 방지방안 마련 대토론회	경실련	정책위원회
19951017	정책토론	95 세법 개정안의 문제와 바람직한 개선 방향	경실련	정책위원회
19951018	정책토론	OECD 가입 문제에 관한 공청회	경실련	정책위원회
19951020	보도자료	정부는 노전대통령의 비자금에 관한 철저한 수사를 즉각 개시하고 노전대통령은 자신의 문제에 대해 국민앞에 조금도 숨김없이 사실을 밝힐 것을 요구한다	경실련	정책위원회
19951025	정책토론	외국인 노동자 보호법 제정을 위한 공청회	경실련공동	외국인노동자인권보장행사위원회
19951026	정책토론	(11월4일 국민행동의 날 제안문) 5.18학살자 처벌 특별법 제정촉구를 위한 국민행동의날 선포하며	경실련공동	5.18학살자 처벌 범국민 비상대책위원회
19951026	정책토론	5.18학살자 처벌 특별법 제정 범국민 비상 대책위원회 결성식	경실련공동	5.18학살자 처벌 범국민 비상대책위원회
19951026	보도자료	검찰의 '5.18 위증자'에 대한 공소권 없음 결정을 규탄한다!	경실련	정책위원회
19951026	보도자료	국민에게 드리는 글	경실련공동	5.18학살자 처벌 범국민 비상대책위원회
19951026	정책토론	노전대통령 비자금 진상규명과 정경유착 방지대책 토론회	경실련	정책위원회
19951031	회의	제6기 9차 상임집행위원회	경실련	상임집행위원회
19951102	정책토론	한국사회발전과 노동조합의 과제	경실련공동	YMCA 외
19951103	보도자료	재벌총수들의 자정결의와 건의에 대한 입장	경실련	정책위원회
19951107	정책토론	행정절차조례 제정 왜 필요한가?	경실련	정책위원회
19951109	정책토론	중소기업문제 현황과 향후 사업방향에 대한 내부토론회 개최	경실련	정책위원회
19951111	보도자료	96년 경제운영 방향에 대한 의견	경실련	정책위원회
19951114	조직	구미경제정의실천시민연합 창립	경실련	구미경실련
19951116	보도자료	자원봉사법, 민간운동지원법 입법을 포기한 국회를 비판한다	경실련	정책위원회
19951122	정책토론	군포시소각장문제해결을 위한 비공식 간담회	경실련	환경개발센터
19951122	정책토론	정경유착 근절 정치제도 개혁과제 토론회	경실련	정책위원회
19951122	정책토론	지방자치단체의 시민옴부즈만제도 도입에 관한 토론회	경실련	부정부패추방운동본부
19951122	조직	경주경제정의실천시민연합 창립대회	경실련	경주경실련
19951124	정책토론	경제력 집중과 정부 정책	경실련	정책위원회

생산일자	세부형태	제목	출처분류	생산자(처)
19951124	정책토론	국가 통신사업 현황 및 바람직한 전개 방향	경실련	정책위원회
19951125	보도자료	5.18 특별법 제정에 특별검사제 도입은 필수적이다	경실련공동	5.18학살자 처벌 범국민 비상대책위원회
19951125	정책토론	지방자치시대 어떻게 준비할 것인가	경실련	정책위원회
19951125	보도자료	철저한 자성과 진정한 개혁을 수반한 5.18특별법 제정만이 민족정기확립과 국민통합을 실현할 수 있다	경실련공동	5.18학살자 처벌 범국민 비상대책위원회
19951226	조직	부패추방범국민연대회의 창립대회	경실련공동	정책위
19951128	회의	제6기 10차 상임집행위원회	경실련	상임집행위원회
19951129	보도자료	5.18불기소처분에 대한 헌법소원사건에 관한 의견	경실련공동	5.18학살자 처벌 범국민 비상대책위원회
19951129	정책토론	5.18특별검사제 어떻게 할 것인가(5.18 특별법제정을 위한 공청회)	경실련공동	5.18학살자 처벌 범국민 비상대책위원회
19951130	정책토론	경실련 교통광장 정책토론회 '지방자치시대의 교통정책 방향'	경실련	교통광장
19951130	간행물	경제정의 1995년 겨울호 / 통권 28호	경실련	사무국
19951201	조직	울산 경불련 창립대회	경실련	울산경제정의실천불교시민연합
19951202	보도자료	특별검사제를 도입하여 군사반란, 내란과 양민학살의 주범인 전두환을 조속히 의법처리하라	경실련	정책위원회
19951202	보도자료	전경련은 더 이상 헛된 구호를 남발하지 말고 자진 해산해야 한다	경실련	정책위원회
19951205	보도자료	검찰의 노태우씨 비자금사건 중간수사발표에 대한 논평	경실련	정책위원회
19951206	보도자료	국제 대회 지원법 의견 제출	경실련	정책위원회
19951207	보도자료	특별검사제를 도입하여 노태우씨 비자금 사건의 전모를 밝혀야 한다	경실련	정책위원회
19951207	보도자료	한미행정협정의 전면 개정을 촉구한다	경실련공동	주한미군범죄근절을위한운동본부
19951208	정책토론	김정일체제하의 남북관계와 김영삼정부의 통일정책토론회	경실련	통일협회
19951208	보도자료	정부는 개혁 약속을 이행하라	경실련	정책위원회
19951208	보도자료	특별검사제를 도입하여 노태우씨 비자금 사건의 전모를 밝혀야 한다	경실련	정책위원회
19951211	보도자료	노태우씨 비자금사건의 11대 의혹	경실련	정책위원회
19951212	보도자료	최근 개각움직임에 관련한 입장	경실련	정책위원회
19951213	청원	금융실명거래 및 비밀보장에 관한 긴급재정경제명령 개정 청원	경실련	정책위원회
19951213	청원	독점규제 및 공정거래에 관한 법률 개정 청원	경실련	정책위원회
19951213	청원	상속.증여세법 개정 청원	경실련	정책위원회
19951213	청원	지방세법 개정 청원	경실련	정책위원회
19951214	보도자료	김종필 자민련 총재의 반역사적인 5.18 특별법 제정 반대를 개탄한다!	경실련	정책위원회
19951215	보도자료	김영삼 대통령께 지속적인 개혁을 건의드립니다	경실련	정책위원회
19951215	보도자료	이수성 국무총리 내정에 대한 논평	경실련	정책위원회
19951215	조직	정읍경제정의실천시민연합 창립 발기인대회	경실련	정읍경실련
19951215	조직	양평경제정의실천시민연합 창립 발기인대회	경실련	양평경실련
19951215	보도자료	국제 대회 지원법 성명	경실련	정책위원회
19951215	보도자료	특별검사제를 도입하여 5.18 관련자를 수사해야 한다	경실련	정책위원회
19951216	정책토론	정보공개법 왜 안되는가? (토론회 자료집)	경실련	정책위원회
19951218	집회	국제대회지원법 관련 집회 개최	경실련	정책위원회
19951219	보도자료	5.18 특별법 제정을 환영한다	경실련	정책위원회
19951219	정책토론	열린사회를 위한 정보공개법의 제정방향 (공청회 자료집)	경실련공동	참여연대 외
19951220	보도자료	12.20 개각에 대한 논평	경실련	정책위원회
19951221	정책토론	518학살자처벌 특별법제정운동 보고대회	경실련공동	5.18학살자 처벌 범국민 비상대책위원회
19951221	정책토론	부패추방범국민연대회의 창립대회	경실련공동	겨레사랑운동실천연합 외
19951226	회의	제6기 11차 상임집행위원회	경실련	상임집행위원회
19951226	회의	95 경실련 연말 정책협의회	경실련	정책위원회
19951227	보도자료	통합선거법의 선거구획정에 대한 헌법재판소의 위헌 심판을 환영하며 여,야는 당리당략을 배제한 선거구 개편논의를 다시 진행하라	경실련	정책위원회
19951227	보도자료	헌재의 위헌심판 환영하며 선거구 개편 논의 다시하라	경실련	정책위원회
19951230	보도자료	이수성 총리는 잘못된 발언을 취소하라	경실련	정책위원회
19960100	보도자료	영광원전 5,6호기 온배수문제 대응 및 부지 사전승인취소 행정소송 진행	경실련	환경개발센터
19960101	보도자료	경실련 신년사, 개혁으로 더불어사는 공동체를 이룩하자	경실련	정책위원회
19960105	보도자료	정부는 지속적인 재벌정책의 강화를 통해 정경유착 근절에 대한 사회적 요구를 충족시켜야 한다	경실련	정책위원회
19960108	보도자료	선거구획정과 선거법개정에 대한 노동,시민,사회단체 견해	경실련공동	전국연합 외
19960109	보도자료	대통령 국정연설에 관한 경실련 통일협회 논평	경실련	통일협회
19960109	보도자료	새해 국정운영에 관한 대통령 연설에 대한 논평	경실련	정책위원회
19960113	보도자료	김영삼 대통령의 재벌총수 집담면담을 개탄한다	경실련	정책위원회

생산일자	세부형태	제목	출처분류	생산자(처)
19960115	보도자료	12.12와 5.18관련자에 대한 검찰의 엄정한 법집행을 촉구한다	경실련	정책위원회
19960116	정책토론	대북지원, 어떻게 할 것인가? 토론회	경실련	통일협회
19960117	보도자료	21세기 선진복지한국을 위한 중요 국민복지 선언	경실련공동	국민복지실현추진연합
19960119	조직	국민복지실현추진연합회 발족	경실련공동	국민복지실현추진연합
19960120	홍보	주간 지방자치 리포트 제3호	경실련	지방자치특별위원회
19960122	조직	외국인노동자제도 개혁을 위한 시민대책위원회	경실련공동	정책위원회
19960123	보도자료	5.18내란 관련자를 전원 처벌하라	경실련	정책위원회
19960124	정책토론	수도권 쓰레기 문제 해결을 위한 시민연대 회의 발대식 및 정책 토론회 개최	경실련	정책위원회
19960128	보도자료	북한 · 대만간 핵폐기물이전계약에 대한 경실련통일협회의 입장	경실련	통일협회
19960129	보도자료	선진한국을 위한 국민복지 선언	경실련공동	국민복지실현추진연합
19960129	조직	3.8 세계여성의날 기념 한국여성대회	경실련공동	정책위원회
19960130	회의	제6기 12차 상임집행위원회	경실련	상임집행위원회
19960130	정책토론	대북지원 어떻게 할것인가? 토론회	경실련	통일협회
19960130	정책토론	영광원자력5-6호기 건설사업의 환경영향에 관한 토론회	경실련	환경개발센터
19960131	보도자료	김영삼 대통령의 재벌총수 집단면담을 개탄한다	경실련	정책위원회
19960201	보도자료	산분해식품에서 유해물질 검출	경실련	부정부패추방운동본부
19960203	보도자료	공명선거실천국민서약 캠페인 출범식	경실련	정책위원회
19960203	홍보	주간 지방자치 리포트 제5호	경실련	지방자치특별위원회
19960206	정책토론	1996년 사회개혁과제와 연대방향	경실련공동	전국민주노동조합총연맹 외
19960206	회의	경실련 통일협회 회원총회 및 창립2주년 기념 토론	경실련	통일협회
19960208	정책토론	서울시 폐기물 감량화 재활용 적정처리에 관한 조례제정 토론회	경실련공동	수도권쓰레기문제해결을위한시민연대회의
19960208	보도자료	재벌 구조 개혁을 다시 한번 촉구한다	경실련	정책위원회
19960209	보도자료	영광원전 5,6호기의 부지사전승인 결정을 규탄한다	경실련공동	배달녹색연합 외
19960210	회의	경실련 청년회 제 5차 총회	경실련	청년회
19960212	홍보	GKN 세계우리겨레공동체 및 베트남 프로젝트	경실련	GKN
19960212	보도자료	일본의 독도 영유권 주장 망언을 규탄한다.	경실련공동	경제정의실천불교시민연합 외
19960213	회의	(가칭) 동북아 평화체제 및 경제공동체 건설을 위한 남북한 중국 일본 민간 학술회의	경실련	통일협회
19960214	정책토론	95년 의료보험 통합운동 평가와 96년 전망	경실련공동	의료보험연대회의
19960214	정책토론	지속가능한 도시실현을 위한 지역의 행동	경실련공동	환경개발센터 외
19960215	보도자료	제 5회 경제정의기업상 시상식	경실련	경제정의연구소
19960216	정책토론	독도문제, 어떻게 할것인가?	경실련공동	기독교윤리실천운동 외
19960222	정책토론	김영삼 정부 3년 평가와 향후 개혁과제	경실련	정책위원회
19960223	보도자료	1996 사회개혁과제 실현을 위한 노동.시민.사회단체 공동선언	경실련공동	민주사회를위한변호사모임 외
19960223	보도자료	경제정의에 공헌한 의원, 역행한 의원	경실련공동	민주사회를위한변호사모임 외
19960223	정책토론	수도권 정비계획법에 관한 간담회	경실련	환경개발센터
19960224	조직	1996 경실련 전국회원총회 대회	경실련	총회
19960224	회의	제4기 1차 중앙위원회	경실련	중앙위원회
19960224	회의	제7기 제1차 상임집행위원회	경실련	상임집행위원회
19960226	정책토론	OECD국제세미나-멕시코의 금융위기와 한국의 OECD 가입	경실련	정책위원회
19960227	보도자료	2.26 조선일보 사설에 대한 입장	경실련	정책위원회
19960227	보도자료	최근 경실련이 불법적인 특정후보의 지지-낙선운동을 전개하려 한다는 잘못된 언론보도의 시정을 촉구한다	경실련	정책위원회
19960228	조직	동해경제정의실천시민연합 발기인대회	경실련	동해경실련
19960229	보도자료	일흔 일곱돌 3 · 1절에 즈음하여 '남북의 진정한 화해 · 협력을 염원한다'	경실련	통일협회
19960229	보도자료	인천경실련의 동아건설 의뢰 연구용역문제에 관한 경실련의 입장	경실련	정책위원회
19960229	조직	경실련 방송모니터(미디어 워치) 발족	경실련	미디어워치
19960303	교육	'민족의 화해와 통일을 위하여' 민족화해아카데미 개최	경실련	통일협회
19960304	보도자료	산분해식품 문제에 대한 경실련의 2차 입장	경실련	부정부패추방운동본부
19960306	보도자료	산분해간장 유해물질 검출에 관한 경실련 3차 발표문	경실련	부정부패추방운동본부
19960306	조직	96 지구의 날 자전거대행진	경실련공동	정책위원회
19960308	간행물	경제정의 1996년 봄호 / 통권 29호	경실련	사무국
19960308	보도자료	선관위의 공명선거 협조요청과 이를 둘러싼 언론의 보도 태도에 대한 입장	경실련	정책위원회
19960308	조직	장흥경실련 창립	경실련	장흥경실련
19960309	홍보	주간 지방자치 리포트 제9호	경실련	지방자치특별위원회
19960315	집회	공선협 부정선거추방시민대회	경실련	정책위원회
19960315	보도자료	모든 국민은 안전한 식품을 먹을 권리가 있다	경실련공동	부정부패추방운동본부 외
19960316	정책토론	(15대 총선) 후보자 초청 정책 워크샵	경실련	공명선거실천시민운동협의회

생산일자	세부형태	제목	출처분류	생산자(처)
19960316	보도자료	MBC 파업에 대한 시민 사회단체의 입장	경실련공동	민주주의민족통일전국연합 외
19960317	보도자료	공정거래위원회는 내부의 정화와 시민감시를 통하여 경제 검찰로서 거듭 태어나야 한다	경실련	정책위원회
19960320	정책토론	화학간장 관련 자료집	경실련공동	부정부패추방운동본부
19960320	조직	광양경제정의실천시민연합 창립	경실련	광약경실련
19960321	회의	경실련 정농생협 4차 조합원 총회	경실련	경실련정농생활협동조합
19960321	정책토론	농개위1차세미나_21세기 한국농업의 새로운 대안 모색 -환경친화적 농업과 지속가능한 소비운동의 전망 -	경실련	정책위원회
19960321	정책토론	부실공사방지 시민안전감시단	경실련	정책위원회
19960321	보도자료	자민련과 신한국당은 시민단체와 정책토론에 나서라	경실련공동	정책위원회
19960321	정책토론	정책선거 실현 위한 4당 정책위의장 초청 토론회	경실련공동	정책위원회
19960323	보도자료	공선협, 정책선거실종을 우려한다	경실련공동	공명선거실천시민운동협의회
19960325	보도자료	15대 국회의원 선거, 4당 공약을 평가한다	경실련	정책위원회
19960326	보도자료	4.11 총선 후보등록에 즈음한 노동, 시민, 사회 8개단체 공동 기자회견	경실련공동	정책위원회
19960326	회의	제7기 제2차 상임집행위원회 회의	경실련	정책위원회
19960327	조직	MBC파업 진상 중간조사 보고	경실련공동	정책위원회
19960327	보도자료	여야의 전국구 공천행태를 개탄하며 정당투표에 의한 비례 대표제 채택을 촉구한다	경실련	정책위원회
19960328	정책토론	4당 환경공약 평가 토론회	경실련	환경개발센터
19960328	보도자료	의료보장제도에 대하여 신한국당의 입장을 밝혀주십시오	경실련공동	정책위원회
19960406	정책토론	화학간장의 유해성에 관한 한일 학술 심포지엄	경실련	정책위원회
19960408	보도자료	한일 학생교류 프로그램 보고	경실련	대학생회
19960409	보도자료	국민의 손으로 선거혁명 이룩하자!	경실련	정책위원회
19960412	보도자료	15대 국회의원 선거결과에 대한 논평	경실련	정책위원회
19960417	보도자료	검찰은 전두환의 비자금을 불법실명전환한 김석원씨에 대한 수사를 철저하게 진행하고 엄중하게 처리하라	경실련	정책위원회
19960419	회의	제7기 상임집행위원회 제3차 실무회의	경실련	상임집행위원회
19960420	기타	겨레사랑-북녘동포돕기청년운동본부 교류행사	경실련공동	겨레사랑-북녘동포돕기 청년운동본부
19960420	조직	백령도 문화역사기행	경실련	통일협회
19960420	보도자료	전두환씨의 비자금을 불법실명전환한 김석원씨는 국회의원직을 사퇴하라!	경실련	정책위원회
19960423	회의	제7기 제3차 상임집행위원회	경실련	정책위원회
19960425	보도자료	금융안전관리 부실책임을 물어 재정경제원이 한은총재 등을 주의조치하는 것은 바람직하지 않다	경실련	정책위원회
19960425	보도자료	신노사관계 구상에 대한 입장-노사관계개혁위원회에 바란다	경실련	정책위원회
19960503	정책토론	대학교육개혁의 바람직한 개혁방안	경실련	정책위원회
19960504	보도자료	'정부의 시대착오적 국책사업 특별법 제정 방침을 우려한다'	경실련	정책위원회
19960508	보도자료	경부고속철도 경주 경유에 대한 입장	경실련	정책위원회
19960513	정책토론	남북경제교류 협력의 실제와 전망에 관한 심포지엄	경실련	통일협회
19960513	단행본	남북경협의 현장	경실련	통일협회
19960513	보도자료	선거비용 허위신고에 대해 정치권 반성을 촉구하며 선거관리 위원회는 선거비용 실사를 엄격하게 진행하라	경실련	정책위원회
19960514	보도자료	선거비용 허위신고 고발창구 개설	경실련	정책위원회
19960516	조직	녹색 가정 만들기 발대식	경실련	정책위원회
19960516	정책토론	시민의 입장에서 본 당산철교 복구논쟁	경실련	정책위원회
19960517	기타	제1회 한국시민운동상 수상	경실련	사무국
19960518	정책토론	도봉산의 보전과 이용에 관한 공개토론회	경실련	정책위원회
19960520	정책토론	경실련 교통광장 토론회(서울시 교통종합대책을 진단한다)	경실련	교통광장
19960521	보도자료	HABITAT2 참가선언 및 심포지움	경실련공동	정책위원회
19960521	회의	제7기 상임집행위원회 제5차 실무회의	경실련	상임집행위원회
19960521	조직	경주문화재 보존을 위한 시민사회단체연석회의	경실련공동	정책위원회
19960521	조직	국가보안법 개정 운동	경실련공동	정책위원회
19960521	조직	북한식량지원운동	경실련공동	정책위원회
19960522	정책토론	4자회담 성사는 주체적 민족화합 조치를 통해서	경실련	통일협회
19960522	회의	제1차 '음란조장 스포츠조선대책' 대표자회의	경실련공동	정책위원회
19960523	정책토론	한국-재일동포 학생교류프로그램	경실련	대학생회
19960523	정책토론	정부의 신기업정책 진단과 올바른 재벌개혁의 방향	경실련	정책위원회
19960523	보도자료	한일 학생교류프로그램	경실련	정책위원회
19960528	회의	7기 제4차 상집위원회	경실련	정책위원회
19960528	조직	의료보험연대회의	경실련공동	정책위원회
19960601	정책토론	행정절차법 제정의 필요성과 입법방향	경실련	정책위원회

생산일자	세부형태	제목	출처분류	생산자(처)
19960603	정책토론	15대 국회의 정치개혁 과제	경실련	정책위원회
19960603	정책토론	21세기 한국정치 진로와 15대 국회의 정치개혁 과제	경실련	정책위원회
19960605	회의	가칭 '경실련 시민공정거래위원회' 위원 상견례 및 간담회	경실련	정책위원회
19960605	보도자료	정부는 이중곡가제 폐지방침을 즉각 철회하라	경실련	정책위원회
19960605	정책토론	금융실명제와 자금세탁방지법의 바람직한 입법 방향 - 정부 입법안에 대한 평가를 중심으로	경실련	정책위원회
19960605	보도자료	환경법 위반업체 분석결과	경실련	경제정의연구소
19960607	간행물	경실련청년회 통권 21호	경실련	청년회
19960607	보도자료	정부는 식용쌀의 수입을 즉각 철회하고 안정적인 쌀 자급 정책을 제시하라	경실련	정책위원회
19960607	보도자료	정부당국은 증권감독원장 뇌물수수사건을 철저히 수사하고 증권시장의 공정거래질서 확립을 위한 근본적인 제도개혁에 나서야 한다	경실련	정책위원회
19960610	정책토론	다이옥신 및 고엽제 피해현황에 관한 국제세미나	경실련공동	정책위원회
19960611	정책토론	쌀 지급을 위한 양정개혁방향	경실련	정책위원회
19960611	보도자료	정부의 개인휴대통신 사업자선정 결과 발표에 대한 경실련의 입장	경실련	정책위원회
19960611	보도자료	지역조합 보험료 대폭 인상	경실련공동	의료보험연대회의
19960612	정책토론	21세기를 향한 산림의 보전과 이용 정책	경실련	환경개발센터
19960614	회의	제7기 상임집행위원회 제6차 실무회의	경실련	상임집행위원회
19960614	조직	외국인노동자 인권보장 및 지원활동 탄압저지를 위한 공동대책협의회	경실련공동	정책위원회
19960615	보도자료	강서구 MBC사장의 사퇴에 즈음한 입장	경실련	정책위원회
19960617	정책토론	정부의 신기업정책 진단과 올바른 재벌개혁의 방향	경실련	정책위원회
19960618	보도자료	공공부문노조 쟁의사태에 대한 입장	경실련	정책위원회
19960618	정책토론	시민공정거래위원회 출범식및 세미나	경실련	시민공정거래위원회
19960618	정책토론	열린사회를 향한 노사관계 개혁방안	경실련공동	정책위원회
19960618	회의	공정거래법 개정방향에 대한 1, 2, 3차 워크숍	경실련	정책위원회
19960618	보도자료	의료보험 제도에 관한 국회의원 의견 조사 결과	경실련공동	정책위원회
19960618	정책토론	경실련 '조세정의실현 시민운동본부' 출범	경실련	정책위원회
19960622	보도자료	한국경영자총협회 긴급회장단회의 성명에 대한 논평	경실련	정책위원회
19960622	조직	김제경제정의실천시민연합 창립	경실련	김제경실련
19960623	조직	가정평화를 위한 가정폭력방지법 제정 추진 범국민운동본부	경실련공동	정책위원회
19960624	정책토론	바람직한 지방자치 발전을 위한 제언	경실련	정책위원회
19960625	정책토론	(민선자치 1년을 돌아보며) 서울시 환경정책 및 의정활동을 평가한다	경실련	환경개발센터
19960625	회의	제7기 제5차 경실련 상임집행위원회	경실련	상임집행위원회
19960626	정책토론	시민의 신문 창간 3주년 기념 세미나(한국 사회 발전을 위한 정부 기업 시민 사회의 역할과 과제	경실련	정책위원회
19960627	정책토론	환경영향평가법 개정(안)에 관한 공개토론회	경실련	환경개발센터
19960628	정책토론	도시개혁센터 창립 기념 토론회 '21세기 국토와 도시, 대통령 선거에 바란다'	경실련	도시개혁센터
19960701	간행물	경실련 베트남 프로젝트 소식지	경실련	정책위원회
19960701	보도자료	미국 정부는 SOFA 개정협상에 성실히 임하라	경실련	정책위원회
19960701	기타	서울시 교통캠페인 추진 과정에 대한 교통관련 시민단체의 입장	경실련	정책위원회
19960701	보도자료	한약조제시험 부정의혹에 관한 입장(검찰은 시험 관계자 전원을 즉각 수사하라)	경실련	정책위원회
19960703	정책토론	95년 장기전력수급계획 및 수요관리 정책평가	경실련	정책위원회
19960704	보도자료	노사관계개혁을 둘러싼 현 상황에 대환 입장	경실련	정책위원회
19960704	보도자료	민족의 화해와 평화통일을 위한 대축전 남측 추진본부 결성	경실련공동	민족의 화해와 평화통일을 위한 대축전 남측 추진본부
19960704	보도자료	시내버스 할증요금에 대한 입장	경실련	정책위원회
19960705	간행물	경실련 총서1 - 우리사회 이렇게 바꾸자(제2수정증보판)	경실련	사무국
19960713	정책토론	청소년 유해환경실태 조사활동	경실련	정책위원회
19960716	조직	세계우리겨레공동체(GKN, Global Korean Network) 창립	경실련	국제위원회
19960716	회의	제7기 상임집행위원회 제7차 실무회의	경실련	상임집행위원회
19960720	회의	제7기 제6차 경실련 상임집행위원회	경실련	상임집행위원회
19960720	조직	창립7주년 기념행사	경실련	사무국
19960724	보도자료	정부는 여천공단 오염의 책임을 지고 조속히 대책을 마련하라	경실련	정책위원회
19960725	정책토론	경실련 청년회 정책 토론회	경실련	청년회
19960725	정책토론	언론개혁 어떻게 할것인가	경실련	정책위원회
19960730	정책토론	한국증권산업 구조개선을 위한 공청회	경실련공동	정책위원회

생산일자	세부형태	제목	출처분류	생산자(처)
19960731	간행물	우리겨레공동체 GKN magazine 발간	경실련	GKN
19960802	보도자료	재활용이 어려운 검은색병의 생산 및 사용은 재고되어야 한다	경실련	정책위원회
19960805	보도자료	12.12 및 5.18사건 법원의 1심선고에 대한 논평	경실련	정책위원회
19960805	보도자료	OECD가입에 대한 우리의 견해	경실련	정책위원회
19960805	보도자료	검찰의 전두환, 노태우씨 구형에 대한 논평	경실련	정책위원회
19960805	보도자료	정부는 조세정의에 역행하는 상속세 완화 정책을 전면 재검토하라	경실련	정책위원회
19960806	집회	한국-중국 : 세계우리 청년대회 개최	경실련	정책위원회
19960807	정책토론	GKN창립세미나_해외교포 정책, 이렇게 바뀌어야 한다	경실련	정책위원회
19960808	기타	96 경실련 대학생회 국토순례	경실련	대학생회
19960809	보도자료	8월 6일 입법예고된 공정거래법 개정안에 대한 입장	경실련	정책위원회
19960813	보도자료	정부는 비리사건 관련자에 대한 특별사면 복권조치를 취소하라	경실련	정책위원회
19960814	보도자료	부정비리 관련자에 대한 8.15 특별사면,복권 조치는 취소 되어야 합니다	경실련	정책위원회
19960814	정책토론	에너지 절약운동 이렇게 합시다!	경실련	환경개발센터
19960814	보도자료	하시모토 일본총리의 위안부피해자 전달서한서 '사죄 반성 표명'에 대한 경실련 의견	경실련	정책위원회
19960815	보도자료	정부 행정절차법 입법 예고안에 대한 의견서 제출	경실련	정책위원회
19960815	보도자료	8 · 15 광복 51주년 기념제 228차 수요시위 참가	경실련	정책위원회
19960821	보도자료	정부는 여천공단 오염저감 방안 및 이주대책을 조속히 수립하라	경실련공동	정책위원회
19960822	보도자료	가정폭력방지 법제정추진 범국민운동본부 발족기자회견	경실련공동	정책위원회
19960823	정책토론	OECD가입에 관한 경실련 재경원 공개 간담회	경실련	정책위원회
19960823	보도자료	선관위가 고발-수사의뢰한 대상자는 전원 의법처리되어야 한다	경실련	정책위원회
19960823	정책토론	스크린쿼터제 무엇이 문제인가	경실련	정책위원회
19960823	회의	제7기 상임집행위원회 제9차 실무회의	경실련	상임집행위원회
19960823	조직	서울교통문제해결을 위한 시민단체연대	경실련공동	정책위원회
19960826	보도자료	공정거래법 개정안에 대한 의견	경실련	정책위원회
19960827	회의	제7기 제7차 경실련 상임집행위원회	경실련	상임집행위원회
19960828	보도자료	정부는 뇌물공여 재벌기업에 대한 특별세무조사를 실시하고 전경련은 자진 해산하거나 문화재단으로 전환하라!	경실련	정책위원회
19960828	보도자료	한국기계공업협동조합연합회의 단체수의계약물품 특혜 배정에 대해 철저한 진상조사 및 재발방지책 수립을 촉구한다	경실련	정책위원회
19960829	보도자료	'96 행정절차법 입법예고안에 대한 의견	경실련	정책위원회
19960829	보도자료	전경련 등 경제5단체의 시위가담 학생에 대한 채용제한 조치를 철회하라	경실련	정책위원회
19960901	보도자료	경제를 볼모로 한 재벌개혁의 후퇴를 우려한다	경실련	정책위원회
19960902	간행물	경제정의 1996년 가을호 / 통권 31호	경실련	사무국
19960904	보도자료	접경지역 개발지원에 관한 특별법은 전면 백지화 되어야 한다	경실련	정책위원회
19960905	정책토론	경실련 초선의원 초청 간담회-15대 국회 첫 정기회의 중요 현안에 대한 경실련 의견	경실련	정책위원회
19960906	교육	도시개혁시민운동에 관한 전국경실련 워크숍	경실련	도시개혁센터
19960907	정책토론	보다 나은 세상을 향하여 더불어 함께 가는 경실련 청년회 워크샵	경실련	청년회
19960910	보도자료	집시법의 개악을 철회하라.	경실련	정책위원회
19960911	조직	경실련 국회 입법감시단 발단식	경실련	입법감시단
19960912	정책토론	현 경제상황의 진단과 대처방안	경실련	정책위원회
19960913	보도자료	신한국당은 안기부법 개정을 철회하라.	경실련	정책위원회
19960913	조직	사회복지예산 GDP 5%확보운동 공동대책위원회	경실련공동	정책위원회
19960913	회의	제7기 상임집행위원회 제10차 실무 회의	경실련	상임집행위원회
19960917	정책토론	OECD가입에 대한 경실련 재경원 간담회	경실련공동	재정경제원
19960920	홍보	시민사업팀 환경감시단의 환경보호 캠페인 31차례 실시	경실련	정책위원회
19960924	회의	제7기 상임집행위원회 제10차 실무 회의	경실련	정책위원회
19960924	회의	제7기 제8차 경실련 상임집행위원회	경실련	상임집행위원회
19960624	조직	일본군위안부 문제의 올바른 해결을 위한 시민연대	경실련공동	정책위원회
19961001	정책토론	음식물쓰레기의 올바른 관리를 위한 공청회	경실련공동	정책위원회
19961007	보도자료	환경부의 여천공단 조사결과에 대한 고의적인 누락 및 미발표에 대한 입장	경실련	정책위원회
19961009	회의	경실련 환경감시단 발대식	경실련	환경개발센터
19961010	보도자료	경부고속철도의 사전조사 미흡과 부실공사에 대한 철저한 경위조사와 관련자의 문책을 촉구한다	경실련	정책위원회
19961010	보도자료	경쟁력 10% 이상 높이기 추진방안에 대한 논평	경실련	정책위원회
19961011	보도자료	15대 총선 선거법 위반자의 공소시효 만료에 대한 입장	경실련	정책위원회
19961011	정책토론	입법감시단 대학생 모임	경실련	정책위원회

생산일자	세부형태	제목	출처분류	생산자(처)
19961011	회의	제7기 상임집행위원회 제11차 실무 회의	경실련	상임집행위원회
19961011	정책토론	조례 및 예산분석방법 설명회	경실련	정책위원회
19961012	보도자료	OECD 조기가입 국회비준반대운동을 시작하며	경실련	정책위원회
19961015	청원	공정거래법 개정청원안 제출	경실련	정책위원회
19961016	보도자료	국회는 즉각 시위 여대생에 대한 성추행 진상조사에 착수하라	경실련	정책위원회
19961016	청원	독점규제 및 공정거래에 관한 법률 개정 청원	경실련	정책위원회
19961017	보도자료	경총, 전경련은 97년 임금동결 방침을 철회하라	경실련	정책위원회
19961021	조직	경실련 도시개혁센터 발기인 대회	경실련	정책위원회
19961022	정책토론	GKN이란 무엇인가	경실련	정책위원회
19961022	정책토론	정보공개법 제정방향에 대한 토론회	경실련공동	정책위원회
19961022	회의	제7기 제9차 경실련 상임집행위원회	경실련	상임집행위원회
19961022	정책토론	한국 시민사회의 동정	경실련	정책위원회
19961022	회의	홈페이지 경실련 소개자료	경실련	정책위원회
19961023	보도자료	정부와 신한국당은 공정거래법 후퇴 방침을 즉각 철회하라	경실련	정책위원회
19961024	정책토론	영업용건물임대차보호법 제정방향	경실련	정책위원회
19961027	보도자료	모악랜드 조성사업 철회및 모악산 개발 계획 전면 수정을 위한 범도민결의대회	경실련	정책위원회
19961028	정책토론	공정거래법 개정방향에 관한 공청회	경실련	시민공정거래위원회
19961028	보도자료	공정거래법 개정에 대한 전문가 설문조사 결과 발표-경제학자 및 경제법학자 120명 대상	경실련	정책위원회
19961028	정책토론	지하수법 개정안에 관한 토론회	경실련	정책위원회
19961030	보도자료	서울시 버스노선조정 관련 횡령 수뢰사건 관련자에 대한 엄중한 처벌과 버스노선의 합리적 재조정을 촉구한다	경실련	정책위원회
19961031	정책토론	서울시 노인복지 개선을 위한 공개간담회	경실련	정책위원회
19961031	감사청구	연약지반 처리 팩드레인 공법의 부실시공 문제, 감사원에 특별감사 청구	경실련	정책위원회
19961100	감사청구	서울신문사의 버스 외부광고사업 비리문제를 감사원에 특별감사 청구	경실련	정책위원회
19961100	청원	시민입법위 집시법 개정안 국회에 입법청원	경실련	시민입법위원회
19961101	회의	1996 청년회-재일한국청년연합 교류의 장	경실련	정책위원회
19961101	정책토론	96 한국과 일본을 잇는 만남과 교류의 장	경실련	정책위원회
19961102	정책토론	공정거래법 개정방향에 관한 토론회	경실련	정책위원회
19961105	회의	의료보험제도 개혁 및 주민활동방안 교육	경실련공동	정책위원회
19961108	회의	제7기 상임집행위원회 제12차 실무 회의	경실련	상임집행위원회
19961108	정책토론	주민투표법 어떻게 제정할 것인가 토론회	경실련	정책위원회
19961109	집회	가정폭력방지법 제정을 위한 시민대회	경실련	정책위원회
19961111	홍보	OECD 조기가입 국회비준반대 캠페인 전개	경실련	정책위원회
19961112	보도자료	의료개혁위원회' 발족에 대한 [의보통합연대회의]의 입장	경실련공동	의료보험연대회의
19961113	청원	공직부패방지를 위한 공직자윤리법 개정의 청원	경실련	시민입법위원회
19961113	청원	국민의알권리보장과 행정민주화를 위한 정보공개법 제정의 청원	경실련	시민입법위원회
19961113	보도자료	신한국당과 정부 그린벨트 대폭 규제완화안에 대한 경실련의 입장	경실련	정책위원회
19961113	정책토론	우리나라 자치경찰제의 도입방향	경실련	지방자치위원회
19961113	정책토론	지방자치시대의 바람직한 경찰행정을 모색한다	경실련	지방자치위원회
19961113	청원	행정민주화를 위한 행정절차법 제정의 청원	경실련	시민입법위원회
19961114	보도자료	12-12 및 5-18 진실 증언을 포기한 최규하씨의 태도에 실망하지 않을 수 없다	경실련	정책위원회
19961114	간행물	시민입법감시 창간호	경실련	시민입법위원회
19961114	보도자료	정부는 고위공직자 비리방지를 위한 총체적인 제도개선에 즉각 나서라	경실련	정책위원회
19961114	정책토론	한국 환경운동의 제모습과 지향점 찾기	경실련	환경개발센터
19961115	청원	영업용건물 임대차 보호를 위한 제정의 청원	경실련	시민입법위원회
19961115	청원	집회 및 시위에 관한 법률 개정을 위한 청원	경실련	시민입법위원회
19961119	보도자료	현행 외국인노동자 제도의 개혁을 촉구한다	경실련공동	외국인노동자제도개혁을 위한 시민대책위원회
19961120	단행본	사회운동과 전문지식	경실련	시민의신문
19961120	보도자료	서울시는 잠실 등「5개 저밀도 지구」초고층 재건축 결정을 전면 재검토하라!	경실련	도시개혁센터
19961121	정책토론	지방의회, 이렇게 정립해야 한다	경실련	지방자치위원회
19961122	회의	제7기 제13차 상집실무회의 회의	경실련	상임집행위원회
19961125	정책토론	주민투표법, 어떻게 제정할 것인가	경실련	정책위원회
19961126	보도자료	정부는 이제 일관성 있는 대북 화해 · 포용정책을 추진해야 한다	경실련	통일협회

생산일자	세부형태	제목	출처분류	생산자(처)
19961126	정책토론	그린벨트 문제 해결을 위한 시민단체 공개토론회(그린벨트 이대로 좋은가)	경실련	도시개혁센터
19961126	보도자료	노동법개정에 대한 입장	경실련	정책위원회
19961126	청원	바른 선거문화 정착을 위한 공직선거 및 선거부정방지법 개정에 관한 청원	경실련	정책위원회
19961126	회의	제7기 경실련 상임집행위원회 제14차 실무회의	경실련	상임집행위원회
19961126	회의	제7기 제10차 경실련 상임집행위원회	경실련	상임집행위원회
19961127	보도자료	경실련, 국무총리에게 노동법 개정에 대한 입장 전달	경실련	정책위원회
19961127	간행물	경제정의 1996년 겨울호 / 통권 32호	경실련	사무국
19961128	보도자료	국회 제도개선특위의 선거법 개악에 대한 논평	경실련	정치개혁위원회
19961130	보도자료	선거법 개악 여야합의안 철회촉구 시민단체 연대시위	경실련공동	경실련 외
19961200	모니터링	김영삼 대통령 공약이행 평가	경실련	정책위원회
19961202	정책토론	지적재산권 침해,어떻게 할 것인가	경실련	정책위원회
19961203	정책토론	재건축, 무엇이 문제이며 어떻게 개선할 것인가	경실련	도시개혁센터(준)
19961204	보도자료	정부의 사회복지공동모금법 입법에 대한 시민협의 입장	경실련공동	시민단체협의회
19961205	보도자료	신한국당의 주민투표법안에 대한 입장	경실련	정책위원회
19961205	보도자료	신한국당의 안기부법 개정 철회 촉구 2차 성명발표	경실련	정책위원회
19961206	보도자료	정부는 G7 프로젝트(선도기술개발사업) 중 의료공학기술 개발 사업의 부정 의혹에 대한 진상조사에 즉각 착수하라	경실련	보건의료위원회
19961206	정책토론	현안 농업문제에 대한 국회의 올바른 대응촉구를 위한 토론회	경실련	농업개혁위원회
19961207	정책토론	신한국당의 안기부법 개정 철회 촉구 3차 성명 발표위한 농민 시민사회단체 대 토론회」	경실련공동	농단협 외
19961210	보도자료	정부의 노동법 개정안 국회 제출에 즈음한 우리의 입장	경실련공동	환경운동연합 외
19961212	보도자료	경실련 지적재산권침해고발센터 현판식	경실련	과학기술위원회
19961213	보도자료	자민련과 국민회의는 선거법의 연좌제 폐지 및 소급적용 주장을 즉각 철회하라	경실련	정책위원회
19961213	보도자료	선거법 개악 여야합의안 저지 성명 2차 발표	경실련	경실련 외
19961214	회의	1996년 경실련 연말정책협회의	경실련	정책위원회
19961216	보도자료	12.12 및 5.18사건 2심선고재판에 대한 논평	경실련	정책위원회
19961216	보도자료	시설채소 농가에 대한 강제경매제도 개선하라	경실련	농업개혁위원회
19961217	보도자료	「반환경적 규제완화 반대 대학교수 1백인 서명」 기자회견	경실련공동	환경운동연합 외
19961217	보도자료	건설교통부는 산업촉진지구제 도입을 즉각 철회하라	경실련	농업개혁위원회
19961217	보도자료	반환경적인 그린벨트 대폭 규제완화안의 철회와 팔당-대청호 상수원수질 개선 및 주민지원 등에 관한 법률안의 철회를 요구한다-대학교수 1백인 서명	경실련	정책위원회
19961217	보도자료	신한국당의 국회정보위에서의 안기부법 날치기 통과를 개탄한다	경실련	정책위원회
19961217	보도자료	전두환-노태우씨 비자금 실명전환 무죄 선고에 대한 경실련의 입장	경실련	정책위원회
19961221	정책토론	경실련 대학생 입법감시단 활동평가 토론회	경실련	정책위원회
19961224	보도자료	신한국당과 정부의 그린벨트 규제완화와 관련한 당정협의안에 대한 규탄성명	경실련공동	그린벨트 문제해결을 위한 시민연대회의
19961226	보도자료	신한국당의 안기부법 노동관계법 날치기 통과는 반민주적 반역사적 반국민적 폭거이다	경실련	정책위원회
19961231	기타	사)경제정의연구소 지정기부금단체 지정(기획재정부 제15192호)	경실련	사무국
19970106	보도자료	경실련 전국공동대표단-날치기 통과된 안기부법 노동 관계법은 즉각 재개정되어야 한다	경실련	정책위원회
19970107	참고자료	경실련 환경감시단 최종보고	경실련	정책위원회
19970107	보도자료	대통령 연두기자회견에 대한 논평	경실련	정책위원회
19970108	정책토론	경실련 (사) 환경개발센터 WORKSHOP 21세기의 물과 환경	경실련	환경개발센터
19970108	정책토론	「노동관계법 재개정 시민사회연석회의」발족 및 노동관계법 재개정촉구 기자회견	경실련공동	YMCA 외
19970108	보도자료	노동관계법의 재개정을 촉구한다	경실련공동	경제정의실천불교시민연합 외
19970113	보도자료	날치기 통과된 안기부법 노동관계법은 즉각 재개정되어야한다	경실련	정책위원회
19970113	회의	노동관계법 재개정 촉구 시민대회 개최 -노동관계법 재개정 시민사회연석회의 주최	경실련	경실련 외
19970115	회의	입양인들과 함께하는 모임(KAFT) WORKSHOP	경실련공동	입양인들과 함께하는 모임
19970120	정책토론	금융개혁의 방향과 과제	경실련	정책위원회
19970121	보도자료	금융개혁위원회는 관치금융 철폐와 재벌이익 배제를 위해 노력해야 한다	경실련	정책위원회
19970121	보도자료	여, 야 영수회담에 대한 논평	경실련	정책위원회
19970122	회의	97년 제1차 전국경실련 사무국장회의 결과 보고	경실련	사무국
19970127	보도자료	코리아제록스 레이저프린터 거액 부정수입 의혹 검찰에 수사		

생산일자	세부형태	제목	출처분류	생산자(처)
		요구	경실련	부정부패추방운동본부
19970128	정책토론	북한-대만간 핵폐기물 이전계약문제 어떻게 풀 것인가?	경실련	통일협회
19970128	보도자료	북한-대만간 핵폐기물이전계약에 대한 경실련통일협회 입장	경실련	통일협회
19970128	회의	제7기 제12차 및 제8기 제1차 경실련 상임집행위원회	경실련	상임집행위원회
19970128	보도자료	한보철강의 설립허가와 대출특혜에 대한 철저한 진상규명을 위해 특별검사제의 도입을 촉구한다	경실련	정책위원회
19970129	보도자료	북한-대만간 핵폐기물이전계약에 대한 경실련 통일협회 입장	경실련	통일협회
19970129	보도자료	코리아제록스, 레이저프린터 거액 부정수입 의혹	경실련	정책위원회
19970131	정책토론	한보 부도사태의 근본원인과 대책	경실련	정책위원회
19970201	조직	속초경제정의실천시민연합 창립	경실련	속초경실련
19970203	보도자료	10대 그룹에 대한 총액대출한도 폐지 방안을 철회하라!	경실련	정책위원회
19970205	보도자료	정치자금 실명제를 도입하라	경실련	정책위원회
19970211	회의	시민사회단체의 정보화 활성화를 위한 간담회	경실련공동	서울YMCA 외
19970212	청원	깨끗한 정치를 위한 정치자금법 개정의 청원	경실련	정책위원회
19970212	보도자료	현 시국에 관한 사회각계인사 기자회견 보도자료	경실련	정책위원회
19970213	정책토론	한보사건에 대한 거리토론회	경실련	정책위원회
19970214	정책토론	한보사태를 통해 본 "정치자금법 개정의 필요성과 그 방향"	경실련	정책위원회
19970214	보도자료	한보의혹에 대한 검찰의 축소수사를 규탄한다	경실련	정책위원회
19970215	단행본	제2의 UR에 대비하자_국제 쌀시장 전망과 우리의 대응	경실련	농업개혁위원회
19970215	보도자료	황장엽 북한노동당 국제담당비서 망명에 대한 경실련통일협회의 입장	경실련	통일협회
19970217	집회	검찰의 한보사건에 대한 축소수사 규탄 집회	경실련	정책위원회
19970218	보도자료	경실련 한보부도사태 및 검찰수사에 대한 시민여론조사 결과	경실련	정책위원회
19970218	보도자료	정부는 관치금융 강화시킬 금융감독원 설립검토를 즉각 중단하라	경실련	정책위원회
19970219	보도자료	금융감독원 설립검토를 중지하라	경실련	정책위원회
19970219	보도자료	특별검사제 도입하여 한보사건 재수사하라 !	경실련	정책위원회
19970220	집회	검찰의 한보사건 축소수사 규탄 2차집회	경실련	정책위원회
19970220	정책토론	경실련 통일협회 월례토론회(북한의 식량난과 농업문제)	경실련	통일협회
19970220	정책토론	북한의 식량난과 농업문제	경실련	통일협회
19970220	보도자료	신한국당은 금융소득종합과세 무력화 시도를 즉각 중단하라	경실련	정책위원회
19970221	회의	97 경실련 제4기 2차 중앙위원회의	경실련	중앙위원회
19970221	보도자료	현 시국에 대한 경실련의 입장(경실련 제4기 2차 중앙위원회)	경실련	중앙위원회
19970221	홍보	한보 축소수사 규탄, 항의엽서 보내기 거리캠페인 실시	경실련	정책위원회
19970222	보도자료	증여세와 상속세의 면세 저축 신설을 즉각 중단하라	경실련	정책위원회
19970222	보도자료	한보 부도 사태 및 검찰수사에 대한 시민 여론조사 실시	경실련	정책위원회
19970224	참고자료	김영삼 정부 4년 평가를 위한 전문가 설문조사 결과	경실련	정책위원회
19970224	정책토론	김영삼 정부 집권 4년 개혁정책 평가와 향후 과제	경실련	정책위원회
19970224	정책토론	김영삼대통령 공약이행 평가	경실련	정책위원회
19970224	정책토론	지방재정의 효율적 운영 및 구축방안	경실련	지방자치위원회
19970225	보도자료	김영삼 대통령의 시국담화에 대한 논평	경실련	정책위원회
19970228	정책토론	ULRICH DUCHROW 박사 초청 세미나 경제 세계화와 삶의 질 하락, 그리고 시민사회의 대응 전략	경실련	국제위원회
19970303	홍보	시민문고「제 2의 UR에 대비하자」발간 및 배포 - 내용:국제 쌀시장 전망과 우리의 대응	경실련	정책위원회
19970304	보도자료	고건 신임총리에게 바란다	경실련	정책위원회
19970305	보도자료	경제부총리 등 8개부처 개각에 대한 논평	경실련	정책위원회
19970306	보도자료	강경식 신임 경제부총리의 금융실명제 보완론에 대한 논평	경실련	정책위원회
19970307	보도자료	강경식 신임 부총리의 금융실명제 보완 방침에 대한 경실련의 견해	경실련	정책위원회
19970310	간행물	경실련 청년회_비상	경실련	청년회
19970315	간행물	경제정의 1997년 봄호 / 통권 33호	경실련	사무국
19970317	보도자료	경실련 기자회견문(김현철씨 녹음테잎 관련)	경실련	정책위원회
19970318	회의	경실련 비상상집위원회	경실련	상임집행위원회
19970319	보도자료	국민 여러분께 진심으로 사과드리며, 경실련은 처음의 정신으로 돌아가겠습니다	경실련	경실련
19970320	정책토론	경실련 통일협회 '97. 3. 월례토론회 발제문	경실련	통일협회
19970320	보도자료	김영삼정부 대북정책의 문제점과 대책	경실련	통일협회
19970324	참고자료	15개 시도 종량제 추진성과 평가사업 용역 보고	경실련공동	녹색연합 외
19970325	교육	『21세기의 물과 환경』지속가능개발을 위한 정책 및 소비행태 2차 워크샵	경실련	환경개발센터
19970326	보도자료	종량제 발전을 위한 심포지움(15개 시도 종량제 추진에 대한 평가를 중심으로)	경실련	환경개발센터

생산일자	세부형태	제목	출처분류	생산자(처)
19970327	보도자료	여야의 전국구공천 행태를 개탄하며 정당투표에 의한 비례대표제 채택을 촉구한다	경실련	정책위원회
19970328	참고자료	국민연금제도에 대한 여론조사	경실련	정책위원회
19970328	보도자료	시민을 기만하는 서울시의 버스요금 인상방침을 반대한다	경실련공동	서울버스개혁시민회의
19970401	보도자료	여야 영수회담 결과에 대한 논평	경실련	정책위원회
19970404	정책토론	국회의원 의정활동 평가발표회	경실련	시민입법위원회
19970404	보도자료	생활주변 유해성 물질 실태조사 및 적정처리방안을 위한 시민운동 전개	경실련	정책위원회
19970405	단행본	민족의 화해와 통일을 위하여	경실련	통일협회
19970408	간행물	경실련청년회_비상	경실련	청년회
19970408	정책토론	김영삼 정부 4주년 평가 토론회 1,2	경실련	정책위원회
19970409	보도자료	국유림 매각에 관한 입장	경실련	정책위원회
19970409	보도자료	산림청의 '도시주변 공유지 일반공매' 반대 성명 발표	경실련	정책위원회
19970412	기타	제 31차 문화역사기행 봄이 오는 남도의 들녘을 찾아 -전남승주	경실련	사무국
19970415	정책토론	의정활동 평가의 방법	경실련	정책위원회
19970416	보도자료	1일 250여톤에 달하는 생활하수의 무단방류 우려가 있는 양평군 상수원 수질보전 특별대책지역내 삼익아파트 건축을 중단하라	경실련	양평경실련
19970416	홍보	경실련의 새얼굴_기관지가 9월에 창간됩니다	경실련	사무국
19970416	보도자료	국유림 매각에 관한 입장	경실련	정책위원회
19970417	보도자료	12.12 및 5.18사건의 대법원 선고에 대한 논평	경실련	정책위원회
19970418	조직	그린벨트 해결을 위한 시민연대 창립대회 개최	경실련공동	그린벨트 문제해결을 위한 시민연대회의
19970419	회의	(사)환경개발센터 제5차 정기총회 및 제6차 이사회	경실련	환경개발센터
19970420	정책토론	21세기를 향한 산림의 보전과 이용대책	경실련	환경개발센터
19970421	정책토론	『21세기의 물과 환경』 지속가능개발을 위한 정책 및 소비행태 3차 워크샵	경실련	환경개발센터
19970424	보도자료	송진섭 안산시장 구속사건 진상조사위원회 발족 취지문	경실련공동	환경운동연합 외
19970429	회의	제8기 3차 경실련 상임집행위원회	경실련	상임집행위원회
19970502	보도자료	김영삼 대통령은 '92년 대선자금을 공개하고 '돈정치' 청산을 위한 제도개혁안을 수용해야한다	경실련	정책위원회
19970509	보도자료	김영삼 대통령은 김현철-김기섭과 극비회동한 권영해 안기부장에 대해 사실확인을 거쳐 해임조치 하라	경실련	정책위원회
19970512	보도자료	김영삼대통령은 대선자금의 전모를 공개하고 권영해 안기부장을 해임해야 한다	경실련	정책위원회
19970512	보도자료	정부는 자율적인 민간운동에 대한 간섭을 즉각 중단해야 한다	경실련	정책위원회
19970515	보도자료	김현철씨 검찰 출두에 대한 논평	경실련	정책위원회
19970516	회의	6월민주항쟁10주년사업범국민추진위원회 주요단체 집행책임자회의 결과	경실련	사무국
19970516	보도자료	김영삼대통령은 대선자금의 전모를 공개하고 권영해 안기부장을 해임해야 한다	경실련	정책위원회
19970516	보도자료	정부의 소비절약운동 입장표명	경실련	정책위원회
19970517	보도자료	경실련, 한국시민운동상 수상	경실련	정책위원회
19970517	보도자료	한보사태의 실체와 대선자금이 묻혀선 안된다	경실련	정책위원회
19970519	보도자료	경제부총리 등 8개부처 개각에 대한 논평	경실련	정책위원회
19970519	보도자료	은행감독기능을 한국은행으로부터 분리시키려는 시도를 즉각 중단하라	경실련	정책위원회
19970521	집회	외국인노동자 관계법 제정 촉구대회	경실련	정책위원회
19970522	정책토론	황장엽 망명의 성격과 전망	경실련	통일협회
19970523	보도자료	서울시민의 음용수 팔당상수원보호 유기농산물 집하장 운영 좌초 위기에 대한 우리의 입장_정농생협 · 팔당 유기농 사업본부	경실련	경실련정농생활협동조합
19970524	보도자료	김영삼 대통령의 대선자금 비공개 발표에 대한 경실련의 입장	경실련	정책위원회
19970524	보도자료	부도방지협약에 대한 경실련 견해	경실련	정책위원회
19970524	보도자료	은행 소유지분한도 10% 확대 허용을 즉각 철회하라	경실련	정책위원회
19970526	보도자료	쓰레기 소각장 다이옥신 배출실태 공개 촉구	경실련	공동수도권쓰레기문제해결을 위한 시민연대회의
19970526	정책토론	'돈 정치' 추방을 위한 제도개혁, 어떻게 해야 할 것인가	경실련	정책위원회
19970526	보도자료	부도방지협약에 대한 경실련의 견해	경실련	정책위원회
19970527	간행물	경실련청년회_비상	경실련	청년회
19970527	회의	제8기 4차 경실련 상임집행위원회	경실련	상임집행위원회
19970529	정책토론	한국은행 독립과 금융감독체계 개편 방향	경실련	정책위원회
19970530	보도자료	금융개혁안에 대한 전문가 설문조사 분석 결과	경실련	정책위원회
19970530	정책토론	깨끗한 정치, 돈안드는 선거를 위한 공청회	경실련공동	시민단체협의회

생산일자	세부형태	제목	출처분류	생산자(처)
19970530	보도자료	깨끗한 정치, 돈안드는 선거를 위한 시민선언	경실련공동	공동체의식개혁국민운동협의회 외
19970530	보도자료	대통령의 대선자금 담화에 대한 논평	경실련	정책위원회
19970530	보도자료	정부의 금융실명제 후퇴 입법안	경실련	정책위원회
19970531	보도자료	대통령의 대선자금 담화에 대한 논평	경실련	정책위원회
19970600	보도자료	30대 재벌기업의 환경법 위반업체 분석 결과	경실련	정책위원회
19970600	청원	금융실명거래 및 비밀보장에 관한 긴급제정경제명령 대체 법률제정의 청원	경실련	정책위원회
19970600	기타	홍재천 주변 및 서울 전역 환경오염원 지도 완성	경실련	경실련 환경개발센터
19970601	정책토론	행정절차법 재정방안에 대한 토론회	경실련	정책위원회
19970602	보도자료	금융개혁위원회 제2차 보고서에 대한 재경원 소속 국회의원, 경제학자 설문조사결과 발표	경실련	정책위원회
19970603	보도자료	금융개혁위원회 2차 보고서에 대한 논평	경실련	정책위원회
19970605	정책토론	금융실명제와 자금세탁방지법의 바람직한 입법 방향	경실련	정책위원회
19970616	보도자료	정부는 관치금융을 강화하려는 시도를 즉각 철회하라	경실련	정책위원회
19970618	청원	44개 시민사회단체, 돈정치추방을 위해 선거법, 정치자금법, 정당법, 선거관리위원회법 개정 공동입법청원안 제출후 정당 대표를 면담하고 정치개혁을 촉구	경실련공동	돈정치추방 시민사회단체연대회의
19970618	청원	공직선거 및 선거부정방지법 개정의 청원	경실련	정책위원회
19970618	청원	깨끗한 선거를 위한 선거관리위원회법 개정의 청원	경실련	정책위원회
19970618	청원	깨끗한 정치현실을 위한 정치자금법 개정의 청원	경실련	정책위원회
19970618	청원	돈안드는 선거를 위한 정당법 개정 청원	경실련	정책위원회
19970619	보도자료	정부의 금융개혁안 확정 발표에 대한 논평	경실련	정책위원회
19970619	정책토론	탈북주민 정책의 향후과제	경실련	통일협회
19970619	청원	특별검사의 직무 등에 관한 법률(안) 청원	경실련공동	참여연대 외
19970619	청원	한국은행법 개정의 청원	경실련	정책위원회
19970620	보도자료	관치금융 청산과 한국은행 독립을 위한 금융전문가 공동성명	경실련공동	금융전문가 공동
19970624	회의	제8기 5차 경실련 상임집행위원회	경실련	상임집행위원회
19970625	정책토론	대통령선거 TV토론회 제도화를 위한 시민공청회	경실련	정책위원회
19970627	보도자료	정부는 관변인사들을 중심으로한 여론 조작행위를 즉각 중단하라!	경실련	정책위원회
19970628	정책토론	경실련 도시개혁센터 창립대회 및 창립기념 토론회	경실련	도시개혁센터
19970628	회의	한일관계 바로 세우기' 청년포럼(가칭)	경실련	청년회
19970630	정책토론	환경친화형 농업의 활성화를 위한 과제	경실련	농업개혁위원회
19970701	보도자료	이건희 회장의 사재출연에 대한 입장	경실련	정책위원회
19970701	회의	최근 사회현안에 대한 경실련 임원 및 회원 면담 경실련	정책위원회	
19970702	보도자료	정부의 6월 30일 원로회의 결과 왜곡 발표 논란에 대한 입장	경실련	정책위원회
19970703	보도자료	정부의 관치금융 청산과 중앙은행독립을 위한 개혁을 촉구한다	경실련	정책위원회
19970703	청원	깨끗한 사회를 위한 자금세탁방지에 관한 법률 제정 청원	경실련	정책위원회
19970703	보도자료	정부의 금융개혁안에 관한 의견(한국은행독립 포함)	경실련공동	전국민주금융노동조합연맹 외
19970704	청원	금융실명거래 및 비밀보장에 관한 긴급제정경제명령 개정의 청원	경실련	정책위원회
19970705	회의	경실련 제5차 전국회원총회	경실련	사무국
19970705	보도자료	민족화해를 위한 북한동포돕기 100만인 서명운동_식량 100만 톤과 의약품이 긴급히 지원되어야 합니다	경실련	통일협회
19970705	보도자료	현시국에 대한 입장	경실련	정책위원회
19970706	보도자료	경실련 조세정의실현 시민운동본부 출범 기자회견	경실련	정책위원회
19970707	청원	금융실명거래 및 비밀보장에 관한 긴급제정경제명령 대체 법률제정의 청원	경실련	정책위원회
19970709	보도자료	재벌 재무구조개선에 관한 성명	경실련	정책위원회
19970710	참고자료	서울특별시노원구구금고선정및운영에관한조례(안)에 대한 의견	경실련	정책위원회
19970710	보도자료	정부의 수정된 금융개혁안에관한 논평	경실련	정책위원회
19970715	정책토론	자동차보험 무엇이 문제인가	경실련	부정부패추방운동본부
19970716	보도자료	"신한국당 대통령후보 경선에 대한 경실련회원 설문조사"	경실련	정책위원회
19970718	보도자료	여, 야는 임시국회를 정상화시키고 정치개혁에 즉각 나서야 한다	경실련공동	돈정치추방 시민사회단체연대회의
19970718	보도자료	정치관계법 개정에 대한 국회의원 서명협조	경실련공동	돈정치추방 시민사회단체연대회의
19970721	회의	국민복지예산확보를위한 공동대책위원회 1차 실무집행 위원회의	경실련공동	국민복지예산확보를위한공동대책위원회
19970721	보도자료	기아그룹, 재벌에 넘겨선 안된다	경실련	정책위원회
19970721	보도자료	민족화해를 위한 북한동포돕기 100만인 서명운동	경실련공동	정책위원회
19970722	보도자료	국회법 개정에 관한 설문조사	경실련	정책위원회

생산일자	세부형태	제목	출처분류	생산자(처)
19970722	홍보	돈정치추방, 금융실명제 후퇴저지 및 한은독립을 위한 시민로비에 동참합시다	경실련공동	돈정치추방 시민사회단체연대회의
19970722	보도자료	제일은행에 대한 한은특융은 신중히 검토해야 한다	경실련	정책위원회
19970723	청원	대북한 식량지원 결의문 채택을 요청하는 국회 청원	경실련공동	민족화해를 위한 북한동포돕기 100만인 서명운동협의회
19970724	회의	국민복지예산확보를위한 공동대책위원회 공동대표회의	경실련공동	국민복지예산확보를위한공동대책위원회
19970724	보도자료	영종도 신공항 건설 사업에 대한 입장	경실련	정책위원회
19970730	보도자료	여야는 정치관계법안 처리를 위한 국회의사일정을 국민앞에 제시하라	경실련공동	정책위원회
19970730	집회	정치제도 개혁촉구를 위한 제시민사회단체 공동집회 보고 및 여야 정치관계법 개정안에 대한 연대회의 성명	경실련공동	돈정치추방 시민사회단체연대회의
19970731	보도자료	여야 정치관계법에 대한 돈정치추방연대회의 의견	경실련공동	돈정치추방 시민사회단체연대회의
19970800	보도자료	정견발표에 그친 TV 토론회 - 3당 합동토론회를 보고	경실련	미디어워치
19970801	보도자료	"나는야, 통일1세대"용공도서매도에 대한 성명	경실련	통일협회
19970801	보도자료	여야의 고비용정치구조를 유지한 정치관계법개정안은 즉각 수정되어야 한다	경실련공동	돈정치추방 시민사회단체연대회의
19970802	보도자료	여야의 정치관계법 개정안에 대한 돈정치추방 시민사회단체 연대회의 의견	경실련공동	돈정치추방 시민사회단체연대회의
19970805	보도자료	여 · 야는 즉각 정치개혁법안 처리를 위한 국회의사일정을 국민앞에 제시하라!	경실련	정책위원회
19970805	보도자료	김종필 후보의 금융실명제 폐기 발언에 대한 논평	경실련	정책위원회
19970805	보도자료	여야의 정치관계법 개정안에 대한 2차 성명	경실련공동	돈정치추방 시민사회단체연대회의
19970807	보도자료	중앙은행 및 금융감독제도 개편 등을 위한 금융개혁법률안에 관한 의견	경실련	정책위원회
19970811	회의	1997년 GKNC 제5회 세계우리겨레청년대회	경실련	GKN
19970820	정책토론	3당 선거법 개정안 평가 및 개정촉구를 위한 시민단체 토론회	경실련공동	바른정치실현시민연대
19970822	보도자료	병역부정추방을 위한 범국민운동 전개	경실련공동	부정부패추방운동본부
19970826	회의	제8기 7차 경실련 상임집행위원회	경실련	상임집행위원회
19970827	회의	한국시민단체협의회 97-8월 운영위원회	경실련공동	시민단체협의회
19970829	회의	국민복지예산확보를위한 공동대책위원회 공동대표회의	경실련공동	국민복지예산확보를위한공동대책위원회
19970901	보도자료	정치권은 전 노씨 사면추진 논의를 즉각 중지해야 한다	경실련	정책위원회
19970902	보도자료	기아사태 해결 방안에 관한 입장	경실련	정책위원회
19970907	보도자료	현대전자 및 금강개발의 전환사채를 매개로 한 주가조작 및 그룹차원의 개입 의혹에 대한 공개질의서	경실련	정책위원회
19970909	보도자료	여야정치개혁법안에 대한 평가토론회	경실련	정책위원회
19970917	보도자료	대통령의 대법원장, 감사원장 지명에 대한 논평	경실련	정책위원회
19970918	정책토론	CBS 대통령후보자 초청 국민 대토론회, 한국사회의 삶의 질과 21C비전 국토, 도시, 주택, 교통, 환경	경실련	도시개혁센터
19970927	조직	군포경제정의실천시민연합 창립	경실련	군포경실련
19970930	회의	제8기 8차 경실련 상임집행위원회	경실련	상임집행위원회
19971000	청원	경실련 시민입법위 법안을 국회에 입법 청원	경실련	시민입법위원회
19971000	간행물	세계화와 한국NGO의 발전방안	경실련	국제위원회
19971002	정책토론	대선 TV토론	경실련공동	TV토론위원회
19971007	교육	제1기 도시대학	경실련	도시개혁센터
19971008	보도자료	노동관계법의 재개정을 촉구한다	경실련	정책위원회
19971008	정책토론	미국의 슈퍼301조 발동과 우리의 대응방안	경실련	정책위원회
19971014	보도자료	여야는 무차별적인 폭로전을 지양하고 정책선거로 전환하라	경실련공동	기독교윤리실천운동 외
19971015	보도자료	금융실명제의 근간인 비밀보호규정은 지켜져야 한다	경실련	정책위원회
19971015	정책토론	선거문화개혁 어떻게 할것인가	경실련공동	공동체의식개혁국민운동협의회 외
19971015	보도자료	현시국에 관한 시민단체 공동성명	경실련공동	기독교윤리실천운동 외
19971022	정책토론	정보공개법 입법방향에 대한 토론회	경실련공동	민주사회를위한변호사모임 외
19971023	정책토론	21세기 물관리 정책의 방향	경실련	환경개발센터
19971026	기타	제34차 문화역사기행 가을향기 속 백제의 미소 -충남 당진, 서산, 예산	경실련	사무국
19971027	정책토론	국가와 시민사회의 관계발전을 위한 세미나	경실련공동	시민단체협의회
19971028	정책토론	접경지역지원법안에 관한 토론회	경실련	환경개발센터
19971031	정책토론	21세기 새로운 국가건설을 위한 차기정부 정책과제-21개 핵심과제, 부문별 100대 과제	경실련	정책위원회
19971100	보도자료	TV 코메디 프로그램에 관한 모니터 보고	경실련	미디어워치
19971101	정책토론	97대선정책 캠페인 전개위한 시민사회단체 공동정책협의회	경실련공동	시민단체협의회
19971101	간행물	월간경실련 창간호(1997.11-12월호)	경실련	사무국
19971101	기타	전국경실련청년회교류한마당	경실련	청년회

생산일자	세부형태	제목	출처분류	생산자(처)
19971103	보도자료	21세기 새로운 국가건설을 위한 차기정부 개혁정책 과제 발표회	경실련	정책위원회
19971105	보도자료	법원의 김현철 보석결정은 국민의 법감정과 배치되는 것이다	경실련	정치개혁위원회
19971106	보도자료	경찰의 '인권운동 사랑방'대표 서준식씨 구속은 부당하다	경실련	정책위원회
19971106	보도자료	국회의 한은법 개정안 등 금융개혁 관련법안의 졸속처리를 우려한다	경실련	정책위원회
19971106	보도자료	중앙은행 및 금융감독제도 개편 등을 위한 금융개혁법률안에 관한 의견(한국은행법 포함)	경실련	정책위원회
19971106	회의	참여자치 실현과 지방자치법 개정을 위한 시민단체 전국순회 캠페인	경실련	지방자치특별위원회
19971107	정책토론	자연의 보전과 지속가능한 국토이용을 추구하기 위한 제도 개선	경실련	환경개발센터
19971112	보도자료	금융감독기구 강제 통폐합 저지 및 금융위기 경제파탄 강경식 부총리 퇴진 촉구 공동 기자회견	경실련공동	민주사회를위한교수협의회 외
19971113	보도자료	정치권은 관치금융 강화하는 한은법 및 금융감독통합기구 설치법안의 강행처리를 중지하라	경실련공동	참여연대 외
19971114	보도자료	전경련은 금융실명제 유보제안의 과학적인 근거를 제시하라 (전경련과의 공식토론을 제안하며)	경실련	정책위원회
19971114	정책토론	제 6 차 (16회) 볼런티어 21 정기 세미나	경실련	정책위원회
19971118	보도자료	대선후보들의 금융실명제 관련 정책 비교, 평가 관련 보도협조	경실련	정책위원회
19971119	보도자료	국회는 영장실질심사 후퇴행위를 즉각 중지해야 한다	경실련	정책위원회
19971120	보도자료	경제위기 극복을 위한 범국민운동을 호소한다	경실련	정책위원회
19971120	보도자료	경찰의 인권운동 사랑방 대표 서준식씨 구속은 부당하다	경실련	정책위원회
19971120	보도자료	국회의 한은법 개정안 등 금융개혁 관련법안의 졸속처리 우려	경실련	정책위원회
19971120	보도자료	정치권은 관치금융 강화하는 한은법 및 금융감독통합기구 설치	경실련공동	참여민주사회시민연대 외
19971124	보도자료	택시 개혁을 위한 시민 서명운동	경실련	정책위원회
19971126	보도자료	검찰은 건전한 통일논의와 학문의 자유를 가로막는 이장희 교수 사전구속영장청구를 철회하라!	경실련	정책위원회
19971126	보도자료	경제살리기 범국민운동' 2차 대표자회의 일정 알림 및 취지문	경실련	정책위원회
19971128	정책토론	15대 대선 정당 통일-안보 정책 비교	경실련	통일협회
19971201	보도자료	경제살리기 범국민운동을 전개하며	경실련공동	경제살리기범국민운동
19971204	정책토론	경제위기와 금융실명제	경실련공동	시민단체협의회
19971204	보도자료	정부는 IMF에 백기를 들었으나 우리 국민은 결코 받아들일 수 없다	경실련	정책위원회
19971209	보도자료	경제살리기에 정면으로 역행하는 관변단체지원예산 추가 편성을 철회하라	경실련	정책위원회
19971210	보도자료	IMF 국난 극복을 위한 호소문	경실련공동	경제살리기범국민운동
19971211	회의	경실련 조직발전에 관한 토론모임	경실련	정책위원회
19971211	보도자료	김영삼대통령 특별담화에 대한 논평	경실련	정책위원회
19971212	정책토론	15대 대선후보 공약 비교	경실련공동	공명선거실천시민운동협의회
19971217	보도자료	대통령후보 통일 · 안보정책 비교표	경실련	정책위원회
19971217	보도자료	15대 대선 각 정당공약 비교평가	경실련	정책위원회
19971223	보도자료	금융실명제 대체 입법에 관한 입장	경실련	정책위원회
19980000	보도자료	팔당호 종합대책'에 관한 시민환경단체의 입장	경실련공동	민간환경단체정책협의회
19980000	회의	1998년 상임집행위원회	경실련	상임집행위원회
19980000	회의	경실련 '98 정책협의회 및 제5기 2차 중앙위원대회 프로그램	경실련	정책위원회
19980100	보도자료	뉴스속의 경제관련 보도 모니터 보고	경실련	미디어워치
19980105	간행물	월간경실련 1998년 1월호	경실련	사무국
19980108	보도자료	관행적인 법조비리 사건에 대한 검찰의 철저한 수사를 촉구한다	경실련	정책위원회
19980108	회의	외채상환 금모으기 범국민운동 시작에 따른 운동내용 안내 및 홍보와 참여 요청	경실련공동	외채상환 금모으기 범국민운동
19980112	회의	2차 한일청년학생포럼 기획안 의견	경실련	청년회
19980112	회의	경실련 청년회 회원총회	경실련	청년회
19980113	보도자료	건교부의 분양가 자율화 조치에 대한 경실련도시개혁센터의 논평	경실련	도시개혁센터
19980116	정책토론	교통 시민운동의 연대와 발전을 위한 제1차 워크숍	경실련공동	녹색교통운동 외
19980118	청원	법조비리 근절을 위한 변호사법 개정청원	경실련	정책위원회
19980122	정책토론	현단계 금융 · 외환위기의 진단과 우리의 대응방안	경실련	정책위원회
19980122	정책토론	현단계 금융-외환위기 진단과 대응 방안	경실련	정책위원회
19980123	정책토론	고용안정과 실업대책에 관한 토론회	경실련	정책위원회
19980124	보도자료	SK그룹 편법 증여와 부당 내부거래에 관한 경실련입장	경실련	정책위원회
19980200	간행물	Civil Society_1998 2-4월호	경실련	국제위원회
19980200	보도자료	국산 창작만화에 대한 모니터 보고	경실련	미디어워치

생산일자	세부형태	제목	출처분류	생산자(처)
19980204	정책토론	15대 대통령선거 공선협 활동보고	경실련공동	공명선거실천시민운동협의회
19980204	보도자료	재벌개혁의 방향, 내용, 방법에 관한 입장	경실련	정책위원회
19980205	보도자료	지방자치제도개혁을 촉구하는 시민단체의 입장 - 2월 임시 국회에 즈음한 시민단체 공동긴급기자회견	경실련공동	녹색교통운동 외
19980211	청원	국회의원들의상습도박 보도에 대한 국회윤리특별위원회의진상 규명 활동과 관련 국회의원들의 법에 따른 처리를 촉구하는 청원	경실련	정책위원회
19980211	보도자료	정부는 금융감독위원회 사무국 설치 추진을 즉각 중단하라	경실련	정책위원회
19980213	회의	정책협의회 및 제5기 2차 중앙위원대회	경실련	중앙위원회
19980213	회의	제2차 한일청년학생포럼 기획안 재검토	경실련	청년회
19980217	보도자료	시중은행의 주주총회에 대한 입장 - 은행도 외환 위기의 위 책임을 벗을 수 없다	경실련	정책위원회
19980217	보도자료	정부조직개편 여야합의안에 대한 논평	경실련	정책위원회
19980218	보도자료	김대중 정부의 내각 인선에 바란다	경실련	정책위원회
19980218	정책토론	아파트 분양자 계약해지사태 해결을 위한 공청회	경실련	정책위원회
19980220	정책토론	IMF시대 시민운동의 방향	경실련공동	시민단체협의회
19980223	보도자료	국무총리 · 감사원장 지명에 관한 입장	경실련	정책위원회
19980223	간행물	월간경실련 1998년 2 · 3월호	경실련	사무국
19980225	참고자료	재일동포의 현상과 권익문제	경실련	정책위원회
19980227	보도자료	특별검사제 도입하여 의정부 법조비리 수사하라	경실련	정책위원회
19980300	보도자료	시청자 참여프로그램 모니터 보고	경실련	미디어워치
19980303	정책토론	납세자 권리를 찾기 위한 예산감시 시민운동 토론회	경실련	경제정의연구소
19980303	보도자료	정부 첫 내각인선에 대한 인사평가 발표회	경실련공동	한국여성단체연합 외
19980306	보도자료	수임알선 검사를 즉각 구속수사하라!	경실련	정책위원회
19980306	보도자료	한국은행법 시행령 개정안에 대한 경실련 의견서 재경부 전달	경실련	정책위원회
19980310	보도자료	주양자 장관의 투기의혹과 관련해	경실련	정책위원회
19980312	보도자료	국회 윤리특위는 도박 국회의원들을 색출하고 법에 따라 처리하라	경실련	정책위원회
19980312	보도자료	외환위기에 책임있는 시중은행장들은 전원 교체되어야 한다	경실련	정책위원회
19980312	보도자료	재벌은 실질적인 개혁을 단행하라	경실련	정책위원회
19980313	보도자료	김대중 정부 출범 특별사면 · 복권에 대한 논평	경실련	정책위원회
19980314	기타	사무실이전(정동빌딩)	경실련	사무국
19980316	보도자료	덕성여대 재단 이사장과 총장은 한상권교수를 즉각 복직시켜라	경실련공동	참여연대 외
19980318	보도자료	왜 아직도 외환위기의 책임자는 없는가 - 외환위기 청문회를 조속한 시일내에 실시하기를 촉구한다	경실련	정책위원회
19980319	정책토론	4자회담의 전망과 새정부의 통일정책진단	경실련	통일협회
19980319	간행물	경실련 청년회 비상	경실련	청년회
19980323	보도자료	검찰의 의정부법조비리 수사결과 발표에 대한 논평	경실련	정책위원회
19980323	회의	금융실명제 살리기운동 대책회의	경실련	정책위원회
19980323	보도자료	무기명장기채권의 대규모 발행에 대한 입장	경실련	정책위원회
19980324	보도자료	검찰의 의정법조리비 수사결과에 대한 논평	경실련	정책위원회
19980324	청원	공직선거 및 선거부정 방지법 개정 청원	경실련공동	녹색교통운동연합 외
19980324	교육	새정부의 경제정책 과제	경실련	청년회
19980324	보도자료	실업세 논란에 대한 입장	경실련	정책위원회
19980324	보도자료	의정부 법조비리 정보공개 청구	경실련	시민입법위원회
19980324	청원	지방자치법 개정 청원	경실련공동	녹색교통운동연합 외
19980324	보도자료	특별검사를 임명하여 의정부 법조비리 사건을 전면 재수사 해야 한다	경실련	시민입법위원회
19980325	보도자료	전문직종 부가세 부과방침 철회에 대한 입장	경실련	정책위원회
19980326	회의	실업자 자활운동을 시작하자	경실련	사무국
19980327	정책토론	'지방행정조기의 개혁방향' 토론회	경실련	지방자치위원회
19980330	정책토론	방송법 관련 논의 실태와 과제(김기태)	경실련	시민입법위원회
19980330	회의	시민입법위원회 사업보고 및 입법위원 추천	경실련	시민입법위원회
19980331	참고자료	모니터 보고서 모음집2(97-98)	경실련	방송모니터회
19980331	간행물	월간경실련 1998년 4월호	경실련	사무국
19980400	간행물	월간경실련 1998년 5월호	경실련	사무국
19980402	정책토론	국가안전기획부의 개혁방향	경실련공동	민주사회를위한변호사모임 외
19980402	보도자료	금통위위원 인선에 대한 입장	경실련	정책위원회
19980403	참고자료	경실련 은행수지관련 정보공개 청구	경실련	정책위원회
19980403	보도자료	시민단체의 정치적 표현의 자유를 봉쇄하는 공직선거법 87조 철폐!!	경실련공동	교통장애인협회 외
19980406	보도자료	「사건브로커 고발창구」 개설에 대한 보도 요청	경실련	부정부패추방운동본부
19980406	참고자료	경실련 은행수지관련 정보공개 청구	경실련	정책위원회

생산일자	세부형태	제목	출처분류	생산자(처)
19980408	보도자료	국민연금 기금운용에 대한 불신이 심각-설문결과	경실련	정책위원회
19980408	보도자료	실질적인 실업자대책을 세울 것을 촉구한다	경실련	정책위원회
19980410	정책토론	SBS,경실련 경제개혁 대토론회	경실련공동	SBS 외
19980413	간행물	경실련 청년회 비상	경실련	청년회
19980414	보도자료	공공근로사업에 대한 발상의 전환을 촉구한다!!	경실련	정책위원회
19980415	보도자료	국세청의 정보공개법 위반을 규탄한다.	경실련	정책위원회
19980415	보도자료	여야의 선거법 협상에 관한 성명-여.야의 선거법 협상태도를 개탄한다	경실련	시민입법위원회
19980416	보도자료	여.야의 당리당략에 의한 선거법 미타결을 개탄하며 조속한 처리를 촉구한다	경실련	시민입법위원회
19980416	보도자료	외환위기 원인규명은 경제청문회를 통해 이루어져야 한다!	경실련	정책위원회
19980416	정책토론	한국의 매카시즘과 북풍공작	경실련	통일협회
19980417	회의	보건의료분과회의 소비자주권시대 시민건강운동	경실련	보건의료위원회
19980417	정책토론	재벌개혁 기획토론1_기업의 경영투명성 확보방안	경실련	정책위원회
19980418	정책토론	IMF체제하 토지규제완화 타당한가(황희연)	경실련	도시개혁센터
19980421	소송	98아522 집행정지 결정	경실련	사무국
19980422	보도자료	건교부의 토지규제완화에 대한 입장	경실련	정책위원회
19980424	보도자료	도원동 재개발지구 폭력사건과 강제철거에 대한 공동 시민사회단체 성명	경실련공동	참여연대 외
19980424	보도자료	방송법 제정방향에 관한 토론회 토론 요망	경실련	시민입법위원회
19980425	보도자료	공직자 재산등록 공개와 심사제도를 개선하라!	경실련	정책위원회
19980425	보도자료	사채놀이를 일삼는 장관은 퇴진해야	경실련공동	참여연대 외
19980426	기타	경실련과 신들메의 공동기획 단양의 역사, 단양의 풍경	경실련공동	신들메 외
19980426	참고자료	서울시장 선거에 관한 서울시민 설문조사	경실련	정책위원회
19980427	보도자료	공직자 재산등록.공개와 심사제도를 개선하라!	경실련	정책위원회
19980428	보도자료	공정거래위는 지주회사 설립 허용방침을 즉각 철회하라	경실련	정책위원회
19980429	보도자료	청와대 윤비서관의 불법투기의혹을 진상규명하라	경실련	정책위원회
19980430	소송	공직선거 및 선거부정방지법 87조 위헌확인	경실련	정책위원회
19980500	참고자료	TV 일일연속극 속의 가정과 가족	경실련	미디어워치
19980501	보도자료	4.24 국회개정 통합선거법 위헌심판 청구관련 기자회견	경실련	시민입법위원회
19980501	보도자료	경실련 분단현장체험 백령도 시찰 보도협조요청	경실련	통일협회
19980501	청원	공직자윤리법 개정의 청원	경실련	시민입법위원회
19980506	보도자료	다시 금융실명제를 살려야 한다!	경실련	정책위원회
19980507	보도자료	마녀사냥식의 경제위기 원인규명은 안된다	경실련	정책위원회
19980508	정책토론	M&A 허용과 지주회사도입의 동향과 문제점	경실련	시민공정거래위원회
19980516	보도자료	국회는 내년도 예산증액을 철회하고 국민들의 고통분담에 동참하라	경실련	정책위원회
19980516	보도자료	민노총의 총파업 자제와 제2기 노사정위원회 참여를 호소하며...	경실련	정책위원회
19980518	보도자료	국회의원 세비 인상 등에 관한 성명	경실련	정책위원회
19980518	보도자료	김태동 경제수석의 교체에 관한 〈경실련〉논평	경실련	정책위원회
19980519	보도자료	동아매립지 매입의 전제는 현행 용도의 유지라는 것을 분명히 해야 한다	경실련	정책위원회
19980519	보도자료	서울시정 50대 개혁과제 발표	경실련	지방자치위원회
19980521	보도자료	외환위기 규명 시민특별위원회 활동을 시작하면서	경실련	시민특별위원회
19980522	보도자료	동아매립지 매입의 전제는 현행 용도의 유지라는 것을 분명히 해야 한다	경실련	정책위원회
19980523	회의	(사)경실련 통일협회 '98년 5월 확대임원회의	경실련	통일협회
19980525	간행물	월간경실련 1998년 6월호	경실련	사무국
19980526	홍보	경제정의연구소 창립8주년	경실련	경제정의연구소
19980526	보도자료	경제정의지수(KEJI INDEX)에 의한 한국기업의 사회적 성과 평가모형	경실련	경제정의연구소
19980526	보도자료	민노총 파업에 대한 논평	경실련	정책위원회
19980527	정책토론	음식물쓰레기 처리 무엇이 문제인가	경실련	과학기술위원회
19980528	보도자료	동아건설에 대한 6000억원 협조융자는 취소되어야	경실련공동	환경운동연합 외
19980531	보도자료	서울시장후보 공약비교	경실련	정책위원회
19980601	보도자료	경실련 공공기관의 정보공개제도 운용실태 보고1	경실련	정책위원회
19980605	보도자료	6.4 지방선거에 대한 논평	경실련	정책위원회
19980609	보도자료	김원길 정책위의장의 재벌의 은행소유 허용발언에 대한 입장	경실련	정책위원회
19980610	보도자료	경제전문가에 의한 김대중정부 경제정책 100일평가 설문조사 분석	경실련	정책위원회
19980610	정책토론	경제주체의 역할모색을 통한 경제위기 극복방안	경실련공동	콘라드아데나워재단
19980610	보도자료	공공부문 개혁작업 주도권 다툼에 대한 경실련논평	경실련	정책위원회

생산일자	세부형태	제목	출처분류	생산자(처)
19980612	정책토론	『정부부문 기업회계방식도입 방안』에 관한 예산분과 토론회 결과	경실련	정책위원회
19980612	정책토론	국민의 정부 100일에 즈음한 통일정책평가와 당면 실천 과제 제안	경실련	통일협회
19980612	보도자료	그린벨트 재조정 반대 환경관련 전문가 100인 선언	경실련공동	그린벨트시민연대
19980612	보도자료	최근 정부의 금리인하 추진방침과 김중권 비서실장의 빅딜 발언에 대한 입장-새로운 관치주의 발호를 경계한다	경실련	정책위원회
19980615	정책토론	IMF 6개월, 경제위기 극복을 위한 시민토론	경실련	외환위기진상조사 시민특별위원회
19980618	보도자료	경실련-경제전문가에 의한 갬대중정부 경제정책 100일평가 설문조사 결과	경실련	정책위원회
19980618	보도자료	퇴출기업 명단 발표에 따른 입장	경실련	정책위원회
19980618	보도자료	팔당상수원 오염 어떻게 해결해야 하나	경실련	정책위원회
19980619	보도자료	대구광역시의 버스요금인하 불이행에 대한 입장	경실련	도시개혁센터
19980622	정책토론	어음제도의 문제점과 그 개선 방향	경실련	시민입법위원회
19980622	회의	월요토론마당_행정개혁의 과제와 방향	경실련	정책위원회
19980623	보도자료	국민을 무시한 그린벨트 해제를 중단하고, 해제안을 즉시 공개하라	경실련공동	그린벨트시민연대
19980624	회의	제2차 한일청년학생포럼_한일청년학생포럼준비위	경실련공동	한일청년학생포럼
19980625	간행물	월간경실련 1998년 7월호	경실련	사무국
19980625	보도자료	정부는 무기명장기채 판매기간 연장결정을 즉각 철회하고 조속한 시일내에 금융실명제를 부활시켜야 한다!	경실련	정책위원회
19980627	정책토론	제2차 한일청년학생포럼 과거를 마주보고 미래를 개척하자	경실련공동	한일청년학생포럼
19980629	보도자료	부실은행 퇴출조치에 대한 논평	경실련	정책위원회
19980630	보도자료	정부는 무기명장기채 판매기간 연장결정을 즉각 철회하고 조속한 시일내에 금융실명제를 부활시켜야 한다!	경실련	정책위원회
19980703	보도자료	공기업 구조조정에 대한 입장	경실련	정책위원회
19980704	조직	민족의 화해와 평화통일을 위한 대축전 남측 추진본부 결성식	경실련공동	민족의 화해와 평화통일을 위한 대축전 남측 추진본부
19980707	보도자료	여야는 원구성협상을 마무리하고 국회를 정상화하라	경실련	시민입법위원회
19980708	보도자료	안기부 정치개입 문건에 대한 진상규명과 엄중한 문책을 촉구한다	경실련	시민입법위원회
19980708	보도자료	음성 · 탈루소득자 등 지하경제 퇴출의 보다 근원적인 해결책으로 금융실명제를 즉각 부활하라	경실련	정책위원회
19980713	조직	경실련 창립 9주년 기념식 및 후원의 밤	경실련	사무국
19980713	보도자료	국회의원 재산내역 분석-금융소득종합과세 및 주택보유 현황	경실련	정책위원회
19980714	보도자료	법과 절차를 무시한 복지부의 국민연금관리공단 인력 특별 채용과 사무실 임대를 즉각 중단하라!	경실련	정책위원회
19980715	정책토론	바람직한 유아교육 보육제도 마련을 위한 토론	경실련공동	한국여성단체연합 외
19980715	보도자료	재경부 세제개편안에 대한 논평	경실련	정책위원회
19980716	보도자료	제헌절을 맞이하며 국회 파행을 개탄한다!	경실련	정책위원회
19980719	보도자료	연대보증 관행과 관련한 경실련 대안	경실련	정책위원회
19980721	회의	예산감시단 구성을 위한 예산파수꾼 1차 모임 결과	경실련	예산감시센터
19980725	간행물	월간경실련 1998년 8월호	경실련	사무국
19980727	보도자료	빈 수레가 요란하다 - 방송 3사의 밤 시간대 토크쇼를 보고	경실련	미디어워치
19980728	보도자료	농촌진흥공사, 농지개량조합, 농지개발조합연합회는 통합 개혁해야 한다	경실련	농업개혁위원회
19980729	보도자료	정부는 재벌저항에 항복하려는가	경실련	정책위원회
19980730	보도자료	5대 재벌 부당내부거래 조사발표에 대한 입장	경실련	정책위원회
19980730	보도자료	공정거래위원회 6월 18일 발표 내용에 대한 입장	경실련	정책위원회
19980731	보도자료	신동아그룹 최순영회장의 재산해외도피 사건에 관한 논평	경실련	정책위원회
19980800	소송	IMF관리체제에 대한 손해배상 청구의 소	경실련	정책위원회
19980801	보도자료	김우중회장의 공정위조사결과 반발에 대한 논평	경실련	정책위원회
19980801	보도자료	재벌문제, 그룹해체 외에는 해결책 없다.	경실련	정책위원회
19980803	보도자료	검찰은 경성그룹의 정치인 로비설에 대해 명명백백하게 수사하고 관련 정치인을 의법처리하라	경실련	정책위원회
19980804	정책토론	정당민주화와 정치개혁 방향 토론회	경실련	정책위원회
19980805	보도자료	2차공기업 민영화 및 경영혁신계획 발표에 관한 경실련논평	경실련	정책위원회
19980805	소송	SK기업집단 계열회사의 부당한 지원행위에 대한 공정거래 위원회 심결	경실련	정책위원회
19980805	보도자료	자영자소득파악위원회 정책건의에 대한 입장	경실련	사회복지위원회
19980810	보도자료	대출금리 인하 논쟁에 대한 경실련입장	경실련	정책위원회
19980810	정책토론	월요토론마당_정부개혁에 대한 시스템적 진단	경실련	정책위원회

생산일자	세부형태	제목	출처분류	생산자(처)
19980811	보도자료	금융소득종합과세를 즉각 재실시하라!	경실련	정책위원회
19980811	보도자료	재벌구조 고착화시키는 지주회사 허용 반대 공동기자회견	경실련공동	민주사회를위한변호사모임 외
19980814	조직	경실련 HITEL 정보교육원 설립	경실련공동	하이텔정보교육원
19980816	교육	전국경실련 상근자교육	경실련	사무국
19980817	활동자료집	1998년 상반기 예산감시시민운동 자료	경실련	경제정의연구소
19980822	보도자료	검찰 정기 인사에 대한 논평	경실련	정책위원회
19980822	보도자료	한남투신 부실경영 책임자를 처벌하고 금융구조조정에 대한 원칙을 세워라!	경실련	정책위원회
19980823	교육	'98년 경실련 전국상근자 수련회	경실련	사무국
19980824	정책토론	그린벨트의 문제제기, 실태와 진단	경실련	도시개혁센터
19980825	간행물	월간경실련 1998년 9월호	경실련	사무국
19980829	회의	경실련 예산감시위원회 5차 회의	경실련	예산감시위원회
19980831	정책토론	98년 대홍수와 재해극복을 위한 토론회	경실련	도시개혁센터
19980900	소송	선거법위반 국회의원의 입법행위에 대한 무효확인청구의 소	경실련	정책위원회
19980901	회의	경실련 예산감시단 구성을 위한 예산파수꾼 2차 모임	경실련	예산감시위원회
19980903	보도자료	5대그룹 빅딜에 대한 입장	경실련	정책위원회
19980903	회의	북한지역 이모작재배 남북공동사업	경실련공동	남북농업발전과 협력 민간단체협의회
19980903	보도자료	빅딜을 재벌개혁으로 호도하지 말라!	경실련	정책위원회
19980904	교육	98년 제2차 시민단체 연수 금융위기와 NGO의 대응(II)	경실련공동	한국시민단체협의회
19980904	보도자료	지자체의 사회복지전문요원 감축시도와 사회복지직 전직에 관한 입장	경실련	정책위원회
19980904	조직	통일언론모니터회 발족	경실련	통일협회
19980905	보도자료	금융소득종합과세 시행없는 세제개편은 무의미하다	경실련	정책위원회
19980905	정책토론	팔당상수원 문제해결을 위한 간담회	경실련	정책위원회
19980907	보도자료	재경부 세제개편안에 관한 논평	경실련	정책위원회
19980908	보도자료	팔당호 종합대책'에 관한 시민환경단체의 입장	경실련공동	기독교환경운동연대 외
19980909	교육	경실련 회원워크샵	경실련	사무국
19980909	보도자료	최근 선거사범에 대한 사법부의 판단을 개탄한다	경실련	정책위원회
19980910	보도자료	보도자료 정정에 관한 자료입니다	경실련	시민입법위원회
19980910	보도자료	환경단체 '정부 수질개선안'지지 언론보도와 관련한 입장	경실련	환경개발센터
19980914	보도자료	김대통령 경제기자회견에 관한 논평	경실련	정책위원회
19980915	회의	시민공정거래위원회	경실련	시민공정거래위원회
19980915	보도자료	의약분업 추진협의회 최선정 위원장님께	경실련공동	의약분업실현을 위한 시민대책위원회
19980915	보도자료	정부는 의약분업의 실시를 위한 올바른 방안을 구체적으로 제시하라	경실련공동	한국소비자연맹 외
19980917	교육	납세자권리와 재정민주주의 실현을 위한 예산학교	경실련	경제정의연구소
19980917	회의	팔당특별대책에 대한 경실련 2차간담회	경실련	환경개발센터
19980918	보도자료	금융소득종합과세를 즉각 재실시하라!	경실련	정책위원회
19980918	보도자료	최근 정치권 사정에 대한 논평	경실련	정책위원회
19980920	단행본	경제정의지수로본 한국기업의 평가	경실련	경제정의연구소
19980922	보도자료	경실련 정치개혁 시민특별위원회 발족하고 정치개혁운동 본격 나서기로	경실련	정치개혁위원회
19980922	회의	경실련 정치개혁 특위 1차 준비모임	경실련	정치개혁위원회
19980923	보도자료	「빅딜」의 허울 속의 관치주의 회귀를 경고한다	경실련	정책위원회
19980923	소송	국회의원에 대한 직무집행정지 가처분 신청	경실련	정책위원회
19980925	보도자료	국회의원 손해배상 소송관련 한나라당 주요당직자 회의 발표에 대한 입장	경실련	정책위원회
19980925	간행물	월간경실련 1998년 10월호	경실련	사무국
19980925	정책토론	정치개혁시민연대 창립세미나_국회파행; 그 해법을 찾는다	경실련공동	정치개혁시민연대
19980928	보도자료	김대통령 경제특별기자회견 관련	경실련	정책위원회
19980929	보도자료	농진공 농조 농조연의 즉각통합을 촉구하는 시민-농민단체의 입장	경실련공동	참여연대 외
19981000	소송	공직선거 및 선거부정방지법위반 피고사건(계속중인 국회의원에 대한 직무집행정지가처분) 위원여부제청	경실련	정책위원회
19981001	보도자료	김대중 대통령 방일에 즈음한 우리의 입장 발표를 위한 기자회견	경실련	정책위원회
19981007	보도자료	5대 재벌 구조조정안 발표에 따른 입장	경실련	정책위원회
19981007	소송	국회의원의 입법행위에 대한 무효확인 소송	경실련	정책위원회
19981007	정책토론	팔당상수원 특별대책에 대한 시민단체 전문가 집담회	경실련공동	정책위원회
19981008	보도자료	미성년자 주식보유현황에 대한 논평	경실련	정책위원회
19981009	회의	경실련 예산감시단 구성을 위한 예산파수꾼 3차 모임	경실련	경제정의연구소
19981010	정책토론	선거제도의 개혁방향 - 정당명부식 비례대표제, 어떻게 볼 것인가 -	경실련	정치개혁위원회

생산일자	세부형태	제목	출처분류	생산자(처)
19981010	소송	국회의원의 입법행위에 대한 무효확인 관련 피고 홍준표 준비서면_홍준표 소송대리인	경실련	정책위원회
19981010	정책토론	정치제도개혁의 과제와 방향	경실련공동	신동아 외
19981011	교육	제6기 민족화해아카데미	경실련	통일협회
19981015	정책토론	부산지역 실업극복-실직가정 겨울나기 사회안전망과 민간단체지원체계	경실련공동	실업극복국민운동
19981017	회의	정치개혁시민특위 2차 회의자료	경실련	정치개혁위원회
19981019	보도자료	국민일보 변현명기자 구속에 관한 경실련논평	경실련	정책위원회
19981022	정책토론	예산학교 졸업 기념토론-지방정부 파산 어떻게 할것인가	경실련	경제정의연구소
19981024	보도자료	국회 통일외교통상위원회 유흥수위원장은 의회발전시민봉사단에 방청을 허용하라!	경실련공동	정치개혁시민연대
19981025	청원	물가안정을 바라는 경실련의 중앙은행 독립을 위한 한국은행법 개정 청원안	경실련	정책위원회
19981025	간행물	월간경실련 1998년 11월호	경실련	사무국
19981026	소송	국회의원에 대한 직무집행정지가처분 외 소송 진행 경과	경실련	정책위원회
19981026	회의	정치개혁시민연대 의회발전시민봉사단 '국감현장-시민중계석' 10월23일(금) 활동보고	경실련공동	정치개혁시민연대
19981027	보도자료	검찰의 총격요청사건 수사발표에 대한 논평	경실련	정책위원회
19981027	회의	정치개혁시민연대 의회발전시민봉사단 '국감24시-시민중계석' 10월26일(월)활동보고	경실련공동	정치개혁시민연대
19981028	보도자료	개혁촉구 시민운동을 시작하면서 다시 개혁을 촉구한다!!!!!	경실련	정책위원회
19981028	보도자료	이번 정기국회에서 처리해야 할 개혁입법과제	경실련	정책위원회
19981028	회의	정치개혁시민연대 의회발전시민봉사단 '국감24시-시민중계석' 10월27일(화)활동보고	경실련공동	정치개혁시민연대
19981029	교육	경실련 신입회원 환영회 및 교육	경실련	사무국
19981029	정책토론	경실련 통일협회 10월정책토론회 금강산관광교류의 쟁점과 대안	경실련	통일협회
19981029	보도자료	그린벨트 연구 발표회	경실련공동	그린벨트시민연대
19981029	정책토론	금강산관광교류의 쟁점과 대안 - 경실련 통일협회 10월 정책토론회	경실련	통일협회
19981029	회의	정치개혁시민연대 의회발전시민봉사단 '국감24시-시민중계석' 10월28일(수)활동보고	경실련공동	정치개혁시민연대
19981031	보도자료	5대 그룹의 이업종 채무보증 맞교환 허용방침을 반대한다	경실련	정책위원회
19981100	보도자료	눈높이에 맞는 어린이프로그램을 기대하며...	경실련	미디어워치
19981100	참고자료	정부예산운영에 대한 대국민 여론조사 결과분석표	경실련	정책위원회
19981101	참고자료	사례보고2.우리나라 축산분뇨자원화의 과제와 정책방향_농업개혁위원회	경실련	농업개혁위원회
19981102	보도자료	조선일보의 왜곡보도와 언론폭력에 분노한다	경실련공동	언론개혁시민연대
19981103	회의	경실련 예산감시단 구성을 위한 예산파수꾼 4차 모임	경실련	예산감시위원회
19981103	회의	정치개혁시민연대 의회발전시민봉사단 '국감24시-시민중계석'	경실련공동	정치개혁시민연대
19981104	회의	'시민의 눈으로본 국정감사 종합보고서' 발간	경실련공동	정치개혁시민연대
19981104	보도자료	정부는 재벌의 은행소유 허용 방침을 완전히 철회하라	경실련공동	참여연대 외
19981105	회의	정치개혁시민연대 의회발전시민봉사단 '국감24시-시민중계석'	경실련공동	정치개혁시민연대
19981106	보도자료	경제위기 진상규명과 책임자처벌을 위한 시민청원운동' 선포식 및 서명 캠페인	경실련공동	참여연대 외
19981106	보도자료	금융소득종합과세의 조기 재실시 방침을 환영하며 정기국회에서 관련법을 개정할 것을 촉구한다	경실련	정책위원회
19981106	보도자료	종합과세 기준금액의 인상방안을 반대하며, 금번 정기국회에서의 법개정을 촉구한다	경실련	정책위원회
19981107	회의	정치개혁시민연대 의회발전시민봉사단 '국감24시-시민중계석'	경실련공동	정치개혁시민연대
19981109	보도자료	여야 경제청문회 합의에 관한 입장	경실련	정책위원회
19981109	보도자료	종합과세 기준금액의 인상방안을 반대하며, 금번 정기국회에서의 법개정을 촉구한다	경실련	정책위원회
19981109	보도자료	최장집교수에 대한 조선일보사의 사상검증시비와 관련한 성명	경실련	정책위원회
19981110	회의	경실련 경제위기진상규명특별위원회 보고	경실련	정책위원회
19981111	간행물	시민운동정보 제19호	경실련	시민의신문
19981112	보도자료	경제위기 진상규명과 책임자 처벌을 위한 시민청원운동	경실련	정책위원회
19981113	정책토론	정부의 인사개혁과 국가 및 지방공무원법의 개정방향	경실련	정책위원회
19981118	보도자료	은행 주식소유제한제에 관한 경실련 의견	경실련	정책위원회
19981118	보도자료	은행법 동일인 주식소유제한 폐지에 관한 경실련 의견	경실련	정책위원회

생산일자	세부형태	제목	출처분류	생산자(처)
19981118	보도자료	종합과세 기준금액의 인상방안을 반대하며, 금번 정기국회에서의 법개정을 촉구한다	경실련	재정세제위원회
19981119	보도자료	클린턴 방항에 즈음한 경실련 기자회견문	경실련	정책위원회
19981120	보도자료	〈제4회 시청자가 뽑은 좋은 프로그램〉	경실련	미디어워치
19981121	회의	경실련 예산감시위원회 10차 회의	경실련	예산감시위원회
19981122	보도자료	IMF 1년, 개혁을 위한 시민행동 주간' 선포식 개최	경실련공동	녹색교통운동연합 외
19981123	보도자료	개혁촉구시민행동	경실련공동	개혁촉구시민운동
19981123	보도자료	경제위기진상규명특별위원회 구성 및 철저한 책임규명 청원(공동)	경실련공동	참여연대 외
19981124	청원	고소득 전문직종사자 부가가치세 부과를 위한 부가가치세법 면세범위의 개정청원	경실련	정책위원회
19981124	청원	금융소득종합과세 실시를 위한 금융실명거래 및 비밀보장에 관한 법률의 개정 청원	경실련	정책위원회
19981124	청원	순환형 간접상호출자의 금지 및 출자지분의 의결권 행사 금지와 과다차입 기업의 타기업 출자금지를 위한 [독점규제 및 공정거래에 관한 법률]의 개정청원	경실련	정책위원회
19981124	청원	재벌개혁 및 조세형평성 확보를 위한 경제개혁 관련법안 개정청원	경실련	정책위원회
19981124	조직	그린벨트살리기 국민행동	경실련공동	환경개발센터
19981125	간행물	월간경실련 1998년 12월호	경실련	사무국
19981126	보도자료	국회 예결특별위 계수조정소위 공개를 촉구한다	경실련	정책위원회
19981126	보도자료	완전의약분업 실시를 촉구한다!	경실련공동	녹색소비자연대 외
19981126	보도자료	지방행정조직 개편과 정원 감축 경향에 대한 약평	경실련	정책위원회
19981128	정책토론	(가칭)농업기반공사의 기능과 역할에 관련한 정책토론회	경실련	정책위원회
19981130	보도자료	여야의 정치개혁 일정 후퇴 합의를 개탄한다	경실련	정책위원회
19981130	보도자료	전문직 부가세법의 재경위 법안심사소위 통과를 환영한다	경실련	정책위원회
19981200	간행물	경실련 청년회(1998.11.12월호)	경실련	청년회
19981201	보도자료	국민회의 부패방지법안에 대한 입장	경실련	정책위원회
19981201	보도자료	국회는 실업자 대책예산을 삭감해선 안된다	경실련	정책위원회
19981202	참고자료	1998 방송모니터 보고서-미디어 숲을 가꾸는 사람들	경실련	방송모니터회
19981204	회의	경실련 예산감시단 구성을 위한 예산파수꾼 5차 모임 및 송년의 밤	경실련	사무국
19981204	보도자료	국회 예산결산특별위원회 계수조정위원회 방청불허에 대한 헌법소원	경실련	시민입법위원회
19981204	보도자료	국회는 국민건강보험법안을 반드시 통과시켜야 한다	경실련	정책위원회
19981205	보도자료	전문직종 부가세법 개정안의 국회 본회의 통과를 환영하며	경실련	정책위원회
19981206	보도자료	정부는 빅딜에 집착하지 말고 재벌 소유 · 지배구조 개혁에 나서야 한다	경실련	정책위원회
19981208	보도자료	경제청문회 연기와 관련한 입장	경실련	정책위원회
19981208	보도자료	정부 여당은 당리당략과 부처이기주의를 벗어나 인사행정 전반의 일대 혁신과 제도개혁 추진에 매진하라!	경실련	정책위원회
19981209	보도자료	'국가공무원법' 및 '정부조직법' 개정 입법청원	경실련	정책위원회
19981209	보도자료	국회는 4급 보좌관 증원과 관련한 예산을 전액 삭감하라	경실련	시민입법위원회
19981209	보도자료	그린벨트 해제, 부동산 투기조장 정부여당은 각성하라!	경실련공동	그린벨트 살리기 국민행동
19981210	보도자료	의원님께 드리는 긴급호소문 '의약분업은 법적 기한인 내년 7월에 반드시 실시되어야 합니다'	경실련	정책위원회
19981210	보도자료	재일 한국인 입주차별 문제에 대한 기자회견	경실련	정책위원회
19981210	기타	지구촌나눔운동 창립대회	경실련공동	지구촌나눔운동
19981211	보도자료	국민회의 국회법 개정시안에 대한 논평 (2)	경실련	정책위원회
19981211	보도자료	일본정부는 재일동포들의 입주차별 해결방안을 즉각 마련하라	경실련공동	정책위원회
19981215	보도자료	경찰은 주요인사와 단체, 기업에 대한 사찰 재개를 즉각 중지하라	경실련	정책위원회
19981216	보도자료	공정거래위원회에 5대재벌 계열기업사 내부지분현황 정보 공개청구	경실련	정책위원회
19981218	청원	국가공무원법[입법청원]	경실련	정책위원회
19981219	회의	98년 12월 상집실무회의	경실련	상임집행위원회
19981221	회의	경실련 예산감시위원회 98년 사업평가 및 99년 사업계획	경실련	예산감시위원회
19981221	활동자료집	녹색가정만들기	경실련	환경정의시민연대
19981226	보도자료	재경부의 낙하산 인사를 우려한다	경실련	정책위원회
19981226	보도자료	'정치개혁 의정평가단' 국회참관 보도의뢰	경실련	시민입법위원회
19981229	보도자료	한미은행장 선임과정에서 나타난 관치금융 관행을 우려한다	경실련공동	참여연대 외
19981230	보도자료	국회정개특위는 소위원회 회의공개하라	경실련	시민입법위원회
19981231	참고자료	(98 경실련 경제살리기 시민운동) 영수증을 주고받으면 가계는 절약되고 경제는 투명해집니다	경실련	전국경실련

생산일자	세부형태	제목	출처분류	생산자(처)
19990000	보도자료	〈시청자가 뽑은 좋은 프로그램〉선정을 위한 설문조사 결과분석	경실련	미디어워치
19990000	정책토론	경실련-CBS 공동 주최 〈4대 개혁 대토론회〉	경실련공동	CBS 외
19990000	정책토론	올해 조세개혁 무엇이 문제인가	경실련	정책위원회
19990106	회의	인권법 제정 및 국가인권기구 설치 민간단체 공동추진위원회 제8차 집행위원회 회의결과 보고	경실련공동	인권법 제정 및 국가인권기구 설치 민간단체 공동추진위원회
19990107	보도자료	국회 529호실 사건에 대한 합동진상조사위원회 제안을 위한 기자회견문	경실련공동	정치개혁시민연대 외
19990108	회의	99 경실련운동 정책 및 전략협의회	경실련	정책위원회
19990108	보도자료	관행적인 법조비리 사건에 대한 검찰의 철저한 수사를 촉구한다	경실련	시민입법위원회
19990110	회의	[경실련 VISION 21 FORUM] - 우리사회 이렇게 바꾸자 3판 집필 계획	경실련	정책위원회
19990113	보도자료	검찰은 대전 법조비리사건 관련자 379명의 명단을 즉각 공개하라	경실련	시민입법위원회
19990114	보도자료	IMF 1년, 사회개혁 10대 의제	경실련	정책위원회
19990114	정책토론	정부회계제도 개혁을 위한 복식부기시스템 도입 출범식 및 토론회	경실련	경제정의연구소
19990115	보도자료	『스크린쿼터 현행유지』의 국민적 합의를 확인한 국회 결의안 통과를 환영하며	경실련공동	우리영화지키기 시민사회단체 공동대책위원회
19990118	보도자료	법조비리 근절을 위한 '변호사법' 개정 국회 입법청원	경실련	시민입법위원회
19990123	보도자료	대통령은 특별검사 임명하여 대전 법조비리사건을 전면 재수사하라	경실련	정책위원회
19990124	회의	경실련 VISION 21 FORUM-우사바 3판 집필	경실련	정책위원회
19990125	간행물	월간경실련 1999년 1 · 2월호	경실련	사무국
19990128	보도자료	심재륜 대구 고검장 발언에 대한 논평	경실련	시민입법위원회
19990129	정책토론	금융개혁 대토론회	경실련공동	한국경제학회 외
19990200	보도자료	쇼를 위한 토크 - 토크 不在의 토크쇼	경실련	미디어워치
19990201	보도자료	검찰의 대전 법조비리수사 결과와 법조비리 개혁방안 발표에 대한 입장	경실련	시민입법위원회
19990201	보도자료	법무부장관의 기자회견에 대한 논평	경실련	시민입법위원회
19990202	정책토론	안전진단 점검의 개선방향 토론회 - 토론회 발표 내용 요약	경실련	도시개혁센터
19990204	보도자료	김영삼 전 대통령은 증언대에 서야한다!	경실련	정책위원회
19990206	회의	경제정의실천시민연합 99 제5기 3차 중앙위원대회	경실련	중앙위원회
19990206	회의	제10기 1차 상임집행위원회	경실련	상임집행위원회
19990210	보도자료	6개 시민단체, 국민회의 특별검사제법안 철회 규탄 기자 회견 및 항의서한 전달	경실련공동	참여연대 외
19990210	보도자료	국민회의의 '특별검사제 법안' 철회는 국민을 배신하는 행위이다	경실련	시민입법위원회
19990210	정책토론	민간복지 관련법안 입법청원을 위한 범시민 공청회	경실련공동	민간복지 관련법안 입법 청원을 위한 범시민 공청회 준비위원회
19990222	회의	10기 2차 상임집행위원회	경실련	상임집행위원회
19990222	모니터링	김대중정부 취임 1년 개혁평가에 대한 토론회	경실련	정책위원회
19990222	조직	경실련 경제위기진상규명 특별위원회 발족	경실련	상임집행위원회
19990224	홍보	시민예산감시단 모집 및 '99 전국 납세자대회 홍보 캠페인	경실련	예산감시위원회
19990226	회의	99년 10기 1차 상임집행위원회	경실련	상임집행위원회
19990300	보도자료	위험수위를 넘어선 TV의 가학적 문화현상	경실련	미디어워치
19990302	보도자료	국민연금 확대 실시에 대한 시민노동사회단체 공동기자회견	경실련공동	참여연대 외
19990303	집회	3월 3일 조세의 날을 납세자 주권의 날로 '99 전국 납세자대회'	경실련	예산감시위원회
19990304	보도자료	대전 법조비리 연루 고위직 판, 검사의 변호사개업은 국민을 기만하는 처사이다	경실련	시민입법위원회
19990304	조직	여수경제정의실천시민연합 창립	경실련	여수경실련
19990305	보도자료	의병 병역비리에 대한 논평	경실련	시민입법위원회
19990306	회의	3월 상집실무위원회	경실련	상임집행위원회
19990308	보도자료	국회본회의 무단결근한 국회의원 사유 공개 촉구	경실련	시민입법위원회
19990311	보도자료	"정치개혁 설문조사" 결과 발표	경실련	시민입법위원회
19990312	보도자료	"인사청문회" 도입에 대한 성명	경실련	시민입법위원회
19990315	회의	99년 3월 임시상임집행위원회	경실련	상임집행위원회
19990315	조직	경실련 개혁을 위한 회원단체 공동비상대책위의 요구	경실련	상임집행위원회
19990318	보도자료	여 · 야 국회구조조정에 관한 성명	경실련	시민입법위원회
19990320	회의	전국 경실련 공동대표 집행위원장 연석회의	경실련	상임집행위원회
19990320	회의	조직운영 쇄신을 위한 개혁특별위원회 3월 2차 회의 의제	경실련	개혁특별위원회
19990322	조직	경실련 조직운영 쇄신을 위한 개혁안	경실련	경실련조직운영쇄신을위한개혁특별위원회
19990322	보도자료	기자회견 성명, "경실련 재창립하라"	경실련	경실련을 사랑하는 사람들의 모임
19990323	보도자료	경실련 정부개혁위원회 기획예산위원회에 '경영진단 보고'		

생산일자	세부형태	제목	출처분류	생산자(처)
		정보공개청구	경실련	정부개혁위원회
19990323	보도자료	인권위원회 설치법 최종시안 발표에 대한 논평	경실련	시민입법위원회
19990323	보도자료	정부구조조정과 기획예산위원회 "경영진단 보고서" 정보공개에 대한 성명	경실련	정책위원회
19990325	보도자료	당정협의회의 "읍면동사무소 폐지 백지화" 결정에 대한 성명	경실련	지방자치위원회
19990325	간행물	월간경실련 1999년 3 · 4월호	경실련	사무국
19990327	보도자료	정부의 소액비리 공직자 면책처분에 관한 성명	경실련	시민입법위원회
19990329	회의	99/9월 예산감시운동의 활성화 및 상견례의 장	경실련	경제정의연구소
19990329	회의	99년 10기 3차 상임집행위원회	경실련	상임집행위원회
19990329	회의	대구라운드 한국위원회 발족 기자회견을 위한 제1차 운영위원회 참석 보고	경실련	정책위원회
19990329	회의	사단법인 경제정의연구소 1999년도 제9차 정기이사회 회의	경실련	경제정의연구소
19990330	보도자료	의약분업 실현과 의료계의 부당한 집단진료거부 철회를 위한 시민단체연석회의	경실련공동	의약분업 실현을 위한 시민대책위원회
19990330	정책토론	제1차 의약분업 공개토론회	경실련공동	의약분업 실현을 위한 시민대책위원회
19990331	보도자료	3.30 보궐선거에 대한 논평	경실련	시민입법위원회
19990401	보도자료	국회의원 본회의 불출석사유 조사결과 발표	경실련	시민입법위원회
19990402	보도자료	인권법 정부 최종안에 대한 성명	경실련	시민입법위원회
19990402	조직	환경농업실천가족연대 창립 총회	경실련	환경농업실천가족연대
19990406	보도자료	드라마속에서의 '진정한 학교'	경실련	미디어워치
19990407	보도자료	당국은 재벌개혁을 적극적으로 유도하라	경실련	정책위원회
19990407	회의	99년 4월 임시상임집행위원회	경실련	상임집행위원회
19990407	보도자료	서상목 의원 체포동의안 국회 본회의 부결에 대한 논평	경실련	정책위원회
19990408	보도자료	서상목 의원 체포동의안 부결 논평건과 관련한 한나라당 대변인 브리핑에 대한 시민단체의 공동입장	경실련공동	환경운동연합 외
19990409	보도자료	범국민적정치개혁기구를 통한 총체적이고 전면적인 정치개혁을 다시한번 촉구한다	경실련	정책위원회
19990409	청원	국정감사 및 조사에 관한 법률 개정의 청원	경실련	정책위원회
19990409	청원	국회에서의 증언감정에 관한 법률 개정의 청원	경실련	정책위원회
19990409	청원	정당법 개정의 청원	경실련	정책위원회
19990409	청원	정치개혁관련 6개법률안 국회 개정청원 제출	경실련	정치개혁위원회
19990409	청원	정치자금에 관한 법률 개정의 청원	경실련	정책위원회
19990412	보도자료	"자본시장의 건전한 발전을 위해 확고한 정책을 집행하라" 성명	경실련	정책위원회
19990412	회의	대구라운드 준비를 위한 Workshop	경실련	정책위원회
19990413	보도자료	공무원 연금 부족분에 대한 재정지원 철회 성명	경실련	정책위원회
19990413	보도자료	임용결격공무원등의 인권구제에 대한 합리적인 방안으로의 특별법 제정 탄원서	경실련공동	한국노동조합총연맹 외
19990413	보도자료	현대전자 주가조작과 관련한 입장	경실련	정책위원회
19990414	보도자료	서상목 의원 체포동의안 부결사태 관련 시민단체 공동성명 제안서	경실련공동	시민단체협의회
19990414	보도자료	시민과 함께하는 지하철 개혁을 촉구한다	경실련공동	서울지하철문제시민대책위원회
19990414	참고자료	제2차 정부조직개편 관련 정보공개청구에 대한 기획예산위원회 비공개결정에 대한 이의신청서 제출	경실련	정부개혁위원회
19990415	보도자료	국민연금 확대실시 이대로는 안된다	경실련공동	걷고싶은도시만들기시민연대 외
19990415	보도자료	데이콤 소유지분과 관련된 입장	경실련	정책위원회
19990415	보도자료	미국 농무부 미국산 육류 식용 부적합 판정과 관련한 입장	경실련	농업개혁위원회
19990415	보도자료	행정법원의 선거법위반 국회의원의 입법행위에 대한 무효확인청구 소의 판결에 대한 입장	경실련	시민입법위원회
19990416	보도자료	재계는 노사정탈퇴 선언을 즉각 철회하라	경실련	노동실업대책본부
19990416	회의	4/16 상집실무회의	경실련	상임집행위원회
19990416	보도자료	검찰의 고위공직자 절도사건에 대한 성명	경실련	시민입법위원회
19990416	보도자료	임용결격 공무원 구제 특별법에 관한 의견	경실련공동	참여연대 외
19990420	보도자료	대우그룹 구주조정 안과 관련한 입장	경실련	정책위원회
19990420	보도자료	주민등록법중개정법률안'에 관한 의견서 국회 제출	경실련	예산감시위원회
19990421	참고자료	제8회 경제정의기업상 시상식 및 경제정의지수(KEJI Index)로 본 한국기업의 사회적 성과 평가	경실련	경제정의연구소
19990422	보도자료	김대중정부의 개혁실종을 비판한다!	경실련공동	시민단체협의회 외
19990422	정책토론	강릉지역 실업정책 평가와 대책	경실련공동	실업극복국민운동 외
19990422	보도자료	문화방송의 대전법조비리 보도 관련한 검사들의 집단제소에		

생산일자	세부형태	제목	출처분류	생산자(처)
		대한 경실련의 견해	경실련	시민입법위원회
19990422	보도자료	족벌경영체제 관련한 입장	경실련	정책위원회
19990422	보도자료	현대전자등 상장기업 주가조작 관련한 입장	경실련	정책위원회
19990423	보도자료	국민연금 신고상황 분석, 평가에 대한 경실련 긴급논평	경실련	정책위원회
19990426	회의	제10기 제4차 상임집행위원회	경실련	상임집행위원회
19990426	조직	경실련 사회개혁단 발족	경실련	사회개혁단
19990427	보도자료	교직사회안정을 위한 대책 촉구 성명	경실련	정책위원회
19990428	회의	99 세계우리겨레 공동체 청년대회 (GKN) 및 경실련 10주년 기념 금강산 방문	경실련	GKN
19990428	보도자료	병역비리수사 발표와 관련한 성명	경실련	시민입법위원회
19990429	보도자료	금융부실책임규명 특별조사위원회 설치 촉구를 위한 기자회견 및 대통령께 드리는 공개질의서	경실련	정책위원회
19990430	정책토론	정치개혁의 핵심과제 및 그 개혁 방향	경실련공동	한국일보 외
19990430	회의	탈세추방 및 납세풍토개선 시민운동	경실련	정책위원회
19990500	보도자료	주부대상 아침 정보프로그램 모니터 보고	경실련	미디어워치
19990503	보도자료	검찰의 병역비리수사 축소의혹에 대한 성명	경실련	시민입법위원회
19990504	보도자료	여당의 국회 법률안 변칙처리에 대한 성명	경실련	시민입법위원회
19990504	보도자료	자치경찰제 도입에 대한 경실련 견해	경실련	지방자치위원회
19990506	보도자료	공동여당 정치개혁 단일안 합의에 대한 논평	경실련	정치개혁시민위원회
19990506	보도자료	기독교방송 파업사태에 대한 입장	경실련	노동실업대책본부
19990507	보도자료	공동여당 정치개혁 합의안에 대한 경실련 2차 논평	경실련	정치개혁시민위원회
19990507	보도자료	직장의료보험 인상 논란과 관련된 시민사회,노동,농민단체 공동기자회견	경실련공동	전국민주노동조합총연맹 외
19990509	보도자료	의약분업실현 시민대책위 활동 결과 발표	경실련공동	의약분업실현을 위한 시민대책위원회
19990511	보도자료	공정거래위원장의 파리 발언과 관련하여	경실련	재벌개혁위원회
19990511	모니터링	정부의 실업대책 및 예산집행 모니터링 종합 보고	경실련공동	노동실업대책본부
19990512	보도자료	MBC 방송중단사태에 대한 논평	경실련	시민입법위원회
19990513	회의	99년 5월 상집실무회의	경실련	상임집행위원회
19990513	정책토론	자치경찰제 도입에 따른 쟁점과 도입 방향	경실련	지방자치위원회
19990513	보도자료	재벌의 데이콤.한국중공업 인수 저지를 위한 시민단체. 노동조합 공동기자회견	경실련공동	참여연대 외
19990514	참고자료	4.29. 공개질의서 관련, 금감위 및 예금보험공사에 금융부실과 관련한 사안별 정보공개청구!	경실련	정책위원회
19990514	정책토론	제5회 시민개혁포럼	경실련공동	시민개혁포럼 외
19990518	보도자료	국민연금 문제해결을 위한 시민단체 기자회견	경실련공동	서울YMCA 외
19990518	보도자료	차명계좌 이용에 대한 입장	경실련	정책위원회
19990521	보도자료	행정부의 "제2건국운동 활성화지침"에 대한 성명	경실련	정부개혁위원회
19990524	보도자료	5.24 정부개각에 대한 논평	경실련	정책위원회
19990525	간행물	월간경실련 1999년 5 · 6월호	경실련	사무국
19990526	보도자료	3.30 재보궐선에 있어 국민회의의 50억 불법선거자금 사용에 대한 성명	경실련	시민입법위원회
19990526	보도자료	공동여당 정치개혁 단일안 확정 내용에 대한 논평	경실련	정치개혁시민위원회
19990526	보도자료	의료보험료 인상에 대한 입장	경실련	정책위원회
19990527	정책토론	국민을 위한 사법개혁 정책대안 심포지움	경실련공동	PAX KOREANA 21 연구원 외
19990527	청원	국민을 위한 사법개혁 청원서	경실련공동	한국헌법학회 외
19990527	정책토론	재벌개혁 대토론회	경실련	정책위원회
19990527	보도자료	최순영회장 부인의 옷 로비설에 대한 입장	경실련	시민입법위원회
19990528	보도자료	"검찰의 '장관부인 옷로비 수사' 결과를 믿을 수 없다" 성명	경실련	정책위원회
19990528	보도자료	국민회의의 한겨레신문 손해배상 청구소송에 대한 논평	경실련공동	언론개혁시민연대 외
19990528	보도자료	예금보험공사의 금융기관 부실채권 조사 발표에 대한 입장	경실련	정책위원회, 금융개혁위원회
19990529	정책토론	경실련 통일협회 창립5주년 기념 한일 평화 세미나 및 기념식	경실련	통일협회
19990531	회의	제10기 제5차 상임집행위원회	경실련	상임집행위원회
19990602	보도자료	검찰의 '옷로비 사건' 수사발표 내용에 대한 성명	경실련	시민입법위원회
19990603	보도자료	"병원 경영 투명성 확보가 모든 의료문제의 선결과제이다" 성명	경실련	정책위원회
19990603	보도자료	김대중 대통령의 시국인식에 대한 성명	경실련	시민입법위원회
19990604	보도자료	6.3 국회의원 보궐선거에 대한 경실련 견해	경실련	시민입법위원회
19990605	보도자료	21세기 동북아시아의 평화를 위한 시민 선언	경실련공동	일한평화심포지움실행위원회
19990607	보도자료	국민고충처리위원회의 행자부 국장 상임위원 임용에 대한 성명	경실련	정부개혁위원회
19990607	보도자료	김태정장관 해임 및 총체적 국정개혁촉구 국민연대행동주간 선언 기자회견	경실련공동	법무부장관 퇴진을 촉구하는 시민사회단체
19990608	보도자료	김태정 법무부장관 경질에 대한 논평	경실련	정책위원회

생산일자	세부형태	제목	출처분류	생산자(처)
19990608	보도자료	법무무장관퇴진을 위한 서명운동에 들어가며	경실련공동	법무부장관 퇴진을 촉구하는 시민사회단체
19990609	보도자료	"김태정 장관 경질 계기, 총체적 국정개혁으로 나아가야" 공동기자회견	경실련공동	법무부장관 퇴진을 촉구하는 시민사회단체
19990609	보도자료	검찰의 조폐공사 노조 파업유도에 대한 성명	경실련	시민입법위원회
19990610	보도자료	최근 의혹사건에 대한 국회 국정조사활동에 바라는 성명	경실련	시민입법위원회
19990611	보도자료	원철희 전농협회장 '정치권 비자금 리스트'에 대한 성명	경실련	시민입법위원회
19990612	보도자료	여당의 단독 국정조사 실시결정에 대한 성명	경실련	시민입법위원회
19990613	보도자료	북한경비정의 북방한계선(NLL) 월경사건에 대한 경실련 통일협회 논평	경실련	통일협회
19990614	보도자료	김대중 대통령은 국정안정을 위해 특별검사제 도입을 즉각 수용하라	경실련	시민입법위원회
19990615	보도자료	서해상에서의 남북간 교전과 관련한 경실련통일협회 논평	경실련	통일협회
19990616	보도자료	서해교전사태의 평화적 해결을 촉구하는 시민 사회단체 긴급 공동성명	경실련공동	참여연대 외
19990616	보도자료	여권의 특별검사제 수용에 대한 입장	경실련	시민입법위원회
19990616	보도자료	현 시국에 대한 원로 및 각계 대표자 선언	경실련공동	정계, 종교계, 시민사회 대표
19990618	정책토론	경실련 '조세정의실현 시민운동' 출범기념 조세개혁 대토론회	경실련	정책위원회
19990618	보도자료	공정거래위원회의 발표 내용에 대한 입장	경실련	재벌개혁위원회
19990619	회의	99년 6월 상집실무회의	경실련	상임집행위원회
19990619	회의	ASEM2000 한국민간단체포럼 준비위원회 창립대회 및 1차 운영위원회 회의결과 보고	경실련공동	ASEM2000 한국민간단체포럼 준비위원회
19990619	조직	한국장묘문화개혁 범국민협의회	경실련공동	정책위원회
19990621	보도자료	최순영 회장 부인의 고서화 50억 구입설에 대한 성명	경실련	시민입법위원회
19990622	보도자료	금융소득종합과세 재도입 불가 발언에 대한 성명	경실련	정책위원회
19990622	보도자료	연대보증 관행과 관련한 경실련 대안	경실련	금융개혁위원회
19990623	보도자료	상설적 특별검사제 도입을 위한 '특검제 입법'(안) 시민 사회단체 입법청원 기자회견	경실련공동	시민단체협의회
19990623	보도자료	손 숙 환경부장관의 2만 달러 수수에 대한 성명	경실련	시민입법위원회
19990623	정책토론	신용카드 사용 생활화를 위한 소비자운동 간담회	경실련	정책위원회
19990624	보도자료	조속한 인사청문회 제도 실시 촉구에 대한 성명	경실련	시민입법위원회
19990625	보도자료	국가정보원의 정보수집기능 강화에 대한 성명	경실련	시민입법위원회
19990625	보도자료	법 집행기관인 검경의 갈등에 대한 성명	경실련	시민입법위원회
19990625	보도자료	정부는 예산당국의 추경예산편성에 지역의보 국고지원 확대를 반드시 이행하라	경실련	정책위원회
19990625	간행물	월간경실련 1999년 7월호	경실련	사무국
19990625	보도자료	지역의보재정 예산편성에 관한 성명	경실련	정책위원회
19990628	소송	국회예산결산특별위원회 계수조정소위원회 방청허가 불허 위헌 확인에 대한 본안 준비서면	경실련	정책위원회
19990629	청원	국민을 위한 사법개혁 청원서	경실련공동	한국헌법학회 외
19990630	참고자료	총체적 사법개혁을 위한 15대 과제	경실련공동	행정개혁시민연합
19990700	보도자료	어렵지 않은 문화생활의 길라잡이	경실련	미디어워치
19990701	보도자료	당국은 정책실패를 반성하고 재벌구조해체를 적극 주도하라! 특히 보상 빅딜을 즉각 중단하라!	경실련	정책위원회
19990702	보도자료	삼성 및 교보생명 상장과 관련한 입장	경실련	정책위원회, 금융개혁위원회
19990705	보도자료	「특별검사제 도입과 부패방지법 제정 촉구 국민행동」 100시간 국민행동 발대식	경실련공동	특별검사제 도입과 부패방지법 제정 촉구 국민행동
19990706	회의	「사법개혁을 위한 시민 · 사회단체 연대회의」제1차 간담회 결과 요약 및 제2차 간담회	경실련공동	특별검사제 도입과 부패방지법 제정 촉구 국민행동
19990706	보도자료	경실련 조세정의실현 시민운동본부 출범	경실련	정책위원회
19990708	회의	99년 7월 임시상임집행위원회	경실련	상임집행위원회
19990708	보도자료	검찰의 특검제 도입 반대의견에 대한 성명	경실련	시민입법위원회
19990709	보도자료	식중독사고에 따른 학교급식문제의 현황과 대책	경실련	정책위원회
19990710	회의	99년 경실련 6차 회원대회	경실련	중앙위원회
19990710	보도자료	경실련 시국 성명 '다시 한번 개혁을 촉구한다'	경실련	총회
19990712	보도자료	국회에 상정된 협동조합개혁법(안)과 관련하여	경실련	농업개혁위원회
19990713	보도자료	서울을 비롯 6개 광역시 실업대책위원회 모니터링 보고 보도 협조 의뢰	경실련	노동실업대책본부
19990713	정책토론	시민의 참여를 통한 21세기 의료개혁방안에 대한 심포지움	경실련공동	서울YMCA 외
19990713	모니터링	지자체 실업대책위원회 실태보고	경실련공동	실업대책본부 실업모니터링팀 외
19990713	보도자료	한국경제연구원 연구보고서와 재계 반응에 대한 경실련		

생산일자	세부형태	제목	출처분류	생산자(처)
		입장	경실련	정책위원회
19990714	정책토론	OECD 반부패라운드 발효 우리기업은 무엇을 해야 하는가	경실련	부정부패추방운동본부
19990715	보도자료	자동차 보험 무엇이 문제인가	경실련	부정부패추방운동본부
19990719	보도자료	검찰은 서이석 전 경기은행장 리스트의 즉각 공개와 관련 정 · 관계인사들에 대한 철저한 수사를 단행하라	경실련	시민입법위원회
19990719	보도자료	금융감독위원회에 대한 공개 질의서	경실련	정책위원회
19990719	보도자료	연대보증관행 개선안에 대한 공개질의서	경실련	금융개혁위원회
19990720	조직	사법개혁을 위한 시민사회단체연대회의 발족 기자회견	경실련공동	사법개혁을위한인권시민사회단체공동대책위원회
19990720	보도자료	임청렬 부부 수사사건과 관련하여	경실련	정책위원회
19990722	보도자료	대우그룹 사태와 관련한 입장	경실련	정책위원회
19990723	보도자료	금융소득종합과세의 조기 재실시와 기준금액 인하를 촉구한다	경실련	조세정의실현시민운동본부
19990727	보도자료	비아그라 시판에 관련한 의견	경실련	정책위원회
19990727	보도자료	정부와 여당의 김현철씨 사면 검토에 대한 성명	경실련	시민입법위원회
19990728	조직	UN ECOSOC 지위 획득	경실련	사무국
19990728	보도자료	조폐공사 파업유도 수사결과에 대한 논평	경실련	시민입법위원회
19990730	보도자료	검찰의 경기은행 로비사건 수사결과 발표에 대한 논평	경실련	시민입법위원회
19990730	보도자료	경실련 긴급기자회견	경실련	상임집행위원회
19990731	보도자료	여 · 야의 정치관계법에 대한 돈정치추방연대회의 의견	경실련공동	돈정치추방 시민사회단체연대회의
19990800	보도자료	방송3사의 만화영화 방영에 대한 제안서	경실련	미디어워치
19990802	보도자료	금융소득종합과세 조기실시 촉구	경실련	조세정의실현시민운동본부
19990802	보도자료	의료통합 유보에 관한 입장	경실련	보건의료위원회
19990805	보도자료	자영자소득파악위원회 정책건의에 대한 입장	경실련	사회복지위원회
19990806	보도자료	정부와 여당은 김현철씨 사면 검토를 즉각 철회할 것을 재차 촉구한다	경실련	시민입법위원회
19990809	보도자료	선관위의 국고보조금 사용내역 조사에 대한 성명	경실련	정치개혁위원회
19990810	보도자료	"정부는 지방이양추진위원회 구성에 있어 개혁적이고 전문성 있는 광범위한 인사와 시민단체의 참여를 보장하여야 한다" 성명	경실련	정부개혁위원회
19990810	보도자료	CPU 소급과세에 관한 경실련 공개질의서 발송	경실련	조세부정고발센터
19990810	보도자료	경실련의 농림해양수산위원회 의정감시활동 중간보고	경실련	농업개혁위원회
19990810	보도자료	정부는 지방이양추진위원회 구성에 있어 개혁적이고 전문성 있는 광범위한 인사와 시민단체의 참여를 보장하여야 한다	경실련	정부개혁위원회
19990810	보도자료	농개위 의정감시단의 보도자료-농업분야 민생현안인 협동조합 개혁법안에 대한 일부 의원들의 무소신과 직무 유기를 우려한다!	경실련	농업개혁위원회
19990811	보도자료	김현철씨 사면반대 시민사회단체 공동기자회견	경실련공동	참여연대 외
19990812	보도자료	김현철씨 변칙사면 움직임에 대한 성명	경실련	시민입법위원회
19990813	보도자료	5대 재벌의 부당내부거래와 관련한 입장	경실련	정책위원회
19990813	보도자료	재정경제위원회의 현대그룹 특혜 과세소급입법에 대한 입장	경실련	정책위원회
19990816	보도자료	지방이양추진위원회 구성에 대한 경실련 의견	경실련	정부개혁위원회
19990816	보도자료	학교급식으로 인한 식중독 발생에 대한 논평	경실련	과학기술위원회
19990817	참고자료	서울시 자치구 실업대책 전달체계 실태보고	경실련	노동실업대책본부
19990817	기타	재외동포법 제정 관련 시민사회 성명	경실련공동	우리민족서로돕기운동 외
19990818	보도자료	정부의 세제개혁안에 대한 입장	경실련	조세정의실현시민운동본부
19990818	보도자료	학교급식 위생점검과 관리감독에 관한 의견	경실련	정책위원회
19990820	보도자료	금융기관부실의 손해배상청구 및 수사 대한 입장	경실련	정책위원회
19990820	보도자료	정신지체장애인시설내 강제불임에 관한 입장	경실련	정책위원회
19990820	보도자료	경기은행을 포함한 5개은행, 퇴출 관련 비리를 전면수사하라	경실련	정책위원회
19990823	보도자료	금융계의 공적자금 투입요청과 관련하여	경실련	정책위원회
19990823	소송	재외동포의 출입국과 법적지위 관한 법률 헌법소원 심판 청구 기자회견	경실련	정책위원회
19990823	보도자료	손익 분담 원칙 없는 공적자금 투입 반대한다	경실련	정책위원회
19990824	보도자료	사법개혁을 위한 제1차 시민토론회	경실련공동	사법개혁을위한인권시민사회단체공동대책위원회
19990825	간행물	월간경실련 1999년 8 · 9월호	경실련	사무국
19990826	보도자료	특별검사제의 도입을 통해 옷로비사건 진상을 철저히 규명하라!	경실련	정책위원회
19990826	정책토론	정부 회계제도, 이렇게 개혁해야 한다 - 정부 복식 부기 회계제도 도입을 중심으로	경실련공동	행정개혁시민연합 외
19990827	참고자료	새로운 국가보안법 반대운동 연대기구 구성을 위한 준비모임	경실련공동	새로운 국가보안법 반대운동 연대기구 구성을 위한 준비모임
19990830	보도자료	"지방이양추진위원회" 구성과 발족에 대한 성명	경실련	정책위원회

생산일자	세부형태	제목	출처분류	생산자(처)
19990830	정책토론	구조조정과 노동자의 파업권'에 관한 정책토론회	경실련	노동실업대책본부
19990830	회의	반 국가보안법 국민연대 연대를 위한 긴급제안문	경실련공동	국가보안법반대국민연대
19990830	회의	제10기 제8차 상임집행위원회	경실련	상임집행위원회
19990831	정책토론	구조조정과 노동자의 파업권'에 관한 정책토론회	경실련	노동실업대책본부
19990900	보도자료	내 모습 찾기를 위한 주부들의 '선택'	경실련	미디어워치
19990901	보도자료	국가보안법에 반대하는 시민사회단체의 입장	경실련공동	국가보안법반대국민연대
19990901	보도자료	서울시내 대형학원 중 신용카드 미가맹 학원에 대한 세무 조사 촉구	경실련	조세정의실현시민운동본부
19990901	보도자료	반 국가보안법 국민연대 기자회견	경실련공동	국가보안법반대국민연대
19990901	보도자료	서울소재 대형학원의 신용카드 사용에 대한 실태조사	경실련	조세정의실현시민운동본부
19990901	보도자료	서울시내 대형학원 중 신용카드 미가맹 학원에 대한 세무 조사 촉구	경실련	조세정의실현시민운동본부
19990903	보도자료	청문회 제도 개선 촉구를 위한 성명	경실련	시민입법위원회
19990906	보도자료	신용카드회사 가맹점 수수료 담합 관련 경실련 기자회견	경실련	조세정의실현시민운동본부
19990907	보도자료	'사법개혁추진위원회' 토의의제 발표에 대한 논평	경실련	시민입법위원회
19990907	보도자료	현대전자 및 금강개발의 전환사채를 매개로 한 주가조작 및 그룹차원의 개입의혹에 대한 공개질의서	경실련	정책위원회
19990908	보도자료	시민사회단체와 한국정부는 동티모르 유혈사태에 대한 적극적인 관심과 국제외교 강화해야	경실련공동	국제민주연대
19990908	조직	99 국정감사 모니터 시민연대 발족식	경실련공동	국정감사모니터시민연대
19990908	보도자료	국가보안법 개폐방향에 대한 공청회	경실련	시민입법위원회
19990908	보도자료	사법개혁추진위원회'의 중간보고안에 대한 의견	경실련공동	사법개혁을위한인권시민사회단체공동대책위원회
19990908	보도자료	일부 여당의원들의 특례과세제도 폐지 유보 논의에 대한 성명	경실련	조세정의실현시민운동본부
19990910	보도자료	검찰의 현대전자주가조작 수사 결과에 대한 입장	경실련	정책위원회
19990910	보도자료	현대그룹의 자본시장 질서파괴 행위에 대한 엄정한 사법 처리를 촉구한다	경실련	정책위원회
19990913	교육	경실련 초청강연 및 작은만찬	경실련	정책위원회
19990915	감사청구	국립암센터 건립 관련 예산낭비 의혹에 대한 감사원 감사 청구 보도의뢰	경실련	보건의료위원회
19990915	집회	현대 그룹 주가조작, 삼성그룹 변칙상속, 대우그룹 구조 조정과 관련 시민사회,노동단체 공동기자회견 및 공동집회	경실련공동	참여연대 외
19990917	보도자료	파이낸스사태와 관련한 입장	경실련	정책위원회
19990918	보도자료	심사평가원 독립에 대한 시민 · 소비자 단체의 입장	경실련공동	녹색소비자연대 외
19990920	조직	국가보안법 반대 국민연대 창립대회	경실련공동	국가보안법반대국민연대
19990920	보도자료	국회는 대법원장, 감사원장 임명동의안 처리에 대한 논평	경실련	시민입법위원회
19990920	보도자료	대통령의 대법원장, 감사원장 임명동의안 처리에 대한 논평	경실련	시민입법위원회
19990921	보도자료	2000년 예산(안)에 대한 입장	경실련	예산감시위원회
19990921	보도자료	검찰의 현대전자주가조작 수사 결과에 대한 입장	경실련	정책위원회
19990928	청원	상법상 「집중투표제 강제 조항화」를 위한 법 개정청원	경실련	정책위원회
19990928	정책토론	수해원인규명과 수해예방을 위한 국민 토론회	경실련	도시개혁센터
19990929	보도자료	경실련-CBS 〈4대 개혁 대토론회〉 공동주최 보도의뢰	경실련공동	CBS 외
19991000	회의	99서울NGO세계대회 참여	경실련	상임집행위원회
19991000	보도자료	문화의 다양성 보여주는 신선한 시도	경실련	미디어워치
19991004	보도자료	"출자총액제한제도의 부활" 과 공정위 제출 경실련 안	경실련	재벌개혁위원회
19991004	정책토론	경실련-CBS 〈4대 개혁 대토론회〉 중 10.4. 정치개혁 방송분 토론요지	경실련	정책위원회
19991004	보도자료	독점규제 및 공정거래에 관한 법률에서의 출자총액제한 제도의 재실시에 따른 경실련 대안	경실련	재벌개혁위원회
19991004	보도자료	중앙일보 홍석현 사장 구속과 관련한 경실련 견해	경실련	시민입법위원회
19991005	참고자료	가전제품 무자료거래 조사보고	경실련	조세정의실현시민운동본부
19991005	정책토론	경실련-CBS 〈4대 개혁 대토론회〉 중 10.7. 사법개혁 방송분 토론요지	경실련공동	정책위원회
19991005	보도자료	국세청의 한진그룹 및 통일그룹 계열사 세무조사결과에 대한 논평	경실련	시민입법위원회
19991007	보도자료	특별검사 지명에 대한 성명	경실련	시민입법위원회
19990304	조직	남원경제정의실천시민연합 창립	경실련	남원경실련
19991011	간행물	세상을 바꾸는 풀뿌리 시민행동 사회개혁 월간 소식지 창간 준비 2호	경실련	사회개혁단
19991011	회의	시민예산감시단 제2차 모임	경실련	예산감시위원회

생산일자	세부형태	제목	출처분류	생산자(처)
19991011	보도자료	탈세교부금지급규정개정(안)에 대한 경실련 의견	경실련	정책위원회
19991012	보도자료	의보통합과 관련한 성명	경실련	정책위원회
19991012	보도자료	자발적인 탈세고발의 활성화를 위한 경실련 제언	경실련	조세정의실현시민운동본부
19991013	소송	국감 방청 불허에 대한 헌법소원 청구 기자회견	경실련공동	국정감사모니터시민연대
19991013	보도자료	정치논리에 밀려 후퇴하고 있는 세제개혁안에 대한 경실련 논평	경실련	조세정의실현시민운동본부
19991013	보도자료	세제개혁안 후퇴에 관한 논평	경실련	정책위원회
19991014	보도자료	대우 부실채권 처리 관련한 논평	경실련	정책위원회
19991014	참고자료	의약분업 실시'에 대한 국회 보건복지위 의원 설문조사	경실련	정책위원회
19991018	보도자료	국립암센터 건린 관련 예산낭비 의혹에 관한 성명	경실련	정책위원회
19991018	교육	납세자 권리와 재정민주주의 실현을 위한 제2기 예산학교	경실련	예산감시위원회
19991018	보도자료	한일장신대학교 법인비리 사건에 대한 경실련, 참여연대 입장	경실련공동	참여연대 외
19991019	교육	99 경실련 법률소비자학교	경실련	부정부패추방운동본부
19991019	보도자료	예금보험공사의 공적자금회수와 원칙	경실련	정책위원회
19991019	보도자료	의약분업 관련 5개 시민단체 공동 성명	경실련공동	참여연대 외
19991020	정책토론	외국인노동자 공청회	경실련공동	외국인노동자인권문제대책협의회
19991021	보도자료	복식부기도입 시범사업에 대한 성명	경실련	예산감시위원회
19991021	보도자료	의보약가 인하 관련 공개 의견	경실련공동	녹색소비자연대 외
19991022	청원	경실련 통신비밀보호법 개정청원 국회제출	경실련	시민입법위원회
19991022	보도자료	무늬만 어린이 드라마? - KBS2 "누룽지 선생과 감자 일곱개" 모니터 보고	경실련	미디어워치
19991023	청원	통신비밀보호법 개정의 청원	경실련	정책위원회
19991024	보도자료	불법 도 · 감청문제 어떻게 해결할 것인가	경실련	시민입법위원회
19991025	모니터링	시민이 본 2000년 예산안에 관한 국민토론회	경실련공동	녹색교통운동 외
19991026	청원	통신비밀보호법 개정에 관한 청원	경실련	시민입법위원회
19991027	보도자료	장애인 직업재활법 관련 시민 사회 단체 의견	경실련공동	흥사단 외
19991027	조직	의료개혁시민연합	경실련공동	정책위원회
19991028	보도자료	"의약분업은 의약분업실행위원회가 합의한 방안대로 시행 되어야 한다" 기자회견	경실련공동	녹색소비자연대 외
19991028	보도자료	'언론장악 대책' 문건에 대한 성명	경실련	정책위원회
19991030	보도자료	평화방송 이도준 기자의 1000만원 수수에 대한 경실련의 견해	경실련	시민입법위원회
19991101	보도자료	시민이 본 2000년 예산에 관한 토론회	경실련	예산감시위원회
19991101	보도자료	안전한 도시관리를 위한 시민활동 보고	경실련	도시개혁센터
19991102	보도자료	납세자권리와 재정민주주의 실현을 위한 '99(제2기) 예산학교	경실련	예산감시위원회
19991102	보도자료	파업유도 특별검사 수사팀을 전면 재구성하여 공정한 수사가 가능하도록 대통령의 조치를 촉구한다	경실련	시민입법위원회
19991104	보도자료	인천호프집 화재참사에 대한 성명	경실련	정부개혁위원회
19991105	보도자료	자영자소득파악위원회 존속에 대한 입장	경실련	사회복지위원회
19991106	보도자료	병원 약품 거래약정서 및 세금계산서	경실련	정책위원회
19991108	보도자료	99년 국정감사모니터 측정지표에 대한 만족도 조사 결과 및 제안	경실련공동	녹색연합 외
19991109	보도자료	99예결위 모니터시민연대 선언발족식과 국회정상화를 위한 성명에 따른 기자회견	경실련공동	예결위시민연대
19991109	보도자료	국회의 예결산 심의과정이 정치적 쟁점으로 인해 태만하게 운영되는 것은 국민을 우롱하는 행태이다.	경실련공동	녹색교통운동 외
19991109	보도자료	국내 화장품의 무자료 상품거래 규모는 57% 수준이며, 제조업체의 특소세 매출탈루는 34%로 추정	경실련	정책위원회
19991109	보도자료	화장품 무자료거래 실태조사	경실련	정책위원회
19991113	보도자료	제7차 경실련 임시회원총회	경실련	정책위원회
19991116	보도자료	개방형 임용제 대상 확정'에 대한 성명	경실련	정부개혁위원회
19991117	보도자료	99년 정기회(208회) 예산결산특별위원회 모니터 시민연대	경실련공동	녹색연합 외
19991117	보도자료	공기업 민영화와 기업의 도덕성	경실련	금융개혁위원회
19991117	보도자료	예결위 모니터 시민연대 체크리스트 공개 및 역대 정기국회 예결위심의과정의 예산의 낭비사례 그리고 98년 예결위 모니터 결과 발표	경실련공동	예결위시민연대
19991117	보도자료	주가조작혐의가 있는 기업이 어떻게 공기업을 인수할 수 있었는가. 선진자본시장질서의 정착을 위해 국회는 증권 거래 집단소송제의 입법안을 즉각 통과 시켜라	경실련	금융개혁위원회
19991118	보도자료	국회 정치개혁특위의 의원정수 축소 반대 움직임과 관련하여	경실련	정책위원회
19991119	보도자료	검찰과 청와대의 특별검사팀 활동 제약에 대한	경실련	시민입법위원회
19991120	보도자료	세상을 바꾸는 풀뿌리 시민행동 사회개혁 월간 소식지 창간		

생산일자	세부형태	제목	출처분류	생산자(처)
		준비 3호	경실련	사회개혁단
19991122	보도자료	국회의 의사봉이 국민의 의사를 봉으로 만들고 있다	경실련공동	예결위시민연대
19991122	보도자료	화장품 무자료상품 거래 중간리포트	경실련	정책위원회
19991123	보도자료	새로운 세기 민족의 화해를 위하여-민화아카데미 지역강좌	경실련	통일협회
19991124	보도자료	간익화세 대상기준액 확대 논란-조세정책을 뒤흔드는 정치권의 선거철 구태를 우려한다	경실련	정책위원회
19991124	보도자료	국회법사위는 법조비리 근절을 요구하는 시민들의 요구를 끝내 거부할 것인가	경실련	시민입법위원회
19991125	보도자료	경실련, 손해보험사로부터 책임보험금 받아내. 총33건에 지급금액 8억5천여만원	경실련	부정부패추방운동본부
19991125	간행물	월간경실련 1999년 11 · 12월호	경실련	사무국
19991125	보도자료	헌법재판소의 '선거법 제87조' 합헌 결정에 대한 논평	경실련	시민입법위원회
19991126	보도자료	(보도자료)사법개혁추진위원회	경실련	정책위원회
19991126	활동자료집	경불련 창립8주년 기념	경실련	경제정의실천불교시민연합
19991126	참고자료	법조인 양성제도의 개혁방안	경실련	정책위원회
19991126	보도자료	옷로비사건 사직동팀 최종보고서와 관련한 성명	경실련	정책위원회
19991126	보도자료	정부회계제도개혁과 관한 공개질의서 발송	경실련	정책위원회
19991126	보도자료	정치적 공방에 묻혀진 예결위 예산정책질의인가 당간의 말싸움인가	경실련공동	예결위시민연대
19991129	보도자료	검찰의 사직동팀 기밀문서 유출사건 수사움직임에 대한 성명	경실련	시민입법위원회
19991129	정책토론	새로운국토관리 위한 토지정책 방향	경실련공동	도시개혁센터
19991129	보도자료	특별검사가 사직동팀 기밀문서 유출사건을 수사하게 해야 한다	경실련	정책위원회
19991130	보도자료	국회의원 세비 대폭 인상 움직임에 대한 성명	경실련	시민입법위원회
19991201	보도자료	국회 예결위의 심도 있는 2000년 실업예산 심의 촉구 및 실업자설문조사	경실련	노동실업대책본부
19991201	간행물	도시개혁 1999년 12월	경실련	도시개혁센터
19991201	보도자료	특별소비세부정환급과 관련한 입장	경실련	정책위원회
19991202	보도자료	신용카드 가맹점 공동이용제에 관한 의견	경실련	정책위원회
19991202	보도자료	예결특위 계수조정소위원회 방청 요청	경실련공동	예결위시민연대
19991202	청원	특검제법 개정청원 국회제출건에 대한 보도 협조 요청	경실련	정책위원회
19991202	보도자료	금감위의 감독부실로 인해 신용카드 공동가맹점제 유명무실화 - 경실련 금감위 감사 청구 및 카드회사 공정위 제소	경실련	정책위원회
19991202	보도자료	KDI 공무원연금제도 개선안 관련 논평	경실련	정책위원회
19991203	참고자료	국민을 위한 국민에 의한 사법개혁의 길	경실련공동	정책위원회
19991203	보도자료	국회 예산결산특별위원회 계수조정위원회는 공개리에 진행되어야 한다	경실련공동	예결위시민연대
19991203	보도자료	예결위심의 계수조정소위원회의 공개심의를 촉구한다	경실련공동	(사)그린훼밀리운동연합 외
19991203	청원	한국조폐공사 노동조합파업유도 및 전 검찰총장 부인에 대한 옷 로비 의혹사건 진상규명을 위한 특별검사의 임명 등에 관한 법률 개정에 관한 청원	경실련	정책위원회
19991204	보도자료	국회는 법적시한을 넘기면서까지 정쟁으로 일삼는 것을 즉각 중단하고 예결위심의일정의 정상화에 주력하라	경실련공동	예결위시민연대
19991204	보도자료	예결위심의과정의 정상화를 촉구한다	경실련공동	(사)그린훼밀리운동연합 외
19991206	정책토론	밀레니엄 사면의 바람직한 방향에 대한 시민사회단체 연대토론회-대통령 사면 행사, 어떻게 할 것인가	경실련	정책위원회
19991206	보도자료	여야의 중복입후보제 논의 움직임에 대한 성명	경실련	정치개혁위원회
19991207	청원	부동산 투기근절과 공평과세 확립을 위한 지방세법 개정의 청원	경실련	정책위원회
19991207	참고자료	의약품 무자료거래 실태조사 보고	경실련	정책위원회
19991207	보도자료	대형점 셔틀버스운행 중단에 관한 보도자료와 공정거래위 공개질의	경실련	정책위원회
19991208	보도자료	여당의 복합선거구제 도입주장에 대한 입장	경실련	시민입법위원회
19991209	보도자료	고용안정인프라 실태보고	경실련	노동실업대책본부
19991210	정책토론	대형 안전사고의 원인과 그 책임 누구에게 있는가	경실련	정책위원회
19991210	조직	창립 10주년 기념식 및 후원의 밤	경실련	정책위원회
19991213	보도자료	여야 정치권의 총선비용 보전대상 추가와 선거사범 공소시효 3개월 단축에 대한 성명	경실련	정책위원회
19991213	보도자료	증권집단소송제 도입 촉구 교수 · 변호사 공동성명	경실련공동	참여연대 외
19991214	보도자료	장애인고용촉진및직업재활법 법사위 통과에 따른 시민사회단체의 입장	경실련공동	정책위원회
19991215	보도자료	경실련의 정치개혁의견서 제출	경실련	정치개혁위원회
19991216	보도자료	거대자본을 앞세워 공정경쟁질서를 해치는 대형유통점		

생산일자	세부형태	제목	출처분류	생산자(처)
		셔틀버스운행은 조속히 중단되어야 한다.	경실련	기업환경개선위원회
19991216	보도자료	재경위 법안심사소위 해명문에 대한 시민사회노동단체 반박문	경실련공동	건강연대 외
19991217	보도자료	검찰 수뇌부는 박주선 전청와대 법무비서관을 원칙에 따라 즉각 사법처리해야한다	경실련	시민입법위원회
19991217	보도자료	파업유도의혹 사건 특검팀 수사결과에 대한 논평	경실련	정책위원회
19991220	보도자료	'옷로비 의혹사건' 특검팀 수사결과 발표에 대한 논평	경실련	시민입법위원회
19991221	정책토론	올해 조세개혁 무엇이 문제인가	경실련	정책위원회
19991222	정책토론	1회 부패방지대토론회-반부패국제동향과 기업윤리 심포지움	경실련공동	반부패특별위원회
19991222	보도자료	경실련 신규 정책위원 영입 - 젊은 피 수혈	경실련	정책위원회
19991222	보도자료	경실련, 서울시민 433명 대상 특검팀 수사결과 발표에 대한 여론조사 실시	경실련	정책위원회
19991222	보도자료	대통령 직속 사법개혁추진위원회 사법개혁 최종안에 대한 시민사회단체 의견	경실련	정책위원회
19991222	보도자료	손해보험사의 보상과정 문제점-손해보험사, 보험가입자에 대한 부당행위 심각	경실련	부정부패추방운동본부
19991223	보도자료	SK텔레콤의 신세기통신 인수합병에 대한 경실련의 공개질의	경실련	정책위원회
19991223	정책토론	소각장관련 예산낭비실태와 대안모색	경실련	예산감시위원회
19991224	보도자료	경실련의 2차 정기개혁의견서 제출	경실련	정치개혁위원회
19991224	보도자료	국회법사위 3당 원내총무에 부패방지법 제정 촉구서 전달	경실련	시민입법위원회
19991225	간행물	월간경실련 2000년 1월호	경실련	사무국
19991228	보도자료	공공부문 구조조정과 전력산업은 구조개편은 지속되어야 한다	경실련	정책위원회
19991228	보도자료	범국민 고엽제 피해 공동 대책위원회 발족 기자회견	경실련	정책위원회
19991229	보도자료	SK텔레콤의 신세기 이동통신의 인수를 반대하며	경실련	정책위원회
19991229	보도자료	군가산점제도 위헌 결정에 대한 여성, 시민단체의 입장	경실련공동	정책위원회
19991230	보도자료	부정부패, 선거법 연루 정치인에 대한 사면복권은 국민대화합을 저해하는 행위이다	경실련	시민입법위원회
19991230	보도자료	송년논평 '분단과 동족상잔의 20세기를 넘어, 민족의 화해와 통일을 위한 새천년을 고대하며'	경실련	통일협회
19991231	모니터링	1999 국정감사모니터보고	경실련공동	국정감사모니터시민연대
19991231	백서	1999년 사업백서	경실련	경제정의실천불교시민연합
19991231	참고자료	경실련 신용카드 사용 활성화운동 보고	경실련	정책위원회
19991231	참고자료	경실련 조세정의실현 시민운동본부 활동일지	경실련	정책위원회
19991231	참고자료	세상을 바꾸는 풀뿌리 시민행동 경실련 사회개혁단	경실련	정책위원회
20000000	참고자료	EBS 청소년 프로그램을 통해 본 청소년문화의 다양성과 가능성	경실련	미디어워치
20000000	참고자료	어린이 프로그램과 어린이 영상문화	경실련	미디어워치
20000103	보도자료	대통령 2000년 신년사에 대한 논평	경실련	시민입법위원회
20000105	보도자료	공정위의 카드수수료 담합 시정명령과 과징금 부과조치 관련 성명-카드회사의 수수료율 인하와 가맹점 공동이용제의 정상화를 촉구한다	경실련	정책위원회
20000105	보도자료	새천년 시민사회 선언	경실련	정책위원회
20000108	보도자료	산업은행의 기업회사채 인수와 관련한 입장	경실련	금융개혁위원회
20000110	보도자료	후보자정보공개운동 출범(유권자 심판을 위한 경실련 출마예상자 1차 정보공개 기자회견)	경실련	정책위원회
20000114	보도자료	일부 국회의원들의 비이성적 언동에 대해 엄중 경고한다	경실련	정책위원회
20000114	보도자료	후보자 바로 알기 위한 정보공개운동에 대해 올바른 이해를 바란다	경실련	정책위원회
20000116	보도자료	선거법 등 정치개혁법안의 여야 개악에 대한 성명	경실련	시민입법위원회
20000117	보도자료	교육위원회 주장에 대한 입장	경실련	정책위원회
20000117	보도자료	대통령의 선거법 제87조 조항 폐지 지시 관련 입장	경실련	시민입법위원회
20000117	보도자료	선관위 유권해석에 대한 논평	경실련	정책위원회
20000117	회의	제11기 1월 상임집행위원회	경실련	상임집행위원회
20000118	보도자료	선택 2000, 유권자 심판위한 후보자 정보공개운동 제 2차 경실련 기자회견	경실련	정책위원회
20000121	보도자료	중앙선관위의 공직선거법 개정의견에 대한 논평	경실련	정책위원회
20000121	보도자료	한국야구위원회와프로야구 구단주들은 프로야구선수들에 대한 협박과 회유를 중단하고 헌법에 보장된 결사의 자유를 인정하라	경실련	노동위원회
20000122	회의	경실련 제1기 2차 대의원대회	경실련	대의원총회
20000125	간행물	월간경실련 2000년 2월호	경실련	경실련
20000127	보도자료	백신사고방지를 위한 논평	경실련	보건의료위원회
20000128	참고자료	기부금품모집 규제법 개정에 관한 의견	경실련	정책위원회
20000131	회의	제11기 1월 상임집행위원회	경실련	상임집행위원회

생산일자	세부형태	제목	출처분류	생산자(처)
20000201	참고자료	정치개혁을 위한 경실련 정보공개운동본부 발족 선언문	경실련	정책위원회
20000201	보도자료	최근 정치권의 음모론에 대한 경실련 전국 공동대표 기자회견	경실련	정책위원회
20000202	보도자료	대우그룹 경영진 사법처리에 대한 논평	경실련	재벌개혁위원회
20000205	보도자료	〈개그콘서트〉를 통해 본 웃음의 사회학과 실험정신	경실련	미디어워치
20000208	정책토론	후보자 공천절차 개혁을 위한 토론회-각 정당의 공천절차 무엇이 문제인가	경실련	정책위원회
20000209	보도자료	국회의 선거법개정에 대한 논평	경실련	시민입법위원회
20000214	보도자료	이석연 사무총장 검찰 소환조사	경실련	정책위원회
20000216	보도자료	여야는 밀실공천을 즉각 중단하고 공천절차의 투명성을 보장하라	경실련	정책위원회
20000216	보도자료	한미 연합 대규모 야간 공중강습훈련 실시에 대한 논평	경실련	통일협회
20000217	보도자료	KDI 공무원연금제도 개선안에 대한 입장	경실련	사회복지위원회
20000217	보도자료	민주당 16대 총선공천발표에 대한 논평	경실련	정책위원회
20000217	보도자료	의약분업의 조속한 정착을 위한 시민단체 성명발표 및 기자회견	경실련공동	녹색소비자연대 외
20000218	보도자료	한나라당 총선 공천 내정자 및 자민련 공천자 발표에 대한 논평-공직후보 추천과정의 민주화없는 정치개혁은 요원함을 입증하는 것에 다름아니다	경실련	정책위원회
20000218	보도자료	제도개선 노력마저 외면하는 KBO와 구단에 대한 시민단체 입장	경실련공동	프로야구선수협을 지지하는 시민단체모임
20000219	소송	한미행정협정 헌법소원	경실련	정책위원회
20000221	회의	경제정의연구소 제10차 정기회원총회	경실련	경제정의연구소
20000221	정책토론	김대중 정부 집권 2년 국정평가 및 개혁과제	경실련	정책위원회
20000223	정책토론	2000년 실업예산안에 대한 평가	경실련	정책위원회
20000225	간행물	땅울림 1,2월호	경실련	환경농업실천가족연대
20000225	간행물	월간경실련 2000년 3월호	경실련	경실련
20000229	보도자료	은행장 인사에 대한 입장	경실련	정책위원회
20000302	보도자료	고위공직자의 주식투자에 대한 입장	경실련	정책위원회
20000303	참고자료	납세자 주권회복과 재정민주주의 실현을 위한 제3회 경실련 납세자 대회	경실련	정책위원회
20000306	보도자료	민국당 지도부의 망국적 지역감정 조장발언에 대한 성명	경실련	시민입법위원회
20000307	보도자료	철도노조의 민주적 운영을 촉구하는 성명	경실련	노동위원회
20000307	보도자료	국민기초생활보장법 시행령,시행규칙에 대한 연대회의 입장	경실련공동	국민기초생활보장법 제정추진 연대회의
20000308	보도자료	여야 4당의 전국구 후보 명단 발표 관련 성명	경실련	시민입법위원회
20000310	보도자료	경실련 후보자정보공개운동 3차 기자회견-김대중정부 집권 2년 대선공약 이행 평가	경실련	정책위원회
20000310	참고자료	공직자 재산공개제도 무엇이 문제인가-입법청원 내용을 중심으로	경실련	부정부패추방운동본부
20000310	보도자료	김대중 정부 집권 2년 대선공약 이행 평가	경실련	정책위원회
20000310	참고자료	환경정책좌담회-지속가능한 개발, 새로운 세기를 향하여	경실련	환경위원회
20000313	보도자료	16대 국회 100대 정책과제	경실련	정책위원회
20000313	간행물	도시개혁 200.3월호(통권 5호)	경실련	도시개혁센터
20000314	보도자료	지역의보재정 50% 국고지원에 대한 입장	경실련	정책위원회
20000316	보도자료	사외이사제도의 개선을 촉구하며	경실련	정책위원회
20000316	보도자료	소득파악과 탈세 근절 및 비과세 · 감면 축소 없는 세율 인하 논의는 시기상조다	경실련	재정세제위원회
20000316	보도자료	정부의 세율 인하 방침에 대한 입장	경실련	재정세제위원회
20000317	조직	목포경실련 창립	경실련	목포경실련
20000318	간행물	경실련 총서1 - 우리사회 이렇게 바꾸자(제3증보판)	경실련	경실련
20000319	보도자료	건강보험파산에 관한 성명	경실련	보건의료위원회
20000320	간행물	우리사회 이렇게 바꾸자 제3증보판 발간	경실련	정책위원회
20000321	보도자료	경실련 여야 5당 방문 및 총재면담, 16대 총선공약 관련 정책과제 및 정책선거 정착을 위한 입장 전달	경실련	정책위원회
20000321	보도자료	정책선거 실현을 위해 각 당에 보내는 입장	경실련	정책위원회
20000321	보도자료	제16대 총선 서울지역 여야 입후보자 선거법 준수 선거운동 서약식	경실련공동	공명선거실천시민운동협의회
20000322	정책토론	각 정당 정책위원장 초정 정책토론회	경실련공동	공명선거실천시민운동협의회
20000323	보도자료	경실련 후보자 정보공개운동 4차 기자회견-99년 15대 국회 의원 의정활동 종합평가	경실련	정책위원회
20000323	참고자료	우리사회 이렇게 바꾸자(제3증보판) 출판기념회	경실련	정책위원회
20000325	간행물	월간경실련 2000년 4월호	경실련	경실련
20000327	보도자료	국가채무 논쟁을 계기로 재정의 건전성 회복을 위한 정책 대결을 촉구한다	경실련	정책위원회
20000327	보도자료	금권, 관권선거의 근절과 정책중심의 선거를 위한 제안	경실련	정책위원회
20000327	보도자료	빈곤문제에 대한 종합적인 대책마련을 촉구한다	경실련	정책위원회

생산일자	세부형태	제목	출처분류	생산자(처)
20000327	보도자료	현대그룹 인사와 재벌개혁에 대한 입장	경실련	정책협의회
20000328	보도자료	여야4당의 전국구 후보 명단 발표 관련 성명	경실련	시민입법위원회
20000329	보도자료	의료계의 무기한 집단휴진과 소위 '의약분업 시범사업'에 대한 시민사회단체 성명 발표 및 기자회견	경실련공동	건강연대 외
20000329	보도자료	찬드라 꾸마리 구릉 실종사건 진상조사와 이주노동자 인권 보호대책 기자회견	경실련	경제정의실천불교시민연합
20000330	보도자료	각 당 대표 선거법 준수 서약식 기자회견	경실련공동	공명선거실천시민운동협의회
20000330	정책토론	공공공사 입찰제도 개선을 위한 경실련 토론회	경실련	예산감시위원회
20000331	보도자료	민주당 공공공사 낙착률 상향조정 발표는 선심성 공약에 불과하다	경실련	도시개혁센터
20000401	보도자료	후보들의 개인신상정보는 모든 유권자들에게 전달되어야 한다	경실련	정책위원회
20000403	회의	제11기 6차 상임집행위원회	경실련	상임집행위원회
20000404	보도자료	부당한 의료계 집단휴진에 대해 시민 여러분께 드립니다	경실련공동	건강연대 외
20000404	보도자료	의약분업실현을 바라는 시민사회단체 성명	경실련공동	정책위원회
20000406	보도자료	파렴치한 범죄에 관련된 후보자는 후보직을 즉각 사퇴해야 한다	경실련	정책위원회
20000406	보도자료	후보자 전과공개에 대한 논평	경실련	정책위원회
20000407	보도자료	당국은 증권거래법 제55조5항을 엄격하게 집행할 것을 촉구한다	경실련	금융개혁위원회
20000407	보도자료	자본시장 초유의 결제불이행 사태를 바라본 입장	경실련	금융개혁위원회
20000410	보도자료	6월 남북정상회담 발표에 따른 경실련통일협회 논평	경실련	통일협회
20000412	보도자료	4.13총선 투표참여 촉구를 위한 성명-유권자의 적극적인 4.13 총선 투표참여와 합리적인 선택만이 선거혁명과 정치 개혁을 이루는 지름길이다	경실련	정책위원회
20000412	참고자료	STATEMENT BY CCEJ AND NGO CAUCUS ON CURRENCY TRANSACTION TAX	경실련	정책위원회
20000414	보도자료	16대 총선 결과에 대한 논평	경실련	정책위원회
20000414	간행물	도시개혁 2004년 4월	경실련	도시개혁센터
20000417	보도자료	공정거래위원회는 현행법을 위반한 SK텔레콤의 신세기 이동통신 인수를 허용하지 말 것을 촉구한다	경실련	정책위원회
20000418	보도자료	〈의약분업정착을 위한 시민운동본부〉 발족식 및 대국민 거리캠페인	경실련공동	의약분업 실현을 위한 시민대책위원회
20000423	홍보	지구의 날 2000' 유해환경추방캠페인	경실련	환경위원회
20000423	보도자료	철도청은 공투본 소속 노조원에 대한 부당한 중징계 지시를 즉각 철회하고, 철도노조 내분에 간섭을 중지하라	경실련	정책위원회
20000424	정책토론	비정규직 노동자의 기본권 확대를 위한 정책토론회	경실련	정책위원회
20000425	보도자료	교육부는 사립학교운영위원회 구성을 책임지고 추진하라!!	경실련	정책위원회
20000425	정책토론	국민연금 도시지역확대실시 1년 평가와 과제	경실련	사회복지위원회
20000425	간행물	월간경실련 2000년 5월호	경실련	경실련
20000426	보도자료	EBS 경실련 공동기획 개혁강좌 프로그램 방송 안내	경실련	정책위원회
20000426	보도자료	경실련 환경시민강좌	경실련	정책위원회
20000427	보도자료	과외금지 위헌판결에 대한 입장-전면적인 교육개혁의 추진을 요구한다	경실련	정책위원회
20000428	정책토론	4.13 총선과 선거제도 개혁 토론회	경실련	정책위원회
20000428	행정	쌍방울레이더스 야구단매각된련 사실확인 요청(한국야구 위원회)	경실련	정책위원회
20000501	정책토론	3차 정부조직개편방향에 대한 공청회	경실련	정책위원회
20000501	회의	제11기 7차 상임집행위원회	경실련	상임집행위원회
20000502	참고자료	5기 도시대학	경실련	도시개혁센터
20000502	보도자료	추가적인 공적자금투입과 관련한 입장	경실련	금융개혁위원회
20000503	교육	"어린이 건강과 안전을 위한 환경" 강좌	경실련	정책위원회
20000503	보도자료	건설공사기준 전산시스템 개발 연구결과 정보공개 결과에 대한 이의 신청	경실련	도시개혁센터
20000503	보도자료	백두사업 무기구입 로비의혹에 대한 성명	경실련	정책위원회
20000504	보도자료	국민기초생활보장법 시행준비과정에 대한 연대회의 입장	경실련공동	국민기초생활보장법 제정추진 연대회의
20000504	보도자료	남북정상회담을 앞두고 남북정상에게 드리는 건의문	경실련	통일협회
20000508	보도자료	정부기능조정위원회의 '정부기능조정공청회' 관련한 성명	경실련	정부개혁위원회
20000509	보도자료	제9회 경제정의기업상 시상식 및 한국기업의 사회적 성과 평가	경실련공동	경제정의연구소
20000512	보도자료	경실련 방송모니터회 명칭변경(미디어워치)	경실련	정책위원회
20000514	보도자료	일요일 밤을 따분하게 만드는 〈일요일 일요일 밤에〉	경실련	미디어워치
20000515	보도자료	선거비용 실사와 관련한 성명	경실련	시민입법위원회
20000516	보도자료	""로비스트 공개법 제정" 논의에 대한 입장"	경실련	정책위원회
20000516	보도자료	추가 공적자금 조성과 관련한 정부행태를 비판한다	경실련	금융개혁위원회
20000517	보도자료	경실련 제 16대 국회 의정감시단 의정지킴이 모집	경실련	정책위원회

생산일자	세부형태	제목	출처분류	생산자(처)
20000518	보도자료	박태준 총리의 부동산 재산은닉에 대한 논평	경실련	정책위원회
20000518	보도자료	주한미군문제 완전 해결을 위한 대정부 촉구	경실련공동	정책위원회
20000519	보도자료	국민기초생활보장법 올바른 정착을 위한 대정부 항의집회	경실련공동	국민기초생활보장법 제정추진 연대회의
20000519	보도자료	공적자금 관련 국회 정무위원회 방청불허에 대한 논평	경실련	정책위원회
20000519	보도자료	금융산업 구조조정과 금융지주회사 법 관련한 입장	경실련	금융개혁위원회
20000519	보도자료	현대건설 연천댐 관련 주요 자료 조작 의혹에 대한 기자회견	경실련	정책위원회
20000519	보도자료	환자의 알권리 보호와 병원의 경영투명성을 촉구하는 성명	경실련	보건의료위원회
20000520	백서	쓰레기문제 해결을 위한 시민운동협의회 사업백서 2000	경실련공동	쓰레기문제해결을위한시민운동협의회
20000522	보도자료	'이한동씨 국무총리 지명'에 대한 논평	경실련	시민입법위원회
20000523	보도자료	노근리 양민학살 진상규명촉구시민대회	경실련	정책위원회
20000524	보도자료	2000년 5월 24일 의쟁투 폐업 투쟁계획에 관한 기자회견	경실련공동	의약분업 실현을 위한 시민대책위원회
20000524	보도자료	한 · 칠레 자유무역협정에 관한 성명	경실련	농업개혁위원회
20000525	보도자료	IS-95C_사업진행에 대한 질의서	경실련	정책위원회
20000525	보도자료	서울시의 기회주의적 태도를 강력히 규탄하며 친 환경적 도시 관리 정책을 즉각 수립하라!!	경실련공동	정책위원회
20000525	간행물	월간경실련 2000년 6월호	경실련	경실련
20000525	정책토론	기초생활보장제도 급여결정방식결정 및 행정인트라에 관한 공청회	경실련공동	국민기초생활보장법 제정추진 연대회의
20000525	조직	무주경제정의실천시민연합 창립 총회	경실련	무주경실련
20000526	참고자료	공적자금 관련 정보공개청구	경실련	정책위원회
20000526	보도자료	민주당 386 당선자들의 광주에서의 물의와 관련한 성명	경실련	시민입법위원회
20000529	정책토론	부패행위 어떻게 처벌할 것인가-반부패기구 설치와 권한을 중심으로	경실련	부정부패추방운동본부
20000529	참고자료	아태지역경제사회이사회의 사회개발에 관한 지역협의회 참가	경실련	국제위원회
20000530	소송	'헌변'의 99년 행자부 프로젝트 수행건과 관련한 경실련, 도시개혁센터, 통일협회(12개 시민단체 포함)의 혈세낭비에 따른 손해배상 소송 청구 대응	경실련	시민입법위원회
20000530	교육	재정민주주의의 실현과 결산대비를 위한 지방자치 예산학교	경실련	예산감시위원회
20000530	정책토론	정당민주화를 위한 상향식 후보 공천제의 바람직한 방향	경실련	정치개혁위원회
20000530	보도자료	의약분업 모의테스트 실시반대 성명	경실련공동	의약분업 실현을 위한 시민대책위원회
20000531	백서	2000년 16대 국회의원 선거 공선협 전국본부 활동보고	경실련공동	공명선거실천시민운동협의회
20000531	참고자료	세무조사 및 체납규모 관련 정보공개청구	경실련	정책위원회
20000531	보도자료	의약분업 실시하여 국민건강 확보하고 왜곡된 제약산업 개편하자!	경실련	정책위원회
20000531	보도자료	친환경적 도시계획조례 제정을 촉구하는 도시환경전문가 100인 선언 기자회견	경실련	도시개혁센터
20000531	보도자료	현대 재벌 오너의 경영일선 퇴진에 부쳐	경실련	정책협의회
20000601	보도자료	한 · 칠레 자유무역협정(FTA) 추진에 대한 경실련입장	경실련	농업개혁위원회
20000602	참고자료	국민기초생활보장법 신청자 정보공개청구	경실련공동	국민기초생활보장법 제정추진 연대회의
20000602	정책토론	16대 국회 정치제도 개혁과제 토론회	경실련	정치개혁위원회
20000602	보도자료	의약분업의 성공적 시행을 위해 정부, 의약계, 시민의 협조를 부탁드립니다	경실련공동	의약분업 실현을 위한 시민대책위원회
20000602	보도자료	의쟁투 허위광고 및 폐업투쟁계획 철회 촉구 기자회견	경실련공동	의약분업 실현을 위한 시민대책위원회
20000604	보도자료	의약분업의 준비를 거부하고 국민의 건강을 볼모로 폐업투쟁을 기도하는 의쟁투를 강력히 규탄한다	경실련공동	의약분업 실현을 위한 시민대책위원회
20000606	보도자료	의약분업시민운동본부, 6월 3일자 의협 신문광고 허위과장 혐의로 공정위 추가신고	경실련공동	의약분업 실현을 위한 시민대책위원회
20000607	보도자료	워크아웃기업의 도덕적 해이에 대한 입장	경실련	금융개혁위원회
20000607	보도자료	의료개혁과 국민건강권 실현을 위한 시민대회	경실련공동	의약분업 실현을 위한 시민대책위원회
20000607	보도자료	정부는 IS-95C 도입허용과 IMT-2000 사업자 선정에 대한 입장을 명확하게 밝혀야 한다	경실련	정책위원회
20000608	보도자료	여당의 인사청문회 후퇴 움직임에 대한 입장	경실련	시민입법위원회
20000608	간행물	정보마당21 5 · 6월호(통권 제5호)	경실련공동	하이텔정보교육원
20000609	정책토론	제16대 국회 의정감시, 의정활동평가 어떻게 할 것인가?	경실련	정책위원회
20000609	보도자료	의약분업시행'관련 국민의견 조사결과 발표	경실련공동	의약분업 실현을 위한 시민대책위원회
20000609	보도자료	재정건전화와 국가채무 관련 정보공개청구	경실련	정책위원회
20000610	보도자료	정부의 병원내 약국개설 인정조치 반대 성명	경실련공동	의약분업 실현을 위한 시민대책위원회
20000612	정책토론	IMT-2000 사업자 선정 관련 토론회	경실련	정보통신위원회
20000612	보도자료	개혁입법관련 설문조사 협조	경실련	시민입법위원회
20000612	행정	전국 각 기초자치단체별 계도지 예산에 대한 자료 요청	경실련	정책위원회
20000612	보도자료	표준소득율 폐지와 기준경비율 도입에 대한 입장	경실련	정책협의회
20000612	회의	제11기 8차 상임집행위원회	경실련	상임집행위원회
20000613	교육	2000 경실련 미디어교실 2nd_방송을 보는 밝은 눈	경실련	미디어워치

생산일자	세부형태	제목	출처분류	생산자(처)
20000615	보도자료	금융산업 구조조정과 금융지주회사 법 관련한 입장	경실련	금융개혁위원회
20000615	보도자료	남북정상의 「남북공동선언」 합의에 대한 성명	경실련	통일협회
20000615	보도자료	변리사법시행령 개정안에 대한 성명	경실련	과학기술위원회
20000618	보도자료	의료계 다빈도 처방의약품 목록 중 약효동등성 실험 비통과 의약품자료발표	경실련공동	의약분업 실현을 위한 시민대책위원회
20000619	보도자료	'의료계 폐업철회와 의료개혁'을 위한 각계인사 500인 선언	경실련공동	의약분업 실현을 위한 시민대책위원회
20000620	소송	의사협회와 의권쟁취투쟁위원회의 의료법 위반에 대한 고발	경실련공동	의약분업 실현을 위한 시민대책위원회
20000620	보도자료	집단폐업 피해신고센터 개소 선언문	경실련공동	의약분업 실현을 위한 시민대책위원회
20000621	보도자료	불법폐업 종식을위한 시민행동 주간 선포식	경실련공동	의약분업 실현을 위한 시민대책위원회
20000621	보도자료	진료거부로 인한 환자사망 의사들은 집단폐업을 철회하고 국민앞에 사죄하라	경실련공동	의약분업 실현을 위한 시민대책위원회
20000624	보도자료	6.24 의약분업 관련 영수회담에 대한 입장	경실련공동	의약분업 실현을 위한 시민대책위원회
20000624	보도자료	인터넷 게시판의 '경실련 100억원 수수설의혹제기' -의약분업 관련	경실련	정책위원회
20000626	보도자료	7월 1일 의약분업 시행에 대한 긴급기자회견	경실련공동	건강연대 외
20000627	보도자료	녹색조명아파트만들기 사업관련	경실련	환경위원회
20000628	보도자료	국회의 이한동 총리 임명동의 표결과 관련 성명	경실련	정책위원회
20000628	보도자료	삼풍백화점 붕괴 5주년에 즈음한 논평 및 시민안전의식조사 결과 발표	경실련	도시개혁센터
20000628	보도자료	친환경적 도시계획조례 제정을 촉구하는 시민환경단체 공개서한	경실련공동	녹색연합 외
20000629	참고자료	2000 시민 안전의식 조사	경실련	도시개혁센터
20000629	교육	'제1기 시민입법학교'_우리 정당 국회 현실과 정치개혁	경실련	시민입법위원회
20000629	보도자료	헌법재판소의 "국회 방청불허 사건"의 기각 판시에 대한 입장	경실련	시민입법위원회
20000630	보도자료	호텔롯데 폭력진압에 대한 성명	경실련	노동위원회
20000630	보도자료	서재희씨의 건강보험심사평가원장 임명 방침 철회를 다시 한번 강력히 촉구한다	경실련공동	건강연대 외
20000630	보도자료	의쟁투 폐업투쟁 결의대회 규탄집회 및 의약분업 국민캠페인	경실련공동	의약분업 실현을 위한 시민대책위원회
20000630	소송	의협의 집단폐업에 따른 사망사고 손해배상 청구 소송	경실련	정책위원회
20000701	간행물	월간경실련 2000년 7월호	경실련	경실련
20000703	보도자료	제 2단계 외환거래 완전자유화와 관련한 의견	경실련	금융개혁위원회
20000703	보도자료	기초생활보장제도 급여결정방식에 대한 연대회의 입장	경실련공동	국민기초생활보장법 제정추진 연대회의
20000704	보도자료	건강보험심사평가원 원장 임명철회 촉구	경실련	보건의료위원회
20000704	보도자료	롯데호텔 노동조합 파업농성장 난입 규탄	경실련공동	녹색연합 외
20000705	정책토론	재정건전화특별조치법 제정을 위한 토론회	경실련	재정세제위원회
20000706	보도자료	철도노조사태 진상조사결과 발표 기자회견	경실련	노동위원회
20000706	보도자료	정부는 건전재정의 원칙을 확고히 하고, "재정건전화특별법"을 즉각 제정하라!	경실련	재정세제위원회
20000708	참고자료	2000년 정보통신 인력 양성 위한 정보통신관련 학과에 지원된 예산 상세 내역	경실련	정보통신위원회
20000708	보도자료	철도청의 추가징계 중단 요청	경실련공동	철도노조사태진상조사단
20000710	보도자료	의약분업 실시와 약사법 및 관련 규정 개정에 관한 시민단체 의견	경실련공동	의약분업 실현을 위한 시민대책위원회
20000710	정책토론	한국경제 금융불안, 해결책은 없는가? 토론회	경실련	금융개혁위원회
20000710	회의	제11기 9차 상임집행위원회	경실련	상임집행위원회
20000712	보도자료	금융사태관련 노 · 정 합의에 대한 입장	경실련공동	진보네트워크센터 외
20000713	보도자료	국세청의 세무조사 및 체납규모 일부정보공개에 대한 이의신청	경실련	정책위원회
20000713	교육	제1기 시민입법학교- 국회 입법과정과 시민참여	경실련	시민입법위원회
20000714	보도자료	IMT-2000 사업자 선정 정책방안, 아직도 미흡하다	경실련	정보통신위원회
20000714	참고자료	연금 재정수지 관련 정보공개청구	경실련	정책위원회
20000714	보도자료	인천국제공항 주요 공사 부실 및 부조리에 대한 기자회견	경실련	국책사업감시단
20000719	소송	한미행정협정 헌법소원 보도자료	경실련	정책위원회
20000720	보도자료	"법정관리인 선임 및 감독의 문제점과 대안마련" 보도의뢰	경실련	경제정의연구소
20000720	보도자료	농민, 농촌과 함께하는 어린이 땅물지킴이 체험	경실련	환경농업실천가족연대
20000720	정책토론	법정관리인 선임 및 감독의 문제점과 대안마련	경실련	경제정의연구소
20000720	보도자료	부패방지 제도입법 어떻게 할 것인가	경실련	부정부패추방운동본부
20000721	보도자료	경실련, 정부의 '정부조직법 개정안에 대한 경실련 의견' 국회 행정자치위 제출	경실련	정부개혁위원회
20000721	보도자료	인천국제공항 부실, 부조리 10대 의혹, 50대 의문에 대한 공개 질의서	경실련	국책사업감시단
20000721	보도자료	정부의 '정부조직법 개정안에 대한 경실련 의견서' 국회 행정자치위 제출	경실련	정부개혁위원회
20000724	보도자료	상암동 박정희 기념관 건립 반대 시민사회단체 성명	경실련공동	올바른 역사만들기 시민사회단체 연석

생산일자	세부형태	제목	출처분류	생산자(처)
				회의
20000725	보도자료	여당의 국회운영위 날치기 처리에 대한 성명	경실련	정치개혁위원회
20000726	보도자료	한전직원 '벤처株테크' 특별감사에 대한 입장	경실련공동	부정부패추방운동본부
20000727	정책토론	의약분업 준비, 어떻게 되고 있나? - 의약분업 준비상황 점검과 대책 -	경실련공동	의약분업 실현을 위한 시민대책위원회
20000728	보도자료	방송과 경제프로그램의 위상에 대해서_KBS 경제관련 프로그램 모니터 보고	경실련	미디어워치
20000728	감사청구	인천국제공항 부실 및 부조리 의혹에 대한 감사 요청	경실련	국책사업감시단
20000728	보도자료	현대그룹 유동성위기에 대한 입장	경실련	정책협의회
20000731	보도자료	강진군 계도지 예산에 대한 자료 요청	경실련	정책위원회
20000731	보도자료	제1회 지방자치단체개혁박람회 개혁 사례 공모	경실련	지방자치위원회
20000800	보도자료	TV의 문화적 빈곤현상을 우려하며...-방송3사 연예정보 프로그램 모니터 보고-	경실련	미디어워치
20000800	회의	경실련 제1기 3차 대의원대회	경실련	대의원총회
20000801	보도자료	나주시 계도지 예산에 대한 자료 요청	경실련	정책위원회
20000801	참고자료	좋은 사회를 만들기 위한 설문조사 실시	경실련	부정부패추방운동본부
20000802	정책토론	수도권 살리기 시민 네트워크 출범식 및 국토정책 개선 방안 토론회	경실련공동	수도권살리기시민 네트워크
20000803	보도자료	국민의 불편과 부담을 초래하는 의료계의 고의성 처방과 약 공급에 미온적인 정부와 제약회사의 태도를 규탄한다	경실련공동	의약분업 실현을 위한 시민대책위원회
20000803	보도자료	인천국제공항 교통센터 중대한 구조 결함 의혹 기자회견	경실련	국책사업감시단
20000804	보도자료	불법적인 의약계간 담합행위와 처방변경행위에 대한 시민운동본부 입장	경실련공동	의약분업 실현을 위한 시민대책위원회
20000804	참고자료	최근 5년간 종합소득세 분포, 부가가치세 관련 자료, 조세감면 관련 자료 정보공개청구서	경실련	정책위원회
20000804	보도자료	현대차 계열분리 등 재벌 구조조정에 대한 공정위의 적극적인 정책을 촉구함	경실련	정책협의회
20000807	보도자료	김대중 정부의 87 개각에 대한 논평-안정주의 인선으로 개혁성을 느끼기 어렵다	경실련	시민입법위원회
20000807	보도자료	인천국제공항공사의 공항기본시설에 대한 민관합동 점검 참여 재요청에 대한 입장 통보	경실련	국책사업감시단
20000807	보도자료	주민홍보용 신문(계도지) 예산에 대한 자료 요청-수원시.상남시.고양시.전주시.포항시.마산시	경실련	지방자치위원회
20000809	회의	제11기 8월 상임집행위원회	경실련	상임집행위원회
20000810	정책토론	제3기 헌법재판소장, 헌법재판관 어떻게 임명할 것인가?	경실련	시민입법위원회
20000810	보도자료	11일 의료계 전면폐업에 관한 시민운동본부입장	경실련공동	의약분업 실현을 위한 시민대책위원회
20000810	보도자료	인천국제공항공사 부실공사 조사를 위한 참석요청에 대한 입장	경실련	국책사업감시단
20000810	보도자료	정부 "의약분업관련 보건의료 발전대책"에 관한 입장	경실련공동	의약분업 실현을 위한 시민대책위원회
20000812	보도자료	국민건강권 수호와 의료계 집단폐업 철회를 위한 범국민 대책회의 발족 기자회견	경실련공동	국민건강권수호와 의료계폐업철회를위한 범국민대책회의
20000812	보도자료	금융노조파업 타결에 대한 논평	경실련	금융개혁위원회
20000814	보도자료	8.15 특별 사면, 복권에 대한 논평	경실련	시민입법위원회
20000814	보도자료	보건의료개혁 10대 요구 안 및 집회 일정	경실련공동	국민건강권수호와 의료계폐업철회를위한 범국민대책회의
20000814	참고자료	제3기 헌법재판소장 후보자 선정을 위한 설문 조사	경실련	시민입법위원회
20000814	보도자료	현대그룹 자구계획안 발표에 대한 입장	경실련	정책위원회
20000816	보도자료	IMT-2000시민감시단 발족식	경실련	정책위원회
20000817	보도자료	우유성분검사관련 각 연구기관의 협조 요청	경실련	정책위원회
20000817	보도자료	제일은행의 공적자금 추가요구에 대한 논평	경실련	정책협의회
20000821	보도자료	의료계 1차집단폐업 희생자에 대한 2차손해배상 청구소송 제기	경실련공동	의약분업 실현을 위한 시민대책위원회
20000822	보도자료	제3기 헌법재판소장 후보 추천 기자회견	경실련공동	참여연대 외
20000823	보도자료	병 · 의원 담합 및 불법조제 공동 감시단 구성	경실련공동	의약분업 실현을 위한 시민대책위원회
20000824	정책토론	근로시간단축 - 사회적 합의를 위한 쟁점과 과제 (1)	경실련	노동위원회
20000824	보도자료	올바른 보건의료발전대책수립을 위한 시민사회단체 기자회견	경실련공동	국민건강권수호와 의료계폐업철회를위한 범국민대책회의
20000825	참고자료	16대 국회의원 통일.북한. 안보의식 설문조사 발표	경실련	통일협회
20000825	감사청구	금융기관부실 유발자 9,309건 및 관련기관에 대한 감사원의 감사청구	경실련	정책위원회
20000825	보도자료	법무부『기업지배구조개선 최종보고서 및 권고안』에 대한 경실련 의견	경실련	정책협의회
20000828	보도자료	민주당의 선거비용 축소 신고지시와 검찰수사 및 선관위		

생산일자	세부형태	제목	출처분류	생산자(처)
		조사 개입 의혹에 대한 입장	경실련	시민입법위원회
20000828	보도자료	의료계 파업철회촉구와 의약분업정착을 위한 불교계 기자회견	경실련	경제정의실천불교시민연합
20000829	보도자료	방송광고판매대행등에관한법률제정안'에 대한 입장	경실련	미디어워치
20000830	보도자료	송자 교육부장관의 사표수리에 대한 논평	경실련	정책위원회
20000830	보도자료	주민홍보용 신문(계도지) 예산에 대한 자료 요청	경실련	지방자치위원회
20000830	정책토론	지리산살리기 국민행동 창립	경실련공동	지리산살리기국민행동
20000830	보도자료	체육진행투표사업' 반대 성명	경실련	재벌개혁위원회
20000831	정책토론	근로시간단축 - 사회적 합의를 위한 쟁점과 과제 (2)	경실련	노동위원회
20000831	보도자료	윤영철 헌법재판소장 후보자에 대한 공개질의-삼성전자 법률고문으로서 구체적인 지위와 역할이 해명되어야	경실련공동	참여연대 외
20000831	보도자료	의약분업정착과 보건의료 개혁을 위한 정부의 책임있는 대책을 촉구한다	경실련공동	국민건강권수호와 의료계폐업철회를위한 범국민대책회의
20000901	보도자료	3기 헌법재판소장 및 헌법재판관 후보자에 대한 인사평가 발표 기자회견	경실련공동	참여연대 외
20000901	보도자료	53개 판례로 살펴본 헌법재판소 2기 재판관들의 재판성향 분석	경실련	시민입법위원회
20000901	간행물	월간경실련 2000년 8 · 9월호	경실련	경실련
20000930	조직	공공사업감시단 발족	경실련	공공사업감시단
20000904	보도자료	2000 국정감사 모니터 시민연대 발족	경실련공동	국정감사모니터시민연대
20000904	보도자료	Civil Society_INTERNATIONAL DEPARTMENT - REPORT OF WORK	경실련	정책위원회
20000904	회의	제11기 10차 상임집행위원회	경실련	상임집행위원회
20000904	조직	호주제 폐지를 위한 시민연대	경실련공동	정책위원회
20000906	청원	시민단체, 부패방지법 · 자금세탁방지법 국회 입법청원	경실련공동	부패방지입법시민연대
20000906	보도자료	인천국제공항 부실부조리 해결 촉구와 감사원장 면담요청	경실련	국책사업감시단
20000907	보도자료	한빛은행 부정대출 사건에 대한 긴급성명 - 박지원장관은 자진사임하기를 바란다	경실련	정책위원회
20000907	조직	경인운하건설 백지화 촉구 시민공동대책위원회	경실련	정책위원회
20000908	보도자료	검찰의 한빛은행 불법대출사건 수사결과발표에 대한 논평	경실련	정책위원회
20000908	보도자료	방송광고 판매 대행 등에 관한 법률 제정안에 대한 의견	경실련	미디어워치
20000908	보도자료	최근 정국 현안에 대한 시민단체 성명	경실련공동	참여연대 외
20000914	소송	경실련 이의신청에 대한 국세청의 기각결정에 대한 행정심판 청구	경실련	재정세제위원회
20000914	보도자료	대우자동차해외매각에 대한 입장 - 매각 우선 협상대상자로서 포드를 제외하는 재입찰방식을 취할 것을 적극 모색하기를 촉구한다	경실련	정책위원회
20000914	보도자료	주민홍보용 신문(계도지) 예산에 대한 자료 요청-안양시 만안구청	경실련	지방자치위원회
20000915	청원	「부패방지법」제정 청원	경실련공동	한국YMCA전국연맹 외
20000915	청원	「자금세탁방지법」제정 청원	경실련공동	부패방지입법시민연대
20000915	참고자료	2000년 서울시 조경공사에 대한 상세자료 요청	경실련	정책위원회
20000915	참고자료	장애인 시설별 예산지원 내역 자료 요청	경실련	예산감시위원회
20000918	보도자료	여야 의원들은 국정감사기간 중 후원회를 중단하라!	경실련	정치개혁위원회
20000919	보도자료	국감 중 후원회 개최 예정인 여야의원 공개서한 전달	경실련	정치개혁위원회
20000919	보도자료	민사조정법과 소액사건심판법에 대한 의견조회	경실련	정책위원회
20000919	보도자료	성남시 주민홍보용 신문 예산에 관한 자료 요청	경실련	지방자치위원회
20000919	보도자료	영유아보육시설 층별현황조사 협조	경실련	환경위원회
20000919	보도자료	한빛은행 부정대출 사건에 대한 경실련 긴급성명	경실련	정책협의회
20000920	보도자료	방송3사 연예정보 프로그램 모니터 보고	경실련	미디어워치
20000920	조직	새국토연구협의회	경실련공동	새국토연구협의회
20000921	보도자료	16대국회의원 개혁입법 정향조사 결과 발표	경실련	시민입법위원회
20000921	참고자료	국회 외교활동에 대한 정보공개청구서	경실련	정치개혁위원회
20000921	보도자료	녹색조명아파트만들기 설명회 개최	경실련	환경위원회
20000921	보도자료	의사파업에 따른 치료지연 암환자대책위원회 발족 기자회견	경실련	보건의료위원회
20000921	교육	제2기 통일언론아카데미_제1강 남북정상회담 보도와 언론 감시의 필요성	경실련	통일협회
20000925	보도자료	공적자금추가 조성에 대한 입장-어느 금융기관이 이같은 공적자금 지원을 바라지 않겠는가?	경실련	금융개혁위원회
20000925	보도자료	유치원 층별현황조사	경실련	환경위원회
20000925	보도자료	의료개혁을 촉구하는 259개 시민단체 공동기자회견	경실련공동	국민건강권수호와 의료계폐업철회를위한 범국민대책회의
20000926	보도자료	정부는 인천국제공항 부실 및 경영 실패 원인을 규명하고 강동석 사장을 해임하라	경실련	국책사업감시단

생산일자	세부형태	제목	출처분류	생산자(처)
20000926	정책토론	지방자치법중개정법률안에 대한 토론	경실련	지방자치위원회
20000927	교육	제2기 통일언론아카데미_제2강 언론왜곡보도의 구조와 실상	경실련	통일협회
20000927	보도자료	포항제철의 1인당소유한도 폐지와 관련한 입장 - 정부정책의 일관성 등 매우 중요한 실책이 반복되고 있다	경실련	재벌개혁위원회
20000928	보도자료	박정희기념관 반대 국민연대 결성식	경실련공동	박정희 기념관 반대 국민연대
20000929	보도자료	경실련 중등미디어시범교실 운영 협조 및 미디어교육 담임교사로 활동하실 분 교육참여 요청	경실련	미디어워치
20000929	보도자료	행정자치부는 지방자치법개정안을 철회하고 주민참여를 위한 법제개혁을 서둘러야 한다	경실련	지방자치위원회
20000930	참고자료	제3차 아셈 준비사업 예산지원 및 집행내역과 단위사업별 상세자료	경실련	예산감시위원회
20001000	간행물	CIVIL SOCIETY Issue No.1 October 1999-January 2000	경실련	국제위원회
20001000	조직	국민기초생활보장법 추진 연대회의	경실련공동	정책위원회
20001001	간행물	월간경실련 2000년 10월호	경실련	경실련
20001002	보도자료	비정규노동자의 양산기도를 규탄한다	경실련공동	비정규직 노동자 차별철폐 및 기본권 보장을 위한 공동대책위원회
20001002	보도자료	정부의 2001년 예산규모 확정에 대한 입장	경실련	재정세제위원회
20001002	보도자료	축산발전기금을 농림부에 귀속 결정에 대한 입장	경실련	농업개혁위원회
20001002	회의	제11기 11차 상임집행위원회	경실련	상임집행위원회
20001004	보도자료	(내외경제신문사) 정정보도 요청	경실련	소비자정의센터
20001004	보도자료	IMT-2000서비스 상용화 연기론에 대한 입장-차세대 이동 통신 정책, 착실한 재검토가 필요한 시점이다	경실련	정보통신위원회
20001005	보도자료	환자들의 희생을 또다시 강요하는 10월 6일 의료계 폐업은 철회되어야 합니다	경실련공동	의사파업에따른치료연기암환자대책위원회
20001006	보도자료	민사조정법과 소액사건심판법에 대한 의견서 제출	경실련	시민입법위원회
20001006	보도자료	북한 노동당 창건 55주년 행사에 남쪽 단체 초청과 관련 경실련 통일협회 입장-6.15 남북공동선언의 정신에서 북한의 초청을 수락한다	경실련	통일협회
20001007	보도자료	북한의 조선노동당 창당기념 초청에 대한 입장	경실련	통일협회
20001009	교육	경실련 중등 미디어 시범교실 강사교육	경실련	미디어워치
20001009	보도자료	예금부분보장제도 시행연기 및 보장한도 상향조정에 대한 입장	경실련	금융개혁위원회
20001009	보도자료	정부 공무원연금 개정안에 대한 입장	경실련	사회복지위원회
20001010	보도자료	사외이사제도에 대한 사회적인 논란에 대한 입장	경실련	재벌개혁위원회
20001010	참고자료	정보공개운영실태 관련 정보공개청구 결정통지서	경실련	시민입법위원회
20001010	참고자료	정부투자기관의 정보공개운영 실태	경실련	시민입법위원회
20001010	보도자료	증권관련집단소송제도에 대한 입장 - 증권집단 소송제도는 기업발전의 족쇄가 아니라 합리적인 기업경영과 기업의 발전을 도와주는 사회적인 도움시스템이다	경실련	재벌개혁위원회
20001011	참고자료	1999년 한국전력 사장 판공비 관련 결정통지서	경실련	시민입법위원회
20001011	참고자료	공공기관의정보공개에관한법률 개정(안) 입법예고	경실련	시민입법위원회
20001011	참고자료	대한광업진흥공사_정보공개청구서	경실련	시민입법위원회
20001013	정책토론	도서정가제, 지켜야하나 없애야 하나' 토론회	경실련	정보통신위원회
20001015	보도자료	IMT-2000기술표준 결정에 대한 입장	경실련	정보통신위원회
20001016	보도자료	인천국제공항 강동석 사장은 사퇴하라	경실련	국책사업감시단
20001016	정책토론	자금세탁방지 어떻게 할 것인가	경실련공동	부패방지입법시민연대
20001017	정책토론	2000국정감사모니터시민연대 모니터단 기자간담회	경실련공동	국정감사모니터시민연대
20001017	보도자료	난지도 골프장 문제 해결을 위한 공동 토론회	경실련공동	난지도골프장백지화시민연대
20001018	참고자료	제1회 지방자치단체개혁박람회_지방자치제에 관한 국민 여론조사 보고	경실련공동	지방자치단체개혁박람회
20001020	참고자료	2001년도 외교통상부 세입세출예산(안)각목명세서	경실련	예산감시위원회
20001023	보도자료	제1회 지방자치단체 개혁박람회 자원봉사 프로그램	경실련	지방자치위원회
20001024	보도자료	SBS는 '메디칼센터'의 박철 출연을 취소하라	경실련공동	한국여성민우회 외
20001024	보도자료	정부는 무분별한 의약분업 예외확대조치 논의를 즉각 철회하고, 보건복지부 장관은 퇴진하라	경실련공동	국민건강권수호와 의료계폐업철회를위한 범국민대책회의
20001024	정책토론	제1회 지방자치단체개혁박람회	경실련공동	지방자치단체개혁박람회
20001024	정책토론	제1회 지방자치단체개혁박람회 벤치마킹 발표사례	경실련공동	지방자치단체개혁박람회
20001025	참고자료	대한광업진흥공사 정보공개청구 공개여부결정기한 연장통지서	경실련	시민입법위원회
20001025	참고자료	한국전력공사 정보공개여부 결정기간 연장통지서 송부	경실련	시민입법위원회
20001026	보도자료	금감원 고위간부 수뢰와 불법대출에 대한 입장 - 제도개혁이 이루어져도 제도 운영자가 바뀌지 않는 한 백약이 무효이다	경실련	금융개혁위원회
20001026	보도자료	대한주택공사 판공비 정보공개 결정기간 연장 통보	경실련	시민입법위원회

생산일자	세부형태	제목	출처분류	생산자(처)
20001027	정책토론	제1회 지방자치단체개혁박람회 국제토론회	경실련공동	지방자치단체개혁박람회
20001030	보도자료	대한무역투자진흥공사 정보공개 연장통지서 송부	경실련	시민입법위원회
20001030	정책토론	올바른 공무원연금법 개정을 위한 토론회	경실련	사회복지위원회
20001031	참고자료	국민의 알권리와 행정의 투명성 확보를 위한 정보공개법 개정 공청회	경실련공동	참여연대 외
20001101	간행물	월간경실련 2000년 11월호	경실련	경실련
20001102	회의	『'2000 지방정부 개혁 박람회(안)』 기획초안	경실련공동	지방자치단체개혁박람회
20001102	보도자료	SK-신세기 기업결합허용 의혹에 대한 입장	경실련	재벌개혁위원회
20001102	교육	외국인노동자 인권문화센터 열림잔치 및 센터 발족식	경실련	경제정의실천불교시민연합
20001102	보도자료	전국 기초자치단체 주민계도용신문 구입예산 현황발표	경실련	예산감시위원회
20001102	보도자료	주가지수선물 이관움직임에 대한 입장 - 해당 전문가들의 참여속에 공론화를 통한 결정이 필수적이다	경실련	금융개혁위원회
20001103	참고자료	한국토지공사 정보공개 연장 요청	경실련	정책위원회
20001106	회의	제11기 12차 상임집행위원회	경실련	상임집행위원회
20001106	ㅈ조직	영천경제정의실천시민연합 창립	경실련	영천경실련
20001107	참고자료	경실련 부패지수	경실련	부정부패추방운동본부
20001107	보도자료	경실련 부패지수 발표 및 (가칭)정부감시단 발족식	경실련	부정부패추방운동본부
20001109	참고자료	국감시민연대 국정감사모니터 결과발표	경실련공동	국정감사모니터시민연대
20001109	참고자료	한국석유공사 사장 판공비 정보공개청구 결정통지서	경실련	정책위원회
20001110	보도자료	지방자치법 개정청원 기자회견	경실련공동	분권과 자치를 위한 전국시민행동
20001111	보도자료	공적자금 국정조사에에 대한 입장 - 국민혈세 공적자금의 형식적인 국정감사 가능성에 대한 우려	경실련	금융개혁위원회
20001111	참고자료	농수산물유통공사 정보공개청구 연장통지서	경실련	시민입법위원회
20001113	보도자료	공적자금 추가조성에 대한 입장 - 고통분담만 강요하는 추가 공적자금 조성 반대한다	경실련	금융개혁위원회
20001114	소송	국회사무처의 국회의원 외유관련 정보공개 거부에 대한 행정소송 제기	경실련	시민입법위원회
20001114	참고자료	대한주택공사사장 판공비 행정정보공개 결정 통보	경실련	시민입법위원회
20001114	보도자료	현대의 서산농지 처리에 대한 입장 - 서산농장의 본래 조성 목적인 농지이외의 타용도 전용을 반대한다	경실련	농업개혁위원회
20001117	감사청구	금융감독원 시스템보완을 위한 감사촉구	경실련	금융개혁위원회
20001120	보도자료	검찰총장 탄핵안 처리무산에 따른 국회 파행 관련 성명 - 민주당은 국회파행에 대한 책임을 지고 국민에게 사과해야 한다	경실련	정책위원회
20001122	청원	재정건전화특별법 입법청원	경실련	재정세제위원회
20001123	보도자료	건보 개혁에 대한 국민의 열망을 배신한 협상 결과, 국민은 받아들일 수 없다	경실련공동	의료민영화저지범국민운동본부
20001125	회의	제1기 4차 대의원대회 회의록	경실련	총회
20001125	회의	제8차 경실련 회원총회 및 제1기 4차 대의원대회	경실련	대의원총회
20001125	회의	제12기 1차 상임집행위원회	경실련	상임집행위원회
20001128	보도자료	2001년도 서울특별시 예산(안)각목명세서 교부 요청	경실련	예산감시위원회
20001128	보도자료	'정부는 전주신공항 토지매입예산 50억원을 전액 삭감하라!'	경실련	공공사업감시단
20001129	보도자료	경실련 출범 11주년 기념식과 후원의 밤 개최 및 현 시국에 대한 입장 발표	경실련	공동대표단
20001129	정책토론	지방옴브즈만제도 활성화를 위한 토론회	경실련	정책위원회
20001201	보도자료	IMT-2000 사업자 선정, 이제부터가 시작이다	경실련	정보통신위원회
20001201	간행물	월간경실련 2000년 12월호	경실련	경실련
20001201	교육	제1기 어머니환경교실	경실련	어린이환경위원회
20001201	보도자료	현 건강보험 사태 해결을 위한 노동.농민.시민사회단체의 입장	경실련공동	전국농민회총연맹 외
20001202	보도자료	상대수가 점수 강행 처리로 또다시 건강보험수가를 인상하려는 보건복지부를 강력히 비판한다	경실련공동	건강연대 외
20001202	보도자료	지방자치법중개정법률안에 대한 성명	경실련	지방자치위원회
20001204	보도자료	2001년 예산안 중 삭감, 검토해야 할 예산항목 발표	경실련	예산감시위원회
20001204	보도자료	공적자금40조 조성과 국정조사에 대한 입장	경실련	금융개혁위원회
20001207	보도자료	제6회 '시청자가 뽑은 좋은 프로그램' 시상식 설문조사 결과 및 2000년 '경실련이 뽑은 좋은 프로그램 10선' 발표	경실련	미디어워치
20001207	보도자료	진승현씨 사건에 대한 일부 변호사들의 탈법수임과 관련한 성명	경실련	정책위원회
20001208	보도자료	국회에 '외환거래세'(CTT) 도입을 위한 의견서 전달 및 결의안 채택 촉구	경실련	정책협의회
20001208	보도자료	금융시스템 안정, 빈곤퇴치, 사회발전기금 설치와 외환 거래세 도입에 대한 경실련 의견	경실련	정책협의회

생산일자	세부형태	제목	출처분류	생산자(처)
20001211	보도자료	'중소기업 진흥 및 구매촉진에 관한 법률 중 개정법률안'에 대한 질의	경실련	정책협의회
20001212	보도자료	제 6회 "시청자가 뽑은 좋은 프로그램" 시상식 수상작 및 2000년 〈경실련이 뽑은 좋은 프로그램 10선〉 선정이유	경실련	미디어워치
20001213	보도자료	농민들의 숙원과제인 마사회의 농림부 이관에 대한 경실련 입장	경실련	농업개혁위원회
20001213	보도자료	서울시 각 구청 도로점용료 3년간 평균 102억원 체납 등 부실 운영실태 발표	경실련	예산감시위원회
20001214	보도자료	공직자윤리법 및 증권거래법 개정과 관련한 경실련 의견 제출	경실련	정책위원회
20001214	보도자료	서울시 2001년 예산(안) 중 새서울뉴스 발간 예산 증액 삭감 의견 제시	경실련	예산감시위원회
20001214	보도자료	인권운동가 서준식 선생 무죄선고를 촉구하며	경실련공동	녹색연합 외
20001217	보도자료	국회의 2001년 예산안 확정에 대한 입장-국민의 혈세를 흥정한 국회를 규탄한다!	경실련	예산감시위원회
20001218	회의	제12기 2차 상임집행위원회	경실련	상임집행위원회
20001219	보도자료	국민혈세 탕진한 6개은행 감자와 관련한 입장	경실련	금융개혁위원회
20001220	교육	「미디어 바로 보기」 특별활동반 개설 협조-서울시 중등학교	경실련	미디어워치
20001220	정책토론	석유 유통시장의 공정한 거래정착을 위한 제도개선 방안	경실련	경제정의연구소
20001221	보도자료	IMT-2000 사업자 선정에 대한 논평	경실련	정보통신위원회
20001223	회원	경실련 회원 송년의 밤	경실련	사무국
20001227	보도자료	국회의 2001년 예산안 확정에 대한 입장	경실련	예산감시위원회
20001228	보도자료	11차 한미sofa개정합의 결과 논평-알맹이 빠진 협상결과에 국민들은 실망한다	경실련	통일협회
20001228	보도자료	13개 정부투자기관장 판공비 운용 실태 분석결과 발표	경실련	정부개혁위원회
20001229	보도자료	최근 금융노조 파업 철회에 대한 입정 - 정부는 노사간의 합의와 시민사회의 동의를 구하는 금융구조조정을 위해 노력하라	경실련	노동위원회
20001231	백서	2000년 반부패국민운동 활동백서	경실련공동	반부패국민연대 외
20010000	보도자료	'거기서 거기'의 오락프로그램	경실련	미디어워치
20010000	보도자료	"어린이방송시간대가 위태롭다!"	경실련	미디어워치
20010000	교육	2001 전국경실련 상근자 수련회	경실련	사무국
20010000	보도자료	2001년 세제개편방향에 관한 의견	경실련	정책위원회
20010000	보도자료	2001년 제7회 "시청자가 뽑은 좋은 프로그램"	경실련	미디어워치
20010000	보도자료	TV속 클릭세상 그 참모습을 찾아서	경실련	미디어워치
20010000	보도자료	공정거래법 개정(안) 입법예고에 대한 경실련 의견	경실련	정책위원회
20010000	청원	국가채무축소와재정건전화를위한특별조치법 제정의 청원	경실련	재정세제위원회
20010000	보도자료	대중음악, TV로 호흡하는 대중문화의 현주소	경실련	미디어워치
20010000	보도자료	원지동 추모공원 백지화 규탄 시민단체 연대시위 성명	경실련공동	기독교윤리실천운동 외
20010000	보도자료	재경부장관에게 보내는 공개질의서-최저가낙찰제 관련	경실련	예산감시위원회
20010101	간행물	월간경실련 2001년 1월호	경실련	경실련
20010103	보도자료	민주당 의원 3인의 자민련 입당에 대한 입장	경실련	시민입법위원회
20010105	회의	제12기 1월 상임집행위원회	경실련	상임집행위원회
20010108	보도자료	산업은행의 기업회사채 인수와 관련한 성명발표	경실련	금융개혁위원회
20010110	보도자료	장재식 의원 자민련 입당에 대한 논평	경실련	정책위원회
20010111	보도자료	김대중 대통령의 연두기자회견에 대한 논평	경실련	시민입법위원회
20010112	보도자료	경실련 석유관련 고시에 관한 공정위 정책제언 보도의뢰	경실련공동	바른기업시민운동본부
20010112	보도자료	국회 보건복지소위는 주사제의 의약분업 제외결정을 즉각 철회하라!	경실련공동	건강연대 외
20010112	보도자료	안기부 예산의 선거비용 전용 의혹에 대한 성명	경실련	정책위원회
20010112	보도자료	주사제 의약분업예외조치 반대성명	경실련공동	서울YMCA 외
20010112	보도자료	현행 공정거래법상 석유류에 관한 표시광고규제는 공정경쟁의 원칙에 반하는 것이다	경실련	경제정의연구소
20010115	보도자료	'미디어렙' 설립에 대해 왜곡보도 일관하는 MBC는 각성하라!	경실련	미디어워치
20010116	보도자료	공적자금 청문회의 정상적인 운영을 위해 여야는 증인 신문방식에 대해 조속히 합의하라	경실련	금융개혁위원회
20010118	보도자료	2000경실련이 뽑은 좋은 프로그램 10선	경실련	미디어워치
20010118	회의	제12기 3차 상임집행위원회	경실련	상임집행위원회
20010119	보도자료	제대로 된 공적자금 청문회를 실시하라!	경실련	정책위원회
20010126	보도자료	부부문제에 대한 TV의 접근 및 해결방식에 대하여	경실련	미디어워치
20010130	보도자료	경찰청 발표, 의료계 리베이트 수수혐의에 관한 논평	경실련	보건의료위원회
20010131	활동자료집	조세정의실현 시민운동 종합보고	경실련	정책위원회

생산일자	세부형태	제목	출처분류	생산자(처)
20010201	보도자료	민주노동당 권영길 대표 유죄판결과 관련하여, 구시대적 독소조항 폐지하라	경실련공동	참여연대 외
20010201	간행물	월간경실련 2001년 2월호	경실련	경실련
20010201	정책토론	자치헌장 제정을 위한 간담회	경실련	정책위원회
20010202	보도자료	대우그룹 경영진 사법처리에 대한 논평	경실련	재벌개혁위원회
20010205	보도자료	공적자금 조사특위의 재구성과 청문회의 재개를 요청합니다	경실련	정책위원회
20010205	보도자료	국회는 공적자금 조사특위를 재구성하여 공적자금 청문회를 제대로 실시하라!	경실련	금융개혁위원회
20010205	보도자료	시도의회의장들은 '기초단체장 임명제와 회기수당을 출결에 관계없이 받겠다'는 주장을 해명하라	경실련	지방자치위원회
20010205	보도자료	여 · 야 총재 및 대표에 공적자금 청문회 재개를 요구하는 공개 항의서한 전달	경실련	금융개혁위원회
20010205	보도자료	전국시도의회의장협의회의 '기초단체장 임명제'주장	경실련	지방자치위원회
20010205	회의	제12기 2월 상임집행위원회	경실련	상임집행위원회
20010205	보도자료	지방자치단제장에 대한 「주민소환제도」 운동을 시작한다	경실련	지방자치위원회
20010205	보도자료	지방자치법 개정방향에 대한 의견조사(부단체장 국가직 전환 등)	경실련	지방자치위원회
20010207	정책토론	3대 개혁입법 촉구 기자회견	경실련	부정부패추방운동본부
20010207	보도자료	유니세프보고서의 어린이 상해사망률 최고발표에 대한 입장	경실련공동	한국안전생활교육회 외
20010207	보도자료	정부는 어린이 안전을 보장하는 '아동안전특별법'을 제정하라	경실련공동	한국안전생활교육회 외
20010208	보도자료	현대그룹 지원에 대한 입장	경실련	재벌개혁위원회
220010213	정책토론	아동환경진단; 영유아시설의 위치실태와 그 문제점	경실련	어린이환경위원회
20010213	보도자료	전국의 117만명의 어린이들의 안전을 보장하는 아동안전 특별법 제정을 위한 특위를 구성하라!	경실련	어린이환경위원회
20010214	청원	경실련『국가채무축소와재정건전화를위한특별조치법(안)』 청원	경실련	재정세제위원회
20010219	보도자료	한 · 칠레 FTA추진에 대한 경실련 의견서	경실련	농업개혁위원회
20010221	보도자료	국승록 정읍시장의 사퇴촉구를 위한 국회의사당 집회와 민주당 방문에 대한 보도 협조요청	경실련공동	밀알회 외
20010222	정책토론	제1회 "공적자금 감시운동의 효율적 접근방안" 발제	경실련	재정세제위원회
20010223	보도자료	국승록 정읍시장 사퇴촉구를 위한 국회의사당 집회, 민주당 방문, 단식농성	경실련	지방자치위원회
20010223	보도자료	인사청탁 근절위한 개혁입법 제정하라	경실련공동	밀알회 외
20010223	보도자료	주사제 의약분업제외에 대한 입장	경실련	보건의료위원회
20010224	회의	2001년 제1기 5차 경실련 대의원대회	경실련	대의원총회
20010224	보도자료	국승록 정읍시장 민주당 당적 제명 요구와 주민소환제 도입 촉구 단식농성 돌입	경실련	지방자치위원회
20010224	회의	제12기 4차 상임집행위원회	경실련	상임집행위원회
20010224	조직	시민사회단체연대회의 참여	경실련	상임집행위원회
20010226	보도자료	「경실련 부패지수 발표」 보도협조 요청	경실련	부정부패추방운동본부
20010226	활동자료집	2009 지구촌빈곤퇴치시민네트워크 연간보고	경실련공동	지구촌빈곤퇴치시민네트워크
20010226	보도자료	공기업경영진에 대한 직접적인 문책이 필요하다	경실련	재벌개혁위원회
20010226	보도자료	공직자재산공개, 제대로 하라	경실련	부정부패추방운동본부
20010227	보도자료	한국개발연구원(KDI)장 공개채용에 대한 입장	경실련	정책협의회
20010300	백서	2000년 시민예산감시백서	경실련	예산감시위원회
20010301	간행물	월간경실련 2001년 3월호	경실련	경실련
20010302	정책토론	국회법제사법위원회 자금세탁방지법 공청회	경실련	부정부패추방운동본부
20010302	참고자료	2001 납세자 대회_납세자주권시민이지킨다	경실련공동	문화연대 외
20010305	보도자료	경실련 부패지수(서울시 25개 자치구를 대상으로)	경실련공동	부정부패추방운동본부
20010307	정책토론	주사제 예외반대 기자회견	경실련	보건의료위원회
20010307	보도자료	돈세탁방지관련법안에 대한 긴급논평	경실련공동	부패방지입법시민연대
20010307	보도자료	수도권 과밀화 부추기는 판교신도시 건설 철회하라	경실련	도시개혁센터
20010309	참고자료	의약분업 평가 및 진료비 심사에 대한 정보공개청구	경실련	보건의료위원회
20010309	보도자료	국승록 정읍시장 퇴진과 경찰 투입 요청에 대한 김원기의원 입장 표명 요구 기자 회견문	경실련공동	인사청탁뇌물비리 국승록시장 사퇴 촉구 비상대책위원회
20010309	보도자료	의약분업 정보공개청구에 관한 보도협조	경실련	보건의료위원회
20010312	보도자료	〈공적자금 고발창구〉개설과 관련한 보도협조 요청	경실련	금융개혁위원회
20010313	참고자료	심평원, 건강보험공단, 복지부 제 2차 정보공개청구	경실련	보건의료위원회
20010314	보도자료	인천국제공항 개항 연기 성명발표	경실련	예산감시위원회
20010316	보도자료	정부의 세율인하 방침에 대한 입장	경실련	재정세제위원회
20010316	보도자료	24만 강릉시민의 숙원 건의문	경실련	사무국

생산일자	세부형태	제목	출처분류	생산자(처)
20010316	보도자료	공기업 사장 전격해임과 관련한 성명	경실련	정부개혁위원회
20010319	보도자료	건강보험파산에 관한 성명	경실련	보건의료위원회
20010319	보도자료	누구를 위한 오락인가 -주말 저녁 쇼 · 오락프로그램에 대하여	경실련	미디어워치
20010319	보도자료	정부투자기관장 임명 실태 조사 결과	경실련	정부개혁위원회
20010320	조직	수도권 공장총량제 완화반대운동	경실련공동	정책위원회
20010322	보도자료	지방자치헌장 제정	경실련공동	참여연대 외
20010326	보도자료	3.26 정부개각에 대한 논평	경실련	시민입법위원회
20010326	회의	제12기 5차 상임집행위원회	경실련	상임집행위원회
20010327	보도자료	「2001년 서울특별시, 인천광역시 및 경기도의 공장건축 총허용량 산출방식, 산출량 및 집행계획안」에 대한 의견서 제출	경실련	정책위원회
20010329	보도자료	건강보험 재정해소를 위한 목적세 신설에 대한 논평	경실련	정책협의회
20010400	간행물	CIVIL SOCIETY Issue No.2 April-June 2001	경실련	국제위원회
20010401	간행물	월간경실련 2001년 4월호	경실련	경실련
20010402	보도자료	금융기관의 무이자제도에 대한 약관심사청구	경실련	정책위원회
20010402	보도자료	여야 3당의 국고보조금 불법운영을 규탄한다	경실련	정치개혁위원회
20010402	보도자료	한빛, 서울은행 등 5개 은행의 예금약관변경에 대해 공정 거래위원회에 약관심사청구	경실련	정책위원회
20010403	보도자료	대중음악, TV로 호흡하는 대중문화의 현주소	경실련	미디어워치
20010403	행정	전자무역중개기관 운영위원회 위원 추천 요청	경실련	사무국
20010403	보도자료	현대사태 관련당국자의 문책을 촉구는 입장	경실련	재벌개혁위원회
20010405	조직	단양경제정의실천시민연합 발기인대회	경실련	단양경실련
20010408	보도자료	공공병원인 원자력 병원의 위상정립에 대한 시민사회단체 성명발표	경실련	보건의료위원회
20010409	보도자료	연 · 기금의 증권시장투입에 대한 입장	경실련	금융개혁위원회
20010409	보도자료	정부투자기관운영위원회 회의록에 관한 기획예산처의 공개 거부처분에 대한 행정심판청구 보도자료	경실련	정부개혁위원회
20010411	참고자료	정보공개 거부 처분 취소 소송 준비서면	경실련	사무국
20010414	보도자료	수도권 공장총량제 완화 결사반대와 국토 균형발전 촉구 범 시민대회	경실련공동	녹색교통운동 외
20010416	보도자료	관치경제 심화에 대한 입장	경실련	금융개혁위원회
20010417	참고자료	(국회의원 외유) 정보공개처분취소 청구 소송 준비서면	경실련	사무국
20010418	참고자료	국립암센터 감사결과 정보공개청구	경실련	보건의료위원회
20010419	소송	보건복지부 진료비 평가 및 보험재정 누수와 관련된 자료, 약물 오남용실태 자료의 행정심판청구	경실련	보건의료위원회
20010419	참고자료	제10회 경제정의기업상 시상	경실련	경제정의연구소
20010420	보도자료	민주당이 검토 중인 지자체장 징계제도는 주권자에 대한 불신이며 주민소환제를 반드시 도입해야한다	경실련	지방자치위원회
20010423	보도자료	TV속 클릭세상 그 참모습을 찾아서 -방송 3사 인터넷 관련 프로그램	경실련	미디어워치
20010423	회의	제12기 4월 상임집행위원회	경실련	상임집행위원회
20010424	보도자료	개혁실종, 민생파탄에 대한 대통령 각성 촉구 기자회견	경실련	정책위원회
20010425	보도자료	부패방지입법시민연대 대표단 긴급 기자회견	경실련	부정부패추방운동본부
20010425	보도자료	〈경실련〉 개혁실종 · 민생파탄에 대한 대통령 각성 촉구 시민행동 개최	경실련	정책위원회
20010425	참고자료	2000년 의정활동 관련 자료 협조 요청-국회의원에게	경실련	정책위원회
20010425	정책토론	민생파탄 · 개혁실종에 대한 대통령 각성 촉구 토론회	경실련	정책협의회
20010426	보도자료	김대중대통령 부패방지법 제정 약속 4년, 공언의 역사	경실련	부정부패추방운동본부
20010426	보도자료	빈껍데기가 되어버린 부패방지법안의 역사-민주당안을 중심으로	경실련	부정부패추방운동본부
20010427	보도자료	4. 26 보궐선거 당선 단체장 · 의원들은 민의를 따르라	경실련	지방자치위원회
20010430	회의	제12기 6차 상임집행위원회	경실련	상임집행위원회
20010430	조직	공직사회개혁과 공무원 노동기본권 쟁취를 위한 공동대책 위원회 참여	경실련	상임집행위원회
20010501	간행물	월간경실련 2001년 5월호	경실련	경실련
20010507	참고자료	NGO STATEMENT TO THE FINANCING FOR DEVELOPNMENT III PREPARATORY COMMITTEE	경실련	정책위원회
20010509	보도자료	수도권 공장총량제 완화반대 관련 공동성명	경실련	부산경실련
20010510	참고자료	(자치단체 행정개혁의 실태) 정보공개청구서	경실련	부정부패추방운동본부
20010510	보도자료	2001년도 제1차 수도권정비위원회 서면심의 개최와 "2001년 수도권 공장건축총허용량의 산출방식 및 산출량, 집행계획안"에 대한 항의 1인 릴레이 시위에 따른 취재보도 요청	경실련공동	환경정의시민연대 외
20010510	보도자료	경실련, 공기업 사장 임명절차와 관련 주택공사, 수자원공사 등15개 기관에 대해 7종의 정보공개청구	경실련	정부개혁위원회

생산일자	세부형태	제목	출처분류	생산자(처)
20010510	보도자료	공기업 사장 임명절차와 관련 정보공개 청구	경실련	정부개혁위원회
20010510	참고자료	행정 개혁의 실태에 관한 설문조사 요청	경실련	부정부패추방운동본부
20010514	조직	새만금사업 관련	경실련	농업개혁위원회
20010514	보도자료	수도권 공장총량제 결사반대 및 국토 균형발전 촉구 범시민 대회 결의문	경실련공동	녹색교통운동 외
20010515	보도자료	최근 재벌개혁 논란에 대한 입장	경실련	재벌개혁위원회
20010517	정책토론	제2회 "재정여건과 재정건전화 방안" 발제	경실련	재정세제위원회
20010517	보도자료	16대 국회의원 임기 1년차 국회 본회의, 상임위 출결 및 상임위 이동현황 조사 결과 발표 기자회견	경실련	정치개혁위원회
20010517	보도자료	학생의 교사집단폭행에 관한 성명	경실련	교육개혁위원회
20010524	보도자료	정책조정협의회 결정에 따라 건강보험 관련 성명 발표	경실련	보건의료위원회
20010524	보도자료	오장섭 건교부 장관 부동산 변칙거래 의혹 관련 성명	경실련	정책위원회
20010524	보도자료	건강보험재정 정상화를 위한 정부종합대책발표에 즈음한 입장 - 정부는 '국민우선'의 건강보험재정적자 대책을 마련하라!	경실련	보건의료위원회
20010524	보도자료	어린이방송시간대가 위태롭다!' -방송3사 어린이방송시간대 모니터 분석	경실련	미디어워치
20010528	보도자료	민주당 지방자치법 개정 논의에 대한 시민사회단체연대 회의의 입장	경실련공동	시민사회단체연대회의
20010528	회의	제12기 7차 상임집행위원회	경실련	상임집행위원회
20010530	보도자료	보건복지부의 건강세 도입 방침에 대한 입장	경실련	재정세제위원회
20010530	보도자료	수도권 집중 심화시키는 공장총량제 완화계획을 철회하고 지역균형발전을 위한 실질적인 조치를 선행하라!	경실련	정책위원회
20010530	보도자료	정부의 세제개혁안 발표에 대한 입장	경실련	재정세제위원회
20010531	보도자료	정부의 건강보험종합대책에 관한 성명	경실련	보건의료위원회
20010601	간행물	월간경실련 2001년 6월호	경실련	경실련
20010601	조직	진해경실련 발기인대회	경실련	진해경실련
20010605	보도자료	북측상선의 영해침범 및 북방한계선 월선과 관련한 논평	경실련	통일협회
20010607	조직	무안군민회 창립	경실련	무안군민회
20010611	보도자료	거기서 거기'의 오락프로그램! -개편 이후 방송3사 주말저녁 오락프로그램 분석	경실련	미디어워치
20010612	조직	농개위, 농가부채 해결을 위한 농촌경제 활성화대책 간담회	경실련	농업개혁위원회
20010612	정책토론	제3회 "소득세의 추계과세방법에 관한 연구(포준소득률과 기준경비율을 중심으로)"	경실련	재정세제위원회
20010613	정책토론	건강보험재정관련 감사원 감사결과 축소발표 의혹 기자회견	경실련	보건의료위원회
20010613	보도자료	경실련, 국회사무처의 '국회의원 외유관련 정보 공개거부' 취소소송 승소	경실련	공익소송위원회
20010615	정책토론	주민참여 도시쾌적환경 조성을 위한 정책토론 집담회	경실련	도시개혁센터
20010618	보도자료	자금세탁방지법의 규제대상 범죄에서 정치자금제외키로 한 정치권 합의에 대한 성명	경실련	시민입법위원회
20010620	보도자료	국세청 23개 언론사 세무조사 결과 발표에 대한 논평	경실련	정책위원회
20010620	보도자료	정부의 건강증진기금 인상에 대한 성명 - 정부의 건강증진 기금인상을 통한 건강보험재정충원 방안을 즉각 철회하라!	경실련	보건의료위원회
20010621	보도자료	최근 노동계 파업투쟁에 관한 성명 - 노동분쟁의 합리적 해결을 위해 정부의 국제적 규범의 존중	경실련	노동위원회
20010621	소송	최저가 낙찰제 훼손으로 연간 1조원의 예산을 낭비케한 건교부장관 고발 기자회견	경실련	예산감시위원회
20010622	정책토론	수도권 집중억제와 국토균형발전 정책 진단 토론회	경실련	도시개혁센터
20010625	정책토론	부패방지법, 돈세탁방지법의 6월 임시국회처리와 기명표결을 촉구하는 기자회견	경실련	부정부패추방운동본부
20010625	보도자료	기업구조조정 촉진법 관련 성명 - 국회 법사위는 기업구조 조정 촉진법을 충분한 심의를 통해 재검토 하기를 촉구한다	경실련	정책위원회
20010629	보도자료	국세청의 언론사 고발 관련 성명 - 국세청의 언론사 고발조치는 법적 절차에 따라 원칙대로 처리되어야 한다	경실련	정책위원회
20010700	참고자료	광역지방자치단체 각종 위원회 기초조사 현황	경실련	정책위원회
20010701	간행물	월간경실련 2001년 7월호	경실련	경실련
20010702	정책토론	남북관계에 있어서 정치와 경제의 상호작용	경실련	통일협회
20010702	보도자료	흔들리는 정체성, 연예정보 프로그래! -방송3사 연예정보 프로그램 분석	경실련	미디어워치
20010703	보도자료	정부는 최저가 낙찰제 포기로 건설예산 10조원 절감 약속을 파기하고 있다	경실련	예산감시위원회
20010704	보도자료	『출자총액제한제도와 관련한 입법예고에 대한 경실련 의견서』	경실련	재벌개혁위원회
20010704	감사청구	예산낭비관련 서울시 감사청구(국도와 시도의 바탕색		

생산일자	세부형태	제목	출처분류	생산자(처)
		이원화로 예산낭비)	경실련	정책위원회
20010706	회의	제12기 8차 상임집행위원회	경실련	상임집행위원회
20010706	소송	최저가낙찰제 관련 건교부 장관 고발	경실련	예산감시위원회
20010710	보도자료	부방연대, 국회에 부패방지법 표결재검표 공동진행 제안	경실련	부정부패추방운동본부
20010710	보도자료	경실련 MEDIA-WATCH가 선정한 2001년 상반기 좋은 프로그램/나쁜 프로그램	경실련	미디어워치
20010710	보도자료	국회, 부패방지법 수정안 표결 오차 인정, 국회의장 공식사과 및 기립표결 폐지 요구	경실련공동	부패방지입법시민연대
20010710	보도자료	수도권정비계획법개정법률안의 철회와 국토균형발전대책을 촉구하는 시민환경단체 대표자 및 국토 · 도시 · 환경분야 전문가 300인의 선언	경실련공동	수도권살리기시민연대 외
20010716	보도자료	국가과학기술위원회 신임 민간위원 선정에 대한 논평	경실련	정책위원회
20010716	보도자료	정부와 서울시는 수해보상에 최선을 다하고 근본적이고 체계적인 재난 · 재해대책을 수립하고 추진하라	경실련	도시개혁센터
20010716	보도자료	최저가 낙찰제의 전면 시행을 요구하는 건의문	경실련	정책위원회
20010718	보도자료	규제개혁위원회에 최저가 낙찰제를 훼손하는 부당한 규제를 폐지할 것을 건의	경실련	예산감시위원회
20010723	모니터링	"구인 / 구직 사이트를 중심으로 본 개인정보보호 실태 조사"	경실련	사무국
20010723	보도자료	휴식은 없고 피로만 더하는 오락프로! -평일 심야시간대 오락프로그램 분석	경실련	미디어워치
20010726	보도자료	정부는 턴키공사 담합을 묵인하여 연간 1조원의 예산을 낭비하고 있다	경실련	예산감시위원회
20010727	정책토론	지속가능한 주거 : 계획 · 개발과 지역사회적 실천 토론회	경실련	도시개혁센터
20010727	보도자료	새로운 법경유착 탄생, '법정관리 비리실태' 발간과 고발창구 개설 및 운동 대응	경실련	기업환경개선위원회
20010731	보도자료	민주당은 선거사범에 대한 8.15 사면, 복권 건의를 취소하라	경실련	시민입법위원회
20010807	보도자료	인천국제공항 유휴지 개발 비리 관련 성명발표	경실련	예산감시위원회
20010807	보도자료	정부와 서울시, 자치구는 시민의 안전한 삶을 위협하는 위험한 건물, 시설물의 개선대책을 조속히 강구하라!	경실련	도시개혁센터
20010807	소송	서울시 지하철 9호선 턴키공사입찰 담합의혹에 대한 조사 의뢰	경실련	예산감시위원회
20010807	보도자료	정부는 강동석 사장을 즉각 해임하고 각종 비리혐의를 조사해야 한다	경실련	예산감시위원회
20010817	참고자료	공공공사 입찰제도 개선방안을 위한 토론회-최저가낙찰제 개선방안을 중심으로	경실련공동	정책위원회
20010819	보도자료	자막을 중심으로 본 방송의 언어 문제	경실련	미디어워치
20010821	보도자료	재경부에 경실련 세제개편안 의견서 전달	경실련	재정세제위원회
20010824	보도자료	8.24 방북 민간단체 대표들의 사법처리에 대한 우리의 입장	경실련	통일협회
20010827	보도자료	부방연대, 부패방지법시행령에 대한 의견 발표	경실련	부정부패추방운동본부
20010827	회의	제12기 9차 상임집행위원회	경실련	상임집행위원회
20010828	소송	공정위의 SK텔레콤 기업결합 시정조치에 대한 감사청구 및 신고서 제출	경실련	재벌개혁위원회
20010829	보도자료	독점규제및공정거래에관한법률(안)시행령 중 개정령(안) 입법예고	경실련	재벌개혁위원회
20010830	보도자료	통일부 장관 해임 문제에 대한 우리의 입장	경실련	통일협회
20010831	조직	그린벨트해제반대운동	경실련공동	정책위원회
20010901	간행물	월간경실련 2001년 8 · 9월호	경실련	경실련
20010903	보도자료	여야의 돈세탁 방지법 합의관련 성명 - 돈세탁방지법안에 정치자금에 대한 계좌추적권을 포함시켜야 한다	경실련	정치개혁위원회
20010904	보도자료	후퇴한 국토개발정책!! 성명	경실련공동	수도권살리기시민연대 외
20010907	보도자료	9월 7일 개각관련 논평	경실련	정치개혁위원회
20010910	보도자료	추경졸속 통과에 대한 국회 각성 촉구 성명	경실련	재정세제위원회
20010912	참고자료	한국도로공사의 2001년 공사발주 자료 요청	경실련	정책위원회
20010913	보도자료	그린벨트 4억4천여만평 해제철회를 요구하는 시민사회 선언문 발표 기자회견	경실련	도시개혁센터
20010913	회의	제12기 9월 상임집행위원회	경실련	상임집행위원회
20010914	참고자료	건설교통부 중앙건설기술심의위원회 설계심의를 거친 100억원 이상의 대형공사 자료 요청	경실련	정책위원회
20010914	참고자료	철도청의 장항선 노반개량공사 5개공구 자료 요청	경실련	정책위원회
20010917	보도자료	"웃음의 미학" 그 현주소를 찾아서 -KBS · MBC 코미디 프로그램 모니터 보고서-	경실련	미디어워치
20010917	정책토론	시민운동발전을 위한 대토론회_시민운동의 과거. 현재. 미래	경실련공동	시민운동지원기금
20010920	보도자료	이용호 사건에 대한 성명 - 검찰과 정부여당은 이용호 사건에 있어서 특검제를 도입하라	경실련	정치개혁위원회

생산일자	세부형태	제목	출처분류	생산자(처)
20010921	보도자료	정치권의 대북식량자원 논의에 대한 성명	경실련	통일협회
20010921	보도자료	철도청과 도로공사는 최저가 낙찰제 대상 공사를 분할 발주하여 수천억원의 예산을 낭비하고 있다 성명	경실련	예산감시위원회
20010921	보도자료	철도청장과 도로공사장에게 보내는 공개질의-공공공사 분할발주	경실련	예산감시위원회
20010921	보도자료	최저가 낙찰제 피해가기식 공사발주로 수천억 예산낭비	경실련	예산감시위원회
20010924	회의	제12기 10차 상임집행위원회	경실련	상임집행위원회
20010925	교육	12기 민족화해아카데미 수강자료집	경실련	통일협회
20010926	보도자료	노동분규 현장에 불법적인 용역깡패를 투입한 사업주를 즉각 처벌하라	경실련	노동위원회
20010926	보도자료	정부의 2002년 예산안 확정에 관한 논평	경실련	정책협의회
20010926	보도자료	정정 보도-도로공사의 최저가 낙찰제 대상공사 분할 발주에 대하여	경실련	예산감시위원회
20011001	간행물	월간경실련 2001년 10월호	경실련	경실련
20011003	보도자료	정부의 2002년 예산안 확정에 관한 논평	경실련	재정세제위원회
20011004	보도자료	노동시간 단축을 위한 노사정 합의를 촉구한다	경실련	노동위원회
20011005	보도자료	재벌의 은행소유를 반대한다	경실련	금융개혁위원회
20011005	보도자료	출차총액제한제도완화 발표에 대한 입장	경실련	재벌개혁위원회
20011005	보도자료	은행법 개정안에 대한 입장	경실련	금융개혁위원회
20011009	보도자료	서울시 택시요금 인하와 택시서비스 개선 대책마련을 촉구하는 기자회견	경실련	도시개혁센터
20011010	보도자료	강정구 교수를 비롯한 8.15 민족대축전 관련 당사자에 대한 사법부의 공정한 처리를 요구한다	경실련	통일협회
20011012	보도자료	검찰내부의 이용호씨 비호의혹 사건 수사마무리에 대한 논평	경실련	시민입법위원회
20011015	정책토론	어린이놀이터의안전환경현황과 정책적 대안	경실련	어린이환경위원회
20011015	회의	제12기 1차 상임집행위원회(인선소위)	경실련	상임집행위원회
20011022	회의	제12기 2차 상임집행위원회(인선소위)	경실련	상임집행위원회
20011023	보도자료	정부는 재벌개혁을 후퇴시키는 조처들을 철회하라	경실련공동	참여연대 외
20011023	보도자료	최근 정부의 재벌정책에 대한 노동시민사회단체 공동성명	경실련공동	참여연대 외
20011025	보도자료	법무부 집단소송법 시안에 대한 의견서 제출	경실련	재벌개혁위원회
20011025	보도자료	은행법 개정법률안 입법예고에 대한 의견서 제출	경실련	금융개혁위원회
20011025	보도자료	국회의원 선거구 획정에 대한 헌재 결정에 대한 논평	경실련	정치개혁위원회
20011026	보도자료	은행법중 개정법률(안) 입법예고에 대한 경실련 의견	경실련	정책위원회
20011026	보도자료	정치개혁을 위한 범국민적 기구 구성을 촉구한다	경실련	정치개혁위원회
20011029	회의	제12기 11차 상임집행위원회	경실련	상임집행위원회
20011030	참고자료	16대 국회의원 2000년 의정활동 평가 발표 기자회견	경실련	정책위원회
20011107	회의	제12기 11월 상임집행위원회	경실련	상임집행위원회
20011108	회의	건강보험료 인상저지를 위한 노동, 농민, 시민단체 회의	경실련	보건의료위원회
20011108	보도자료	남북협력기금법 개정 논의에 대한 우리의 입장	경실련공동	통일협회 외
20011108	보도자료	대통령의 총재직 사퇴로 우리사회의 정치발전을 기대한다	경실련	정치개혁위원회
20011108	기타	사)경실련도시개혁센터 지정기부금단체 지정(재정경제부 제2002-113호)	경실련	사무국
20011110	회의	2001년 경실련 회원총회 및 대의원회	경실련	대의원총회
20011110	간행물	월간경실련 2001년 11 · 12월호	경실련	경실련
20011110	회의	제13기 1차 상임집행위원회	경실련	상임집행위원회
20011110	보도자료	현 시국에 대한 입장	경실련	정책위원회
20011114	보도자료	신용카드 업계의 '약탈적 대출'관행 근절을 위한 제도개선 의견 전달	경실련	재벌개혁위원회
20011120	보도자료	검찰개혁에 대한 서울시민 1075인 설문조사 결과 및 김영삼 정부와 김대중 정부의 검찰에 대한 시민의식 비교발표	경실련	시민입법위원회
20011120	보도자료	서울시민의 검찰개혁에 대환 여론조사 발표	경실련	사무국
20011121	정책토론	정부의 원가분석 허구성에 대한 기자회견	경실련	보건의료위원회
20011121	보도자료	정보공개법 개정안 개악에 대한 성명	경실련	정부개혁위원회
20011122	회의	제13기 11월 상임집행위원회	경실련	상임집행위원회
20011123	보도자료	행자부의 정보공개법 개정안 개악에 대한 규탄 및 개정안 철회 촉구집회	경실련	시민입법위원회
20011124	보도자료	진부한 신설프로, 더 이상 '차별성'이 없다! -방송3사 개편 오락프로그램 모니터 보고-	경실련	미디어워치
20011126	회의	제13기 2차 상임집행위원회	경실련	상임집행위원회
20011128	보도자료	남북교류협력법, 남북교류기금법 개정에 대한 입장	경실련공동	통일협회 외
20011128	보도자료	[여론마당]김성수/정보공개법 개정 재고해야	경실련	사무국
20011128	보도자료	정부 정보공개법 개정안 평가와 올바른 개정 방향	경실련공동	언론개혁시민연대 외
20011129	보도자료	재외동포법 헌법소원의 헌재 판결에 대한 논평	경실련	시민입법위원회

생산일자	세부형태	제목	출처분류	생산자(처)
20011129	참고자료	SOFA 협정 헌법소원 판결문-심판청구 각하	경실련	사무국
20011129	보도자료	감사원 공적자금 특감결과에 대한 논평	경실련	금융개혁위원회
20011129	보도자료	재외동포법 헌법소원의 헌재 판결에 대한 논평 - 재외동포법에 대한 헌재의 헌법불합치 결정을 환영한다	경실련	시민입법위원회
20011130	보도자료	[토요쟁점토론]제한많은 정보공개법 개정안	경실련	사무국
20011130	보도자료	재정경제부 기자간담회에 대한 논평	경실련	금융개혁위원회
20011200	참고자료	경실련 미디어워치 창립 6주년 자료집	경실련	미디어워치
20011204	보도자료	공적자금40조 조성과 국정조사에 대한 성명발표	경실련	금융개혁위원회
20011206	정책토론	공적자금 부실운용 근본적 대책은 없는가	경실련	정책위원회
20011207	정책토론	민간의료보험 확대도입에 관한 경실련 간담회	경실련	정책위원회
20011208	정책토론	2001년 건강보험수가 및 보험료결정에 대한 기자회견	경실련	보건의료위원회
20011212	보도자료	국회 예결위 소위원회를 공개하라	경실련공동	참여연대 외
20011212	보도자료	신광옥 법무차관의 비리의혹관련 보도에 대한 성명	경실련	정책협의회
20011213	조직	금강산을 사랑하는 범국민연대 참여	경실련공동	정책위원회
20011214	모니터링	국민기초생활보장제도 시행 1년 평가 토론회	경실련	정책위원회
20011214	보도자료	수도권 지상파 중심의 위성방송 정책을 재고하고, 지역방송 활성화 대책을 마련하라!	경실련	지역경실련협의회
20011215	보도자료	의보료인상에 대한 시민단체 반대성명	경실련	보건의료위원회
20011216	모니터링	공익성이 대안일 수 없다!_공익성을 표방한 오락프로그램에 대한 모니터 보고	경실련	미디어워치
20011217	보도자료	민간의료보험 활성화에 관한 보건복지부 발표에 대한 경실련 입장	경실련	보건의료위원회
20011218	보도자료	국회정무위의 공정거래법 개악합의에 대한성명	경실련	정책협의회
20011218	보도자료	재경부에 국가계약법 시행령 42조 개정에 관한 의견서 전달 - 최저가낙찰제 대상을 5백억이상 공사까지 확대 적용 실사요구	경실련	예산감시위원회
20011219	보도자료	"최저가 낙찰제를 훼손하는 재경부 회예계규 철폐하라"	경실련	예산감시위원회
20011220	보도자료	국민혈세 탕진한 6개 은행 감자와 관련한 성명발표	경실련	금융개혁위원회
20011220	보도자료	주5일근무제 정부안을 비판한다	경실련	정책위원회
20011220	보도자료	감사원의 국고보조금 감사 논란 관련 성명 - 정당의국고 보조금에 대한 감사원의 감사는 계속되어야 한다	경실련	시민입법위원회
20011220	보도자료	한나라당과 자민련의 법인세인하 의결에 대한 성명	경실련	재정세제위원회
20011225	간행물	월간경실련 2002년 신년호	경실련	경실련
20020000	백서	2001~2002년 시민예산감시백서	경실련	예산감시위원회
20020000	보도자료	2002년 경실련이 뽑은 좋은/나쁜 프로그램 10선	경실련	정책위원회
20020000	보도자료	2002대선 공약 검증 1 : 주택정책의 내용 및 문제점	경실련	정책위원회
20020000	모니터링	이회창, 노무현 후보의 예산 소요 중심 공약	경실련	정책위원회
20020000	보도자료	권력구조 개편 공약 평가	경실련	시민입법위원회
20020000	보도자료	대선 공약 중 예산 증액 사업 비교	경실련	정책위원회
20020000	보도자료	대학 입시제도	경실련	교육개혁위원회
20020000	참고자료	제16대 대선 공명선거실천시민운동협의회 활동자료	경실련공동	공명선거실천시민운동협의회
20020100	기타	사무실 이전(종로구 신문로 피어선 빌딩)	경실련	사무국
20020104	회의	제13기 3차 상임집행위원회	경실련	상임집행위원회
20020104	조직	민간의료보험 확대 저지 공동대책위원회 참여	경실련	상임집행위원회
20020114	보도자료	김대중 대통령 연두기자회견에 대한 논평	경실련	정책협의회
20020115	보도자료	금융감독원의 신용카드 부정발급 일제점검과 관련한 의견	경실련	정책협의회
20020116	모니터링	"〈우리시대〉에 우리는 어떻게 살아나가야 할 것인가?" -MBC 〈우리시대〉 모니터보고-	경실련	미디어워치
20020116	보도자료	특별수사검찰청 설치와 후임 검찰총장 인사청문회 논란에 대한 성명	경실련	시민입법위원회
20020120	보도자료	경실련 2002년 시민운동 선언 기자회견	경실련	정책위원회
20020121	보도자료	건강보험정책심의위원회 구성에 관한 시민, 노동, 농민단체 기자회견	경실련공동	가난한이들의건강권확보를위한연대회의 외
20020122	정책토론	위기의 검찰 어떻게 바로 세울 것인가 - 신임 검찰총장에 대한 제언 및 향후 검찰 개혁 방향	경실련	시민입법위원회
20020123	보도자료	정통부의 벤처기업지원자금 정보공개거부에 대한 성명	경실련	정책협의회
20020123	참고자료	탄원서(최저가낙찰제 관련)	경실련	정책위원회
20020128	참고자료	건의서(최저가낙찰제 관련)	경실련	정책위원회
20020129	보도자료	1.29 개각에 대한 논평	경실련	정책위원회
20020131	보도자료	지역균형발전특별법 제정방향에 대한 의견	경실련	정책위원회
20020202	보도자료	대우그룹 경영진 사법처리에 대한 논평	경실련	재벌개혁위원회
20020204	참고자료	국가계약법령관련 회계예규에 관한 검토	경실련	예산감시위원회
20020204	회의	제13기 4차 상임집행위원회	경실련	상임집행위원회

생산일자	세부형태	제목	출처분류	생산자(처)
20020204	보도자료	산업자원부의 공장배치 및 공장설립에 관한 법률 차관회의 결정에 대한 의견서 발표	경실련	도시개혁센터
20020214	조직	경실련아카데미 창립	경실련	아카데미
20020205	보도자료	지역균형발전특별법 제정 필요성과 제정방향에 대한 경실련 의견	경실련	도시개혁센터
20020205	보도자료	공장배치 및 공장설립에 관한 법률 시행령의 국무회의 통과에 대한 논평	경실련	도시개혁센터
20020207	정책토론	국민경선제 성공을 위한 조건과 정치제도개혁방향	경실련	정책위원회
20020214	보도자료	정부의 은행법 개정안 철회와 증권관련집단소송법안 제정 촉구를 위한 경제학자 100인 기자회견	경실련	정책위원회
20020215	보도자료	정부의 은행법 개정안 철회와 증권관련집단소송법안 제정 촉구 집회	경실련	정책위원회
20020215	보도자료	학교급식법 개정법률안 처리에 관한 입장	경실련	환경농업실천가족연대
20020215	보도자료	정부의 은행법 개정안 심의 방청 불허에 대한 입장	경실련	정책협의회
20020215	청원	정부의 은행법 개정안 관련 의견 청원	경실련	정책위원회
20020216	보도자료	주택난을 빙자한 서울시의무리한 택지개발지구 지정 재검토 촉구	경실련	도시개혁센터
20020218	보도자료	국회 재경위 의원들에게 은행법 개정안의 신중한 처리를 요구하는 서한 전달	경실련	정책위원회
20020219	정책토론	국민의 정부 4년, 햇볕정책 평가와 전망	경실련	통일협회
20020220	보도자료	국회 재경위 의원들에게 증권관련집단소송법안 제정촉구 의견 전달	경실련	정책위원회
20020220	참고자료	김대중대통령 국정운영 평가 시민 설문조사	경실련	정책위원회
20020221	정책토론	김대중정부 출범 4년 평가 토론회	경실련	정책위원회
20020221	보도자료	가스안전공사 오홍근 사장 임명 관련 성명	경실련	정부개혁위원회
20020221	보도자료	정부의 테러방지법제정안에 대한 경실련 의견서 제출	경실련	시민입법위원회
20020221	보도자료	제11회 경제정의기업상 시상	경실련	경제정의연구소
20020223	회의	제2기 2차 경실련 대의원회	경실련	대의원총회
20020225	보도자료	공적자금관리위원회 의사록 공개에 대한 입장	경실련	정책협의회
20020225	간행물	월간경실련 2002년 2 · 3월호	경실련	경실련
20020226	보도자료	은행의 재벌 사금고화를 방지할 수 있는 강력한 보완장치 마련 촉구	경실련공동	정책위원회
20020226	정책토론	정부의 은행법 개정안 철회와 증권관련집단소송법안 제정 촉구를 위한 국회의원 면담	경실련	정책위원회
20020226	보도자료	국회 법사위 전문위원실의 집단소송 검토의견에 대한 경실련 입장	경실련	정책협의회
20020226	보도자료	수가인하조치의 촉구 및 병의원, 약국 경영투명성 확보를 위한 대책 촉구	경실련	보건의료위원회
20020227	보도자료	은행의 재벌 사금고화를 방지할 수 있는 후속 보완장치 마련 촉구	경실련	정책위원회
20020227	보도자료	국회 재경위가 합의한 은행법 개정에 대한 입장	경실련	정책위원회
20020227	참고자료	철도 · 가스 · 발전 파업 현황과 대책(안)	경실련	정책위원회
20020228	보도자료	공기업 연대파업에 대한 입장	경실련	사회정책위원회
20020228	보도자료	외국인노동자 공대위 기자회견	경실련공동	외국인노동자공대위
20020229	보도자료	은행장 인사에 대한 입장	경실련	정책위원회
20020300	정책토론	사회복지시설 평가제도의 문제점과 개선방안	경실련	사회복지위원회
20020301	참고자료	2002년 전국납세자대회	경실련공동	전국납세자대회 준비위원회
20020302	홍보	납세자의 날 공동행사 개최	경실련공동	함께하는시민행동 외
20020304	모니터링	김대중 대통령 취임 4년 간 국정운영에 관한 전문가 평가 설문 조사결과	경실련	정책위원회
20020304	참고자료	한국은행 총재 및 금융통화위원 인사에 관한 경제전문가 대상 여론조사보고	경실련공동	한국은행 노동조합 외
20020304	보도자료	한국은행 총재 및 금융통화위원 인사에 관한 우리의 입장	경실련공동	한국은행 노동조합 외
20020305	회의	경제정의연구소 제12차 정기회원총회	경실련	경제정의연구소
20020305	보도자료	김근태 의원 경선비용 공개 파문에 대한 성명	경실련	정치개혁위원회
20020305	보도자료	정부투자기관 및 산하기관장 임명 실태 분석 결과 발표 기자회견	경실련	정부개혁위원회
20020306	보도자료	대한상의의 사외이사제도 의무화 전면재검토 건의에 대한 입장	경실련	정책협의회
20020306	보도자료	법인세법 시행규칙개정안에 대한 의견서 재경부에 제출	경실련	정책위원회
20020306	보도자료	인천국제공항공사 사장 추천과 관련한 성명	경실련	정부개혁위원회
20020306	보도자료	정부의 주택시장 안정화대책(0306)에 대한 성명	경실련	도시개혁센터
20020307	보도자료	정치자금 모금 상한액 현실화 움직임에 대한 성명	경실련	정치개혁위원회

생산일자	세부형태	제목	출처분류	생산자(처)
20020312	보도자료	외환 · 조흥은행장 사의 표명에 대한 입장	경실련	정책협의회
20020313	정책토론	수도권 개발제한구역 국민임대주택단지 건설의 전제조건과 방향모색을 위한 토론회	경실련	도시개혁센터
20020314	보도자료	아태재단의 이용호 로비사건 의혹 관련 성명	경실련	시민입법위원회
20020314	보도자료	가스안전공사 오홍근 사장 임명 관련 임명 실태 조사	경실련	정부개혁위원회
20020315	보도자료	연대 박상명 교수 건과 관련하여 신협의 발전적 대안 모색을 위한 의견서 전달	경실련	정책위원회
20020318	보도자료	2003년도 예산편성지침에 반영할 사항	경실련	정책위원회
20020318	정책토론	취업연령제한 실태와 문제점	경실련	노동위원회
20020318	기타	비영리민간단체 등록	경실련	사무국
20020320	보도자료	취업연령제한 실태조사 및 경실련 연령차별 제보센터 개설	경실련	사회정책위원회
20020320	보도자료	신협관련 제도운영에 대한 입장	경실련	정책협의회
20020320	보도자료	한국은행 총재 및 금통위원 내정에 대한 입장	경실련	정책협의회
20020321	보도자료	가스안전공사 오홍근사장 임명 관련 행정심판청구	경실련	정부개혁위원회
20020321	보도자료	국회 예결위 126건 증액사업 분석결과 발표	경실련	예산감시위원회
20020321	보도자료	특별검사의 시한과 범위를 확대하여 아태재단 의혹에 대하여 엄정 수사하라!	경실련	시민입법위원회
20020322	정책토론	사회복지시설 평가제도의 문제점과 개선방안	경실련	사회정책위원회
20020322	정책토론	공기업 민영화-발전산업 민영화 문제에 대한 경실련 간담회	경실련	정책위원회
20020322	회의	제13기 3월 상임집행위원회	경실련	상임집행위원회
20020322	조직	경실련 공적자금감시운동본부 발족	경실련	정책위원회
20020323	보도자료	종교와 양심에 따른 병역거부자에게 정부는 대체복무의 기회를 주어야 한다	경실련	경제정의실천불교시민연합
20020325	보도자료	특별검사팀의 수사종료 및 최종수사결과 발표에 대한 성명	경실련	시민입법위원회
20020325	회의	제13기 5차 상임집행위원회	경실련	상임집행위원회
20020326	보도자료	발전산업 파업사태에 대한 입장	경실련	사회정책위원회
20020327	정책토론	가계부채 · 가계파산 어떻게 할 것인가	경실련	정책위원회
20020327	보도자료	인터넷내용등급제와 관련한 쟁점토론과 대안모색	경실련	정책위원회
20020328	보도자료	조흥은행 본점 지방이전 계획의 즉각적인 이행 촉구	경실련	도시개혁센터
20020328	정책토론	부동산 가격상승의 원인진단과 대책 관련 내부간담회	경실련	정책위원회
20020329	보도자료	발전노조와 대화재개에 적극 나설것을 정부에 촉구	경실련	사회정책위원회
20020400	보도자료	2002 지방선거 정책제언집 「살고싶은 도시만들기 10대 과제」	경실련	도시개혁센터
20020402	감사청구	경실련 "변호사, 법학자 대상 검찰개혁에 관한 설문조사" 결과 발표	경실련	정책협의회
20020403	보도자료	공공임대주택을 공급받는 사람들의 생활여건을 반영하는 주택건설 촉구	경실련	도시개혁센터
20020403	보도자료	지상파방송사 종일방송 및 방송시간 연장 문제 의견 발표	경실련	미디어워치
20020404	보도자료	수도권 경제특구 지정에 대한 성명	경실련	도시개혁센터
20020408	보도자료	시사고발프로 '심층성 떨어지고 현상나열에 급급' 모니터 보고 발표	경실련	미디어워치
20020408	보도자료	국회 본회의에서 통과예정인 은행법 개정안에 대한 경실련 입장	경실련	정책협의회
20020409	보도자료	정통부 및 산은 고위간부의 벤처비리 연루에 대한 경실련 입장	경실련	중소기업위원회
20020409	교육	13기 민족화해아카데미	경실련	통일협회
20020411	보도자료	대통령의 두 아들에 대한 한 점 의혹 없는 수사를 검찰에 촉구한다	경실련	시민입법위원회
20020413	보도자료	연령차별 뿌리뽑기 거리캠페인	경실련	사회정책위원회
20020415	보도자료	2002년 1분기 좋은프로/나쁜프로 발표	경실련	미디어워치
20020415	보도자료	중간광고 및 광고총량제 실시 반대를 위한 성명 발표	경실련	미디어워치
20020415	보도자료	경제부총리 등 부분개각에 대한 논평	경실련	정책협의회
20020416	단행본	21세기 한국 지방자치의 비전을 말하다' 발간	경실련	정책위원회
20020418	보도자료	바른선거유권자운동 출범 및 선거부정 및 후보예정자정보 접수창구 개설 기자회견	경실련	바른선거유권자운동
20020418	보도자료	김홍걸씨의 이신범 전의원과 관련의혹을 철저히 규명하라!!	경실련	시민입법위원회
20020418	보도자료	전윤철 재경부 장관의 집단소송제 관련 언급에 대한 경실련 입장	경실련	정책협의회
20020419	보도자료	김대중 대통령 두아들 의혹관련 철저 수사 촉구	경실련	시민입법위원회
20020422	보도자료	모두 잘사는 나라 만드는 길 차기정부 정책과제	경실련	사무국
20020422	보도자료	전경련의 불법정치자금 고해성사 촉구에 대한 논평	경실련	정치개혁위원회
20020422	회의	제13기 4월 상임집행위원회	경실련	상임집행위원회
20020423	보도자료	방송위원회는 지상파TV의 중간광고 도입 논의를 즉각 중단하라!	경실련	미디어워치

생산일자	세부형태	제목	출처분류	생산자(처)
20020424	보도자료	대통령의 아들 문제 처리에 대한 결단을 촉구한다	경실련	정치개혁위원회
20020425	보도자료	19개 공기업 감사실 실태조사 결과 보고	경실련	정책위원회
20020425	간행물	월간경실련 2002년 4 · 5월호	경실련	경실련
20020426	보도자료	두아들 비리의혹에 대한 대통령의 사과와 홍걸씨 귀국촉구 거리캠페인	경실련	시민입법위원회
20020426	보도자료	대통령의 아들 문제 처리에 대한 결단을 촉구한다	경실련	시민입법위원회
20020426	회의	제13기 4월 상임집행위원회	경실련	상임집행위원회
20020429	보도자료	살맛나는 도시만들기 10대 과제 발표	경실련	바른선거유권자운동
20020429	회의	제13기 6차 상임집행위원회	경실련	상임집행위원회
20020430	보도자료	KT민영화에 대한 경실련 의견	경실련	경제정의연구소
20020430	보도자료	LG그룹의 지주회사 전환을 위한 주식거래와 관련한 경실련 입장	경실련	정책협의회
20020430	보도자료	지방선거시기 시민사회단체 공동 공약 · 정책 요구 운동 보도 요청	경실련공동	바른선거유권자운동
20020430	보도자료	하이닉스 처리 문제에 대한 입장	경실련	정책협의회
20020501	보도자료	주민이 함께 하는 지방자치만들기 5대 과제 발표 보도요청	경실련	바른선거유권자운동
20020503	보도자료	지방행정 투명성 확보를 위한 7대 과제 발표	경실련	바른선거유권자운동
20020506	보도자료	김대중 대통령의 민주당 탈당에 대한 논평	경실련	정책협의회
20020506	보도자료	서울시의 재래시장 재건축 허용용적률 하한선 상향조정에 대한 논평	경실련	도시개혁센터
20020508	보도자료	지방자치 정착과 선거문화 개혁을 위한 유권자대회	경실련공동	바른선거유권자운동
20020509	보도자료	민추협의 공익성 기부금 대상단체 지정에 대한 입장	경실련	정책협의회
20020510	정책토론	공기업 민영화-철도산업구조개혁(민영화) 대책간담회	경실련	정책위원회
20020510	정책토론	분양가자율화시대, 선분양제도의 문제점과 개선을 위한 토론회	경실련	정책위원회
20020510	정책토론	'아파트 분양제도 개선방안' 토론회	경실련	도시개혁센터
20020510	보도자료	여신전문금융업법 시행령 개정에 대한 의견	경실련	정책위원회
20020514	보도자료	한국통신 정부지분 특정재벌 특혜매각에 대한 입장	경실련	경제정의연구소
20020514	보도자료	정부의 신안군 주요섬 해상도로 건설 사업과 관련한 성명	경실련	정책협의회
20020515	보도자료	김홍걸 씨 귀국과 검찰 출두에 대한 성명	경실련	시민입법위원회
20020515	정책토론	한국통신 민영화, 문제점과 해결방안	경실련	정책위원회
20020520	보도자료	건교부, 정동 미대사관 아파트 건립을 위한 주촉법 시행령 개정 추진 관련 성명	경실련	도시개혁센터
20020520	참고자료	최저가 낙찰제 시행 1년 평가와 조기정착을 위한 전문가 대상 설문조사결과 발표	경실련	정책위원회
20020523	보도자료	건설업체들의 공공택지 분양가 폭리 논란에 대산 경실련 성명	경실련	도시개혁센터
20020523	보도자료	전국 248개 자치단체 홍보관련 예산 현황 발표	경실련	예산감시위원회
20020523	보도자료	정부보유 KT지분 매각결과에 대한 입장	경실련	정책위원회
20020523	정책토론	서울시장 후보자 초청토론회 개최	경실련	바른선거유권자운동
20020524	보도자료	덕수궁 터 美國 아파트와 대사관 신축을 반대한다 기자회견	경실련공동	덕수궁터 미대사관 아파트 신축반대 시민모임
20020524	정책토론	건강보험 보장성 강화와 지속가능한 재정구조구축을 위한 제도개선방향	경실련	정책위원회
20020527	회의	제13기 7차 상임집행위원회	경실련	상임집행위원회
20020528	정책토론	권력형 비리 어떻게 척결할 것인가-대통령 친인척 비리 원인과 근절 방안을 중심으로	경실련	정책위원회
20020529	정책토론	개인파산제 도입 필요성과 올바른 제정방향-신용카드 현금대출 및 신용불량자 급증에 대한 대안모색을 중심으로	경실련	정책위원회
20020529	정책토론	북한의 변화양상과 우리의 대책	경실련	통일협회
20020529	보도자료	학교보건법 개정법률안에 대한 의견 제출	경실련	정책위원회
20020529	보도자료	한나라당, 민주당의 지방선거 공약 발표에 대한 「바른선거유권자운동」의 입장	경실련	바른선거유권자운동
20020531	소송	경실련, 국회사무처의 국회의원 외유관련정보 공개거부 취소소송 2심 승소(2001누10778)	경실련	시민입법위원회
20020603	보도자료	노무현 정부 출범 100일간의 국정운영에 관한 전문가 평가 설문 조사결과	경실련	정책협의회
20020604	정책토론	미신고 사회복지시설의 바람직한 양성화 방향 토론회	경실련	사회복지위원회
20020604	보도자료	하이닉스 처리 문제의 정치쟁점화에 대한 입장	경실련	바른선거유권자운동
20020605	보도자료	언어폭력과 인신공격 등의 낡은 선거운동방식을 즉각 중단하라	경실련	바른선거유권자운동
20020607	보도자료	덕수궁 터 미대사관, 아파트 신축과 관련한 공개질의서	경실련공동	덕수궁터 미대사관 아파트 신축반대 시민모임

생산일자	세부형태	제목	출처분류	생산자(처)
20020607	보도자료	덕수궁 미대사관 신축반대를 위한 국민캠페인	경실련공동	덕수궁터 미대사관 아파트 신축반대 시민모임
20020607	정책토론	비정규 노동자 보호 입법의 올바른 방향과 내용-최근 노사정위원회 입법논의를 중심으로	경실련공동	민주사회를위한변호사모임 외
20020610	보도자료	유권자의 힘! 올바른 선택! 유권자 투표참여 캠페인	경실련공동	바른선거유권자운동
20020611	보도자료	613 지방선거 투표참여캠페인	경실련공동	바른선거유권자운동
20020611	보도자료	기업의 '홍보장'으로 전락한 드라마	경실련	미디어워치
20020612	보도자료	613 지방선거 투표참여 및 후보선택기준에 관한 성명	경실련공동	바른선거유권자운동
20020612	보도자료	덕수궁 터 미대사관 · 아파트 신축관련 서울시장후보대상 공개질의 및 답변서 발표	경실련공동	덕수궁터 미대사관 아파트 신축반대 시민모임
20020612	보도자료	은행법 시행령 개정안에 대한 경실련 의견	경실련	정책위원회
20020617	보도자료	드라마에서의 기업협찬 등 간접광고의 문제점 분석 보고 발표	경실련	미디어워치
20020617	보도자료	선거사범의 신속한 처리를 촉구	경실련공동	바른선거유권자운동
20020617	보도자료	중국공안의 한국영사관 무단진입 및 폭력사건 강력 항의	경실련	통일협회
20020619	보도자료	김홍업씨 검찰 출두와 관련한 성명	경실련	시민입법위원회
20020619	보도자료	산업자원부의 [공업배치및공장설립에관한법률 개정안] 입법예고에 따른 경실련 의견	경실련	도시개혁센터
20020621	보도자료	경실련, 재경부 보험업법 개정시안 관련, 보건복지부 입장에 대하여 공개질의	경실련	보건의료위원회
20020622	보도자료	김대중 대통령의 두 아들 구속에 따른 대 국민 성명에 대한 입장	경실련	정치개혁위원회
20020624	회의	제13기 8차 상임집행위원회	경실련	상임집행위원회
20020624	조직	공공부문의 바람직한 발전을 위한 공동대책위원회 참여	경실련	상임집행위원회
20020627	보도자료	조달청 입찰담합조사는 턴키입찰의 근본적 문제를 밝혀내야 한다	경실련	예산감시위원회
20020628	정책토론	6 · 13 지방선거 평가와 향후 과제 토론회	경실련공동	바른선거유권자운동
20020628	보도자료	정부의 공적자금 상환대책안에 대한 입장	경실련	정책협의회
20020703	보도자료	군포 부곡 의왕 청계 주민 그린벨트 해제 반대 청원제출 관련 보도자료	경실련	도시개혁센터
20020704	보도자료	서울시 지하철 9호선 입찰담합 시정조치 문제점에 관한 경실련 공개질의서 전달	경실련	정책위원회
20020704	보도자료	수도권 중기 택지수급 계획 발표에 따른 경실련도시개혁센터 성명	경실련	도시개혁센터
20020704	보도자료	친환경적인 청계천복원을 위한 경실련도시개혁센터 성명	경실련	도시개혁센터
20020705	보도자료	이번 서해교전으로 햇볕정책의 기조가 흔들려서는 안 된다	경실련	통일협회
20020706	보도자료	서울시 지하철 9호선 입찰담합에 대한 조달청 시정조치 관련 공개질의건	경실련	정책위원회
20020708	모니터링	월드컵과 뉴스보도 -과잉 · 경쟁보도로 이성을 마비시킨 방송3사 뉴스-	경실련	미디어워치
20020709	보도자료	대한생명 매각문제에 대한 입장	경실련	정책위원회
20020710	보도자료	김홍업씨 수사결과에 관련한 성명	경실련	시민입법위원회
20020711	보도자료	국민의료체계를 파멸시키는 재경부의 편법적 보험업법 개정 반대한다	경실련공동	사회정책위원회
20020711	보도자료	처방전 2매 의무발행의 기조를 유지하고 국민의 알권리를 보장하라	경실련	사회정책위원회
20020711	보도자료	재계는 22억 원의 자금출처, 성격을 국민 앞에 고해성사해야	경실련	정책위원회
20020711	보도자료	덕수궁 터 미대사관 · 아파트 신축철회를 촉구하는 시민 결의대회 보도요청	경실련공동	덕수궁터 미대사관 아파트 신축반대 시민모임
20020711	보도자료	7 · 11 개각에 대한 논평	경실련	정치개혁위원회
20020711	보도자료	서해교전을 둘러싼 국론분열을 염려한다	경실련	정책위원회
20020711	보도자료	재정경제부의 보험업법 개정(안)에 대한 입장	경실련	보건의료위원회
20020712	보도자료	서해교전사태에 대한 시민사회 각계원로 기자회견	경실련	시민입법위원회
20020715	보도자료	서해교전으로 햇볕정책의 기조가 흔들려서는 안된다	경실련	통일협회
20020715	정책토론	공적자금 상환대책안 평가 및 향후 대응 방안 간담회	경실련	정책위원회
20020715	소송	인천국제공항 건설 관련 부정부패 신고 접수증	경실련	정책위원회
20020716	보도자료	15대 국회의원 외교활동 보고서 분석결과 보도요청	경실련공동	정치개혁국민행동
20020719	보도자료	신용카드 이용자 실태 설문조사 결과 및 신용카드 대책	경실련	정책협의회
20020720	간행물	월간경실련 2002년 6 · 7월호	경실련	경실련
20020722	보도자료	2002년 경실련 미디어워치가 선정한 2/4분기 좋은/나쁜 프로그램	경실련	미디어워치
20020722	보도자료	권력형 부패 척결을 위한 반부패 10대 개혁입법 과제 발표	경실련공동	부정부패추방운동본부

생산일자	세부형태	제목	출처분류	생산자(처)
20020722	보도자료	재정경제부의 보험업법 개정안에 대한 경실련 의견서 제출	경실련	정책협의회
20020723	보도자료	여중생 가해 미군은 한국 법정에서 재판을 받아야 한다	경실련공동	통일협회
20020724	보도자료	서울시장의 말 바꾸기와 책임회피에 대한 시민모임 논평	경실련공동	덕수궁터 미대사관 아파트 신축반대 시민모임
20020724	보도자료	방송위원회의 가상광고 도입이 광고총량을 늘리고 시청권을 침해하는 것으로 악용될 우려를 제기한다	경실련	미디어워치
20020725	정책토론	고위공직자의 도덕성 검증기준, 어떻게 마련할 것인가-국적, 병역, 재산문제 등을 중심으로	경실련	정책위원회
20020726	보도자료	덕수궁터 미대사관과 아파트 신축강행 의지 확고	경실련공동	덕수궁터 미대사관 아파트 신축반대 시민모임
20020726	보도자료	외국인력제도 정부안의 평가와 개선방향	경실련	사회정책위원회
20020727	회의	제13기 7월 상임집행위원회	경실련	상임집행위원회
20020727	조직	경실련 지원재단 창립 추진	경실련	사무국
20020728	보도자료	장 상 총리 내정자 인사청문회 즈음한 경실련 의견 발표	경실련	시민입법위원회
20020729	보도자료	약가거품, 어떻게 제거할 것인가? 약가정책 개선방향에 대한 토론회	경실련공동	건강연대 외
20020729	보도자료	중앙선관위 선거개혁안 발표에 관련한 성명	경실련	정치개혁위원회
20020730	보도자료	덕수궁 터 미대사관 및 아파트 신축관련 이명박 서울시장 말바꾸기 및 책임회피 일지	경실련공동	덕수궁터 미대사관 아파트 신축반대 시민모임
20020730	보도자료	장 상 총리 내정자 인사청문회 관련 성명	경실련	정책위원회
20020730	보도자료	한중마늘협상 관련 감사원 감사청구 및 토론회 개최	경실련	정책협의회
20020731	보도자료	장상 총리 임명 동의안 부결에 대한 입장	경실련	시민입법위원회
20020731	보도자료	"덕수궁터 미대사관 신축관련 서울시장 기자간담회에 대한 시민모임 논평"	경실련공동	덕수궁터 미대사관 아파트 신축반대 시민모임
20020731	보도자료	"미대사관 비호, 말 바꾸기 이명박 서울시장 규탄대회" 보도요청	경실련공동	덕수궁터 미대사관 아파트 신축반대 시민모임
20020801	정책토론	정부의 대외통상협상 문제점 및 향후 개선방안-인적, 제도적 개선방안을 중심으로	경실련	정책위원회
20020806	보도자료	'개발제한구역지정및관리에관한특별조치법' 시행령 개정안 의결에 대한 논평	경실련	도시개혁센터
20020808	보도자료	"문화주권 팔아먹는 정부의 매국행위를 규탄하는 시민모임 기자회견" 보도요청	경실련공동	덕수궁터 미대사관 아파트 신축반대 시민모임
20020812	보도자료	강금식 씨의 공자위 위원장직 수행논란에 대한 입장	경실련	정책협의회
20020813	교육	제8기 도시대학 〈수도권 지방의원 특별과정〉 개최	경실련	도시개혁센터
20020816	보도자료	재정경제부의 보험업법 수정안에 대한 입장	경실련	정책협의회
20020819	회의	제13기 9차 상임집행위원회	경실련	상임집행위원회
20020821	보도자료	부모동의 없는 어린이 인터넷유료서비스 피해분석	경실련	정책위원회
20020822	보도자료	"외국인력제도 정부안의 철회를 촉구하는 전문가선언" 기자회견	경실련	정책위원회
20020822	보도자료	"문화주권 팔아먹는 정부의 매국행위를 규탄하는 시민모임 기자회견" 보도요청	경실련공동	덕수궁터 미대사관 아파트 신축반대 시민모임
20020823	보도자료	국회는 장대환 내정자에 대한 각종 의혹을 철저하게 검증하고, 엄정한 기준으로 인준여부를 결정할 것을 촉구한다.	경실련	정책위원회
20020824	조직	이천여주경제정의실천시민연합 창립	경실련	이천여주경실련
20020826	교육	2002 예산활동가 학교	경실련공동	예산감시네트워크
20020827	보도자료	장대환 총리 내정자 인사청문회에 대한 입장	경실련	정책위원회
20020828	보도자료	경제특구지정법안 철회를 요구하는 성명	경실련	노동위원회
20020828	간행물	월간경실련 2002년 8 · 9월호	경실련	경실련
20020828	보도자료	장대환 국무총리 내정자 국회 임명동의 표결 결과에 대한 논평	경실련	정책협의회
20020828	정책토론	최근 북한의 변화 양상과 남북관계 전망	경실련공동	통일협회
20020829	보도자료	장대환 씨 국회 인준부결이후 후속 인사에 대한 성명	경실련	정책협의회
20020903	보도자료	남서울 4개 신도시 건설은 재고되어야 한다	경실련	도시개혁센터
20020903	정책토론	정치 및 권력형 부패방지 대토론회	경실련	부패방지위원회
20020903	보도자료	한나라당 최근 방송관련 태도에 대한 시민사회단체 공동 기자회견	경실련공동	녹색연합 외
20020904	보도자료	경실련, 담합입찰 관련 서울지하철 9호선 903,909공구 계약 취소 및 재입찰 촉구 의견서 전달	경실련	예산감시위원회
20020905	보도자료	9.4 부동산 종합대책에 대한 입장	경실련	정책협의회

생산일자	세부형태	제목	출처분류	생산자(처)
20020905	보도자료	반인도적 국가범죄 공소시효 배제입법 촉구 기자회견 및 국회에 의견서 제출	경실련공동	공소시효배제입법 촉구 사회단체
20020905	보도자료	정부는 부동산 투기근절을 위한 근본적 대책을 강구하라	경실련	정책위원회
20020906	정책토론	공적자금 간담회	경실련	정책위원회
20020909	보도자료	부동산투기 근절 근본대책을 촉구하는 집회	경실련	정책위원회
20020909	보도자료	선관위 정치관계법 개정 의견 안에 대한 성명	경실련	정치개혁위원회
20020910	보도자료	부동산 보유세 강화에 대한 입장	경실련	정책협의회
20020911	보도자료	태풍 루사와 관련한 재난재해체계 일월화 촉구	경실련	도시개혁센터
20020911	정책토론	투명성 포럼4차 토론회-공위공직자 비리조사 시스템, 쟁점과 대책	경실련공동	투명성포럼
20020912	보도자료	정부는 조선족동포와 외국인노동자에 대한 인권탄압을 중지하라	경실련공동	외국인노동자공대위
20020912	정책토론	부동산 투기근절, 근본적 대책은 없는가 긴급집담회	경실련	정책위원회
20020912	보도자료	수도권 그린벨트 해제반대 및 택지개발지구지정 철회를 위한 시민결의대회	경실련공동	도시개혁센터
20020913	보도자료	공적자금 관련기관의 자료제출 거부에 대한 입장	경실련	정책협의회
20020914	회의	제13기 9월 상임집행위원회	경실련	상임집행위원회
20020916	정책토론	기업의 사회보고제도 도입에 관한 토론회	경실련	경제정의연구소
20020916	보도자료	보건복지부의 참조가격제 시행방안에 대한 의견	경실련	사회정책위원회
20020916	보도자료	9개 정부기관 자체감사기구 실태조사 발표	경실련	예산감시위원회
20020916	보도자료	의문사진상규명위 활동기한 종료에 대한 성명	경실련	시민입법위원회
20020917	보도자료	부동산투기 근절 근본대책을 촉구하는 집회	경실련	정책위원회
20020917	참고자료	납세자대회 준비	경실련	예산감시위원회
20020918	보도자료	경실련 참조가격제 시행방안 관련 의견제출에 대한 보도요청	경실련	보건의료위원회
20020918	정책토론	철도산업구조개혁의 바람직한 방향은 무엇인가?	경실련	정책위원회
20020918	홍보	새로운 경쟁력, 기업의 사회적 성과' 출판기념식	경실련	경제정의연구소
20020918	회의	제13기 9월 상임집행위원회	경실련	상임집행위원회
20020919	보도자료	대한석탄공사 사장 추천 낙하산 인사 진행 관련 성명	경실련	정부개혁위원회
20020919	감사청구	지하철9호선 담합입찰관련 서울시, 조달청 감사청구 보도의뢰	경실련	예산감시위원회
20020924	보도자료	한화의 대한생명 인수는 부실기업 처리 기준을 준수하지 않은 특혜매각이다	경실련	정책위원회
20020926	소송	지하철9호선 담합입찰관련 조달청장 검찰 고발 보도요청	경실련	예산감시위원회
20020927	보도자료	서울시 지하철 9호선 담합입찰 관련, 국회 재경위 국정감사 위원들에게 의견서 전달	경실련	예산감시위원회
20020927	보도자료	문광위의 서울시 · 문화재청 국정감사에 대한 성명	경실련	도시개혁센터
20020927	보도자료	덕수궁터 보존을 위한 서울시장과 문화재청장의 입장표명 촉구 성명	경실련공동	도시개혁센터
20020930	회의	제13기 10차 상임집행위원회	경실련	상임집행위원회
20021001	보도자료	경실련-대한매일신보사 '개혁모범 지자체를 가다' 공동 기획연재	경실련	지방자치위원회
20021001	정책토론	한나라당 이회창 대선 후보 초청 토론회	경실련	정책위원회
20021002	교육	14기 민족화해아카데미	경실련	통일협회
20021004	보도자료	"최근 대통령후보들의 수도권억제책 제시관련" 성명	경실련	도시개혁센터
20021005	보도자료	보건복지부 적정기준가격제(참조가격제) 시행방안에 대한 입장	경실련	사회정책위원회
20021007	참고자료	경실련-문화일보 대선후보 정책검증 - 아파트값 인상에 대한 대책	경실련	정책위원회
20021008	보도자료	방송편성개혁을 위한 시청자단체 공동기자회견	경실련공동	미디어워치
20021008	정책토론	민주당 노무현 대선 후보 추청 토론회	경실련	정책위원회
20021008	보도자료	미국의 아프가니스탄 침공 1년을 기억하며, 이라크에 대한 공격 반대한다	경실련공동	통일협회
20021008	홍보	사회주의와 북한의 농업 출판기념회	경실련	통일협회
20021009	참고자료	경실련-문화일보 대선후보 정책검증 - 행정수도인전 및 지역 균형발전	경실련	정책위원회
20021009	정책토론	주5일근무제 입법 방향을 위한 공청회	경실련	정책위원회
20021009	보도자료	지상파방송 오락프로그램 편성개선 촉구 시청자단체 공동 기자회견	경실련공동	매체비평우리스스로 외
20021010	정책토론	신의주 특구 지정 전망과 분석	경실련	미디어워치
20021010	정책토론	민주노동당 권영길 대선 후보 초청 토론회	경실련	정책위원회
20021010	보도자료	공익성을 위협하는 드라마 간접광고, 대책이 필요하다!	경실련	미디어워치
20021011	참고자료	경실련-문화일보 대선후보 정책검증 - 주 5일 근무제 도입	경실련	정책위원회
20021011	보도자료	노벨평화상 로비설에 대한 성명	경실련	정치개혁위원회
20021011	보도자료	정부는 현대상선의 4000억 대출금 대북지원 의혹을 국민 앞에 떳떳하게 밝혀야 한다	경실련	정책위원회
20021014	보도자료	의사협회의 조홍준, 김용익 징계결정에 대한 성명	경실련	보건의료위원회

생산일자	세부형태	제목	출처분류	생산자(처)
20021014	보도자료	정부는 계좌추적권을 발동하여 현대상선의 4000억 대출금 불법유용논란에 대한 실체적 진실을 규명하라	경실련	정책위원회
20021014	보도자료	현대상선 4천억 대출의혹에 대한 입장	경실련	정책위원회
20021014	보도자료	3/4분기 좋은/나쁜 프로그램 발표	경실련	미디어워치
20021015	보도자료	비정규직 차별철폐 100만인 서명운동	경실련공동	사회정책위원회
20021015	보도자료	보건복지부 적정기준가격제(참조가격제) 시행방안에 대한 입장	경실련	보건의료위원회
20021016	보도자료	지방교육특별교부금 교부현황 분석발표-월드컵 입장권 구입, 각종 선심성 행사 예비비 지출, 일부 국회 교육위원 선거구에 교부액 편중	경실련	예산감시위원회
20021018	정책토론	국민통합21(준) 정몽준 대선후보 초청토론회	경실련	정책위원회
20021021	참고자료	경실련-문화일보 대선후보 정책검증 - 경제성장전망	경실련	정책위원회
20021021	모니터링	'특별하게' 나쁜 프로그램, MBC '아주 특별한 아침'	경실련	미디어워치
20021021	회의	제13기 10월 상임집행위원회	경실련	상임집행위원회
20021022	보도자료	제2회 지방자치단체개혁박람회 개최	경실련	지방자치위원회
20021023	입법청원	부패방지법 개정안 국회 청원	경실련	시민입법위원회
20021024	참고자료	경실련-문화일보 대선후보 정책검증 -북핵 문제	경실련	정책위원회
20021024	청원	부패방지법 개정에 관한 청원	경실련	정책위원회
20021024	청원	특별검사임명등에관한 법률 제정에 관한 청원	경실련	정책위원회
20021025	보도자료	4천억원 계좌추적은 반드시 이루어져야 한다	경실련	정책위원회
20021025	보도자료	현대상선 4천억 계좌추적 촉구 성명	경실련	정책위원회
20021028	보도자료	2003년 삭감예산 발표 및 경실련 의견서 예결위 전달	경실련	예산감시위원회
20021028	보도자료	국회 예결위 2003년 예산 심의에 관한 경실련 의견	경실련	예산감시위원회
20021028	간행물	월간경실련 2002년 10 · 11월호	경실련	경실련
20021028	참고자료	자랑스런나라만들기운동 출범식	경실련공동	흥사단 외
20021028	회의	제13기 11차 상임집행위원회	경실련	상임집행위원회
20021030	보도자료	서울시 강북뉴타운 개발계획에 대한 성명	경실련	도시개혁센터
20021031	참고자료	경실련-문화일보 대선후보 정책검증 - 여성정책	경실련	정책위원회
20021031	보도자료	이명박 서울시장의 검찰소환 불응에 대한 입장	경실련	시민입법위원회
20021031	보도자료	피의자 구타 사건과 관련한 성명	경실련	시민입법위원회
20021100	참고자료	공공건설공사 입찰제도 관련된 부패방지를 위한 제도개선 방안	경실련	정책위원회
20021100	참고자료	차기정부 핵심개혁과제 및 분야별 주요개혁과제	경실련	정책위원회
20021101	보도자료	국회는 특수직역 연금 개악 행위를 즉각 중단하라	경실련	사회정책위원회
20021101	보도자료	KBS는 대선 TV토론의 공정성을 확보하고 후보자간 합동 토론회를 즉각 추진하라!!	경실련공동	민주언론시민연합 외
20021104	보도자료	국회 선심성예산전액삭감과 예산안조정소위 심의기간연장 및 공개를 요구하는 집회 취재 및 보도요청	경실련	예산감시위원회
20021104	보도자료	졸속적인 서울시 뉴타운 개발추진 규탄 기자회견 개최	경실련	도시개혁센터
20021104	보도자료	신협의 특별보험료 경감에 대한 입장	경실련	정책협의회
20021105	정책토론	대북인식과 대북정책 재론 : 남북화해와 남남합의를 위하여	경실련	통일협회
20021107	보도자료	지역균형발전과 민주적 지방자치를 위한 지방분권국민운동 창립	경실련	지방자치위원회
20021107	보도자료	각종 토론회를 통해 본 대선 후보 정책 평가	경실련	정책협의회
20021108	보도자료	정부의 조흥은행 졸속 매각에 대한 입장	경실련	정책협의회
20021108	보도자료	차기정부 핵심개혁과제 및 분야별 주요개혁과제	경실련	정책위원회
20021109	보도자료	검찰의 피의자 물고문 의혹 사건과 관련한 성명	경실련	시민입법위원회
20021111	참고자료	경실련-문화일보 대선후보 정책검증 - 검찰개혁	경실련	정책위원회
20021111	보도자료	국회의 정족수 미달 법안 처리에 대한 입장	경실련	정치개혁위원회
20021112	참고자료	경실련-문화일보 대선후보 정책검증 - 대입제도	경실련	정책위원회
20021112	보도자료	경제자유구역법안 철회를 요구하는 성명	경실련	노동위원회
20021112	보도자료	피의자 인권보호를 위한 개선 대책에 대한 의견	경실련	시민입법위원회
20021113	보도자료	차기정부 개혁과제 전달 및 정치개혁, 반부패 연내 입법 촉구를 위한 대선후보 선대위 방문	경실련	정책위원회
20021113	보도자료	대리투표의원 징계청원서 제출에 대한 보도 의뢰	경실련공동	정치개혁국민행동
20021113	보도자료	반부패 관련 입법의 회기 내 처리 무산에 대한 성명	경실련	시민입법위원회
20021114	정책토론	경실련 국제연대 창립대회 및 기념세미나	경실련	국제연대
20021114	정책토론	재난재해시스템의 문제점과 개선방향	경실련	도시개혁센터
20021115	보도자료	턴키/대안 입찰제도 폐지 건의	경실련	국책사업감시단
20021119	보도자료	정부발주 건설공사 입찰제도에 관한 여론조사 결과 발표	경실련	예산감시위원회
20021120	보도자료	11월20일자 경실련, 최저가 낙찰제 확대 유보해야 제하의 기사에 대한 정정보도 및 반론보도 요청	경실련	정책위원회

생산일자	세부형태	제목	출처분류	생산자(처)
20021120	정책토론	공공건설공사 입찰제도 개선에 관한 공청회	경실련	정책위원회
20021120	보도자료	북한 핵문제에 관한 시민사회 인사 공동기자회견	경실련공동	시민사회 원로, 시민단체인사일동
20021120	보도자료	시청 앞 시민광장 조성과 관련한 경실련도시개혁센터 성명	경실련	도시개혁센터
20021121	보도자료	미군 장갑차에 의한 여중생 압사사건 무죄평결 관련 성명	경실련	통일협회
20021121	보도자료	서울시의회 회기단축을 규탄하며, 의회 본연의 역할에 충실할 것을 강력히 촉구한다!	경실련	지방자치위원회
20021125	보도자료	2003년 환산지수 및 건강보험료율 결정에 즈음한 시민사회 노동농민단체 입장	경실련공동	건강연대 외
20021125	회의	제13기 12차 상임집행위원회	경실련	상임집행위원회
20021125	조직	울릉경제정의실천시민연합 창립	경실련	울릉경실련
20021129	보도자료	공공공사입찰제도 부패방지대책 경실련 보고 발표	경실련	예산감시위원회
20021129	보도자료	감사원 공적자금 특감결과에 대한 논평	경실련	정책위원회
20021130	보도자료	재정경제부의 공적자금 향후 운영과 관련한 기자간담회에 대한 논평	경실련	정책위원회
20021203	보도자료	정부는 공적자금 부실운영 관련 책임자를 처벌하고 근본적 대책수립을 촉구	경실련공동	정책위원회
20021203	보도자료	의료소비자 알권리 및 의료기관 투명성에 대한 조사결과 및 정책제언	경실련	보건의료위원회
20021204	보도자료	2002년 국회예결위 증액사업 분석 및 의원 평가결과 발표	경실련	정책위원회
20021204	보도자료	대선후보 TV토론에 대한 성명	경실련	정치개혁위원회
20021206	보도자료	공무원행동강령입법예고안에 대한 의견서 제출	경실련	정부개혁위원회
20021207	회의	2002년 제7기 3차 경실련 중앙위원회	경실련	중앙위원회
20021211	보도자료	대선 주요 정책사안에 대한 전문가 설문결과 및 유력후보 정책비교자료 발표	경실련	정책위원회
20021212	정책토론	불평등한 한미 SOFA, 어떻게 개정할 것인가?	경실련	통일협회
20021213	보도자료	행정수도 이전 논란에 대한 입장	경실련	도시개혁센터
20021213	보도자료	대선 주요 정책사안에 대한 유권자 설문조사 결과 발표	경실련	정책협의회
20021214	정책토론	국민기초생활보장제도 1년 평가작업 및 개선방안에 관한 토론회	경실련	사회정책위원회
20021216	보도자료	대선 후보의 공약, 이것이 문제이다	경실련	정책위원회
20021216	보도자료	행정수도 이전"을 둘러싼 이명박 서울시장 및 수도권 광역의원들의 지나친 선거개입을 우려한다	경실련	지방자치위원회
20021216	보도자료	이명박 시장과 수도권 광역의원들은 본분을 망각한 선거 개입을 중지하고 시정 · 의정에 전념하라	경실련	정책위원회
20021217	보도자료	제8회 "시청자가 뽑은 좋은 프로그램" 시상식 및 시사회	경실련	미디어워치
20021218	보도자료	12 월 19 일, 21 세기 첫 대통령 선거 정치, 경제, 사회 개혁, 한반도 평화정착을 위해 소중한 한 표의 권리는 반드시 행사해야 한다	경실련	정책위원회
20021218	보도자료	16대 대통령 선거에 즈음한 성명	경실련	정책위원회
20021220	보도자료	노무현 당선자에게 바란다 성명	경실련	정책위원회
20021223	보도자료	인터넷 쇼핑몰의 개인정보보호 모니터링 결과발표	경실련	정책위원회
20021223	회의	제13기 13차 상임집행위원회	경실련	상임집행위원회
20021226	보도자료	2002년 예산낭비유형 및 10대 사례 발표	경실련	예산감시위원회
20021227	참고자료	공공공사 입찰제도 개선을 통한 예산절감 및 부패방지 대책	경실련	예산감시위원회
20021230	보도자료	노무현 대통령 당선자와 대통령직 인수위원회에 바란다	경실련	정책위원회
20021231	보도자료	금감위의 무역금융사기 징계보류 결정에 대한 입장	경실련	정책협의회
20030000	모니터링	2003년 서울 시정평가	경실련	정책위원회
20030000	보도자료	쌀 개방 등 농업개방 위기대책에 대한 국정감사 평가서	경실련	농업개혁위원회
20030000	보도자료	참여정부 1년, 21개 부처 장관 및 추진정책, 전문가 평가	경실련	정책위원회
20030100	간행물	CIVIL SOCIETY Issue No.1 JAN-MAR 2003	경실련	국제위원회
20030103	보도자료	대통령직 인수위는 공정위의 언론사 과징금 납부 취소결정에 대해 전면 재검토하라	경실련	정책협의회
20030104	참고자료	경실련 보건의료정책간담회 자료	경실련	정책위원회
20030107	간행물	월간경실련 2003년 신년호	경실련	경실련
20030110	보도자료	금감위원장과 공정거래위원장은 반드시 인사청문회 대상에 포함되어야 하며 검찰총장 등의 무조건적 임기보장을 반대한다	경실련	정책위원회
20030110	간행물	경실련 16대 대선활동 백서 발간	경실련	정책협의회
20030113	회의	2003년 상반기 경실련 전국 정책협의회	경실련	정책협의회
20030113	정책토론	대통령직인수위, 부정부패 근절과 재정개혁을 위한 시민단체 간담회	경실련공동	참여연대 외
20030113	보도자료	지상파 방송시간 연장 허용 반대 의견	경실련	미디어워치
20030114	보도자료	최근 양당의 인사청문회 대상 합의에 대한 입장	경실련	정책협의회

생산일자	세부형태	제목	출처분류	생산자(처)
20030116	보도자료	국세청 특정기업 비호 세무비리 의혹 제기	경실련공동	부정부패추방운동본부
20030117	보도자료	새정부와의 관계 설정에 대한 입장	경실련	정책협의회
20030118	회의	제14기 1월 상임집행위원회	경실련	상임집행위원회
20030120	보도자료	가상광고 도입에 대한 제한적 허용 입장안과 가상광고 허용 대상, 허용 범위, 허용량 등 시행범위와 방법에 대한 의견서 제출	경실련	미디어워치
20030121	보도자료	경실련, 대통령직 인수위 '아파트 후분양제' 도입검토에 대한 성명	경실련	도시개혁센터
20030122	보도자료	새 정부 첫 총리 고건 전 서울시장 내정에 따른 입장	경실련	정책협의회
20030124	보도자료	김우중氏 사건처리와 대우관련 의혹에 대한 입장	경실련	정책협의회
20030127	회의	제14기 1차 상임집행위원회	경실련	상임집행위원회
20030129	보도자료	서울시지역간균형발전지원조례 제정에 대한 성명	경실련	도시개혁센터
20030129	정책토론	비정규직에게 노동법은 있는가	경실련공동	한국비정규노동센터 외
20030130	정책토론	비정규직 노동자 권리침해에 대한 대안제시 및 사회적 여론 환기를 위한 토론회	경실련	사회정책위원회
20030204	보도자료	인터넷 마비사태와 정부종합대책에 대한 의견서 제출	경실련	정보통신위원회
20030204	보도자료	현대상선 대북송금 의혹사건에 대한 입장 경실련	정책협의회	
20030206	보도자료	철도청 6개 턴키공사 입찰담합 의혹에 관한 기자회견	경실련	예산감시위원회
20030206	보도자료	생명을 건 백혈병 환자 농성의 합리적 해결을 바라며	경실련	보건의료위원회
20030207	정책토론	국민을 위한 의약분업 제도개선 및 건강보험 재정안정대책	경실련	사회정책위원회
20030207	참고자료	새로운 농정방향과 주요과제	경실련	농업개혁위원회
20030207	보도자료	서울시는 원지동 추모공원 조성사업을 원안대로 추진하여야 한다	경실련	서울시민사업국
20030212	보도자료	국세청 세무비리의혹 감사원 감사 청구 가두 기자회견	경실련공동	부정부패추방운동본부
20030213	보도자료	한국은행의 고액권발행 주장에 대한 입장	경실련	정책협의회
20030214	보도자료	모니터보고서 - 정보와 광고의 경계는 어디인가	경실련	미디어워치
20030215	회의	2003년 정기총회	경실련	통일협회
20030215	회의	7기 4차 중앙위원회	경실련	중앙위원회
20030218	보도자료	청계천 복원공사 7월 착공을 반대한다	경실련	도시개혁센터
20030220	정책토론	경실련통일협회, 민주평통, 학회 합동포럼_새 정부 출범과 남북관계의 재정립	경실련공동	민주평화통일자문회의 외
20030221	회의	제14기 1차 상임집행위원회	경실련	상임집행위원회
20030224	보도자료	한총련 문제와 국가보안법 개폐에 대한 입장	경실련	정책협의회
20030225	보도자료	노무현 대통령에게 바란다- 노 대통령 취임에 즈음한 경실련 성명	경실련	정책협의회
20030225	보도자료	경실련, 〈서울시지역간균형발전지원조례〉 제정에 대한 논평	경실련	도시개혁센터
20030227	보도자료	노무현 대통령 친형의 인사청탁 관련 발언 파문에 대한 입장	경실련	정책협의회
20030227	보도자료	노무현 정부 1차 내각 각료 인선발표에 대한 논평	경실련	정책위원회
20030300	백서	2001~2002년 시민예산감시백서	경실련	예산감시위원회
20030303	보도자료	2003년 납세자선언 기자회견 및 예산운영 제도개혁 촉구집회	경실련공동	녹색교통운동 외
20030304	보도자료	2002년 국회예결위 증액사업 및 예산심의 의정평가 분석 결과 발표	경실련	예산감시위원회
20030304	보도자료	금융감독위원장과 공정거래위원장은 반드시 개혁적 인사로 새로이 선임되어야 한다	경실련	정책위원회
20030305	보도자료	검찰의 거듭나는 계기되어야	경실련	정책위원회
20030305	보도자료	임대주택건설을 위한 그린벨트 해제지역결정 중앙도시계획위원회 심의에 대한 성명	경실련	도시개혁센터
20030305	보도자료	진대제 정보통신부 장관 아들, 병역기피의혹에 대한 성명	경실련	정책위원회
20030306	보도자료	김진표 부총리의 법인세 인하 방침에 대한 입장	경실련	재정세제위원회
20030306	보도자료	서울시 장묘시설관련 조례시행규칙 개정안에 대한 경실련 의견	경실련	정책위원회
20030307	간행물	월간경실련 2003년 2 · 3월호	경실련	경실련
20030310	보도자료	노무현 대통령과 전국 검사들과의 대화에 대한 성명	경실련	시민입법위원회
20030310	참고자료	그린벨트 해제지역결정 중앙도시계획위원회 회의록 정보 공개청구 보도자료	경실련	도시개혁센터
20030310	보도자료	이상수 민주당 사무총장의 SK그룹 수사개입에 대한 입장	경실련	정책협의회
20030310	보도자료	진대제 정보통신부 장관의 자진 사퇴를 재차 촉구한다	경실련	정부개혁위원회
20030311	모니터링	김대중 정부 공약이행평가 결과 발표	경실련	정책위원회
20030311	보도자료	SK그룹 수사 결과에 대한 입장	경실련	정책협의회
20030311	보도자료	이근영 금감위원장의 SK그룹 수사개입에 대한 입장	경실련	정책협의회
20030312	보도자료	여권, 정부 인사의 SK 수사개입에 대한 진상규명과 관련자 처벌 촉구 성명	경실련	정책협의회

생산일자	세부형태	제목	출처분류	생산자(처)
20030312	보도자료	재정경제부, 수도권개발 제한적 허용 대통령 업무보고에 대한 논평	경실련	도시개혁센터
20030313	정책토론	서울시 강남북 재정불균형 해소를 위한 시민토론회 개최	경실련공동	서울YMCA 외
20030313	보도자료	정부의 부당내부거래와 세무조사 유보에 대한 입장	경실련	정책협의회
20030313	보도자료	청와대 사정팀 신설에 대한 성명	경실련	정부개혁위원회
20030314	정책토론	검찰개혁, 어떻게 할 것인가?	경실련	정책위원회
20030314	보도자료	새 금융감독위원장 인선에 대한 입장	경실련	정책협의회
20030318	보도자료	미국의 대 이라크전을 반대하는 성명 - 미국의 정당성 없는 대 이라크 전쟁을 반대한다	경실련	정책협의회
20030318	보도자료	정부의 〈언론홍보 운영방안〉에 대한 성명	경실련	정책협의회
20030319	보도자료	서울시 「용미리 시립묘지 추억의동산 조성」발표에 대한 입장	경실련	정책위원회
20030320	보도자료	청계고가도로 안전성 문제에 대한 공개질의	경실련	정책위원회
20030320	보도자료	한국도로공사는 예산낭비 초래하는 통행료 자체 전자지불 카드 사업 결정을 철회하라	경실련	예산감시위원회
20030320	정책토론	택지개발예정지구취소소송 관련 단체 간담회	경실련	도시개혁센터
20030321	보도자료	미국의 對이라크 전쟁을 절대 반대한다	경실련공동	미국의이라크침공반대를위한시민대회 참석자
20030321	정책토론	재벌 · 금융개혁 어떻게 할 것인가	경실련	정책위원회
20030322	정책토론	청계천 답사 및 〈상권수호대책위 상인 간담회〉 개최	경실련	도시개혁센터
20030322	정책토론	지방자치헌장 선포 2주년 기념 시민대토론회-노무현 정부의 분권화 정책과 실천과제	경실련공동	참여자치지역운동연대 외
20030324	보도자료	국가계약 관련제도 개선방안 관한 재경부장관 면담	경실련	예산감시위원회
20030324	회의	제14기 2차 상임집행위원회	경실련	상임집행위원회
20030325	보도자료	KBS사장 임명제청 철회를 요구하는 성명	경실련	정부개혁위원회
20030328	정책토론	경실련 국제연대 정책 포럼	경실련	국제연대
20030330	보도자료	반전평화캠프 제안 각계각층 인사 44인 기자회견	경실련공동	환경운동연합 외
20030331	정책토론	세제개혁, 어떻게 할 것인가	경실련	정책협의회
20030331	보도자료	새정부 경제운용방향 발표에 대한 입장	경실련	예산감시위원회
20030331	보도자료	재경부는 국가계약제도 개악을 즉각 중단하라	경실련	예산감시위원회
20030401	청원	국민제안-재경부의 국가계약제도개악은 중단되어야 합니다	경실련	정책위원회
20030402	정책토론	공공건설부문 개선방안 의견제시를 위한 건교부장관 면담	경실련	예산감시위원회
20030402	정책토론	사회복지개혁, 어떻게 할 것인가	경실련	정책협의회
20030402	보도자료	검찰의 거듭남을 촉구하는 성명	경실련	정부개혁위원회
20030402	보도자료	공공건설부문 개선방안 건교부장관에 전달	경실련	정책위원회
20030402	보도자료	노 대통령 측근의 로비의혹 수사에 대한 입장	경실련	정책위원회
20030403	정책토론	노무현 정부의 농업개혁, 어떻게 할 것인가	경실련	정책협의회
20030403	보도자료	'국군부대의 이라크전쟁 파견동의안' 국회 통과에 대한 경실련 성명	경실련	통일협회
20030404	정책토론	노무현 정부의 노동분야 개혁과제	경실련	정책위원회
20030404	보도자료	국회의 고용허가제를 즉각 도입을 촉구하는 성명	경실련	사회정책위원회
20030404	회의	제14기 4월 상임집행위원회	경실련	상임집행위원회
20030408	보도자료	올바른 청계천 복원을 촉구하는 시민사회단체 기자회견	경실련공동	녹색연합 외
20030408	보도자료	정치개혁의 취지에 맞게 선거구 획정을 진행하라!	경실련	정치개혁위원회
20030409	정책토론	세제개혁 어떻게 할 것인가	경실련	정책위원회
20030410	정책토론	관급공사 입찰담합 조사촉구 및 담합근절을 위한 공정위원장 면담	경실련	예산감시위원회
20030410	정책토론	농업정책의 방향과 세부과제	경실련	정책위원회
20030414	보도자료	국세청 세무비리의혹 국세청장 면담	경실련공동	부정부패추방운동본부
20030414	보도자료	참여복지와 참여정부의 사회복지정책	경실련	사회복지위원회
20030414	보도자료	행정수도이전 추진에 대한 성명	경실련	도시개혁센터
20030415	보도자료	〈반핵반전평화를 위한 시민네트워크〉 출범 기자회견	경실련공동	반핵반전평화를 위한 시민네트워크
20030415	정책토론	참여정부의 인사정책 어떻게 할 것인가	경실련	정책위원회
20030416	보도자료	정보공개법의 올바른 개정촉구를 위한 행정학자, 공법학자 등 관련전문가 109명 기자회견	경실련	정부개혁위원회
20030416	정책토론	경제정의실천시민연합 국제연대 1차 정책 포럼	경실련	국제연대
20030416	보도자료	재계는 재벌개혁 정책의 발목을 잡지 말고 기업지배구조 개선에 주력하라	경실련	정책위원회
20030416	정책토론	참여정부 국가계약제도 개선방안 무엇이 문제인가?	경실련	예산감시위원회
20030416	보도자료	최근 SK주식매입과 경영권 유지논란에 대한 입장	경실련	정책위원회
20030416	보도자료	행정학자, 공법학자 등 관련전문가 109명, 정보공개법 올바른 개정 촉구 기자회견	경실련	정책위원회

생산일자	세부형태	제목	출처분류	생산자(처)
20030416	보도자료	"덕수궁터 미대사관 · 아파트 신축문제와 용산 국립중앙 박물관 헬기장 이전 문제의 연계"를 규탄하는 기자회견 개최	경실련	도시개혁센터
20030417	보도자료	의료관계행정처분규칙개정령(안) 및 의료기관회계기준(안)에 대한 의견	경실련	보건의료위원회
20030418	보도자료	〈이라크난민돕기 시민네트워크〉 출범식	경실련공동	통일협회
20030418	보도자료	북한인권문제에 대한 한국정부의 태도를 바라보는 경실련의 입장	경실련	통일협회
20030419	보도자료	건강보험 부정청구 근절대책 및 의료관계행정처분규칙 개정령(안)에 관한 경실련 의견발표	경실련	사회정책위원회
20030421	보도자료	증권관련집단소송제의 도입취지를 무색케 하는 한나라당 수정안은 즉각 철회되어야 한다	경실련	정책위원회
20030422	보도자료	서울시지하철9호선 재설계에 따른 예산낭비 제기 및 공개질의	경실련	예산감시위원회
20030422	보도자료	조속한 고용허가제 도입을 요구하는 성명	경실련	노동위원회
20030422	보도자료	최저주거기준 조항이 빠진 주택법 제정을 반대한다	경실련공동	주거복지단체 연대회의
20030423	보도자료	방송위원회는 지상파TV의 중간광고 도입 논의를 즉각 중단하라!	경실련	미디어워치
20030423	정책토론	전국 경실련 분권운동 공동워크숍	경실련	지방자치위원회
20030424	보도자료	건교부 "공공건설공사에서 품셈이 사라진다"에 대한 경실련 논평	경실련	예산감시위원회
20030424	보도자료	국회의 고용허가제를 즉각 도입을 촉구하는 성명	경실련	사회정책위원회
20030424	보도자료	보건복지부 새로운 인사제도 도입에 따른 입장	경실련	정부개혁위원회
20030424	정책토론	방송통신융합시대의 정책적 과제 토론회	경실련	미디어워치
20030425	정책토론	회계제도 개선 간담회 개최	경실련	정책위원회
20030425	정책토론	〈반전반핵평화시민네트워크〉 간담회	경실련공동	통일협회
20030425	정책토론	방송법 개정과 관련한 쟁점과 문제점에 대한 토론회	경실련공동	미디어워치
20030427	보도자료	서울시 도시계획조례에 대한 의견서 제출	경실련	도시개혁센터
20030428	회의	제14기 3차 상임집행위원회	경실련	상임집행위원회
20030428	보도자료	〈이라크난민돕기〉 가두모금캠페인	경실련공동	통일협회
20030428	보도자료	청계천복원사업 관련 서울시장 간담회 및 경실련 의견서 전달	경실련	정책위원회
20030430	보도자료	한나라당의 건강보험 재정통합 유예법안 제출에 대한 입장	경실련	보건의료위원회
20030501	보도자료	진대제 정통부 장관에서 드리는 공개질의	경실련	정책협의회
20030502	간행물	월간경실련 2003년 4 · 5월호	경실련	경실련
20030507	정책토론	정보공개법제 개선에 관한 워크숍	경실련공동	참여연대 외
20030507	보도자료	서울시 도시계획조례(안) 조례규칙심의위원회 통과에 대한 유감 성명 발표	경실련	도시개혁센터
20030507	정책토론	지주회사제 개선 방향과 과제	경실련	정책위원회
20030509	보도자료	"지하철9호선 관련 공개질의서 회신 및 공개해명"에 대한 추가질의	경실련	정책위원회
20030509	보도자료	여 · 야 국회의원의 "지방의원 유급화" 추진에 대한 입장	경실련	지방자치위원회
20030509	보도자료	최근 정부의 경기부양 정책에 대한 입장	경실련	정책위원회
20030509	보도자료	서울시 도시계획조례(안) 확정에 대한 항의 기자회견 개최 및 공개질의서 전달	경실련	도시개혁센터
20030512	보도자료	'덕수궁 터 미대사관 신축을 위한 지표조사 강행 규탄' 기자회견	경실련	도시개혁센터
20030512	보도자료	"진대제 정보통신부 장관의 보유 주식 매각거부 표명"에 대한 성명	경실련	정책협의회
20030513	보도자료	화물연대 파업 강행사태에 대한 입장	경실련	노동위원회
20030514	정책토론	의료소비자 권리보장과 의료기관 경영투명성 제고방안 토론회 개최	경실련	정책위원회
20030515	정책토론	분권과 참여를 위한 시민사회 공동 워크숍 '지방분권 과제와 시민운동의 실천방안'	경실련	지방자치위원회
20030515	보도자료	김근태 의원 정치자금 관련 사건에 대한 탄원	경실련	시민입법위원회
20030516	보도자료	방송광고에서의 외국어 및 외국어노래 사용범위 확대(제한폐지)에 대한 의견	경실련	미디어워치
20030519	보도자료	'덕수궁 터 미대사관 신축을 위한 지표조사 중단'을 요구하는 항의시위	경실련	도시개혁센터
20030519	보도자료	공무원 윤리강령 관련, 노무현 대통령의 발언에 대한 경실련 입장	경실련	정부개혁위원회
20030520	보도자료	강남구 「재건축심의위 설치 및 운영조례(안)」에 대한 경실련 입장	경실련	정책위원회
20030520	감사청구	서울시 지하철9호선 사업추진부실에 대한 감사청구	경실련	예산감시위원회
20030521	보도자료	정부의 '위기관리 특별법' 제정 검토에 대한 성명	경실련	노동위원회

생산일자	세부형태	제목	출처분류	생산자(처)
20030521	정책토론	청계천복원사업 분야별 토론회 (교통대책) 개최	경실련	정책위원회
20030521	보도자료	최근 국정현안 관련, 노무현 대통령의 감정적 대응에 대한 입장	경실련	정부개혁위원회
20030521	보도자료	최저주거기준 법제화를 위한 시민사회종교단체 기자회견 열려	경실련공동	참여연대 외
20030521	보도자료	한미정상회담결과에 대한 입장	경실련	통일협회
20030522	정책토론	올바른 청계천 복원을 위한 시민대토론회 개최	경실련	서울시민사업국
20030522	보도자료	국정원 기능과 역할, 그리고 개혁방향	경실련	정책위원회
20030523	정책토론	부동산대책 관련 간담회	경실련	정책위원회
20030523	보도자료	"하이-서울 페스티벌", 올바른 청계천 복원 생각하는 숨고르기 되라	경실련	서울시민사업국
20030526	회의	제14기 4차 상임집행위원회	경실련	상임집행위원회
20030527	보도자료	'대구지하철사고 100일에 즈음한 성명'	경실련	도시개혁센터
20030527	교육	경실련 미디어 교육(오락프로 바로보기)	경실련	미디어워치
20030528	보도자료	교육행정정보시스템(NEIS)에 관한 교육부의 정책 결정에 대한 입장	경실련	교육개혁위원회
20030528	보도자료	노무현 대통령의 주변의혹 해명에 대한 논평	경실련	정부개혁위원회
20030528	보도자료	동북부지역 버스체계개편 연기에 대한 성명	경실련	정책위원회
20030529	보도자료	금융부실 처리와 금융구조조정 촉구 기자회견	경실련	정책위원회
20030529	보도자료	증권관련집단소송제에 대한 경실련 의견	경실련	정책위원회
20030602	보도자료	노무현 대통령 취임 100일 기자회견에 대한 논평	경실련	정책위원회
20030602	정책토론	노무현 정부 출범 100일 평가 국정운영의 문제점과 해결방안	경실련	정책위원회
20030602	보도자료	노무현 정부 출범 100일간의 국정운영에 관한 전문가 평가 설문 조사 결과발표	경실련	정책협의회
20030602	보도자료	청계천복원사업 분야별 토론회 (주변재개발) 개최	경실련	정책위원회
20030602	교육	〈제15기 민족화해아카데미〉 개강	경실련	통일협회
20030603	정책토론	서울시도시계획조례개정(안)의 쟁점과 개선방안 토론회	경실련	도시개혁센터
20030603	보도자료	선거구획정위원회 참여에 즈음한 핵심쟁점 협의	경실련	정책위원회
20030603	보도자료	증권관련집단소송제 시행시기 유예에 대한 입장	경실련	정책위원회
20030604	보도자료	버스개혁시민회의 준비모임 출범 기자회견	경실련공동	녹색교통운동 외
20030605	보도자료	재정통합에 대한 시민사회단체 의견	경실련공동	건강권실현을위한보건의료단체연합 외
20030605	정책토론	지방분권화 시대의 지방의회 역할 활성화 방안	경실련	지방자치위원회
20030605	보도자료	한나라당의 건강보험 재정통합 유예법안 제출에 대한 입장	경실련	정책협의회
20030605	보도자료	한나라당의 재정통합 시기유예주장에 대한 시민사회단체 공동의견서	경실련공동	사회정책위원회
20030610	보도자료	김포 · 파주 신도시 건설 백지화 촉구를 위한 성명	경실련공동	수도권살리기시민연대 외
20030611	보도자료	지방재정 운영의 실태분석 실시 및 결과 발표	경실련	예산감시위원회
20030611	정책토론	건설현안과 건설개혁과제에 대한 간담회	경실련	예산감시위원회
20030612	보도자료	국회 환경노동위는 고용허가제 입법안을 조속히 처리하라	경실련	노동위원회
20030612	보도자료	"2011년 서울도시기본계획변경(안)" 중앙도시계획위원회 심의에 대한 성명	경실련	도시개혁센터
20030612	보도자료	청계천의 지속가능한 복원을 위한 시민사회단체 공동요구	경실련공동	녹색연합 외
20030612	보도자료	원지동 추모공원 백지화 규탄 시민단체 연대 집회	경실련공동	서울시민사업국
20030613	보도자료	6.15공동선언 3주년에 즈음한 성명	경실련	통일협회
20030616	보도자료	국회의 고용허가제 도입을 위한 회의 재개를 요구하는 성명	경실련	사회정책위원회
20030616	보도자료	「회계제도 선진화」 관련 경실련 의견	경실련	정책위원회
20030616	보도자료	국민임대주택건설등에관한특별법(안)에 관한 시민사회단체 의견	경실련공동	녹색연합 외
20030616	청원	증권관련집단소송법 제정 관련 의견청원	경실련	사무국
20030617	보도자료	국회 환노위는 고용허가제 입법을 위한 회의를 재개하라	경실련	노동위원회
20030617	보도자료	정부 회계제도 선진화 방안 관련 입법에 즈음한 경실련 의견	경실련	정책협의회
20030617	청원	최저주거기준 법제화를 요구하는 시민사회종교단체의 청원	경실련공동	주거권실현을위한국민연합
20030618	정책토론	지주회사제 관련 경실련-공정위 간담회	경실련	정책위원회
20030618	보도자료	'철도구조개혁관련 입법촉구'를 위한 성명	경실련	정책위원회
20030619	보도자료	의료분쟁조정법 제정에 관한 경실련 의견과 입장	경실련	보건의료위원회
20030619	보도자료	조흥은행 매각과 관련한 입장	경실련	정책위원회
20030620	보도자료	관련부처와 지자체 협의과정 무시한 국민임대특별법 강행 반대	경실련공동	녹색연합 외
20030623	보도자료	"서울시 도시계획조례 개정(안) 관련 서울시의회 공개질의서 전달 및 수정 촉구 집회	경실련공동	서울시민사업국
20030623	보도자료	「2011 서울시도시기본계획변경(안)」중도위 심의 관련 경실련의견서 전달	경실련	정책위원회
20030624	정책토론	대중교통체계개편 관련 서울시 담당자 면담	경실련공동	서울시민사업국

생산일자	세부형태	제목	출처분류	생산자(처)
20030625	회의	제14기 5차 상임집행위원회	경실련	상임집행위원회
20030626	보도자료	국민임대주택건설특별법(안) 폐기를 촉구하는 집회	경실련	도시개혁센터
20030626	정책토론	정치개혁에 관한 초청 토론회 〈민주노동당 노회찬 총장〉	경실련	정치개혁위원회
20030627	정책토론	"SOC민자사업의 문제점과 개선방안"에 관한 집담회 개최	경실련	예산감시위원회
20030627	정책토론	윤영관 외교통상부 장관 초청 간담회	경실련	국제연대
20030627	정책토론	전후 이라크 사회의 재건과 한국 시민사회의 역할	경실련	국제연대
20030627	보도자료	최병렬 한나라당 대표의 '범국민적 정치개혁특위 구성'제의를 환영한다	경실련	정치개혁위원회
20030628	정책토론	청계천 복원, 그 이후의 과제와 전망	경실련	도시개혁센터
20030628	회의	경실련도시개혁센터 회원총회 및 이사회 개최	경실련	도시개혁센터
20030628	보도자료	서울시 도시계획조례 개정안에 대한 의견서 제출	경실련	도시개혁센터
20030630	보도자료	청계천 착공을 맞이하는 시민단체 공동 입장	경실련공동	서울시민사업국
20030630	정책토론	참여정부의 법률구조사업 과제와 개선방향	경실련	부정부패추방운동본부
20030702	보도자료	신도시 건설 반대와 국가균형발전을 요구하는 각계인사 8871인 선언 진행	경실련공동	수도권살리기시민연대 외
20030703	보도자료	김용균 한나라당 의원외 26인이 발의한 공직선거법개정 법률안에 대한 성명	경실련	정치개혁위원회
20030703	보도자료	턴키발주공사 담합입찰 적발 및 예방을 위한 공정위 대책 질의	경실련	정책위원회
20030707	보도자료	청계고가철거에도 교통대란 방지한 시민의식 이어가려면 버스체계개편 서둘러야 한다	경실련공동	버스개혁시민회의
20030708	입법청원	시청자 주권 실현을 위한 방송법 개정 입법청원	경실련공동	미디어워치
20030708	참고자료	노무현정부 구하기(경제분야)	경실련	정책위원회
20030708	보도자료	서울시는 버스체계 개편을 서둘러야한다	경실련공동	녹색교통운동 외
20030709	보도자료	"뉴스추적"인가 "사건추적"인가 - SBS "뉴스추적" 모니터 보고	경실련	미디어워치
20030710	간행물	월간경실련 2003년 6 · 7월호	경실련	경실련
20030714	보도자료	굿모닝시티사건으로 불거진 정치자금에 관한 성명	경실련	정치개혁위원회
20030715	보도자료	정대철 대표 검찰출두와 대선자금 공개 촉구 경실련 집회	경실련	정책협의회
20030715	정책토론	정치개혁에 관한 초청 토론회 〈한나라당 김용균 의원〉	경실련	정치개혁위원회
20030715	보도자료	최근 장기 경제불황 우려에 대한 입장	경실련	정책위원회
20030716	보도자료	"정부공사 입찰제도 개선방안"에 대한 입장	경실련	예산감시위원회
20030721	보도자료	노 대통령의 여 · 야 대선자금 공개촉구 기자회견에 대한 논평	경실련	정치개혁위원회
20030721	보도자료	부모동의 없는 아동의 인터넷 서비스이용으로 인한 피해 접수	경실련	정책위원회
20030721	보도자료	생보사 상장에 대한 경실련 의견서 제출	경실련	정책위원회
20030722	보도자료	7대광역시 홈페이지 재정정보 공개모니터링 결과 발표	경실련	예산감시위원회
20030722	보도자료	한은법 개정안에 대한 경실련 의견서 제출	경실련	정책위원회
20030723	보도자료	민주당 대선자금 부분공개에 대한 논평	경실련	정치개혁위원회
20030723	보도자료	SOC 민자사업의 문제점 및 개선방안에 대한 경실련 공개질의 및 의견전달	경실련	정책위원회
20030723	보도자료	경실련 "SOC민자사업 개선방안에 관한 기획예산처장관 면담" 보도요청	경실련	예산감시위원회
20030723	보도자료	산자부, 삼성 기흥공장과 쌍용 평택공장 증설 허용추진에 대한 성명	경실련	도시개혁센터
20030724	정책토론	정치개혁에 관한 초청 토론회 〈중앙선거관리위원회 김용희 지도과장〉	경실련	정치개혁위원회
20030724	보도자료	증권관련집단소송법 국회 법사위 소위 통과에 대한 입장	경실련	정책위원회
20030724	보도자료	한나라당이 대선자금 공개에 동참할 것을 촉구하는 경실련 성명	경실련	정책위원회
20030728	보도자료	중앙선거관리위원회에 정치자금법상 기부자 실명공개에 관한 유권해석 의뢰	경실련	시민입법위원회
20030729	보도자료	중선관위에 「정치자금법상 기부자 실명공개에 관한 유권해석 의뢰」 보도요청	경실련	정치개혁위원회
20030729	보도자료	방송위원회는 방송법 개정안을 전면 재검토하라!	경실련공동	한국여성민우회 외
20030730	보도자료	방탄국회소집 철회 및 체포동의안의 조속한 처리를 촉구하는 경실련성명	경실련	정치개혁위원회
20030731	보도자료	노무현 대통령의 법인세 인하 시사에 대한 입장	경실련	정책위원회
20030731	보도자료	여,야의 증권관련집단소송법 제정 합의내용에 대한 경실련 입장	경실련	정책위원회
20030731	보도자료	청와대 제 1부속실장의 향응 파문에 대한 성명	경실련	정부개혁위원회
20030805	보도자료	고용허가제에 대한 전문가 설문 조사결과	경실련	정책협의회
20030805	정책토론	한국 사회보장비 지출수준 및 2004년 보건복지부 예산(안)의		

생산일자	세부형태	제목	출처분류	생산자(처)
		평가와 과제	경실련	정책위원회
20030808	보도자료	주민참여 막는 정부의 주민투표법안, 진정한 주민투표제를 위해서는 실질적인 주민참여가 보장되어야 한다	경실련공동	분권과 참여를 위한 시민사회네트워크
20030808	정책토론	개방화시대 효율적 산업구조 조정을 위한 정책과제 세미나	경실련	정책위원회
20030812	보도자료	국회 법사위의 증권관련집단소송법안 처리유보에 대한 입장	경실련	정책위원회
20030813	보도자료	서울시 "승용차 자율요일제" 왜곡추진에 대한 버스개혁 시민회의 입장	경실련공동	버스개혁시민회의
20030813	보도자료	이공계 공직진출 확대방안에 대한 경실련 의견	경실련	정부개혁위원회
20030813	정책토론	정치개혁에 관한 초청토론회-〈3〉	경실련	정책위원회
20030814	보도자료	대법관 제청파문과 관련한 성명	경실련	시민입법위원회
20030818	보도자료	서울시는 엉터리 청계천 복원 사업을 즉각 중단하고 새로운 복원 계획을 수립하라!	경실련공동	녹색연합 외
20030818	교육	2003년 도시대학 개강	경실련	도시개혁센터
20030819	회의	하반기 경실련 전국 정책협의회	경실련	정책협의회
20030820	보도자료	발굴조사 없는 청계천복원사업을 즉각 중단하라	경실련공동	서울시민사업국
20030820	보도자료	공정위 의 출자총액제한제 입법예고안 발표에 대한 입장	경실련	정책위원회
20030821	보도자료	증권관련집단소송제를 무력화시키는 한나라당 수정안에 대한 입장	경실련	정책위원회
20030821	보도자료	최근 금융거래정보요구권(계좌추적권) 시한연장 관련 논란에 대한 입장	경실련	정책위원회
20030825	보도자료	유명무실한 증권관련집단소송법 입법시도 한나라당 규탄 집회	경실련	정책위원회
20030825	보도자료	7대광역시 2002회계년도 지방재정결산 분석결과 발표	경실련	예산감시위원회
20030827	회의	제14기 6차 상임집행위원회	경실련	상임집행위원회
20030828	보도자료	발굴조사 없는 청계천 복원사업을 즉각 중단하라!	경실련공동	올바른 청계천 복원을 위한 연대회의
20030828	정책토론	정치개혁에 관한 초청 토론회 〈민주당 이강래 의원〉	경실련	정치개혁위원회
20030828	정책토론	분권과 참여를 위한 시민사회네트워크 - 정부혁신지방분권 위원회 간담회	경실련공동	지방자치위원회
20030829	정책토론	올바른 서울시 버스체계 개편을 위한 시민토론회	경실련공동	서울시민사업국
20030830	보도자료	지방분권특별법(안)에 대한 의견서 전달	경실련	지방자치위원회
20030901	보도자료	김두관 행자부 장관의 해임건의안 강행에 대한 성명	경실련	정책협의회
20030901	보도자료	증권관련집단소송제 국회 법사위 심의를 앞둔 입장	경실련	정책위원회
20030902	보도자료	6대 그룹(SK LG 삼성 현대 현대자동차 현대중공업) 사외 이사제도 운영현황 조사연구 결과 보도협조	경실련	재벌개혁위원회
20030903	보도자료	생보사 상장 방안 논의에 대한 입장	경실련	정책위원회
20030903	보도자료	정부의 수도권규제완화와 개발허용 움직임에 대한 성명	경실련	도시개혁센터
20030904	입법청원	정치관계법 개정의견 입법청원	경실련	정치개혁위원회
20030904	보도자료	서울시의회 「도시및주거환경정비수정조례안」의결에 대한 시민환경주거단체 입장	경실련공동	서울시민사업국
20030905	보도자료	이명박시장은 재건축 연한을 완화한 「도시및주거환경정비 조례」에 대해 재의를 요구하라	경실련	서울시민사업국
20030905	간행물	월간경실련 2003년 8 · 9월호	경실련	경실련
20030905	보도자료	전경련의 불법정치 비자금 조성 거부결의에 대한 논평	경실련	정책위원회
20030908	보도자료	"범국민정치개혁 연대체(가칭 「반부패정치개혁국민행동」)" 구성 제안	경실련공동	반부패정치개혁국민행동
20030908	보도자료	청계천 복원, 이대로는 안된다	경실련공동	올바른 청계천 복원을 위한 연대회의
20030909	보도자료	철도청 민자사업 "인천국제공항철도 건설사업"감사결과 조치에 대한 공개질의	경실련	예산감시위원회
20030915	보도자료	「도시및주거환경정비조례」에 대한 서울시장 재의요구를 환영한다	경실련	서울시민정책위원회
20030916	정책토론	종합부동산세 신설 어떻게 볼 것인가	경실련	재정세제위원회
20030917	정책토론	이라크추가파병 관련 정책간담회	경실련	통일협회
20030918	정책토론	〈긴급진단〉 '참여정부의 분권정책 제대로 가고 있나'	경실련	지방자치위원회
20030920	보도자료	모니터보고 - 공익성을 외면하고 방송의 상업화를 선도 하는 방송드라마	경실련	미디어워치
20030922	회의	〈반핵반전평화를 위한 시민네트워크〉 대표자모임	경실련	통일협회
20030923	정책토론	이라크 전투병 파병 문제, 어떻게 볼 것인가	경실련	국제연대
20030923	보도자료	지상파방송의 상업화를 선도하는 간접광고와 협찬문제 모니터 보고	경실련	미디어워치
20030923	정책토론	정치개혁에 관한 초청 토론회 〈자민련 김학원 의원〉	경실련	정치개혁위원회
20030924	보도자료	국민혈세 낭비하는 SOC 민자사업 국감촉구 기자회견	경실련	예산감시위원회
20030924	보도자료	정부의 2004년 예산안 확정에 관한 입장	경실련	예산감시위원회

생산일자	세부형태	제목	출처분류	생산자(처)
20030924	회의	제14기 7차 상임집행위원회	경실련	상임집행위원회
20030925	보도자료	민연금 재정안정화 방안 및 국민연금 관리운영체계 개편 등 국민연금법 개정(안)에 대한 의견	경실련	사회정책위원회
20030926	보도자료	'이라크 현지조사단 파견'에 대한 성명	경실련	정책위원회
20030929	보도자료	신용카드사 규제완화에 대한 입장	경실련	정책위원회
20030930	보도자료	정치개혁을 위한 시민사회단체연대『정치개혁국민행동』 발족식	경실련공동	정치개혁국민행동
20031001	보도자료	건강보험 보장성 강화촉구 및 보건복지부의 포괄수가제 당연적용 철회 방침에 대한 성명발표	경실련	사회정책위원회
20031001	정책토론	서울 시정 1년 평가와 과제 토론회 개최	경실련	서울시민정책위원회
20031001	보도자료	서울시 학교급식 조례제정 운동본부 발족식 및 기자회견	경실련공동	서울시학교급식조례제정운동본부
20031001	보도자료	출자총액제한제 관련 재경부 연구용역 보고서에 대한 경실련 입장	경실련	재벌개혁위원회
20031001	보도자료	서울시 도시및주거환경정비조례 관련 공청회 개최에 즈음한 논평	경실련	서울시민사업국
20031002	기타	경실련 바른생활상(RIGHT LIVELIHOOD AWARDS) 수상	경실련	사무국
20031006	보도자료	불법정치자금기부에 대한 전경련 각성촉구 시민대회	경실련공동	정치개혁국민행동
20031007	보도자료	보건복지부에 건강보험의 한시적 비급여대상 (MRI 초음파 영상 등)의 급여전환 계획 질의	경실련	보건의료위원회
20031007	보도자료	정부 이라크현지조사단 보고에 대한 경실련성명	경실련	통일협회
20031008	보도자료	전경련에 정치자금투명성에 관한 공개질의	경실련공동	정치개혁국민행동
20031009	보도자료	정부의 부동산 가격 폭등 대책에 대한 입장	경실련	정책위원회
20031010	보도자료	SK비자금 사건에 대한 성명	경실련	정치개혁위원회
20031010	보도자료	노대통령의 재신임 발언에 대한 논평	경실련	정책협의회
20031011	회의	제14기 10월 상임집행위원회	경실련	상임집행위원회
20031014	조직	경실련도시개혁센터 〈후원의 밤〉 개최.	경실련	도시개혁센터
20031016	보도자료	대통령 재신임 및 정치개혁에 관한『정치개혁국민행동』 기자회견	경실련공동	정치개혁국민행동
20031017	정책토론	근본적 대책 마련을 위한 부동산 문제 간담회	경실련	정책위원회
20031017	보도자료	생보사 상장 유보에 대한 입장	경실련	정책위원회
20031017	보도자료	원지동 추모공원 법원판결에 대한 논평	경실련	서울시민정책위원회
20031018	정책토론	공정거래위원회 시장개혁 추진방안 및 공정거래법 개정에 관한 공정위원장 간담회	경실련	정책위원회
20031020	보도자료	정부의 이라크추가파병 결정에 대한 경실련성명 경실련	통일협회	
20031021	보도자료	도시및주거환경정비법중개정법률안에 대한 경실련 의견	경실련	도시개혁센터
20031021	보도자료	원지동 국가 중앙의료원계획은 서울시와 서초구 야합의 산물이다	경실련공동	환경운동연합 외
20031022	보도자료	국회의원 272명에 정치제도개혁에 대한 의견질의서 송부	경실련공동	정치개혁국민행동
20031022	보도자료	선관위 정치자금 기부자 공개 유권해석에 따른 성명	경실련	정치개혁위원회
20031023	보도자료	'대선 자금 전면 공개 촉구 집회' 보도 요청	경실련	정책협의회
20031023	보도자료	무능과 무원칙으로 의료개혁을 좌절시킨 보건복지부 장관의 자진 사퇴를 촉구한다	경실련공동	건강세상네트워크 외
20031023	보도자료	포괄수가제 당연적용 철회 발표에 관한 성명 발표	경실련	사회정책위원회
20031024	정책토론	일본인의 재일 동포 가해문제 대책 국제회의 개최	경실련	국제연대
20031027	보도자료	여,야 대선자금 계좌추적을 통한 전면수사촉구 및 검찰 지지 경실련 기자회견/집회 보도자료	경실련	정책협의회
20031028	보도자료	대선자금공개 촉구를 위한 시민대회 및 거리행진	경실련공동	정치개혁국민행동
20031028	보도자료	부동산 정책에 대한 의견 발표 기자회견	경실련	정책위원회
20031029	보도자료	10 · 29 부동산종합대책에 대한 입장	경실련	정책위원회
20031029	보도자료	서울시 도시및주거환경정비조례 관련 공청회 개최에 즈음한 논평	경실련	서울시민정책위원회
20031029	회의	제14기 8차 상임집행위원회	경실련	상임집행위원회
20031030	보도자료	'노무현 대통령 대선 자금 또한 전면 공개하라' 성명	경실련	정책협의회
20031030	보도자료	'이회창 氏의 대 국민 사과에 대한 논평'	경실련	정책협의회
20031030	보도자료	김화중 보건복지부 장관은 발언의 근거를 밝혀라	경실련공동	건강세상네트워크 외
20031031	보도자료	정부 10 · 29 부동산대책 규탄 및 근본대책 촉구 집회	경실련공동	성격적토지정의실현을위한 모임 등
20031031	보도자료	토지공개념 · 토지보유세 강화하여 부동산 투기 척결하라	경실련공동	전국철거민협의회 외
20031031	보도자료	한나라당은 공영방송에 대한 무책임한 정치공세를 즉각 중단하라	경실련공동	기독교윤리실천운동 외
20031100	보도자료	2004년 건강보험 재정추계 결과와 보건복지부 추계의 오류	경실련공동	건강세상네트워크 외
20031104	보도자료	한나라당의 부동산보유세 인상 반대에 대한 입장	경실련	정책위원회
20031105	보도자료	정부의 국민연금법 개악기도에 대한 성명	경실련	사회복지위원회
20031106	보도자료	정치개혁에 대한 국회의원설문 1차 결과발표 기자회견	경실련공동	정치개혁국민행동
20031107	보도자료	범국민정치개혁협의회 구성과 관련한 입장	경실련	정치개혁위원회

생산일자	세부형태	제목	출처분류	생산자(처)
20031107	보도자료	부도덕한 청계천추진본부장 즉각 사퇴하라!	경실련공동	올바른 청계천 복원을 위한 연대회의
20031107	간행물	월간경실련 2003년 10 · 11월호	경실련	경실련
20031107	보도자료	전경련의 '정치자금 제도개선안'에 대한 입장	경실련	정책위원회
20031110	보도자료	신행정수도이전에 대한 성명	경실련	도시개혁센터
20031111	정책토론	참여정부의 수도권정책 진단 토론회 개최	경실련	도시개혁센터
20031111	보도자료	SOC민자사업에 관한 조달청 검증 결과 및 전문가 설문조사결과	경실련	예산감시위원회
20031112	보도자료	2003년 '제3회 바른외국기업상(Best Foreign Corporation Award)' 발표	경실련	경제정의연구소
20031112	보도자료	2004년 예산안 중 삭감사업 선정 발표 및 납세자모니터단 발족 기자회견	경실련	예산감시위원회
20031112	보도자료	보건복지 개혁실종규탄 및 김화중 장관 퇴진요구 기자회견	경실련공동	건강권실현을위한보건의료단체연합 외
20031112	정책토론	이공계 공동화 현상의 진단과 대응	경실련공동	한국과학기술인연합회
20031112	보도자료	한나라당 수정대안에 대한 입장	경실련	정책위원회
20031113	보도자료	최근 사용자에 의한 손해배상 가압류 문제 및 비정규직 처우 문제 개선을 요구하 는 시민사회 합동 기자회견	경실련공동	사회정책위원회
20031113	참고자료	노무현 정부의 노동정책 개선을 촉구한다	경실련	정책위원회
20031114	정책토론	〈반핵반전평화시민네트워크〉 대표자 간담회	경실련공동	반핵반전평화를 위한 시민네트워크
20031117	보도자료	주민투표, 주민소환, 주민소송 제도 등 주민참여제도를 즉각 도입하여, 주민참여를 실질적으로 보장하라	경실련공동	분권과 참여를 위한 시민사회네트워크
20031117	보도자료	지역관련 법안들은 제정취지에 부합해야 한다	경실련공동	녹색연합 외
20031117	정책토론	토지공개념 어떻게 볼것인가	경실련	정책위원회
20031118	보도자료	'지표조사결과 왜곡, 국내법 무시, 외교 압력' 자행하는 주한 미국대사 토마스 허버드의 망언을 규탄한다	경실련공동	덕수궁터 미대사관 아파트 신축반대 시민모임
20031118	보도자료	국민건강보험요양급여의기준에관한규칙중개정령안에 대한 의견	경실련	정책위원회
20031118	보도자료	인터넷 이용 및 개인정보관련 서울시 초등학생 실태조사	경실련	정책위원회
20031118	보도자료	재계의 증권관련집단소송 관련 건의에 대한 입장	경실련	정책위원회
20031118	보도자료	'덕수궁 터 지표조사결과 왜곡, 국내법 무시, 외교 압력, 토마스 허버드 주한미국대사 망언 규탄 기자회견' 진행	경실련	도시개혁센터
20031119	보도자료	서울시 학교급식지원조례(안) 공청회 개최	경실련공동	서울시학교급식조례제정운동본부
20031119	보도자료	이시하라 발언에 ＮＯ！ 〈재일동포〉에 대한 폭력은 용서 못한다! 〈일－한－재일〉 공동시민집회	경실련공동	지구촌나눔운동 외
20031120	보도자료	'빈곤과의 전쟁'을 선포하십시오!	경실련공동	건강세상네트워크 외
20031120	정책토론	3당 정치개혁특위 간사초청; 3당 정치개혁안 검증 · 평가 토론회	경실련공동	정치개혁국민행동
20031120	보도자료	국회 법사위는 위헌적인 집시법 개정안을 부결시켜야 한다	경실련	정책협의회
20031120	보도자료	삼성 이재용 상무의 경영권 변칙승계에 대한 엄정한 검찰 수사 촉구 공동성명	경실련공동	참여연대 외
20031121	정책토론	장애인복지발전 5개년 계획의 이행평가와 과제	경실련	정책위원회
20031121	보도자료	한나라당에 대한 공개질의서	경실련공동	기독교윤리실천운동 외
20031124	보도자료	2004년 건강보험 재정운영 및 수가 · 보험료 조정에 관한 노동 · 농민 · 시민 · 보건의료단체 결의	경실련공동	전국민주노동조합총연맹 외
20031124	보도자료	LG카드 지원결정에 대한 입장	경실련	정책위원회
20031124	보도자료	국회 재경위의 법인세 인하 결정에 대한 입장	경실련	정책위원회
20031124	보도자료	의료계를 위한 정책이 아니라 국민을 위한 의료개혁을 추진하십시오	경실련공동	건강세상네트워크 외
20031124	보도자료	분양원가 공개에 대한 주택법 개정안 의견서 제출	경실련	정책위원회
20031125	보도자료	노무현 대통령의 측근비리 특검법 재의 요구에 대한 경실련 논평	경실련	정책협의회
20031126	보도자료	"재 중국 동포의 불법 체류 문제에 대한 정부의 획기적인 정책 전환을 촉구한다" 성명	경실련	정책협의회
20031126	보도자료	SBS, MBC 평일 오후 생방송 시사정보 프로그램에 대한 모니터 보고	경실련	미디어워치
20031126	회의	제14기 9차 상임집행위원회	경실련	상임집행위원회
20031127	보도자료	국회 정상화를 촉구 하는 성명	경실련	정책협의회
20031127	보도자료	모니터보고 - '오늘'이 없는 생방송 프로그램	경실련	미디어워치
20031129	회의	제7기 5차 중앙위원회 및 제8기 중앙위원회	경실련	중앙위원회
20031201	기타	사무실 이전(대학로 경실련 회관)	경실련	사무국
20031201	보도자료	검찰의 '삼성 에버랜드 변칙증여' 기소 방침에 대한 경실련 입장	경실련	정책위원회
20031201	보도자료	이라크 한국인 피살에 대한 성명	경실련	통일협회

생산일자	세부형태	제목	출처분류	생산자(처)
20031202	보도자료	국민연금의 주인은 누구입니까	경실련공동	건강권실현을위한보건의료단체연합 외
20031202	보도자료	서울시 25개 자치구 주민계도용신문 구입예산 현황 발표	경실련	서울시민정책위원회
20031203	보도자료	의료소비자 권리실태 및 의료기관 투명성에 대한 조사결과 발표	경실련	사회정책위원회
20031204	보도자료	3당 정치개혁안의 문제점 및 올바른 개혁방향	경실련공동	정치개혁국민행동
20031204	보도자료	공공보건의료 확충, 대통령님의 의지가 보이지 않습니다	경실련공동	건강권실현을위한보건의료단체연합 외
20031205	보도자료	국회 정무위원회의 공정거래법개정안 관련 논의에 대한 입장	경실련	정책위원회
20031208	보도자료	국회 건교위의 주택법개정안 심의에 대한 입장	경실련	정책위원회
20031208	보도자료	서초구청의 재산세 인상 반대에 대한 입장	경실련	정책위원회
20031209	보도자료	정부 신용카드 정책실패 책임 규명 및 올바른 대책 수립 촉구 기자회견	경실련	정책위원회
20031209	보도자료	제9회 "시청자가 뽑은 좋은 프로그램" 설문조사 결과 및 시상일정	경실련	미디어워치
20031210	보도자료	'한나라당 대선자금공개를 촉구하는 성명'	경실련	정치개혁위원회
20031211	보도자료	「도시및주거환경정비조례」절충안 추진에 대한 입장	경실련	정책위원회
20031211	보도자료	국회 법사위 법안 심사 소위에서 통과된 개정 집시법안은 법사위 전체회의에서 반드시 부결되어야 한다	경실련	정책협의회
20031216	보도자료	제9회 "시청자가 뽑은 좋은 프로그램" 시상식 수상작 및 선정과정 발표	경실련	미디어워치
20031218	보도자료	정부의 이라크추가파병계획 확정에 대한 성명	경실련	통일협회
20031219	회의	제14기 10차 상임집행위원회	경실련	상임집행위원회
20031222	보도자료	'국회정개특위는 정치개혁에 반하는 합의안을 철회하고 원칙에 충실하라'	경실련	정치개혁위원회
20031230	보도자료	회의원 체포동의안 전원부결 결정에 대한 입장	경실련	정책위원회
20040000	보도자료	2004년 '제4회 바른외국기업상(Best Foreign Corporation Award)' 결과발표 및 Best 10 기업 발표	경실련	경제정의연구소
20040000	보도자료	도시가스 부당이득 감사청구	경실련	정책위원회
20040000	보도자료	서울시도심환경정비기본계획변경(안)은 전면 재검토되어야 합니다!	경실련공동	도시연대 외
20040000	보도자료	쉬운경제 = 가벼운 경제(?)	경실련	미디어워치
20040000	보도자료	이라크 추가파병문제 국정감사 평가	경실련	통일협회
20040106	보도자료	LG카드 처리에 관한 입장	경실련	금융개혁위원회
20040106	보도자료	정치개혁 10대 과제 요구	경실련공동	정치개혁국민행동
20040107	보도자료	중앙부처 고위직 인사교류에 대한 경실련 의견	경실련	정부개혁위원회
20040108	보도자료	대통령 측근비리 수사팀 양승천 특검보의 교체를 요구하는 성명	경실련	시민입법위원회
20040109	보도자료	검찰의 비리연루 국회의원 8명 구속영장 청구에 대한 논평	경실련	정치개혁위원회
20040112	모니터링	경실련 서울시의회 우수의원 평가	경실련	정책위원회
20040113	회의	제15기 2차 상임집행위원회	경실련	상임집행위원회
20040113	교육	10기 도시대학	경실련	도시개혁센터
20040114	보도자료	대통령 연두기자회견에 대한 입장	경실련	정책위원회
20040115	간행물	월간경실련 2004년 1 · 2월호	경실련	경실련
20040115	보도자료	한국은행의 고액권발행 주장에 대한 입장	경실련	정책위원회
20040116	보도자료	농림부 농지제도 개선안 관련 경실련 질의	경실련	농업개혁위원회
20040119	보도자료	대북송금사건 관련자의 특별사면 논란에 대한 논평	경실련	정책위원회
20040127	보도자료	정부의 고구려 연구센터의 올바른 설립을 촉구하는 범시민 사회단체 기자회견	경실련공동	아시아평화와역사교육연대 외
20040127	보도자료	한일, 한중, 남북 등을 포괄하는 동북아역사센터를 건립하라!	경실련공동	아시아평화와역사교육연대 외
20040129	보도자료	덕수궁미대사관건립반대 연대단체 기자회견	경실련	도시개혁센터
20040200	보도자료	전국 지하철 이용자 안전의식 설문조사 결과(서울, 인천, 대구, 부산)	경실련	도시개혁센터
20040202	보도자료	한화그룹의 대한생명 인수 특혜의혹에 대한 입장	경실련	정책위원회
20040202	보도자료	건교부택지공급 경쟁입찰 도입방안에 대한 공개질의서 발송	경실련	아파트값거품빼기운동본부
20040202	보도자료	서울시 도시개발공사 분양원가공개에 대한 의견서발송	경실련	아파트값거품빼기운동본부
20040203	보도자료	공정거래법 개정안 처리 촉구에 대한 입장	경실련	재벌개혁위원회
20040203	보도자료	대통령 사돈 민경찬 펀드모금 비리 의혹에 대한 공개수사를 촉구한다	경실련	정책위원회
20040203	보도자료	제17대 총선 각 당 후보자 공천기준 및 공천심사위원 명단 등의 공개 협조	경실련	정책위원회
20040203	회의	제15기 3차 상임집행위원회	경실련	상임집행위원회
20040204	보도자료	건교부 아파트 후분양 활성화방안 확정 발표에 대한 경실련 입장	경실련	국책사업감시단

생산일자	세부형태	제목	출처분류	생산자(처)
20040204	보도자료	제17대 총선 관련 입장	경실련	정책위원회
20040205	보도자료	서울시도시개발공사 상암지구 아파트 원가공개에 대한 입장	경실련	예산감시위원회
20040205	보도자료	임의적인 의료기관평가사업 중단 및 의료기관평가위원회 구성 촉구 성명	경실련	보건의료위원회
20040205	조직	아파트값거품빼기운동본부 출범	경실련	아파트값거품빼기운동본부
20040206	보도자료	김진표 부총리의 분양원가공개 불가표명에 대한 입장	경실련	예산감시위원회
20040206	보도자료	서울지하철공사 최저가낙찰제 전면도입에 대한 입장	경실련	예산감시위원회
20040209	보도자료	〈정부의 아파트분양원가 공개거부에 대한 경실련 항의기자회견〉 아파트 분양원가 공개를 거부하는 정부는 도대체 누구를 위한 정부인가?	경실련	아파트값거품빼기운동본부
20040210	보도자료	국회의 서청원 의원 석방결의안 가결에 대한 경실련 견해	경실련	시민입법위원회
20040210	보도자료	용인동백지구 주공아파트 정보공개 청구에 즈음한 입장	경실련	예산감시위원회
20040211	보도자료	신임 이헌재 경제부총리 임명에 대한 입장	경실련	정책위원회
20040212	보도자료	건교부의 공공택지 공급가격 공개의무화 발표에 대한 경실련 입장	경실련	아파트값거품빼기운동본부
20040212	보도자료	경실련 아파트값 거품빼기운동본부 출범 기자회견	경실련	아파트값거품빼기운동본부
20040213	보도자료	국회의 이라크추가파병동의안 가결에 대한 논평	경실련	통일협회
20040213	보도자료	대전시 도시개발공사의 드리움II아파트분양원가 발표에 대한 입장	경실련	정책위원회
20040216	보도자료	여성전용선거구제 등 국회 정치개혁특위 논의에 대한 경실련 입장	경실련	정치개혁위원회
20040216	회의	제15기 2월 상임집행위원회	경실련	상임집행위원회
20040217	보도자료	경실련도시개혁센터 대구경실련 부산경실련 인천경실련 전국지하철 이용객 안전의식 조사와 지하철 역사 안전 시설물 점검 실시	경실련	도시개혁센터
20040217	보도자료	아파트 분양원가 공개 촉구 전국 동시 기자회견 개최	경실련	아파트값거품빼기운동본부
20040217	보도자료	한칠레 FTA비준동의안처리에 대한 입장	경실련	농업개혁위원회
20040219	보도자료	공개된 아파트 분양원가 논란에 대한 경실련 의견	경실련	아파트값거품빼기운동본부
20040219	정책토론	노무현 정부 출범 1년 국정운영 평가와 향후 방향	경실련	정책위원회
20040219	보도자료	이헌재 부총리의 분양원가공개 불가표명에 대한 입장	경실련	아파트값거품빼기운동본부
20040220	정책토론	그린벨트와 임대주택에 관한 토론회 개최	경실련	도시개혁센터
20040220	보도자료	SBS 〈백만불 미스터리〉에 대한 모니터 보고	경실련	미디어워치
20040220	회의	제8기 2차 중앙위원회	경실련	중앙위원회
20040223	보도자료	경실련 용인동백지구 분양아파트 추정원가 발표	경실련	아파트값거품빼기운동본부
20040223	보도자료	최근 정부와 지자체의 토지규제 완화에 대한 입장	경실련	토지주택위원회
20040225	교육	신규 미디어강사 교육	경실련	미디어워치
20040225	모니터링	노무현 정부 1년, 국정운영에 관한 전문가 평가설문 조사결과	경실련	정책위원회
20040225	보도자료	노무현 정부 출범 1년에 대한 입장	경실련	정책위원회
20040226	보도자료	강동석 건설교통부장관의 발언 번복에 대한 논평	경실련	아파트값거품빼기운동본부
20040226	보도자료	문화유적 파괴하는 청계천복원공사 즉각 중단하라!	경실련공동	올바른 청계천 복원을 위한 연대회의
20040226	보도자료	이명박 시장은 정치적 야욕을 버리고 올바른 청계천복원 실시설계를 작성하라!	경실련공동	청계천복원 시민위원회
20040226	정책토론	도시개발문제 시민대토론회	경실련	도시개혁센터
20040303	보도자료	4개 택지개발지구에서 발생한 추정 개발이익 발표 기자회견	경실련	아파트값거품빼기운동본부
20040303	정책토론	납세자의 날 납세자 대회	경실련공동	예산감시위원회
20040303	회의	제15기 4차 상임집행위원회	경실련	상임집행위원회
20040304	보도자료	한국토지공사 해명자료에 대한 논평	경실련	아파트값거품빼기운동본부
20040304	보도자료	"경실련 -「유권자 정당선택 도우미 프로그램」관련, 각 당에 6대 분야 118개 정책입장 공개질의" 보도협조	경실련	정치개혁위원회
20040304	보도자료	노무현대통령 선거관련 발언 관련 중앙선관위 조치에 대한 입장	경실련	정치개혁위원회
20040304	보도자료	이명박 서울시장과 양윤재 청계천복원추진본부장 고발	경실련	서울시민사업국
20040308	보도자료	검찰의 불법 대선자금 수사 중간발표에 대한 경실련 견해	경실련	시민입법위원회
20040308	보도자료	인천송도신도시 2공구 택지개발이익 발표	경실련	아파트값거품빼기운동본부
20040308	보도자료	삼성생명 부당 회계처리에 대한 입장	경실련	금융개혁위원회
20040309	보도자료	아파트 분양원가 공개 및 택지공급체계 개선 관련 경실련 의견	경실련	정책위원회
20040310	보도자료	택지개발지구에서의 택지 특혜분양 의혹 제기 기자회견	경실련	아파트값거품빼기운동본부
20040311	보도자료	노무현 대통령 기자회견에 대한 입장	경실련	정책위원회
20040311	보도자료	정부의 신용불량자종합대책에 대한 입장	경실련	금융개혁위원회
20040312	보도자료	노무현 대통령 탄핵안 가결에 대한 입장	경실련	정책위원회

생산일자	세부형태	제목	출처분류	생산자(처)
20040315	정책토론	이명박 시장은 '망언'을 사과하고 올바른 청계천 복원계획을 수립하라!	경실련공동	문화연대 외
20040317	보도자료	농지매매를 조장하는 농림부 행태에 대한 입장	경실련	농업개혁위원회
20040317	회의	제15기 3월 상임집행위원회	경실련	상임집행위원회
20040317	보도자료	건교부 택지공급가격 공개 발표에 대한 입장	경실련	아파트값거품빼기운동본부
20040318	보도자료	대통령 탄핵사태에 대한 입장	경실련	정책위원회
20040322	보도자료	전북개발공사의 아파트분양원가 발표에 대한 입장	경실련	아파트값거품빼기운동본부
20040324	보도자료	17대 총선 정당 정책 비교 평가	경실련	정책위원회
20040325	보도자료	경실련-정당선택도우미 프로그램 시연회	경실련	정책위원회
20040325	보도자료	경기도 화성시 동탄지구 분양가 자율조정권고 협조 요청	경실련	아파트값거품빼기운동본부
20040326	보도자료	건강보험법 시행령 및 시행규칙 개정에 대한 의견	경실련	보건의료위원회
20040326	보도자료	모기지론 시행에 대한 입장	경실련	금융개혁위원회
20040329	보도자료	건교부의 주공아파트 원가공개에 대한 논평	경실련	아파트값거품빼기운동본부
20040329	정책토론	개발이익환수포럼 창립 세미나	경실련	도시개혁센터
20040330	보도자료	서울시 학교급식 조례제정 청구인 명부 제출 기자회견	경실련공동	서울시학교급식조례제정운동본부
20040330	보도자료	출자총액제한제 완화에 대한 입장	경실련	재벌개혁위원회
20040331	회의	제15기 5차 상임집행위원회	경실련	상임집행위원회
20040402	간행물	월간경실련 2004년 3 · 4월호	경실련	경실련
20040402	회의	제15기 4월 상임집행위원회	경실련	상임집행위원회
20040406	보도자료	서울특별시청광장이용및관리에관한조례안에 대한 성명	경실련	정책위원회
20040408	보도자료	대선 자금 기업인 신병 처리에 대한 입장	경실련	시민입법위원회
20040408	보도자료	정부의 이라크 파병 계획은 원점에서 전면 재검토되어야 한다	경실련	정책위원회
20040408	조직	올바른 청계천복원을 위한 연대회의 참여	경실련	정책위원회
20040409	보도자료	16대 국회, 주요법안 입법태도 분석 보도 협조	경실련	정치개혁위원회
20040412	보도자료	제17대 국회의원 선거 경실련 〈정당선택 도우미 프로그램〉 참여자 분석	경실련	정책위원회
20040412	보도자료	검찰의 불법대선자금 연루 기업인 신병처리에 대한 경실련 견해	경실련	시민입법위원회
20040412	보도자료	아파트분양원가 및 택지공급체계 개선에 대한 정당 정책평가	경실련	아파트값거품빼기운동본부
20040413	모니터링	17대 총선 3대 민생 공약 평가	경실련	정책위원회
20040413	보도자료	17대 총선 각당 공약 재정추계 평가	경실련	정책위원회
20040414	보도자료	유권자의 적극적 참여와 올바른 선택으로 정치개혁 이뤄내자	경실련	정책위원회
20040416	보도자료	17대 총선 마무리와 관련한 성명	경실련	정책위원회
20040419	보도자료	공공택지 택지공급가 공개촉구 성명	경실련	아파트값거품빼기운동본부
20040421	보도자료	경실련 '윗물맑게하기 시민행동-부동산투기 · 건설부패 근절	경실련	정책위원회
20040421	보도자료	화성동탄지구는 택지개발의 목적에 맞게 분양가가 책정 되어야 한다	경실련	아파트값거품빼기운동본부
20040422	보도자료	지하철공사, 도시철도공사 택지개발사업 참여에 대한 입장	경실련	아파트값거품빼기운동본부
20040423	보도자료	서울시 지하철공사 및 도시철도공사 관련조례 개정안에 대한 성명	경실련	아파트값거품빼기운동본부
20040426	정책토론	「서울시'서울광장'이용및관리에관한조례」에 대한 공개토론회	경실련공동	서울시민사업국
20040426	회의	제15기 6차 상임집행위원회	경실련	상임집행위원회
20040426	회의	경실련 윤리행동강령 제정	경실련	상임집행위원회
20040427	보도자료	공공아파트 원가공개를 위한 당정협의 결과가 택지공급가 공개연기인가?	경실련	아파트값거품빼기운동본부
20040427	보도자료	북한룡천역폭발사고피해동포돕기운동본부 발족식	경실련공동	북한룡천역폭발사고피해동포돕기운동본부
20040427	정책토론	지속가능한 도심부 관리방안모색 토론회	경실련공동	도시연대 외
20040504	보도자료	'서울광장사용및관리에관한조례'의 전면재검토를 촉구한다	경실련공동	걷고싶은도시만들기시민연대 외
20040506	보도자료	시장개혁에 역행하는 재정경제부 행태에 대한 입장	경실련	재벌개혁위원회
20040506	정책토론	토지의 공익성 회복을 위한 개발이익환수방안	경실련	도시개혁센터
20040507	보도자료	강남구의회의 '재산세율 50% 인하 조례안 가결'에 대한 입장	경실련	재정세제위원회
20040507	보도자료	시장개혁에 가로 막는 재계 행태에 대한 입장	경실련	정책위원회
20040508	보도자료	서울시학교급식지원조례 제정과 함께 주민자치입법청구권을 규제하는 관련법을 개정하라	경실련공동	서울시학교급식조례제정운동본부
20040511	보도자료	강남구 의회의 재산세율 50% 감면 조례안 가결에 대한 〈경실련〉의견서 전달 취재 및 보도요청	경실련	재정세제위원회
20040511	조직	시민권익센터 창립(구.부정부패추방운동본부)	경실련	시민권익센터
20040513	보도자료	삼성기업도시계획에 관한 성명	경실련	도시개혁센터
20040514	보도자료	헌법재판소의 대통령 탄핵소추 기각 결정에 대한 논평	경실련	정책위원회

생산일자	세부형태	제목	출처분류	생산자(처)
20040517	보도자료	공정거래법 개정안 입법예고에 대한 의견서 제출	경실련	재벌개혁위원회
20040517	보도자료	화성동탄지구 택지공급과정에서 발생한 이익에 대한 성명	경실련	아파트값거품빼기운동본부
20040518	보도자료	간접투자자산운용업법 개정안 입법예고에 대한 의견서 제출	경실련	재벌개혁위원회
20040518	보도자료	민영주택의 규모별 건설비율제한에 의견서 제출	경실련	아파트값거품빼기운동본부
20040520	보도자료	〈주택공급제도검토위원회〉 결과왜곡에 대한 시민단체 공동성명	경실련공동	서울YMCA 외
20040525	보도자료	금융감독기구 개편관련 금융전문가 여론조사 결과	경실련	금융개혁위원회
20040525	보도자료	금융감독기구 개편에 대한 입장	경실련	금융개혁위원회
20040525	보도자료	서울시 도심재개발기본계획변경(안)철회 촉구를 위한 전문가 100인 선언 및 기자회견 진행	경실련	도시개혁센터
20040531	회의	제15기 7차 상임집행위원회	경실련	상임집행위원회
20040601	보도자료	'공공아파트 원가공개불가' 당정협의에 대한 성명	경실련	아파트값거품빼기운동본부
20040603	보도자료	열린우리당 '공공아파트 원가공개 백지화'에 대한 항의기자회견	경실련	아파트값거품빼기운동본부
20040603	보도자료	교육부 학교보건법개정안에 대한 경실련 의견서 제출	경실련	보건의료위원회
20040608	보도자료	보건복지부장관은 장관직을 걸고 식품안전사고 재발방지 대책을 강구하라	경실련	시민권익센터
20040608	보도자료	아파트 분양원가 공개논란에 대한 입장	경실련	아파트값거품빼기운동본부
20040608	보도자료	건강보험법 시행령 개정에 대한 의견	경실련	보건의료위원회
20040609	정책토론	청계천 문화재의 올바른 복원을 위한 토론회	경실련	서울시민사업국
20040609	보도자료	재건축개발이익환수 후퇴에 대한 성명	경실련	아파트값거품빼기운동본부
20040610	보도자료	'공공아파트 원가공개불가' 노무현 대통령 발언에 대한 성명	경실련	아파트값거품빼기운동본부
20040610	정책토론	금융감독기구 개편, 어떻게 할 것인가	경실련	정책위원회
20040611	보도자료	공정위의 아파트분양가 담합 적발과 관련한 입장	경실련	아파트값거품빼기운동본부
20040612	보도자료	청와대의 분양원가공개 입장 해명에 대한 입장	경실련	아파트값거품빼기운동본부
20040614	보도자료	이명박 시장의 '불법파괴공사'를 막고 청계천의 본모습을 되살리자!	경실련공동	올바른 청계천 복원을 위한 연대회의
20040614	보도자료	이해찬 총리지명자 인사청문회에 대한 경실련 시민모니터단 구성	경실련	정치개혁위원회
20040614	보도자료	불법 청계천복원공사 중단 촉구 기자회견	경실련	서울시민사업국
20040614	보도자료	정부의 금융감독기구 개편 잠정결론에 대한 입장	경실련	정책위원회
20040615	보도자료	서울시 동시분양아파트 건축비 허위신고 실태분석 결과 발표	경실련	아파트값거품빼기운동본부
20040617	정책토론	식품안전관리체계 긴급진단 및 개선방향	경실련	시민권익센터
20040621	보도자료	서울시 동시분양아파트 건축비허위신고와 주택공급제도 개선소홀에 대한 감사청구	경실련	아파트값거품빼기운동본부
20040622	보도자료	국방부에 입법 제정에 대한 사실여부와 용산미군기지의 활용방안에 대한 계획 공개 질의서 발송	경실련	도시개혁센터
20040623	보도자료	김선일씨 피살에 대한 성명	경실련	통일협회
20040623	보도자료	정부의 농지제도 개선방안에 대한 입장	경실련	농업개혁위원회
20040624	보도자료	서울시 동시분양아파트 건축비허위광고와 담합의혹조사 공정위원장 면담	경실련	아파트값거품빼기운동본부
20040625	보도자료	건교부의 기업도시 적극 추진에 대한 성명	경실련	정책위원회
20040625	보도자료	故 김선일씨 피살사건에 대한 국정조사 촉구 성명	경실련	통일협회
20040628	보도자료	이해찬 총리지명자인사청문회 모니터단 의견결과	경실련	정치개혁위원회
20040628	보도자료	화성동탄 분양가 검증 및 공영개발 촉구 기자회견	경실련	아파트값거품빼기운동본부
20040628	회의	제15기 8차 상임집행위원회	경실련	상임집행위원회
20040629	보도자료	국회 예결위의 상임위화에 대한 입장	경실련	예산감시위원회
20040629	보도자료	방송위원회는 탄핵방송과 관련된 파문의 조속한 해결을 위해 제1보도교양심의위원회와 상임위원회의 회의를 전면 공개하라	경실련공동	기독교윤리실천운동 외
20040630	보도자료	교육부의 「학교보건법개정안」 반대 및 시범사업 실시 결과 공개 촉구 성명	경실련	보건의료위원회
20040630	보도자료	최저가 낙찰제 100억 확대 관련 논평	경실련	국책사업감시단
20040701	간행물	월간경실련 2004년 7 · 8월호	경실련	경실련
20040702	보도자료	기업윤리와 윤리경영에 관한 대학교육 실태와 전문가 설문조사	경실련	경제정의연구소
20040702	보도자료	화성동탄 무주택우선 청약 미달사태에 대한 입장	경실련	아파트값거품빼기운동본부
20040705	보도자료	정부의 건설경기 부양방안에 대한 입장	경실련	아파트값거품빼기운동본부
20040706	보도자료	장복심 의원의 비례대표선정 금품로비 의혹에 대한 검찰 수사 촉구 성명	경실련	정치개혁위원회
20040708	보도자료	인천국제공항 부실관련 성명	경실련	국책사업감시단
20040709	보도자료	건교위 '주공 김진 사장의 거짓답변'에 대한 경실련논평	경실련	아파트값거품빼기운동본부
20040709	보도자료	군인공제회 서초주상복합아파트 사전특혜분양 논란에 대한		

생산일자	세부형태	제목	출처분류	생산자(처)
		경실련입장	경실련	아파트값거품빼기운동본부
20040712	보도자료	서울시 대중교통체계개편으로 인한 문제점 해결과 근본대책 마련을 촉구하는 성명	경실련	서울시민정책위원회
20040713	보도자료	건교부는 공공택지공급가공개하고 전면저적으로 후분양제 도입하라	경실련	아파트값거품빼기운동본부
20040714	보도자료	예결위 상임위화에 대한 입장	경실련	정책위원회
20040715	보도자료	열린우리당 · 건교부 당정협의결과에 대한 경실련 기자회견	경실련	아파트값거품빼기운동본부
20040716	보도자료	감사원 카드특감 결과에 대한 입장	경실련	정책위원회
20040720	보도자료	카드특감 관련 금융기관 감독실태 감사 감사위원회 정보 공개청구 보도	경실련	정책위원회
20040729	보도자료	대한주택공사 사장 구속에 대한 입장	경실련	아파트값거품빼기운동본부
20040730	보도자료	전윤철 감사원장의 카드대란 책임회피 발언에 대한 입장	경실련	정책위원회
20040730	보도자료	정부의 금융감독체계 개편방안에 대한 입장	경실련	정책위원회
20040800	보도자료	일본 도쿄도(東京都)와 건축비 비교분석	경실련	정책위원회
20040802	보도자료	정부의 금융감독체계 개편방안에 대한 입장	경실련	금융개혁위원회
20040803	보도자료	PPA성분 함유 감기약 판매 중지 결정에 대한 성명	경실련	보건의료위원회
20040803	보도자료	서울시 상암 5 · 6단지 분양원가공개에 대한 입장	경실련	아파트값거품빼기운동본부
20040803	보도자료	윤증현 금융감독위원장 임명에 대한 입장	경실련	금융개혁위원회
20040804	보도자료	최근 주택건설 경기부양론에 대한 입장	경실련	아파트값거품빼기운동본부
20040809	보도자료	열린우리당의 출자총액제한제 폐지 추진에 대한 입장	경실련	재벌개혁위원회
20040813	보도자료	참여정부의 부동산정책 후퇴에 대한 입장	경실련	정책위원회
20040816	보도자료	공적 민간 통합 금융감독기구 개편 촉구를 위한 경제학자 100인 기자회견	경실련	금융개혁위원회
20040816	보도자료	농지법 개정안 입법예고에 대한 의견서 제출	경실련	농업개혁위원회
20040820	보도자료	투기과열지구 해제 추진에 대한 입장	경실련	아파트값거품빼기운동본부
20040823	보도자료	공정거래법 개정안에 대한 의견서 제출	경실련	재벌개혁위원회
20040823	보도자료	도심발전방안에 대한 시민단체 성명 발표	경실련	도시개혁센터
20040825	보도자료	소비자 권익 외면하는 정보통신부의 접속료 조정 관련 입장	경실련	시민권익센터
20040826	보도자료	가맹점 수수료 문제와 관련한 자료요청 보도자료	경실련	정책위원회
20040826	보도자료	정부는 원칙 없는 토지규제 완화를 중단하고 근본적 토지 정책을 수립하라	경실련	토지주택위원회
20040830	회의	제15기 9차 상임집행위원회	경실련	상임집행위원회
20040831	보도자료	자치단체는 지방재정 확보를 위해 합리적으로 행동하라	경실련	토지주택위원회
20040901	보도자료	'신수도권 발전방안과 혁신도시 건설방안'에 대한 성명	경실련	도시개혁센터
20040906	보도자료	기업도시법 세부내용에 대한 입장	경실련	정책위원회
20040910	보도자료	제17대 첫 정기국회의 민생 · 경제 5대 입법과제, 17대 개혁과제 발표	경실련	정책위원회
20040913	보도자료	재계의 공정거래법 공개토론 제안에 대한 입장	경실련	재벌개혁위원회
20040913	정책토론	참여정부 부동산 세제정책의 문제점과 개선방향	경실련	정책위원회
20040914	보도자료	정부의 부동산 보유세 통합 합산과세 방침에 대한 입장	경실련	토지주택위원회
20040914	보도자료	카드대란 국정조사 촉구 성명	경실련	정책위원회
20040915	보도자료	수도권 택지개발지구내 택지비 및 분양가 검증결과 발표 기자회견	경실련	아파트값거품빼기운동본부
20040915	보도자료	정부의 공직자백지신탁제도 도입 안에 대한 입장	경실련	정부개혁위원회
20040916	보도자료	'정부의 개발부담금제 재도입 유보방침'에 대한 성명	경실련	도시개혁센터
20040917	보도자료	지상파 방송 프로그램의 간접광고 사례분석 보고 발표	경실련	미디어워치
20040917	정책토론	2004년 시청자단체 활동가 토론회_ 간접광고와 협찬문제, 대안은 없나?	경실련공동	시청자단체 활동가 교육 운영 협의회
20040917	보도자료	공정거래법 개정안 처리 지연에 대한 입장	경실련	정책위원회
20040917	보도자료	정부의 부동산 보유세 개편방향에 대한 입장	경실련	토지주택위원회
20040920	보도자료	정부의 화폐개혁 논의에 대한 입장	경실련	정책위원회
20040920	보도자료	토지강제수용권 허용에 대한 입장	경실련	정책위원회
20040921	보도자료	퇴직연금제 도입에 관한 공청회	경실련	사회복지위원회
20040922	보도자료	건교부 표준건축비 인상조정에 대한 입장	경실련	아파트값거품빼기운동본부
20040922	보도자료	기업도시특별법에 대한 시민사회단체 연대 성명	경실련공동	녹색연합 외
20040923	보도자료	개인회생제 시행에 대한 입장	경실련	정책위원회
20040924	보도자료	'개인 · 법인 토지소유 현황' 관련 정보공개정구	경실련	토지주택위원회
20040924	보도자료	'국민건강보험재정건전화특별법'에 대한 경실련 의견	경실련	보건의료위원회
20040924	보도자료	정부의 경제정책에 대한 입장	경실련	정책위원회
20041001	보도자료	금융감독업무 역할분담방안에 대한 입장	경실련	정책위원회
20041001	간행물	월간경실련 2004년 9 · 10월호	경실련	경실련

생산일자	세부형태	제목	출처분류	생산자(처)
20041004	보도자료	2004년 국정감사모니터 20대 과제 발표	경실련	정책위원회
20041004	보도자료	대법원의 로스쿨 입학정원 1200명 제한에 대한 반대성명	경실련	시민입법위원회
20041004	보도자료	화성동탄 공공택지 전매행위에 대한 입장	경실련	아파트값거품빼기운동본부
20041004	회의	제15기 10차 상임집행위원회	경실련	상임집행위원회
20041005	보도자료	공공택지에서 군인공제회 개발이익추정 및 전매실태	경실련	아파트값거품빼기운동본부
20041008	보도자료	삼성SDI 노동자들의 위치추적 사건에 대한 입장	경실련	재벌개혁위원회
20041011	보도자료	화성동탄 1단계 분양에 관한 입장	경실련	아파트값거품빼기운동본부
20041012	보도자료	기업도시특별법 관련 각 부처 공개질의	경실련	정책위원회
20041014	보도자료	교육부 장관 담화에 대한 논평	경실련	교육개혁위원회
20041014	보도자료	『기업도시특별법』제정에 대한 경실련 기자간담회	경실련	정책위원회
20041020	보도자료	민간복합도시(기업도시)특별법 반대 시민사회단체 공동의견서 발표 기자회견	경실련공동	기업도시특별법 저지 시민사회단체연대
20041021	보도자료	전경련의 건설산업 활성화를 위한 정책 건의에 대한 경실련 의견	경실련	아파트값거품빼기운동본부
20041021	보도자료	한화그룹의 대한생명 인수 특혜에 대한 입장	경실련	정책위원회
20041021	보도자료	신행정수도건설을위한특별조치법에 대한 헌재 위헌결정 논평	경실련	정책위원회
20041024	보도자료	청주산남3지구 개발이익 추정발표	경실련	아파트값거품빼기운동본부
20041025	회의	제15기 11차 상임집행위원회	경실련	상임집행위원회
20041025	조직	성매매없는 사회만들기 시민연대 참여	경실련	상임집행위원회
20041026	교육	16기 민족화해아카데미	경실련	통일협회
20041026	보도자료	제4회 바른외국기업상 시상식 개최	경실련	경제정의연구소
20041026	보도자료	감사원 SOC 민간투자제도운용실태 감사결과에 대한 입장	경실련	국책사업감시단
20041028	보도자료	'행정수도이전 중단과 관련한 입장'	경실련	도시개혁센터
20041029	보도자료	농업의 구체적 발전 전략 없는 농지법 개정을 중단하라!	경실련	농업개혁위원회
20041100	보도자료	미숙아 지원실태 분석 보고	경실련	시민권익센터
20041101	보도자료	농지법 개정안 입법예고에 대한 의견서 제출	경실련	농업개혁위원회
20041102	보도자료	'주공 한행수 신임사장의 발언'에 대한 경실련논평	경실련	아파트값거품빼기운동본부
20041102	정책토론	기업도시특별법, 무엇이 문제인가 - 법안내용과 추진과정을 중심으로 -	경실련공동	기업도시특별법 저지 시민사회단체연대
20041104	보도자료	열린우리당의 소수 재벌들을 위한 초강력 재벌특혜법 기업도시특별법 제정 즉각 철회하라	경실련공동	기업도시특별법 저지 시민사회단체연대
20041105	보도자료	정부의 '부동산 보유세제 개편안' 발표에 대한 입장	경실련	토지주택위원회
20041108	보도자료	성매매특별법의 조기정착을 위한 입장	경실련	상임집행위원회
20041108	보도자료	열린우리당의 기업도시특별법 제정에 대해 철회 촉구하는 규탄기자회견	경실련공동	기업도시특별법 저지 시민사회단체연대
20041109	보도자료	서민들은 외면한 채 재벌들의 이익만 지켜주는 열린우리당은 자신들의 지지기반을 기억하고 재벌특혜법인 '기업도시특별법' 제정을 즉각 철회하라	경실련공동	기업도시특별법 저지 시민사회단체연대
20041109	보도자료	정부 · 여당의 한국형 뉴딜정책 추진계획에 대한 경실련 입장	경실련	국책사업감시단
20041110	보도자료	기업도시특별법 관련 유관부처 입장 공개	경실련	정책위원회
20041110	보도자료	투기과열지구 규제완화 조치에 대한 입장	경실련	아파트값거품빼기운동본부
20041111	보도자료	'개발부담금제 재도입 촉구' 성명	경실련	도시개혁센터
20041111	보도자료	건강보험 급여확대 및 2005년도 수가 · 보험료에 관한 시민사회단체 기자회견	경실련공동	전국민주노동조합총연맹 외
20041111	보도자료	열린우리당의 기업도시특별법(안) 당론 확정에 대한 입장	경실련	정책위원회
20041116	보도자료	열린우리당의 보유세제 개편방안 당론 확정에 즈음한 경실련 입장	경실련	토지주택위원회
20041116	보도자료	서울시 상암 5,6,7단지 분양원가공개 촉구	경실련	아파트값거품빼기운동본부
20041117	보도자료	'경제자유구역의지정및운영에관한법률개정안' 국무회의 통과에 대한 성명	경실련	보건의료위원회
20041118	보도자료	서울시는 청계천에 신교량 건설 계획을 즉각 중지하고 옛다리를 복원하라!	경실련공동	올바른 청계천 복원을 위한 연대회의
20041119	보도자료	1가구 3주택 양도소득세중과세 시행유보 논란에 대한 경실련입장	경실련	아파트값거품빼기운동본부
20041119	보도자료	공정거래법 처리에 대한 입장	경실련	재벌개혁위원회
20041119	보도자료	국민연금 운용에 관한 보건복지부 장관 입장 발표에 대한 논평	경실련	사회복지위원회
20041120	단행본	천년기업과 국가경영을 위한 제언	경실련	경제정의연구소
20041121	보도자료	건강보험정책심의위원회의 일방적 운영을 중단하라	경실련공동	전국민주노동조합총연맹 외
20041123	보도자료	건교위 주택법 · 민간도시특별법 법안심의에 대한 입장	경실련	아파트값거품빼기운동본부

생산일자	세부형태	제목	출처분류	생산자(처)
20041123	보도자료	건정심 수가협상에 대한 시민사회단체 입장	경실련공동	보건의료위원회
20041123	청원	민간투자활성화를위한복합도시개발특별법안에 관한입법 의견청원	경실련	정책위원회
20041124	보도자료	건교위 법안심사소위원회에 경실련 주택정책 의견서 제출	경실련	아파트값거품빼기운동본부
20041124	보도자료	기업도시특별법 관련 의견청원	경실련	정책위원회
20041124	보도자료	미숙아 의료비지원 현황분석 및 경실련 의견	경실련	시민권익센터
20041124	보도자료	건교위에 상정된 주택법 감리제도 개선안에 대한 입장	경실련	아파트값거품빼기운동본부
20041124	정책토론	서울 시정 2년, 평가와 과제 토론회	경실련	정책위원회
20041124	보도자료	시청자가 뽑은 좋은 프로그램 선정 관련 여론조사 보고	경실련	미디어워치
20041124	보도자료	주택감리제도개선에 대한 입장	경실련	국책사업감시단
20041125	보도자료	'인천 논현지구 도시개발사업 개발이익 추정 및 개발부담금제 재도입 촉구' 기자회견	경실련	도시개혁센터
20041125	보도자료	수가협상에 대한 시민사회단체 입장	경실련공동	보건의료위원회
20041126	보도자료	건교위의 '주택법 개정안 확정'에 대한 입장	경실련	아파트값거품빼기운동본부
20041127	보도자료	노대통령 측근비리 특검법 재의요구 관련 국회 파행, 조속한 정상화 촉구	경실련	정책위원회
20041129	회의	제15기 12차 상임집행위원회	경실련	상임집행위원회
20041130	보도자료	이라크 재건사업의 정부 대응문제 및 향후 재발방지 촉구를 위한 기자회견	경실련	시민권익센터
20041201	보도자료	대법원 사법개혁위원회의 군사법제도 개선안에 대한 환영 성명	경실련	시민입법위원회
20041202	보도자료	학생신체검사 개선 방안에 대한 공개질의	경실련	교육개혁위원회
20041202	보도자료	"시청자가 뽑은 좋은 프로그램" 선정관련 설문조사 발표	경실련	미디어워치
20041202	보도자료	서울시학교급식조례의 시의회 본회의 통과와 공동기자회견	경실련공동	서울시학교급식조례제정운동본부
20041202	보도자료	공직자백지신탁제도의 연내 입법화와 공직자윤리법 강화 촉구 성명	경실련	정부개혁위원회
20041202	보도자료	삼성전자와 토지공사의 땅값 논쟁에 대한 입장	경실련	아파트값거품빼기운동본부
20041206	정책토론	2004 〈시민사회단체-KDI〉 생활경제토론회 서민경제 어떻게 살릴 것인가?	경실련공동	공동체의식개혁국민운동협의회 외
20041206	정책토론	주택후분양제 조기정착 및 확대방안 토론회 개최	경실련	아파트값거품빼기운동본부
20041207	보도자료	2005년도 '보장성강화-수가-보험료' 합의에 대한 성명	경실련	보건의료위원회
20041207	정책토론	주택시장 정상화를 위한 주택의 완공 후 공급 확대방안	경실련	정책위원회
20041208	보도자료	인위적 단기 부양정책에만 집착하는 경제수장 퇴진하라	경실련	정책위원회
20041209	보도자료	과거 분식회계처리 문제에 대한 입장	경실련	재벌개혁위원회
20041209	보도자료	서울시 도시관리계획안에 대한 성명	경실련	서울시민정책위원회
20041213	보도자료	국민건강보험법시행령중개정령안에 대한 경실련 의견제출	경실련	보건의료위원회
20041214	보도자료	제10회 "시청자가 뽑은 좋은 프로그램" 시상식	경실련	미디어워치
20041214	보도자료	판교 택지개발지구 공영개발 사례분석 발표	경실련	아파트값거품빼기운동본부
20041215	보도자료	제14회 경제정의기업상 시상식	경실련	경제정의연구소
20041216	보도자료	과거 분식회계 사면에 대한 입장	경실련	정책위원회
20041216	보도자료	학생신체검사 개선 방안에 대해 국회 교육위 · 보건복지위 질의서 전달	경실련공동	보건의료위원회
20041216	보도자료	쌀 재협상에 대한 입장	경실련	정책위원회
20041220	간행물	월간경실련 2004년 12 · 2005년 1월호	경실련	경실련
20041220	소송	주공 발주공사 관련자료 비공개결정에 대한 행정심판 청구	경실련	아파트값거품빼기운동본부
20041221	보도자료	쌀 재협상에 대한 입장	경실련	농업개혁위원회
20041223	보도자료	경기도의 동탄지구내 삼성 공장용지 가격 인하요청에 대한 논평	경실련	아파트값거품빼기운동본부
20041224	보도자료	국방부 검찰단 장성진급비리 수사결과에 대한 성명	경실련	시민입법위원회
20041227	보도자료	정부는 쌀 재협상 연내 졸속 처리방침을 즉각 철회하고, 전면 재검토하라!	경실련	농업개혁위원회
20041227	회의	제15기 13차 상임집행위원회	경실련	상임집행위원회
20041228	보도자료	MRI 수가논의에 대한 가입자단체 입장	경실련공동	보건의료위원회
20050000	보도자료	건강보험 수가 보험료 결정과정의 이해	경실련	보건의료위원회
20050000	보도자료	편의점 불공정거래행위 심사청구서	경실련	정책위원회
20050106	보도자료	'지상파 방송의 중간광고 및 광고총량제 도입' 재론에 대한 입장	경실련	미디어워치
20050106	보도자료	이기준 부총리를 교체하고 인사수석 교체를 검토하라	경실련	상임집행위원회
20050110	보도자료	1.4 개각 인사파동 책임자를 교체하고, 인사시스템을 혁신하여 새롭게 출발해야한다	경실련	정부개혁위원회
20050111	보도자료	정부의 최저가낙찰제 100억 확대계획 유보 발표에 대한 입장	경실련	국책사업감시단
20050114	교육	제11기 도시대학	경실련	도시개혁센터
20050117	보도자료	허준영 경찰청장 내정자의 임명을 반대한다	경실련	정부개혁위원회

생산일자	세부형태	제목	출처분류	생산자(처)
20050119	보도자료	건교부 '주택관계 하위법령' 입법예고에 대한 경실련 의견서 제출	경실련	아파트값거품빼기운동본부
20050120	보도자료	정부의 기업도시 개발이익환수 완화 방침에 대한 입장	경실련	정책위원회
20050124	회의	제15기 14차 상임집행위원회	경실련	상임집행위원회
20050124	조직	국책사업감시단 출범	경실련	국책사업감시단
20050125	보도자료	원가연동제 아파트 '분양가 인센티브'도입에 대한 입장	경실련	아파트값거품빼기운동본부
20050125	보도자료	정부의 최저가낙찰제 100억 확대계획 유보 발표에 대한 공개질의서	경실련	국책사업감시단
20050126	보도자료	열린우리당 신임 지도부의 친재벌적 입장에 대한 입장	경실련	정책위원회
20050127	보도자료	김진표 교육부총리 내정에 관한 논평	경실련	정책위원회
20050127	보도자료	지율스님의 단식에 대한 입장	경실련	정책위원회
20050128	보도자료	사회간접자본시설에 관한 민간투자법 관련 경실련 의견	경실련	국책사업감시단
20050129	회의	제8기 3차 중앙위원회	경실련	중앙위원회
20050131	정책토론	[갈등분쟁예방을 위한 시민사회의 역할] 동북아 지역대회	경실련	국제연대
20050131	보도자료	이해찬 총리의 과거 분식회계 면탈 발언에 대한 입장	경실련	정책위원회
20050201	보도자료	전경련의 과거 분식회계 3년 유예요청에 대한 입장	경실련	정책위원회
20050202	보도자료	건교부 '원가연동제 아파트 건축비 인상조정'에 대한 경실련 입장	경실련	아파트값거품빼기운동본부
20050204	보도자료	정부와 열린우리당은 농정관련 중대입법 졸속처리 시도를 즉각 중단하라	경실련	농업개혁위원회
20050214	보도자료	공정거래법 시행령 개정안에 대한 의견서 제출	경실련	재벌개혁위원회
20050215	보도자료	서울시학교급식조례 재의결 촉구 연대 기자회견	경실련공동	서울시민정책위원회
20050215	보도자료	공정거래법 시행령 개정안 당정협의결과에 대한 입장	경실련	정책위원회
20050215	보도자료	대구 지하철화재 2주기에 즈음한 지하철 안전실태조사 및 이용자 의식조사 발표	경실련	도시개혁센터
20050216	보도자료	건교부의 '판교신도시 高분양가 대책마련'에 대한 입장	경실련	아파트값거품빼기운동본부
20050217	보도자료	김광웅 정개협위원장은 정치자금법 완화검토 발언에 대해 국민앞에 사과하라	경실련	시민입법위원회
20050218	보도자료	'217 수도권 주택시장 안정대책'에 대한 입장	경실련	아파트값거품빼기운동본부
20050218	보도자료	국회 농해수위에 농지법, 양곡관리법 개정안에 대한 의견서 제출	경실련	농업개혁위원회
20050218	조직	김포경제정의실천시민연합 창립	경실련	김포경실련
20050221	보도자료	국회 건설교통위 법안심사소위원회'재건축개발이익환수 관련 법개정안' 심의에 대한 성명	경실련	도시개혁센터
20050222	보도자료	국회 법사위 법안심사소위의 과거 분식회계 유예안 처리에 대한 입장	경실련	정책위원회
20050222	보도자료	토지정의시민연대 창립총회 및 정책토론회	경실련공동	토지정의시민연대
20050224	보도자료	서울시학교급식지원에관한조례 재의결 환영과 공포 및 시행 촉구 성명	경실련공동	서울시민정책위원회
20050224	보도자료	서울시의 청계천사적지주변 고층개발 계획을 반대하는 청계천연대 성명	경실련공동	올바른 청계천 복원을 위한 연대회의
20050224	보도자료	정부혁신위의 총액인건비제도 도입방안은 재고되어야 한다	경실련	정부개혁위원회
20050228	보도자료	이헌재 부총리는 자진사퇴하라. 정부는 공직자의 부동산 투기를 발본색원하라	경실련	아파트값거품빼기운동본부
20050228	회의	제16기 1차 상임집행위원회	경실련	상임집행위원회
20050228	조직	경실련 갈등해소센터 설립	경실련	갈등해소센터
20050302	보도자료	노무현 대통령의 부동산 투기와의 전쟁 끝났는가	경실련	정책위원회
20050302	보도자료	부동산 정책 믿을 수 없다. 이헌재 부총리는 사퇴하라!'	경실련	정책위원회
20050302	정책토론	한국 정치의 개혁 과제와 방향	경실련공동	미래전략연구원 외
20050304	보도자료	국민들은 이헌재 부총리를 재신임하지 않았다	경실련	정책위원회
20050304	보도자료	'공직자 판교신도시 토지수용현황 정보공개청구' 취재 및 보도 요청	경실련	정책위원회
20050304	보도자료	기업도시개발특별법 시행령 시행규칙에 대한 경실련 의견	경실련	도시개혁센터
20050304	보도자료	국민주택기금의 부실운영에 대한 입장	경실련	재정세제위원회
20050307	보도자료	'판교신도시에서 발생할 개발이익 추정발표' 기자회견	경실련	아파트값거품빼기운동본부
20050307	보도자료	국회는 '이헌재 일가 부동산 의혹'에 대해 청문회를 실시하라	경실련	상임집행위원회
20050307	보도자료	기업도시 하위법령 제정안에 대한 의견서 제출	경실련	정책위원회
20050307	보도자료	이헌재 부총리 사퇴에 대한 〈경실련〉 논평	경실련	정책위원회
20050307	보도자료	이헌재 장관 퇴진 및 토지 투기 근절 촉구 기자회견	경실련공동	토지정의시민연대
20050308	보도자료	'판교신도시 건교부 해명자료'에 대한 경실련 반박성명	경실련	아파트값거품빼기운동본부
20050309	보도자료	건교부 '원가연동제 아파트 건축비 확정발표'에 대한 입장	경실련	아파트값거품빼기운동본부
20050309	보도자료	정치권의 "서울공항개발"발언에 대한 입장	경실련	도시개혁센터
20050314	보도자료	부패방지위의 공기업 부패방지 제도개선안 환영 논평	경실련	정부개혁위원회

생산일자	세부형태	제목	출처분류	생산자(처)
20050314	보도자료	신임 경제부총리 임명에 대한 입장	경실련	정책위원회
20050315	보도자료	'수도권규제완화 추진'에 대한 성명	경실련	도시개혁센터
20050315	보도자료	화성동탄지구 3차분양에 대한 성명	경실련	아파트값거품빼기운동본부
20050316	정책토론	〈경실련〉갈등해소센터 토론회	경실련	갈등해소센터
20050318	보도자료	최영도 국가인권위원장은 책임 있는 자세를 보여라	경실련	정책위원회
20050321	보도자료	고위공직자 검증기준에 대한 청와대의 안이한 인식을 경고한다	경실련	정부개혁위원회
20050323	보도자료	동탄임대아파트 관련 건교부 조치에 대한 성명	경실련	아파트값거품빼기운동본부
20050323	보도자료	정부의 정부조직법 개정안에 대한 성명	경실련	정부개혁위원회
20050323	보도자료	조영택 국무조정실장 내정자 징계 경력에 대한 성명	경실련	정부개혁위원회
20050324	보도자료	'미디어수용자주권연대' 발족 기자회견	경실련공동	미디어수용자주권연대
20050325	정책토론	"북한 핵, 그 이후"	경실련	통일협회
20050325	정책토론	민족화해와 한반도 평화를 위한 1차 정책토론회_"북한 핵, 그 이후"	경실련	통일협회
20050326	보도자료	강동석 건설교통부 장관 투기의혹 관련 〈경실련〉입장	경실련	정책위원회
20050328	보도자료	도시및주거환경정비법시행령개정(안)에 대한 성명	경실련	도시개혁센터
20050328	회의	제16기 2차 상임집행위원회	경실련	상임집행위원회
20050329	회의	Social Watch Asia meeting	경실련	국제연대
20050330	간행물	월간경실련 2005년 3 · 4월호	경실련	경실련
20050331	보도자료	경실련 거품제거 · 특혜청산 시민운동 선언 기자회견	경실련	아파트값거품빼기운동본부
20050331	보도자료	학교급식에 우리농산물사용 방해하는 행자부 · 외통부 규탄 기자회견	경실련공동	서울시학교급식조례제정운동본부
20050402	보도자료	청계천 답사보고	경실련	도시개혁센터
20050406	보도자료	'규제개혁기획단의 공동주택 규제개혁안'에 대한 입장	경실련	도시개혁센터
20050407	보도자료	경실련 [판교신도시 개발사업 관련 공개질의서] 건교부에 제출	경실련	아파트값거품빼기운동본부
20050407	정책토론	고위공직자 인사검증 어떻게 할 것인가	경실련	정책위원회
20050408	교육	17기 민족화해아카데미	경실련	통일협회
20050411	보도자료	'모태펀드 운용 관련 입장'	경실련	중소기업위원회
20050414	보도자료	기업도시 산업교역형 최소면적 축소는 기업에게 땅 투기 하라는 것이다	경실련	정책위원회
20050414	정책토론	밀레니엄개발목표와 한국사회의 역할	경실련	정책위원회
20050414	보도자료	아파트값 거품재연에 대한 성명	경실련	아파트값거품빼기운동본부
20050414	회의	UNDP 한국사무소 공개주최 〈밀레니엄개발목표와 한국 사회의 역할〉 국제회의 개최	경실련공동	국제연대
20050415	보도자료	수원지검 [용인동백지구 분양가담합 수사] 관련 경실련입장	경실련	아파트값거품빼기운동본부
20050415	보도자료	재건축사업관련 비자금조성과 뇌물공여 사건에 대한 입장	경실련	국책사업감시단
20050415	보도자료	홍석현 주미대사 부동산 투기에 대한 〈경실련〉입장	경실련	정책위원회
20050418	보도자료	국민에 대한 사과는 사임하는 것이다	경실련	정책위원회
20050418	보도자료	벤처기업확인제도에 대한 입장	경실련	정책위원회
20050419	청원	공직자윤리법 개정에 관한 의견청원	경실련	정부개혁위원회
20050420	보도자료	4월 임시국회에서 공직자윤리법 전면 개정을 촉구한다	경실련	상임집행위원회
20050421	보도자료	국회 행자위 소위의 공직자윤리법 개정안을 전면 무효화하라	경실련	정부개혁위원회
20050421	보도자료	윗물맑게하기 시민행동의 날	경실련	아파트값거품빼기운동본부
20050422	보도자료	건설부패 실태조사결과 발표	경실련	국책사업감시단
20050422	보도자료	국회의 생색내기 '공직자윤리법'개정 규탄집회	경실련	정책위원회
20050422	보도자료	정치권의 행정구역 개편 논의에 대한 시민단체 공동성명	경실련공동	행정개혁시민연합 외
20050425	회의	제16기 3차 상임집행위원회	경실련	상임집행위원회
20050427	보도자료	'서울공항개발'에 대한 성명	경실련	도시개혁센터
20050427	보도자료	국회 본회의의 공직자윤리법 졸속가결을 규탄한다	경실련	정책위원회
20050427	보도자료	기업도시개발법 시행령 의결에 대한 입장	경실련	정책위원회
20050427	보도자료	서울공항개발에 대한 성명	경실련	도시개혁센터
20050427	회의	한나라당 강재섭 원내대표 면담	경실련	정책위원회
20050428	보도자료	한반도 평화선언 촉구 시민사회단체 공동기자회견	경실련공동	통일협회
20050428	보도자료	편의점 불공정거래 고발 및 불공정 약관 시정 촉구 기자회견 및 공정위 고발	경실련	시민권익센터
20050506	보도자료	'서울시 양윤재부시장 금품수수혐의 조사'에 대한 성명	경실련	도시개혁센터
20050506	보도자료	5 · 4 부동산 정책에 대한 입장	경실련	정책위원회
20050506	보도자료	경제계 인사에 대한 사면 · 복권에 대한 입장	경실련	정책위원회
20050509	보도자료	양윤재 서울시 행정부시장 구속에 대한 청계천연대 성명	경실련공동	올바른 청계천 복원을 위한 연대회의
20050509	보도자료	판교신도시 개발이익 경실련 공개질의 관련 건교부 답변에 대한 입장	경실련	아파트값거품빼기운동본부
20050510	보도자료	검찰의 부정부패척결 선포에 대한 입장	경실련	국책사업감시단
20050512	보도자료	'서울시 도심재개발기본계획 변경과 검찰수사'에 대한 경실련		

생산일자	세부형태	제목	출처분류	생산자(처)
		성명	경실련	도시개혁센터
20050512	정책토론	방송통신 융합시대 수용자주권 어떻게 지킬 것인가	경실련공동	기독교윤리실천운동 외
20050512	보도자료	쌀 재협상 국정 조사에 대한 입장	경실련	농업개혁위원회
20050519	보도자료	용인흥덕지구 택지분양 관련 입장	경실련	아파트값거품빼기운동본부
20050519	회의	열린우리당 정세균 원내대표 면담	경실련	정책위원회
20050524	보도자료	판교신도시 택지공급계획 승인 관련] 논평	경실련	아파트값거품빼기운동본부
20050525	보도자료	판교신도시 사업추진 관련 입장	경실련	아파트값거품빼기운동본부
20050526	보도자료	'강남 재건축아파트 개발이익규모 추정 및 재건축제도개선 촉구' 기자회견 보도요청	경실련	도시개혁센터
20050526	보도자료	방송통신구조개편위원회, 무엇을 논의할 것인가	경실련공동	민주언론시민연합 외
20050527	정책토론	글로벌 스탠다드에 적합한 한국기업집단의 지배구조 개선 -국제적 비교를 중심으로 1차년도 연구결과 발표 심포지움	경실련	경제정의연구소
20050530	보도자료	공공건설공사 예산낭비 실태 고발 기자회견	경실련	국책사업감시단
20050530	회의	제16기 4차 상임집행위원회	경실련	상임집행위원회
20050601	보도자료	노무현 대통령 부동산투기 근절발언 관련 입장	경실련	아파트값거품빼기운동본부
20050601	정책토론	민선지방자치 10년 평가 심포지엄	경실련	정책위원회
20050601	보도자료	이상경 헌법재판소 재판관의 위법행위에 대한 입장	경실련	상임집행위원회
20050603	보도자료	판교신도시로 인한 아파트값 상승실태 발표 경실련 기자회견	경실련	아파트값거품빼기운동본부
20050603	보도자료	검찰의 철도공사 러시아유전개발의혹사건 수사결과 발표에 대한 논평	경실련	시민입법위원회
20050608	보도자료	공공건설공사 예산낭비 실태 고발 기자회견[2}	경실련	국책사업감시단
20050609	조직	지구촌빈곤퇴치시민네트워크 출범식	경실련공동	지구촌빈곤퇴치시민네트워크
20050609	보도자료	한나라당 부동산 세제 개정안에 대한 입장	경실련	토지주택위원회
20050609	회의	보건복지부 장관 면담	경실련공동	보건의료위원회
20050610	보도자료	김양수의원의 주택정책제언에 대한 논평	경실련	아파트값거품빼기운동본부
20050610	소송	경실련, 편의점 불공정약관 추가고발 및 피해사례접수와 법률상담실시	경실련	시민권익센터
20050613	보도자료	'판교개발중단 및 공영개발촉구 시민행동 선포'	경실련	아파트값거품빼기운동본부
20050614	보도자료	김우중 전 회장의 귀국에 대한 입장	경실련	정책위원회
20050616	보도자료	'집값폭등에 대한 대통령 결단촉구' 경실련 전국동시 기자회견 개최	경실련	아파트값거품빼기운동본부
20050616	청원	통합금융감독기구법 관련 제정청원	경실련	금융개혁위원회
20050618	보도자료	노무현 대통령 주재 부동산정책 간담회 결과에 대한 〈경실련〉논평	경실련	아파트값거품빼기운동본부
20050621	정책토론	중소기업 신용보증제도 어떻게 개선할 것인가	경실련	정책위원회
20050623	정책토론	청계천복원사업 2년의 명암	경실련	도시개혁센터
20050623	정책토론	지방감사제도, 무엇이 문제인가	경실련	정책위원회
20050623	보도자료	지구촌빈곤퇴치시민네트워크 〈화이트밴드캠페인〉 개최	경실련공동	지구촌빈곤퇴치시민네트워크
20050625	보도자료	정개특위의 정치관계법 졸속개정을 규탄하며 개악안의 즉각 철회를 촉구한다	경실련	상임집행위원회
20050627	보도자료	민선지방자치 10년과 앞으로의 과제	경실련	지방자치위원회
20050627	회의	제16기 5차 상임집행위원회	경실련	상임집행위원회
20050628	보도자료	법학전문대학원 설립에 관한 법률 제정관련 의견	경실련	시민입법위원회
20050630	보도자료	삼성그룹의 공정거래법 헌법소원에 대한 입장	경실련	정책위원회
20050630	보도자료	시민의 광장이용을 근본적으로 가로막는 시청앞광장 잔디를 즉각 걷어내라!	경실련공동	도시연대 외
20050630	간행물	월간경실련 2005년 6 · 7월호	경실련	경실련
20050700	보도자료	편의점 실태파악을 위한 가맹점주 설문조사	경실련	정책위원회
20050701	보도자료	경실련 감사원 감사청구서 제출	경실련	국책사업감시단
20050701	보도자료	국세청 강남 9개 아파트단지 거래실태 조사결과 발표	경실련	아파트값거품빼기운동본부
20050703	보도자료	경실련, 편의점 실태 및 현황 파악을 위한 설문조사 결과 분석 발표	경실련	시민권익센터
20050704	보도자료	은행의 부동산담보대출에 대한 입장	경실련	정책위원회
20050707	정책토론	편의점 공정거래질서 어떻게 세울 것인가?	경실련	시민권익센터
20050713	보도자료	건강보험 보장성 강화에 관한 가입자단체의 안	경실련공동	전국민주노동조합총연맹 외
20050715	보도자료	공정위의 가맹사업거래 정보공개서 표준양식 제정에 대한 논평	경실련	시민권익센터
20050715	보도자료	토지주택공개법 제정 촉구	경실련	토지주택위원회
20050719	보도자료	문화재청은 청계천 사적 주변 고도제한 완화 결정을 즉각 철회하라!	경실련공동	올바른 청계천 복원을 위한 연대회의
20050720	보도자료	'실효성 있는 개발부담금제 부활 촉구' 성명	경실련	도시개혁센터
20050720	보도자료	최근 여권의 사면논의에 대한 입장	경실련	시민입법위원회

생산일자	세부형태	제목	출처분류	생산자(처)
20050721	보도자료	기업도시 건설을 즉각 중단하라.	경실련	정책위원회
20050721	보도자료	한나라당 부동산안정 대책에 대한 입장	경실련	아파트값거품빼기운동본부
20050725	보도자료	'X파일'에 대한 입장	경실련	정책위원회
20050725	보도자료	제4차 6자회담 개최에 따른 경실련통일협회 입장	경실련	통일협회
20050726	보도자료	판교신도시 토지보상현황에 대한 입장	경실련	아파트값거품빼기운동본부
20050728	보도자료	지역사회복지협의체 추진 현황에 관한 성명	경실련	사회복지위원회
20050729	보도자료	노대통령의 '대연정'에 대한 논평	경실련	정책위원회
20050801	보도자료	건설업체 시공능력평가공시제도 폐지 촉구	경실련	국책사업감시단
20050803	보도자료	대규모 국책사업 심의 교수들에 대한 전면 수사 촉구	경실련	국책사업감시단
20050812	보도자료	8 · 15특별사면에 대한 논평	경실련	시민입법위원회
20050816	보도자료	정부와 여당의 '부동산 8월대책논의'에 대한 입장	경실련	아파트값거품빼기운동본부
20050822	회의	제16기 6차 상임집행위원회	경실련	상임집행위원회
20050824	보도자료	'8월 부동산대책'에 대한 입장	경실련	정책위원회
20050825	회의	제8기 4차 중앙위원회	경실련	중앙위원회
20050830	보도자료	지역사회복지협의체 구성 현황 관련 경실련 자료	경실련	사회복지위원회
20050831	보도자료	8 · 31부동산대책에 대한 입장	경실련	정책위원회
20050905	보도자료	한나라당 부동산대책에 대한 입장	경실련	아파트값거품빼기운동본부
20050905	보도자료	보건복지부는 합의사항 즉각 이행하라	경실련공동	전국민주노동조합총연맹 외
20050907	보도자료	에이즈 감염 혈액 유통에 대한 입장	경실련	보건의료위원회
20050908	보도자료	'송파신도시 주변지역 개발실태 분석 및 입장 발표' 기자회견 보도요청	경실련	도시개혁센터
20050909	정책토론	수용자주권차원에서 광고제도의 바람직한 방향	경실련공동	민주언론시민연합 외
20050916	보도자료	'상지대 관련 이강두 의원 발언'에 대한 입장	경실련	정책위원회
20050920	보도자료	파주운정지구 공동주택지 수의계약과 관련한 입장	경실련	아파트값거품빼기운동본부
20050921	보도자료	여야 5당 '부동산정책협의회'에 대한 입장	경실련	아파트값거품빼기운동본부
20050922	보도자료	지역사회복지협의체 추진 현황에 관한 입장	경실련	사회복지위원회
20050926	보도자료	공공공사 최저가낙찰제 전면 실시 촉구	경실련	국책사업감시단
20050926	회의	제16기 7차 상임집행위원회	경실련	상임집행위원회
20050927	보도자료	공정위에 편의점 불공정거래행위 조사 촉구를 위한 고발 조치	경실련	시민권익센터
20050927	정책토론	뉴미디어시대 공영방송의 역할과 과제	경실련공동	민주언론시민연합 외
20050930	간행물	월간경실련 2005년 9 · 10월호	경실련	경실련
20051004	보도자료	공공공사에 대한 최저가낙찰제 약속이행 촉구	경실련	국책사업감시단
20051004	교육	예산학교	경실련	예산감시위원회
20051005	보도자료	의료산업선진화위원회 관련 입장	경실련	보건의료위원회
20051006	보도자료	'공시지가 실태분석, 전국지가추정 및 경실련입장발표' 기자회견	경실련	아파트값거품빼기운동본부
20051006	보도자료	열린우리당, 한나라당 원내대표에게 공직자윤리법 개정 관련 질의서 발송	경실련	정부개혁위원회
20051010	보도자료	'송파신도시 그린벨트 해제관련' 성명	경실련	도시개혁센터
20051010	보도자료	공공건설공사 턴키 · 대안입찰 과정에 대한 전면적인 수사 촉구	경실련	국책사업감시단
20051011	보도자료	'공시지가 관련 건교부자료'에 대한 입장	경실련	아파트값거품빼기운동본부
20051012	보도자료	'편법 · 불법 수의계약 관련 전면조사 촉구' 경실련 기자회견	경실련	아파트값거품빼기운동본부
20051012	보도자료	관광레저형 기업도시 관련 전경련 보고서에 대한 입장	경실련	정책위원회
20051013	정책토론	지구촌빈곤퇴치시민네트워크 정책토론회	경실련공동	국제연대
20051013	보도자료	우리쌀지키기, 우리밀살리기 소비자 선언문 발표	경실련공동	우리쌀지키기우리밀살리기소비자1만인대회추진본부
20051017	보도자료	기초의원 정당공천제 철회촉구 기자회견 취재 및 보도 요청	경실련	지방자치위원회
20051018	보도자료	'06년 환산지수 연구' 관련 입장	경실련	보건의료위원회
20051018	보도자료	2005년 정기국회 법안심사에 대한 입장	경실련	정치개혁위원회
20051018	보도자료	공공건설공사의 가격경쟁 입찰제도 입법화 촉구	경실련	국책사업감시단
20051019	보도자료	'노인수발보장법률 제정안' 입법예고 관련 입장	경실련	사회복지위원회
20051019	보도자료	'부동산관련법안 입법'에 대한 입장	경실련	아파트값거품빼기운동본부
20051019	정책토론	시청자주권 확보 차원에서 공공기금의 올바른 운영방안	경실련공동	기독교윤리실천운동 외
20051020	보도자료	'부동산관련법 법안심사소위 방청불허'에 대한 입장	경실련	아파트값거품빼기운동본부
20051021	보도자료	의료사고피해구제법 제정을 위한 시민연대 출범	경실련공동	의료사고피해구제법 제정을 위한 시민연대
20051024	보도자료	'의료사고피해구제법 제정을 위한 시민연대 출범' 후속 보도자료	경실련공동	의료사고피해구제법 제정을 위한 시민연대
20051024	회의	제16기 8차 상임집행위원회	경실련	상임집행위원회
20051026	보도자료	"2005년 청소년 미디어 이용실태 설문조사 결과 보고"	경실련	미디어워치
20051026	보도자료	2005년 '제5회 바른외국기업상(Best Foreign Corporation Award)' 수상기업 및 Best 10 기업 발표	경실련	경제정의연구소

생산일자	세부형태	제목	출처분류	생산자(처)
20051027	보도자료	'건교부, 발코니 확장 합법화 추진'에 대한 성명	경실련	도시개혁센터
20051030	보도자료	우리쌀지키기우리밀살리기 소비자 1만인 대회	경실련공동	정책위원회
20051031	보도자료	「8 · 31 종합부동산대책」국회 입법화 과정 공개를 위한 26개 시민사회단체 공동 성명	경실련공동	토지정의시민연대
20051100	청원	의료사고피해구제법 제정에 관한 청원	경실련	정책위원회
20051102	보도자료	'건축법시행령개정(발코니개조 합법화)'에 입법예고에 대한 경실련 의견서 제출	경실련	도시개혁센터
20051102	보도자료	두산산업개발 비자금조성 의혹에 대한 입장	경실련	국책사업감시단
20051102	정책토론	서울시 청계천 사업 평가 토론회	경실련공동	올바른 청계천 복원을 위한 연대회의
20051103	보도자료	재벌개혁, 금융개혁 촉구를 위한 경영 · 경제학자 100인 공동 성명 발표 기자회견	경실련	정책위원회
20051104	보도자료	'법원의 택지조성원가 공개판결'에 대한 입장	경실련	아파트값거품빼기운동본부
20051104	보도자료	신뢰할 수 없는 자료를 근거로 건강보험수가와 보험료를 올려선 안 된다	경실련	정책위원회
20051107	보도자료	고속도로(도로공사)와 국도(건교부)의 건설비용 분석을 통한 예산낭비 실태 고발	경실련	예산감시위원회
20051108	보도자료	노인수발보장법률 제정안에 대한 의견서 제출	경실련	사회복지위원회
20051109	보도자료	공공건설공사 예산낭비 실태 분석결과 발표 [3]	경실련	국책사업감시단
20051109	보도자료	열린우리당 · 한나라당 원내대표 입법의견 조사결과 발표' 취재 및 보도 요청	경실련	시민입법위원회
20051110	보도자료	'8.31대책의 후속법안' 제정과 관련한 입장	경실련	아파트값거품빼기운동본부
20051111	보도자료	검찰의 두산그룹 총수 일가 수사결과에 대한 입장	경실련	정책위원회
20051111	보도자료	제주특별자치도법(안)의 의료기관 영리법인화에 대한 경실련 의견	경실련	보건의료위원회
20051111	교육	대집단체조와 예술공연 [아리랑] 재공연과 남북문화교류	경실련	통일협회
20051113	보도자료	뉴타운 관련법 기반시설부담금에 관한 법률에 대한 경실련 검토의견 보도요청	경실련	도시개혁센터
20051115	보도자료	홍석현 前 주미대사의 검찰 소환조사에 대한 입장	경실련	시민입법위원회
20051116	보도자료	'동탄 원가연동제 실효성 상실' 에 대한 입장	경실련	아파트값거품빼기운동본부
20051116	보도자료	EBS 문화정보 프로그램에 대한 모니터 보고 발표	경실련	미디어워치
20051116	보도자료	정상명 검찰총장 내정자 인사청문회에 대한 경실련 의견 발표 취재 및 보도 요청	경실련	시민입법위원회
20051116	정책토론	지방선거제도 무엇이 문제인가	경실련	지방자치위원회
20051117	보도자료	'용도변경을 위한 전형적 인허가 비리인 오포비리'에 대한 입장	경실련	아파트값거품빼기운동본부
20051117	보도자료	내년도 보험수가 합의에 대한 입장	경실련	보건의료위원회
20051121	보도자료	8 · 31 종합부동산대책 국회 후속입법 통과를 촉구하는 45개 시민사회단체 공동 성명	경실련공동	참여연대 외
20051122	조직	도시개혁센터 후원의 밤	경실련	도시개혁센터
20051122	보도자료	재경부의 의료보험 이원화 정책 추진에 대한 입장	경실련	보건의료위원회
20051123	정책토론	사회보험 관리효율화 어떻게 할 것인가	경실련	정책위원회
20051125	청원	의료사고피해구제법 제정을 위한 청원 소개 요청	경실련공동	의료사고피해구제법 제정을 위한 시민연대
20051125	보도자료	의료사고피해구제법 제정 청원을 위한 국회의원 서명 촉구 요청서 발송	경실련공동	의료사고피해구제법 제정을 위한 시민연대
20051128	회의	제16기 9차 상임집행위원회	경실련	상임집행위원회
20051130	보도자료	'국회의 부동산관련 세제 심의'와 관련한 입장	경실련	아파트값거품빼기운동본부
20051130	보도자료	한나라당의 종합부동산세 세대별합산과세 '위헌' 주장에 대한 경실련 의견	경실련	정책위원회
20051201	보도자료	3차 화이트밴드 캠페인 '내 친구를 학교에 보내주세요' -희망나눔 스쿨버스	경실련공동	지구촌빈곤퇴치시민네트워크
20051201	보도자료	8 · 31 부동산 대책의 성공적 입법화를 촉구하는 45개 시민사회단체 기자회견	경실련공동	주거복지연대 외
20051202	보도자료	부동산부자를 대변하는 한나라당에 대한 온라인 항의시위	경실련	아파트값거품빼기운동본부
20051205	보도자료	당 · 정의 최저가낙찰제 관련 협의에 대한 입장	경실련	국책사업감시단
20051206	보도자료	수용자 주권 찾기를 위한 수용자 운동	경실련공동	기독교윤리실천운동 외
20051206	보도자료	최근 농민 · 농촌대책에 대한 입장	경실련	농업개혁위원회
20051207	정책토론	사회복지전달체계 실효성 제고를 위한 공청회	경실련	정책위원회
20051208	보도자료	'8.31대책 100일'에 대한 입장	경실련	정책위원회
20051208	보도자료	17대 국회 2년차 의원입법발의 실태 조사 결과 발표	경실련	정치개혁위원회
20051208	보도자료	7일 '추적 60분' 의료사고 사례 분석 및 금요일 거리 캠페인	경실련공동	의료사고피해구제법 제정을 위한 시민

생산일자	세부형태	제목	출처분류	생산자(처)
				연대
20051210	보도자료	미디어 바로보기 교육을 마치고…	경실련	미디어워치
20051212	보도자료	'희망한국 21의 사회안전망 전달체계 개편 안'에 관한 의견서 제출	경실련	사회복지위원회
20051212	간행물	월간경실련 2005년 11 · 12월호	경실련	경실련
20051213	보도자료	국정과제 혈세낭비 방지를 위한 최저가낙찰제 확대 입법 촉구	경실련	국책사업감시단
20051213	정책토론	밀레니엄개발목표의 달성과 한국시민단체의 역할	경실련공동	지구촌빈곤퇴치시민네트워크
20051214	보도자료	'안기부 · 국정원 도청' 검찰 수사 발표에 대한 입장	경실련	시민입법위원회
20051214	보도자료	'부동산통계 실태발표' 관련 경실련 기자회견	경실련	정책위원회
20051215	보도자료	의료사고 피해구제법 입증책임 전환 및 금요일 거리 캠페인	경실련공동	의료사고피해구제법 제정을 위한 시민연대
20051219	회의	제16기 10차 상임집행위원회	경실련	상임집행위원회
20051222	보도자료	건교부의 '건설기술관리법 시행규칙 개정추진'에 대한 입장	경실련	국책사업감시단
20051222	보도자료	국세고액상습체납자 공개에 대한 성명	경실련	재정세제위원회
20051227	보도자료	국회 예산질의 지연에 대한 경실련 의견	경실련	정책위원회
20051228	모니터링	'17대 국회의원 방문외교활동 분석 결과' 보도 요청	경실련	정책위원회
20051228	보도자료	허준영 경찰청장의 자진 사퇴를 촉구한다	경실련	정부개혁위원회
20060103	교육	제12기 도시대학 개강	경실련	도시개혁센터
20060104	보도자료	'입찰자격 심사(PQ)제도 재해율 감점제 폐지 방침'에 대한 입장	경실련	국책사업감시단
20060105	보도자료	1. 2 개각에 대한 입장	경실련	정부개혁위원회
20060105	보도자료	서울시 '2010 도시주거환경정비기본계획(안)' 확정에 대한 성명	경실련	도시개혁센터
20060110	보도자료	경실련-경향 공동 부동산 거품을 빼자(1)	경실련	아파트값거품빼기운동본부
20060111	보도자료	경실련-경향 공동 부동산 거품을 빼자(2)	경실련	아파트값거품빼기운동본부
20060112	보도자료	입원환자 식대 건강보험 급여화에 대한 입장	경실련	보건의료위원회
20060113	보도자료	노무현 정부는 사회양극화를 심화시킬 영리병원 허용 추진을 중단하라	경실련공동	보건의료위원회
20060113	보도자료	입원환자 식대 보험적용에 대한 입장	경실련	보건의료위원회
20060113	회의	제17기 1월 상임집행위원회	경실련	상임집행위원회
20060114	보도자료	경실련-경향 공동 부동산 거품을 빼자(3)	경실련	아파트값거품빼기운동본부
20060116	보도자료	재벌급 건설업자만을 위한 턴키입찰 낙찰방식 철회 촉구	경실련	국책사업감시단
20060116	회의	제17기 1차 상임집행위원회	경실련	상임집행위원회
20060117	보도자료	의료산업선진화위원회 의제 선정 관련 의료연대회의 입장	경실련공동	보건의료위원회
20060118	보도자료	수술환자가 바뀌어진 건양대학교병원 의료사고에 관한 입장	경실련공동	보건의료위원회
20060119	보도자료	'8.31부동산대책 관계공무원 포상수여' 관련 입장	경실련	아파트값거품빼기운동본부
20060119	보도자료	대통령 신년연설에 대한 의견	경실련	정책위원회
20060119	보도자료	지방선거법 개정 촉구 기자회견 취재 및 보도 요청	경실련공동	정책위원회
20060123	보도자료	민자고속도로 건설의 예산낭비 실태 및 특혜분석	경실련	국책사업감시단
20060123	보도자료	건교부의 지자체 재건축 승인권한 중앙정부 재이양 논란에 대한 성명	경실련	도시개혁센터
20060125	보도자료	대통령 신년기자회견에 대한 성명	경실련	정책위원회
20060126	보도자료	민자사업법을 전면개정하고, 관련자들의 훈 · 포장 수여를 철회하라	경실련	국책사업감시단
20060126	보도자료	의료사고피해구제를 위한 법 제정을 촉구하는 기자회견	경실련공동	보건의료위원회
20060127	보도자료	박근혜 대표 신년기자회견에 대한 성명	경실련	정책위원회
20060129	보도자료	민자투자 건설사업의 예산낭비 실태에 대한 감사원 감사청구	경실련	국책사업감시단
20060202	참고자료	동아일보_토론마당_신대구부산고속도로 통행료 논란	경실련	국책사업감시단
20060203	보도자료	지상파3사 방송시간 확대에 대한 모니터 보고 발표	경실련	미디어워치
20060206	보도자료	'판교투기분양 중단촉구' 경실련 기자회견	경실련	아파트값거품빼기운동본부
20060207	보도자료	노무현 대통령 면담요청서 제출	경실련	아파트값거품빼기운동본부
20060207	정책토론	위기의 한국농업과 소비자운동의 과제와 역할 심포지움	경실련	농업개혁위원회
20060208	보도자료	경실련 노무현대통령 면담요청	경실련	정책위원회
20060208	보도자료	두산 총수일가 집행유예, 법 앞의 평등에 재벌은 예외인가	경실련	재벌개혁위원회
20060209	감사청구	감사원 감사청구서 제출	경실련	국책사업감시단
20060209	보도자료	국무위원 인사청문회에 대한 입장	경실련	정부개혁위원회
20060209	보도자료	정부의 '노인수발보험법안'에 대한 입장	경실련	사회복지위원회
20060209	보도자료	참여정부 출범 후 세금 부담 현황에 대한 분석자료 발표	경실련	재정세제위원회
20060210	보도자료	5개 부처 장관 및 경찰청장 임명에 대한 논평	경실련	정부개혁위원회
20060214	보도자료	기업도시 숫자 제한 철폐 및 조세감면 특혜 확대에 대한 입장	경실련	아파트값거품빼기운동본부
20060214	보도자료	충남대병원 의료사고에 대한 입장	경실련공동	보건의료위원회

생산일자	세부형태	제목	출처분류	생산자(처)
20060215	보도자료	6.15공동선언실천 남측위원회 결성 1주년 기념식	경실련공동	통일협회
20060216	보도자료	'아파트 분양원가 공개판결'에 대한 입장	경실련	정책위원회
20060216	보도자료	국회 국민연금제도개선특별위원회에 대한 입장	경실련	사회복지위원회
20060216	보도자료	한미 FTA 추진절차에 대한 입장	경실련	정책위원회
20060217	보도자료	의료사고피해구제법제정을위한 여야 간사위원 면담	경실련공동	보건의료위원회
20060220	보도자료	두산판결에 대한 대법원장의 발언관련 입장	경실련	재벌개혁위원회
20060221	보도자료	'건교부 건축비 인상' 관련 입장	경실련	아파트값거품빼기운동본부
20060222	보도자료	자본시장통합법에 대한 입장	경실련	정책위원회
20060223	보도자료	'소비자보호법' 개정에 대한 입장	경실련	정책위원회
20060223	정책토론	예산낭비, 어떻게 막을 것인가-예산낭비대응 공동토론회	경실련공동	국책사업감시단
20060224	보도자료	당정 '아파트 분양원가검증위원회 설치검토' 관련 입장	경실련	아파트값거품빼기운동본부
20060224	보도자료	대통령 취임3주년에 즈음한 입장	경실련	정책위원회
20060225	간행물	월간경실련 2006년 1 · 2 · 3월호	경실련	경실련
20060227	보도자료	공정거래위원회 편의점 불공정약관 심사결과에 대한 입장	경실련	시민권익센터
20060227	보도자료	생애최초주택자금 대출금리 인상 관련 입장	경실련	아파트값거품빼기운동본부
20060227	보도자료	철도공사의 공사도급내역 상시공개결정 관련 입장	경실련	국책사업감시단
20060227	회의	제17기 2차 상임집행위원회	경실련	상임집행위원회
20060228	보도자료	편의점 불공정약관에 대한 공정거래위원회 심사결과에 대한 성명	경실련	시민권익센터
20060228	보도자료	입원환자 식대 보험적용 연기에 대한 입장	경실련	보건의료위원회
20060229	보도자료	도시가스 구입량과 판매량 차이에 관한 입장	경실련	시민권익센터
20060301	보도자료	고위공직자 재산변동 내역 발표에 관한 입장	경실련	정부개혁위원회
20060301	보도자료	참여정부 출범 후 세금 감면 증가 현황에 대한 경실련 분석	경실련	재정세제위원회
20060302	보도자료	'경실련 5.31 정책선거유권자운동본부' 발족 기자회견	경실련	유권자운동본부
20060303	보도자료	'건교부 표준지 공시지가 결정 · 공시' 관련 입장	경실련	정책위원회
20060303	보도자료	3, 2 개각에 관한 논평	경실련	정부개혁위원회
20060303	보도자료	출자총액제한제 완화에 대한 입장	경실련	정책위원회
20060306	보도자료	수도권 지방자치단체의 무분별한 재산세 인하조치는 중단되어야 한다	경실련	정책위원회
20060306	보도자료	의료사고피해구제법 제정을 촉구하는 의료사고 피해자 증언대회	경실련공동	보건의료위원회
20060307	보도자료	대선공약과 배치된 열린우리당의 출총제완화추진에 대한 입장	경실련	정책위원회
20060309	보도자료	건교부 건축비 인상고시에 대한 입장	경실련	아파트값거품빼기운동본부
20060310	보도자료	최연희 의원 성희롱 사건에 대한 입장	경실련	정부개혁위원회
20060313	보도자료	강봉균 정책위의장의 출총제 폐지발언에 대한 항의 기자회견	경실련	정책위원회
20060313	보도자료	이해찬 총리 3.1절 골프 모임에 관한 입장	경실련	정부개혁위원회
20060315	보도자료	교통카드 분쟁, 즉각 서울시가 나서서 해결하라!	경실련	도시개혁센터
20060315	보도자료	특혜백화점 민자사업에 대한 전면적인 수사 촉구	경실련	국책사업감시단
20060315	보도자료	정보공개제도 운영실태에 대한 입장	경실련	국책사업감시단
20060315	보도자료	한국은행 총재, 공정거래위원장 인사에 관한 입장	경실련	정책위원회
20060316	정책토론	민간의료보험 활성화 대응위한 정책 회의	경실련공동	보건의료위원회 외
20060317	보도자료	'정부의 판교청약대책' 관련 입장	경실련	아파트값거품빼기운동본부
20060320	보도자료	3.2 개각에 따른 4개 부처 장관 인사청문회에 대한 입장	경실련	정부개혁위원회
20060321	보도자료	고소득 자영업자에 대한 세무조사 결과에 대한 입장	경실련	정책위원회
20060322	보도자료	대우건설 출자에 대한 출총제 예외인정에 관한 입장	경실련	정책위원회
20060323	보도자료	이명박 서울시장의 황제테니스 파문에 관한 입장	경실련	시민입법위원회
20060324	보도자료	'성남시 판교분양가 인하요구' 관련 입장	경실련	아파트값거품빼기운동본부
20060324	보도자료	대통령의 인터넷대화 결과에 대한 입장	경실련	아파트값거품빼기운동본부
20060324	보도자료	은행권 수수료인상에 대한 입장	경실련	정책위원회
20060327	보도자료	서울시 의정비심의위원회의 지방의원 보수결정에 관한 입장	경실련	지방자치위원회
20060327	보도자료	정보공개제도 운영실태에 대한 입장	경실련	국책사업감시단
20060327	회의	제17기 3차 상임집행위원회	경실련	상임집행위원회
20060328	보도자료	론스타의 외환은행 매각에 대한 입장	경실련	정책위원회
20060328	보도자료	서울시 의정비심의위원회의 지방의원 보수 산정 관련 공개질의서 발송	경실련	지방자치위원회
20060329	보도자료	김재록씨 금융권 불법로비와 관련한 입장	경실련	정책위원회
20060329	보도자료	롯데월드 사고에 대한 성명	경실련	도시개혁센터
20060329	보도자료	의료광고 모니터를 통한 현황 분석 및 의료법 개정 방향에 대한 입장	경실련	보건의료위원회
20060329	보도자료	정부 · 여당의 재건축개발이익환수 대책 발표에 대한 입장	경실련	아파트값거품빼기운동본부
20060330	보도자료	'서민주거복지 증진과 주택시장 합리화방안' 에 관한 입장	경실련	아파트값거품빼기운동본부

생산일자	세부형태	제목	출처분류	생산자(처)
20060331	보도자료	금융권 주택담보대출 취급실태 점검결과에 대한 입장	경실련	정책위원회
20060331	보도자료	출자총액제한제 폐지 기도를 즉각 중단하라	경실련	정책위원회
20060331	보도자료	도시가스 판매량 차이와 소비자요금 관련 입장	경실련	시민권익센터
20060403	보도자료	"가맹사업거래의 공정화의 관한 법률" 개정안에 대한 의견	경실련	시민권익센터
20060403	보도자료	김재록씨와 전재정경부장관들의 부적절한 유착에 대한 입장	경실련	정책위원회
20060404	보도자료	대통령만 모르고, 국민은 알고 있는 부동산 진실(1) - 우리나라 지가상승률	경실련	아파트값거품빼기운동본부
20060404	보도자료	병원식대 원가 발표 및 식대 보험적용방안에 대한 기자회견	경실련	보건의료위원회
20060405	보도자료	공직자 재산공개 제도 전면 개선 촉구 기자회견	경실련	정책위원회
20060405	보도자료	이종석 통일부장관 초청 포럼	경실련공동	통일협회
20060406	보도자료	경실련 기자회견 관련 보건복지부 해명에 대한 입장	경실련	보건의료위원회
20060406	보도자료	대통령만 모르고, 국민은 알고 있는 부동산 진실 -집값상승이 국지적 현상이라는 정부의 진단에 대해(2-1) : 토지부분	경실련	아파트값거품빼기운동본부
20060411	보도자료	서울시의원 의정비 재조정 촉구 기자회견	경실련	지방자치위원회
20060411	보도자료	도시계획조례개정 철회 촉구 입장	경실련	도시개혁센터
20060411	보도자료	입원환자식대 급여화 방안 정부안 통과에 대한 입장	경실련	보건의료위원회
20060411	보도자료	서울시의회의 서울시의원 보수 심의에 관한 경실련 의견서 제출	경실련	정책위원회
20060412	보도자료	한미 FTA 추진에 대한 입장	경실련	정책위원회
20060413	보도자료	의료사고피해구제법 제정촉구 거리 캠페인 개최	경실련공동	보건의료위원회
20060413	보도자료	참여정부의 지방분권이행에 관한 경실련 평가	경실련	지방자치위원회
20060414	보도자료	서울시의원 의정비 재조정 촉구 시민단체 공동기자회견	경실련공동	정책위원회
20060417	보도자료	'경실련 5.31 정책선거유권자운동본부' 주민공약제안 캠페인 중간 결과 발표	경실련	유권자운동본부
20060417	감사청구	보건복지부의 병원식대 급여화 정책에 대한 특별감사 청구 건	경실련	보건의료위원회
20060418	보도자료	공천비리 근절에 관한 중앙정당 지도부의 책임 촉구 성명	경실련	정치개혁위원회
20060418	보도자료	정부의 출총제 폐지 방침에 대한 입장	경실련	정책위원회
20060419	보도자료	경실련 경제정의연구소 [제1회 경제정의포럼 - 양극화, 진단과 처방] 개최	경실련	경제정의연구소
20060421	보도자료	현대자동차와 론스타의 거액기부에 대한 입장	경실련	정책위원회
20060421	교육	18기 민족화해아카데미 개강	경실련	통일협회
20060424	보도자료	부동산가격 상승이 14%미만이라는 진단에 대해	경실련	아파트값거품빼기운동본부
20060424	보도자료	도시재정비특별법 입법예고 의견	경실련	도시개혁센터
20060424	회의	제17기 4차 상임집행위원회	경실련	상임집행위원회
20060425	보도자료	'도시재정비특별법시행령(안)'에 대한 경실련 의견 보도요청	경실련	도시개혁센터
20060425	보도자료	종합부동산세 위헌소원에 대한 의견	경실련	도시개혁센터
20060425	보도자료	주민소환제 도입 및 공직자윤리법 개정 촉구 기자회견	경실련	지방자치위원회
20060425	보도자료	도시가스 산정체계 개선을 위한 감사원 감사청구	경실련	시민권익센터
20060426	보도자료	'법조브로커 윤상림씨 수사결과'에 대한 성명	경실련	정책위원회
20060426	감사청구	도시가스 부당이득 및 해당 공무원의 직무유기에 대한 감사청구	경실련	시민권익센터
20060427	보도자료	공공공사 경쟁제도 확대촉구	경실련	국책사업감시단
20060427	보도자료	서울시의원 의정비 조례개정안의 서울시 재의요구에 대한 입장	경실련	지방자치위원회
20060427	보도자료	현대자동차 정몽구회장 사법처리에 대한 입장	경실련	정책위원회
20060428	보도자료	산업자원부의 연구개발비 지원 실태에 대한 입장	경실련	정책위원회
20060428	보도자료	산자부의 도시가스 부당이득 관련 해명자료에 대한 입장	경실련	시민권익센터
20060501	보도자료	토지공사 '택지공급가 공개' 관련 입장	경실련	아파트값거품빼기운동본부
20060502	보도자료	부동산 정책관련 대통령과 공개토론 요청 기자회견	경실련	아파트값거품빼기운동본부
20060502	보도자료	주민소환제 국회 통과에 대한 입장	경실련	지방자치위원회
20060503	보도자료	'5.31 지방선거 공천비리 무엇이 문제인가?' 토론회	경실련	유권자운동본부
20060504	보도자료	'국민건강보험법' 개정안에 대한 의견서 제출	경실련	보건의료위원회
20060504	보도자료	16개 시/도지사 대상, 12개 공약제안 및 헛공약 찾기 켐페인	경실련	유권자운동본부
20060508	보도자료	대통령의 원가공개 거부가 집값의 거품을 조장한다	경실련	아파트값거품빼기운동본부
20060509	보도자료	부실 국민방독면에 대한 입장	경실련	정책위원회
20060509	보도자료	서울시장 후보초청 토론회(오세훈/한나라당)	경실련	유권자운동본부
20060509	보도자료	서울시장 후보초청 토론회(박주선/민주당)	경실련	유권자운동본부
20060510	보도자료	서울시장 후보초청 토론회(강금실/열린우리당, 김종철/민주노동당)	경실련	유권자운동본부
20060512	보도자료	민자사업자선정 평가방법 개정 촉구	경실련	국책사업감시단
20060512	보도자료	통계청 소득양극화 심화 발표에 대한 입장	경실련	정책위원회
20060517	보도자료	신세계 상속세 납부발표와 전경련의 상속세 인하요구에 대한 입장	경실련	정책위원회

생산일자	세부형태	제목	출처분류	생산자(처)
20060517	보도자료	경실련-문화일보 공동, 16개 광역단체장 후보 공약검증	경실련	유권자운동본부
20060517	보도자료	5.31지방선거 헛공약 캠페인	경실련	유권자운동본부
20060518	보도자료	입원환자 식대 보험적용방안 결정에 대한 입장	경실련	보건의료위원회
20060518	정책토론	지구촌 포럼	경실련공동	국제위원회
20060518	보도자료	집값 안정에 동참하는 시장 · 군수 · 구청장 선택을 촉구하는 경실련입장	경실련	아파트값거품빼기운동본부
20060519	보도자료	주택담보대출 급등세 지속에 대한 입장	경실련	정책위원회
20060522	보도자료	도시가스 구입량과 판매량 차이 개선을 위한 법률전문가 의견조사 별첨	경실련	정책위원회
20060523	보도자료	부동산 거품 논쟁에 대한 입장	경실련	정책위원회
20060523	보도자료	유권자 정책성향에 따른 후보 선택도우미 프로그램' 시연회	경실련	유권자운동본부
20060524	보도자료	통계청 경제 주요지표 공표시간 변경에 대한 입장	경실련	정책위원회
20060525	보도자료	열린우리당 강금실 서울시 후보와 25개 구청장 후보의 '아파트 분양원가 공개 실천 협약'을 적극 환영한다	경실련	아파트값거품빼기운동본부
20060525	간행물	월간경실련 2006년 4 · 5 · 6월호	경실련	경실련
20060526	보도자료	수도권 자치단체장 후보자 대상 '분양원가 공개' 조사결과 발표	경실련	아파트값거품빼기운동본부
20060529	보도자료	'대 · 중소기업상생협력회의'에 대한 입장	경실련	정책위원회
20060529	보도자료	5. 31 지방선거 광역단체장 후보 15대 선심성 헛공약 선정 결과 발표	경실련	유권자운동본부
20060529	회의	제17기 5차 상임집행위원회	경실련	상임집행위원회
20060530	보도자료	5.31 지방선거에 따른 유권자에게 드리는 글	경실련	유권자운동본부
20060530	보도자료	지난해 공공기관 신설요청 건에 대한 입장	경실련	공기업개혁위원회
20060531	보도자료	2006년 지방선거 정당공천 비리 백태(百態)와 지방선거제도 개선방안	경실련	정책위원회
20060601	보도자료	5.31 지방선거에 관한 논평	경실련	정책위원회
20060601	간행물	도시개혁 2006년 여름호	경실련	도시개혁센터
20060602	보도자료	상장자문위원회 질의관련 답변 및 추가 질의사항	경실련공동	정책위원회
20060605	보도자료	상장자문위의 시민단체 · 학계 비공개 간담회 결과 관련 논평	경실련공동	정책위원회
20060605	보도자료	생보사 상장 관련 경실련 · 참여연대 공동 논평	경실련공동	정책위원회
20060608	보도자료	공정위 3개은행 과징금 부과에 대한 입장	경실련	정책위원회
20060609	보도자료	도시가스 구입량과 판매량 차이 개선을 위한 법률전문가 의견조사	경실련	정책위원회
20060614	보도자료	한미FTA 1차협상 종결에 대한 입장	경실련	정책위원회
20060615	보도자료	17대 국회 전반기 운영 및 의정활동 평가	경실련	정치개혁위원회
20060615	보도자료	내수부양을 위한 공적자금상환자금의 전환에 대한 입장	경실련	정책위원회
20060615	보도자료	변양호 전 재경부 국장 구속에 대한 입장	경실련	정책위원회
20060619	보도자료	'불법 부동산 명의신탁 소유권 이전불가 판결' 관련 경실련입장	경실련	아파트값거품빼기운동본부
20060619	보도자료	감사원의 '외환은행 매각 감사 중간발표'에 관한 입장	경실련	정책위원회
20060620	보도자료	'APT 분양원가공개'는 대통령과 집권여당의 새 출발선이다	경실련	아파트값거품빼기운동본부
20060620	보도자료	경실련 도시가스 부당이득 관련 법률 전문가 설문조사 결과 분석 발표	경실련	시민권익센터
20060621	보도자료	'건설보증시장 개방'을 촉구하는 경실련성명	경실련	국책사업감시단
20060621	보도자료	부동산 정책 신뢰는 '원가공개' 거부로 무너졌다. 대통령의 결자해지가 필요하다	경실련	아파트값거품빼기운동본부
20060622	정책토론	(2회 경제정의포럼) 출총제, 금산분리-글로벌트랜드와 바람직한 정책대안	경실련	경제정의연구소
20060626	회의	제17기 6차 상임집행위원회	경실련	상임집행위원회
20060627	보도자료	보건복지부의 산하기관장 인사 개입에 대한 입장	경실련	보건의료위원회
20060628	보도자료	공공택지 조성원가공급은 투기조장책이다. 투기이득 근절하는 근본대책을 시행하라	경실련	아파트값거품빼기운동본부
20060628	보도자료	최근 주택담보대출 논란에 대한 입장	경실련	정책위원회
20060629	보도자료	100억이상 건설공사부터 직접시공을 의무화하라	경실련	국책사업감시단
20060630	보도자료	정부의 주민생활지원서비스 기능위주의 공적체계개편에 대한 입장	경실련	사회복지위원회
20060703	보도자료	서울시는 인권위 권고를 받아들여 시민의 자유로운 광장 이용을 보장하라	경실련공동	도시개혁센터
20060703	보도자료	산하기관장 선임의 투명성 확보를 위한 시민사회단체 기자회견	경실련공동	정책위원회
20060704	보도자료	뇌물을 공여한 건설회사를 즉각 영업정지 시켜라	경실련	국책사업감시단
20060705	보도자료	금융감독기구를 공적민간통합감독기구로 개편하라	경실련	정책위원회
20060706	보도자료	공정위가 법제처에 제출한 가맹사업법 개정안에 대한 경실련 의견	경실련	시민권익센터
20060706	보도자료	하반기 경제운영계획 당정협의 결과에 대한 입장	경실련	정책위원회

생산일자	세부형태	제목	출처분류	생산자(처)
20060707	보도자료	당정의 '출총제폐지' 주장에 대한 입장	경실련	정책위원회
20060711	보도자료	월드컵 특집방송에 대한 모니터 보고 발표	경실련	미디어워치
20060712	보도자료	'지주회사제도' 관련 규제완화에 대한 입장	경실련	정책위원회
20060712	보도자료	생보사 상장 공청회 토론 참석을 거부하며	경실련공동	정책위원회
20060713	보도자료	생보사 상장문제에 대한 시민단체 입장과 생보사 상장자문위 주장에 대한 비판 자료 발간	경실련공동	정책위원회
20060713	보도자료	브로커 김홍수 관련 법조비리 의혹에 대한 입장	경실련	시민입법위원회
20060713	보도자료	한미FTA에 대한 입장	경실련	정책위원회
20060718	보도자료	케이블TV 영화정보프로그램에 대한 모니터 보고 발표	경실련	미디어워치
20060719	보도자료	일부 생보사의 공익기금 출연 움직임에 대한 논평	경실련공동	정책위원회
20060720	보도자료	기형적 주택담보대출의 위험에 대한 경실련 경고	경실련	정책위원회
20060720	간행물	월간경실련 2006년 7 · 8월호	경실련	경실련
20060721	보도자료	공정거래위원회의 편의점 불공정거래행위 심사결과에 대한 입장	경실련	시민권익센터
20060721	보도자료	수해발생 원인을 철저히 조사, 부실책임자를 엄중처벌하고, 재발방지대책을 제시하라	경실련	국책사업감시단
20060724	보도자료	생보사 상장 관련 경실련 · 참여연대 공동 논평 3	경실련공동	정책위원회
20060725	보도자료	경제자유구역법내 외투기업의 영리병원 허용을 즉각 철회하라	경실련공동	보건의료위원회
20060725	보도자료	무자격 · 불법 채권추심만연에 대한 입장	경실련	정책위원회
20060728	보도자료	경제5단체의 비리기업인 사면건의에 대한 입장	경실련	정책위원회
20060728	보도자료	김병준 교육부총리의 논문 파장에 대한 입장	경실련	정책위원회
20060731	보도자료	껍데기 시공능력평가 제도 폐지하고, 100억이상 대형 공사부터 51% 이상 직접시공제도 즉각 도입하라	경실련	정책위원회
20060731	보도자료	열린우리당 김근태의장 기자간담회에 대한 입장	경실련	정책위원회
20060803	보도자료	한미 FTA 특위구성에 대한 입장	경실련	정책위원회
20060804	정책토론	예산낭비, 어떻게 막을 것인가-제2회 예산낭비대응 포럼	경실련공동	정책위원회
20060808	보도자료	소득양극화 심화에 대한 입장	경실련	정책위원회
20060809	보도자료	'법조비리 판 · 검사 영장 발부'에 대한 입장	경실련	시민입법위원회
20060809	보도자료	한미FTA 국회의원 설문 결과	경실련	정책위원회
20060810	보도자료	열린우리당과 재계의 뉴딜관련 면담에 대한 입장	경실련	정책위원회
20060810	보도자료	의료분쟁 해결을 위한 보건복지위원회 소속의원 인식조사 분석 보고	경실련공동	보건의료위원회
20060811	보도자료	노무현대통령 통상절차법 반대입장에 대한 논평	경실련	정책위원회
20060816	보도자료	'대법원의 법조비리 근절대책'에 대한 입장	경실련	시민입법위원회
20060817	보도자료	정치권의 고액권화폐 발행 주장에 대한 입장	경실련	정책위원회
20060821	보도자료	4대 사회보험 통합 추진에 대한 입장	경실련	정책위원회
20060822	보도자료	생보사 상장 관련 이슈에 대한 일문일답 풀이	경실련공동	정책위원회
20060822	보도자료	수도권 자치단체장 대상 '분양원가 공개' 조사결과 발표	경실련	아파트값거품빼기운동본부
20060822	보도자료	올바른 생보사 상장방안 마련을 위한 의견- 2006년 생보사 상장자문위 보고에 대한 반박 -	경실련공동	정책위원회
20060823	보도자료	나동민 상장자문위원장 주장에 대한 반박 논평	경실련공동	정책위원회
20060825	보도자료	강봉균 열린우리당 정책위의장의 출총제 관련 발언에 대한 논평	경실련	정책위원회
20060825	보도자료	반복되는 낙하산 인사에 대한 논평	경실련	정책위원회
20060825	보도자료	천안시 '분양가가이드라인'이 권한 남용이라는 법원판결에 대한 입장	경실련	아파트값거품빼기운동본부
20060828	보도자료	교보생명 주장에 대한 반박 논평	경실련공동	정책위원회
20060828	회의	제17기 7차 상임집행위원회	경실련	상임집행위원회
20060830	보도자료	열린우리당 '서민경제회복추진위원회' 활동에 대한 논평	경실련	정책위원회
20060901	보도자료	9.1 정기국회 개회에 대한 논평	경실련	정치개혁위원회
20060901	정책토론	3차 지구촌 포럼	경실련	국제위원회
20060901	간행물	도시개혁 2006 가을호	경실련	도시개혁센터
20060905	보도자료	2006년 개통 및 개통예정 국도건설공사 57건 실태분석	경실련	국책사업감시단
20060905	보도자료	헌법재판관 인사청문회에 대한 입장	경실련	시민입법위원회
20060906	감사청구	공익사항에 관한 감사원 감사청구서	경실련	정책위원회
20060906	보도자료	의료분쟁 해결을 위한 보건복지위원회 소속 국회의원 인식 조사 결과	경실련공동	보건의료위원회
20060907	보도자료	건강보험공단의 '의료기관 종별계약'추진 관련 입장	경실련	보건의료위원회
20060907	보도자료	국도건설공사 사업지연 감사청구서 제출	경실련	국책사업감시단
20060911	보도자료	경실련-시민의신문 공동 막개발 국도건설의 문제점	경실련	국책사업감시단
20060912	보도자료	은행 주택담보대출 취급실태 점검결과에 대한 입장	경실련	정책위원회
20060913	보도자료	'국도건설지연' 건교부 해명에 대한 입장	경실련	국책사업감시단

생산일자	세부형태	제목	출처분류	생산자(처)
20060914	정책토론	남북경제협력의 과거 · 현재 · 미래 - 남북경협 15년, 그리고 개성공단 -	경실련공동	통일협회
20060914	보도자료	노사정위원회의 '노사관계 로드맵' 합의에 대한 성명	경실련	노동위원회
20060915	보도자료	서울시 "은평뉴타운 분양계획발표"에 대한 성명	경실련	도시개혁센터
20060918	정책토론	도시가스 서비스 개선방안 모색을 위한 공청회 - 도시가스 요금, 판매량 차이의 합리적 대안을 모색한다 -	경실련공동	시민권익센터
20060918	보도자료	경실련-시민의신문 공동, 부실공사 추방, 감리문제 해결부터	경실련	국책사업감시단
20060919	보도자료	"은평뉴타운 분양원가" 정보공개청구	경실련	도시개혁센터
20060919	보도자료	경제정의 실현을 위해 특혜와 특권은 청산되어야한다.	경실련	국책사업감시단
20060920	보도자료	보건복지위 소속 의원들의 "의료사고피해구제법 입법 약속"	경실련공동	보건의료위원회
20060920	보도자료	헌재소장 공백사태를 초래한 국회의 무능과 무책임을 개탄한다	경실련	시민입법위원회
20060921	보도자료	고충위의 근저당설정비용 은행부담 권고결정에 대한 입장	경실련	정책위원회
20060921	보도자료	정기국회 최우선과제로 통상절차법을 제정하라	경실련	정책위원회
20060921	보도자료	부동산 근저당 설정비용 은행 부담 권고에 관한 성명	경실련	정책위원회
20060921	보도자료	경실련-시민의신문 공동, 건교부 판교의 꿈 죽이다	경실련	아파트값거품빼기운동본부
20060925	보도자료	은평뉴타운 포함 모든 공공아파트 후분양 도입'에 대한 입장	경실련	아파트값거품빼기운동본부
20060925	회의	제17기 8차 상임집행위원회	경실련	상임집행위원회
20060925	간행물	월간경실련 2006년 9 · 10월호	경실련	경실련
20060926	보도자료	케이블TV의 자체제작 서바이벌 프로그램에 대한 모니터 보고 보도요청	경실련	미디어워치
20060927	정책토론	하도급법 개정방안에 대한 토론회	경실련	정책위원회
20060928	소송	사행성게임 정책추진 관련공직자 직무유기혐의 1차 검찰 고발 기자회견	경실련	시민입법위원회
20060928	보도자료	대통령은 대국민 사과하고 당장 집값안정을 위한 근본대책을 제시해야 한다	경실련	아파트값거품빼기운동본부
20060928	소송	바다이야기 사태 관련 전 문화관광부 장관 고발장	경실련	정책위원회
20060928	보도자료	인터넷 로또 사업 승인 관련 입장	경실련	시민권익센터
20060929	보도자료	'퇴직공직자재취업현황 1차 분석결과 발표	경실련	정부개혁위원회
20060929	보도자료	대통령의 분양원가 공개를 환영하며 건설교통부를 경계한다	경실련	아파트값거품빼기운동본부
20060929	보도자료	사회보험징수통합과 공단신설에 대한 입장	경실련	사회복지위원회
20061001	보도자료	경실련, 서울특별시와 경기도 상대로 행정소송 제기	경실련	시민권익센터
20061002	소송	2001년부터 2005년까지 년도별 도시가스 소비자요금 산정 최종보고 정보공개청구 거부에 대한 소송	경실련	시민권익센터
20061009	보도자료	북한 '핵실험'에 대한 경실련통일협회 입장	경실련	통일협회
20061010	보도자료	경실련-시민의신문 공동, 후분양지,원가공개 고육책 아닌 실천이다	경실련	아파트값거품빼기운동본부
20061012	정책토론	참여정부 예산안 평가 토론회	경실련	정책위원회
20061013	보도자료	증권선물거래소 감사의 외압논란에 대한 입장	경실련	정책위원회
20061013	보도자료	경실련 2006 국정감사 3대 주요민생현안 16대 정책과제 발표	경실련	정치개혁위원회
20061016	정책토론	'한국 ODA, 제대로 가고 있는가?' 정책포럼 개최	경실련	국제위원회
20061016	보도자료	고용허가제 대행기관 선정에 대한 성명	경실련	노동위원회
20061016	보도자료	지역사회복지협의체 시행1년 운영실태 조사 결과	경실련	사회복지위원회
20061017	보도자료	개발관료들은 국민 85%가 요구한 분양원가 공개를 무시한 채, 국민을 속였고 또 속이려한다	경실련	아파트값거품빼기운동본부
20061017	보도자료	전속고발권, 집단소송, 징벌적손해배상 제도에 대한 입장	경실련	정책위원회
20061018	보도자료	유엔안보리 대북제재 결의안 이행에 대한 입장	경실련	통일협회
20061019	보도자료	공직자윤리위원회에 오성환 前 공정위 상임위원의 업무관련성 재심의 요청 공개 질의서 전달	경실련	정부개혁위원회
20061019	보도자료	예산공개지수분석결과 발표	경실련	정책위원회
20061019	보도자료	경실련-시민의신문공동, 개발로 멍드는 서민경제	경실련	아파트값거품빼기운동본부
20061020	보도자료	건설업체간 담합을 부추기는 공동도급 제도를 즉각 폐지하라	경실련	국책사업감시단
20061023	보도자료	출총제 관련 공정위TF회의에 대한 입장	경실련	정책위원회
20061023	보도자료	한미FTA 4차 협상에 대한 입장	경실련	정책위원회
20061024	보도자료	개발만능 주의자 추병직 건교부 장관은 사퇴해야 한다	경실련	아파트값거품빼기운동본부
20061024	보도자료	비위 법관과 관련한 대법원 조치에 대한 입장	경실련	시민입법위원회
20061025	보도자료	'제3회 경제정의포럼-가계부채 급증, 현황과 정책과제' 개최	경실련	경제정의연구소
20061025	보도자료	2006년 '제6회 바른외국기업상(Best Foreign Corporation Award)' 수상기업 및 Best 10 기업 발표	경실련	경제정의연구소
20061025	보도자료	개발 붐을 일으켜 집값 폭등시킨 추병직 장관은 사퇴하라	경실련	아파트값거품빼기운동본부
20061025	보도자료	경실련 '하도급법 개정 시민제안센터' 개설	경실련	중소기업위원회
20061026	보도자료	'연말정산 간소화 정책' 시행추진 관련 입장	경실련	보건의료위원회

생산일자	세부형태	제목	출처분류	생산자(처)
20061026	정책토론	가계부채 급증, 현황과 정책과제	경실련	경제정의연구소
20061026	보도자료	보건복지부, 건강보험공단, 의약단체는 합의사항을 준수하라	경실련공동	보건의료위원회
20061026	보도자료	개발붐 일으켜 집값폭등시킨 추병직 장관은 사퇴하라	경실련	아파트값거품빼기운동본부
20061027	보도자료	온갖 특혜를 받고 '장사'하여 자신들의 배만 불린, 공공성 상실한 대한주택공사는 해체되어야 한다	경실련	아파트값거품빼기운동본부
20061030	보도자료	전문채널의 자체제작 창업/기업정보 프로그램에 대한 모니터보고 보도요청	경실련	미디어워치
20061030	회의	제17기 9차 상임집행위원회	경실련	상임집행위원회
20061031	보도자료	금융감독당국, 이제는 중립성의 가면을 벗어던져야	경실련공동	정책위원회
20061031	보도자료	정치권의 정계개편 논의에 대한 입장	경실련	정치개혁위원회
20061031	보도자료	케이블TV의 자체제작 프로그램의 질적 향상을 위한 토론회	경실련	미디어워치
20061101	보도자료	보험업계는 얄팍한 상술로 국민을 기만하지 말라	경실련공동	보건의료위원회
20061102	보도자료	생보사 상장 문제 관련 경실련 · 경제개혁연대 · 참여연대 공동 논평	경실련공동	정책위원회
20061102	보도자료	민영보험 규제강화 촉구	경실련공동	보건의료위원회
20061103	보도자료	주택담보대출 급증과 가계부채 상환부담 증가에 대한 경실련 입장	경실련	정책위원회
20061106	보도자료	농림부장관의 화상경마장 설치 철회 관련 입장	경실련	시민권익센터
20061106	보도자료	론스타의 외환은행 매각 검찰수사에 대한 입장	경실련	정책위원회
20061107	보도자료	자치단체장이 제대로 확인하면 아파트분양가 반값으로 낮출 수 있어	경실련	아파트값거품빼기운동본부
20061108	보도자료	망국적 부동산투기를 조장한 한은과 금통위에 대한 경실련 입장	경실련	정책위원회
20061108	보도자료	출총제 관련 관계장관회의에 대한 입장	경실련	정책위원회
20061108	정책토론	제4회 지구촌 포럼 개최	경실련	국제위원회
20061109	보도자료	규제개혁위원회는 제약협회의 들러리가 되지 말라	경실련공동	보건의료위원회
20061109	보도자료	의약품 선별등재 방식 도입 촉구	경실련공동	보건의료위원회
20061110	보도자료	경실련 부동산시국선언 및 아파트값거품빼기국민행동 선포 기자회견	경실련	아파트값거품빼기운동본부
20061113	보도자료	'부동산시장 거품' 관련 IMF 공개질의	경실련	정책위원회
20061114	보도자료	최영근 화성시장과 롯데건설 등 24개 건설사 고발	경실련공동	아파트값거품빼기운동본부
20061115	보도자료	개발업자와 투기세력을 위한 투기조장 대책	경실련	아파트값거품빼기운동본부
20061115	보도자료	출총제 축소 정부안에 대한 경실련 기자회견	경실련	정책위원회
20061116	보도자료	2007년도 건강보험 급여확대 및 수가 · 보험료에 관한 노동시민사회단체 기자회견	경실련공동	보건의료위원회
20061116	보도자료	농림부장관의 화상경마장 설치 철회에 대한 입장	경실련	정책위원회
20061116	보도자료	출총제 정부안 확정에 대한 입장	경실련	재벌개혁위원회
20061117	보도자료	지자체장이 확인만 했다면 평당 600만원대에 분양가능 했다	경실련	아파트값거품빼기운동본부
20061119	보도자료	희망을 앗긴 시민들에게 상실감만 더하는 한나라당은 각성하라	경실련	아파트값거품빼기운동본부
20061121	보도자료	경실련 아파트값 거품빼기 국민행동 길거리 캠페인	경실련	아파트값거품빼기운동본부
20061122	보도자료	공급확대 논리로 또다시 국민을 기만하려는 개발관료들의 실체가 드러나고 있다	경실련	아파트값거품빼기운동본부
20061123	보도자료	'바다이야기 관련 감사원 감사결과'에 대한 입장	경실련	시민입법위원회
20061123	교육	재개발시민학교 개강	경실련	도시개혁센터
20061123	보도자료	경실련-오마이뉴스 공동, 대통령도 못잡은 집값 잡은 노하우? "분양가 가이드라인 적용하면 된다	경실련	아파트값거품빼기운동본부
20061124	보도자료	'25일 아파트값 거품빼기 국민행동 1차 시민대회'	경실련	정책위원회
20061124	보도자료	'청와대 자유게시판 온라인 항의 글 일괄 삭제'에 대한 성명	경실련	정책위원회
20061124	보도자료	보건복지부를 상대로 '입법부작위 위헌 소송' 제기	경실련	보건의료위원회
20061124	정책토론	경실련 미디어교육 공개 발표회	경실련	미디어워치
20061124	정책토론	미디어교육 공개발표회	경실련	미디어워치
20061124	보도자료	주인 땅 강제로 빼앗아 건설업자에게 판매하지 마라	경실련	아파트값거품빼기운동본부
20061125	간행물	월간경실련 2006년 11 · 12월호	경실련	경실련
20061127	보도자료	'2006 정치적 현안과 정치개혁'대토론회	경실련	정치개혁위원회
20061127	보도자료	국회 보건복지위원회는 건강보험법 졸속처리로 인한 보험 인상에 대해 책임져야 한다	경실련공동	보건의료위원회
20061127	보도자료	규제개혁위원회의 후퇴된 권고안을 규탄한다	경실련공동	보건의료위원회
20061127	보도자료	경실련-오마이뉴스 공동, 10만이 행동하면 정책 바꾸고 ' 100만이 행동하면 투기 끝난다	경실련	아파트값거품빼기운동본부
20061127	회의	제17기 10차 상임집행위원회	경실련	상임집행위원회
20061128	보도자료	건강보험 수가 · 보험료협상과 보장성 확대에 대한 가입자		

생산일자	세부형태	제목	출처분류	생산자(처)
		대표 노동 농민 시민단체 성명	경실련공동	보건의료위원회
20061128	보도자료	생보사 상장 관련 경실련 · 경제개혁연대 · 참여연대 공동 논평	경실련공동	정책위원회
20061129	보도자료	법조비리 대책 관련 전문가 의견조사 결과 분석 보도자료	경실련	시민입법위원회
20061129	보도자료	대지임대부 건물분양방식 한나라당 당론 채택에 대한 경실련 논평	경실련	정책위원회
20061129	보도자료	이영탁 이사장이 국감에서 위증을 했다는 말인가?	경실련공동	정책위원회
20061129	보도자료	경실련-오마이뉴스, 공공주택 바로 서면 집 값 걱정 사라진다	경실련	아파트값거품빼기운동본부
20061130	보도자료	참여정부 보건복지 핵심공약 이행평가 결과보고 및 평가 기준 발표	경실련	사회복지위원회
20061130	보도자료	정당정책연구소 실태조사 분석결과 발표	경실련	정책위원회
20061130	정책토론	청년포럼 개최	경실련	국제위원회
20061201	보도자료	퇴직공직자 취업실태조사 2차 발표	경실련	정책위원회
20061201	보도자료	건강보험가입자단체 '건정심 표결처리 퇴장'에 대한 입장	경실련공동	보건의료위원회
20061201	보도자료	건설분야 하도급 피해에 대한 구제 공개질의	경실련	시민권익센터
20061204	보도자료	'6개 중앙행정기관 퇴직공직자 194명 취업 현황 조사 결과 2차 발표' 취재 및 보도 협조 요청	경실련	정부개혁위원회
20061204	보도자료	주택담보대출 급증에 대한 입장	경실련	정책위원회
20061204	보도자료	사회적 합의를 파기한 유시민 장관은 사퇴하라	경실련공동	보건의료위원회
20061205	보도자료	판교신도시 제1차 민간 동시분양 아파트 원가공개 실태분석 기자회견	경실련	아파트값거품빼기운동본부
20061206	보도자료	생보사 상장 문제 관련 경실련 · 경제개혁연대 · 참여연대 공동 논평	경실련공동	정책위원회
20061207	보도자료	아파트값 거품빼기 국민행동 2차 시민대회	경실련	아파트값거품빼기운동본부
20061207	보도자료	집값안정과 부동산투기 근절을 촉구하는 200인 교수 선언 기자회견	경실련	정책위원회
20061207	보도자료	검찰의 '외환은행 매각 수사결과 발표'에 관한 입장	경실련공동	정책위원회
20061211	보도자료	생명보험정책 세미나' 학회 이름 빌린 일방적 토론회 안돼	경실련공동	정책위원회
20061211	보도자료	한미FTA 5차 협상결과에 대한 입장	경실련	정책위원회
20061212	소송	보건복지부와 건강보험공단 책임자 직무유기 검찰고발 기자회견	경실련공동	보건의료위원회
20061213	보도자료	경실련-아데나워재단 공동주최 '독일의 사회적 시장경제와 한국사회의 대안적 발전방향에 관한 국제 심포지엄'	경실련	정책위원회
20061213	보도자료	생보사 상장 문제 관련 경실련 · 경제개혁연대 · 참여연대 공동 논평	경실련공동	정책위원회
20061213	보도자료	열린우리당의 부동산대책을 환영하며 청와대와 정부의 근본적인 태도변화를 촉구한다	경실련	아파트값거품빼기운동본부
20061214	보도자료	도시가스사업법 개정안에 대한 입장	경실련	시민권익센터
20061214	정책토론	독일의 사회적 시장경제와 한국사회의 대안적 발전방향에 관한 국제 심포지엄	경실련공동	정책위원회
20061214	보도자료	정당 정책연구소 운영실태분석결과	경실련	정치개혁위원회
20061215	보도자료	아직도 국민의 염원을 외면하는 건교부와 재경부 등 개발 관료를 퇴출시켜라	경실련	아파트값거품빼기운동본부
20061218	보도자료	국회의 예산안 의결 및 민생법안 왜곡 · 지연에 대한 입장	경실련	정책위원회
20061218	보도자료	판교신도시 1, 2차 분양에서 공공기관의 판매 이윤 분석 기자회견	경실련	아파트값거품빼기운동본부
20061218	회의	제17기 11차 상임집행위원회	경실련	상임집행위원회
20061219	보도자료	생보사 상장 문제 관련 경실련 · 경제개혁연대 · 참여연대 공동 논평	경실련공동	정책위원회
20061219	보도자료	의료공공성 훼손하고 영리의료기업 육성하는 정부안을 즉각 폐기하라	경실련공동	보건의료위원회
20061219	보도자료	제 16 회 경제정의기업賞	경실련	경제정의연구소
20061221	보도자료	'고액권 화폐 발행 추진'에 대한 입장	경실련	정책위원회
20061221	보도자료	가격경쟁(최저가낙찰제) 약속이행 촉구	경실련	정책위원회
20061222	보도자료	대통령의 원가공개 약속을 파기한 건교부 제도개선위원회, 이제 대통령이 답을 해야 한다	경실련	아파트값거품빼기운동본부
20061222	보도자료	수도권신도시 개발에서 민간건설업체들의 택지비 허위 신고로 인한 탈세의혹 국세청 세무조사 의뢰 기자회견	경실련	아파트값거품빼기운동본부
20061222	보도자료	주택담보대출 규제방향에 대한 입장	경실련	정책위원회
20061226	보도자료	경실련은 지난 2006년 12월 22일 개최된 수도권 공공택지 민간 건설업체들의 택지비 허위신고로 인한 탈세의혹 국세청 세무 조사 의뢰기자회견과 관련하여 아래와 같이 정정하고자 합니다	경실련	정책위원회

생산일자	세부형태	제목	출처분류	생산자(처)
20061227	보도자료	집값안정과 투기근절을 위한 '국회부동산대책특별위원회' 구성을 제안한다	경실련	아파트값거품빼기운동본부
20061227	정책토론	제4회 경제정의포럼	경실련	경제정의연구소
20070000	정책토론	'한나라당 정책비전토론회' 평가 - 통일 · 외교 · 안보분야 -	경실련	통일협회
20070000	보도자료	경실련 "2007년, 민생회복에 주력" 선언	경실련	정책위원회
20070000	보도자료	한나라당 경제분야 정책비젼토론회 평가	경실련	정책위원회
20070103	보도자료	서울시의 주택정책을 환영한다	경실련	아파트값거품빼기운동본부
20070107	보도자료	생보사 상장자문위의 상장방안 제출 관련 경실련 · 경제개혁연대 · 참여연대 공동 성명	경실련공동	정책위원회
20070108	보도자료	경실련 · 경제개혁연대 · 보험소비자연맹 · 참여연대 생보사 상장자문위 상장안 규탄 공동 기자회견	경실련공동	정책위원회
20070111	보도자료	1.11 대책은 개발관료의 개발업자를 위한 개발세력에 의한 '국민기만'대책이다	경실련	아파트값거품빼기운동본부
20070112	보도자료	공무원연금제도발전위원회의 공무원연금 개혁시안에 대한 입장	경실련	사회복지위원회
20070115	보도자료	'서울시, 공공의 재개발 · 재건축 정비계획수립방침'에 대한 성명	경실련	도시개혁센터
20070115	회의	제18기 1차 상임집행위원회	경실련	상임집행위원회
20070118	보도자료	생보사 상장 문제 관련 경실련 · 경제개혁연대 · 참여연대 공동 논평	경실련공동	정책위원회
20070118	보도자료	천안시 항소심 패소에 대한 입장	경실련	정책위원회
20070122	보도자료	국회 재정경제위원회에 생보사 상장 관련 공청회 개최 요청	경실련공동	정책위원회
20070123	보도자료	경실련, 공무원연금 개혁시안 총평 및 행자부에 해명자료와 입장 촉구	경실련	사회복지위원회
20070124	정책토론	'제4회 경제정의포럼-건설업 하도급구조와 대 · 중소기업 상생 방안' 개최	경실련	경제정의연구소
20070124	보도자료	김중회 금융감독 부원장 기소에 대한 입장	경실련	정책위원회
20070125	정책토론	(4회 경제정의포럼)_건설하도급 구조와 대중소기업 상생방안	경실련	경제정의연구소
20070125	보도자료	금감원과 선관위, 생보협회의 로비 의혹 철저히 밝혀야	경실련공동	정책위원회
20070125	간행물	월간경실련 2007년 1 · 2월호	경실련	경실련
20070129	보도자료	대법원의 법조비리 판사 징계처리에 대한 입장	경실련	정책위원회
20070131	보도자료	'경실련 국가청렴위원회 5년 평가와 과제 모색 토론회'	경실련	정책위원회
20070131	보도자료	노대통령 '110조원 지방건설경기활성화를 위해 투자' 발표에 대한 입장	경실련	아파트값거품빼기운동본부
20070201	보도자료	2017년 목표 260만호 임대주택 확충관련 경실련입장	경실련	아파트값거품빼기운동본부
20070201	보도자료	경제인과 정치인 사면검토에 대한 입장	경실련	정책위원회
20070201	보도자료	정부는 의료기관의 수익보전이 아니라 국민건강권을 보장하는 방향으로 의료법을 개정하라	경실련공동	보건의료위원회
20070201	정책토론	국가청렴위원회 역할 제고 모색 토론회	경실련	정책위원회
20070201	보도자료	한미 FTA「투자자-국가소송제」도입이 국내 부동산 정책에 미칠 영향	경실련공동	정책위원회
20070205	보도자료	제주국제자유도시 헬스케어타운 사업부지 감정가 부풀리기 논란에 대한 입장	경실련	도시개혁센터
20070206	보도자료	'공정거래법 개정안' 국무회의 통과에 대한 입장	경실련	정책위원회
20070206	보도자료	복지부의 의료법 개정안 발표에 대한 입장	경실련	보건의료위원회
20070207	보도자료	의료불평등 확대 반대! 의료법 개정안 독소조항 철회! 공동 기자회견	경실련공동	보건의료위원회
20070208	보도자료	생보상장계약자공동대책위원회 결성 및 100만 계약자 참여 운동 시작 기자회견 개최	경실련공동	정책위원회
20070208	보도자료	대법원의 원가공개 판결에 대한 입장	경실련	아파트값거품빼기운동본부
20070209	보도자료	김석동 전 금감위 부위원장의 재경부 차관 임명에 대한 입장	경실련	정책위원회
20070209	보도자료	대통령 취임4주년 특별사면에 대한 입장	경실련	정책위원회
20070212	보도자료	'2단계 균형발전정책 구상'에 대한 입장	경실련	정책위원회
20070212	보도자료	대법원의 판결을 환영하며 공기업 주공은 즉각 분양원가를 공개하라	경실련	정책위원회
20070213	보도자료	생보사 상장 문제 관련 경실련 경제개혁연대 보험소비자연맹 참여연대 공동 논평	경실련공동	정책위원회
20070214	정책토론	한미FTA 투자자-국가소송제가 부동산 정책에 미치는 영향'에 대한 토론	경실련공동	정책위원회
20070221	보도자료	보건복지부의 의약외품 범위지정 고시안에 대한 입장	경실련	보건의료위원회
20070221	보도자료	생보사 상장 문제 관련 경실련 · 경제개혁연대 · 보험소비자		

생산일자	세부형태	제목	출처분류	생산자(처)
		연맹 · 참여연대 공동 논평 18	경실련공동	정책위원회
20070222	정책토론	2007 대선과 북핵 : 쟁점과 해법	경실련	통일협회
20070222	정책토론	NGO 사회적 책임운동(준) 발족 기념 토론회	경실련공동	NGO 사회적 책임운동
20070223	보도자료	건교위 주택법 개정안 처리지연에 대한 입장	경실련	아파트값거품빼기운동본부
20070223	보도자료	바다이야기 사태 관련한 검찰 수사결과에 대한 입장	경실련	정책위원회
20070226	보도자료	2007년 행자부 업무계획 발표에 대한 입장	경실련	정부개혁위원회
20070226	보도자료	주택법 개정안 처리에 반대하는 한나라당에 대한 입장	경실련	아파트값거품빼기운동본부
20070226	회의	제18기 2차 상임집행위원회	경실련	상임집행위원회
20070227	보도자료	경실련, 보건복지부의 혈액관리 정책에 대한 공개질의서 발송	경실련	보건의료위원회
20070228	보도자료	공정거래법 개정안 정무위 통과에 대한 입장	경실련	정책위원회
20070302	보도자료	생보사 상장 공청회, 내실있는 의견 수렴의 장 되어야	경실련공동	정책위원회
20070304	보도자료	존재이유를 의심케하는 공직자윤리위원회	경실련	정책위원회
20070306	보도자료	'입증책임전환'을 전제로 한 의료사고피해구제법 제정을 촉구하는 기자회견	경실련공동	보건의료위원회
20070306	보도자료	2월 임시국회 폐회에 대한 입장	경실련	정치개혁위원회
20070306	보도자료	공직자윤리위원회 부적절한 취업승인에 관련한 입장	경실련	정책위원회
20070307	보도자료	2005년 이후 과징금 10억 이상 담합사건 경실련 조사결과 발표	경실련	정책위원회
20070308	보도자료	870명 각계인사 동참 속 한미FTA 졸속 협상 중단 촉구 비상시국회의 개최	경실련공동	정책위원회
20070309	보도자료	한미 FTA 협상 조기 타결은 있을 수 없다	경실련	정책위원회
20070309	조직	폐광지역경실련(태백.삼척.정선.영월) 창립	경실련	태백경실련
20070312	보도자료	생보사 상장 관련 경실련 · 경제개혁연대 · 보소연 · 참여연대 공동 논평	경실련공동	정책위원회
20070312	보도자료	전속고발권 폐지, 집단소송제 확대 등에 대한 법률전문가 설문조사 결과발표	경실련	정책위원회
20070313	보도자료	최근 금융관련 공공기관 인사에 대한 입장	경실련	정책위원회
20070315	보도자료	의료법 전부 개정 입법예고 안에 대한 의견서 전달	경실련	보건의료위원회
20070316	보도자료	외환은행 불법매각에 관련된 관료들에게 엄격히 책임을 물어야	경실련	정책위원회
20070319	보도자료	가맹사업법 개정 촉구를 위한 입장	경실련	시민권익센터
20070319	보도자료	복지부의 밀어붙이기식 의료법 개정 중단 촉구	경실련	보건의료위원회
20070320	보도자료	저가심의제 폐지 촉구	경실련	국책사업감시단
20070326	보도자료	한미 FTA 졸속 타결 기도를 중단하라	경실련	정책위원회
20070326	회의	제18기 3차 상임집행위원회	경실련	상임집행위원회
20070328	정책토론	"한국형 대외원조, 현황과 과제는 무엇인가" 정책포럼	경실련	국제위원회
20070328	보도자료	서울시 건축조례 개정안 중 다세대 · 다가구주택 일조권 기준 완화에 대한 의견	경실련	도시개혁센터
20070329	정책토론	ODA Watch 2차 정책포럼	경실련공동	국제위원회
20070329	보도자료	미국 TPA 일정에 맞춰 한미FTA를 졸속 타결할 것인가	경실련	정책위원회
20070330	보도자료	정부공직자 재산변동 신고내역 공개에 대한 입장	경실련	정부개혁위원회
20070330	간행물	월간경실련 2007년 3 · 4월호	경실련	경실련
20070402	보도자료	공정거래법 개정안 국회심의에 대한 입장	경실련	정책위원회
20070402	보도자료	외환은행 불법매각 관련인사 특별조치결의안 채택에 대한 입장	경실련	정책위원회
20070402	보도자료	주택법 개정안 국회법사위 법안심사소위 통과에 대한 입장	경실련	아파트값거품빼기운동본부
20070402	보도자료	한미 FTA 타결에 대한 논평	경실련	정책위원회
20070405	보도자료	생보사 상장 문제 관련 경실련 · 경제개혁연대 · 보험소비자연맹 · 참여연대 공동 논평	경실련공동	정책위원회
20070406	보도자료	생보사 상장 문제 관련 경실련 · 경제개혁연대 · 보험소비자연맹 · 참여연대 공동 논평	경실련공동	정책위원회
20070406	보도자료	소록도 연도교 상판붕괴사고관련 입장	경실련	국책사업감시단
20070409	보도자료	타이어용 합성고무 가격 담합 결과 발표에 대한 논평	경실련	정책위원회
20070410	보도자료	생보사 상장 문제 관련 경실련 · 경제개혁연대 · 보험소비자연맹 · 참여연대 공동 논평	경실련공동	정책위원회
20070411	보도자료	의료법개정안 규개위 제출에 대한 의견	경실련	보건의료위원회
20070411	보도자료	생보사 상장 문제 관련 경실련 · 경제개혁연대 · 보험소비자연맹 · 참여연대 공동 논평	경실련공동	정책위원회
20070411	정책토론	시민과 시민단체, 어떤 책임성 관계를 형성할 것인가?	경실련	정책위원회
20070411	보도자료	토지공사의 주택사업 참여에 대한 입장	경실련	아파트값거품빼기운동본부
20070411	보도자료	호적법 대체 법안 4월 임시국회에서 반드시 처리하라!	경실련	정책위원회
20070411	보도자료	규제개혁위원회에 의료법 개정안 심사 관련 의견 제출	경실련	보건의료위원회
20070412	보도자료	의료법 개정 정부수정안에 대한 성명	경실련공동	보건의료위원회
20070416	보도자료	이용섭 건교부장관 -주택업계 간담회 관련 입장	경실련	아파트값거품빼기운동본부

생산일자	세부형태	제목	출처분류	생산자(처)
20070418	정책토론	기업과 시민단체, 어떤 책임성 관계를 형성할 것인가	경실련	정책위원회
20070419	보도자료	가맹사업법 개정안의 4월 임시국회 통과를 촉구하는 입장	경실련	시민권익센터
20070419	보도자료	검증 · 평가위원회를 통해 한미FTA 협상내용을 철저히 검증해야	경실련	정책위원회
20070424	보도자료	4.25 재보궐선거에 대한 입장	경실련	지방자치위원회
20070424	보도자료	의사협회 정, 관계 금품로비 의혹에 대한 입장	경실련	보건의료위원회
20070424	보도자료	공정위 담합사건 적발에 관한 논평	경실련	정책위원회
20070424	보도자료	행자부의 중앙공무원 증원계획에 대한 입장	경실련	정부개혁위원회
20070424	교육	19기 민족화해아카데미 개강	경실련	통일협회
20070426	보도자료	서울시 장지 · 발산지구 아파트 분양원가 공개관련 입장	경실련	아파트값거품빼기운동본부
20070426	보도자료	政 · 官로비의혹 검찰고발 및 진상규명과 의료법개정 중단을 촉구하는 기자회견	경실련공동	보건의료위원회
20070428	정책토론	ODA Watch 2차 청년포럼	경실련공동	국제위원회
20070430	회의	제18기 4차 상임집행위원회	경실련	상임집행위원회
20070502	보도자료	'법무부의 공직선거법 개정의견'에 대한 입장	경실련	지방자치위원회
20070503	보도자료	30대기업집단이 연루된 담합사건 경실련 조사결과 발표	경실련	정책위원회
20070504	보도자료	하도급법 개정과 전속고발권 폐지를 위한 시민캠페인	경실련	정책위원회
20070508	보도자료	경실련 의료법개정안 국무회의 통과에 대한 의견	경실련	보건의료위원회
20070508	보도자료	한국-유럽연합 FTA 협상 선언에 대한 성명	경실련	정책위원회
20070509	보도자료	4대 사회보험 연체금 실태분석 및 건강보험 급여제한 피해 공익 소송인단 모집	경실련	시민권익센터
20070509	보도자료	민간에 토지수용권 부여하는 택촉법 개정 관련 입장	경실련	아파트값거품빼기운동본부
20070510	보도자료	감사원 일괄/대안입찰 감사결과에 대한 입장	경실련	국책사업감시단
20070515	보도자료	공기업 감사들의 관광성 외유관련 논평	경실련	정책위원회
20070517	보도자료	주택법 하위법령 개정안 입법예고 관련 입장	경실련	아파트값거품빼기운동본부
20070522	정책토론	공기업 운영과 인사정책 개선방안 모색	경실련	정책위원회
20070525	보도자료	경실련 한미 FTA 평가검증단 구성	경실련	정책위원회
20070528	보도자료	신도시개발 계획을 전면 재검토 하라	경실련	아파트값거품빼기운동본부
20070528	회의	제18기 5차 상임집행위원회	경실련	상임집행위원회
20070528	간행물	월간경실련 2007년 5 · 6월호	경실련	경실련
20070530	보도자료	의료사고피해구제법 제정을 촉구하는 성명	경실련공동	보건의료위원회
20070531	보도자료	한나라 경선주자 토론, '좌파정권 탓' 대안은 없었다	경실련	정책위원회
20070605	보도자료	6월 4일 약사회 성명서 관련 공개질의서 발송	경실련	정책위원회
20070605	보도자료	경실련, 서울특별시약사회에 공개질의 내용증명 발송	경실련	보건의료위원회
20070607	보도자료	의료사고피해구제법 제정 촉구	경실련	보건의료위원회
20070611	보도자료	상 · 하수도, 도시가스, 전기요금 연체현황 분석 발표	경실련	시민권익센터
20070611	보도자료	한나라 경선후보 3不정책 · 연금개혁 '대안 부재	경실련	정책위원회
20070614	보도자료	경실련, 국책연구원의 사학연금 전환에 대한 입장	경실련	사회복지위원회
20070615	보도자료	아파트광고모델 관련 캠페인	경실련	아파트값거품빼기운동본부
20070618	보도자료	가맹사업법 개정 취지 훼손하려는 국회 정무위에 대한 입장	경실련	시민권익센터
20070619	보도자료	변재진 신임장관의 의료사고 입증책임전환 관련 발언에 대한 입장	경실련공동	보건의료위원회
20070619	보도자료	지상파 연예오락프로그램에 관한 모니터 보고	경실련	미디어워치
20070619	보도자료	현 정국에 대한 입장	경실련	정치개혁위원회
20070620	보도자료	'국세청 산하 통합 공단 신설' 효율적 방안은 없는가?	경실련	정책위원회
20070620	정책토론	사회보험징수통합 관련 긴급 토론회	경실련	보건의료위원회
20070621	보도자료	경실련-경향신문 공동, "李 北포용원칙 모호, 朴 냉전틀 갇혀"	경실련	정책위원회
20070625	정책토론	일반의약품의 약국外 판매 토론회	경실련	보건의료위원회
20070625	보도자료	정부의료법개정안 폐기와 국회 내 새로운 사회적 합의기구 마련을 촉구하는 기자회견	경실련공동	보건의료위원회
20070625	회의	제18기 6차 상임집행위원회	경실련	상임집행위원회
20070625	보도자료	시민단체 사회적 책임헌장 및 행동규범 선포식	경실련공동	정책위원회
20070628	보도자료	검찰의 의료계 로비의혹 수사 결과 발표에 대한 입장	경실련	보건의료위원회
20070702	보도자료	주민소환제 시행에 대한 논평	경실련	지방자치위원회
20070704	보도자료	개발 특혜 분석_인천 소래-논현지구 도시개발	경실련	도시개혁센터
20070705	정책토론	기업의 사회적 책임(CSR)의 국내외 동향과 시민사회단체(NGO)의 역할	경실련	경제정의연구소
20070705	보도자료	약사회, 가정의학회, 소비자단체 등에 '가정상비약 바로 알고쓰기 캠페인' 및 '의약품 사고 신고센터' 공동운영 제안	경실련	보건의료위원회
20070706	보도자료	'유급제 1년 실시 이후의 광역지방의회 평가' 결과 발표	경실련	지방자치위원회
20070709	보도자료	신용카드 시장의 합리적 개선을 촉구한다	경실련	정책위원회

생산일자	세부형태	제목	출처분류	생산자(처)
20070710	보도자료	TV수신료, 공공임대주택임대료 등 공공부문 연체현황 및 제도분석	경실련	시민권익센터
20070710	보도자료	공정위 7개 건설사 담합 적발에 대한 입장	경실련	국책사업감시단
20070711	보도자료	다수요양기관의 진료비 허위청구 적발에 대한 입장	경실련	보건의료위원회
20070716	보도자료	오세훈 서울시장 1주년에 즈음한 입장	경실련	아파트값거품빼기운동본부
20070718	교육	대전 재개발 시민학교 개최	경실련	도시개혁센터
20070719	보도자료	공공부문 연체제도 어떻게 개선할 것인가?	경실련	정책위원회
20070719	보도자료	공정위의 서울 지하철7호선 6개 건설사 담합 적발에 대한 입장	경실련	국책사업감시단
20070723	보도자료	공정위의 설탕 담합사건 적발에 관한 논평	경실련	정책위원회
20070723	간행물	월간경실련 2007년 7 · 8월호	경실련	경실련
20070726	보도자료	재경부의 국가계약법 개정안 관련 경실련 의견	경실련	국책사업감시단
20070802	보도자료	경실련 '16개 광역자치단체 공약의 정책이행 평가 결과' 발표	경실련	지방자치위원회
20070802	보도자료	정부의 반값골프장 공급계획에 대한 입장	경실련	정책위원회
20070803	보도자료	미국산 쇠고기 수입을 즉각 중단하라	경실련	정책위원회
20070807	보도자료	'진료비 허위 부당청구 근절을 위한 국가청렴위 권고안 발표'에 대한 입장	경실련	보건의료위원회
20070808	보도자료	제2차 남북정상회담을 적극 환영한다	경실련	통일협회
20070817	회의	제18기 7차 상임집행위원회	경실련	상임집행위원회
20070828	보도자료	'국립의료원의 성분명처방 시범사업 관련 입장	경실련	보건의료위원회
20070829	보도자료	8월 마지막 법안소위, 의료사고피해구제법 제정 촉구 성명	경실련공동	보건의료위원회
20070829	보도자료	김진표 의원의 민주신당 정책위의장 선임에 대한 논평	경실련	아파트값거품빼기운동본부
20070830	보도자료	의료사고피해구제법 법안소위 통과 환영 성명	경실련공동	보건의료위원회
20070830	보도자료	지방의원 의정비 인상에 관한 입장	경실련	지방자치위원회
20070830	보도자료	차상위계층 의료급여 건강보험 전환 관련 입장	경실련공동	보건의료위원회
20070831	보도자료	대한주택공사 아파트분양 원가공개에 관한 입장	경실련	아파트값거품빼기운동본부
20070831	간행물	도시개혁 2007년 여름호	경실련	도시개혁센터
20070903	보도자료	정기국회 개원에 대한 입장	경실련	정치개혁위원회
20070904	보도자료	철도공사의 사업자 공모에 대한 입장	경실련	국책사업감시단
20070907	보도자료	김상진씨 관련 정.관계 비리 의혹 검찰 엄정수사 촉구에 대한 입장	경실련	시민입법위원회
20070907	보도자료	정몽구 회장 항소심 판결에 대한 입장	경실련	정책위원회
20070907	보도자료	한미 FTA 국회 비준동의안 제출에 대한 입장	경실련	정책위원회
20070910	청원	건강보험 급여제한 폐지 및 4대 사회보험 연체제도 개선 청원	경실련	시민권익센터
20070910	보도자료	통합재정수지 통계 오류에 대한 입장	경실련	정책위원회
20070911	보도자료	서울시 정보공개 제도 개선 촉구	경실련	국책사업감시단
20070911	보도자료	의료사고피해구제법 상임위 통과 촉구 기자회견	경실련공동	보건의료위원회
20070911	보도자료	건강보험 급여제한 제도 폐지 및 4대 사회보험 연체제도 개선 청원	경실련공동	보건의료위원회
20070912	보도자료	2007년 정부 세제개편안에 대한 입장	경실련	정책위원회
20070912	보도자료	김승연 회장 재판부 판결에 대한 입장	경실련	정책위원회
20070912	보도자료	의료사고피해구제법 법안소위 재심의 결정에 대한 입장	경실련공동	보건의료위원회
20070913	정책토론	한미 FTA와 한국의 부동산 정책 토론회	경실련공동	정책위원회
20070913	정책토론	기업의 사회적 책임(CSR)과 중소기업의 환경경영	경실련	경제정의연구소
20070917	회의	제18기 8차 상임집행위원회	경실련	상임집행위원회
20070919	정책토론	초고층(주상복합)아파트, 시대적 대안인가 재앙인가	경실련	도시개혁센터
20070920	보도자료	변양균 정윤재 비리 의혹에 대한 입장	경실련	정책위원회
20070920	정책토론	한국정치개혁의 방향: 17대 국회 의정활동 평가 및 국회운영 개선방안	경실련	정책위원회
20070920	소송	한국철도공사의 '용산역세권 개발사업' 사업자 공모과정에서의 경쟁제한 및 담합 유도에 관한 공정위 조사 요청	경실련	국책사업감시단
20070921	보도자료	차상위 의료급여대상자 건강보험 전환 입법예고 안에 대한 의견	경실련	보건의료위원회
20070921	간행물	월간경실련 2007년 9 · 10월호	경실련	경실련
20071004	보도자료	상하수도 연체제도 개선을 위한 청원운동 전개	경실련	시민권익센터
20071004	보도자료	제2차 남북정상회담 '평화번영선언'에 대한 논평	경실련	통일협회
20071004	교육	강릉 민족화해아카데미	경실련	통일협회
20071005	보도자료	인천시 지하철 2호선 턴키 · 대안 입찰방식 결정에 대한 공개질의	경실련	국책사업감시단
20071011	보도자료	토지공사의 구리 토평지구 부당이득반환금 합의에 관한 입장	경실련	아파트값거품빼기운동본부
20071012	보도자료	의료사고피해구제법 제정 지연에 대한 입장	경실련공동	보건의료위원회
20071015	보도자료	군포반값아파트 논란에 대한 입장	경실련	아파트값거품빼기운동본부
20071015	보도자료	로스쿨 제도에 대한 입장	경실련	시민입법위원회

생산일자	세부형태	제목	출처분류	생산자(처)
20071017	보도자료	교육인적자원부 로스쿨 정원 국회 보고에 대한 입장	경실련	시민입법위원회
20071022	보도자료	군포 부곡 '반값아파트' 분양가 분석 발표	경실련	아파트값거품빼기운동본부
20071025	보도자료	건교부와 주공의 '거짓말 해명', 모든 원가를 즉시 공개하고 사퇴하라	경실련	아파트값거품빼기운동본부
20071026	보도자료	국회의원 피감기관 향응의혹에 대한 입장	경실련	정치개혁위원회
20071026	보도자료	수가, 보험료 결정과정에 대한 입장	경실련	정책위원회
20071026	보도자료	교육부 2000명안에 대한 전국 인권시민사회단체 긴급 반대 성명	경실련공동	정책위원회
20071029	정책토론	한국 기업의 사회공헌활동과 개선방안	경실련	경제정의연구소
20071029	정책토론	남북정상회담 이후 남북경협의 전망과 과제	경실련	통일협회
20071029	회의	제18기 9차 상임집행위원회	경실련	상임집행위원회
20071031	보도자료	'지방의원 의정비 인상논란, 대안모색' 경실련 긴급토론회	경실련	지방자치위원회
20071031	보도자료	민자도로와 재정도로의 공사비 비교분석 발표	경실련	국책사업감시단
20071031	보도자료	제 17회 경제정의기업賞	경실련	경제정의연구소
20071101	보도자료	전군표 국세청장 검찰 소환에 대한 입장	경실련	시민입법위원회
20071102	보도자료	'경실련-유권자 후보선택 도우미 프로그램 관련, 각 예비 후보에 5대분야 59개 정책입장 공개 질의'	경실련	정책위원회
20071102	보도자료	공적서비스 전달체계 개편 현황 조사 분석 보고	경실련	사회복지위원회
20071102	보도자료	공정위의 제약회사 리베이트 조사결과 발표에 대한 입장	경실련	보건의료위원회
20071102	보도자료	삼성그룹 비자금 의혹관련 입장	경실련	정책위원회
20071102	보도자료	가맹사업법 시행령 개정에 따른 경실련 의견	경실련	시민권익센터
20071102	보도자료	행정도시 공공택지 수의계약공급에 대한 입장	경실련	국책사업감시단
20071105	보도자료	서울시의 은평뉴타운 원가공개를 환영한다	경실련	아파트값거품빼기운동본부
20071106	보도자료	방송위원회의 중간광고도입 결정에 대한 입장	경실련	미디어워치
20071107	보도자료	특검으로 삼성비자금 의혹을 성역없이 수사하라	경실련	정책위원회
20071109	정책토론	대 · 중소기업 하도급거래 공정화 방안 모색을 위한 토론회	경실련공동	정책위원회
20071109	보도자료	최저가낙찰제 확대를 반대한 한나라당에 대한 경실련 공개 질의	경실련	국책사업감시단
20071113	보도자료	천주교 정의구현전국사제단의 금품로비 의혹 검사 명단 발표 관련	경실련	정책위원회
20071113	보도자료	38개 대선 정책과제 발표	경실련	정책위원회
20071114	보도자료	행자부의 공무원연금법 시행령 일부개정령안에 대한 경실련 입장	경실련	사회복지위원회
20071115	보도자료	임채진 검찰총장 내정자 임명에 대한 입장	경실련	시민입법위원회
20071116	보도자료	청와대의 삼성비자금 특검법과 연계한 공수처 설치법 처리 촉구에 대한 입장	경실련	시민입법위원회
20071116	보도자료	현대 · 기아자동차 납품단가 부당인하 과징금 부과 관련	경실련	정책위원회
20071119	보도자료	국회 보건복지 법안소위의 의료사고피해구제법안 심의내용에 대한 입장	경실련공동	보건의료위원회 외
20071120	보도자료	삼성 특검법을 지연시키고 있는 국회 법사위에 대한 입장	경실련	시민입법위원회
20071121	보도자료	2007 건강보험정책심의위원회 가입자, 공급자 단체 대표 결의문	경실련공동	보건의료위원회
20071121	보도자료	경실련, 건강보험 국고지원 비율 이행과 사후정산제도 촉구	경실련	보건의료위원회
20071122	보도자료	건강보험 수가 및 보험료 결정에 대한 입장	경실련	보건의료위원회
20071122	보도자료	삼성 불법 행위 진상규명과 특별검사법 제정을 촉구하는 경제학자 공동기자회견	경실련	정책위원회
20071123	보도자료	삼성 특검법 국회 통과에 대한 입장	경실련	시민입법위원회
20071126	회의	제18기 10차 상임집행위원회	경실련	상임집행위원회
20071126	조직	국민농업포럼 참여	경실련	상임집행위원회
20071127	보도자료	졸속행정의 표본, 건강보험에 차상위 의료급여 재정책임 떠넘겨선 안돼	경실련공동	보건의료위원회
20071127	보도자료	청와대의 삼성 특검법 수용에 대한 입장	경실련	시민입법위원회
20071204	보도자료	가맹사업법시행령 개정안 공정위 전원회의 의결에 대한 입장	경실련	시민권익센터
20071206	보도자료	국가인권위원회의 단전 · 단수제도 개선권고에 대한 입장	경실련	시민권익센터
20071206	정책토론	제4회 CSR포럼	경실련	경제정의연구소
20071210	보도자료	'경실련 후보선택도우미 프로그램' 관련 보도협조	경실련	정책위원회
20071210	간행물	월간경실련 2007년 11 · 12월호	경실련	경실련
20071211	보도자료	'제7회 바른외국기업상' 보도 요청	경실련	경제정의연구소
20071212	보도자료	복지부는 실효성을 상실한 선택진료제를 폐기하고, 임의 비급여를 건강보험 급여범위에 포함시켜야한다!!	경실련공동	보건의료위원회
20071213	보도자료	'제7회 바른외국기업상' 시상식	경실련	경제정의연구소

생산일자	세부형태	제목	출처분류	생산자(처)
20071217	보도자료	특검 BBK 관련 국민적 의혹 진실 밝혀내야	경실련	시민입법위원회
20071218	보도자료	'17대 대선, 국민들께 투표 참여를 호소합니다'	경실련	정책위원회
20071218	보도자료	불공정한 도시가스 공급규정의 공정거래위원회에 개정촉구	경실련	시민권익센터
20071218	보도자료	헌법재판소에 현행 민간투자제도의 문제점 및 제도 개선 의견서 제출	경실련	국책사업감시단
20071220	보도자료	이명박 대통령 당선자에게 바란다	경실련	정책위원회
20071220	회의	제18기 11차 상임집행위원회	경실련	상임집행위원회
20071221	보도자료	공정거래위원회 가맹 · 유통분야 서면실태조사결과 발표에 대한 입장	경실련	시민권익센터
20071227	보도자료	보건복지부에 건강검진 결과 통보 관련 의견서 전달	경실련	보건의료위원회
20080000	보도자료	16개 시도광역의회의원 공무 국외방문 실태분석	경실련	정책위원회
20080000	보도자료	공적개발원조(ODA)의 중앙부처별 사용에 대한 조사 보고	경실련	국제위원회
20080000	보도자료	노인장기요양보험 요양보호사 양성 문제점 및 제언	경실련	사회복지위원회
20080000	보도자료	대부업체 관리감독 실태조사 결과	경실련	정책위원회
20080000	보도자료	법원 판결 불복하고 국민 알권리 외면하는 심평원은 누구를 위한 기관인가	경실련공동	건강세상네트워크 외
20080000	소송	하나로텔레콤, KT, LG파워콤 고발장	경실련공동	녹색소비자연대 외
20080104	보도자료	대통령직인수위의 한반도 대운하 조기 추진 주장에 대한 입장	경실련	정책위원회
20080107	보도자료	대통령직인수위의 출총제 폐지 방침에 대한 입장	경실련	정책위원회
20080108	보도자료	남북경협사업의 확대 필요성에 대한 입장	경실련	통일협회
20080108	보도자료	통일부 폐지 움직임에 대한 경실련통일협회 입장	경실련	통일협회
20080108	교육	14기 도시대학	경실련	도시개혁센터
20080110	보도자료	대통령직 인수위원회에 대외원조정책제안서 전달	경실련	국제위원회
20080110	참고자료	주택청약제도 개선 검토를 위한 정보공개청구	경실련	시민권익센터
20080110	보도자료	인수위의 공적연금 개편안 마련에 대한 입장	경실련	사회복지위원회
20080116	보도자료	인수위원회의 통일부 폐지에 대한 경실련통일협회 성명	경실련	통일협회
20080117	보도자료	부산지법 판결에 대한 입장과 의료사고피해구제법 제정 촉구 성명	경실련공동	의료사고피해구제법 제정을 위한 시민연대
20080117	보도자료	인수위의 정부조직개편방안에 대한 입장	경실련	정책위원회
20080118	정책토론	사회적 시장경제포럼	경실련	경제정의연구소
20080121	회의	제19기 1차 상임집행위원회	경실련	상임집행위원회
20080121	참고자료	불합리한 은행 수수료 개선검토를 위한 정보공개청구	경실련	시민권익센터
20080122	보도자료	기반시설부담금법 폐지에 대한 입장	경실련	도시개혁센터
20080122	보도자료	반부패시민단체, 국가청렴위원회 폐지와 반부패정책 후퇴에 반대하고 나서	경실련공동	공익제보자와함께하는모임 외
20080122	보도자료	인수위와 정치권의 부동산 양도세 완화 추진에 대한 입장	경실련	토지주택위원회
20080123	보도자료	국가인권위원회 독립성 확보를 위한 인권사회시민단체 긴급 기자회견	경실련공동	국가인권위원회 독립성 확보를 위한 전국 인권사회시민단체
20080123	보도자료	인수위의 '대학입시 3단계 자율화 방안'에 대한 입장	경실련	교육개혁위원회
20080123	보도자료	인수위의 경제 · 금융 관련부처 개편방안에 대한 입장	경실련	정책위원회
20080124	보도자료	가맹사업법 시행령 국무회의 통과에 대한 입장	경실련	시민권익센터
20080124	보도자료	통일부 폐지에 대한 재고를 촉구하는 전문가 성명	경실련	통일협회
20080125	회의	제10기 1차 중앙위원회	경실련	중앙위원회
20080128	보도자료	턴키입찰방식 동남권 유통단지 건설사업 불법로비 적발에 대한 입장	경실련	국책사업감시단
20080129	정책토론	새 정부, 반부패정책의 후퇴가 우려된다	경실련공동	참여연대 외
20080131	정책토론	금융분야 정부조직 개편 방안의 문제점과 개선방향에 대한 토론회	경실련공동	경제개혁연대 외
20080131	보도자료	삼성그룹 임직원 소환불응 등 특검 수사 방해에 대한 입장	경실련	정책위원회
20080131	보도자료	인수위의 고충위, 청렴위, 행정심판위를 통합한 국민권익위원회 설치 관련	경실련공동	참여연대 외
20080201	간행물	월간경실련 2008년 1 · 2월호	경실련	경실련
20080204	보도자료	교육부의 로스쿨 예비인가 확정 발표에 대한 입장	경실련	시민입법위원회
20080204	보도자료	반부패 정책 후퇴와 국가청렴위원회 폐지에 반대하는 전국 시민단체 공동성명 발표와 공동기자회견	경실련공동	한국투명성기구 외
20080205	보도자료	경실련,경제개혁연대,참여연대 금융분야 정부조직 관련 공동 성명	경실련공동	경제개혁연대 외
20080208	보도자료	경제 및 금융분야 정부조직 개편 방향에 대한 건의	경실련공동	경제개혁연대 외
20080211	보도자료	인수위의 경제 · 금융부처개편안에 대한 경제 · 금융학자 147명 성명발표 기자회견	경실련	정책위원회

생산일자	세부형태	제목	출처분류	생산자(처)
20080213	보도자료	국회 통일외교통상위 한미FTA비준종의안 상정에 대한 입장	경실련	정책위원회
20080213	정책토론	독일의 사회적 시장경제와 새정부의 정책방향 컨퍼런스	경실련공동	경제정의연구소
20080213	보도자료	정부조직개편안에 대한 경실련 의견서, 국회 제출	경실련	정책위원회
20080215	보도자료	공적 서비스 전달체계 개편에 대한 경실련 의견	경실련	사회복지위원회
20080218	보도자료	정부조직개편 중 금융위원회 설치 부분 관련 한나라당 이한구 정책위의장 면담	경실련공동	경제개혁연대 외
20080220	정책토론	역대정부 및 이명박정부의 예산낭비 근절 정책 평가 토론회	경실련	국책사업감시단
20080221	보도자료	가정상비약 약국 外 판매 정책제안	경실련	사회복지위원회
20080221	보도자료	인수위에 의약품 관련 정책 제안서 전달	경실련	보건의료위원회
20080221	보도자료	뚝섬 주상복합사업(1, 3구역) 분양가 및 개발이익 분석 발표 기자회견	경실련	아파트값거품빼기운동본부
20080222	보도자료	이명박 정부의 보건의료 상업화 정책에 대한 입장	경실련	보건의료위원회
20080222	보도자료	정부 부처 초대장관 후보자들의 부동산 보유현황에 대한 입장	경실련	정책위원회
20080222	보도자료	한승수 총리 후보자 인사청문회 결과에 대한 입장	경실련	정책위원회
20080223	보도자료	이명박 정부 1년 국정운영에 대한 전문가 평가 설문 결과	경실련	정책위원회
20080225	보도자료	이명박 대통령 취임관련 의료연대회의 논평	경실련공동	의료의 공공성과 건강보험 보장성 강화를 위한 연대회의
20080225	보도자료	이명박 대통령에게 바란다	경실련	정책위원회
20080225	소송	SH공사 상암 등 22개 사업 원가 비공개처분에 대한 행정 소송 제기	경실련	국책사업감시단
20080225	회의	제19기 2차 상임집행위원회	경실련	상임집행위원회
20080227	보도자료	의약품 판매 관련 불법행위 적발에 대한 입장	경실련	보건의료위원회
20080300	보도자료	정보프로가 간접광고로 보일 수밖에 없는 몇 가지 이유	경실련	미디어워치
20080303	보도자료	정부 서민생활안정 대책에 대한 입장	경실련	정책위원회
20080304	보도자료	삼성 특검 수사 관련 금감원 검사에 대한 입장	경실련	정책위원회
20080304	소송	실거래자료 제출내역 비공개에 따른 정보공개청구 소송	경실련	보건의료위원회
20080305	보도자료	부적격 김성이 장관후보자 및 박미석 사회정책수석 교체 촉구 기자회견 개최	경실련공동	건강권보장과의료공공성강화를위한 희망연대
20080306	보도자료	삼성뇌물 수수의혹 김성호 국정원장, 이종찬 청와대 민정 수석 내정자 임명철회 촉구	경실련	정치입법팀
20080306	정책토론	통일부 조직 · 기능에 대한 평가와 발전방향	경실련	통일협회
20080307	보도자료	금융위원장과 공정거래위원장은 국민적 검증 과정 거쳐야	경실련	정책위원회
20080307	보도자료	최시중 방송통신위원장 후보자 부동산 투기 의혹	경실련	정책위원회
20080307	보도자료	대운하 개발에 대한 입장 발표 및 불법적 대운하 추진 관련자 고발 기자회견	경실련	국책사업감시단
20080307	보도자료	통화신용정책 관련 경제전문가 여론조사 보고	경실련	정책위원회
20080311	보도자료	기획재정부 의료정책에 대한 입장	경실련	보건의료위원회
20080311	보도자료	백용호 공정거래위원장의 출총제 폐지 관련발언에 대한 입장	경실련	정책위원회
20080311	보도자료	새 정부의 '경제운용방향'보건의료부문에 대한 성명	경실련공동	보건의료위원회
20080312	보도자료	기획재정부의 경제운용계획에 대한 입장	경실련	정책위원회
20080312	보도자료	김성이 보건복지부 장관 임명 강행에 대한 입장	경실련	정책위원회
20080312	보도자료	스프라이셀, 푸제온 독점약가에 대한 BMS, 로슈 규탄	경실련공동	건강세상네트워크 외
20080312	보도자료	자원 · 에너지 외교를 위한 공적개발원조(ODA)의 사용을 경계한다	경실련	국제위원회
20080313	보도자료	김성이 보건복지가족부 장관 임명에 대한 논평	경실련공동	보건의료위원회
20080313	보도자료	대한주택공사 아파트분양 원가공개 백지화에 대한 입장	경실련	아파트값거품빼기운동본부
20080314	보도자료	1년에 4,000만원 5,000만원 생명놓고 판돈걸기인가	경실련공동	건강세상네트워크 외
20080314	보도자료	이전 정권의 공공기관장 사퇴 강요에 대한 입장	경실련	정부개혁위원회
20080317	보도자료	스프라이셀, 푸제온 약값인하와 즉각 공급 촉구 기자회견	경실련공동	보건의료위원회
20080318	보도자료	"함께봐요,식코(SICKO)" 노동 · 보건의료 · 시민사회단체 공동 캠페인	경실련공동	식코보기 공동캠페인
20080318	보도자료	각 정당 18대 총선 공천에 대한 논평	경실련	정치개혁위원회
20080318	보도자료	대운하 개발에 대한 입장 발표 및 불법적 대운하 추진 관련자 고발 기자회견	경실련	대운하감시단
20080319	보도자료	함께봐요-식코 공동캠페인 시작	경실련공동	보건의료위원회 외
20080319	보도자료	금융통화위원 임명 관련 경제전문가 설문조사 결과 발표	경실련	정책위원회
20080320	정책토론	18대 국회의원 선거와 매니페스토 정책 선거	경실련공동	정책위원회
20080321	보도자료	기획재정부의 "공 · 사보험 정보 공유 추진"방침에 대한 재정운영위원회 가입자위원 입장	경실련공동	보건의료위원회
20080324	보도자료	건강보험 재정운영위원회 가입자위원의 '반인권적 공 · 사보험 정보 공유 계획 철회' 입장을 지지한다	경실련공동	보건의료위원회

생산일자	세부형태	제목	출처분류	생산자(처)
20080325	보도자료	17대 국회의원 법안 발의 및 가결 종합 평가	경실련	정치개혁위원회
20080325	보도자료	국토해양부 대통령 업무보고에 대한 입장	경실련	도시개혁센터
20080325	보도자료	국토해양부의 최저가낙찰제 확대 시행 계획과 관련한 논평	경실련	국책사업감시단
20080325	보도자료	제18대 국회의원 후보자 '한반도 대운하 사업에 관한 정견 '조사' 답변	경실련	정책위원회
20080325	보도자료	건강보험재정운영위원회의 '공사보험 정보공유 반대' 지지 입장	경실련공동	보건의료위원회
20080326	보도자료	고위공직자 재산 신고 내역 공개에 대한 입장	경실련	시민입법위원회
20080326	보도자료	보건복지가족부 대통령 업무보고 대한 입장	경실련	사회복지위원회
20080326	보도자료	제18대 국회의원선거 후보자들에게 '한반도대운하 질의서' 발송	경실련	대운하감시단
20080326	보도자료	청와대의 국민연금을 담보로 한 신용회복 대책 대한 입장	경실련	사회복지위원회
20080327	보도자료	18대 총선 79개 정당정책 비교평가	경실련	정책위원회
20080328	보도자료	'18대 총선 경실련 정당선택도우미' 프로그램 운영	경실련	정치개혁위원회
20080328	보도자료	고위고직자 재산공개에 대한 논평	경실련	정치입법팀
20080331	보도자료	금융위원회, 공정거래위원회 업무보고에 대한 입장	경실련	정책위원회
20080331	정책토론	납품원가 연동제 도입방안 토론회	경실련공동	재벌개혁위원회
20080331	회의	제19기 3차 상임집행위원회	경실련	상임집행위원회
20080331	조직	티베트국민행동	경실련	상임집행위원회
20080401	보도자료	삼성특검의 조속 종결을 촉구하는 경제5단체 발표에 대한 입장	경실련	정책위원회
20080402	보도자료	이명박 대통령과 강만수, 김성이 장관, "함께봅시다 식코" 식코가 보여주는 미국의료의 재앙은 이명박정부의 의료정책입니다	경실련공동	식코보기 공동캠페인
20080403	보도자료	선관위의 대운하건설 반대 운동 선거법 위반 유권해석에 대한 경실련 입장	경실련	시민입법위원회
20080403	보도자료	함께봅시다 식코 기자회견	경실련공동	보건의료위원회
20080404	보도자료	18대 총선 각 정당 민생분야 공약의 문제점 및 내용 평가 요약본	경실련	정책위원회
20080406	모니터링	제18대 총선 출마자 '한반도 대운하 개발' 관련 정견조사 발표	경실련	시민입법위원회
20080407	보도자료	'경실련 정당선택도우미 참여자 1만명 돌파'	경실련	정치개혁위원회
20080407	보도자료	18대 총선 관권 선거 논란 등에 대한 입장	경실련	정치개혁위원회
20080408	보도자료	18대총선 투표참여 촉구	경실련	정치개혁위원회
20080410	보도자료	18대 총선 결과에 대한 입장	경실련	정치개혁위원회
20080411	보도자료	공정위의 2개 건설사 불공정 하도급거래행위 적발과 관련한 입장	경실련	국책사업감시단
20080411	보도자료	국민연금 담보대출 기금운용위원회 의결처리에 대한 경실련 입장	경실련	사회복지위원회
20080411	정책토론	납품단가 연동제 방안 마련을 위한 토론회 개최	경실련	정책위원회
20080411	정책토론	원자재가격과 납품단가 연동제'방안 모색을 위한 토론회	경실련	중소기업위원회
20080415	보도자료	국회의원 당선자들의 '뉴타운 추가지정' 공약에 대한 입장	경실련	도시개혁센터
20080416	보도자료	정부부처 홈페이지 이용약관 개선에 대한 의견서 제출	경실련	시민권익센터
20080417	정책토론	4.9 총선 평가와 정치개혁의 방향성	경실련	정책위원회
20080417	보도자료	4.9총선과 정치개혁방향성 토론회 내용 요약	경실련	정치개혁위원회
20080417	보도자료	공정한 가맹사업 활성화를 위해 가맹사업피해신고 센터 개설운영	경실련	시민권익센터
20080417	보도자료	삼성 특검 최종 수사 결과 발표에 대한 입장	경실련	정책위원회
20080418	교육	제20기 민족화해아카데미	경실련	통일협회
20080421	보도자료	리베이트 의약품 약가인하 조치에 대한 의견서 전달	경실련	보건의료위원회
20080421	보도자료	오세훈 시장의 뉴타운 정책 담화 관련에 대한 논평	경실련	아파트값거품빼기운동본부
20080422	보도자료	삼성 그룹 경영쇄신안 발표에 대한 입장	경실련	정책위원회
20080423	보도자료	온라인사업자의 개인정보활용동의 실태 및 위반사업자 발표	경실련	시민권익센터
20080425	보도자료	고위공직자 재산 공개에 대한 입장	경실련	아파트값거품빼기운동본부
20080428	보도자료	부동산투기의혹 고위공직자 사퇴 촉구 기자회견	경실련	정책위원회
20080428	회의	제19기 4차 상임집행위원회	경실련	상임집행위원회
20080429	보도자료	4월 임시국회 처리 예정 일부 법안에 대한 의견	경실련공동	재벌개혁위원회
20080429	보도자료	상법 개정, 2년여 사회적 합의과정과 결론 무시해서는 안돼 순환출자 금지없는 출총제 폐지 기업부실화 초래 예견	경실련공동	경제개혁연대 외
20080430	보도자료	주택공사 고양풍동, 화성봉담 원가공개 관련 입장	경실련	아파트값거품빼기운동본부
20080430	보도자료	이명박 대통령에게 보내는 '한반도대운하 공개질의서' 발송	경실련	대운하감시단
20080430	정책토론	이명박 정부의 대북정책, 그리고 북핵	경실련	통일협회
20080430	보도자료	환경부의 상수도 표준급수 조례에 대한 의견	경실련	시민권익센터
20080501	보도자료	당연지정제 유지 관련 건강연대 논평	경실련공동	보건의료위원회
20080502	보도자료	민영의료보험 활성화, 영리의료법인 도입 철회 촉구	경실련	보건의료위원회

생산일자	세부형태	제목	출처분류	생산자(처)
20080506	보도자료	지상파 드라마 간접광고에 관한 모니터 보고	경실련	미디어워치
20080507	보도자료	한미 쇠고기 협상 결과 관련 입장	경실련	정책위원회
20080508	보도자료	심평원에 정보공개청구 거부처분 취소소송 제기	경실련	보건의료위원회
20080513	보도자료	미국산 쇠고기 수입위생조건 고시 강행 중단 요구	경실련	정책위원회
20080514	보도자료	서울시의 상하수도 연체제도 개선에 대한 입장	경실련	시민권익센터
20080514	보도자료	한반도 대운하 사업에 대한 의견	경실련	정책위원회
20080516	보도자료	김문수 경기도지사의 광교신도시 아파트 특혜분양에 대한 입장	경실련	아파트값거품빼기운동본부
20080519	보도자료	가맹거래 정보공개서 표준양식 고시에 대한 입장	경실련	시민권익센터
20080520	정책토론	국가재정법개정 토론회	경실련	국책사업감시단
20080520	보도자료	한미 쇠고기 수입 추가협의 발표에 대한 입장	경실련	정책위원회
20080522	보도자료	이명박 대통령의 대국민 담화 관련 입장	경실련	정책위원회
20080522	보도자료	주택공사와 SH공사가 공개한 분양원가 비교	경실련	아파트값거품빼기운동본부
20080526	보도자료	개인정보 상업적 활용 동의절차 위반사업자 소명 및 개선 내용 발표	경실련	시민권익센터
20080526	보도자료	『우리나라 보건의료 발전에 대한 제안』서한문, 제 18대 국회의원 당선자 전원에게 발송	경실련공동	보건의료위원회
20080526	회의	제19기 5차 상임집행위원회	경실련	상임집행위원회
20080528	정책토론	이명박 정부 100일, 무엇이 문제인가? - 100일 국정평가와 향후 방향 -	경실련	정책위원회
20080529	보도자료	미국산 쇠고기 수입위생조건 고시 강행에 대한 입장	경실련	정책위원회
20080530	간행물	월간경실련 2008년 5 · 6월호	경실련	경실련
20080603	보도자료	정부의 미 쇠고기 30개월 이상 쇠고기 수출중단 요청 및 이명박 대통령 취임 100일 관련 성명	경실련	정책위원회
20080605	정책토론	ODA 월례토크, 국제식량위기의 현황과 전망	경실련공동	국제위원회
20080609	보도자료	제주특별자치도 3단계 제도개선안 중 보건의료분야에 대한 논평	경실련공동	보건의료위원회
20080611	보도자료	정부의 미분양 아파트 대책에 대한 입장	경실련	아파트값거품빼기운동본부
20080611	보도자료	요양보호사 교육부실문제 방치해선 안돼	경실련	사회복지위원회
20080612	보도자료	건강보험 붕괴, 영리병원 허용 등 의료민영화 밀실추진 이명박 정부 규탄 기자회견문	경실련공동	보건의료위원회
20080612	보도자료	노인장기요양보험 요양보호사 양성 문제점 및 제언 관련 의견서 제출	경실련	사회복지위원회
20080612	보도자료	공기업 임원 선발 절차 전면 개편에 대한 입장	경실련	정부개혁위원회
20080612	보도자료	외교통상부 추가협상 브리핑에 대한 입장	경실련	정책위원회
20080613	보도자료	기획재정부, 국토해양부의『건설부문 투자 지원 방안』에 대한 입장	경실련	국책사업감시단
20080613	보도자료	의료민영화 밀실추진 복지부 규탄	경실련공동	보건의료위원회
20080615	정책토론	6.15 남북공동선언 8주년 기념행사	경실련공동	통일협회
20080619	보도자료	이명박 대통령 특별기자회견에 대한 논평	경실련	정책위원회
20080619	정책토론	이명박 정부의 대외원조정책 진단; 국익, 자원, 실용 그리고 ODA	경실련	ODA Watch
20080620	보도자료	이명박 대통령의 청와대 수석비서관 인사에 대한 입장	경실련	정책위원회
20080623	소송	개인정보 관련 법 위반 소비자단체소송 최고절차를 위해 내용증명 발송	경실련공동	시민권익센터
20080624	보도자료	건설노동자들의 생존권 보장대책 촉구	경실련	국책사업감시단
20080624	보도자료	국민과 대화 없는 고시 강행 중단 촉구 한나라당 항의방문 기자회견	경실련공동	정책위원회
20080624	보도자료	국토계획법 시행령 · 시행규칙 개정안 입법예고에 대한 경실련 의견	경실련	도시개혁센터
20080624	보도자료	소비자의 정당한 권리인 불매운동과 검찰 태도에 대한 소비자단체 입장	경실련	시민권익센터
20080625	보도자료	쇠고기 고시 강행에 대한 입장	경실련	정책위원회
20080626	보도자료	미국 쇠고기 고시 철회를 촉구하는 성명	경실련	정책위원회
20080628	정책토론	ODA Watch, 유네스코 한국위원회 청년포럼	경실련공동	국제위원회
20080630	회의	제19기 6차 상임집행위원회	경실련	상임집행위원회
20080701	정책토론	제5회 CSR포럼 '기업의 사회적 책임과 환경경영'	경실련공동	경제정의연구소
20080701	홍보	대학생 통일캠프	경실련공동	통일협회
20080702	보도자료	국토해양부 송파신도시 선분양추진 관련 경실련입장	경실련	아파트값거품빼기운동본부
20080703	보도자료	방송통신심의위원회의 광고불매운동 게시글 삭제권고에 대한 입장	경실련	시민권익센터
20080703	보도자료	현 정국에 대한 전국 경실련 공동시국선언 기자회견	경실련	정책위원회

생산일자	세부형태	제목	출처분류	생산자(처)
20080704	보도자료	'한반도대운하'에 대한 강만수 기획재정부 장관 발언에 대한 입장	경실련	대운하감시단
20080704	보도자료	국정원 직원의 재판 개입 의혹에 대한 입장	경실련	정책위원회
20080707	보도자료	강만수 기획재정부 장관의 경질을 촉구하는 성명	경실련	정책위원회
20080707	보도자료	이명박 대통령의 정부 개각에 대한 논평	경실련	정책위원회
20080707	보도자료	정부의 미분양추가대책 및 기본형건축비 인상에 대한 경실련 입장	경실련	아파트값거품빼기운동본부
20080708	보도자료	강만수 기재부장관 퇴진 촉구 기자회견	경실련	정책위원회
20080708	정책토론	대기업의 원자재 가격결정 합리화 방안 마련 토론회	경실련	재벌개혁위원회
20080708	정책토론	재개발 · 재건축신고센터 개소 및 기념토론회	경실련	도시개혁센터
20080711	보도자료	이명박 대통령 국회개원 연설에 대한 경실련통일협회 논평	경실련	통일협회
20080713	보도자료	방송통신심의위원회 광고불매운동 게시글 삭제권고에 대한 입장	경실련	시민권익센터
20080714	보도자료	공기업 낙하산 인사 내정에 대한 입장	경실련	정부개혁위원회
20080714	감사청구	공익사항에 관한 감사원 감사청구	경실련	정책위원회
20080714	보도자료	서울시의장의 금품 로비 관련 입장	경실련	지방자치위원회
20080714	정책토론	이명박정부 토지정책 평가토론회	경실련	도시개혁센터
20080715	보도자료	수도권정비계획법 개정안에 대한 경실련 의견서 제출 보도요청	경실련	도시개혁센터
20080715	정책토론	새정부의 대북정책과 남북관계 발전 방향 토론회	경실련공동	통일협회
20080715	보도자료	의료민영화 정책 완전폐기 촉구	경실련	보건의료위원회
20080715	보도자료	의료민영화 반대 1인 릴레이시위	경실련공동	보건의료위원회
20080716	보도자료	검찰의 광고불매운동 과잉수사에 대한 성명	경실련	시민입법위원회
20080716	보도자료	이건희 전 회장 판결에 대한 입장	경실련	정책위원회
20080716	보도자료	출총제폐지 공정법 개정안 국무회의 의결에 대한 입장	경실련	정책위원회
20080716	보도자료	국토부 수도권정비계획법 개정안에 대한 의견서 제출	경실련	도시개혁센터
20080717	소송	김성훈 경실련전대표 신지호 · 조선일보 상대로 명예훼손 소송 승소	경실련	정책위원회
20080717	보도자료	서울교육감 시민선택 거리캠페인 진행	경실련	정책위원회
20080717	보도자료	국내 영리의료법인 허용 복지부 규탄 기자회견	경실련공동	보건의료위원회
20080717	정책토론	광고 불매 광고게시글 삭제에 대한 긴급토론회	경실련공동	시민권익센터
20080718	보도자료	서울시의장 금품 로비 관련 징계촉구 항의서한 제출	경실련	지방자치위원회
20080718	보도자료	서울교육감 후보 정책질의 답변서 공개	경실련	정책위원회
20080721	보도자료	강만수 기획재정부 장관 경질을 촉구하는 경제 · 경영학자 118명 공동성명 발표 기자회견	경실련	정책위원회
20080722	정책토론	서울교육감 후보 초청 토론회 개최	경실련	정책위원회
20080723	보도자료	개인정보 보호를 위한 단체소송 기자회견	경실련공동	시민권익센터
20080723	보도자료	서울시의장 금품수수 사건 관련 한나라당 규탄 연대 기자회견	경실련공동	지방자치위원회
20080724	보도자료	국토해양부 최저가낙찰제 연기 발언에 대한 입장	경실련	국책사업감시단
20080724	보도자료	방송통신심의위원회는 '2차 보이콧'이 왜 불법행위인지 명확한 근거를 제시하라!	경실련공동	나눔문화 외
20080724	보도자료	방송통신위원회 인터넷 정보보호 종합대책에 대한 경실련 입장	경실련	시민권익센터
20080724	보도자료	서울 교육감 후보 공약 분석 평가 보고	경실련공동	지방자치위원회
20080724	보도자료	하나로텔레콤 개인정보침해 금지 소비자단체소송 소장 접수	경실련공동	시민권익센터
20080724	보도자료	광고불매운동 게시글 삭제 사유 공개질의 기자회견	경실련공동	시민권익센터
20080725	보도자료	경실련 · 경제개혁연대 · 참여연대, 이건희 전 회장 '면죄부' 판결에 항의하는 침묵시위	경실련공동	경제개혁연대 외
20080725	보도자료	제주도 영리법인병원 도입 중단을 촉구하는 입장	경실련	보건의료위원회
20080728	보도자료	제주도 영리병원 도입무산 결정 환영입장	경실련공동	보건의료위원회
20080730	보도자료	의료민영화정책, 반 인권적 개인질병정보제공 추진 철회 촉구	경실련공동	보건의료위원회
20080804	보도자료	제18대 국회의원 재산신고 해명요구	경실련	아파트값거품빼기운동본부
20080806	보도자료	경찰의 촛불시위 참석자 연행 포상금 지급에 대한 경실련 입장	경실련	정책위원회
20080807	보도자료	감사원의 KBS 정연주 사장 해임 요구에 대한 입장	경실련	정책위원회
20080808	보도자료	김옥희씨 공천 청탁 사건 검찰 수사에 대한 입장	경실련	정책위원회
20080808	보도자료	KBS 정연주 사장 해임 문제에 대한 입장	경실련	정책위원회
20080812	보도자료	8.15 광복절 특별사면에 대한 입장	경실련	정책위원회
20080812	참고자료	법무부에 사면심사위원회 명단, 심의서, 회의록 등 정보 공개청구	경실련	정치개혁위원회
20080812	보도자료	곽승준 전 수석의 미래기획위원회장 내정에 대한 성명	경실련	정책위원회
20080818	정책토론	지방행정체제 개편과 자치단체 자율통합방안 모색	경실련공동	한국지방자치학회 외
20080818	보도자료	개인정보보호법 입법예고안 관련 기자회견	경실련공동	시민권익센터

생산일자	세부형태	제목	출처분류	생산자(처)
20080819	보도자료	행정안전부는 개인정보보호법(안)을 즉각 철회하라	경실련공동	시민권익센터
20080821	보도자료	의료계 1차집단폐업 피해자 2차손해배상청구소송 제기 보도협조 요청	경실련공동	보건의료위원회
20080821	보도자료	전자정부법개정안에 대한 시민단체 공동 의견	경실련공동	시민권익센터
20080825	회의	제19기 7차 상임집행위원회	경실련	상임집행위원회
20080827	보도자료	대우조선해양 매각에 대한 입장	경실련	정책위원회
20080829	회의	제10기 2차 중앙위원회	경실련	중앙위원회
20080901	보도자료	정부의 2008년 세제개편안에 대한 의견	경실련	재정세제위원회
20080903	보도자료	정보통신망법 개정안에 대한 경실련 의견서 제출	경실련	시민권익센터
20080904	보도자료	다시 강만수 기획재정부 장관의 경질을 촉구하며	경실련	정책위원회
20080904	보도자료	집회에 대한 집단소송제 도입에 대한 입장	경실련	시민입법위원회
20080908	보도자료	18대 첫 정기국회가 처리해야 할 22개 정책 및 법안 발표	경실련	정책위원회
20080908	정책토론	ODA 월례토크, 인권과 지속가능한 발전의 조화	경실련공동	국제위원회
20080909	소송	하나로텔레콤, KT, LG파워콤 고객정보 제3자 제공에 대한 검찰고발 기자회견	경실련공동	시민권익센터
20080910	보도자료	GS칼텍스 고객정보 유출에 대한 입장	경실련	시민권익센터
20080910	소송	SH 행정정보공개 소송 2차 변론기일	경실련	국책사업감시단
20080911	정책토론	제6차 CSR 포럼. 대중소기업 상생협력 어떻게 할 것인가?	경실련공동	경제정의연구소
20080912	소송	소비자단체소송 허가를 위한 변론	경실련공동	시민권익센터
20080919	보도자료	외부감사법 시행령에 대한 경실련 의견서 제출	경실련	재정세제위원회
20080919	보도자료	정부의 국민 주거안정대책에 대한 입장	경실련	아파트값거품빼기운동본부
20080919	보도자료	건강보험 파탄내는 거품약가 인하촉구	경실련공동	보건의료위원회
20080922	정책토론	외부감사법 개정 어떻게 할 것인가? 토론회	경실련	재벌개혁위원회
20080923	참고자료	경실련 국민 여론조사 보고	경실련	정책위원회
20080923	보도자료	정부여당의 종부세 개편안에 대한 입장	경실련	재정세제위원회
20080924	보도자료	여론조사결과 - 정부의 부동산 세제개편 관련	경실련	아파트값거품빼기운동본부
20080924	보도자료	의약품 약국외 품목에 대한 제안서	경실련	정책위원회
20080926	보도자료	18대국회의원 부동산재산 불일치내용 중앙선관위 및 국회 윤리위 통보	경실련	아파트값거품빼기운동본부
20080928	보도자료	공무원연금 개선 정책건의안에 대한 입장	경실련	사회복지위원회
20080929	보도자료	경실련 '08년 16개 광역자치단체장 공약 평가 결과 발표'	경실련	지방자치위원회
20080929	보도자료	의약품 재분류 조정신청서 제출	경실련	보건의료위원회
20080929	회의	제19기 8차 상임집행위원회	경실련	상임집행위원회
20080930	보도자료	정부의 개발제한구역 해제에 대한 입장	경실련	도시개혁센터
20081001	보도자료	노인틀니 스케일링 아동 청소년 치과주치의제 촉구 시민행동 선언	경실련공동	건강세상네트워크 외
20081002	정책토론	말기환자의 자기결정권 존중을 위한 입법제안 심포지엄	경실련공동	보건의료위원회
20081002	정책토론	키코(KIKO) 사태의 합리적 해결방안 모색을 위한 토론회	경실련	정책위원회
20081004	보도자료	10.4 선언 발표 1주년 기념식	경실련공동	통일협회
20081006	보도자료	이명박 정부는 그린벨트 해제 즉각 철회하라	경실련공동	도시개혁센터
20081006	보도자료	전재희 보건복지가족부 장관은 건강보험재정운영위원회를 의료공급자의 허수아비로 만들려 하는가	경실련공동	보건의료위원회 외
20081007	홍보	세계빈곤퇴치를 위한 화이트밴드 캠페인	경실련공동	국제위원회
20081008	보도자료	검찰의 18대 국회의원 재산공개 철저 조사 촉구	경실련	아파트값거품빼기운동본부
20081009	교육	15기 도시대학	경실련	도시개혁센터
20081010	보도자료	이건희 전 삼성그룹 회장 항소심 판결에 대한 입장	경실련	정책위원회
20081013	보도자료	건강보험 보장성 강화와 2009 수가협상에 관한 기자회견	경실련공동	사회복지위원회
20081013	보도자료	금산분리 완화 방안에 대한 입장	경실련	정책위원회
20081013	보도자료	이명박 대통령의 첫 라디오연설에 대한 논평	경실련	정책위원회
20081014	소송	BBQ 불공정행위 및 불공정약관 공정위 고발에 대한 입장	경실련	시민권익센터
20081014	소송	SPC그룹 배스킨라빈스, 따삐오 부당 가맹계약서 공정위 고발	경실련	시민권익센터
20081014	소송	불공정 가맹계약서 심사청구서	경실련	시민권익센터
20081014	소송	제너시스 부당한 가맹사업거래행위 고발	경실련	시민권익센터
20081015	보도자료	바람직한 자치행정체계 개편을 위한 합동세미나	경실련	지방자치위원회
20081017	보도자료	의약품관리종합정보센터 처방정보 유통 관련 의견서 복지부 제출	경실련	보건의료위원회
20081017	정책토론	방송 프로그램 간접광고의 제도적 대안 모색을 위한 세미나	경실련	미디어워치
20081021	보도자료	"SK브로드밴드' 개인정보침해 금지 소비자단체소송 허가에 대한 논평	경실련공동	소비자시민모임 외
20081021	보도자료	정부의 건설업체 유동성지원방안에 대한 입장	경실련	아파트값거품빼기운동본부
20081023	소송	서울행정법원의 하도급관련 정보공개 판결을 환영한다	경실련	아파트값거품빼기운동본부

생산일자	세부형태	제목	출처분류	생산자(처)
20081023	보도자료	쌀 소득보전 직불금 국정조사 합의에 대한 논평	경실련	정책위원회
20081023	홍보	통일교육협의회 통일마당	경실련공동	통일협회
20081026	보도자료	2008년 국회 국정감사 우수의원 21명 선정결과 발표	경실련	정책위원회
20081027	회의	제19기 9차 상임집행위원회	경실련	상임집행위원회
20081028	보도자료	기획재정부 '종부세 합헌' 입장 번복에 대한 입장	경실련	정책위원회
20081028	보도자료	강만수 경제팀 경질과 거국적 비상경제내각 구성 촉구 기자회견	경실련	재벌개혁위원회
20081029	보도자료	"개인정보보호법' 제정 입법에 대한 소비자단체 의견	경실련공동	녹색소비자연대 외
20081029	보도자료	이명박 대통령 시정연설의 지방행정체제 개편에 대한 입장	경실련	지방자치위원회
20081031	보도자료	정부의 '국가경쟁력 강화를 위한 국토이용 효율화 방안'에 대한 성명	경실련	도시개혁센터
20081103	보도자료	11.3 경제난국 극복 종합대책 중 부동산 정책에 대한 입장	경실련	아파트값거품빼기운동본부
20081103	보도자료	은행법, 금융지주회사법 입법예고에 대한 경실련 의견서 제출	경실련	정책위원회
20081104	보도자료	공적개발원조(ODA)의 중앙부처 예산집행에 대한 조사결과 발표	경실련	국제위원회
20081104	보도자료	권경석 의원의 지방행정체제 개편 특별법안에 대한 입장	경실련	지방자치위원회
20081104	보도자료	종합부동산법 위헌소송에 대한 경실련 의견서 헌법재판소 제출	경실련	아파트값거품빼기운동본부
20081104	보도자료	한나라당 '사이버 모욕죄' 입법 추진에 대한 입장	경실련	시민권익센터
20081104	보도자료	보험업법 개정안 철회요구 기자회견	경실련공동	사회복지위원회
20081105	보도자료	서울행정법원의 의약품 신고가격 공개판결 -심평원 정보 공개거부 취소 소송 원고승소 -관련 입장	경실련	보건의료위원회
20081105	소송	정보통신분야의 서비스약관 공정위에 불공정약관 심사청구	경실련	시민권익센터
20081106	보도자료	16개 광역지방의회 의원 공무 국외여행 실태분석	경실련	정책위원회
20081106	보도자료	버락 오바마의 당선에 대한 경실련통일협회 논평	경실련	통일협회
20081106	보도자료	오바마 미 대통령 당선에 즈음한 논평	경실련	대외통상위원회
20081107	보도자료	강만수 장관의 헌재 사전 접촉 발언에 대한 입장	경실련	정책위원회
20081107	정책토론	국내 경제위기 진단과 향후 정책 방안	경실련	정책위원회
20081110	보도자료	불법집단행위에 관한 집단소송법안 의견서 제출	경실련	시민입법위원회
20081111	보도자료	사이버모욕죄 입법철회 촉구 전문가선언	경실련	시민권익센터
20081112	보도자료	서울시 '대규모부지 용도변경 활성화와 도시계획체계 개선안'에 대한 논평	경실련	도시개혁센터
20081112	보도자료	유가환급금 신청기간' 임박에 즈음한 입장	경실련	정책위원회
20081112	보도자료	보험약값 재평가 지연에 대한 입장	경실련공동	보건의료위원회
20081113	보도자료	헌법재판소의 종합부동산세 판결에 대한 논평	경실련	아파트값거품빼기운동본부
20081114	보도자료	국회 정무위에 공정거래법 개정안 의견서 제출	경실련	정책위원회
20081117	보도자료	제8회 바른외국기업상 시상식	경실련	경제정의연구소
20081119	정책토론	독일 CSR의 현황과 시사점	경실련공동	경제정의연구소
20081120	보도자료	대북정책 전면적 전환을 촉구하는 경실련통일협회 성명	경실련	통일협회
20081124	보도자료	경실련, 보험업법 개정안 반대 의견서 제출	경실련	보건의료위원회
20081124	보도자료	정부의 경제위기 대책 전면전환을 촉구하는 기자회견	경실련	정책위원회
20081124	회의	제19기 10차 상임집행위원회	경실련	상임집행위원회
20081125	정책토론	기로에선 그린벨트, 개발제한구역인가, 개발대기구역인가?	경실련공동	도시개혁센터
20081125	보도자료	과잉처방의 피해자인 환자는 있는데, 책임져야 할 자가 없는 지금의 상황을 어떻게 해결할 것인가	경실련공동	보건의료위원회
20081125	보도자료	심평원의 판결 불복 항의방문 및 심평원장 면담요청	경실련공동	보건의료위원회
20081126	보도자료	원외처방 약제비 환수법 개정촉구	경실련공동	보건의료위원회
20081128	보도자료	법원의 '존엄하게 죽을 권리' 인정 판결에 관한 입장	경실련	보건의료위원회
20081128	정책토론	ODA 월례토크, 국제개발협력 증진위한 대중인식제고 활동 현황과 방향	경실련공동	국제위원회
20081128	보도자료	복지부 선택진료에 관한 규칙 개정안에 대한 입장발표	경실련공동	보건의료위원회
20081203	조직	천안아산경실련 창립	경실련	천안아산경실련
20081204	보도자료	공기업 비상임이사의 이사회 발언 분석 보고	경실련	정책위원회
20081204	보도자료	저축은행에 대한 정부 공적자금 투입에 대한 성명	경실련	정책위원회
20081204	교육	전라북도 갈등조정 전문가 아카데미	경실련	갈등해소센터
20081205	보도자료	외국기관의 검증보고 공개 못할 이유 무엇인가	경실련공동	경제개혁연대 외
20081207	보도자료	공정위의 정보통신이용약관 개선조치에 대한 입장	경실련	시민권익센터
20081208	보도자료	12월 8일(월) 보험업법개정안 폐기 촉구 기자회견	경실련공동	보건의료위원회
20081208	보도자료	농협중앙회의 정체성회복과 개혁을 촉구하는 의견 발표	경실련	농업개혁위원회
20081210	보도자료	공정거래법 개정과 관련한 국회 김영선 정무위원장과 공정위 간 의견대립에 대한 성명	경실련	재벌개혁위원회
20081211	보도자료	대북정책 전환을 촉구하는 전문가 성명	경실련	통일협회
20081214	보도자료	한나라당 졸속예산 단독처리 규탄입장	경실련	재정세제위원회
20081215	보도자료	임시국회에서 반드시 폐기해야할 10개 개악 법률안	경실련	정책위원회
20081216	보도자료	공공기관 기관장 임명 실태 분석 보고	경실련	정책위원회

생산일자	세부형태	제목	출처분류	생산자(처)
20081216	보도자료	이명박 정부의 공공기관 기관장 임명실태 분석 결과 발표	경실련	정책위원회
20081217	보도자료	대부업체 관리감독 실태조사 결과	경실련	정책위원회
20081217	보도자료	의료계에 휘둘리는 국회 항의와 약제비 환수법안의 조속한 처리 촉구하는 입장	경실련	보건의료위원회
20081218	보도자료	국회외교통상통일위 한미FTA 비준안 상정에 대한 입장	경실련	대외통상위원회
20081219	보도자료	금산분리 완화 법안 강행처리 반대 기자회견 및 의원 면담	경실련공동	경제개혁연대 외
20081219	보도자료	국민연금, 건강보험, 산재고용보험 연계제도 개정입법 관련 의견서 제출	경실련공동	시민권익센터
20081219	보도자료	한나라당의 한미FTA 비준안 단독 상정에 대한 입장	경실련	대외통상위원회
20081220	보도자료	6.15 공동선언 및 10.4선언 이행 등 남북정상화 촉구대회	경실련공동	통일협회
20081223	정책토론	ODA 월례토크, 한국시민사회의 국제개발협력을 전망한다	경실련공동	국제위원회
20081224	보도자료	현 국회 대치상황과 관련한 성명	경실련	정책위원회
20081224	회의	제19기 11차 상임집행위원회	경실련	상임집행위원회
20081226	보도자료	헌재의 '미쇠고기 수입 고시 합헌' 결정에 대한 논평	경실련	시민입법위원회
20081227	조직	창원경실련 발기인대회	경실련	창원경실련
20081228	보도자료	이명박 정부 경제부처 장관 6인과 한은 총재에 대한 업무평가 경제전문가 설문조사 결과	경실련	정책위원회
20081229	보도자료	PD수첩 수사 임수빈 부장검사 사의와 관련한 성명	경실련	시민입법위원회
20081229	보도자료	주요쟁점법안 강행처리 중단을 한나라당에 촉구한다	경실련	정책위원회
20090000	보도자료	대기업 홈플러스의 편법적인 SSM(재벌슈퍼) 가맹점 추진을 결사 반대한다!	경실련공동	중소상인살리기 전국네트워크
20090105	보도자료	대통령 신년연설에 대한 입장	경실련	정책위원회
20090108	보도자료	SK브로드밴드의 개인정보 침해 약관 개정에 대한 소비자단체 입장	경실련공동	시민권익센터
20090109	보도자료	존엄사법안 입법청원위한 신상진 의원 간담회	경실련	보건의료위원회
20090112	보도자료	"존엄사법" 국회 입법 청원서 제출	경실련	보건의료위원회
20090116	보도자료	SH분양원가 공개소송 관련 고등법원 준비서면 제출	경실련	시민감시국
20090119	보도자료	정부 일부부처 개각에 대한 경실련 견해	경실련	정책위원회
20090119	회의	제20기 1차 상임집행위원회	경실련	상임집행위원회
20090120	보도자료	용산 철거민 사망사태에 대한 입장	경실련	도시개혁센터
20090120	보도자료	전국 법학교수 및 변호사들 신문광고주불매운동 관련 담당 재판부에 탄원서 제출	경실련공동	시민권익센터
20090122	보도자료	용산 철거민 참사관련 이명박 대통령의 대국민 사과 촉구	경실련	시민입법위원회
20090129	보도자료	용산 철거민 참사관련 김석기 경찰청장 내정 철회 촉구	경실련	시민입법위원회
20090130	보도자료	북한의 남북기본합의서 등 폐기발표에 대한 성명	경실련	통일협회
20090130	보도자료	개성공단 통행 제한에 대한 경실련통일협회 성명	경실련	통일협회
20090130	보도자료	이동걸 금융연구원장 돌연사퇴에 대한 경실련 의견	경실련	정책위원회
20090209	보도자료	용산 철거민 참사관련 검찰 수사결과 발표에 대한 입장	경실련	시민입법위원회
20090210	보도자료	법원의 '존엄사 인정' 항소심 판결과 법제화를 촉구하는 입장	경실련	보건의료위원회
20090210	보도자료	제주도 '국제자유도시조성특별법' 관련 의견서 제출	경실련	보건의료위원회
20090210	보도자료	정부의 용산화재사고 관련 제도개선방안에 대한 입장	경실련	도시개혁센터
20090213	보도자료	정부의 주택규제 폐지에 대한 입장	경실련	아파트값거품빼기운동본부
20090213	보도자료	재개발재건축 관련 부패, 비리 분석결과 발표	경실련	아파트값거품빼기운동본부
20090216	회의	제20기 2차 상임집행위원회	경실련	상임집행위원회
20090220	회의	제10기 3차 중앙위원회 - 경실련 창립 20주년	경실련	중앙위원회
20090223	보도자료	이명박 정부 1년 국정운영에 대한 전문가 평가 설문 결과	경실련	정치입법팀
20090224	보도자료	음원의 재판매가격유지행위 및 담합의혹에 대한 공정위 고발	경실련	시민권익센터
20090224	보도자료	심평원의 제2기 약제급여평가위원회 위원 선임에 대한 입장	경실련	보건의료위원회
20090225	보도자료	약가거품빼기 정책에 역행하는 심평원 규탄 기자회견	경실련공동	보건의료위원회
20090225	보도자료	의료민영화 악법 '의료채권법', '경제특구법' 추진 즉각 중단	경실련공동	보건의료위원회
20090226	보도자료	미디어법 직권상정 시도에 대한 중단을 촉구하는 입장	경실련	정책위원회
20090227	보도자료	300여 시민단체 청렴위 폐지 1년 맞이 공동성명 발표	경실련공동	정치입법팀
20090227	보도자료	국회 국토해양위 "재건축임대주택건립의무 폐지"법안 통과에 대한 논평	경실련	도시개혁센터
20090227	보도자료	김형오 국회의장의 금산분리 완화 관련법안의 본회의 직권 상정 발표에 대한 입장	경실련	정책위원회
20090227	보도자료	보건복지부는 제약협회 산하기관인가 아니면 국민을 위한 기관인가	경실련공동	보건의료위원회
20090303	보도자료	금산분리, 출총제 폐기 법안 국회처리에 대한 입장	경실련	정책위원회
20090304	정책토론	존엄사법 제정을 위한 입법공청회	경실련	보건의료위원회

생산일자	세부형태	제목	출처분류	생산자(처)
20090305	보도자료	사회보험 연체제도 개선 입법발의에 대한 논평	경실련	시민권익센터
20090305	보도자료	신영철 대법관의 촛불재판 이메일 파문에 대한 입장	경실련	시민입법위원회
20090306	정책토론	제18회 경제정의기업賞	경실련	경제정의연구소
20090310	보도자료	기획재정부의 대형영리병원 설립 허용에 대한 입장	경실련	보건의료위원회
20090312	보도자료	다중이용업소의 피난안내도 등 상영의무에 대한 법제처 유권 해석 의뢰	경실련	시민권익센터
20090313	보도자료	영리병원 허용 기획재정부 규탄 기자회견	경실련공동	보건의료위원회
20090316	보도자료	촛불재판 개입 의혹 대법원 진상조사 결과에 대한 입장	경실련	시민입법위원회
20090316	보도자료	경제활성화 지원 세제개편안에 대한 입장	경실련	재정세제위원회
20090318	보도자료	우리사회 뇌물부패사건 분석발표 기자회견	경실련	아파트값거품빼기운동본부
20090318	보도자료	신세계백화점 사기세일에 대한 공정위 고발	경실련	시민권익센터
20090318	보도자료	편법적 유사 공적자금 집행에 대한 입장	경실련	재정세제위원회
20090318	보도자료	행정안전부의 시 · 군 자율통합 지원 특례법 추진에 대한 입장	경실련	지방자치위원회
20090319	보도자료	개성공단 통행 제한에 대한 성명	경실련	통일협회
20090319	보도자료	대형 음반유통사와 메이저 배급사를 부당공동행위 및 재판매 가격유지행위 위반혐의로 공정위 고발	경실련	시민권익센터
20090319	보도자료	국회에 입법 발의된 약관규제법 개정안에 대한 논평	경실련	시민권익센터
20090323	보도자료	경실련-한겨레 공동기획 '재개발 신기루를 깨자' 1) 재개발 재건축 비리현황	경실련공동	도시개혁센터
20090324	보도자료	박연차 회장 비리사건 관련 검찰의 엄정한 수사 촉구	경실련	시민입법위원회
20090324	보도자료	정부여당의 29조대의 추경 편성에 대한 논평	경실련	정책위원회
20090324	보도자료	정부의 인권위원회 조직 축소 방침에 대한 입장	경실련	시민입법위원회
20090325	보도자료	이명박정부 일자리대책 분석결과 발표	경실련	정책위원회
20090325	보도자료	경실련-한겨레 공동기획 '재개발 신기루를 깨자' 2) 공사비 상승 실태	경실련공동	도시개혁센터
20090326	보도자료	경실련-한겨레 공동기획 '재개발 신기루를 깨자' 3)규제완화 법개정 실태 분석	경실련공동	도시개혁센터
20090326	보도자료	일반약 약국외 판매 전면 허용을 촉구하는 의견 발표	경실련	보건의료위원회
20090328	보도자료	치료재료 상한금액 환율연계 방안 가입자단체 의견 제출	경실련	보건의료위원회
20090330	보도자료	정부의 '건설사업 선진화 방안'에 관한 입장	경실련	국책사업감시단
20090330	회의	제20기 3차 상임집행위원회	경실련	상임집행위원회
20090401	보도자료	인천국제공항철도의 한국철도공사 매입에 관한 입장	경실련	국책사업감시단
20090401	보도자료	정부 제2롯데월드 초고층 신축 허용에 대한 논평	경실련	도시개혁센터
20090402	보도자료	일반약 약국외 판매에 반대하는 전재희 복지부 장관에 대한 입장	경실련	보건의료위원회
20090402	교육	재개발재건축뉴타운 시민강좌(제18기 도시대학)	경실련	도시개혁센터
20090406	보도자료	북 인공위성 발사에 대한 경실련통일협회 성명	경실련	통일협회
20090407	보도자료	BBQ가맹본부의 불공정계약 시정 및 직권조사 발표에 대한 입장	경실련	시민권익센터
20090408	청원	공적자금관리특별법 개정 청원안 제출	경실련	정책위원회
20090408	보도자료	노무현 전 대통령 돈 수수 시인 관련 입장	경실련	시민입법위원회
20090409	보도자료	대한민국 뇌물부패 사건 분석결과 발표	경실련	국책사업감시단
20090413	보도자료	금산분리 관련 공정거래법개정안 국회제출에 대한 입장	경실련	정책위원회
20090414	보도자료	이상득, 정두언, 천신일, 한상률 씨 등에 대한 검찰수사 촉구	경실련	정치입법팀
20090414	정책토론	北 로켓 발사 이후 위기의 한반도, 그 해법은	경실련	통일협회
20090420	보도자료	금산분리 관련 경제 · 경영학자 설문 조사 결과	경실련	정책위원회
20090421	정책토론	경제위기와 한국은행의 역할 금융안정 기능 부여, 어떻게 할 것인가	경실련	정책위원회
20090422	보도자료	국회는 의료계 대변말고 과잉처방 약제비 환수법을 즉각 개정하라!!	경실련공동	보건의료위원회
20090423	보도자료	의협, 병협은 건강보험 요양급여기준 개선에 적극 나서라	경실련공동	보건의료위원회
20090427	보도자료	양도세 중과 폐지에 대한 논평	경실련	재정세제위원회
20090427	회의	제20기 4차 상임집행위원회	경실련	상임집행위원회
20090428	정책토론	위기의 개성공단, 해법은 무엇인가	경실련	통일협회
20090428	조직	충주경실련 창립	경실련	충주경실련
20090429	보도자료	4.29 재보궐선거 출마후보 87% 의료민영화 절대 반대	경실련공동	보건의료위원회
20090430	보도자료	고지혈증 화이자 리피토에 대한 특혜는 당장 중단되어야 한다!!	경실련공동	보건의료위원회 외
20090430	보도자료	4.29 재 · 보궐 선거 결과에 대한 입장	경실련	정책위원회
20090430	보도자료	노무현 전 대통령 검찰소환 관련 입장	경실련	시민입법위원회
20090430	보도자료	대법원의 '존엄사' 공개변론에 대한 입장	경실련	보건의료위원회
20090430	보도자료	천안시 쌍용 도시개발사업 감사원 감사결과에 대한 경실련		

생산일자	세부형태	제목	출처분류	생산자(처)
		입장	경실련	시민감시국
20090501	보도자료	금산분리법안 국회 본회의 처리에 대한 논평	경실련	정책위원회
20090501	보도자료	토공 · 주공통합법안 국회 통과에 대한 논평	경실련	시민감시위원회
20090508	보도자료	대법원윤리위원회의 신영철 대법관 관련 회의결과에 대한 입장	경실련	정책위원회
20090508	보도자료	복지부의 필수의약품 '리펀드제도 도입'에 대한 시민사회단체 입장	경실련	정책위원회
20090511	보도자료	개발제한구역 보금자리주택 시범지구 추진계획에 대한 성명	경실련	도시개혁센터
20090511	보도자료	정부의 의료서비스산업 선진화 추진 과제에 대한 입장	경실련	보건의료위원회
20090512	보도자료	그린벨트 해제 보금자리주택 건설에 대한 입장	경실련	도시개혁센터
20090512	보도자료	5/12일 보건복지가족부의 의료민영화 추진 규탄 기자회견	경실련공동	보건의료위원회
20090512	보도자료	복지부의 의료민영화 추진 규탄 기자회견	경실련공동	보건의료위원회
20090513	보도자료	이용훈 대법원장의 신영철 대법관 관련 입장 표명에 대한 논평	경실련	시민입법위원회
20090515	보도자료	의료분쟁조정 및 피해구제법 제정에 대한 우리의 입장	경실련공동	보건의료위원회
20090515	소송	SH공사 행정정보공개 소송 항소심 1차 변론	경실련	아파트값거품빼기운동본부
20090518	정책토론	소비자단체소송 포럼	경실련	시민권익센터
20090519	정책토론	국회의원 발의 법안 평가 및 바람직한 개편 방향	경실련공동	지방자치위원회
20090519	보도자료	약관규제법 개정안 입법발의에 대한 입장	경실련	시민권익센터
20090521	보도자료	대법원의 '존엄사' 확정 최종 판결에 관한 입장	경실련	보건의료위원회
20090522	보도자료	정부의 도심 집회의 원칙적 금지 방침에 대한 입장	경실련	시민입법위원회
20090522	정책토론	뉴타운평가 및 공공의 역할 강화방안 정책워크샵	경실련	도시개혁센터
20090523	보도자료	노무현 전 대통령 서거에 대한 추도입장	경실련	정치입법팀
20090525	보도자료	제2기 급여평가위원회의 리피토 재평가 결과에 대한 입장	경실련공동	보건의료위원회
20090525	회의	제20기 5차 상임집행위원회	경실련	상임집행위원회
20090525	조직	중소상인살리기 전국네트워크 참여	경실련	상임집행위원회
20090525	조직	기초지방선거 정당공천 폐지를 위한 전국운동본부 참여	경실련	상임집행위원회
20090525	조직	인천공항철도 민자사업 진상규명과 책임자 처벌을 위한 국민조사단 참여	경실련	상임집행위원회
20090526	보도자료	서울광장 시민추모제 불허에 대한 입장	경실련	시민입법위원회
20090527	보도자료	노 전대통령 시민추모제 참여	경실련공동	정치입법팀
20090529	보도자료	삼성그룹 사건 대법원 상고심 판결에 대한 입장	경실련	정책위원회
20090530	간행물	월간경실련 2009년 5 · 6월호	경실련	경실련
20090601	보도자료	노무현 전 대통령 시민추모위원회 해산관련 입장	경실련	정치입법팀
20090601	보도자료	도시및주거환경정비법 개정안에 대한 경실련 의견서 제출 보도요청	경실련	도시개혁센터
20090602	보도자료	故 노前대통령 검찰 수사 책임에 대한 대검 브리핑 관련 입장	경실련	시민입법위원회
20090603	소송	의약품 신고가격 관련 심평원 항소 변론기일	경실련	보건의료위원회
20090609	보도자료	4대상 살리기 마스터플랜에 대한 입장	경실련	국책사업감시단
20090610	보도자료	국정기조 쇄신 촉구 6.10 국민대회 참가	경실련공동	정치입법팀
20090612	보도자료	'박연차게이트'관련 검찰의 수사결과 관련 입장	경실련	정책위원회
20090612	보도자료	공정위의 (주)제너시스 BBQ 불공정거래행위 시정조치에 대한 입장	경실련	시민권익센터
20090616	보도자료	글리벡을 보면 리펀드가, 리펀드를 보면 건강보험 보장성의 말로가 보인다!	경실련공동	보건의료위원회
20090616	보도자료	당정의 유통산업발전법 등록제 범위 확대 시도에 대한 논평	경실련공동	중소상인살리기 전국네트워크
20090618	교육	노사민정 갈등협상 전문가 아카데미	경실련	갈등해소센터
20090622	보도자료	검찰총장, 국세청장 내정에 대한 입장	경실련	정책위원회
20090624	보도자료	'이달곤 장관의 선거개입 발언' 관련 입장	경실련	정치개혁위원회
20090624	보도자료	MB 의료민영화 악법 저지를 위한 100인 선언	경실련공동	보건의료위원회
20090626	보도자료	간접세 인상에 대한 논평	경실련	정책위원회
20090626	보도자료	이명박 대통령의 대형마트 규제 불가 발언에 대한 논평	경실련	정책위원회
20090626	보도자료	허태열 의원의 '지방행정체제개편특별법' 발의에 대한 입장	경실련	지방자치위원회
20090626	소송	SH공사 행정정보공개 소송 항소심 2차 변론	경실련	아파트값거품빼기운동본부
20090629	보도자료	이명박대통령 대운하개발중단 발언에 관한 입장	경실련	국책사업감시단
20090629	회의	제20기 6차 상임집행위원회	경실련	상임집행위원회
20090630	보도자료	도시재정비촉진특별법 시행령 개정안에 대한 경실련 의견	경실련	도시개혁센터
20090702	감사청구	감사원의 '17개 민간투자사업 추진실태 감사'에 대한 입장	경실련	국책사업감시단
20090702	보도자료	서울시 재개발 · 재건축사업 개선방안에 대한 논평	경실련	도시개혁센터
20090702	보도자료	정부의 턴키 · 대안 심의제도개선에 대한 입장	경실련	국책사업감시단
20090707	보도자료	정부의 전세 임대소득세 도입에 대한 논평	경실련	시민감시위원회
20090708	홍보	경실련 창립20주년 홈커밍데이	경실련	사무국

생산일자	세부형태	제목	출처분류	생산자(처)
20090710	보도자료	백용호 국세청장 내정자의 자진사퇴를 촉구하는 성명	경실련	시민입법위원회
20090714	보도자료	천성관 검찰총장, 백용호 국세청장 내정자 사퇴 촉구성명	경실련	시민입법위원회
20090714	교육	뉴타운 바로 보기 주민워크샵	경실련	도시개혁센터
20090714	정책토론	존엄사 올바른 법제화를 위한 토론회	경실련	보건의료위원회
20090715	청원	'입증책임전환'을 핵심으로 한 의료사고피해구제법 국민 청원 기자회견	경실련공동	보건의료위원회
20090715	소송	의약품 신고가격 공개 정보비공개결정 취소소송 승소	경실련	보건의료위원회
20090715	보도자료	서울고등법원의 의약품 신고가격 공개 관련 심평원 항소심 판결에 대한 입장	경실련	보건의료위원회
20090716	정책토론	'존엄사'의 올바른 법제화를 위한 토론회 -입법학적 고찰을 중심으로-	경실련	보건의료위원회
20090717	보도자료	인천시 기업형 슈퍼마켓(SSM) 입점 철회를 위한 사업조정 신청에 대한 입장	경실련공동	중소상인살리기 전국네트워크
20090719	보도자료	(주)삼성테스코 기업형 슈퍼마켓(SSM) 출점 중단 촉구 항의 방문 및 기자회견, 중기청 일시사 업정지권고 촉구 방문 및 기자회견	경실련공동	중소상인살리기 전국네트워크
20090721	보도자료	삼성테스코의 홈플러스 익스프레스 출점 유예에 대한 논평	경실련공동	중소상인살리기 전국네트워크
20090722	보도자료	청와대 국무회의 보고 '행정규제 내부규제 개선안'에 대한 성명	경실련	도시개혁센터
20090722	보도자료	한나라당의 미디어법, 금융지주회사법 강행처리에 대한 입장	경실련	정책위원회
20090722	보도자료	신도시 지정권한 지자체 이양 관련 입장	경실련	도시개혁센터
20090723	보도자료	한나라당 강행처리 금융지주회사법 안에 대한 검토의견	경실련	정책위원회
20090724	보도자료	규제개혁위원회의 전자금융거래법 개정안 철회권고 결정에 대한 입장	경실련	시민권익센터
20090727	보도자료	의정부 경량전철공사 철골 구조물 붕괴 사고에 관한 입장	경실련	국책사업감시단
20090727	보도자료	한나라당은 미디어 관련법을 즉각 무효 선언하라!	경실련	시민입법위원회
20090728	보도자료	인천 갈산동 홈플러스 익스프레스 일시정지 권고에 대한 환영입장	경실련	시민권익센터
20090728	보도자료	'중소상인보호 관련 법안 입법 정향조사' 회신 요청	경실련공동	중소상인살리기 전국네트워크
20090728	보도자료	관세청의 천성관 前 검찰총장 내정자 정보제공 직원 중징계 방침에 대한 입장	경실련	시민입법위원회
20090728	보도자료	민자사업 최소운영수입보장제도 도입논의 중단 촉구	경실련	국책사업감시단
20090728	보도자료	인천시 갈산동 홈플러스 익스프레스에 대한 일시정지 권고에 대한 입장	경실련공동	중소상인살리기 전국네트워크
20090729	보도자료	공공병원 역할해 온 적십자병원 축소,폐원 반대한다	경실련공동	보건의료위원회
20090729	정책토론	이동통신분야 경쟁상황 평가 토론회 참석	경실련	시민권익센터
20090730	보도자료	정부 진상조사보고에 대한 입장	경실련	정책위원회
20090731	보도자료	국회 사무처의 기업형 슈퍼마켓 입점 추진에 대한 논평	경실련공동	중소상인살리기 전국네트워크
20090810	보도자료	파주 교하신도시 금호건설 뇌물 사건에 대한 의견	경실련	국책사업감시단
20090814	보도자료	삼성 이건희 전 회장 파기환송심 선고공판 결과에 대한 입장	경실련	정책위원회
20090814	소송	SH공사 행정정보공개 소송 항소심 3차 변론	경실련	아파트값거품빼기운동본부
20090817	보도자료	대통령 광복절 축사 '서민을 위한 획기적 주택정책'에 대한 논평	경실련	도시개혁센터
20090817	보도자료	이명박 대통령의 행정체제개편 추진 발언에 대한 입장	경실련	지방자치위원회
20090818	보도자료	의료법 일부개정법률안에 대한 경실련 의견서 제출	경실련	보건의료위원회
20090818	보도자료	김대중 전대통령 서거 애도표명	경실련	정치입법팀
20090820	보도자료	김대중 전 대통령 시민추모위원회 참여	경실련공동	김대중 전 대통령 서거 추모위원회
20090821	보도자료	정부는 신종플루 대유행을 기다리지 말고 즉각 강제실시를 통한 치료제 확보에 나서라!	경실련	보건의료위원회
20090824	회의	제20기 7차 상임집행위원회	경실련	상임집행위원회
20090825	보도자료	관음동 시내버스 공영차고지 입주업체 모집 공고에 관한 성명	경실련공동	정책위원회
20090825	정책토론	국가 온실가스 감축목표 및 이행방안에 관한 사회적 합의 모색 원탁토론회	경실련	갈등해소센터
20090826	보도자료	행안부의 자치단체 자율통합 지원계획에 대한 입장	경실련	지방자치위원회
20090827	소송	SH공사 행정정보공개 소송 1차 변론기일	경실련	국책사업감시단
20090827	보도자료	2009 세제개편안에 대한 입장	경실련	재정세제위원회
20090827	보도자료	국민의 안전과 생명보다 제약회사의 특허권에 더 신경 쓰는 복지부를 규탄한다	경실련공동	보건의료위원회
20090828	회의	제10기 4차 중앙위원회	경실련	중앙위원회
20090828	보도자료	그린벨트 해제 보금자리주택 확대공급에 대한 입장	경실련	도시개혁센터
20090902	보도자료	정부의 실효성 있는 중소상인 대책 촉구 기자회견 및 규탄대회	경실련공동	중소상인살리기 전국네트워크
20090902	정책토론	지방행정체제 개편 토론회 개최	경실련공동	정치입법팀

생산일자	세부형태	제목	출처분류	생산자(처)
20090903	보도자료	정운찬 새 국무총리 내정에 대한 입장	경실련	정책위원회
20090904	보도자료	주민소환 사유 제한 입법 움직임에 대한 입장	경실련	지방자치위원회
20090907	보도자료	무분별한 시 · 군 통합 움직임에 대한 입장	경실련	지방자치위원회
20090907	보도자료	정부의 의약품 평균실거래가 제도 도입에 대한 입장	경실련	보건의료위원회
20090908	보도자료	공정위 및 권익위에 약관심사절차 제도개선 건의	경실련	시민권익센터
20090909	보도자료	'서울시 25개 구의회 공무국외활동 실태분석' 결과 발표	경실련	정책위원회
20090909	정책토론	지역별 행정체제 개편 토론회(경기지역)	경실련공동	정부개혁위원회
20090909	보도자료	시 · 군 통합 주민 여론조사 즉각 중단할 것을 촉구한다	경실련	정책위원회
20090910	회원	10년회원과 함께 하는 Hope-Hof Day	경실련	사무국
20090914	보도자료	노바티스의 글리벡 약가인하 효력정지 가처분 신청 및 취소 소송 중단을 촉구하는 입장	경실련공동	보건의료위원회
20090914	보도자료	중앙정치권의 지방행정체제 개편 추진에 대한 지방자치 관련학자 145인 공동의견 발표 기자회견	경실련	지방자치위원회
20090915	정책토론	경실련통일포럼 창립	경실련	통일협회
20090916	보도자료	18대 국회 1년, 국회의원 법안발의 및 가결분석 평가	경실련	정책위원회
20090916	보도자료	공정위의 치킨 피자 외식업체 불공정약관 시정조치에 대한 입장	경실련	시민권익센터
20090916	보도자료	이명박 대통령의 소-중선거구제 주장에 대한 논평	경실련	정치개혁위원회
20090917	보도자료	정부가 부적정한 턴키발주로 대형 건설업체에게 퍼준 특혜 규모 발표	경실련	국책사업감시단
20090918	보도자료	국정원은 박원순 변호사에 대한 손배소송을 취하하라	경실련	정책위원회
20090918	보도자료	의료사고 피해자 증언대회	경실련공동	보건의료위원회
20090918	보도자료	행안부의 공직자윤리법 시행령 개정안에 대한 입장	경실련	정부개혁위원회
20090922	보도자료	기업형슈퍼마켓 개설 허가제 도입 촉구 상인 · 시민단체 · 야5당 공동기자회견	경실련공동	중소상인살리기 전국네트워크
20090922	보도자료	대규모점포의 개설허가제에 대한 법률검토의견서 국회 제출	경실련공동	중소상인살리기 전국네트워크
20090923	보도자료	정운찬, 이귀남, 백희영 후보자 내정 철회촉구	경실련	정치입법팀
20090923	보도자료	공정위 고발에 대한 대한항공 반론에 대한 입장	경실련	시민권익센터
20090923	소송	대한항공 제휴마일리지 개선 및 공정위 고발 기자회견	경실련	시민권익센터
20090923	보도자료	서울고등법원의 SH공사 하도급 내역서 공개 판결을 환영한다	경실련	아파트값거품빼기운동본부
20090923	정책토론	수도권 보금자리주택 건설의 문제점과 방향 토론회	경실련공동	도시개혁센터
20090924	보도자료	국회의원 101명 SSM 개설허가제 찬성	경실련공동	중소상인살리기 전국네트워크
20090925	보도자료	턴키공사 가격담합에 대해 공정거래위원회의 철저한 조사의뢰	경실련	국책사업감시단
20090925	보도자료	CJ 뚜레쥬르 가맹계약서 최종 개정의견 제시	경실련	시민권익센터
20090926	보도자료	국회는 '정운찬 국무총리 인준' 부결시켜야 한다	경실련	정책위원회
20090928	보도자료	2010년 예산안에 대한 입장	경실련	재정세제위원회
20090929	회의	제20기 8차 상임집행위원회	경실련	상임집행위원회
20091005	보도자료	18대 국회 '2009년도' 국정감사 모니터링을 시작하며	경실련	정책위원회
20091007	참고자료	대한항공 마일리지 현황에 대한 정보공개 요청	경실련	시민권익센터
20091007	보도자료	송재성 심평원장과 바이오 제약사 크레아젠과의 관계는 한 점 의혹 없이 밝혀져야 한다!	경실련공동	보건의료위원회
20091007	보도자료	시 · 군 통합에 대한 주민여론조사 실시를 즉각 중단하라	경실련	지방자치위원회
20091007	보도자료	유통산업발전법 개정방향에 대한 논평	경실련공동	중소상인살리기 전국네트워크
20091007	보도자료	재개발사업 부실조합설립동의서 실태 및 사업비증액 규모 발표	경실련	도시개혁센터
20091008	보도자료	기업형슈퍼마켓 개설 허가제 도입	경실련공동	중소상인살리기 전국네트워크
20091008	보도자료	송재성 심평원장과 바이오 제약사 크레아젠과의 관계는 한 점 의혹 없이 밝혀져야 한다!	경실련	보건의료위원회
20091009	보도자료	개설허가제를 골자로 한 유통산업발전법 개정촉구 기자회견	경실련공동	중소상인살리기 전국네트워크
20091009	보도자료	효성 비자금 사건에 대한 입장	경실련	정책위원회
20091012	보도자료	정부는 국민의 안전보다, 다국적 제약회사의 눈치보기에 더 급급한가	경실련공동	보건의료위원회
20091012	보도자료	정부의 건강보험 재정책임 촉구 기자회견	경실련공동	사회복지위원회
20091012	감사청구	부실조합설립동의서 묵인 국토해양부와 지자체 감사원 감사청구	경실련	도시개혁센터
20091013	보도자료	SH공사의 정보공개처분취소 소송 대법원 상고 포기에 대한 논평	경실련	아파트값거품빼기운동본부
20091013	정책토론	DMZ 철책선 걷기 및 평화염원 리본달기	경실련	통일협회
20091014	소송	불공정 가맹계약서 심사청구서	경실련	시민권익센터
20091014	보도자료	시민의 힘으로 적십자병원을 바로 세우자	경실련공동	보건의료위원회
20091015	보도자료	2010년 건강보험수가 협상에 대한 가입자단체 입장	경실련공동	보건의료위원회
20091016	보도자료	상인 시민사회단체 공동 SSM 대형마트 개설 허가제 도입 촉구 대회	경실련공동	중소상인살리기 전국네트워크
20091016	보도자료	행안부는 통합 반대 단체장 고발 검토를 즉각 중단하라	경실련	지방자치위원회

생산일자	세부형태	제목	출처분류	생산자(처)
20091016	정책토론	바람직한 자치행정체계 개편을 위한 합동세미나	경실련공동	지방자치위원회
20091019	보도자료	삼성홈플러스 이승한 회장의 중소상인비하 및 장애인 차별 발언 규탄 기자회견	경실련공동	중소상인살리기 전국네트워크
20091020	보도자료	2010년 수가협상 결과에 대한 입장	경실련공동	보건의료위원회
20091020	교육	제21기 민족화해아카데미	경실련	통일협회
20091021	보도자료	의약품 실거래가 신고 자료 분석결과 발표 기자회견	경실련	보건의료위원회
20091022	보도자료	국회입법조사처의 SSM 보고에 대한 상인 · 시민단체의 의견	경실련공동	중소상인살리기 전국네트워크
20091022	보도자료	지방행정체제 개편에 대한 전문가 134명 설문조사 결과 발표	경실련	정치입법팀
20091022	보도자료	2010년 수가협상 결과에 대한 시민사회 입장	경실련공동	보건의료위원회
20091023	보도자료	행정안전부의 시 · 군 통합 주민의견조사 실시에 대한 입장	경실련	지방자치위원회
20091025	보도자료	2009년 국회 국정감사평가 결과 및 상임위별 우수의원	경실련	정책위원회
20091026	보도자료	항공마일리지 관련 공정거래위원장의 부적절한 발언에 대한 입장	경실련	시민권익센터
20091026	회의	제20기 9차 상임집행위원회	경실련	상임집행위원회
20091029	보도자료	건강보험 보장성 강화와 건정심 대응을 위한 기자간담회	경실련공동	보건의료위원회
20091029	보도자료	지방행정체제 개편 관련 전국시민단체 공동 기자회견	경실련공동	지방자치위원회
20091029	보도자료	헌법재판소의 미디어 관련법 권한쟁의 심판 결과 관련 논평	경실련	시민입법위원회
20091030	간행물	경실련 총서 - 우리사회 이렇게 바꾸자(제4전면개정판)	경실련	경실련
20091031	정책토론	케이블TV 자체제작 프로그램의 질적 향상을 위한 토론회 발제내용	경실련	미디어워치
20091102	보도자료	370억 국민 혈세 들어간 재활병원 개원 지연, 대한적십자사의 무책임함에 인천시와 보건복지부는 기름을 붓는가?	경실련공동	보건의료위원회
20091102	보도자료	건강보험 수가 합의의 틀 훼손하는 복지부에 대한 가입자 단체 입장	경실련공동	보건의료위원회
20091103	보도자료	대형마트 및 SSM 개설허가제 촉구 신용카드가맹점수수료 인하 촉구 전국상인대회 개최	경실련공동	중소상인살리기 전국네트워크
20091104	홍보	창립20주년 기념식 및 후원의 밤 개최	경실련	사무국
20091105	보도자료	정부는 의료서비스 질 향상을 위한 책임을 포기하고 민간에 넘기려는가	경실련공동	보건의료위원회
20091109	보도자료	민간투자사업 최소운영수입보장제 폐지에 대한 입장	경실련	아파트값거품빼기운동본부
20091110	보도자료	정부 · 공기업의 일반입찰을 대안입찰로 변경한 기관(기관장)과 낭비된 예산 발표	경실련	국책사업감시단
20091110	보도자료	행안부의 시 · 군 통합 주민의견조사 결과에 대한 입장	경실련	지방자치위원회
20091110	보도자료	적십자병원 발전방향 및 재정운용 관련 적십자사 면담요청 거부에 대한 입장	경실련	보건의료위원회
20091112	보도자료	기획재정부와 KDI의 '전문자격사 시장 선진화 방안'에 대한 입장	경실련	보건의료위원회
20091112	보도자료	재정사업의 입찰실태에 대한 국정조사를 실시하라	경실련	국책사업감시단
20091116	보도자료	정부의 장기요양보험 대상자 4등급 확대 약속 이행 촉구를 위한 입장	경실련	사회복지위원회
20091116	보도자료	정호열 공정거래위원장 턴키입찰 담합 말바꾸기에 대한 논평	경실련	국책사업감시단
20091116	보도자료	한나라당의 선거법 당선무효형 기준완화 주장에 대하여	경실련	정치개혁위원회
20091117	보도자료	대안입찰 부패행위에 대하여 국민권익위원회에 조사요구	경실련	국책사업감시단
20091117	보도자료	미디어법 재논의를 촉구하는 성명	경실련	시민입법위원회
20091117	보도자료	글리벡 약가인하 처분에 대한 입장	경실련	보건의료위원회
20091119	정책토론	2010년 정부 예산안 평가와 재정건전화 방안_국가채무, 어떻게 할 것인가	경실련	재정세제위원회
20091119	보도자료	국회의 SSM 허가제 도입 촉구 결의안을 환영한다	경실련공동	중소상인살리기 전국네트워크
20091120	보도자료	변호사 소송위임장의 특별수권사항에 대한 의견 제시	경실련	시민권익센터
20091123	보도자료	4대강 사업 선포식 진행과 관련한 입장	경실련	국책사업감시단
20091124	정책토론	북핵문제, 어떻게 풀 것인가	경실련	통일협회
20091125	보도자료	국회 정무위원회에 가맹사업법 및 약관규제법 의견 제시	경실련	시민권익센터
20091125	보도자료	대규모점포 등의 개설허가제 · 영업시간 · 영업품목 제한에 관한 추가법률검토의견서 국회 제출	경실련공동	중소상인살리기 전국네트워크
20091125	보도자료	유통산업발전법 개정 촉구 중소상인 · 시민사회 기자회견	경실련공동	중소상인살리기 전국네트워크
20091126	보도자료	2010년 건강보험료 및 수가 결정에 대한 입장	경실련	보건의료위원회
20091127	보도자료	국회, SSM 허가제 담은 유통산업발전법 개정 서둘러야	경실련공동	중소상인살리기 전국네트워크
20091200	보도자료	국민연금법 개정안에 대한 의견	경실련	정책위원회
20091201	보도자료	공정위에 대한항공 제휴마일리지 개선에 대한 추가 의견 제시	경실련	시민권익센터
20091201	보도자료	글리벡 약가, 굴욕적 조정을 받아들인다면 복지부는 스스로		

생산일자	세부형태	제목	출처분류	생산자(처)
		문을 닫는 꼴이다!	경실련공동	보건의료위원회
20091201	보도자료	대한항공 제휴마일리지 추가 의견	경실련	시민권익센터
20091201	간행물	중소상인살리기전국네트워크 활동백서 발간	경실련공동	중소상인살리기 전국네트워크
20091202	보도자료	4대강 턴키로 1조3천억원 국가 예산낭비, 턴키발주 중단하라	경실련	국책사업감시단
20091202	보도자료	대법원의 '서울~춘천 민자고속도로' 건설하도급내역서 정보 공개 판결을 환영한다	경실련	국책사업감시단
20091202	홍보	우리사회이렇게바꾸자 제5판 출판기념식	경실련	정책위원회
20091202	회의	제20기 10차 상임집행위원회	경실련	상임집행위원회
20091203	보도자료	KB금융회장 선출에 대한 관치개입 논란에 대한 입장	경실련	정책위원회
20091203	보도자료	의료사고 피해구제의 해법인 '입증 책임 전환' 재촉구와 복지부 검토 법안에 대한 우리의 입장	경실련공동	보건의료위원회
20091204	보도자료	대입전형료 환불규정 개선을 위한 공정위 의견서 제출	경실련	시민권익센터
20091208	보도자료	삼성 이건희 전 회장 사면 주장에 대한 입장	경실련	정책위원회
20091209	보도자료	SSM허가제도입-유통산업발전법 연내 개정 촉구 중소상인 · 시민사회 기자회견	경실련공동	중소상인살리기 전국네트워크
20091209	보도자료	파주교하 건설비리 수사에 대한 입장	경실련	국책사업감시단
20091210	간행물	월간경실련 2009년 송년호	경실련	경실련
20091210	보도자료	한은법 개정안 처리에 대한 입장	경실련	정책위원회
20091211	보도자료	교과부 외국어고 개편방안에 대한 입장	경실련	교육개혁위원회
20091211	보도자료	정부의 신도시 보금자리 건설물량 축소에 대한 논평	경실련	국책사업감시단
20091214	보도자료	시 · 군 통합 문제는 지방의회 아닌 주민투표로 결정해야한다	경실련	지방자치위원회
20091214	보도자료	일반인 약국 개설은 의료민영화로 가는 파국의 길이다	경실련공동	보건의료위원회
20091215	보도자료	국회 정개특위 합의안에 대한 입장	경실련	정치개혁위원회
20091215	보도자료	대한적십자사는 대구적십자병원 정상화 방안 마련하라	경실련공동	적십자병원 공공성 확대를 위한 시민대책위
20091215	보도자료	이건희 삼성그룹 전 회장 사면을 반대한다	경실련공동	경제개혁연대 외
20091216	보도자료	"재벌회사 회장이면, 중소상인과 장애인 비하해도 되나?"	경실련	보건의료위원회
20091216	보도자료	국회에 국민연금 연체제도 개선에 위한 의견서 제출	경실련	시민권익센터
20091216	보도자료	"국회가 반드시 처리해야할 10대 정치개혁과제"발표	경실련	정치개혁위원회
20091216	보도자료	부패방지 및 국민권익위원회의 설치와 운영에 관한 개정 법률(안)에 대한 의견	경실련	시민입법위원회
20091216	보도자료	의약부문 전문자격사제도 선진화 공청회와 복지부 태도에 대한 입장	경실련	보건의료위원회
20091216	보도자료	대한적십자사는 대한적십자병원 정상화 방안 마련하라	경실련	보건의료위원회
20091217	보도자료	지방자치단체간 자율통합에 따른 행정특례 등에 관한 법안에 대한 의견	경실련	시민입법위원회
20091218	보도자료	장기요양보험 복지용구 추가 급여대상 제품 및 급여비용에 대한 의견	경실련	보건의료위원회
20091220	교육	제2회 전라북도 갈등조정전문가 아카데미	경실련	갈등해소센터
20091221	보도자료	복지부의 '의약품 거래 및 약가제도 투명화 방안'에 대한 입장	경실련	보건의료위원회
20091222	보도자료	2010 세제개편안 의견서 제출	경실련	재정세제위원회
20091223	보도자료	4대강 예산안 처리와 관련한 경실련 의견	경실련	정책위원회
20091228	회의	제20기 11차 상임집행위원회	경실련	상임집행위원회
20091229	보도자료	의료분쟁조정과 피해구제를 위한 법안의 국회 상임위 통과에 대한 입장	경실련	보건의료위원회
20091229	보도자료	이건희 前 삼성회장의 대통령 특별사면에 대한 입장	경실련	시민입법위원회
20091230	보도자료	국회 지경위의 중소상인보호법안, 법사위의 월권 삭제 규탄한다!	경실련공동	중소상인살리기 전국네트워크
20091230	보도자료	용산참사 협상 타결에 대한 성명	경실련	도시개혁센터
20091231	보도자료	KB금융회장 선출과정의 관치개입 논란에 대한 입장	경실련	정책위원회
20091231	보도자료	새해 예산안처리 관련 국회 상황에 대한 성명	경실련	정책위원회
20100000	보도자료	경기도지사 후보 공약 및 정책 평가서	경실련	유권자운동본부
20100000	보도자료	SH공사 하도급관리 직무유기 감사청구	경실련	도시개혁센터
20100000	보도자료	서울시장 후보 3대 핵심공약 및 분야별 공약 평가결과	경실련	정책위원회
20100000	소송	정보공개거부처분취소 판결문	경실련	정책위원회
20100000	정책토론	주거불안해소를 위한 주거비 지급 확대 방안	경실련	도시개혁센터
20100104	홍보	결국 모두가 변해야 한다 통일레터	경실련	통일협회
20100104	소송	바른사회시민회의 건강보험정책심의위원회 위원 위촉절차 취소에 대한 소장	경실련공동	정책위원회
20100104	보도자료	이명박 대통령 신년 국정연설에 대한 논평	경실련	정책위원회
20100108	보도자료	기재부 차관의 금통위 참석과 관련하여	경실련	정책위원회

생산일자	세부형태	제목	출처분류	생산자(처)
20100111	보도자료	가맹점 형태의 SSM도 '사업조정대상'으로 포함하여 규제해야	경실련공동	중소상인살리기 전국네트워크
20100111	보도자료	정부의 세종시 대안에 대한 논평	경실련	정책위원회
20100111	보도자료	세브란스병원 김할머니 사망과 무의미한 연명치료 중단에 대한 입장	경실련	보건의료위원회
20100114	보도자료	서울시 뉴타운 · 재개발 · 재건축사업 공공관리 시스템 구축 발표에 대한 논평	경실련	도시개혁센터
20100118	회의	대한항공 제휴마일리지 개선을 위한 사업논의	경실련	시민권익센터
20100118	보도자료	가맹점SSM에 대한 사업조정대상 유권해석 촉구, 사업조정 절차 일시 거부 중소상인 공동성명	경실련공동	중소상인살리기 전국네트워크
20100118	보도자료	일반의약품 보험급여 타당성 평가 계획 철회	경실련공동	건강연대
20100120	보도자료	'18대 국회 방문외교 활동 실태분석' 결과 발표	경실련	정치개혁위원회
20100120	정책토론	가맹점SSM경제 · 잡화점 SSM 등 변형 SSM의 실태와 문제점, 상생법상의 사업조정대상 여부에 대한 긴급 토론회	경실련공동	중소상인살리기 전국네트워크
20100121	보도자료	건정심 위원 위촉절차 취소소송 및 위원직무집행금지가처분 신청 제기	경실련	보건의료위원회
20100125	보도자료	가맹점SSM에 대한 정부의 허용 움직임 강력 규탄 및 행동 돌입 중소상인단체 긴급 기자회견	경실련공동	중소상인살리기 전국네트워크
20100125	회의	제21기 1차 상임집행위원회	경실련	상임집행위원회
20100126	정책토론	조영택 지방행정체제개편특위 민주당 간사 면담	경실련	지방자치위원회
20100126	보도자료	중소기업중앙회 농성 2일째, 농성에 대한 중간보고 및 요구안 발표 기자회견	경실련공동	전국유통상인연합회 외
20100127	정책토론	제3차 경실련 통일포럼	경실련	통일협회
20100129	보도자료	국회는 공공공사 발주에 대한 국정조사를 실시하고 관련 법령을 신속히 개정하라	경실련	국책사업감시단
20100129	보도자료	국민권익위원회의 건설비리기업 행정처분 권고에 대한 논평	경실련	국책사업감시단
20100130	교육	한반도평화기원 신년산행	경실련	통일협회
20100131	보도자료	16개 광역의회 의안 발의 및 처리 결과 분석	경실련	정책위원회
20100201	보도자료	서울시 광진구 국립서울병원 이전 및 재건축 갈등조정	경실련	갈등해소센터
20100203	보도자료	인물정보서비스 개선을 위한 정보공개 요청	경실련	시민권익센터
20100204	보도자료	대통령님, 대형마트 · SSM에 중소상인 다 죽습니다	경실련공동	중소상인살리기 전국네트워크
20100204	보도자료	이달곤 행안부장관 등의 청주 · 청원 방문 및 공동담화문 발표 계획에 대한 입장	경실련	지방자치위원회
20100205	회의	제11기 1차 중앙위원회	경실련	중앙위원회
20100205	보도자료	국회 정치개혁특위의 당선무효 기준 완화 합의에 대한 성명	경실련	정책위원회
20100208	보도자료	국민권익위 공정가맹사업활성화에 대한 제도 개선 의견서 제출	경실련	시민권익센터
20100209	보도자료	국회 지방행정체제개편 특위의 자치구의회 폐지 등 논의 사항에 관련한 입장	경실련	지방자치위원회
20100209	보도자료	국회 법사위에 의사특혜법으로 전락한 의료분쟁조정법에 대한 의견 제출	경실련공동	의료사고피해구제법 제정을 위한 시민연대
20100210	정책토론	국회 법사위 소속의원실 대상 방문 의료사고피해구제 법안 논의	경실련	보건의료위원회
20100210	정책토론	건강보험정책 결정 구조(구성과 운영)에 대한 국회 토론회	경실련공동	건강세상네트워크 외
20100211	정책토론	통일교육협의회 총회	경실련	통일협회
20100216	보도자료	복지부의 '의약품 거래 및 약가제도 투명화 방안'에 대한 입장	경실련	보건의료위원회
20100216	보도자료	〈지방자치단체 통합 및 지원 특례법안〉 의견서 국회 제출	경실련	지방자치위원회
20100218	회의	개인신용정보이용에 따른 소비자피해대책 간담회	경실련	시민권익센터
20100218	보도자료	2월 임시회 유통산업발전법 개정 촉구 농성돌입	경실련공동	중소상인살리기 전국네트워크
20100219	보도자료	한국은행법 개정안의 조속한 통과를 촉구	경실련	금융개혁위원회
20100222	보도자료	전국 중소상인대표단 단식 농성 5일째 한나라당 규탄 기자회견 등 주요 일정	경실련공동	중소상인살리기 전국네트워크
20100222	회의	제21기 2차 상임집행위원회	경실련	상임집행위원회
20100222	정책토론	제5회 경제정의포럼	경실련	경제정의연구소
20100222	모니터링	이명박 정부 2년 국정운영에 대한 전문가 평가 설문조사 결과	경실련	정책위원회
20100223	보도자료	'경제자유구역, 관광특구내 분양가상한제 폐지'에 대한 입장	경실련	아파트값거품빼기운동본부
20100223	보도자료	상생법 개정안 발의 및 개정 촉구 기자회견 및 행정심판청구서 제출, 전국중소상인대표 단식단 농성 6일째 일정-소식	경실련공동	중소상인살리기 전국네트워크
20100223	보도자료	항공마일리지에 대한 법률전문가 설문조사 결과발표	경실련	시민권익센터

생산일자	세부형태	제목	출처분류	생산자(처)
20100224	모니터링	이명박 정부 2년 보건복지 정책 및 공약이행 평가 결과 발표	경실련	사회복지위원회
20100224	회의	제1차 가맹사업 전문가 간담회	경실련	시민권익센터
20100224	보도자료	대한항공 제휴마일리지 불공정약관에 대한 법률전문가 설문가 결과발표	경실련	시민권익센터
20100224	보도자료	전국중소상인대표 단식농성단 해단 및 3월 총궐기대회 예고 기자회견	경실련공동	중소상인살리기 전국네트워크
20100224	보도자료	흠집내기,시간끌기가 명백한 제약. 다국적 제약협회의 의견서는 당장 폐기되어야 한다	경실련공동	전국민주노동조합총연맹 외
20100225	보도자료	국토위 및 법사위 의원대상 분양가상한제 폐지에 대한 공개질의서 발송	경실련	아파트값거품빼기운동본부
20100226	보도자료	위례신도시 나눠먹기식 사업자 결정'에 대한 입장	경실련	아파트값거품빼기운동본부
20100226	보도자료	전국 중소상인, 3월 임시국회 열어 유통산업발전법 개정 촉구, 지역별 · 업종별 규탄 열기 이어 3월 18일 총궐기 투쟁 선포!	경실련공동	중소상인살리기 전국네트워크
20100302	보도자료	공정위에 가맹사업법 개정안에 대한 의견서 제출	경실련	시민권익센터
20100302	보도자료	국무회의 포이즌필 도입 의결에 대한 입장	경실련	재벌개혁위원회
20100304	보도자료	공정위에 대한항공 및 아시아나항공의 마일리지 회원 약관 심사청구	경실련	시민권익센터
20100307	보도자료	민주당 무상의료 정책 내걸고 '영리병원' 허용에 날 것이다	경실련공동	의료민영화저지범국민운동본부
20100308	보도자료	3월 임시국회 정상화해 SSM법 처리해야	경실련공동	중소상인살리기 전국네트워크
20100308	보도자료	건강보험 재정안정화를 위한 공급자-가입자단체 공동 의견	경실련공동	건강보험가입자포럼
20100309	보도자료	대기업 입장만 대변하는 서울시의 SSM사업조정 규탄 기자회견	경실련공동	중소상인살리기 전국네트워크
20100309	보도자료	정부의 폐기물 에너지화 사업의 정상화와 수도권매립지 시범사업 문제 해결을 촉구하는 기자회견	경실련	정책위원회
20100310	보도자료	재심의절차 무시하고 기습 오픈 강행하는 가락동 롯데슈퍼를 규탄한다	경실련공동	중소상인살리기 전국네트워크
20100311	보도자료	건강보험 재정안정화를 위한 공급자-가입자단체 공동 의견	경실련공동	보건의료위원회
20100312	보도자료	경실련의 '정부의 폐기물에너지화 사업 전면 재검토 기자회견'에 대한 환경부 '설명 보도자료'에 대한 반박	경실련	정책위원회
20100312	보도자료	국회 법사위에 의료사고피해구제 및 의료분쟁조정법에 대한 의견 제출	경실련공동	의료사고피해구제법 제정을 위한 시민연대
20100314	보도자료	한국은행 총재 선임에 관한 전문가 설문조사 결과 발표	경실련	금융개혁위원회
20100316	보도자료	상공인의 날 맞이 중소상인 생존대책 호소 및 SSM법 처리 촉구 기자회견	경실련공동	중소상인살리기 전국네트워크
20100317	보도자료	김중수 OECD대사의 한국은행 총재 내정에 대한 의견	경실련	금융개혁위원회
20100317	보도자료	보금자리주택, 토지공공보유주택 비교분석	경실련	정책위원회
20100317	보도자료	1억원이면 강남 25평 아파트를 살 수 있다(오마이뉴스 공동기획)	경실련공동	아파트값거품빼기운동본부
20100317	정책토론	의료기관평가인증제 관련 전문가 간담회 개최	경실련	보건의료위원회
20100317	보도자료	보금자리주택, 토지공공보유주택 비교분석	경실련	국책사업감시단
20100317	보도자료	정부와 국회는 민자사업 폭리원인을 즉각 규명하라	경실련	국책사업감시단
20100318	정책토론	지방선거 대응을 위한 전국경실련 워크샵	경실련	정치개혁위원회
20100319	보도자료	'양도세 감면조치 등'에 대한 입장	경실련	아파트값거품빼기운동본부
20100319	보도자료	제 19회 경제정의기업상	경실련	경제정의연구소
20100321	보도자료	반값아파트는 어디로 사라졌나(오마이뉴스 공동기획)	경실련	아파트값거품빼기운동본부
20100323	보도자료	정책진단1.2_공공주택 180만호가 줄었다	경실련	정책위원회
20100323	보도자료	보금자리주택 임대줄이고 분양 늘리기 말로는 친서민 뒤로는 막대한 개발이익(오마이뉴스 공동기획)	경실련	아파트값거품빼기운동본부
20100323	보도자료	복지부의 '시장형 실거래가제도 시행을 위한 입법예고안'에 대한 입장	경실련	보건의료위원회
20100324	정책토론	공정한 가맹사업 활성화 방안은 무엇인가	경실련	정책위원회
20100324	보도자료	부동산정책진단1.3_보금자리주택 특혜	경실련	국책사업감시단
20100324	보도자료	이건희 전 삼성그룹 회장 경영 복귀에 대한 입장	경실련	재벌개혁위원회
20100325	정책토론	제4차 경실련 통일포럼	경실련	통일협회
20100325	보도자료	경실련 2010 지방선거 유권자운동본부 발족 및 16개 광역 의회의안 발의 및 처리 결과 분석 발표 기자회견	경실련	유권자운동본부
20100329	회의	제21기 3차 상임집행위원회	경실련	상임집행위원회
20100329	정책토론	제6회 경제정의포럼	경실련	경제정의연구소
20100330	간행물	월간경실련 2010년 3 · 4월호	경실련	경실련
20100400	소송	서울~춘천민자고속도로 사업 관련 신고서	경실련	정책위원회
20100400	보도자료	정책진단2.3탄_ 송도 더#하버뷰 분양원가 추정	경실련	정책위원회
20100401	보도자료	2010서울교육감 시민선택	경실련공동	서울교육감시민선택

경제정의실천시민연합

생산일자	세부형태	제목	출처분류	생산자(처)
20100401	보도자료	정당 공천의 투명성과 책임성을 촉구한다	경실련	유권자운동본부
20100402	보도자료	국회 지방행정체제개편특위 법안심사소위 결과에 대한 입장	경실련	지방자치위원회
20100405	보도자료	의약품 리베이트 근절방안에 대한 국회 복지위 의견조사 결과 발표	경실련	보건의료위원회
20100405	보도자료	우리나라 국민의료비 2015년에 GDP대비 10.2%로 OECD 국가평균 추월	경실련공동	건강연대 외
20100405	보도자료	턴키사업 입찰담합업체와 발주공무원간 유착관계를 수사하라	경실련	국책사업감시단
20100405	보도자료	한나라당은 '반값 아파트' 당론을 잊었나?	경실련	아파트값거품빼기운동본부
20100406	보도자료	4월 임시국회 SSM처리촉구 상인 시민단체 야5당 의원 1차 기자회견	경실련	시민권익센터
20100406	보도자료	정부 '국가채무관리계획' 운용실태 분석 결과	경실련	재정세제위원회
20100407	보도자료	분양원가 공개 떠들던 MB는 어디갔나	경실련	아파트값거품빼기운동본부
20100407	보도자료	서울시의 하도급제도 개선과 직불제도시행에 대한 논평	경실련	국책사업감시단
20100407	보도자료	지방행정체제 개편 관련 의견서 국회 제출 및 이강래 민주당 원내대표 면담	경실련	지방자치위원회
20100408	보도자료	손숙미 의원은 '국민건강보험법 개정안'을 즉각 철회하라	경실련공동	건강보험가입자단체 외
20100408	보도자료	정책진단2탄_ 한나라당의 분양원가공개 약속 불이행	경실련	국책사업감시단
20100409	정책토론	의약품 실거래가 신고가격 관련 공정위 항의방문 및 간담회	경실련	보건의료위원회
20100409	보도자료	금강산 관광사업 남북간 회담 하라	경실련	통일협회
20100412	보도자료	지방행정체제 개편 특별법안을 즉각 폐기하라	경실련	지방자치위원회
20100412	보도자료	국민권익위원회는 부패척결 의지가 있나.	경실련	국책사업감시단
20100413	보도자료	보금자리 주택위한 그린벨트 해제구역 민간 매각 중단 성명	경실련	아파트값거품빼기운동본부
20100413	보도자료	한나라당, 민주당 6.2지방선거 공천제도 및 운용실태 평가	경실련	유권자운동본부
20100414	정책토론	건강보험가입자포럼 워크숍	경실련	보건의료위원회
20100415	보도자료	서울 춘천 민자고속도로 추정원가 분석 결과 발표	경실련	정책위원회
20100415	정책토론	천정배 민주당 의원 면담	경실련	정치개혁위원회
20100416	보도자료	'시장형 실거래가제도 시행을 위한 국민건강보험법 시행령 개정안 입법예고'에 대한 경실련 의견서 제출	경실련	보건의료위원회
20100419	보도자료	토지주택공사 법원판결에도 원가공개 거부 부풀린 건축비와 부당이득 밝혀낼 것(오마이뉴스 공동기획)	경실련	아파트값거품빼기운동본부
20100419	소송	항공요금 국제담합에 대한 소비자피해구제 공익소송 기자회견	경실련	소비자정의센터
20100419	보도자료	정책진단2.2탄_ 토지주택공사의 분양원가 공개 약속 불이행	경실련	정책위원회
20100420	보도자료	4월국회 SSM법 처리 촉구 상인 · 시민단체 · 야5당의원 공동기자회견 보도협조요청	경실련공동	중소상인살리기 전국네트워크
20100420	보도자료	한나라당 당론 반값아파트 미실행 지적	경실련	아파트값거품빼기운동본부
20100420	보도자료	서울교육감 후보 공명선거 서약식 안내	경실련공동	서울교육감시민선택
20100422	정책토론	박지원 민주당 정책위의장 면담	경실련	정치개혁위원회
20100422	보도자료	금융규제강화와 투기자본과세를 위한 시민사회네트워크 출범 기자회견	경실련공동	금융개혁위원회
20100423	보도자료	2010 서울교육감 시민선택 서울경찰청의 교육감 선거 불법 개입에 대한 기자회견 및 항의방문	경실련공동	서울교육감시민선택
20100423	보도자료	국회 '존엄사 관련법 제정에 관한 공청회'에 대한 입장	경실련	보건의료위원회
20100423	보도자료	송도 청라 경제자유구역 분양가상한제와 자율화 아파트 분양원가 분석	경실련	부동산감시팀
20100423	보도자료	항공요금담합에 대한 지역경실련 공동캠페인	경실련	시민권익센터
20100423	보도자료	평당원가 700만원 아파트 1300만원에 분양(오마이뉴스 공동기획)	경실련	아파트값거품빼기운동본부
20100423	보도자료	특별검사제 도입을 통한 '부산 스폰서 검사' 수사 촉구	경실련	정책위원회
20100423	보도자료	'국회 보건복지위 법안심사소위의 쌍벌죄 관련 법안 처리'에 대한 입장	경실련	보건의료위원회
20100423	보도자료	보건복지위원회는 의약분업 원칙과 쌍벌죄 취지에 부합하는 입법 여망을 저버려서는 안 된다!	경실련공동	건강연대 외
20100424	교육	남북화합을 위한 남도기행	경실련	통일협회
20100426	보도자료	가맹점 SSM도 사업조정대상으로 포함된 상생법 개정안은 그나마 성과	경실련공동	중소상인살리기 전국네트워크
20100426	회의	제21기 4차 상임집행위원회	경실련	상임집행위원회
20100426	보도자료	의료기관평가인증제 도입 관련 정부와 한나라당의 일방적 입법강행처리 안된다 !!	경실련공동	건강세상네트워크 외
20100426	보도자료	의료법 일부개정법률안에 대한 경실련 의견서 제출	경실련	보건의료위원회
20100427	보도자료	국회 지방행정체제개편특위의 지방행정체제개편특별법 처리에 대한 입장	경실련	지방자치위원회
20100427	소송	국세청 탈세제보서 제출 서울 춘천 고속도로 및 5개 건설업체	경실련	국책사업감시단
20100427	보도자료	1차시범지구에 비해 20% 상승한 보금자리 주택 분양가 재검토 성명	경실련	아파트값거품빼기운동본부

생산일자	세부형태	제목	출처분류	생산자(처)
20100428	보도자료	SSM 관련법안 국회 법사위 처리 무산에 대한 성명 발표	경실련공동	중소상인살리기 전국네트워크
20100429	교육	22기 민족화해아카데미	경실련	통일협회
20100429	보도자료	서울~춘천민자고속도로에 대한 국세청과 국권위에 조사요청	경실련	국책사업감시단
20100430	보도자료	SSM법안 처리 관련 정부 규탄 성명	경실련공동	중소상인살리기 전국네트워크
20100501	보도자료	항공화물운임담합 손해배상소송 원고인단 모집 캠페인	경실련	시민권익센터
20100503	보도자료	복지부의 의협 특별감사는 사회투명성 확보와 쌍벌죄 실현을 위해서 반드시 필요하다!	경실련공동	건강연대 외
20100503	보도자료	송도 · 청라 경제자유구역 분양가상한제와 자율화 분양가 분석 발표	경실련	정책위원회
20100506	정책토론	역외기피시설이용 갈등해소 토론회	경실련	갈등해소센터
20100506	보도자료	SSM법안 5월 국회 처리 촉구 기자회견	경실련공동	중소상인살리기 전국네트워크
20100506	소송	천안시 공무원 선거법 위반 혐의, 선관위에 조사 의뢰	경실련	유권자운동본부
20100507	보도자료	6.2지방선거 한나라당, 민주당 공천평가 결과 보고	경실련	유권자운동본부
20100512	정책토론	국민기초생활보장제 시행 10년 평가 준비 회의	경실련	사회복지위원회
20100512	교육	춘천 민족화해아카데미	경실련	통일협회
20100512	보도자료	건설기술관리법 시행령 일부개정령안에 대한 입장	경실련	정책위원회
20100513	보도자료	송도국제업무단지 개발이익 추정발표	경실련	정책위원회
20100513	보도자료	이명박 대통령의 촛불시위 발언에 대한 경실련 견해	경실련	정책위원회
20100517	보도자료	산부인과 관련 수가인상 만이 능사가 아니다	경실련공동	전국민주노동조합총연맹 외
20100519	보도자료	이명박대통령 주택관련 연설내용에 대한 입장	경실련	정책위원회
20100520	정책토론	의료기관평가인증제 관련 전문가 간담회 개최	경실련	보건의료위원회
20100520	보도자료	국방부 합조단의 '천안함' 조사결과 발표에 대한 경실련 견해	경실련	정책위원회
20100520	보도자료	오세훈 후보의 수차례의 대담 토론회 참석 번복을 개탄한다	경실련	유권자운동본부
20100524	보도자료	'경실련 2010 지방선거 후보선택도우미' 가동	경실련	유권자운동본부
20100525	모니터링	서울 교육감 후보 공약 분석 평가 보고	경실련공동	서울교육감시민선택
20100526	보도자료	보금자리주택 분양관련 서울/경기지역 광역단체장 정견조사	경실련	아파트값거품빼기운동본부
20100526	모니터링	지방자치 주요 현안에 대한 광역단체장 후보 의견 분석결과 발표	경실련	유권자운동본부
20100527	정책토론	수도권 도시재생 사업의 주민재정착 및 참여방안 공청회	경실련	도시개혁센터
20100527	보도자료	공정위의 항공화물운임담합 과징금 처분에 대한 입장	경실련	시민권익센터
20100527	보도자료	보금자리주택 가격책정의 역차별에 대한 입장	경실련	아파트값거품빼기운동본부
20100527	보도자료	부동산/기타 주요현안에 대한 광역단체장 후보 의견 분석 결과 발표	경실련	유권자운동본부
20100527	정책토론	사회적 책임 국제표준(ISO26000) 제정에 따른 한국기업의 대응방안	경실련공동	콘라드아데나워재단 외
20100528	정책토론	제5차 경실련 통일포럼	경실련	통일협회
20100530	모니터링	교육/복지 주요현안에 대한 광역단체장 후보 의견 분석결과 발표	경실련	유권자운동본부
20100531	회의	제21기 5차 상임집행위원회	경실련	상임집행위원회
20100531	모니터링	강원도지사 후보 3대 핵심 공약 평가 결과	경실련	정책위원회
20100531	회의	kt 정액제 무단가입 대응을 위한 소비자단체 간담회	경실련	시민권익센터
20100531	보도자료	보금자리 반값아파트 관련 광역단체장 후보자 답변결과	경실련	정책위원회
20100601	정책토론	의료기관평가인증제 관련 전문가 간담회 개최	경실련	보건의료위원회
20100601	보도자료	대형병원 수익만 늘리고 취약지역 양극화 부추기는 분만수가 일괄인상 반대	경실련공동	전국민주노동조합총연맹 외
20100601	보도자료	경실련 6.2 지방선거 유권자 투표 참여 촉구 캠페인	경실련	유권자운동본부
20100603	보도자료	6.2 지방선거 결과에 대한 논평	경실련	유권자운동본부
20100603	정책토론	6.2 지방선거 평가와 선거제도 개선방안	경실련	정책위원회
20100604	보도자료	지방선거 결과는 정부와 여당에 대한 준엄한 국민적 심판	경실련	정치개혁위원회
20100608	보도자료	의료인 단순 폭행 · 협박을 중형으로 가중처벌하는 의료법 개정안' 철회 촉구 기자회견	경실련공동	한국환자단체연합회 외
20100608	정책토론	의료기관평가인증제 관련 전문가 간담회 개최(국회 박은수 의원)	경실련	보건의료위원회
20100609	보도자료	법무부 스폰서검사 진상규명위 활동결과에 대한 논평	경실련	정책위원회
20100609	보도자료	후반기 국회 첫 임무는 민생현안 해결…SSM법 즉각 처리해야	경실련공동	중소상인살리기 전국네트워크
20100610	보도자료	정부는 종합병원내 약국개설 조치를 즉각 철회하라	경실련공동	의약분업 실현을 위한 시민대책위원회
20100613	보도자료	중소상인 대상 민 · 형사소송 규탄 및 SSM법안 처리 촉구 기자회견	경실련공동	중소상인살리기 전국네트워크
20100614	보도자료	이명박 대통령의 제42차 라디오.인터넷 연설에 대한 논평	경실련	정책위원회
20100615	정책토론	제1회 건강보험가입자포럼	경실련	보건의료위원회
20100616	정책토론	의료기관평가인증 관련 복건복지부 간담회	경실련	보건의료위원회
20100616	보도자료	대형유통회사(삼성테스코)의 중소상인 대상 민 · 형사 소송 규탄 기자회견	경실련공동	중소상인살리기 전국네트워크
20100621	회의	제21기 6차 상임집행위원회	경실련	상임집행위원회

생산일자	세부형태	제목	출처분류	생산자(처)
20100622	정책토론	사회복지통합관리망과 전달체계 개편 관련 간담회	경실련	사회복지위원회
20100622	보도자료	제2차 가맹사업 전문가 간담회	경실련	시민권익센터
20100625	보도자료	밀양지역 송전선로 건설사업 갈등조정	경실련	갈등해소센터
20100625	보도자료	국회 보건복지위원회는 의료인 단순 폭행 · 협박을 중형으로 가중처벌하는 의료법 개정안을 폐기하라	경실련공동	건강세상네트워크 외
20100627	교육	2010 통일문화봉사단 북중 접경 두만강 백두산 평화기행	경실련	통일협회
20100628	보도자료	의료기관평가 법안 통과 정부와 국회의 야합을 규탄한다	경실련	보건의료위원회
20100628	보도자료	국회 법사위의 지방행정체제개편특별법 논의와 관련한 입장	경실련	지방자치위원회
20100628	보도자료	KT '선거 맞춤형 문자발송 서비스'의 철저한 조사와 처벌을 촉구한다	경실련	시민권익센터
20100629	보도자료	KBS수신료인상저지범국민행동 발족	경실련공동	KBS수신료인상저지범국민행동
20100705	보도자료	공정위에 가맹사업 법시행령 개정안에 대한 의견서 제출	경실련	시민권익센터
20100706	보도자료	항공화물담합에 대한 피해보상 합의금 청구권 보장 촉구	경실련	시민권익센터
20100706	보도자료	복지부와 약사회의 '일반약 약국외 판매' 회피용 '심야응급약국'에 대한 입장	경실련	보건의료위원회
20100707	보도자료	국무총리실 민간인 사찰 의혹과 관련한 입장	경실련	정책위원회
20100708	보도자료	(주)신세계 이마트의 도매 납품업 진출 야욕 포기 촉구 상인, 시민단체 공동기자회견	경실련공동	중소상인살리기 전국네트워크
20100712	보도자료	윤증현 장관의 분양가사안제 폐지발언데 대한 비판성명	경실련	아파트값거품빼기운동본부
20100713	보도자료	삼성물산은 비상식적 특혜요구 중단하고, 철도공사는 관련자료 공개하라	경실련	국책사업감시단
20100714	회의	항공마일리지 자진시정에 대한 입장 최종 논의	경실련	시민권익센터
20100714	정책토론	국립서울병원 갈등조정사례 중심 한국사회 공공갈등해소 위한 제3자 조정의 의의와 과제	경실련	갈등해소센터
20100715	보도자료	성남시장 판교사업비 5,200억원 지불유예 선언에 대한 입장	경실련	국책사업감시단
20100719	보도자료	약가 거품 빼기를 포기한 복지부 규탄 기자회견	경실련공동	전국민주노동조합총연맹 외
20100720	보도자료	관련부처의 주택거래 정상화 방안 마련에 대한 입장	경실련	정책위원회
20100720	보도자료	건강보험 부과체계 관련 이의신청사례 분석 보고 발표'	경실련	보건의료위원회
20100721	보도자료	정부는 DTI, LTV 금융규제 완화 논의를 중단하라	경실련	금융개혁위원회
20100721	보도자료	이명박 정부 부처장관 교체에 관한 전문가 설문조사 결과	경실련	정부개혁위원회
20100722	보도자료	가맹점 SSM에 대한 사업조정신청서 제출	경실련공동	중소상인살리기 전국네트워크
20100723	보도자료	경제5단체의 경제인 광복절 특사 건의에 관한 경실련 견해	경실련	시민입법위원회
20100723	보도자료	"의료기관평가인증제 의료법개정후 의료기관인증위원회의 조속한 구성 촉구 및 시민환자단체 요구사항"	경실련공동	건강세상네트워크 외
20100727	보도자료	4대강 사업, 주먹구구식으로 예산액 산출	경실련	국책사업감시단
20100727	간행물	월간경실련 2010년 7 · 8월호	경실련	경실련
20100728	보도자료	복지부의 기등재약 목록정비 포기 철회 촉구 기자회견	경실련공동	전국민주노동조합총연맹 외
20100801	보도자료	중기청 세부지침 통해 가맹점SSM 사업조정 적용해야	경실련공동	중소상인살리기 전국네트워크
20100804	보도자료	편법 SSM에 대한 서울 인천 조속한 사업일시정지권고 촉구 기자회견	경실련공동	중소상인살리기 전국네트워크
20100809	보도자료	8 · 8입각대상자에 대한 국회의 철저한 인사검증을 촉구한다	경실련	정책위원회
20100813	보도자료	총리실의 민간인 사찰 관련 특검도입을 촉구하는 성명	경실련	시민입법위원회
20100813	보도자료	광복절 특별사면에 대한 입장	경실련	시민입법위원회
20100813	보도자료	국토부 반값아파트 용지 민간매각 중단촉구 성명	경실련	정책위원회
20100816	회의	제21기 7차 상임집행위원회	경실련	상임집행위원회
20100817	보도자료	8.15 대통령 경축사 관련 경실련통일협회 입장	경실련	통일협회
20100817	보도자료	SH공사 후분양 후퇴와 시프트 축소에 대한 성명	경실련	정책위원회
20100817	보도자료	국세청의 인사청문회 대상자 납세 기록 열람 차단 관련 입장	경실련	정부개혁위원회
20100818	보도자료	LH공사 비상경영 선포 관련 성명	경실련	정책위원회
20100819	교육	제주지역 갈등관리 전문가 아카데미	경실련	갈등해소센터
20100819	보도자료	장관 후보자들의 국회 인사청문회에 대한 경실련 의견	경실련	정부개혁위원회
20100819	보도자료	대한항공 항공마일리지 제도개선에 대한 입장	경실련	시민권익센터
20100820	회의	제11기 2차 중앙위원회	경실련	중앙위원회
20100823	보도자료	2010 정부 세제개편안에 대한 입장	경실련	재정세제위원회
20100824	정책토론	전병헌 민주당 정책위원장 간담회	경실련	정치개혁위원회
20100825	정책토론	보금자리주택의 문제점과 개선방안 토론회	경실련	도시개혁센터
20100825	보도자료	부적격 공직 후보자 임명 철회 촉구 기자회견 취소 및 성명대체	경실련	정부개혁위원회
20100826	교육	경기도 지방의원 특별과정(도시대학)	경실련	도시개혁센터
20100827	보도자료	총리 임명동의안 표결 및 장관 청문보고 채택 관련한 입장	경실련	정부개혁위원회
20100829	보도자료	정부의 DTI 규제 완화 등 8.29 부동산 대책에 대한 논평	경실련	정책위원회

생산일자	세부형태	제목	출처분류	생산자(처)
20100831	보도자료	「국가계약법」일부 개정안(장기계속공사 제도를 법률에 명문화)에 대한 입장	경실련	국책사업감시단
20100831	보도자료	국가계약법 입법예고(장기계속공사의 법률 명문화)에 대한 의견서 제출	경실련	정책위원회
20100903	보도자료	G20 서울 정상회담 의제, 근본적으로 재검토해야	경실련공동	금융규제 강화와 투기자본 과세를 위한 시민사회네트워크
20100903	교육	인천 갈등관리 전문가 아카데미	경실련	갈등해소센터
20100903	보도자료	유명환 외교통상부장관 딸 특채 논란 관련 입장	경실련	정부개혁위원회
20100903	보도자료	제18기 도시대학	경실련	도시개혁센터
20100903	보도자료	보험금 지급거절 실태조사 정보공개청구	경실련	시민권익센터
20100903	보도자료	정부는 폐기물에너지화사업을 개선해야한다	경실련	정책위원회
20100906	정책토론	의료전달체계개편 및 기능재정립을 위한 간담회	경실련	보건의료위원회
20100908	보도자료	건강보험수가 협상과 재정운영위원회 임기만료에 대한 의견	경실련공동	참여연대 외
20100908	보도자료	여야의 지방행정체제개편특별법 처리 합의 관련한 입장	경실련	지방자치위원회
20100908	홍보	북 수해복구 지원 남북관계 개선 통일레터	경실련	통일협회
20100908	보도자료	북한의 수해지원 공식요청 관련 경실련통일협회 입장	경실련	통일협회
20100909	보도자료	가맹점SSM 및 중소상인 생존권 문제 해결 촉구 기자회견	경실련공동	중소상인살리기 전국네트워크
20100909	보도자료	국회예산정책처의 폐자원에너지화사업 평가 보고서에 대한 논평	경실련	조세정의실현시민운동본부
20100910	보도자료	공무원 특채 비리 관련자 형사처벌 및 감사원 전면감사 촉구	경실련	정부개혁위원회
20100915	보도자료	보건복지부에 '심야응급약국' 관련한 공개질의서 발송	경실련	보건의료위원회
20100916	보도자료	기등재약 목록정비 변경안의 문제점과 제언 토론회 개최	경실련	보건의료위원회
20100916	정책토론	경쟁전략으로서의 기업의 사회적 책임 개최	경실련	경제정의연구소
20100916	보도자료	국회의 지방행정체제개편특별법 본회의 처리에 대한 입장	경실련	지방자치위원회
20100916	보도자료	의료기관평가인증제와 공급자 편향적인 인증원 설립을 우려한다	경실련공동	건강세상네트워크 외
20100917	보도자료	보험금 지급거절 정보비공개 이의신청	경실련	시민권익센터
20100917	보도자료	신한금융지주 사태 관련한 성명	경실련	정책위원회
20100927	보도자료	건강보험 재정운영위원회 위원 추천 의뢰	경실련	보건복지부
20100927	회의	제21기 8차 상임집행위원회	경실련	상임집행위원회
20100928	정책토론	제7회 경제정의포럼, 국민연금기금 국내외 투자 운용 현황 실태 평가와 향후 방향	경실련공동	국회의원 최영희 외
20100928	보도자료	스폰서 검사 특검 수사결과 발표에 대한 성명	경실련	시민입법위원회
20100929	보도자료	정부의 대 · 중소기업 동반성장 대책 발표에 대한 입장	경실련	중소기업위원회
20100929	홍보	북한 광물 자원과 남북경협 통일레터	경실련	통일협회
20100930	정책토론	지구적 금융 · 재정위기와 한국 시민사회의 과제	경실련공동	금융규제 강화와 투기자본 과세를 위한 시민사회네트워크
20101001	회의	보험거절사유 행정정보 비공개에 대한 행정소송 검토	경실련	시민권익센터
20101001	정책토론	의료기관평가인증제 법개정 이후 요구사항 전달 보건복지부 면담	경실련	보건의료위원회
20101004	간행물	월간경실련 2010년 9 · 10월호	경실련	경실련
20101004	보도자료	건강보험 가입자 무시하고 가입자대표기구에 전횡을 일삼는 복지부를 규탄한다	경실련공동	건강세상네트워크 외
20101006	보도자료	경실련 5대분야 31개 친서민정책 발표 보도자료	경실련	정책위원회
20101007	보도자료	SSM법안 10월 국회처리 촉구 중소상인 시민단체 공동 기자회견	경실련공동	중소상인살리기 전국네트워크
20101008	정책토론	긴급정책토의 북한 제3차 당대표자 분석과 향후 전망	경실련	통일협회
20101011	보도자료	'리베이트 쌍벌죄 도입에 따른 하위규정' 입법예고에 대한 경실련 의견서 제출	경실련	정책위원회
20101012	보도자료	대한의사협회는 재정운영위원회의 법적 권한을 훼손하지 말라	경실련	보건의료위원회
20101013	보도자료	15대 재벌그룹의 5년간 순이익, 사내유보, 고용, 투자금액 추이 분석 결과 발표	경실련	재벌개혁위원회
20101013	보도자료	신한금융지주 라응찬 회장 등 경영진 사퇴촉구 성명	경실련	금융개혁위원회
20101013	보도자료	SSM법안 10월 국회 통과 촉구 및 정부의 지침개정 발언 비판 성명	경실련공동	중소상인살리기 전국네트워크
20101013	보도자료	2011년 건강보험 수가 협상에 대한 가입자단체 입장발표 기자회견	경실련공동	건강보험가입자단체
20101013	보도자료	4대강 사업 군부대 투입 관련 성명	경실련	정책위원회
20101014	보도자료	한나라당의 집시법 개정 강행에 대한 입장	경실련	정책위원회
20101014	보도자료	4대강 사업비용 검증결과 1차 발표	경실련	국책사업감시단
20101015	보도자료	공정위에 의약품 공정경쟁규약 개정안 승인 거부 촉구에 대한 입장	경실련	보건의료위원회

생산일자	세부형태	제목	출처분류	생산자(처)
20101016	보도자료	오픈마켓의 불공정거래행위 실태조사 설문조사	경실련	시민권익센터
20101017	보도자료	건강보험 병원식대 원가조사 및 재정지출 추계 분석결과 발표	경실련	보건의료위원회
20101018	보도자료	키코 사태 관련 정부대책 촉구 경실련 의견	경실련	금융개혁위원회
20101019	보도자료	지난 5년간 기업담합 현황에 대한 경실련 분석결과 발표	경실련	재벌개혁위원회
20101019	보도자료	한국 정부의 금융 · 재정 개혁 의제에 대한 공개 질의기자회견	경실련공동	금융규제 강화와 투기자본 과세를 위한 시민사회네트워크
20101019	보도자료	방송통신위원회에 KT스마트샷에 대한 의견서 제출	경실련	시민권익센터
20101019	보도자료	사법부의 4대강 사업비 산출근거(기준) 공개판결에 대한 입장	경실련	정책위원회
20101020	보도자료	2011년 건강보험 수가협상 결과에 대한 입장	경실련	보건의료위원회
20101020	보도자료	'심야응급약국' 실태조사 결과 발표	경실련	보건의료위원회
20101020	보도자료	방통위의 KT스마트샷 과징금 처분에 대한 입장	경실련	시민권익센터
20101021	정책토론	의료기관평가 인증추진단과 인증원 간담회	경실련	보건의료위원회
20101021	보도자료	중소상인, 영국대사관에 SSM법안 저지 관련 항의서한 전달 기자회견 보도자료	경실련공동	전국유통상인연합회 외
20101021	보도자료	4대강 사업비용 검증 2차 대통령은 4대강 사업원가를 즉각 공개하라	경실련	국책사업감시단
20101024	보도자료	2010년 국회 국정감사평가 결과 및 상임위별 우수의원	경실련	정책위원회
20101025	보도자료	SSM법안 동시처리 촉구 성명	경실련공동	중소상인살리기 전국네트워크
20101026	회의	제21기 9차 상임집행위원회	경실련	상임집행위원회
20101027	홍보	코리아스포라 참정권 회복으로 권리찾기(통일레터)	경실련	통일협회
20101027	보도자료	국토위 법안심사소위 분양가상한제 폐지안 심의에 대한 입장	경실련	국책사업감시단
20101028	보도자료	15대 재벌의 최근 3년간 출자 및 계열사 변동 분석결과 발표	경실련	재벌개혁위원회
20101028	보도자료	금융실명거래및비밀보장에관한법률 일부개정안 입법청원	경실련	금융개혁위원회
20101028	보도자료	SSM법안 동시처리 촉구 한나라당사 앞 기자회견	경실련공동	중소상인살리기 전국네트워크
20101028	소송	건정심 위원 위촉 취소소송, 원심 판결과 항소장 제출에 대한 입장	경실련공동	전국민주노동조합총연맹 외
20101029	보도자료	명의신탁 등 차명 금융거래 방지를 위한 금융실명제 법 개정 국회 입법청원서 제출	경실련	금융개혁위원회
20101029	보도자료	한나라당은 소득세, 법인세 감세 즉각 중단해야 한다	경실련	재정세제위원회
20101030	보도자료	kt의 문자홍보서비스에 대한 검찰고발 검토	경실련	시민권익센터
20101100	보도자료	경제정의지수에 의한 6대 기업의 CSR보고서 평가 및 검증 보고	경실련	경제정의연구소
20101102	교육	광주전남 갈등관리 전문가 아카데미	경실련	갈등해소센터
20101103	보도자료	2011년 건강보험 보장성 및 보험료에 대한 가입자단체 입장 발표 기자회견	경실련공동	전국민주노동조합총연맹 외
20101103	보도자료	방송통신위원회의 개인정보 위반행위 의결에 대한 분석	경실련	시민권익센터
20101103	보도자료	4대강 사업비용 검증결과 2차 발표	경실련	정책위원회
20101103	정책토론	통일교육협의회 워크숍	경실련	통일협회
20101104	보도자료	4대강 사업비용 산출근거 소송 승소 입장 발표	경실련	국책사업감시단
20101104	보도자료	G20의 역할과 성공적 개최의 의미	경실련	금융개혁위원회
20101104	정책토론	통일교육협의회 교육사례발표	경실련	통일협회
20101104	보도자료	민간인 불법사찰 청와대 개입 의혹 관련 전면 재수사 촉구	경실련	시민입법위원회
20101105	보도자료	[G20 기획 시리즈] 자본유출입 변동과 금융거래세	경실련	금융개혁위원회
20101108	보도자료	[G20 기획 시리즈] 장외파생상품 및 사모펀드 규제	경실련	금융개혁위원회
20101108	보도자료	"SSM법안, 오늘이라도 동시처리 안 할 이유 없다"	경실련공동	중소상인살리기 전국네트워크
20101108	정책토론	세계경제 대안모색_금융통제와 고용 및 복지지출 확대_ 재정.금융.개발에 관한 국제시민사회포럼	경실련공동	금융규제 강화와 투기자본 과세를 위한 시민사회네트워크
20101109	보도자료	검찰의 청목회 국회의원 로비 수사 논란과 관련하여	경실련	정책위원회
20101109	보도자료	4대강 사업비용 검증결과 3차 발표	경실련	국책사업감시단
20101109	보도자료	경실련, 이백순 신한은행장에 대한 검찰 고발	경실련	시민입법위원회
20101109	보도자료	끝까지 SSM법안 분리처리 고집한 여당에 유감	경실련공동	중소상인살리기 전국네트워크
20101109	보도자료	환율전쟁과 글로벌 금융안전망	경실련	금융개혁위원회
20101110	교육	대전광역시 지방의원 특별과정 도시대학	경실련	도시개혁센터
20101110	보도자료	[G20 기획 시리즈] IMF 개혁	경실련	금융개혁위원회
20101111	홍보	김정은 후계체제와 한반도 통일레터	경실련	통일협회
20101111	보도자료	[G20 기획 시리즈] 한국형 ODA	경실련	금융개혁위원회
20101115	정책토론	선진 국가경영체제 구축을 위한 지방분권 심포지움	경실련공동	한국지방정부학회 외
20101115	보도자료	〈G20 기획시리즈 7〉 G20 서울정상회의에 대한 평가	경실련공동	금융개혁위원회
20101118	정책토론	〈지방재정 토론회〉 지방재정 위기의 본질, 그리고 대안은?	경실련	지방자치위원회

생산일자	세부형태	제목	출처분류	생산자(처)
20101119	보도자료	의약품 분류기준에 관한 규정 개정안 의견서 제출경실련	보건의료위원회	
20101119	소송	사법부의 4대강 사업원가 공개판결에 대한 입장	경실련	정책위원회
20101120	정책토론	변종 SSM의 실태와 문제점, 사업조정대상 여부 관련 긴급 토론회 개최	경실련	정책위원회
20101122	보도자료	건정심 전체회의에 상정될 의협의 2% 수가인상안에 대한 입장	경실련	보건의료위원회
20101122	보도자료	총체적 부실, 국민건강보험공단의 약가 협상력을 평가한다.	경실련공동	건강세상네트워크 외
20101123	보도자료	북한의 연평도 포격에 대한 경실련통일협회 입장	경실련	통일협회
20101123	보도자료	총리실 민간인 불법사찰 관련 특검 도입 촉구 성명	경실련	시민입법위원회
20101124	보도자료	2011년 건강보험료 및 의원 수가 인상과 보장성 확대에 대한 노동농민시민사회단체 입장	경실련공동	건강보험가입자단체
20101124	보도자료	'노인장기요양제도 시행2년 평가 및 제도개선 과제 모색 토론회'	경실련	사회복지위원회
20101125	정책토론	제6차 경실련 통일포럼	경실련	통일협회
20101125	홍보	통일협회 회원 송년의 밤	경실련	통일협회
20101125	보도자료	SSM법안 국회 통과 환영하나 추후 실효성 따져 보완해야	경실련공동	중소상인살리기 전국네트워크
20101125	보도자료	미디어법 2차 권한쟁의 관련 헌재 결정에 대한 논평	경실련	시민입법위원회
20101126	보도자료	송변전 설비 건설 관련 보상 등 제도개선 추진위원회 발족 및 운영	경실련	갈등해소센터
20101129	회의	제21기 10차 상임집행위원회	경실련	상임집행위원회
20101129	보도자료	4대강 사업 검증(4차) - 사업기간 재검토를 통한 사업비용 추정 발표 -	경실련	국책사업감시단
20101129	보도자료	현대건설의 공정하고 투명한 매각진행을 촉구하며	경실련	금융개혁위원회
20101130	보도자료	4대강 관련 국토부 해명자료에 대한 입장	경실련	정책위원회
20101200	참고자료	직장보육시설 설치 실태 보고	경실련	정책위원회
20101201	보도자료	서울춘천 민자고속도로 최운영수입보장금 지급 정지 및 사업비 실사요청 국회예산결산특별위원회	경실련	국책사업감시단
20101202	보도자료	국회 제주특별법 개정안 '영리병원' 허용 중단을 촉구하는 입장	경실련	보건의료위원회
20101202	보도자료	민관협력 우수사례 공모대회 최우수상 입상	경실련	갈등해소센터
20101203	정책토론	SSM법 개정이 남긴 과제 토론회	경실련	정책위원회
20101203	보도자료	삼성 이재용 사장 승진 및 그룹 미래전략실 부활 관련 논평	경실련	재벌개혁위원회
20101203	보도자료	정부와 지자체는 혈세낭비 방지를 위해 민간사업자로부터 사업운영권을 회수하라	경실련	국책사업감시단
20101206	보도자료	12월 7일 변호사시험 합격자 결정방법 확정 예정 관련 공동 입장문	경실련공동	참여연대 외
20101206	보도자료	법인,단체의 후원 허용 정치자금법 개정안 처리 관련 입장	경실련	정치개혁위원회
20101207	보도자료	2011 예산안에 대한 경실련 의견 발표	경실련	정책위원회
20101208	보도자료	'사회복지공동모금회'에 대한 입장	경실련	사회복지위원회
20101209	보도자료	한나라당의 예산안 일방 강행 처리 관련 입장	경실련	정책위원회
20101210	간행물	월간경실련 2010년 11 · 12월호	경실련	경실련
20101213	회의	제3차 가맹사업 전문가 간담회	경실련	시민권익센터
20101213	보도자료	고계현(현 정책실장) 신임 사무총장 선출 알림	경실련	상임집행위원회
20101214	보도자료	심야약국 평가회에 대한 입장과 근본대책 마련을 촉구하는 입장	경실련	보건의료위원회
20101216	보도자료	제10회 바른외국기업상 시상식	경실련	경제정의연구소
20101216	보도자료	'국민기초생활보장제도 시행10년 평가 조사결과 분석' 발표	경실련	사회복지위원회
20101220	보도자료	국방부의 연평도 포사격 훈련 중단 촉구 성명	경실련	통일협회
20101220	회의	제21기 11차 상임집행위원회	경실련	상임집행위원회
20101220	보도자료	방통위의 의료광고 허용에 대한 입장	경실련	보건의료위원회
20101227	보도자료	안전성이 검증된 일부 일반약의 약국외 판매 허용을 촉구하는 입장	경실련	보건의료위원회
20101229	보도자료	이자제한법 개정안에 대한 의견서 제출	경실련	금융개혁위원회
20101229	보도자료	한반도 전쟁방지와 평화 정착을 위한 공동 기자회견	경실련	통일협회
20101229	보도자료	의료사고피해자구조법 의사특례법 전락시킨 책임 져야	경실련	보건의료위원회
20101231	보도자료	방통위의 종편 등 방송사업자 선정에 대한 논평	경실련	정책위원회
20110000	보도자료	문화방송 대표이사 고발장	경실련	정책위원회
20110102	보도자료	국회 법사위의 정치자금법 개정안(청목회법) 기습처리에 대한 성명	경실련	정치개혁위원회
20110104	보도자료	고승덕 의원의 한나라당 전당대회 돈봉투 거래 폭로 관련 검찰 수사 촉구	경실련	정치개혁위원회
20110104	보도자료	보도채널사업자로 선정된 연합뉴스의 의료법인 출자에 대한		

생산일자	세부형태	제목	출처분류	생산자(처)
		입장	경실련	보건의료위원회
20110105	보도자료	건강보험 재정악화와 종합병원의 외래진료 본인부담 인상에 대한 입장	경실련공동	건강세상네트워크 외
20110106	정책토론	의약분업 시행10년평가와 발전방안 모색	경실련	정책위원회
20110106	보도자료	건강보험 재정악화의 책임을 국민에게 떠넘기지 말라	경실련	보건의료위원회
20110111	보도자료	정동기 감사원장 후보자 임명 철회 촉구 성명	경실련	시민입법위원회
20110111	보도자료	신용카드 소액결제 거부허용 관련 입장	경실련	정책위원회
20110112	보도자료	국토부 전월세 대책발표에 대한 입장	경실련	정책위원회
20110112	보도자료	민주당의 '실질적 무상의료' 정책 추진에 대해 환영한다.	경실련공동	의료민영화저지범국민운동본부
20110112	보도자료	복지부에 의약분업 제도 발전을 위한 사회적 협의체 구성을 제안하며	경실련	보건의료위원회
20110112	보도자료	정동기 감사원장 후보자 자진 사퇴 관련 입장	경실련	시민입법위원회
20110113	보도자료	1.13 국토해양부 전월세대책에 대한 입장발표	경실련	국책사업감시단
20110114	보도자료	한일 군사협정 계획 철회 요구 공동성명	경실련공동	녹색연합 외
20110117	보도자료	'대형병원 약값 환자부담 인상' 반대 시민사회환자단체 공동 기자회견	경실련공동	건강세상네트워크 외
20110118	회의	제도개선추진위원회 실무회의 개최(12회차)	경실련	갈등해소센터
20110119	보도자료	경실련 김성훈전대표 신지호 · 조선일보 상대로 명예훼손 소송 승소	경실련	정책위원회
20110119	보도자료	정병국 문화체육관광부 장관 후보자, 최중경 지식경제부장관 후보자 인사청문회 결과와 관련한 경실련 의견	경실련	시민입법위원회
20110119	보도자료	SH공사 하도급내역 미공개에 대한 과태료 부과청구	경실련	아파트값거품빼기운동본부
20110121	보도자료	고속도로 휴게소 상비약 판매 보고	경실련	보건의료위원회
20110124	회의	제22기 1차 상임집행위원회	경실련	상임집행위원회
20110125	보도자료	최중경 지식경제부 장관 후보자 임명 철회 촉구 성명	경실련	시민입법위원회
20110126	보도자료	'일반약 약국외 판매' 정책 결단을 촉구하는 청원서 제출	경실련	보건의료위원회
20110126	보도자료	남북 고위급 군사회담 실무회담 공식제안에 대한 논평	경실련	통일협회
20110127	정책토론	제도개선추진위원회 본회의 개최	경실련	갈등해소센터
20110131	감사청구	공익사항에 관한 감사원 감사청구	경실련	보건의료위원회
20110131	감사청구	을지병원 연합뉴스TV 출자와 복지부의 위법 용인, 책임의무 위반에 대한 특별감사청구	경실련	보건의료위원회
20110131	보도자료	정부의 재정통계 개편안에 대한 논평	경실련	재정세제위원회
20110208	보도자료	김석동 금융위원장 발언에 대한 논평	경실련	금융개혁위원회
20110208	참고자료	고속도로 통행료 정보공개청구	경실련	시민권익센터
20110210	보도자료	'심평원과 금감원의 업무협약 체결'과 관련한 공개질의서 발송	경실련	정책위원회
20110211	보도자료	정부 2.11전월세시장 안정 보완대책에 대한 입장	경실련	국책사업감시단
20110213	보도자료	신한금융지주 회장 선출에 대한 성명	경실련	금융개혁위원회
20110214	간행물	월간경실련 2011년 1 · 2월호	경실련	경실련
20110214	보도자료	인터넷에서의 주민등록번호 수집 금지에 대한 입장	경실련	시민권익센터
20110214	보도자료	한국은행 금리동결 결정에 대한 입장	경실련	금융개혁위원회
20110214	회의	제22기 2차 상임집행위원회	경실련	상임집행위원회
20110216	보도자료	'4대강 인력 · 장비 투입실태 관련 국토부해명'에 대한 경실련 입장	경실련	국책사업감시단
20110217	보도자료	이귀남 법무부장관의 한화 수사 불법 지휘 의혹 관련 성명	경실련	시민입법위원회
20110218	회의	제11기 3차 중앙위원회	경실련	중앙위원회
20110221	보도자료	구제역 사태 진단과 향후 대책방안 모색을 위한 토론회	경실련	농업개혁위원회
20110222	보도자료	4대강 사업검증 6차 '불법거래와 계약, 노동착취 실태 고발'	경실련	국책사업감시단
20110222	감사청구	귀남 법무부장관의 불법 수사 지휘 의혹에 대한 법무부 특별 감사청구	경실련	정치개혁위원회
20110223	보도자료	에너지관련 국민인식조사결과 발표	경실련	갈등해소센터
20110223	보도자료	이명박 정부의 6개 민생 공약 이행 평가	경실련	정책위원회
20110223	보도자료	저축은행 관련, 예금자보호법 개정안 상정에 대한 입장	경실련	금융개혁위원회
20110224	보도자료	MB정부 3년, 민생회복과 국정쇄신을 위한 경실련 기자회견	경실련	정책위원회
20110224	정책토론	온실가스 감축과 친환경 에너지세제개편을 위한 연속 기획 1차 토론회	경실련	갈등해소센터
20110224	보도자료	진수희장관의 '공공기관에서의 일반약 판매'에 대한 입장	경실련	보건의료위원회
20110225	보도자료	서울고등법원의 들러리 입찰담합 판결을 환영한다!	경실련	국책사업감시단
20110225	정책토론	이명박 정부 3년 대북정책 평가, 2011 한반도 평화를 향한 과제	경실련	통일협회
20110228	보도자료	공정위의 온라인음악 담합발표에 대한 입장	경실련	시민권익센터
20110228	보도자료	키 리졸브 훈련 반대 시민단체 연대 기자회견	경실련공동	참여연대 외
20110300	보도자료	도시분쟁조정위 운영실태 조사 결과	경실련	정책위원회
20110302	보도자료	한국은행의 청와대 정례보고에 대한 입장	경실련	금융개혁위원회

생산일자	세부형태	제목	출처분류	생산자(처)
20110302	회의	이동통신 망중립 토론회 준비를 위한 사전모임	경실련	시민권익센터
20110303	보도자료	정치권의 석패율 제도 도입 논의에 대한 입장	경실련	정치개혁위원회
20110306	보도자료	국회행안위 입법로비 면죄부 정치자금법 개악 관련하여	경실련	정책위원회
20110307	보도자료	구제역 사태 관련, 국회의 국정조사를 촉구한다	경실련	농업개혁위원회
20110307	보도자료	지난 3년간 MB물가지수 추이에 대한 경실련 분석결과 발표	경실련	정책위원회
20110308	보도자료	4대강 사업 검증 제7차 '선급금 지급 실태 분석'	경실련	국책사업감시단
20110308	보도자료	재건축 허용연한 현행 유지 결정에 대한 입장	경실련	도시개혁센터
20110308	보도자료	민주당 무상의료정책 내걸고 '영리병원'허용에 나설 것인가	경실련	보건의료위원회
20110309	보도자료	조중동방송 저지 네트워크[발족기자회견]	경실련공동	조중동방송저지네트워크
20110309	보도자료	국회 보건복지위원회는 의료인 단순 폭행 · 협박을 중형으로 가중처벌하는 의료법 개정안을 폐기하라	경실련공동	건강세상네트워크 외
20110309	보도자료	저축은행 관련, 정무위 예금자보호법 개정안 논의에 대한 입장	경실련	금융개혁위원회
20110310	보도자료	강만수 산업은행지주 회장 내정에 대한 입장	경실련	정책위원회
20110310	보도자료	'신문, 인터넷의 의료광고 모니터 현황 및 위반사례 분석' 결과 발표	경실련	보건의료위원회
20110310	보도자료	금통위의 금리인상에 대한 논평	경실련	금융개혁위원회
20110310	보도자료	사법제도개혁특별위원회의 합의사항에 대한 입장	경실련	시민입법위원회
20110310	보도자료	성남시 청소노동자 직접고용 실시에 대한 입장	경실련	아파트값거품빼기운동본부
20110310	보도자료	의료분쟁조정법 국회 통과에 대한 입장	경실련	보건의료위원회
20110310	조직	전국 시민사회 활동가 대상 '평화 활동가 대회'	경실련공동	경실련 외
20110311	보도자료	물가폭등 방치한 경제대통령	경실련	정책위원회
20110311	정책토론	스마트폰 1천만 시대, 이용자 선택권 어떻게 보호할 것인가?	경실련	정책위원회
20110316	감사청구	을지병원 출자와 복지부의 위법성 용인 관련 특별감사 청구 결과에 대한 입장	경실련	보건의료위원회
20110317	보도자료	대형병원 본인부담 인상안 반대하는 시민사회단체 공동 입장	경실련공동	건강세상네트워크 외
20110317	보도자료	론스타 대주주 적격성심사 발표에 대한 입장	경실련	금융개혁위원회
20110317	보도자료	보금자리지구내 민간참여 허용에 대한 입장	경실련	아파트값거품빼기운동본부
20110317	보도자료	서울시의회의 주민투표 제한 조례 발의 관련 입장	경실련	지방자치위원회
20110318	보도자료	대형병원 환자부담 인상 반대 및 복지부 규탄 공동 기자회견	경실련공동	건강보험가입자포럼
20110318	보도자료	최시중 방송통위원장 인사청문회 결과에 따른 입장	경실련	정치개혁위원회
20110322	보도자료	선관위의 기업,단체 후원 허용 개정의견에 대한 입장	경실련	정치개혁위원회
20110323	보도자료	상비약 약국外 판매를 위한 경실련 전국운동 선포 기자회견	경실련	보건의료위원회
20110323	보도자료	3.22 대책에 대한 입장발표	경실련	아파트값거품빼기운동본부
20110324	보도자료	도시분쟁조정위원회 운영실태 조사 결과	경실련	도시개혁센터
20110324	보도자료	정부의 주택거래활성화 방안 중 취득세 감면과 관련한 입장	경실련	지방자치위원회
20110325	보도자료	정부의 대형병원 본인부담 인상 방침을 규탄한다	경실련	보건의료위원회
20110325	회의	경인고속도로 통행료 개선을 위한 법률전문가 모임	경실련	시민권익센터
20110326	참고자료	2010년 지구촌빈곤퇴치네트워크 연간보고	경실련공동	지구촌빈곤퇴치시민네트워크
20110328	회의	제22기 3차 상임집행위원회	경실련	상임집행위원회
20110328	조직	사회적기업활성화전국네트워크 참여	경실련	사회적기업활성화전국네트워크
20110329	보도자료	동남권 신공항 입지 선정 논란에 대한 입장	경실련	국책사업감시단
20110329	보도자료	청와대의 선관위 정치자금법 개정 반대에 대한 입장	경실련	정치개혁위원회
20110330	조직	국립공원내 백두대간 보호지역 관련 갈등영향분석 연구 및 협의체 구성 운영	경실련	갈등해소센터
20110331	간행물	월간경실련 2011년 3 · 4월호	경실련	경실련
20110401	보도자료	동남권 신공항 관련 대통령 입장발표에 대한 논평	경실련	국책사업감시단
20110404	보도자료	당선 무효 기준 완화 선거법 개정안 발의 관련 입장	경실련	정치개혁위원회
20110404	보도자료	법인과 단체의 정치자금 기부 허용에 대한 경실련 의견서, 중앙선관위에 제출	경실련	정치개혁위원회
20110404	보도자료	상생법 무력화 시킨 편법 SSM출점에 대한 논평	경실련공동	중소상인살리기 전국네트워크
20110404	교육	통일인문학 강좌: 문화로 보는 북한의 정체성 (입학식)	경실련	통일협회
20110405	보도자료	'선급금 불법유용 묵인한 토건관료 고발'	경실련	국책사업감시단
20110405	보도자료	공무원 건강보험료 관련 법제처해석과 복지부태도에 대한 경실련입장	경실련	보건의료위원회
20110405	보도자료	보금자리주택 특별법 개정에 대한 입장	경실련	아파트값거품빼기운동본부
20110406	보도자료	상비약 약국 외 판매 위한 국회의원 공개질의서 발송	경실련	전국경실련
20110406	소송	선급금 불법유용 관련기업과 공무원 국무총리실과 공정위 신고	경실련	국책사업감시단
20110406	정책토론	7차 통일포럼: "조선민족제일주의의 발생과 전개"	경실련	통일협회
20110411	교육	통일인문학 강좌: 조선민족제일주의의 발생과 전개	경실련	통일협회
20110411	보도자료	427 재보궐 선거에 따른 선거비용 예상액 분석 및 정당의 부실 공천 책임을 촉구하는 경실련 의견	경실련	지방자치위원회
20110411	보도자료	한국은행 금융통화위원 공석 1년에 대한 논평	경실련	금융개혁위원회

생산일자	세부형태	제목	출처분류	생산자(처)
20110411	정책토론	낙태방지와 응급피임약 간담회	경실련	보건의료위원회
20110412	보도자료	금통위의 금리동결에 대한 논평	경실련	금융개혁위원회
20110412	보도자료	세계군축행동의 날 국회-시민사회 공동선언 기자회견	경실련공동	흥사단 외
20110412	보도자료	최근 KAIST 사태에 대한 입장	경실련	교육개혁위원회
20110412	보도자료	세계 군축 공동 행동의 날	경실련	통일협회
20110413	보도자료	PF대출 위험보고서 1편 발표	경실련	금융개혁위원회
20110413	보도자료	공동주택 비상주감리 입법 철회를 요구하는 성명	경실련	국책사업감시단
20110413	소송	경인고속도로 통행료 폐지를 위한 공동소송인단 모집	경실련공동	인천경실련 외
20110414	보도자료	서울시, 지하철 7호선 입찰담함 업체 손해배상 청구에 대한 입장	경실련	국책사업감시단
20110414	정책토론	유권자의 자유로운 선거 참여와 선거법 개정방향	경실련공동	녹색연합 외
20110414	보도자료	국민을 위해, 검찰은 반드시 개혁해야 한다.	경실련공동	경실련 외
20110418	보도자료	'전국 심야약국 및 당번약국 실태조사' 결과 발표	경실련	보건의료위원회
20110418	보도자료	SH공사 감사청구	경실련	정책위원회
20110418	보도자료	서민의 주거 안정 위한 임대료 제한 내용의 주택임대차 보호법 개정 청원, 국회 제출	경실련	시민입법위원회
20110418	교육	통일인문학 강좌: 선군시대의 민족주의 담론	경실련	통일협회
20110418	보도자료	고속도로 통행료 폐지에 대한 법률전문가 설문조사	경실련	시민권익센터
20110419	보도자료	인권시민사회단체 대표자 기자회견 "국민은 철저한 사법개혁을 촉구한다"	경실련공동	민주사회를위한변호사모임 외
20110420	보도자료	ABN암로 대주주 의혹 보도 관련 입장	경실련	금융개혁위원회
20110420	보도자료	사법개혁법안 4월 국회에서 일괄 처리해야 한다	경실련공동	새사회연대 외
20110421	보도자료	'4대강 속도전 중단 · 직접시공제 시행 촉구' 기자회견+D149	경실련	국책사업감시단
20110421	보도자료	공무원, 일반직장인 보수수준 및 보험료 부과기준 관련 경실련 조사결과와 입장	경실련	보건의료위원회
20110421	회의	경인고속도로 통행료 폐지 공익소송을 위한 단체간담회	경실련공동	경실련 외
20110421	보도자료	이재오 특임장관의 친이계 모임에서의 4.27 재보선 전략 회의 관련 입장	경실련	정치개혁위원회
20110422	보도자료	'PF대출 위험보고서 - ② 건설업 PF부실' 발표	경실련	금융개혁위원회
20110422	보도자료	경실련 이재오 장관 선거법 위반 혐의 선관위에 조사 의뢰	경실련	정치개혁위원회
20110422	보도자료	공정거래법 4월국회 처리 논란에 입장	경실련	재벌개혁위원회
20110422	보도자료	국회 국토해양위의 도정법 개정안 의결에 대한 입장	경실련	도시개혁센터
20110422	보도자료	대법원 'LH 공사 부당이득금 반환' 판결에 대한 입장	경실련	아파트값거품빼기운동본부
20110422	보도자료	정종환 국토해양부 장관 발언에 대한 입장	경실련	정책위원회
20110425	회의	제22기 4차 상임집행위원회	경실련	상임집행위원회
20110425	교육	통일인문학 강좌: 조선 민족제일주의와 역사 호명	경실련	통일협회
20110426	보도자료	국회 보건복지위를 통과한 보건의료기술 진흥법 개정안에 반대하는 입장	경실련	보건의료위원회
20110427	보도자료	15대 재벌의 최근 3개년간 설비투자 추이 분석 발표	경실련	재벌개혁위원회
20110427	보도자료	대북 위탁 가공무역 기업 실태보고회	경실련	통일협회
20110427	보도자료	과도한 규제법안인 게임 셧다운제에 대한 입장	경실련	시민권익센터
20110428	보도자료	4.27 재보궐 선거 결과에 대한 입장	경실련	정치개혁위원회
20110428	보도자료	공공관리자제 관련 전문가 설문조사 결과	경실련	도시개혁센터
20110428	보도자료	공정위의 '경실련 15대 재벌 설비투자액 추이 발표 보도해명'에 대한 반박	경실련	재벌개혁위원회
20110428	보도자료	상비약 약국외 판매를 위한 정부의 근본대책을 촉구하는 입장	경실련	보건의료위원회
20110500	교육	주제가 있는 통일인문학 강좌 1기-음악으로 읽는 북한, 민족제일주의와 북한 음악	경실련공동	통일협회
20110502	보도자료	5.1 건설경기연착륙 대책 관련 입장	경실련	아파트값거품빼기운동본부
20110502	보도자료	사법개혁공대위 출범	경실련공동	사법개혁을위한인권시민사회단체공동대책위원회
20110502	교육	통일인문학 강좌: 북한 문화의 현주소-음악1(음악관)	경실련	통일협회
20110503	보도자료	'PF대출 위험보고서 - ③ PF사업장 위험성 분석	경실련	금융개혁위원회
20110503	보도자료	한 · EU FTA 전면 재검토 촉구 성명	경실련공동	중소상인살리기 전국네트워크
20110504	보도자료	재건축 부담금제 폐지 논의에 대한 입장	경실련	도시개혁센터
20110505	보도자료	저축은행 사태에 대한 입장	경실련	금융개혁위원회
20110506	보도자료	이명박 대통령의 5.6부분 개각에 대한 논평	경실련	정책위원회
20110509	회의	경인고속도로 통행료 폐지 공익소송을 위한 변호인단 회의	경실련	시민권익센터
20110511	보도자료	'금융감독 혁신 TF'의 금융감독체계 논의 관련 입장	경실련	금융개혁위원회
20110511	보도자료	'대약, 경실련 발표에 대한 반박'에 대한 입장	경실련	전국경실련
20110511	보도자료	'전국 다소비의약품 현황 및 가격실태조사 분석' 결과 발표	경실련	정책위원회

생산일자	세부형태	제목	출처분류	생산자(처)
20110511	보도자료	서울시 공개공지 실태조사 결과	경실련	도시개혁센터
20110512	보도자료	15대 재벌의 3개년간 총자산, 토지자산, 사내유보금, 설비 투자 추이 분석 발표	경실련	재벌개혁위원회
20110512	정책토론	"평화, 시민과 소통하라" - 우리안의 분단, 그 불편한 진실 시민토론회	경실련	통일협회
20110516	보도자료	국제과학비즈니스벨트 입지 선정에 대한 입장	경실련	국책사업감시단
20110516	교육	통일인문학 강좌: 북한 문화의 현주소-음악2(혁명가요)	경실련	통일협회
20110517	보도자료	우리금융 매각 재추진에 대한 입장	경실련	금융개혁위원회
20110518	보도자료	국회 사법제도개혁특별위원회 활동시한 연장론 비판 및 사법개혁안 6월 처리 촉구	경실련공동	사법개혁을위한인권시민사회단체공동대책위원회
20110518	보도자료	퇴직 공직자의 대형 로펌 취업 현황 분석 결과	경실련	정부개혁위원회
20110520	보도자료	정부 건설하도급 규제합리화 방안에 대한 입장	경실련	국책사업감시단
20110520	참고자료	전국 주거복지 운동 관련 지역 경실련 의견 조사	경실련	도시개혁센터
20110523	보도자료	북한주민을 위한 긴급 식량지원 호소 기자회견	경실련공동	북녘의 식량사정을 걱정하는 종교 · 시민사회 모임
20110523	교육	통일인문학 강좌: 북한 문화의 현주소-음악3(생활음악)	경실련	통일협회
20110524	보도자료	대북 봉쇄 5. 24조치 1 년을 맞는 입장	경실련	통일협회
20110525	보도자료	상비약 약국외 판매 정부이행 촉구 기자회견과 국민청원을 위한 전국 경실련 캠페인	경실련	보건의료위원회
20110525	보도자료	서규용 농림수산식품부 장관 후보자 인사청문회 결과 관련 입장	경실련	정부개혁위원회
20110525	청원	퇴직공직자의 취업 제한 강화하는 공직자윤리법 개정 청원	경실련	정부개혁위원회
20110530	간행물	월간경실련 2011년 5 · 6월호	경실련	경실련
20110530	회의	제22기 5차 상임집행위원회	경실련	상임집행위원회
20110530	교육	통일인문학 강좌: 북한 문화의 현주소-음악5(음악정치)	경실련	통일협회
20110601	소송	경인고속도로 통행료 부과처분 취소 소송	경실련	시민권익센터
20110601	보도자료	경인고속도로 통행료 폐지를 위한 시민운동 선언	경실련공동	경실련 외
20110601	정책토론	연구중심병원 도입과 지원방안 어떻게 할 것인가?	경실련	보건의료위원회
20110601	보도자료	저축은행 비리 국회 국정조사 조속 실시 촉구	경실련	금융개혁위원회
20110601	소송	정보공개거부처분취소에 대한 고등법원 판결서	경실련	국책사업감시단
20110601	정책토론	8차 통일포럼	경실련	통일협회
20110602	보도자료	북측의 남북정상회담 비밀접촉 공개에 따른 논평	경실련	통일협회
20110602	보도자료	재건축 부담금제 폐지 관련 국회 의견서 제출	경실련	도시개혁센터
20110602	교육	제주경실련 제3기 갈등협상 전문가 아카데미	경실련	갈등해소센터
20110603	보도자료	국회의 상설특검제 논의는 생색내기식 꼼수다	경실련공동	사법개혁을위한인권시민사회단체공동대책위원회
20110603	보도자료	방통위의 이동통신 요금인하 정책 발표에 대한 입장	경실련	시민권익센터
20110603	보도자료	의약품 구입불편 해소방안 관련 복지부 공식발표에 대한 입장	경실련	보건의료위원회
20110607	보도자료	검찰과 청와대의 검찰개혁 반대를 규탄한다	경실련공동	사법개혁을위한인권시민사회단체공동대책위원회
20110608	보도자료	친환경 에너지세제개편 관련 5차 종합 토론회 취재 및 보도 요청	경실련공동	국회의원 유일호 외
20110608	회의	경실련-대한변협의 경인고속도로 통행료 폐지 공익소송 협력방안 논의	경실련공동	대한변협 외
20110609	정책토론	건강보험 수가와 결정구조 개선방안 마련을 위한 토론회	경실련공동	건강보험가입자포럼
20110609	정책토론	권력형 비리로 본 검찰개혁의 필요성과 대안 토론회	경실련공동	민주사회를위한변호사모임 외
20110609	보도자료	뉴타운사업 관련 제도개선 의견서 제출	경실련	도시개혁센터
20110610	보도자료	'제20회 경제정의기업상 기념 토론회 및 시상식'	경실련	경제정의연구소
20110610	보도자료	검찰개혁 무산시키려는 한나라당 규탄한다.	경실련공동	민주사회를위한변호사모임 외
20110614	보도자료	검찰개혁 좌초 위기 규탄 긴급 기자회견	경실련공동	사법개혁을위한인권시민사회단체공동대책위원회
20110614	소송	부산고법에서도 4대강 원가공개 소송 승소	경실련	정책위원회
20110614	보도자료	서울시의 재개발 주민 분담금 공개 의무화에 대한 입장	경실련	도시개혁센터
20110615	보도자료	6.15 남북공동선언 11주년을 맞는 입장	경실련	통일협회
20110615	보도자료	국토부 4대강 공사업체로부터 향응 접대에 대한 입장	경실련	국책사업감시단
20110615	보도자료	국회 법사위에 '연구중심병원 도입과 지원방안' 관련 시민사회환자단체 의견서 제출	경실련	보건의료위원회
20110615	보도자료	분양가상한제 폐지법안 관련 경실련 의견서 제출	경실련	아파트값거품빼기운동본부
20110616	보도자료	복지부의 의약외품 전환 결정과 재분류 과제에 대한 입장	경실련	보건의료위원회
20110616	회의	전국주거복지제도화 운동 관련 회의	경실련	도시개혁센터
20110618	교육	제주경실련 제3기 갈등협상 전문가 아카데미	경실련	갈등해소센터

생산일자	세부형태	제목	출처분류	생산자(처)
20110620	보도자료	의약품 재분류와 사후응급피임약의 일반약 전환을 제안하는 경실련입장	경실련	보건의료위원회
20110621	보도자료	송도 · 제주 영리병원 추진반대 기자회견	경실련공동	의료민영화저지범국민운동본부
20110621	보도자료	중수부 폐지없는 검찰개혁은 허구일 뿐이다	경실련공동	사법개혁을위한인권시민사회단체공동대책위원회
20110621	보도자료	한나라당의 뉴타운사업 제도개선안에 대한 입장	경실련	도시개혁센터
20110622	보도자료	전경련과 청와대의 감세유지 입장에 대한 경실련 의견	경실련	재벌개혁위원회
20110622	보도자료	한국사회 부패방지제도 10년의 평가와 앞으로의 과제	경실련공동	참여연대 외
20110623	보도자료	'반값 등록금 실현'을 위한 경실련 의견	경실련	교육개혁위원회
20110623	보도자료	민영화 필요성 없는 인천공항 지분매각 즉각 중단하라	경실련	정책위원회
20110623	정책토론	한국사회 부패방지제도 10년 평가와 앞으로의 과제	경실련공동	한국YMCA전국연맹 외
20110624	정책토론	제11회 기업의 사회적 책임(CSR) 포럼 개최	경실련	경제정의연구소
20110624	교육	2011 통일평화문화봉사단	경실련	통일협회
20110627	보도자료	부패방지법 제정 10년, 시민사회단체 입장발표 기자회견	경실련공동	참여연대 외
20110627	보도자료	청라 집단소송 제기 관련 입장	경실련	아파트값거품빼기운동본부
20110627	회의	제22기 6차 상임집행위원회	경실련	상임집행위원회
20110628	보도자료	국토부장관 반값아파트 포기선언에 대한 경실련 규탄성명	경실련	아파트값거품빼기운동본부
20110628	보도자료	정치권과 재벌의 대립에 대한 입장	경실련	재벌개혁위원회
20110629	보도자료	대형유통점포 영업시간 제한 및 의무휴무제 도입 토론회 및 발족식 보도자료	경실련공동	환경운동연합 외
20110630	보도자료	사법개혁법안 국회 본회의 통과에 즈음한 성명	경실련공동	사법개혁을위한인권시민사회단체공동대책위원회
20110630	보도자료	서울시의 재개발 임대주택 공급 확대방안에 대한 입장	경실련	도시개혁센터
20110630	보도자료	정부의 의약품 약국 외 판매 추진과 최근 논란에 대한 경실련 입장	경실련	보건의료위원회
20110630	참고자료	직장보육시설 미이행 사업장 복지부에 정보 공개청구	경실련	사회복지위원회
20110701	보도자료	국회 최저가낙찰제 확대시행 유보에 대한 경실련 규탄성명	경실련	국책사업감시단
20110701	보도자료	TF 전면 재구성없이는 '혁신없는 혁신안'만 나올 뿐	경실련	금융개혁위원회
20110705	보도자료	15대 재벌그룹의 계열사 수 및 신규편입 업종 분석결과 발표	경실련	재벌개혁위원회
20110707	보도자료	경실련 15대 재벌 계열사 분석발표에 대한 일부인터넷언론 및 현대기아차 그룹 반박에 대한 입장	경실련	재벌개혁위원회
20110708	보도자료	술, 정크푸드, 담배 등에 부과되는 죄악세 도입에 대한 경실련 입장	경실련	보건의료위원회
20110711	보도자료	지방행정체제개편추진위원회의 '시군구 통합 기준 마련을 위한 토론회' 개최에 대한 경실련 의견	경실련	지방자치위원회
20110711	보도자료	개혁대상자들에게 금융개혁을 맡겨서는 안된다	경실련	금융개혁위원회
20110714	보도자료	사후응급피임약의 일반약 전환 '보류' 결정에 대한 입장	경실련	보건의료위원회
20110714	보도자료	이명박 대통령의 권재진 민정수석의 법무부장관 내정 강행에 대한 입장	경실련	정책위원회
20110718	보도자료	서울시의 압구정 전략정비구역의 특혜에 대한 입장	경실련	도시개혁센터
20110718	참고자료	장보육시설 미설치 사업장 정보공개 청구 복지부 부분 공개에 대한 이의신청	경실련	사회복지위원회
20110718	정책토론	무점포 창업피해자 간담회 개최	경실련	시민권익센터
20110719	보도자료	중앙일보와 청와대는 영리병원 허용등 의료민영화 추진을 즉각 중단하라!	경실련공동	의료민영화저지범국민운동본부
20110720	보도자료	14개 중앙정부부처 정보공개심의회 운영 실태 분석	경실련	정부개혁위원회
20110721	보도자료	서울시 소유 건물 옥상공원 실태조사 결과	경실련	도시개혁센터
20110721	정책토론	프랜차이즈 가맹점사업자 간담회 주최	경실련	시민권익센터
20110721	조직	국립공원내 백두대간 보호지역 협의체 구성 운영	경실련	갈등해소센터
20110725	보도자료	오세훈 서울시장이 무상급식 주민투표에 대한 정치적 타협을 통해 해결할 것을 촉구하며	경실련	지방자치위원회
20110725	보도자료	현기환 의원 국가계약법 개정안 발의에 대한 입장	경실련	국책사업감시단
20110726	간행물	월간경실련 2011년 7 · 8월호	경실련	경실련
20110728	보도자료	감사원, 거가대교 감사결과에 대한 입장	경실련	국책사업감시단
20110728	보도자료	주민감사청구 요건을 강화하는 지방자치법 개정안 입법예고 관련 경실련 의견	경실련	지방자치위원회
20110729	보도자료	서울시 집중호우에 대한 입장	경실련	도시개혁센터
20110800	보도자료	재벌주택 부동산 과표 현실화 실태고발	경실련	정책위원회
20110800	소송	통행료 부과처분 취소	경실련	정책위원회
20110802	보도자료	정부 '금융감독혁신 TF'의 혁신방안에 대한 입장	경실련	금융개혁위원회
20110804	보도자료	인천공항 민영화 논의 중단을 촉구한다	경실련	정책위원회
20110805	보도자료	전경련 '기업별 로비 정치인' 문건과 관련한 입장	경실련	재벌개혁위원회

생산일자	세부형태	제목	출처분류	생산자(처)
20110805	보도자료	한상대 검찰총장 후보자 인사청문회 관련 입장	경실련	정책위원회
20110809	보도자료	"SH공사에 대한 서울시 시민감사결과" 관련 입장	경실련	국책사업감시단
20110809	보도자료	국토해양부의 뉴타운 제도개선안에 대한 입장	경실련	도시개혁센터
20110809	보도자료	권재진 법무부장관 후보자 인사청문회 관련 입장	경실련	정책위원회
20110810	소송	경인고속도로 통행료 부과 처분 취소 소송에 대한 소송 대리인 답변	경실련	정책위원회
20110810	보도자료	의약품 재분류 논의결과에 대한 입장	경실련	보건의료위원회
20110810	보도자료	저축은행 비리의 진상 규명을 위한 특검 촉구 성명	경실련	금융개혁위원회
20110810	보도자료	서울시 SH공사 감사결과에 대한 입장 발표	경실련	아파트값거품빼기운동본부
20110811	보도자료	여·야 국회의원 38명 인천국제공항 민영화 중단 법안 공동 발의	경실련공동	강기갑 국회위원 외
20110811	보도자료	정부의 영리병원 도입 강행추진 방침에 대한 입장	경실련	보건의료위원회
20110811	보도자료	한국 건설부패의 전형을 보여주는 한국전력 뇌물 사건	경실련	국책사업감시단
20110812	보도자료	오세훈 서울시장의 대선 불출마 선언과 관련한 입장	경실련	지방자치위원회
20110817	보도자료	재벌의 경제력 집중저지를 위한 출총제 재도입 촉구 성명	경실련	재벌개혁위원회
20110818	보도자료	상비약 약국외 판매 위한 약사법 개정 입법예고안에 대한 경실련 의견	경실련	보건의료위원회
20110818	보도자료	자본시장법 개정안 철회촉구 기자회견문	경실련공동	금융규제 강화와 투기자본 과세를 위한 시민사회네트워크
20110818	보도자료	정부의 전월세시장 안정방안에 대한 입장	경실련	정책위원회
20110818	보도자료	한나라당의 영리병원 법안 입법철회와 개악법안 재발의에 대한 입장	경실련	보건의료위원회
20110819	보도자료	반값아파트의 진실 1탄_반값 폭탄	경실련	국책사업감시단
20110819	보도자료	약가제도 개편 및 제약산업 선진화방안에 대한 입장	경실련	보건의료위원회
20110821	보도자료	오세훈 서울시장의 무상급식 주민투표 실패 시 시장직 사퇴 선언에 대한 입장	경실련	지방자치위원회
20110821	보도자료	재벌 단독주택 과표실태 분석 발표	경실련	정책위원회
20110822	보도자료	박재완 장관, 법인세 인하-소비세 인상 발언 관련 성명	경실련	재정세제위원회
20110822	회의	제22기 7차 상임집행위원회	경실련	상임집행위원회
20110823	보도자료	지방행정체제개편추진위의 시군구 통합 용역보고서 관련 입장	경실련	지방자치위원회
20110823	보도자료	출자총액제한제 재도입을 위한 경실련 운동 전개	경실련	재벌개혁위원회
20110825	보도자료	무상급식 주민투표 결과 관련 오세훈 시장 즉각 사퇴 촉구	경실련	지방자치위원회
20110826	회의	제11기 4차 중앙위원회	경실련	중앙위원회
20110829	보도자료	곽노현 교육감 2억 전달 관련 논평	경실련공동	서울교육감시민선택
20110830	보도자료	OECD국가와 비교한 우리나라 소비자물가지수 자료	경실련	금융개혁위원회
20110831	보도자료	'도시재정비및주거환경정비법' 제정안에 대한 의견서 제출	경실련	도시개혁센터
20110900	소송	한국전력 단전사태 피해에 따른 손해배상소송	경실련	정책위원회
20110901	보도자료	대통령의 임채민 복지부장관 후보자 결정에 대한 입장	경실련	사회복지위원회
20110901	교육	속초 민족화해아카데미: "남북 현안과 우리의 과제"	경실련	통일협회
20110902	교육	도시대학: 1강 -21세기의 All New Urban Paradigm	경실련	도시개혁센터
20110906	보도자료	개인정보보호 역행하는 전자주민증에 대한 입장	경실련	시민권익센터
20110906	보도자료	금융규제강화와 투기자본과세를 위한 시민사회네트워크 출범에 부쳐_G20 정상회담에 대한 시민사회의 요구 금융 통제와 과세로 금융공공성 강화해야	경실련공동	시민사회네트워크
20110906	보도자료	의료기관평가 자율인증제 법안 통과, 국회와 정부의 야합을 개탄한다	경실련공동	건강세상네트워크 외
20110907	보도자료	2011년 세제개편안에 대한 입장	경실련	재정세제위원회
20110907	보도자료	강남, 서초 반값아파트 건축비 분석결과 발표	경실련	국책사업감시단
20110907	보도자료	지방행정체제개편추진위의 시군구 통합 기준 발표와 관련한 입장	경실련	지방자치위원회
20110909	교육	속초 민족화해아카데미: "사회통일교육의 과제"	경실련	통일협회
20110909	교육	속초 민족화해아카데미: "분단과 생활문화"	경실련	통일협회
20110909	교육	도시대학: 2강 - 녹색도시 및 건축, 3강 - 대중교통 중심 도시	경실련	도시개혁센터
20110916	교육	도시대학: 4강 - 보행 및 건강중심 도시, 5강 - 안전도시 및 건축	경실련	도시개혁센터
20110916	보도자료	예고 없는 단전사태에 대한 입장 발표 및 집단소송 제기를 피해자모집	경실련	시민권익센터
20110919	소송	경실련 단전피해에 대한 집단소송 피해모집 계속진행	경실련	시민권익센터
20110919	보도자료	단전피해 적절한 피해보상 촉구하는 성명	경실련	시민권익센터
20110921	소송	경인고속도로 통행료 부과처분 취소 소송 준비서면 제출	경실련	시민권익센터
20110921	보도자료	이석연 전 법제처장, 서울시장 입후보와 관련한 입장	경실련	정책위원회
20110923	교육	속초 민족화해아카데미: "분단문제의 재인식"	경실련	통일협회

생산일자	세부형태	제목	출처분류	생산자(처)
20110923	보도자료	검찰의 저축은행 비리 합동수사단 설치에 대한 입장	경실련	금융개혁위원회
20110923	보도자료	신재민 前 문화부 차관 금품 수수 의혹 관련한 입장	경실련	시민입법위원회
20110924	교육	도시대학: 6강 - 현장답사1 덕수궁 돌담길 및 북촌 문화길	경실련	도시개혁센터
20110925	교육	도시대학: 7강 - 현장답사2 그린홈(강남 보금자리주택지구)	경실련	도시개혁센터
20110926	회의	제22기 8차 상임집행위원회	경실련	상임집행위원회
20110926	회의	mVoIP 제한에 대한 전문가 회의	경실련	시민권익센터
20110926	보도자료	통신비 인하 요구를 무시한 SKT LTE요금제	경실련	시민권익센터
20110927	보도자료	2012년 예산안에 대한 입장	경실련	재정세제위원회
20110927	보도자료	4대강 준설토 부실 매각 의혹에 대한 입장	경실련	국책사업감시단
20110927	보도자료	의약품 약국외 판매를 위한 약사법 개정안과 국회 입법 논의를 촉구하는 입장	경실련	보건의료위원회
20110927	보도자료	중소기업적합업종 및 품목선정에 대한 입장	경실련	정책위원회
20110927	참고자료	9.15 단전사태에 대한 정보공개청구	경실련	시민권익센터
20110928	간행물	월간경실련 2011년 9 · 10월호	경실련	경실련
20110929	보도자료	SKT, LTE요금제 출시에 대한 입장	경실련	시민권익센터
20110930	보도자료	사후응급피임약의 일반약 전환과 정부정책 전환 요청하는 경실련 의견서 제출	경실련	보건의료위원회
20110930	정책토론	속초 민족화해아카데미: "남북관계 현황과 강원지역"	경실련	통일협회
20111001	교육	도시개혁: 8강 - 현장답사 3 : 남산 보행로 (수료식)	경실련	도시개혁센터
20111004	보도자료	'전국 당번약국 운영 및 상비약 판매 실태 조사' 결과 발표	경실련	보건의료위원회
20111005	회의	단전피해 공익소송을 위한 법률전문가 회의	경실련	시민권익센터
20111006	보도자료	MB정부 국정과제 4년 평가, A등급 0개 정책실패…D등급 24개	경실련	정책위원회
20111006	보도자료	론스타 주가조작 관련 법원 판결에 대한 성명	경실련	금융개혁위원회
20111006	보도자료	반값아파트의 진실 3탄_민간분양도 공공이 하면 반값에 가능하다	경실련	아파트값거품빼기운동본부
20111006	교육	23기 민족화해아카데미: "한반도, 미래를 말하다"	경실련	통일협회
20111007	보도자료	위내시경절제술 수가인상 및 적응증 확대 규탄	경실련	보건의료위원회
20111007	교육	속초 민족화해아카데미: "분단과 접경지역 문화 이해"	경실련	통일협회
20111008	교육	평화기행: "철원을 가다"	경실련	통일협회
20111009	보도자료	2011년 국회 국정감사평가 결과 및 상임위별 우수의원	경실련	정책위원회
20111010	보도자료	대통령 아들의 대통령 사저 땅 매입 논란 관련 성명	경실련	정책위원회
20111010	보도자료	조중동 살리자고 방송산업 망가뜨리나 '조중동방송'의 광고 직접영업, 절대 안된다	경실련공동	조중동방송저지네트워크
20111011	보도자료	상비약 약국외 판매를 위한 약사법개정안에 대한 국회 공개 질의서 발송	경실련	보건의료위원회
20111011	보도자료	신용카드 소액결제 거부허용 관련 입장	경실련	금융개혁위원회
20111013	보도자료	18대 국회 국정감사 4년 총괄평가 및 연도별 우수의원 종합	경실련	정책위원회
20111013	보도자료	2012년 건강보험 수가협상에 대한 가입자단체 입장과 요구	경실련공동	건강보험가입자단체
20111013	교육	23기 민족화해아카데미: 개선공단과 남북경협의 미래	경실련	통일협회
20111014	보도자료	한국은행 역할 및 김중수 총재 1년 6개월 재임에 대한 경영 · 경제 전문가 평가 설문조사 결과	경실련	금융개혁위원회
20111017	보도자료	노인장기요양 제도 개선과 대책 마련을 촉구하는 가입자단체 입장	경실련공동	전국민주노동조합총연맹 외
20111017	보도자료	나와 통하는 서울시장 후보를 찾아라! 후보선택도우미 가동	경실련	시민입법위원회
20111018	보도자료	2012년 건강보험 수가계약, 병협의 협상 결렬에 대한 가입자단체 입장	경실련공동	건강보험가입자포럼
20111018	보도자료	공정위 재벌 계열사 일감몰아주기 현황 발표에 관한 입장	경실련	재벌개혁위원회
20111018	보도자료	용인경전철 사업 비리의혹 검찰 수사에 대한 입장	경실련	국책사업감시단
20111019	보도자료	반값아파트의 진실 4.1탄_반값아파트에 저항하는 토건오적	경실련	아파트값거품빼기운동본부
20111020	보도자료	경실련 서울시장 후보 3대 핵심공약 평가	경실련	지방자치위원회
20111020	보도자료	뉴타운법 시행령 개정안에 대한 의견서 제출	경실련	도시개혁센터
20111020	정책토론	출자총액제한제도 재도입에 관한 공청회	경실련	재벌개혁위원회
20111020	교육	23기 민족화해아카데미: "남북철도, 대륙을 품다"	경실련	통일협회
20111021	보도자료	경실련 서울시장 후보 주요정책 5대 분야 평가	경실련	지방자치위원회
20111024	보도자료	경실련 서울시장 후보 선택 도우미 참여자 4만명 돌파	경실련	정책위원회
20111024	보도자료	서울시장 후보 35개 정책 현안에 대한 입장 비교 분석	경실련	지방자치위원회
20111025	보도자료	10.26 서울시장 보궐선거 투표 참여 촉구 성명	경실련	지방자치위원회
20111025	보도자료	병원협회 영상수가 인하 재판 판결에 대한 가입자단체 입장	경실련공동	중소상인살리기 전국네트워크
20111025	정책토론	무점포 창업피해자 집단간담회	경실련	시민권익센터
20111025	보도자료	약가폭등 초래할 한미 FTA와 약사법 이행법안 보건복지위 상정을 반대한다!	경실련공동	의료민영화저지범국민운동본부
20111027	보도자료	직장보육시설 연도별 설치현황에 대한 정보공개청구 소송	경실련	사회복지위원회

생산일자	세부형태	제목	출처분류	생산자(처)
20111027	보도자료	10 26 서울시장 보궐선거 결과에 대한 입장	경실련	정책위원회
20111027	보도자료	2012년 정부 예산안 평가 토론회 개최	경실련	재정세제위원회
20111027	보도자료	복지부의 실효성 없는 선택의원제 폐기를 요구하는 가입자 단체 입장	경실련공동	건강보험가입자포럼
20111027	정책토론	시민의 눈으로 보는 2012년 정부 예산안의 쟁점	경실련	재정세제위원회
20111027	보도자료	전경련의 상생협력관련 계류법안 철회 의견서 제출에 대한 입장	경실련	정책위원회
20111027	보도자료	정보공개거부처분취소에 대한 대법원 판결	경실련	국책사업감시단
20111027	보도자료	한미FTA 비준안 처리에 대한 입장	경실련	대외통상위원회
20111027	교육	23기 민족화해아카데미: "북중경협의 현황과 한반도 미래"	경실련	통일협회
20111031	소송	'복지부, 직장보육시설 설치현황 정보비공개결정 취소 행정소송' 제기	경실련	사회복지위원회
20111031	보도자료	한미FTA와 허가-특허연계 약사법 반대 기자회견	경실련공동	의료민영화저지범국민운동본부
20111031	회의	제22기 9차 상임집행위원회	경실련	상임집행위원회
20111101	교육	23기 민족화해아카데미: "남북 물류 인프라 협력 방안"	경실련	통일협회
20111101	보도자료	김종대 건보공단 이사장 후보자의 반통합 사기행각을 고발한다!	경실련공동	전국민주노동조합총연맹 외
20111101	보도자료	재계의 중소기업적합업종 법제화 반대에 대한 입장	경실련	정책위원회
20111101	회의	mVoip 제한에 대한 전문가 간담회	경실련	시민권익센터
20111102	보도자료	대법원의 인천국제공항고속도로 정보공개결정에 대한 입장	경실련	국책사업감시단
20111102	보도자료	건강보험공단 김종대씨의 이사장 임명 반대 공동 성명	경실련	보건의료위원회
20111103	정책토론	중소기업 적합업종 도입 관련 토론회	경실련	중소기업위원회
20111104	보도자료	반값아파트의 진실 4.2탄	경실련	아파트값거품빼기운동본부
20111104	보도자료	중소기업적합업종 2차 선정에 대한 입장	경실련	정책위원회
20111104	보도자료	국회는 즉각 사법제도개혁특위 구성해 검찰개혁 추진해야 한다	경실련공동	경실련 외
20111104	회의	전국 경실련 운동 확대를 위한 광역경실련 단위 간담회 개최	경실련	정책위원회
20111104	회의	무점포 창업피해에 대한 검찰 고발 논의	경실련	시민권익센터
20111107	정책토론	9차 통일포럼	경실련	통일협회
20111108	보도자료	출자총액제한제도 재도입에 대한 경영 · 경제 전문가 평가 설문조사 결과	경실련	재벌개혁위원회
20111108	보도자료	한미FTA의 법적효력 불균형 문제에 대한 입장	경실련	대외통상위원회
20111109	보도자료	SH공사 후분양제 폐지 및 선분양제 도입 관련 입장	경실련	아파트값거품빼기운동본부
20111109	정책토론	제8회 경제정의포럼 개최	경실련	경제정의연구소
20111110	보도자료	'다소비일반의약품 가격조사 결과 및 가격표시제운영 실태' 분석 발표	경실련	보건의료위원회
20111110	보도자료	상호출자제한기업집단 4년간 신규편입업종 및 대표상품 분석결과	경실련	재벌개혁위원회
20111110	교육	제5회 광주전남지역 지방정부, 지방의회, 기업, 시민단체 대상 공공갈등 전문가 아카데미	경실련	갈등해소센터
20111111	보도자료	조선일보의 '내가 꿈꾸는 나라'에 경실련 참여 기사 관련 정정보도 요구	경실련	정책위원회
20111111	보도자료	서초 토지임대부 건물분양 주택 분석결과	경실련	아파트값거품빼기운동본부
20111114	보도자료	인천공항 민영화 재논의 중단을 촉구한다	경실련	정책위원회
20111115	보도자료	2011 세제개편안 의견서 제출	경실련	재정세제위원회
20111115	교육	통일인문학 강좌: 통일과 민족사적 당위성 [입학식]	경실련	통일협회
20111116	보도자료	2012년 건강보험료 및 병원 수가 인상에 대한 노동농민시민사회단체 입장	경실련공동	건강보험가입자포럼
20111116	보도자료	상비약 약국외 판매를 위한 국민청원 서명 명부 및 의견서 국회 제출	경실련	보건의료위원회
20111116	보도자료	최근 한미FTA비준안 처리와 관련한 논의에 대한 입장	경실련	대외통상위원회
20111117	보도자료	국회 행정안전위원회 전자주민증 도입 논의에 대한 입장	경실련	시민권익센터
20111118	보도자료	금융위의 론스타 외환은행주식매각명령 결정에 대한 입장	경실련	금융개혁위원회
20111118	정책토론	한미FTA가 부동산정책에 미치는 영향과 ISD분쟁 가능성	경실련공동	민주사회를위한변호사모임 외
20111118	회의	경인고속도로 통행료 폐지 및 단전피해 공익소송 변호인단 회의	경실련	시민권익센터
20111121	보도자료	국회 기재위의 공공공사 입 · 낙찰제도 심사에 관한 경실련 의견서 발표	경실련	국책사업감시단
20111122	보도자료	한나라당의 한미FTA비준안 강행 처리에 대한 입장	경실련	대외통상위원회
20111122	보도자료	노인복지법 개정안(양승조의원 발의) 반대 의견	경실련	사회복지위원회
20111122	교육	통일인문학 강좌: 분단 트라우마와 통일과 평화	경실련	통일협회
20111123	소송	SK텔레콤㈜과 ㈜KT에 대한 시장지배적 지위의 남용금지		

생산일자	세부형태	제목	출처분류	생산자(처)
		위반 신고서 제출	경실련	정책위원회
20111123	소송	경실련과 진보넷, mVoIP 제한 및 DPI 사용 SKT와 KT를 고발	경실련공동	진보네트워크센터 외
20111123	소송	시장지배적 지위의 남용 금지 등	경실련공동	진보네트워크센터 외
20111123	소송	신고서(역무 제공 의무 위반 등) 제출	경실련공동	진보네트워크센터 외
20111124	보도자료	'SH 공사 선분양제 도입 서울시 답변'에 대한 입장	경실련	아파트값거품빼기운동본부
20111125	간행물	월간경실련 2011년 11 · 12월호	경실련	경실련
20111128	회의	제22기 10차 상임집행위원회	경실련	상임집행위원회
20111128	조직	사회적기업 활성화 전국네트워크 참여	경실련	상임집행위원회
20111129	보도자료	버핏세 도입에 대한 경실련 의견서 제출	경실련	재정세제위원회
20111129	회의	제1차 mVoIP 제한 공정위 및 DPI 규제 인권위 면담	경실련	시민권익센터
20111130	보도자료	신용카드 수수료 인하에 대한 입장	경실련	금융개혁위원회
20111130	보도자료	위헌법률심판제청신청	경실련	시민권익센터
20111201	보도자료	엉터리 과표실태 고발② _ 15대 재벌사옥	경실련	정책위원회
20111201	보도자료	위헌판결 주도하는 김종대 건보공단 이사장은 퇴진하여야 한다!	경실련공동	의료민영화저지범국민운동본부
20111202	교육	통일인문학 강좌: 남북문제 현안과 전망	경실련	통일협회
20111205	보도자료	자원의절약과재활용촉진에관한법률 개정(안)에 대한 경실련 의견	경실련	조세정의실현시민운동본부
20111205	보도자료	mVoIP 제한 고발에 대한 이동통신사 입장 반박	경실련공동	진보네트워크센터 외
20111205	보도자료	선관위 홈페이지 디도스 공격에 대한 성명	경실련	정책위원회
20111207	보도자료	12.7 부동산활성화 대책에 대한 입장	경실련	아파트값거품빼기운동본부
20111207	보도자료	재벌소속 공익법인 운영실태 분석	경실련	재벌개혁위원회
20111207	교육	통일인문학 강좌: 소통으로서의 통일	경실련	통일협회
20111208	보도자료	공공기관 기관장 임명 실태 분석 결과 발표	경실련	정부개혁위원회
20111208	보도자료	국민건강권 위협하는 이명박 정부의 의료민영화 중단! 국민건강보험 지키기 시민사회단체 네티즌 공동 기자회견	경실련공동	의료민영화 저지와 보장성 강화를 위한 범국민운동본부 외
20111208	보도자료	중소기업 적합업종 선정에 관한 전문가 설문조사 결과	경실련	정책위원회
20111208	정책토론	중소상인 및 자영업자와 연대한 공동 네트워크 설립을 위한 간담회 개최	경실련	정책위원회
20111208	보도자료	최근 정부의 부동산 세제에 대한 입장	경실련	재정세제위원회
20111209	보도자료	가락시영 재건축 단지 종 상향에 대한 입장	경실련	도시개혁센터
20111209	보도자료	경찰의 디도스 공격 수사 발표에 대한 입장	경실련	시민입법위원회
20111209	보도자료	환경부 자원의절약과재활용촉진에관한법률 개정(안)에 대한 경실련 의견서 제출	경실련	정책위원회
20111212	보도자료	금융감독 혁신 TF를 재조직하여, 총체적인 금융감독 개혁에 다시 나서야	경실련	금융개혁위원회
20111212	보도자료	국민건강보험 지키기 시민사회단체 네티즌 공동 기자회견	경실련	보건의료위원회
20111213	보도자료	서울시, 재건축 단지 종 상향 허용에 대한 경실련 규탄 기자회견	경실련	도시개혁센터
20111213	회의	제2차 mVoIP 제한 공정위 및 DPI 규제 인권위 면담	경실련	시민권익센터
20111214	보도자료	경실련과 진보넷, 망 중립성 가이드라인 의견서 방송통신 위원회에 제출	경실련공동	진보네트워크센터 외
20111214	보도자료	금융위의 론스타 산업자본 심사 의혹에 대한 성명	경실련	금융개혁위원회
20111214	교육	통일인문학 강좌: 치유로서의 통일	경실련	통일협회
20111218	보도자료	청와대의 '디도스사건' 경찰수사결과 축소 압력에 대한 입장	경실련	시민입법위원회
20111219	보도자료	김정일 국방위원장 사망에 따른 (사)경실련통일협회 입장	경실련	통일협회
20111219	회의	제22기 11차 상임집행위원회	경실련	상임집행위원회
20111220	보도자료	공정거래위원회의 LH공사 거래상지위남용행위 시정조치에 대한 입장	경실련	국책사업감시단
20111220	보도자료	우리 정부의 조문단 파견을 촉구한다	경실련	통일협회
20111221	보도자료	'가락시영 재건축 종 상향' 허용 관련 서울시장 공개질의	경실련	아파트값거품빼기운동본부
20111221	보도자료	대한의사협회 의약품 리베이트 근절 자정선언 불참에 대한 입장	경실련	보건의료위원회
20111221	보도자료	서울시, 가락시영 종 상향 허용 관련 서울시장 공개질의서 발송	경실련	도시개혁센터
20111221	보도자료	엉터리 공시지가 실태고발 3_용도변경 전후	경실련	정책위원회
20111221	교육	통일인문학 강좌: 통일과 인문학적 패러다임 [수료식]	경실련	통일협회
20111222	보도자료	국회, '도시재정비 통합법안 심의' 관련 입장	경실련	도시개혁센터
20111222	보도자료	보금자리주택 개정안에 대한 경실련 의견서 제출	경실련	아파트값거품빼기운동본부
20111223	보도자료	용도변경 시유지 과표실태 분석 발표	경실련	정책위원회
20111226	보도자료	국토해양위원회 졸속 법안 심의 처리에 대한 입장	경실련	정책위원회
20111226	보도자료	국회 행정안전위원회를 통과한 전자주민증 도입에 반대하는 입장	경실련	시민권익센터
20111226	보도자료	의약품 약국외 판매를 위한 약사법 개정 재추진에 대한		

생산일자	세부형태	제목	출처분류	생산자(처)
		입장	경실련	보건의료위원회
20111226	보도자료	국토위 법안심사위, 토건세력 특혜법안 졸속심의	경실련	국책사업감시단
20111227	보도자료	신용카드시장 구조개선 종합대책에 대한 입장	경실련	금융개혁위원회
20111227	보도자료	정부의 철도공사 경쟁체제 도입 방안에 대한 입장	경실련	국책사업감시단
20111227	보도자료	정치권은 석패율 제도 도입 논의 중단하라	경실련	정치개혁위원회
20111227	보도자료	조중동방송의 유예없는 미디어랩 의무위탁 촉구 기자회견	경실련공동	조중동방송저지네트워크
20120000	모니터링	18대 대선후보 공약평가_(12)보건의료체계	경실련	정책위원회
20120000	보도자료	19대 총선 정당 공약 평가 - 교육 분야	경실련	정책위원회
20120000	보도자료	19대 총선 정당 공약 평가_보육	경실련	사회복지위원회
20120000	보도자료	19대 총선 정당 공약 평가_의료	경실련	보건의료위원회
20120000	보도자료	19대총선 주요정당 124개 정책 비교분석	경실련	정책위원회
20120000	보도자료	2012 또래조정 10대 사례	경실련	갈등해소센터
20120000	보도자료	GMO 가공식품 수입현황 (2010~2012)	경실련	소비자정의센터
20120000	보도자료	MB정부 국정과제 4년 평가, A등급 0개 정책실패…D등급 24개	경실련	정책위원회
20120000	보도자료	박근혜 18대 대통령 당선자에게 바란다.	경실련	정책위원회
20120000	보도자료	북한의 '남북 비밀접촉 폭로' 이후_아베 내각, 부시 행정부의 경험을 반면교사로 삼아야 한다	경실련	통일협회
20120000	보도자료	어린이집 보육료 실태와 문제점, 개선방안	경실련	사회복지위원회
20120000	보도자료	정책선거를 위한 경실련 18대 대선 정책과제	경실련	정책위원회
20120000	보도자료	한전에 대한 소송 판결	경실련	정책위원회
20120104	보도자료	시장형실거래가제도 시행 1년 유예 입법예고에 대한 경실련 의견	경실련	보건의료위원회
20120106	보도자료	국토부의 분양가상한제 규제 개선에 대한 입장	경실련	정책위원회
20120106	보도자료	디도스 공격 관련한 검찰수사 결과 발표에 대한 성명	경실련	시민입법위원회
20120112	소송	'법원, 경실련 직장보육시설 설치현황 공개소송에 대한 공개 판결'에 대한 논평	경실련	정책위원회
20120113	보도자료	신년 특별사면 건설업체 제재조치 해제 대한 입장	경실련	국책사업감시단
20120116	보도자료	KTX 민영화 중단 촉구 기자회견	경실련	정책위원회
20120116	보도자료	박근혜 당선인께 드리는 반부패 관련 시민단체의 요구	경실련공동	참여연대 외
20120117	보도자료	국토해양부의 KTX 민영화 일정 연기 발표에 대한 논평	경실련	정책위원회
20120118	보도자료	국토해양부 · 철도공사 KTX 민영화 토론회 개최에 대한 논평	경실련	정책위원회
20120118	보도자료	국회 정개특위의 석패율제 도입 합의에 대한 입장	경실련	정치개혁위원회
20120118	보도자료	박희태 의장의 의장직 사퇴 촉구 성명	경실련	시민입법위원회
20120118	정책토론	열린좌담회 - "김정은 시대의 도전 : 경제분야의 쟁점과 과제"	경실련	통일협회
20120119	보도자료	경실련이 석패율 제도 도입을 반대하는 7가지 이유	경실련	정치개혁위원회
20120120	보도자료	민주통합당은 석패율제 도입 추진을 중단하라	경실련	정치개혁위원회
20120120	보도자료	정치권의 출총제 재도입 논의에 대한 입장	경실련	재벌개혁위원회
20120123	보도자료	이동흡 헌재 소장 후보자 즉각 사퇴	경실련	정책위원회
20120127	보도자료	금융위의 론스타 비금융주력자(산업자본) 판단 및 하나금융의 외환은행 인수 건 등 결정에 대한 입장	경실련	금융개혁위원회
20120127	보도자료	재벌의 중소서민업종 사업 일부 철수에 대한 입장	경실련	재벌개혁위원회
20120127	보도자료	표준주택 가격 상승 논란에 대한 입장	경실련	아파트값거품빼기운동본부
20120128	보도자료	이명박 대통령의 임기 말 특별사면 강행에 대한 입장	경실련	정책위원회
20120130	보도자료	여야는 나눠먹기식 선거구 획정을 즉각 중단하라	경실련	정치개혁위원회
20120130	보도자료	표준단독주택 시세반영률 발표에 대한 입장	경실련	아파트값거품빼기운동본부
20120130	회의	제23기 1차 상임집행위원회	경실련	상임집행위원회
20120130	조직	KTX민영화 저지와 철도공공성 강화를 위한 범국민대책위원회 참여	경실련	상임집행위원회
20120131	보도자료	금융위, 금감원의 론스타 비금융주력자(산업자본) 판단 관련 감사원 감사청구	경실련	금융개혁위원회
20120131	보도자료	서울시 '뉴타운 · 재개발' 대책 관련 입장	경실련	도시개혁센터
20120131	보도자료	서울시의 뉴타운 거부는 당연한 결과	경실련	도시개혁센터
20120131	보도자료	정부조직개편안 발의에 대한 입장	경실련	정책위원회
20120201	보도자료	산은금융과 산업은행의 공공기관 지정해제에 대한 입장	경실련	정책위원회
20120201	보도자료	의약품 약국외 판매 재추진 무산위기에 대한 입장	경실련	보건의료위원회
20120201	보도자료	정부의 출총제 재도입 반대에 대한 입장	경실련	재벌개혁위원회
20120206	보도자료	거래소의 한화 상장폐지 실질심사 제외에 대한 입장	경실련	재벌개혁위원회
20120207	보도자료	MBC 총파업 지지 · 김재철 퇴진 촉구 시민사회단체 기자회견	경실련공동	MBC파업을 지지하는 제 시민사회단체
20120207	보도자료	상비약 약국외 판매를 위한 약사법개정 의견서 국회 제출	경실련	보건의료위원회
20120207	정책토론	열린좌담회 - "김정은 시대의 도전 : 정치.군사분야의 쟁점과 과제"	경실련	통일협회
20120208	소송	경인고속도로 통행료 부과 처분 취소 소송 판결문	경실련	정책위원회

생산일자	세부형태	제목	출처분류	생산자(처)
20120208	간행물	월간경실련 2012년 1 · 2월호	경실련	경실련
20120209	보도자료	KT의 스마트TV 접속차단에 대한 입장	경실련	시민권익센터
20120209	보도자료	LH공사의 건설일용직 노동자 퇴직금 미적립에 대한 입장	경실련	국책사업감시단
20120209	보도자료	박희태 국회의장 사퇴 이후 철저한 검찰 수사 촉구	경실련	시민입법위원회
20120209	보도자료	법원의 경인고속도로 통행료부과처분 취소 패소판결에 대한 입장	경실련	시민권익센터
20120210	보도자료	국회 정무위의 저축은행 피해구제법 의결에 대한 입장	경실련	금융개혁위원회
20120210	보도자료	박근혜 새누리당 비대위원장의 남부권 신공항 추진 발언에 대한 입장	경실련	국책사업감시단
20120213	회의	제23기 2차 상임집행위원회	경실련	상임집행위원회
20120214	보도자료	mVoIP와 스마트TV 접속차단에 대한 입장	경실련	시민권익센터
20120214	보도자료	저축은행 피해구제법 처리에 대한 입장	경실련	금융개혁위원회
20120214	보도자료	출총제 재도입 및 순환출자 금지를 위한 국회 의견서 제출	경실련	재벌개혁위원회
20120214	보도자료	약사법 개정안 상임위 통과에 대한 논평	경실련	보건의료위원회
20120216	보도자료	18대 국회의원 법안 발의 및 가결 분석 평가 보고	경실련	정책위원회
20120216	보도자료	18대 국회평가①-국회의원 법안발의 및 가결분석 요약	경실련	정책위원회
20120216	보도자료	대법원의 공정한 성모병원 임의비급여 재판 촉구 기자회견	경실련공동	한국환자단체연합회 외
20120217	회의	제12기 1차 중앙위원회	경실련	중앙위원회
20120221	보도자료	재벌의 불공정거래 근절 방안에 대한 의견서 제출	경실련	정책위원회
20120222	보도자료	선관위의 의석수 300석 증원 제안에 대한 입장	경실련	정치개혁위원회
20120222	보도자료	이명박 대통령 4주년 기자회견에 대한 입장	경실련	정책위원회
20120223	정책토론	열린좌담회 - "김정은 시대의 도전 : 북중관계의 쟁점과 과제"	경실련	통일협회
20120224	정책토론	이명박 정부 4년, 어떻게 볼 것인가 - 이명박 정부의 국정 실패 원인 진단	경실련	정책위원회
20120224	보도자료	현대차 사내하청과 관련한 대법원 판결에 대한 입장	경실련	노동위원회
20120227	보도자료	민간어린이집 집단휴원에 대한 입장	경실련	정책위원회
20120227	보도자료	여야의 선거구 획정 300석 잠정 합의에 대한 입장	경실련	정치개혁위원회
20120227	보도자료	인천내항 재개발 관련 우리의 입장	경실련공동	시민친화적내항활용범시민대책위원회
20120228	조직	경실련 공동대표 이 · 취임식 안내	경실련	사무국
20120228	보도자료	의약품 약국외 판매 법사위 처리 무산에 대한 입장	경실련	보건의료위원회
20120229	보도자료	공정위의 재벌 계열사 현황 발표에 대한 입장	경실련	재벌개혁위원회
20120300	소송	경인고속도로 통행료폐지를 위한 헌법소원 심판청구서	경실련	정책위원회
20120302	보도자료	김재호 판사의 기소 청탁 의혹과 관련한 입장	경실련	시민입법위원회
20120305	보도자료	이명박 정부 4년, 100대 국정과제 이행 평가	경실련	정책위원회
20120305	보도자료	청라신도시 건축비 검증 1탄_법정건축비와 비교	경실련	정책위원회
20120305	보도자료	탈북자 강제송환 중단을 촉구한다	경실련	통일협회
20120306	보도자료	상비약 약국외 판매를 위한 약사법개정안 국회 처리 의견서 제출	경실련	보건의료위원회
20120306	보도자료	서울시 구청 도시계획위원회 구성에 대한 입장	경실련	도시개혁센터
20120306	보도자료	이명박 정부 통일외교안보분야 국정과제 이행 평가	경실련	통일협회
20120306	보도자료	토건오적에 점령당한 들러리 도시계획위원회	경실련	도시개혁센터
20120307	보도자료	청라신도시 건축비 검증 2탄_SH공사 건축비와 비교	경실련	정책위원회
20120308	보도자료	청라신도시 건축비 검증 3탄_민간아파트 건축비 검증	경실련	아파트값거품빼기운동본부
20120308	정책토론	열린좌담회 - "김정은 시대의 도전 : 북미관계의 쟁점과 과제"	경실련	통일협회
20120309	보도자료	청라신도시 건축비 검증 4탄_건축비 개발이익 추정	경실련	아파트값거품빼기운동본부
20120313	보도자료	교육과학기술부는 사학비리 내부 공익제보자 조연희 교사에 대한 특별임용 취소처분을 즉시 철회하라	경실련공동	참여연대 외
20120313	보도자료	대구광역시 패션 · 디자인개발지원센터 다목적공연장 예식 대관 관련 감사원 감사청구	경실련	정책위원회
20120313	참고자료	청라 분양가심사위원회 정보공개 청구	경실련	정책위원회
20120313	보도자료	총리실 민간인 불법사찰 관련 녹취록 공개 관련 입장	경실련	시민입법위원회
20120314	보도자료	경실련과 진보넷, 방통위에 mVoIP 차단에 대한 의견 및 질의서 제출	경실련공동	진보네트워크센터 외
20120314	보도자료	제약사 약가인하 취소 소송에 대한 입장	경실련	보건의료위원회
20120315	보도자료	여신전문금융업법 시행령 개정방향에 대한 김석동 발언 관련	경실련	금융개혁위원회
20120315	보도자료	한미FTA발효에 대한 입장	경실련	대외통상위원회
20120316	보도자료	통신사3사 등의 불공정거래행위 과징금부과에 대한 경실련 입장	경실련	재벌개혁위원회
20120320	보도자료	경실련 전국분권운동본부 발족 기자회견	경실련	전국분권운동본부
20120320	보도자료	제주 강정마을 해군기지 건설 중단 촉구 성명	경실련	정책위원회
20120321	정책토론	경실련 도시개혁센터 릴레이 세미나 발제문	경실련	도시개혁센터
20120321	보도자료	주요 정당 재벌공약 문제점과 경실련 재벌개혁 방안 발표		

생산일자	세부형태	제목	출처분류	생산자(처)
		기자회견	경실련	정책위원회
20120322	보도자료	18대 국회 의원들의 본회의 법안 투표 참여 분석	경실련	정책위원회
20120322	정책토론	경실련 도시개혁센터 릴레이세미나	경실련	도시개혁센터
20120322	정책토론	도시재생에서 마을만들기	경실련	도시개혁센터
20120322	보도자료	삼성전자의 공정위 조사방해에 대한 입장	경실련	재벌개혁위원회
20120322	보도자료	경인고속도로 통행료부과에 대한 헌법소원 제기	경실련공동	인천YMCA 외
20120323	보도자료	경실련 '우리사회 4대 방향 25개 개혁과제' 발표	경실련	정책위원회
20120323	보도자료	국토부의 부동산 중개보수체계 개선안에 대한 경실련 · 서울YMCA 공동입장	경실련공동	서울YMCA 외
20120323	보도자료	균형발전 · 지방분권 · 경제개혁 분야 4.11 총선 의제 발표	경실련공동	균형발전지방분권전국연대 외
20120326	보도자료	30대 재벌 상장계열사의 총자산, 매출액, 순이익 분석 발표	경실련	재벌개혁위원회
20120326	간행물	월간경실련 2012년 3 · 4월호	경실련	경실련
20120326	회의	제23기 3차 상임집행위원회	경실련	상임집행위원회
20120327	참고자료	2011지구촌빈곤퇴치시민네트워크 연간보고	경실련공동	지구촌빈곤퇴치시민네트워크
20120327	정책토론	열린좌담회 - "김정은 시대의 도전 : 남북관계의 쟁점과 과제"	경실련	통일협회
20120328	보도자료	경실련, 불법 선거홍보문자 감시운동 전개	경실련	시민권익센터
20120328	보도자료	불법 선거홍보문자 감시운동 전개	경실련	시민권익센터
20120328	보도자료	원자력발전의 안전대책 촉구 성명	경실련	정책위원회
20120328	보도자료	정부는 건설부패의 온상인 턴키제도를 즉각 폐지하라	경실련	국책사업감시단
20120328	정책토론	건강보험 보장성 강화 및 보험자 기능 강화 단체 간담회	경실련	보건의료위원회
20120330	보도자료	경실련, 표준지 공시지가 개선관련 서울시장 공개질의	경실련	아파트값거품빼기운동본부
20120330	보도자료	총리실 민간인 불법 사찰 보고서 공개 관련	경실련	시민입법위원회
20120400	모니터링	경실련의 25개 정책과제에 대한 후보자 입장 확인 요청	경실련	정책위원회
20120402	보도자료	경실련 '19대 총선 정당선택도우미' 프로그램 가동	경실련	정책위원회
20120402	보도자료	경실련, 개별 공시지가 개선 관련 서울시장 공개질의	경실련	아파트값거품빼기운동본부
20120404	보도자료	재벌개혁, 세제 분야 각 정당 총선공약평가 결과 발표	경실련	정책위원회
20120404	정책토론	도시개혁센터 2012 릴레이 세미나_도시재생에서 마을 만들기의 역할	경실련	도시개혁센터
20120405	보도자료	조작된 과표를 바로잡자 ③ 비례대표 후보 재산 상위10위_ "조작된 과표로 인해 신고액도 시세보다 낮아"	경실련	아파트값거품빼기운동본부
20120405	보도자료	중소기업 분야 각 정당 총선공약평가 결과 발표	경실련	정책위원회
20120405	보도자료	친재벌-부자감세 법안 의원발의 및 표결 분석자료	경실련	재벌개혁위원회
20120405	보도자료	19대 총선 보건의료 분야 공약평가	경실련	재벌개혁위원회
20120405	보도자료	19대 총선 주택/부동산 분야 공약평가	경실련	재벌개혁위원회
20120405	보도자료	19대 총선 사회복지 공약평가_노후 및 취약계층	경실련	정책위원회
20120406	보도자료	19대 총선 교육 분야 공약평가	경실련	정책위원회
20120406	보도자료	19대 총선 주요 정당 대북 · 통일공약 평가	경실련	통일협회
20120406	보도자료	경실련 '정책선거도우미' 참여자 7만명 돌파	경실련	정책위원회
20120406	보도자료	경실련, 조작된 과표를 바로잡자_④ 후보 상위10위	경실련	아파트값거품빼기운동본부
20120406	보도자료	비정규직/일자리 분야 각 정당 총선공약평가 결과 발표	경실련	정책위원회
20120408	보도자료	새누리당, 민주통합당의 총선공약의 이념적 가치의 변화	경실련	정책위원회
20120409	모니터링	19대 총선 124개 정당정책 현안 질의 비교평가	경실련	정책위원회
20120409	보도자료	19대 총선 5가지 유형별 개발 헛공약 선정 발표	경실련	국책사업감시단
20120409	보도자료	경실련, 조작된 과표를 바로잡자_⑤ 당대표 재산검증	경실련	아파트값거품빼기운동본부
20120409	보도자료	조작된 과표를 바로잡자 ⑤ 정당대표 "조작된 과표 바로잡아 세금특혜 철폐하라"	경실련	아파트값거품빼기운동본부
20120410	보도자료	19대 총선, 유권자 투표 참여 촉구 성명	경실련	정책위원회
20120412	보도자료	4.11 총선 결과에 대한 입장	경실련	정책위원회
20120412	보도자료	상호출자제한 기업집단 계열회사 현황	경실련	재벌개혁위원회
20120413	보도자료	광명성 3호 발사에 따른 논평	경실련	통일협회
20120415	보도자료	지방행정체제개편추진위원회의 자치구 및 구의회 폐지 결정에 대한 입장	경실련	지방자치위원회
20120416	보도자료	감사원은 지하철 9호선 민자사업에 대해 특별감사를 실시하라	경실련	국책사업감시단
20120416	보도자료	금융통화위원 선임 관련 입장	경실련	금융개혁위원회
20120416	보도자료	서울시메트로9호선(주)의 운임 인상 요구에 대한 경실련 입장	경실련	국책사업감시단
20120417	정책토론	열린좌담회 - "김정은 시대의 도전 : 남북관계의 쟁점과 과제"	경실련	통일협회
20120418	보도자료	새누리당 토건특혜법 처리방침에 대한 입장	경실련	아파트값거품빼기운동본부
20120418	보도자료	서울시 도시계획조례 입법예고에 대한 입장	경실련	도시개혁센터
20120418	정책토론	도시개혁센터 2012 릴레이 세미나_도시 공공공간의 공공성 회복	경실련	도시개혁센터
20120419	감사청구	지하철 9호선 민간사업 특혜의혹과 관련 감사청구 실시	경실련	국책사업감시단

생산일자	세부형태	제목	출처분류	생산자(처)
20120419	보도자료	영리병원 허용 경자법시행령개정 국무회의 의결 입장	경실련	보건의료위원회
20120420	보도자료	지방행정체제개편추진위의 파행적 운영과 자치구 개편안의 문제점	경실련	정책위원회
20120423	보도자료	경제자유구역 영리병원 도입을 즉각 중단하라	경실련공동	무상의료국민연대 외
20120423	보도자료	의약품 약국외 판매 18대 국회 처리 촉구 입장	경실련	보건의료위원회
20120424	보도자료	2008-2011, 공정거래위원회 과징금부과 실태분석 발표	경실련	재벌개혁위원회
20120424	보도자료	시민단체 『망 중립성 이용자 포럼』을 구성하여 본격적인 활동 전개	경실련공동	망중립성이용자포럼
20120425	회의	제23기 4차 상임집행위원회	경실련	상임집행위원회
20120426	보도자료	미국산 쇠고기 광우병 발생에 대한 입장	경실련	농업개혁위원회
20120427	보도자료	양재동 파이시티 특혜 및 로비의혹에 대한 입장	경실련	도시개혁센터
20120430	보도자료	개별주택가격 공시관련 입장	경실련	아파트값거품빼기운동본부
20120500	보도자료	어린이집 보육료 실태와 문제점, 개선방안	경실련	정책위원회
20120500	보도자료	의료기관 비급여 진료비용 고지 실태조사	경실련공동	건강세상네트워크 외
20120501	보도자료	미국산 쇠고기 수입 중단 촉구 기자회견	경실련	정책위원회
20120502	보도자료	상비약 약국외 판매 위한 약사법 개정안 국회 통과에 대한 입장	경실련	보건의료위원회
20120502	정책토론	릴레이 세미나_한양도성 복원과 '성곽도시'사업의 방향 제언	경실련	도시개혁센터
20120503	정책토론	제1회 망 중립성 이용자 포럼 - "모바일인터넷전화(mVoIP) 차단과 비용부담 논란 어떻게 볼 것인가!"	경실련공동	망중립성이용자포럼
20120507	보도자료	4대강 임금체불에 대한 입장	경실련	국책사업감시단
20120508	소송	9 · 15 정전사태 손해배상청구 대표공익소송 제기	경실련	시민권익센터
20120508	보도자료	저축은행 3차 영업정지와 관련한 입장	경실련	금융개혁위원회
20120508	보도자료	망중립성 쟁점시리즈 - 모바일인터넷전화를 특정 요금제 이상의 제공하는 것의 문제점	경실련공동	망중립성이용자포럼
20120509	보도자료	망중립성 쟁점시리즈 - 네트워크 투자재원마련과 추가비용 요구, 이용자요금 부담	경실련공동	망중립성이용자포럼
20120509	보도자료	망중립성 쟁점시리즈 - 스마트폰 데이터무제한요금의 평가, 방송통신위원회의 역할	경실련공동	망중립성이용자포럼
20120510	보도자료	지하철 9호선 민자특혜, 정부가 직접 나서라	경실련	국책사업감시단
20120515	보도자료	〈망 중립성 이용자 포럼〉, 망 중립성 강좌 개최 안내	경실련공동	망중립성이용자포럼
20120516	정책토론	도시가로의 공공성 회복	경실련	도시개혁센터
20120516	정책토론	도시개혁센터 2012 릴레이 세미나_주거불안 해소를 위한 주거비 보조 확대방안	경실련	도시개혁센터
20120517	보도자료	서울행정법원 LH 분양원가 공개판결에 대한 입장	경실련	아파트값거품빼기운동본부
20120518	보도자료	총리실 공직윤리지원관실의 청와대 비선조직 문건 공개 관련	경실련	시민입법위원회
20120520	참고자료	KTX 고속철도 민영화 국민여론조사	경실련	정책위원회
20120521	회의	제23기 5차 상임집행위원회	경실련	상임집행위원회
20120523	보도자료	'의료기관 비급여 진료비용 고지 실태조사' 발표	경실련공동	건강세상네트워크 외
20120523	보도자료	경실련, KTX 민영화 여론조사 결과 발표	경실련	국책사업감시단
20120523	보도자료	의료비 폭등과 국민건강보험 파탄으로 민중의 건강을 위협할 경제자유구역 영리병원 허용과 인천 송도국제병원 추진을 철회하라	경실련공동	무상의료국민연대 외
20120523	보도자료	금융거래세, 로빈후드세는 도입되어야 한다	경실련	금융개혁위원회
20120523	정책토론	열린좌담회 - "5.24조치 2년 : 남북경협 새판짜기, 어떻게 할 것인가"	경실련	통일협회
20120524	보도자료	4대강 비자금 조성 대한 입장	경실련	국책사업감시단
20120524	보도자료	카드수수료 인하액, 고객전가 실태 보도자료	경실련	금융개혁위원회
20120525	보도자료	국토해양부의 '경실련 KTX 지역순회 토론회' 불참 통보에 대한 입장	경실련	정책위원회
20120525	간행물	월간경실련 2012년 5 · 6월호	경실련	경실련
20120529	보도자료	의협 포괄수가제 반대 건정심 탈퇴에 대한 가입자단체 입장	경실련공동	건강세상네트워크 외
20120530	정책토론	경제민주화를 통한 한국경제의 건전한 발전방안	경실련공동	콘라드아데나워재단 외
20120531	보도자료	국토부 개별공시지가 발표 관련 입장	경실련	아파트값거품빼기운동본부
20120601	보도자료	각 정당의 대통령 후보 선출방식 어떻게 해야 하나	경실련	정책위원회
20120604	보도자료	'조작된 표준지 공시지가 정상화' 관련 광역단체장 공개질의	경실련	아파트값거품빼기운동본부
20120605	보도자료	공공의료 확충을 위한 국공립근무 의료인력양성제도 도입 촉구	경실련	보건의료위원회
20120605	보도자료	공정위, 4대강 담합 판정에 대한 입장	경실련	국책사업감시단
20120608	보도자료	LG U+의 mVoIP 전면허용에 대한 시민단체 입장	경실련공동	망중립성이용자포럼
20120608	보도자료	공정위 4대강 담합 과징금 축소부과에 대한 경실련입장	경실련	국책사업감시단
20120611	보도자료	내곡동 사저 관련한 검찰수사 결과 발표에 대한 성명	경실련	시민입법위원회
20120611	보도자료	안과의사회 포괄수가제 반대 백내장수술 거부에 대한		

생산일자	세부형태	제목	출처분류	생산자(처)
		가입자단체 입장	경실련공동	건강세상네트워크 외
20120611	보도자료	공직선거관리규칙 관련 중앙선관위 서면질의	경실련	시민권익센터
20120612	정책토론	국가복지와 농어촌 복지	경실련	농업개혁위원회
20120613	보도자료	민간인 불법수사 및 증거인멸 검찰 재수사결과 발표에 대한 입장	경실련	시민입법위원회
20120614	소송	경실련, 김재철MBC 사장을 업무상배임 및 부동산실명제 위반으로 검찰에 고발	경실련	정책위원회
20120614	보도자료	광주시 도시철도 2호선 추진 강행 반대 성명	경실련공동	참여자치21 외
20120614	보도자료	지방행정체제개편추진위원회의 행정체제개편 기본계획안에 대한 입장	경실련	정책위원회
20120614	정책토론	긴급토론회 "카카오톡 '보이스톡' 논란과 망 중립성"	경실련공동	망중립성이용자포럼
20120615	보도자료	식약청 의약품 재분류(안)에 대한 입장	경실련	보건의료위원회
20120619	보도자료	강남서초 보금자리주택지구 민간분양에 따른 수익추정	경실련	아파트값거품빼기운동본부
20120619	보도자료	대부업 관리감독 현황 실태조사 발표	경실련	금융개혁위원회
20120620	보도자료	국토부 분양가상한제 폐지 입법예고에 대한 입장	경실련	아파트값거품빼기운동본부
20120620	보도자료	의협 수술 거부에 대한 공정위 고발 기자회견 취재요청	경실련공동	건강세상네트워크 외
20120621	보도자료	디도스 특검 수사결과 발표에 대한 입장	경실련	시민입법위원회
20120621	소송	사업자단체금지행위 위반 신고서 제출	경실련공동	건강세상네트워크 외
20120621	보도자료	정부의 수도권 자연보전권역 규제완화 추진에 대한 입장과 요구	경실련공동	균형발전지방분권전국연대
20120621	보도자료	포괄수가제에 대한 청원서	경실련공동	건강세상네트워크 외
20120622	보도자료	권익위, LH 분양원가 공개 행정심판 재결에 대한 입장	경실련	아파트값거품빼기운동본부
20120625	보도자료	금융감독체계 개혁 방안 토론회	경실련	경제정의연구소
20120625	회의	제23기 6차 상임집행위원회	경실련	상임집행위원회
20120626	보도자료	대형마트 판결에 대한 입장	경실련	중소기업위원회
20120627	보도자료	인천공항 민영화 강행과 관련한 입장	경실련	정책위원회
20120628	보도자료	한일 군사정보포괄보호협정 국무회의 통과에 대한 입장	경실련	통일협회
20120700	보도자료	재벌개혁 이렇게 해야한다!	경실련	재벌개혁위원회
20120702	보도자료	경실련, 표준지가 개선관련 광역단체장 공개질의 회신결과 발표	경실련	아파트값거품빼기운동본부
20120702	보도자료	의협의 수술거부 철회에 대한 논평	경실련	정책위원회
20120702	보도자료	전경련 국회의원 자녀 캠프 개최에 대한 입장	경실련	재벌개혁위원회
20120703	정책토론	제2회 망 중립성 이용자 포럼 -트래픽 관리, 무엇이 문제인가?-	경실련공동	망중립성이용자포럼
20120703	보도자료	학교 폭력 예방의 대안 또래조정	경실련	갈등해소센터
20120703	정책토론	7.4남북공동성명' 40주년 : 남북한통일론 대토론회	경실련공동	동북아미시사회연구소 외
20120704	보도자료	인천공항 민영화 강행과 관련한 기획재정부 공개질의	경실련	정책위원회
20120704	보도자료	한일 군사정보포괄보호협정 관련 책임자를 해임하라	경실련	통일협회
20120704	정책토론	열린좌담회 - "남북경협 새판짜기, 어떻게 할 것인가"	경실련	통일협회
20120705	보도자료	4대강 선급금 유용실태 관련 공정위 조사에 대한 입장	경실련	국책사업감시단
20120709	보도자료	공정위의 영업지역보호 모범거래기준 마련에 대한 입장	경실련	시민권익센터
20120709	정책토론	트래픽 관리, 무엇이 문제인가?	경실련공동	망중립성이용자포럼
20120709	보도자료	프랜차이즈 영업보호 실태 분석 발표	경실련	시민권익센터
20120710	보도자료	식약청 의약품 재분류(안)에 대한 경실련 의견제출 보도요청	경실련	정책위원회
20120711	보도자료	경실련의 재벌개혁 방안 브로슈어 배포	경실련	재벌개혁위원회
20120711	보도자료	문재인 대통령 후보의 분양원가 공개 발언에 대한 입장	경실련	아파트값거품빼기운동본부
20120711	보도자료	방통위의 직무유기에 대한 감사원 감사 청구 기자회견	경실련공동	망중립성이용자포럼
20120712	감사청구	방송통신위원회 직무위반에 대한 감사원 공익감사청구 기자회견	경실련공동	참여연대 외
20120712	보도자료	직장보육시설 이행실태 분석 발표	경실련	정책위원회
20120713	보도자료	방송통신위원회의 "합리적 트래픽 기준(안)"에 대한 입장	경실련공동	망중립성이용자포럼
20120716	보도자료	박근혜 의원 분양가상한제 폐지입장에 대한 입장	경실련	아파트값거품빼기운동본부
20120719	보도자료	mVoIP과 이동통신재판매(MVNO) 시장에 대한 이용자포럼의 입장	경실련공동	망중립성이용자포럼
20120720	보도자료	연이은 새누리당 분양가상한제 폐지에 대한 입장	경실련	아파트값거품빼기운동본부
20120723	보도자료	정부의 관광숙박시설 특별법 시행령 개정관련 입장	경실련	도시개혁센터
20120723	보도자료	DTI 규제완화에 대한 경실련 의견	경실련	금융개혁위원회
20120723	간행물	월간경실련 통권129호	경실련	경실련
20120723	보도자료	정부의 관광숙박시설 특별법 시행령 개정관련 입장	경실련	도시개혁센터
20120723	보도자료	현병철 국가인권위원장 임명 강행에 대한 입장	경실련	시민입법위원회
20120724	보도자료	사조그룹의 편법적인 적대적 인수행위에 대한 경실련 의견	경실련	정책위원회
20120724	보도자료	정부의 양도세 중과폐지에 대한 입장	경실련	재정세제위원회
20120725	보도자료	시민단체, 방통위에 mVoIP차단에 대한 유권해석 요구 공개질의	경실련공동	망중립성이용자포럼
20120727	보도자료	통합진보당의 이석기-김재연 의원 제명 부결 상황과 관련한		

생산일자	세부형태	제목	출처분류	생산자(처)
		입장	경실련	정책위원회
20120730	보도자료	KT의 고객정보 유출에 대한 입장	경실련	시민권익센터
20120803	보도자료	새누리당, 선진당 비례대표 공천헌금 파문과 관련한 성명	경실련	정책위원회
20120807	보도자료	국회예산정책처의 공기업 공공요금 원가산정 개선 의견에 대한 입장	경실련	시민권익센터
20120807	보도자료	임금피크제 적용 확대에 대한 의견서 제출	경실련	노동위원회
20120807	보도자료	전경련의 순환출자 금지 반대에 대한 입장	경실련	재벌개혁위원회
20120807	보도자료	주요 공기업의 공공요금 원가 미반영에 대한 입장	경실련	시민권익센터
20120808	정책토론	부도공공건설임대주택 임차인 보호를 위한 특별법 개정을 통한 임대주택 주민의 권리보호 실현 방안 토론회	경실련공동	주거권실현을위한국민연합
20120809	보도자료	2012년 정부 세제개편안에 대한 입장	경실련	재정세제위원회
20120809	소송	불공정거래행위 신고서_주식회사 사조오양	경실련	정책위원회
20120809	소송	사조그룹의 불공정행위에 대한 공정위 고발	경실련	정책위원회
20120812	보도자료	KT의 고객정보유출 공식사과에 대한 입장	경실련	시민권익센터
20120813	보도자료	현병철 위원장 임명 재가에 대한 입장	경실련	정책위원회
20120814	보도자료	대형마트와 기업형슈퍼 의무휴업 관련 전국경실련 공동성명	경실련	전국경실련
20120820	회의	제23기 7차 상임집행위원회	경실련	상임집행위원회
20120820	정책토론	비급여 진료비의 문제점과 바람직한 관리방안	경실련공동	건강세상네트워크 외
20120820	기타	경실련 소비자단체 등록	경실련	소비자정의센터
20120824	회의	제12기 2차 중앙위원회	경실련	중앙위원회
20120827	보도자료	망 중립성 오픈 세미나 개최 안내	경실련공동	진보네트워크센터 외
20120828	보도자료	서울시 '성북2+신월곡1' 결합개발 관련 입장	경실련	도시개혁센터
20120829	보도자료	안대희 전 대법관의 정치적 행보에 대한 입장	경실련	정책위원회
20120830	정책토론	공공의료인력 확충방안 모색을 위한 정책토론회	경실련	정책위원회
20120830	보도자료	복지부와 식약청 피임약 재분류 확정에 대한 입장	경실련	보건의료위원회
20120830	소송	서울시메트로 9호선 불공정 협약에 대한 고발	경실련공동	투기자본감시센터 외
20120830	보도자료	시민들의 혈세낭비와 맥쿼리를 위해 일한 자들을 처벌하라!	경실련공동	투기자본감시센터 외
20120830	정책토론	제 1회 망중립성 오픈세미나	경실련공동	망중립성이용자포럼
20120831	보도자료	공정위 대기업 내부거래 현황 발표에 대한 입장	경실련	재벌개혁위원회
20120831	보도자료	금감원의 DTI 규제완화 세부기준 발표에 대한 입장	경실련	금융개혁위원회
20120903	정책토론	경실련 소비자정의센터 창립기념 토론회_"소비자법제의 진단 및 발전방향"	경실련	소비자정의센터
20120906	보도자료	"트래픽 관리, 프라이버시 침해인가?"	경실련공동	망중립성이용자포럼
20120906	보도자료	공정위 4대강 담합 축소은폐에 대한 입장	경실련	국책사업감시단
20120906	보도자료	전국 중소상인 · 시민사회 〈중소상인살리기 3대 요구〉 발표	경실련공동	중소상인살리기 전국네트워크
20120907	보도자료	중소상인살리기운동 전국 워크숍 결과 및 향후 일정	경실련공동	전국유통상인연합회 외
20120910	보도자료	2012 지방주권체제 확립을 위한 세종 선언 기자회견	경실련공동	균형발전지방분권전국연대 외
20120910	보도자료	서울시 및 6대 광역시 자치구의 대형마트 조례 개정 실태 조사 결과	경실련	중소기업위원회
20120911	보도자료	분양가상한제 폐지 정부 주택법 개정에 대한 입장	경실련	정책위원회
20120912	정책토론	18대 대선과 반부패 정책과제	경실련공동	참여연대 외
20120912	보도자료	경실련 상대 명예훼손 소송 제기한 이지형 1심 패소	경실련	국책사업감시단
20120912	보도자료	대선후보의 IT정책에 대한 논평	경실련공동	진보네트워크센터 외
20120912	보도자료	민주통합당 대선후보 IT 정책 답변	경실련공동	망중립성이용자포럼
20120918	보도자료	경제민주화 실현, 중소상인 살리기 대책 촉구 전국 동시 회견	경실련공동	중소상인살리기 전국네트워크
20120918	보도자료	내곡동 사저 특검 심의보류에 대한 입장	경실련	정책위원회
20120918	보도자료	중소상인 살리기 대책 마련 촉구 및 요구안 발표	경실련공동	중소상인살리기 전국네트워크
20120920	정책토론	제1회 망중립성 오픈세미나	경실련공동	망중립성이용자포럼
20120924	보도자료	박근혜 후보 과거사 기자회견에 대한 입장	경실련	정책위원회
20120924	회의	제23기 8차 상임집행위원회	경실련	상임집행위원회
20120925	보도자료	2013년 예산안에 대한 입장	경실련	재정세제위원회
20120925	간행물	월간경실련 통권 130호	경실련	경실련
20120925	보도자료	정부의 보육지원체계 전면 개편 추진에 대한 입장	경실련	사회복지위원회
20120925	정책토론	열린좌담회 - "18대 대선 개혁과제"	경실련	통일협회
20120926	보도자료	새누리당의 최저가낙찰제 폐지 대선공약 논의에 대한 입장	경실련	국책사업감시단
20120927	보도자료	사회적기업에 대한 전남도민 인식 설문조사 결과 발표	경실련공동	사회적기업활성화전국네트워크
20120927	보도자료	안철수 후보 부인의 다운계약서 작성에 대한 입장	경실련	국책사업감시단
20120927	정책토론	제3회 망중립성 오픈세미나	경실련공동	망중립성이용자포럼
20121004	보도자료	국토부의 철도자산처리계획 변경을 통한 KTX 민영화 추진에 대한 입장	경실련	정책위원회
20121004	보도자료	신세계그룹의 부당내부거래에 대한 입장	경실련	재벌개혁위원회

생산일자	세부형태	제목	출처분류	생산자(처)
20121009	보도자료	2013년 건강보험 수가협상에 대한 가입자단체 입장과 요구	경실련공동	건강보험가입자포럼
20121010	보도자료	18대 대선후보의 경제민주화 재벌개혁에 대한 인식 평가 씨리즈 1: 박근혜 후보	경실련	재벌개혁위원회
20121010	보도자료	경실련 외 4개 단체, 제18대 대통령 후보 반부패정책 제안	경실련공동	참여연대 외
20121010	보도자료	제18대 대선후보에게 드리는 시민단체 반부패 정책요구	경실련공동	참여연대 외
20121010	보도자료	한국도로공사 18개 고속도로 통합채산제 불법 적용에 대한 논평	경실련	시민권익센터
20121011	정책토론	대형마트 · SSM 영업규제의 실효성 제고 방안	경실련	전국경실련
20121016	보도자료	18대 대선후보의 경제민주화 · 재벌개혁에 대한 인식 평가 씨리즈 2: 문재인 후보	경실련	재벌개혁위원회
20121016	보도자료	투표권 보장 공동행동 발족 및 국민청원운동 선포 기자회견 개최	경실련공동	투표권보장공동행동
20121018	보도자료	18대 대선후보의 경제민주화 · 재벌개혁에 대한 인식 평가 씨리즈 3: 안철수 후보	경실련	재벌개혁위원회
20121019	보도자료	2013 건강보험공단 수가협상 결과에 대한 입장	경실련공동	건강세상네트워크 외
20121020	보도자료	2012 지구촌 빈곤퇴치 화이트밴드 캠페인	경실련공동	지구촌빈곤퇴치시민네트워크
20121022	보도자료	건강보험 보장성 강화촉구 시민사회단체 기자회견 보도요청	경실련공동	건강세상네트워크 외
20121023	보도자료	대형마트 자율 휴무에 대한	경실련	중소기업위원회
20121023	보도자료	정보민주주의를 위한 IT정책과제 제안	경실련공동	망중립성이용자포럼
20121023	보도자료	제18대 대통령선거 정보민주주의를 위한 IT정책과제 제안	경실련공동	망중립성이용자포럼
20121024	보도자료	"선거일은 유급공휴일로, 투표시간은 9시까지" '투표권 보장 각계 인사 선언' 기자회견 개최	경실련공동	투표권보장공동행동
20121024	보도자료	10대 재벌의 계열사 수 및 신규편입 업종 분석 결과	경실련	재벌개혁위원회
20121024	보도자료	총체적 부정부패 사업인 4대강사업에 대한 검찰의 전면 재조사 촉구	경실련	국책사업감시단
20121025	모니터링	2012년 국정감사 모니터 평가 결과	경실련	정책위원회
20121025	보도자료	중소상인 살리기와 경제민주화 입법 촉구 야당-시민사회 결의대회	경실련공동	중소상인살리기 전국네트워크
20121026	보도자료	10대그룹 신규계열사 분석자료의 전경련 반박에 대한 경실련 입장	경실련	재벌개혁위원회
20121026	모니터링	보건의료분야 대선 3후보 공약 비교평가서	경실련	보건의료위원회
20121029	보도자료	2013년 건강보험 보장성과 수가결정에 대한 입장	경실련공동	전국민주노동조합총연맹 외
20121029	보도자료	새누리당 · 박근혜 후보 투표시간 연장 거부에 따른 경실련 입장	경실련	정책위원회
20121029	보도자료	제18대 대선 충북발전 의제 발표 및 공약채택 요구 기자회견	경실련공동	균형발전지방분권전국연대 외
20121030	보도자료	2002 - 2012년도 공정위 건설입찰담합사건 처리 현황	경실련	국책사업감시단
20121030	보도자료	무의미한 연명치료 중단 관련 경실련 의견	경실련	보건의료위원회
20121030	보도자료	영리병원 허용 경제자유구역법 시행규칙 공포에 대한 경실련 성명	경실련	보건의료위원회
20121030	보도자료	제18대 대통령 선거에 즈음한 입장	경실련	정책위원회
20121030	보도자료	투표권 보장 10만 국민청원 48시간 긴급행동 기자회견 개최	경실련공동	투표권보장공동행동
20121030	회의	제23기 9차 상임집행위원회	경실련	상임집행위원회
20121100	보도자료	집단폐업 피해신고센터 개소 선언문	경실련공동	의약분업 실현을 위한 시민대책위원회
20121101	보도자료	9개 재벌의 계열사 출자 지분 분석 결과	경실련	재벌개혁위원회
20121101	청원	공직선거법 개정에 관한 청원	경실련공동	투표권보장공동행동
20121101	보도자료	투표권 보장 10만 국민청원 제출 기자회견 개최	경실련공동	투표권보장공동행동
20121104	보도자료	'서울형(공공형)어린이집 보육료 및 공개 실태조사' 발표	경실련	사회복지위원회
20121105	보도자료	망중립성 이용자포럼, 〈인터넷 멍에의 전당〉 시상	경실련공동	망중립성이용자포럼
20121105	보도자료	전국 자치단체 도시계획위원회 운영 현황 분석결과	경실련	도시개혁센터
20121106	보도자료	국회 후분양제 주택법 개정안 처리 촉구	경실련	국책사업감시단
20121106	보도자료	현대 · 기아차의 연비 부풀리기에 대한 입장	경실련	소비자정의센터
20121107	보도자료	서울시의 은평새길 민자사업 추진에 대한 입장	경실련	국책사업감시단
20121107	정책토론	릴레이 세미나_보행환경 현황과 향후 추진방향	경실련	도시개혁센터
20121108	정책토론	위기의 정당 위기의 시민사회	경실련	정책위원회
20121108	보도자료	재벌집단의 금융보험계열사 지분 및 출자현황 실태분석	경실련	정책위원회
20121108	정책토론	조세형평성과 재정건전성을 어떻게 실현할 것인가	경실련	재정세제위원회
20121108	보도자료	18대 대선 경실련 정책과제 알리기(스태추마임) - 출자규제 강화	경실련	시민입법위원회
20121109	참고자료	경실련, 공인연비 검증결과에 대한 정보공개청구	경실련	소비자정의센터
20121109	보도자료	박근혜 후보, 기존 순환출자 허용 발언에 대한 입장	경실련	정책위원회
20121109	참고자료	현대 · 기아차, 공인연비 검증결과에 대한 정보공개청구	경실련	소비자정의센터
20121109	정책토론	통신사-대리점 간의 불공정계약 및 횡포개선에 대한 대리점		

생산일자	세부형태	제목	출처분류	생산자(처)
		간담회	경실련	시민권익센터
20121112	보도자료	국회는 공직선거법상 인터넷실명제 폐지법안을 신속히 처리하라!	경실련공동	망중립성이용자포럼
20121112	보도자료	재건축초과이익 환수법률 개정안 통과에 대한 입장	경실련	정책위원회
20121112	보도자료	통합 청주시 설치법안 국회 행안위 상정무산 등에 대한 입장	경실련공동	균형발전지방분권전국연대 외
20121113	보도자료	경실련 18대 대선후보 공약검증 시리즈①：정치쇄신	경실련	시민입법위원회
20121114	청원	경실련 18대 대선후보의 공약검증 시리즈 ②：재벌개혁	경실련	재벌개혁위원회
20121114	보도자료	특검의 내곡동 수사발표에 대한 입장	경실련	시민입법위원회
20121114	보도자료	은행 CCTV 몰카식 운영에 대한 입장	경실련	소비자정의센터
20121115	보도자료	18대 대선 경실련 정책과제 알리기(스태추마임) - 검찰개혁	경실련	시민입법위원회
20121115	보도자료	경실련 18대 대선후보 공약검증 시리즈③ - 부동산정책	경실련	정책위원회
20121115	보도자료	금강산 관광재개, 해법은 무엇인가	경실련	통일협회
20121115	보도자료	사회적 경제의 평가와 차기정부의 과제	경실련공동	콘라드아데나워재단 외
20121115	보도자료	서울형어린이집 특별활동비 정보공개에 대한 서울시장 입장 공개질의	경실련	사회복지위원회
20121116	보도자료	경실련 18대 대선후보의 공약검증 시리즈④：비정규직 및 일자리	경실련	정책위원회
20121116	보도자료	박근혜 후보의 경제민주화 정책 발표에 대한 입장	경실련	재벌개혁위원회
20121116	보도자료	유통산업발전협의회 합의에 대한 입장	경실련	중소기업위원회
20121118	보도자료	경실련 18대 대선후보 공약검증 시리즈⑤：검찰개혁	경실련	시민입법위원회
20121119	보도자료	2012서울교육감시민선택 출범 기자회견 보도요청	경실련공동	서울교육감시민선택
20121119	보도자료	경실련 18대 대선후보 공약검증 시리즈⑥：대북 · 통일	경실련	통일협회
20121119	보도자료	국회 지경위의 유통산업발전법 의결에 대한 입장	경실련	중소기업위원회
20121119	보도자료	설탕 관세 인하 관련 입장	경실련	정책위원회
20121119	정책토론	환경 · 문화재 보존 등을 위한 용적이양제의 의미와 도입 방안	경실련	도시개혁센터
20121120	보도자료	2012 서울교육감 시민선택 출범 기자회견 자료	경실련공동	서울교육감시민선택
20121120	보도자료	의협의 '주 40시간 근무 투쟁'에 대한 입장	경실련	보건의료위원회
20121120	보도자료	지식경제부의 연비관리제도 개선방안에 대한 입장	경실련	소비자정의센터
20121120	정책토론	가맹사업 불공정거래 근절방안 모색 토론회	경실련공동	참여연대 외
20121121	보도자료	2012 세제개편안에 대한 경실련 의견서 제출	경실련	재정세제위원회
20121121	보도자료	국회 법사위의 유통산업발전법 처리 무산에 대한 입장	경실련	중소기업위원회
20121121	보도자료	박근혜, 문재인, 안철수 제18대 대선후보 IT정책공약 평가	경실련공동	망중립성이용자포럼
20121121	보도자료	경실련 18대 대선후보 공약검증 시리즈⑦：IT정책	경실련	정책위원회
20121121	정책토론	도시개혁센터 2012 릴레이 세미나_"용적이양제"의 의미와 도입방안	경실련	도시개혁센터
20121122	보도자료	18대 대선 경실련 정책과제 알리기(스태추마임) - 노동시장 개혁	경실련	시민입법위원회
20121122	보도자료	공정위 과징금 부과 실태조사	경실련	정책위원회
20121122	보도자료	국회 법사위 재건축초과이익환수법 개정안 통과에 대한 입장	경실련	정책위원회
20121126	보도자료	국회 재건축 특혜법안 처리 규탄	경실련	정책위원회
20121126	회의	제23기 10차 상임집행위원회	경실련	상임집행위원회
20121126	기타	경제정의기업상, 경실련좋은기업상으로 개명	경실련	사무국
20121127	보도자료	'2012서울교육감시민선택' 서울교육감 후보 초청 개별토론회 개최	경실련	정책위원회
20121127	보도자료	경실련 최근 검찰의 부패 · 비리에 대한 입장	경실련	정책위원회
20121127	보도자료	서울시 턴키발주 중단에 대한 입장	경실련	정책위원회
20121127	정책토론	수원시 도시패러다임 전환을 위한 정책토론회	경실련	도시개혁센터
20121128	보도자료	공정위의 사조그룹 부당지원행위 심사 촉구	경실련	정책위원회
20121128	보도자료	권재진 법무부 장관과 한상대 검찰총장 사퇴 촉구 기자회견	경실련	정책위원회
20121128	보도자료	자동차 공인연비제도, 어떻게 개선할 것인가?	경실련	소비자정의센터
20121128	보도자료	충북발전 대선의제 공약채택 강력촉구 취재 · 보도 요청	경실련공동	균형발전지방분권전국연대 외
20121129	보도자료	합리적 트래픽관리 기준에 대한 입장	경실련공동	망중립성이용자포럼
20121130	보도자료	한상대 검찰총장 사퇴에 대한 입장	경실련	정책위원회
20121203	보도자료	경실련 '18대 대선 후보선택도우미' 프로그램 가동	경실련	정책위원회
20121203	참고자료	방송통신위원회의 망중립성 회의자료 등 관련자료 정보 공개청구	경실련공동	망중립성이용자포럼
20121203	보도자료	서울시 서울형어린이집 특별활동비 공개에 대한 경실련의 입장	경실련	사회복지위원회
20121204	보도자료	건설근로자공제회 비민주적 임원선출 및 운영에 대한 경실련 입장	경실련	국책사업감시단
20121204	보도자료	경실련-경향신문 18대 대선후보 공약 평가:①청년일자리 결과 발표	경실련	정책위원회
20121205	보도자료	2012 서울 교육감 시민 선택 후보별 평가 결과 발표 기자회견	경실련공동	서울교육감시민선택
20121205	보도자료	경실련-경향신문 공동 18대 대선후보 공약평가: ②고령화		

생산일자	세부형태	제목	출처분류	생산자(처)
		사회 대책	경실련	사회복지위원회
20121205	보도자료	공정위, 공정거래 우수기업 선정에 대한 입장	경실련	정책위원회
20121205	보도자료	투표참여캠페인의집 1호점 오픈행사	경실련공동	투표참여시민행동
20121205	보도자료	mVoIP 차단 고발조치에 대한 이동통신사업자 입장에 대한 반박	경실련	시민권익센터
20121206	보도자료	정치개혁의 뉴모델 지방분권형 국가를 논하다	경실련공동	지방분권개헌국민행동 외
20121207	정책토론	LG유플러스 불공정거래개선을 위한 간담회	경실련	시민권익센터
20121212	모니터링	18대 대선 150개 후보정책 비교평가	경실련	정책위원회
20121212	모니터링	경실련 18대 대선후보 공약 평가:③재벌개혁 결과 발표	경실련	정책위원회
20121212	보도자료	북, 로켓 발사에 따른 경실련통일협회 입장	경실련	통일협회
20121213	모니터링	경실련 18대 대선후보 공약 평가:④중소기업 골목상권 발표	경실련	정책위원회
20121213	모니터링	경실련 18대 대선후보 공약 평가:⑤세제개편 발표	경실련	정책위원회
20121213	모니터링	경실련 18대 대선후보 공약 평가:⑥비정규직 결과 발표	경실련	정책위원회
20121213	정책토론	도시형생활주택, 제대로 공급되고 있는가 ?	경실련	도시개혁센터
20121214	모니터링	경실련 18대 대선후보 공약 평가: ⑦정치개혁	경실련	정책위원회
20121214	모니터링	경실련 18대 대선후보 공약 평가: ⑧검찰개혁	경실련	정책위원회
20121214	보도자료	상비약 약국외 판매 위한 약사법 개정안 국회 상임위 통과에 대한 입장	경실련	보건의료위원회
20121215	보도자료	18대 대선 경실련 정책과제 알리기(스태추마임) - 사람동상展	경실련	시민입법위원회
20121216	보도자료	18대 대선후보 공약 평가: ⑨지방분권 · 균형발전	경실련	정책위원회
20121216	모니터링	경실련 18대 대선후보 공약 평가: ⑩남북관계	경실련	통일협회
20121217	모니터링	경실련 18대 대선후보 공약 평가:⑪사교육(대학입시)	경실련	사회복지위원회
20121217	모니터링	경실련 18대 대선후보 공약평가: ⑬보건의료체계	경실련	사회복지위원회
20121217	모니터링	경실련 18대 대선후보 공약평가:⑫무상보육	경실련	사회복지위원회
20121217	회의	제23기 11차 상임집행위원회	경실련	상임집행위원회
20121217	정책토론	망중립성과 정보인권 세미나	경실련공동	망중립성이용자포럼
20121218	보도자료	경실련 18대 대선 투표참여 독려 및 정책선거 캠페인	경실련	정책위원회
20121221	보도자료	제 21회 경실련 좋은기업상 시상식	경실련	경제정의연구소
20121226	보도자료	윤창중 당선자 및 인수위 수석대변인 임명에 대한 입장	경실련	정책위원회
20130000	보도자료	GMO 표시현황 실태조사 · CJ제일제당, 대상, 사조그룹	경실련	소비자정의센터
20130000	소송	사건위임약정서(동양증권 주식회사 경영진에 대한 주주대표소송)	경실련	정책위원회
20130000	보도자료	서울시 자전거도로 실태조사 결과	경실련	도시개혁센터
20130000	참고자료	서원마을_사진으로 보는 서원마을 답사	경실련	도시개혁센터
20130000	보도자료	앱 마켓 구매절차 개선을 위한 실태보고 발표	경실련	소비자정의센터
20130000	보도자료	앱 마켓 이용약관 심사청구	경실련	소비자정의센터
20130000	참고자료	유전자재조합식품 관련 정보공개청구 이의신청 내용	경실련	소비자정의센터
20130102	보도자료	국회 본회의의 유통산업발전법 의결에 대한 입장	경실련	중소기업위원회
20130107	보도자료	국회 예결산특위와 계수조정소위 위원 9명의 외유에 대한 입장	경실련	정책위원회
20130107	보도자료	택시법 통과에 대한 입장	경실련	정책위원회
20130110	보도자료	국토부의 관제권 회수를 통한 KTX민영화 추진에 대한 입장	경실련	정책위원회
20130110	보도자료	이명박 대통령 특별사면에 대한 입장	경실련	정책위원회
20130111	정책토론	제1회 인터넷 거버넌스 오픈세미나 - 국제 인터넷 거버넌스와 이용자 참여방안	경실련공동	망중립성이용자포럼
20130114	보도자료	검찰의 제약사 리베이트 적발에 대한 입장	경실련	보건의료위원회
20130115	보도자료	2013년도 속초시 재정긴축을 위한 제언	경실련공동	참여자치를위한속초의정지기단
20130116	보도자료	경제부총리제 부활에 대한 입장	경실련	정책위원회
20130116	보도자료	국토부의 수서발 KTX 사업자 모집공고에 대한 입장	경실련	국책사업감시단
20130116	보도자료	반부패 관련 시민단체의 부패극복을 위한 9가지 실천과제 제시	경실련공동	한국투명성기구 외
20130118	보도자료	4대강사업 감사결과에 대한 입장	경실련	국책사업감시단
20130121	보도자료	지방분권 로드맵 및 추진기구 촉구 기자회견	경실련공동	지방분권개헌국민행동 외
20130123	보도자료	동아제약의 지주회사 전환에 대한 입장	경실련	정책위원회
20130123	보도자료	이동흡 헌법재판소 소장 후보자 즉각 사퇴해야	경실련	정부개혁위원회
20130123	보도자료	서울시 어린이집 특별활동비 온라인 공개에 대한 논평	경실련	사회복지위원회
20130123	보도자료	정부 4대강사업 검증 입장발표에 대한 입장	경실련	국책사업감시단
20130124	정책토론	[연림좌담회 11] 2013년 박근혜-김정은의 선택은	경실련	통일협회
20130128	회의	제24기 1차 상임집행위원회	경실련	상임집행위원회
20130128	보도자료	특별사면 강행에 대한 입장	경실련	정부개혁위원회
20130131	보도자료	'4대 중증질환 진료비 100% 국가부담' 공약 추진의 의지와 결단을 보여야 한다	경실련공동	건강세상네트워크 외
20130131	보도자료	정부조식개편안 발의에 대한 입장	경실련	정부개혁위원회

생산일자	세부형태	제목	출처분류	생산자(처)
20130131	보도자료	사회적기업 설날 윤리적 소비 캠페인 취재 및 보도요청	경실련공동	사회적기업활성화전국네트워크
20130131	보도자료	시민단체 망중립성을 말하다 출간기념 북콘서트 개최	경실련공동	망중립성이용자포럼
20130131	보도자료	재벌 퇴직연금 몰아주기 관련 비교공시 결과에 대한 입장	경실련	금융개혁위원회
20130131	보도자료	한국패션산업연구원의 직원채용 비리 의혹의 진상, 책임은 반드시 규명되어야 한다	경실련	정책위원회
20130201	보도자료	국민연금제도의 개선과 발전을 위한 토론회 개최 보도요청	경실련	정책위원회
20130204	보도자료	국회 최저가낙찰제 폐지 법안 발의에 대한 입장	경실련	국책사업감시단
20130204	정책토론	차기 정부 정보인권과 개인정보정책을 위한 토론회	경실련공동	고희선 국회의원 외
20130204	간행물	월간경실련 2013년 1 · 2월호	경실련	경실련
20130205	보도자료	정부조직개편에 대한 〈망중립성 이용자포럼〉 입장	경실련공동	망중립성이용자포럼
20130206	보도자료	대통령직 인수위, '4대 중증질환 진료비 전액 국가보장' 공약에서 선택진료비 등 3대 비급여 제외 검토에 대한 가입자 포럼 입장	경실련	보건의료위원회
20130207	보도자료	권익위, 4대강 2차턴키 입찰담합 검찰 수사의뢰에 대한 입장	경실련	국책사업감시단
20130212	보도자료	3차 북핵 실험에 따른 경실련통일협회 입장	경실련	통일협회
20130212	보도자료	이상득 전 의원 아들 이지형씨 경실련에 명예훼손 소송 항소 취하	경실련	국책사업감시단
20130213	보도자료	4대질환 100% 국가보장 공약파기 국민우롱 박근혜 당선인 규탄 보건의료 정책제안 기자회견	경실련공동	의료민영화저지범국민운동본부
20130213	정책토론	국민연금 제도의 개선과 발전을 위한 토론회	경실련	사회복지위원회
20130213	보도자료	병원비 걱정없는 사회와 의료의 공공성 회복을 위한 제안	경실련공동	건강보험가입자포럼
20130218	보도자료	박근혜 정부 첫 인선에 대한 입장	경실련	정책위원회
20130218	보도자료	수도권규제완화의 문제점과 대응방안 토론회 자료집	경실련공동	지역균형발전협의체외
20130218	회의	제24기 2차 상임집행위원회	경실련	상임집행위원회
20130219	보도자료	철도산업발전기본법 시행령 및 시행규칙 개정안에 대한 의견서 제출	경실련	국책사업감시단
20130220	보도자료	국정원 선거개입과 내부제보자 파면에 대한 입장	경실련	정책위원회
20130221	보도자료	인수위 국정과제 발표에 대한 입장	경실련	재벌개혁위원회
20130221	보도자료	정용진 부회장 등기이사 사퇴에 대한 입장	경실련	재벌개혁위원회
20130222	보도자료	김병관 · 황교안 후보자 자진 사퇴 촉구	경실련	정책위원회
20130222	회의	제12기 3차 중앙위원회	경실련	중앙위원회
20130225	보도자료	박근혜 대통령의 평화통일을 위한 대북정책을 바란다	경실련	통일협회
20130225	보도자료	분양가상한제 폐지 여야 합의에 대한 입장	경실련	정책위원회
20130225	보도자료	정부의 LTV 규제 폐지 검토에 대한 입장	경실련	금융개혁위원회
20130225	보도자료	제18대 대통령에 바란다	경실련	정책위원회
20130226	보도자료	박근혜 대통령의 '중증질환 보장' 말바꾸기 진단	경실련	보건의료위원회
20130228	보도자료	박근혜 대통령 주요대선공약-인수위 국정과제 비교조사 결과	경실련	정책위원회
20130304	보도자료	박근혜 대통령의 정부조직개편안 관련 대국민 담화에 대한 논평	경실련	정책위원회
20130305	보도자료	서승환 국토교통부 장관 후보자 정책에 대한 입장	경실련	정책위원회
20130306	보도자료	철도산업발전기본법 시행령 개정 국무회의 상정 무산에 대한 입장	경실련	국책사업감시단
20130308	보도자료	한반도 전쟁 비상사태에 대한 경실련통일협회 입장	경실련	통일협회
20130308	보도자료	SH공사 후분양 후퇴에 관한 공개질의	경실련	부동산감시팀
20130310	보도자료	개인정보 보호업무의 미래부 이관을 반대한다	경실련공동	망중립성이용자포럼
20130311	보도자료	GMO 수입현황에 대한 정보공개 촉구	경실련	소비자정의센터
20130311	정책토론	[긴급 열린좌담회] 위기의 한반도, 해법은 무엇인가?	경실련	통일협회
20130311	보도자료	한반도 평화촉구 1인 캠페인	경실련	통일협회
20130311	보도자료	김병관 후보자 임명강행 움직임에 대한 입장	경실련	통일협회
20130312	보도자료	SH공사 후분양제 후퇴에 대한 입장	경실련	정책위원회
20130313	정책토론	제2회 인터넷 거버넌스 오픈세미나-국내 인터넷 거버넌스의 역사와 과제	경실련공동	망중립성이용자포럼
20130315	보도자료	경실련 4대강 정보공개 소송 최종 승소	경실련	정책위원회
20130315	보도자료	국토위 분양가상한제 폐지 질의 결과발표	경실련	정책위원회
20130315	보도자료	한만수 공정거래위원장 내정에 대한 입장	경실련	재벌개혁위원회
20130315	보도자료	현오석 김병관 장관 내정자의 임명 강행에 대한 입장	경실련	정책위원회
20130319	보도자료	국정원의 정치개입에 대한 입장	경실련	정책위원회
20130320	보도자료	공정위의 사조그룹 부당지원행위에 대한 무혐의 및 경고 처분 관련 입장	경실련	재벌개혁위원회
20130320	보도자료	앱 마켓 실태조사발표 및 이용약관 공정위 신고 기자회견 개최	경실련공동	국회의원 민병두 외
20130320	보도자료	예결위 외유 늦장 행태에 대한 입장	경실련	정책위원회

생산일자	세부형태	제목	출처분류	생산자(처)
20130321	보도자료	앱 마켓 구매절차 실태조사결과 및 이용약관 공정위 신고	경실련	소비자정의센터
20130321	보도자료	기초지방선거 정당공천 폐지는 정치혁신의 첫 걸음	경실련	정책위원회
20130321	정책토론	종교인 및 종교법인 과세의 쟁점과 개선 방안	경실련	정책위원회
20130325	보도자료	최근 2년간 15개 중앙정부부처 정보공개심의회 운영 실태 분석	경실련	정부개혁위원회
20130325	회의	제24기 3차 상임집행위원회	경실련	상임집행위원회
20130326	보도자료	인사실패에 대한 박근혜 대통령 대국민 사과 및 국정운영 대전환 촉구기자회견	경실련	정책위원회
20130326	보도자료	지방분권을 위한 경실련 전국 공동선언	경실련	전국경실련
20130328	보도자료	'박근혜 정부 건강보험정책의 전망과 과제' 토론회 개최	경실련	보건의료위원회
20130328	보도자료	기초지방선거에서 정당의 공천 배제를 촉구하는 전국경실련 선언	경실련	정책위원회
20130328	보도자료	식약처 GMO 수입현황 비공개결정을 강력히 비판한다	경실련	소비자정의센터
20130401	보도자료	마취통증의학과 초빙료 일괄 인상에 대한 가입자단체 입장	경실련공동	건강세상네트워크 외
20130401	보도자료	박근혜 정부 종합부동산대책에 대한 논평	경실련	정책위원회
20130401	간행물	월간경실련 2013년 3 · 4월호	경실련	경실련
20130402	소송	망중립성 이용자포럼, 방통위 상대 정보공개청구 소송제기	경실련공동	망중립성이용자포럼
20130402	보도자료	기초지방선거 정당공천 폐지 촉구 전문가 공동선언 기자 회견 개최	경실련	정책위원회
20130403	보도자료	기초지역 정당공천 폐지 약속 불이행 조짐에 대한 입장	경실련	지방자치위원회
20130404	보도자료	4.24 정당공천 배제와 기초지방선거 정당공천 폐지 위한 선거법 개정 촉구	경실련	정책위원회
20130404	정책토론	건강보험 보장성 확대를 위한 보험료 부과체계 개편방안	경실련	사회복지위원회
20130404	보도자료	경상남도 진주의료원 휴업강행에 대한 입장	경실련	보건의료위원회
20130408	보도자료	금융위원장의 홍기택 산은금융지주회장 임명 제청에 대한 입장	경실련	정책위원회
20130409	보도자료	민주통합당 양도세 기준 완화에 대한 입장	경실련	정책위원회
20130409	보도자료	개성공단 잠정중단에 따른 입장	경실련	통일협회
20130409	보도자료	윤진숙 해양수산부 장관 임명 강행에 대한 입장	경실련	정책위원회
20130411	정책토론	GMO 표시제도, 무엇이 문제인가	경실련	정책위원회
20130411	보도자료	국회에 가맹사업법 개정촉구를 위한 의견서 제출	경실련	시민권익센터
20130412	보도자료	[긴급 열린좌담회]개성공단 잠정중단 평화적 해결 가능한가?	경실련	통일협회
20130412	보도자료	제3회 인터넷거버넌스 오픈세미나-세계통신정책포럼(WTPF)과 시민사회의 입장	경실련공동	망중립성이용자포럼
20130413	정책토론	건강보험 수가계약제 평가 및 제도개선 모색 토론회	경실련공동	건강보험가입자포럼 외
20130414	교육	[콕스 모임 1] 하나를 위한 둘의 노래	경실련	통일협회
20130416	소송	애플 앱 환불청구를 위한 공익소송인단 모집	경실련	소비자정의센터
20130416	보도자료	박 대통령의 경제민주화 논의 우려에 대한 입장	경실련	정책위원회
20130417	보도자료	여야정 양도세면제기준 완화 합의에 대한 입장	경실련	아파트값거품빼기운동본부
20130417	보도자료	윤진숙 해수부 장관 임명에 대한 입장	경실련	정책위원회
20130418	보도자료	금융위 주가조작 근절대책 관련 입장	경실련	금융개혁위원회
20130418	보도자료	알코올 정책의 공공성 강화 방안을 위한 국회 토론회	경실련공동	건강세상네트워크 외
20130418	보도자료	최근 일감몰아주기 논란에 대한 입장	경실련	정책위원회
20130419	보도자료	경찰의 국정원 정치개입 및 여론조작 수사결과 발표에 대한 입장	경실련	정책위원회
20130421	교육	콕스 모임 2 : 전쟁과 평화	경실련	통일협회
20130422	보도자료	법사위 임원연봉 공개 법안 논의 관련 입장	경실련	재벌개혁위원회
20130423	보도자료	가맹사업법 개정안 국회 정무위 법안소위 통과에 대한 경실련 입장	경실련	시민권익센터
20130425	보도자료	개성공단 대화제의에 대한 경실련통일협회 입장	경실련	통일협회
20130425	보도자료	경상남도 서민 무상의료 추진계획에 대한 입장	경실련	보건의료위원회
20130426	보도자료	금융위는 금융앱스토어 정책을 즉각 폐기하라	경실련공동	오픈넷 외
20130428	교육	콕스 모임 3: 새로운 통일운동 방향	경실련	통일협회
20130429	회의	제24기 4차 상임집행위원회	경실련	상임집행위원회
20130430	보도자료	금융위의 금융앱스토어 정책에 대한 시민단체 입장	경실련공동	진보네트워크센터 외
20130430	보도자료	수도권규제완화 저지 민 · 관 · 정 공대위 결성 등에 따른 보도 요청	경실련공동	수도권규제완화 저지 충북지역 민 · 관 · 정 공동대책위원회
20130500	간행물	월간경실련 통권 134호	경실련	정책위원회
20130500	보도자료	전국 대형병원 이용자 3대 비급여 진료비 설문조사 결과	경실련공동	건강보험가입자포럼
20130501	정책토론	개인정보보호법 개정을 위한 전문가 토론회	경실련	소비자정의센터
20130501	보도자료	감사원 '경전철 건설사업 추진실태' 감사결과에 대한 입장	경실련	정책위원회
20130503	정책토론	경인고속도로 통행료 무료화 토론회	경실련공동	인천경실련 외

생산일자	세부형태	제목	출처분류	생산자(처)
20130505	교육	콕스 모임 4 : 2030 활동가 만남	경실련	통일협회
20130506	보도자료	30대 재벌회장 자택 과표실태	경실련	부동산감시팀
20130507	보도자료	경인고속도로 통행료 폐지 또는 개선을 위한 합리적인 방안 모색	경실련	정책위원회
20130508	보도자료	GMO 표시현황 실태조사 결과 및 업체 공개질의	경실련	소비자정의센터
20130509	보도자료	'건강보험 수가계약제 평가 및 제도개선 모색 토론회' 개최	경실련공동	건강보험가입자포럼
20130509	보도자료	경제민주화 법안의 4월 임시국회 처리 무산에 대한 경실련 입장	경실련	정책위원회
20130510	보도자료	윤창중 청와대 대변인 전격 경질에 대한 입장	경실련	정책위원회
20130512	교육	콕스 모임 5 : 동북아 국제질서와 안보	경실련	통일협회
20130513	정책토론	건강보험 수가계약제 평가 및 제도개선 모색 토론회	경실련공동	건강보험가입자포럼
20130515	보도자료	KT&G 솔담배 대응을 위해 주한 파키스탄 상무참사관 면담	경실련공동	국제위원회
20130519	정책토론	제4회 인터넷 거버넌스 오픈세미나 개최	경실련공동	망중립성이용자포럼
20130519	교육	콕스 모임 6 : 〈특강〉 남북관계가 나아갈 방향과 2030세대의 역할 제시	경실련	통일협회
20130520	보도자료	5 18 광주민주화운동 폄하 왜곡에 대한 입장	경실련	정책위원회
20130521	보도자료	국정원의 연이은 정치개입 의혹에 대한 입장	경실련	정책위원회
20130522	정책토론	대규모 도시개발의 특징과 용산의 쟁점사항	경실련	도시개혁센터
20130523	정책토론	2013 경실련 도시개혁센터 1차 릴레이 세미나: 대규모 개발 사업 어떻게 진행해야 하나	경실련	도시개혁센터
20130523	정책토론	바람직한 금융감독체계 개편의 모습은?	경실련	정책위원회
20130523	보도자료	조세피난처 한국인 명단 발표에 대한 입장	경실련	재정세제위원회
20130524	보도자료	박근혜 정부 100일 분야별 평가 토론회 보도협조 요청	경실련	정책위원회
20130526	교육	콕스 모임 7 : 2030 평화, 통일, 북한 테이블토크	경실련	통일협회
20130526	정책토론	교통사고 심각성과 보행자 안전대책	경실련	도시개혁센터
20130527	보도자료	김영란법원안 좌초 위기에 대한 입장	경실련	정책위원회
20130527	보도자료	시중에 판매되는 과자 · 두부 · 두유의 GMO 사용여부 업체 소명 결과	경실련	소비자정의센터
20130527	간행물	월간경실련 2013년 5 · 6월호	경실련	경실련
20130527	회의	제24기 5차 상임집행위원회	경실련	상임집행위원회
20130528	정책토론	박근혜 정부 100일 평가 토론회 - 대통령의 리더십 · 국정 운영의 문제점과 개선방향	경실련	정책위원회
20130529	보도자료	경상남도 진주의료원 폐업강행에 대한 입장	경실련	사회복지위원회
20130529	정책토론	경제민주화,이대로 좌초되는가?	경실련	정책위원회
20130529	정책토론	박근혜 정부 100일 평가 토론회 : 사회 분야	경실련	정책위원회
20130530	정책토론	박근혜 정부 100일 평가 토론회 : 경제민주화와 재벌개혁	경실련	정책위원회
20130530	정책토론	박근혜 정부 100일 평가 토론회 : 통일-외교-안보분야	경실련	정책위원회
20130530	보도자료	기초지방선거 정당공천제 배제 및 대안모색 토론회	경실련	정책위원회
20130531	보도자료	미국 오리건주 GMO 밀 수입 사태에 대한 입장	경실련	소비자정의센터
20130603	정책토론	GMO가 소비자에게 미치는 영향	경실련	소비자정의센터
20130603	보도자료	황교안 법무부장관의 국정원 수사 압력에 대한 입장	경실련	정책위원회
20130604	보도자료	박근혜 정부 출범 100일 동안의 국정운영에 관한 '전문가 평가설문 조사결과'	경실련	정책위원회
20130604	보도자료	박근혜정부 100일에 즈음한 입장	경실련	정책위원회
20130605	보도자료	박근혜 정부 100일 평가 및 정책개선 촉구 거리캠페인 개최	경실련	정책위원회
20130605	보도자료	미국 오리건주 GMO 밀 식약처 조사결과에 대한 입장	경실련	소비자정의센터
20130607	보도자료	남북장관급 회담에 따른 경실련통일협회 입장	경실련	통일협회
20130610	보도자료	2014년 건강보험 수가협상 결과에 대한 입장	경실련공동	건강세상네트워크 외
20130611	보도자료	이동통신시장 경쟁촉진 및 규제합리화를 위한 통신정책 방안 관련 경실련 의견	경실련	소비자정의센터
20130612	정책토론	2차 릴레이 세미나 : 공동주택 층간소음의 원인과 바람직한 해결방안	경실련	도시개혁센터
20130612	보도자료	LH공사의 분양원가 공개 거부에 대한 입장	경실련	아파트값거품빼기운동본부
20130612	보도자료	경상남도의회 진주의료원 해산조례 강행처리에 대한 입장	경실련	보건의료위원회
20130612	보도자료	국정원 정치개입 의혹사건 관련자 불구속 기소에 대한 경실련 입장	경실련	정책위원회
20130612	보도자료	남북당국회담 무산에 따른 경실련통일협회 입장	경실련	통일협회
20130613	보도자료	인터넷 거버넌스 4차 오픈세미나] 국내 인터넷 거버넌스의 동향과 쟁점	경실련공동	망중립성이용자포럼
20130614	보도자료	LH, 하우스푸어 주택매입 계획에 대한 입장	경실련	정책위원회
20130617	보도자료	국토부의 '철도산업 발전방안' 에 대한 입장	경실련	국책사업감시단
20130617	보도자료	일감몰아주기 방지 관련 공정거래법 개정 의견서 제출	경실련	정책위원회

생산일자	세부형태	제목	출처분류	생산자(처)
20130618	보도자료	'4대 중증질환자 100% 국가책임'3대 비급여를 빼고 무엇을 책임질 건가	경실련공동	건강보험가입자포럼
20130618	보도자료	3대 비급여 시민설문조사 결과 발표 및 정책개선 촉구 기자 회견 개최	경실련공동	건강보험가입자포럼
20130619	보도자료	국정원 정치개입 사건, 새누리당 국정조사 합의 무시에 대한 입장	경실련	정책위원회
20130619	보도자료	삼성전자의 위장하도급에 대한 입장	경실련	정책위원회
20130619	보도자료	현오석 경제부총리 등의 경제민주화 후퇴 발언에 대한 경실련 입장	경실련	정책위원회
20130620	보도자료	5대 재벌 특수관계자거래와 계열사간 내부거래 비교 실태 분석	경실련	정책위원회
20130620	정책토론	금융회사 지배구조 개선 토론회	경실련	정책위원회
20130621	보도자료	한국일보 정상화를 위한 장재구 회장의 결단 촉구	경실련	정책위원회
20130623	보도자료	국토부의 철도 민영화 강행에 대한 긴급 공동성명	경실련공동	참여연대 외
20130624	보도자료	SH공사 내곡7단지 보금자리주택 고분양가 분석	경실련	정책위원회
20130624	보도자료	경실련, 수직증축 리모델링 특혜 법안에 대한 의견서 제출	경실련	도시개혁센터
20130624	보도자료	공인인증제도 개선을 위한 시민사회단체 입장	경실련공동	참여연대 외
20130624	회의	제24기 6차 상임집행위원회	경실련	상임집행위원회
20130625	보도자료	국정원 NLL대화록 공개에 대한 입장	경실련	정책위원회
20130625	보도자료	국회 정무위의 일감몰아주기 관련 공정거래법 처리에 대한 입장	경실련	정책위원회
20130625	보도자료	국회 정치쇄신논의에 대한 입장	경실련	정치개혁위원회
20130625	보도자료	박 대통령 금융감독체계 개편 재검토 지시 관련 입장	경실련	금융개혁위원회
20130625	보도자료	박근혜 대통령은 철도 민영화 강행을 중단하고, 국민과의 약속을 이행하라!	경실련공동	참여연대 외
20130625	보도자료	복지부, 4대중증질환 100% 국가보장 박근혜대통령 공약 파기 규탄 기자회견	경실련공동	건강보험가입자포럼
20130626	보도자료	복지부, 4대 질환 100% 국가보장 박근혜대통령 공약 파기 규탄 기자회견	경실련공동	건강보험가입자포럼
20130627	정책토론	갑을관계 개선토론회_대리점주의 권리보호를 위한 제도개선 방안은 무엇인가?	경실련	정책위원회
20130627	보도자료	국회 운영위원회 정치쇄신안 처리에 대한 입장	경실련	정책위원회
20130627	보도자료	국회 정무위원회 전체회의의 일감몰아주기 방지법 의결에 대한 입장	경실련	정책위원회
20130627	보도자료	전주 · 완주 행정구역 통합 무산에 대한 입장	경실련	정책위원회
20130700	보도자료	출범선언문&결의문	경실련공동	기초지방선거 정당공천 폐지 대선공약 이행촉구 시민행동
20130701	보도자료	CJ제일제당 대상 사조그룹 제품의 GMO 표시현황 실태조사 결과발표	경실련	소비자정의센터
20130702	보도자료	KT 낙하산 인사에 대한 입장	경실련	정책위원회
20130702	홍보	민화협 제4회 대학생 평화통일캠프 DMZ에서 꿈꾸는 통일 미래	경실련공동	대한불교청년회 외
20130703	보도자료	국정원 NLL 대화록 공개에 따른 '전문가 긴급설문조사결과'	경실련	정책위원회
20130703	정책토론	도시 릴레이세미나 3 : 도시의 안전 이대로 좋은가	경실련	도시개혁센터
20130703	보도자료	사기성 소자본 무점포창업 피해에 대한 입장	경실련	시민권익센터
20130703	보도자료	전국 자치구의 대형마트 조례 개정 실태조사 결과	경실련	중소기업위원회
20130704	보도자료	올바른 금융감독체계 개편 촉구를 위한 금융분야 학자 및 전문가 기자회견	경실련	금융개혁위원회
20130704	보도자료	한국일보 정상화를 촉구하는 12개 시민사회단체의 공동입장	경실련공동	참여연대 외
20130708	보도자료	과학벨트 수정안 추진에 대한 입장 및 대응방안 보도 요청	경실련공동	균형발전지방분권전국연대 외
20130709	정책토론	「GMO와 소비자 알 권리」 3차 토론회 "GMO 표시제도 개선을 위한 쟁점토론"	경실련	소비자정의센터
20130709	보도자료	금융감독체계 선진화TF안 재논의 관련 입장	경실련	금융개혁위원회
20130709	보도자료	기초선거 정당공천폐지 결정을 앞둔 민주당에 대한 입장	경실련	정책위원회
20130710	보도자료	국민연금제도발전위원회, 국민연금 보험료 인상에 대한 입장	경실련	사회복지위원회
20130710	보도자료	제10차 경실련 통일포럼	경실련	통일협회
20130711	보도자료	KT의 주파수 정책 관련 집단행동에 대한 입장	경실련	시민권익센터
20130711	보도자료	감사원 4대강사업 주요게약 집행실태 감사결과에 대한 입장	경실련	국책사업감시단
20130711	보도자료	국정원의 NLL 해석 설명 발표에 대한 입장	경실련	정책위원회
20130711	정책토론	박근혜정부의 철도산업발전방안 무엇이 문제인가	경실련	정책위원회
20130714	보도자료	새누리당 민병주 의원의 과학벨트수정안 설문조사 결과		

생산일자	세부형태	제목	출처분류	생산자(처)
		발표에 대한 입장	경실련공동	균형발전지방분권전국연대 외
20130716	보도자료	지방자치단체 민간투자사업 조례 운영 실태조사 결과 발표	경실련	국책사업감시단
20130717	보도자료	국민행복연금위원회, 기초연금 합의결과 발표에 대한 경실련 입장	경실련	사회복지위원회
20130718	보도자료	GMO 표시제 강화와 정부의 관리대책 수립 촉구	경실련공동	환경운동연합 외
20130721	보도자료	'기초지방선거 정당공천폐지 국민약속 이행촉구 기자회견'	경실련공동	기초지방선거 정당공천 폐지 대선공약 이행촉구 시민행동
20130722	보도자료	민주당의 기초정당공천 폐지여부 전당원투표 실시에 대한 긴급기자회견	경실련공동	균형발전지방분권전국연대 외
20130722	보도자료	정당공천폐지 시민행동 출범식 및 결의대회 개최	경실련공동	지방분권전국연대
20130723	보도자료	대법원 LG CNS 입찰담합 확정 판결에 대한 입장	경실련	정책위원회
20130723	보도자료	금융감독체계 개편안 국무회의 보고 관련 입장	경실련	정책위원회
20130723	보도자료	기초지방선거 정당공천폐지 대선공약 이행촉구 시민행동	경실련공동	정당공천폐지시민행동
20130723	간행물	월간경실련 2013년 7 · 8월호	경실련	경실련
20130724	보도자료	경실련, 주요 앱 마켓의 애플리케이션 구매절차 2차 실태조사 결과발표	경실련	소비자정의센터
20130724	정책토론	동아시아 평화와 한반도 평화체제구축을 위한 심포지엄	경실련공동	흥사단 외
20130724	보도자료	정부의 취득세 인하 방침에 대한 입장	경실련	재정세제위원회
20130725	보도자료	서울시 경전철 민자사업 추진 계획 발표에 대한 입장	경실련	정책위원회
20130726	보도자료	민주당 전당원투표 결과에 대한 정당공천폐지 시민행동의 입장	경실련공동	정당공천폐지시민행동
20130726	보도자료	개성공단 정상화 회담 결렬에 따른 경실련통일협회 입장	경실련	통일협회
20130726	보도자료	공익사항에 관한 감사원 감사청구서	경실련	정책위원회
20130801	보도자료	과학벨트 기능지구 활성화방안 졸속추진 중단촉구 성명 보도 요청	경실련공동	균형발전지방분권전국연대 외
20130801	보도자료	차기 코레일 사장 선임에 대한 공동성명	경실련공동	참여연대 외
20130805	보도자료	박근혜 대통령의 청와대 비서진 교체에 대한 입장	경실련	정책위원회
20130807	보도자료	서울시의 LG CNS 부정당업체제재 지연에 대한 항의	경실련	정책위원회
20130808	보도자료	2013년 정부 세법개정안에 대한 입장	경실련	재정세제위원회
20130809	보도자료	박근혜 정부, 더 이상 개성공단 정상화를 미룰 이유 없다	경실련	통일협회
20130812	보도자료	금융실명제 시행 20주년 관련 입장	경실련	금융개혁위원회
20130812	보도자료	연명의료의 환자결정을 위한 특별법 제정에 대한 경실련 입장	경실련	보건의료위원회
20130814	보도자료	4대강사업 담합 부정당업체제재 지연에 대한 입장	경실련	국책사업감시단
20130816	보도자료	국토부의 코레일 낙하산 사장 선임 시도에 대한 공동입장	경실련공동	참여연대 외
20130817	보도자료	서울경전철 민자사업 추진 관련 공개질의	경실련	국책사업감시단
20130819	보도자료	정부의 최저가낙찰제 폐지 논의에 대한 입장	경실련	국책사업감시단
20130819	회의	제24기 7차 상임집행위원회	경실련	상임집행위원회
20130820	보도자료	공공기관운영위의 코레일 사장 후보추천관련 경실련 의견	경실련	국책사업감시단
20130820	보도자료	국회는 국정원 정치개입사건 특별검사제를 즉각 도입하라	경실련	정책위원회
20130821	보도자료	당정 전월세대책 논의에 대한 경실련입장	경실련	정책위원회
20130823	보도자료	기업지배구조 개선 관련 상법개정안 입법예고 의견서 제출	경실련	재벌개혁위원회
20130823	보도자료	정보기관들의 인터넷 감시에 대한 한국 시민사회 공동성명 발표	경실련공동	진보네트워크센터 외
20130823	회의	제12기 4차 중앙위원회	경실련	중앙위원회
20130826	보도자료	과학벨트 기본계획변경안 공청회 개최에 대한 성명 보도 요청	경실련공동	균형발전지방분권전국연대 외
20130826	보도자료	기업지배구조 개선 관련 상법개정안 후퇴에 대한 입장	경실련	재벌개혁위원회
20130827	보도자료	세제개편안의 평가와 개선방향_조세형평성 제고를 위한 세제개편의 모색	경실련	재정세제위원회
20130827	정책토론	[국제심포지엄]한국철도의 미래를 위한 국제심포지엄	경실련공동	철도노동조합 외
20130828	보도자료	경찰관 3명 고발 공동 기자회견	경실련공동	천주교정의구현사제단 외
20130828	보도자료	박근혜 대통령의 재벌총수 오찬 회동에 대한 입장	경실련	재벌개혁위원회
20130828	보도자료	박근혜정부의 8.28전월세대책에 대한 논평	경실련	정책위원회
20130828	보도자료	박근혜 대통령 기초지방선거 정당공천폐지 이행촉구 기자회견	경실련	정책위원회
20130829	보도자료	망중립성이용자포럼, 아태지역 IGF에서 워크샵 개최	경실련공동	망중립성이용자포럼
20130829	보도자료	안철수 의원 기초지방선거 정당공천 단계적 폐지에 대한 입장	경실련공동	기초지방선거 정당공천 폐지 대선공약 이행촉구 시민행동
20130830	보도자료	노량진 배수지사고 수사결과에 대한 경실련입장	경실련	국책사업감시단
20130902	보도자료	GMO 앞에서는 기업만 중시하는 식약처를 강력히 비판한다	경실련	소비자정의센터
20130902	보도자료	철도민영화 반대, 공공부문 민영화를 우려하는 전국 시민단체		

생산일자	세부형태	제목	출처분류	생산자(처)
		공동선언	경실련공동	철도민영화를 반대하고 공공부문민영화를 우려하는 전국 시민단체
20130903	보도자료	국회 영유아보육법개정안 처리 지연에 대한 입장	경실련	사회복지위원회
20130903	보도자료	이석기 의원 등 국정원 '내란음모' 사건에 대한 입장	경실련	정책위원회
20130904	보도자료	과학벨트 기본계획 변경 · 확정에 따른 입장 보도 요청	경실련공동	균형발전지방분권전국연대 외
20130904	정책토론	현 시기 경제상황과 박근혜 정부 경제정책 어떻게 볼 것인가	경실련	정책위원회
20130905	보도자료	일본 농축수산물 방사능 검사체계 강화를 촉구하는 경실련 입장	경실련	소비자정의센터
20130905	보도자료	병원제자리찾기 공동행동 발족 준비회의 및 1차 거리캠페인	경실련공동	건강세상네트워크 외
20130906	보도자료	일본 후쿠시마 주변 8개현 수산물 수입금지 조치에 대한 입장	경실련	소비자정의센터
20130909	보도자료	정부의 상법개정안에 대한 입장발표 및 최근 박근혜 정부의 경제민주화 후퇴를 규탄하는 공동기자회견	경실련공동	경제개혁연대 외
20130910	정책토론	[열린좌담회 15] 이제는 금강산관광 재개다	경실련	정책위원회
20130912	보도자료	공정거래법 시행령 후퇴 관련 입장	경실련	금융개혁위원회
20130912	보도자료	기업지배구조 관련 상법개정안에 대한 전문가 설문 결과	경실련	재벌개혁위원회
20130916	보도자료	채동욱 검찰총장 사퇴에 대한 입장	경실련	정책위원회
20130917	보도자료	서울시 경전철 민자사업 관련 공개질의	경실련	국책사업감시단
20130922	조직	철도공공성시민모임 참여	경실련	정책위원회
20130923	보도자료	이산가족 상봉 반드시 이루어져야 한다	경실련	통일협회
20130924	보도자료	국회의 영유아법개정안 처리 촉구 전국입장	경실련	전국경실련
20130925	보도자료	트래픽 관리안 전문가 회의의 투명한 운영을 촉구한다	경실련공동	망중립성이용자포럼
20130926	보도자료	기초연금 도입 방안 발표에 대한 입장	경실련	사회복지위원회
20130927	보도자료	경전철 민자사업 찬성론자 위주의 졸속적 공청회에 대한 입장	경실련	국책사업감시단
20130930	보도자료	2014년 예산안에 대한 입장	경실련	재정세제위원회
20130930	소송	경실련 등 5개 시민단체, 모바일인터넷전화(mVoIP) 차단한 이동통신사 상대로 소송제기	경실련	정책위원회
20130930	회의	제24기 8차 상임집행위원회	경실련	상임집행위원회
20131001	보도자료	GMO가공식품 실태조사 결과발표	경실련	소비자정의센터
20131001	보도자료	사기성 무점포창업 피해자 증언대회 개최	경실련	시민권익센터
20131001	보도자료	상법개정안 관련 감사위원회 현황 등에 대한 실태조사	경실련	정책위원회
20131001	간행물	월간경실련 2013년 9 · 10월호	경실련	경실련
20131001	보도자료	통합 청주시 출범비용 국비지원 약속을 위반한 박근혜정부 규탄 기자회견	경실련공동	균형발전지방분권전국연대 외
20131002	보도자료	한국철도공사 신임 사장 취임에 대한 입장	경실련공동	철도공공성시민모임
20131003	정책토론	전월세상한제 도입 토론회	경실련공동	참여연대 외
20131007	보도자료	무점포창업 사기업체 검찰고발 및 대리점법 개정촉구를 위한 기자회견 개최	경실련	시민권익센터
20131007	소송	현재현 동양그룹 회장 및 정진석 동양증권 사장 검찰 고발	경실련	재벌개혁위원회
20131008	소송	경실련, 소자본 무점포창업 업체 사기혐의로 검찰 고발	경실련	시민권익센터
20131008	보도자료	전월세상한제, 문제점과 해결방안은 무엇인가?	경실련공동	참여연대 외
20131009	보도자료	미래부의 '트래픽 관리안'에 대한 망중립성 이용자포럼 입장	경실련공동	망중립성이용자포럼
20131010	보도자료	공정위의 가맹사업법 시행령 입법예고에 대한 입장	경실련	시민권익센터
20131010	보도자료	금융위 · 금감원의 동양그룹 사태 관련 부실 관리감독에 대한 감사청구	경실련	재벌개혁위원회
20131010	보도자료	박근혜 대통령은 정보장사꾼 남재준 국정원장을 즉각 해임하라!	경실련	통일협회
20131011	보도자료	[내일신문-경실련 공동기획 | 부실투성이 대형국책사업 1 경인운하] 경제성 '없다'에서 '크다'까지 … 13년간 '널뛰기 분석'	경실련공동	내일신문 외
20131012	보도자료	애플 하드웨어 품질 보증서 시정조치에 대한 입장	경실련	소비자정의센터
20131012	보도자료	화이트밴드 거리캠페인	경실련공동	GCAP Korea
20131014	정책토론	[열린좌담회 16] 전작권 환수 연기와 MD체제 편입 어떻게 볼 것인가?	경실련	통일협회
20131014	보도자료	모든 요금제에서 mVoIP 허용 박근혜 대통령은 대선 공약을 지켜라	경실련공동	망중립성이용자포럼
20131014	정책토론	전작권 환수 연기와 MD체제 편입 어떻게 볼 것인가? -남북관계와 한반도 주변정세를 중심으로-	경실련	통일협회
20131014	보도자료	[내일신문-경실련 공동기획 | 부실투성이 대형국책사업 2 : 인천공항민자고속도로]	경실련공동	내일신문 외
20131015	보도자료	철도사업법 일부개정(안)에 대한 의견서 제출	경실련	정책위원회
20131016	보도자료	[내일신문-경실련 공동기획 | 부실투성이 대형국책사업 3 : 인천공항철도]	경실련공동	내일신문 외
20131017	보도자료	화이트밴드 캠페인 기념식	경실련공동	GCAP Korea

생산일자	세부형태	제목	출처분류	생산자(처)
20131017	교육	[25기 민족화해아카데미] 1강, 남북문화의 차이와 거리	경실련	통일협회
20131021	보도자료	[내일신문-경실련 공동기획 ㅣ 부실투성이 대형국책사업 4 : 서울지하철9호선]	경실련공동	내일신문 외
20131021	보도자료	윤석열 수사팀장 직무배제에 대한 입장	경실련	정책위원회
20131022	보도자료	기초연금법 제정안 입법예고에 대한 경실련 의견	경실련	사회복지위원회
20131022	보도자료	서초보금자리 민간분양 아파트 부실시공 논란에 대한 경실련 입장	경실련	정책위원회
20131023	보도자료	서울시 지하철9호선 재구조화에 대한 입장	경실련	국책사업감시단
20131023	보도자료	최연혜 철도공사 사장 면담 요청 및 정책제안	경실련공동	경실련 외
20131024	보도자료	[내일신문-경실련 공동기획 ㅣ 부실투성이 대형국책사업 5 : 용인경전철, 의정부경전철]	경실련	국책사업감시단
20131024	정책토론	제 22 회 경실련 좋은기업상 기념 토론회 및 시상식	경실련	경제정의연구소
20131024	교육	[25기 민족화해아카데미 2강] 독일통합과 문화후유증	경실련	통일협회
20131024	보도자료	청와대의 KT 등 민간기업 인사개입 논란 관련한 입장	경실련	재벌개혁위원회
20131028	회의	제24기 9차 상임집행위원회	경실련	상임집행위원회
20131029	소송	경실련, 무점포창업 피해점주 57명과 함께 사기업체 집단고소	경실련	시민권익센터
20131029	보도자료	[내일신문-경실련 공동기획 ㅣ 부실투성이 대형국책사업 6 : 부산-김해경전철]	경실련	국책사업감시단
20131029	보도자료	서초보금자리 반값아파트 건축비 거품 추정	경실련	정책위원회
20131031	소송	경실련, 무점포창업 5개 업체 11개 브랜드 불공정계약서 공정위에 신고	경실련	시민권익센터
20131031	보도자료	박근혜 대통령, 국정원 사건 발언에 대한 입장	경실련	정책위원회
20131031	교육	[25기 민족화해아카데미 3강] 남북문화의 차이와 거리	경실련	통일협회
20131031	참고자료	사람을 위한 도시, 치유를 위한 재생	경실련	도시개혁센터
20131031	보도자료	정부는 더 이상 일본의 집단적 자위권 행사에 침묵하지 말라!	경실련	통일협회
20131100	정책토론	자전거 이용 활성화 동향과 추진방향	경실련	도시개혁센터
20131101	보도자료	[내일신문-경실련 공동기획 ㅣ 부실투성이 대형국책사업 7 : 거가대교]	경실련	국책사업감시단
20131101	보도자료	강남권 보금자리 시범지구 반값아파트 건축비 분석	경실련	정책위원회
20131101	보도자료	정부의 '지구촌 새마을운동'에 대한 입장	경실련	국제위원회
20131103	보도자료	2013년 국회 국정감사 평가결과 및 상임위별 우수의원	경실련	정책위원회
20131104	소송	동양증권 경영진 상대 주주대표소송 제기 기자회견	경실련	정책위원회
20131105	보도자료	경실련, 스마트폰 기본탑재 앱 실태조사 결과발표	경실련	소비자정의센터
20131105	보도자료	[내일신문-경실련 공동기획 ㅣ 부실투성이 대형국책사업 8 : 서울-춘천 민자도로]	경실련	국책사업감시단
20131105	보도자료	동양그룹 사외이사-감사위원 실태조사 발표	경실련	금융개혁위원회
20131106	정책토론	공평과세 실현을 위한 세제개편 대토론회	경실련	재정세제위원회
20131106	보도자료	경제민주화 공약이행 평가 결과	경실련	정책위원회
20131106	교육	[25기 민족화해아카데미 4강] 시로 보는 북한문화 이야기	경실련	통일협회
20131106	보도자료	철도산업발전기본법 일부개정(안)에 대한 의견서 제출	경실련	국책사업감시단
20131107	보도자료	[내일신문-경실련 공동기획 ㅣ 부실투성이 대형국책사업 9 : 광주 제2순환도로]	경실련	국책사업감시단
20131107	보도자료	구 미대사관 숙소부지 호텔건립허용 특혜 법안에 대한 의견서 제출	경실련	도시개혁센터
20131108	보도자료	일감몰아주기 방지 관련 공정거래법 시행령 입법예고안 의견서 제출	경실련	재벌개혁위원회
20131111	보도자료	국정원 등 신관권선거 진상규명을 위한 특검을 도입하라	경실련	정책위원회
20131111	정책토론	동양그룹 사태 재발방지를 위한 제도개선방안 토론회	경실련	재벌개혁위원회
20131111	보도자료	보금자리주택건설 등에 관한 특별법 시행령 개정령안에 대한 의견서 제출	경실련	정책위원회
20131111	보도자료	복지 공약이행 평가 결과	경실련	사회복지위원회
20131111	보도자료	[내일신문-경실련 공동기획 ㅣ 부실투성이 대형국책사업 10 : 종합좌담회 : 특혜, 반칙, 부패 사슬 고리 끊어야]	경실련	국책사업감시단
20131112	보도자료	2013 한국인의 공공갈등 의식조사결과 발표	경실련	갈등해소센터
20131112	보도자료	서울시 경전철 민자사업 진단 기자회견(1)	경실련	국책사업감시단
20131113	보도자료	경전철 민자사업 서울시 반박에 대한 재반박	경실련	국책사업감시단
20131113	정책토론	금강산관광 법, 제도 변경과 공동위원회 구성	경실련	통일협회
20131113	보도자료	UN에 제출된 디지털 시대 프라이버시권 한국정부의 지지 촉구 성명 발표	경실련	소비자정의센터
20131114	교육	[25기 민족화해아카데미 5강] 금강산관광 남북의 동상이몽	경실련	통일협회
20131114	보도자료	갈등해소현장리포트 '한국사회공공갈등이렇게풀자' 발간 기념 토론회	경실련	갈등해소센터

생산일자	세부형태	제목	출처분류	생산자(처)
20131114	정책토론	복지 보조금사업의 국고보조율에 대한 개선방안	경실련	사회복지위원회
20131115	정책토론	경실련 국제위원회 재출범 기념 토론회 Post 2015의제와 한국사회	경실련	정책위원회
20131115	보도자료	민변 · 철도공공성시민모임 긴급 기자회견	경실련공동	철도공공성시민모임 외
20131115	보도자료	위험분담계약제 등 건강보험 요양급여규칙 개정 입법예고 경실련 의견	경실련	보건의료위원회
20131118	보도자료	UN 총회 제출된 디지털 시대의 프라이버시권 결의안 초안, 한국정부 지지 촉구	경실련	시민권익센터
20131119	보도자료	21일 서산시 팔봉면 전자파워크숍 취지설명 및 행사취소 안내	경실련	갈등해소센터
20131119	보도자료	기초연금법 제정안 국무회의 의결에 대한 입장	경실련	사회복지위원회
20131120	정책토론	개성공단 국제화와 3통문제 해결	경실련	통일협회
20131120	보도자료	박근혜 대통령과 정부의 관광진흥법 개정시도에 대한 입장	경실련	도시개혁센터
20131121	소송	동양그룹 경영진 추가 검찰 고발	경실련	재벌개혁위원회
20131121	교육	[25기 민족화해아카데미 6강] 개성공단 과거와 미래	경실련	통일협회
20131121	보도자료	새누리당의 정당공천제 개편 예상안에 대한 입장	경실련	정책위원회
20131121	보도자료	전월세상한제 도입 부작용 검증 1.가격급등과 물량축소	경실련	정책위원회
20131121	보도자료	정권차원의 선거개입 및 수사방해에 대한 입장	경실련	정책위원회
20131121	보도자료	청와대의 문형표 복지부장관 후보자 임명 강행에 대한 경실련 입장	경실련	보건의료위원회
20131122	정책토론	구 미대사관 숙소부지 대한항공 호텔건립 추진 토론회 - 다양한 의견제시와 바람직한 해결방안	경실련	도시개혁센터
20131122	정책토론	현장스케치 - 2013 경실련 도시개혁센터 5차 릴레이 세미나: 자전고도로 안전과 이용자 편의 개선방향	경실련	도시개혁센터
20131125	보도자료	자전거 정책의 일관성과 시민 안전에 대한 고찰	경실련	도시개혁센터
20131125	보도자료	정부 치매특별등급 도입에 대한 의견제시	경실련	사회복지위원회
20131125	회의	제24기 10차 상임집행위원회	경실련	상임집행위원회
20131126	보도자료	헌법학자들이 보는 통합진보당 위헌정당해산청구와 헌법적 자유	경실련	정책위원회
20131127	보도자료	독일 사회적 시장경제 국제심포지움 개최	경실련	경제정의연구소
20131127	보도자료	GMO대두 비의도적 혼입치 실태조사 결과발표	경실련	소비자정의센터
20131127	정책토론	독일 사회적 시장경제 국제 심포지움	경실련공동	국회 대한민국국가모델연구모임 외
20131127	보도자료	박근혜 대통령은 공약을 이행하고 철도 분할 민영화 강행을 즉각 중단하라!	경실련공동	철도공공성시민모임
20131127	정책토론	박근혜 정부 대북정책과 DMZ평화공원의 가능성	경실련	통일협회
20131127	정책토론	수서발KTX 분할 반대, 철도민영화 반대, 철도산업 개방 반대, 각계 원탁회의	경실련공동	철도공공성시민모임 외
20131128	보도자료	정부의 국가계약법 시행령 일부개정안에 대한 의견서 제출	경실련	정책위원회
20131128	교육	[25기 민족화해아카데미 7강] DMZ 평화공원과 남북경협 정책 분석	경실련	통일협회
20131129	보도자료	감사원장 임명동의안 강행처리 등 대치정국 해소와 관련한 입장	경실련	정책위원회
20131129	보도자료	새누리당의 정당공천제 유지안에 대한 입장	경실련	정책위원회
20131129	간행물	월간경실련 2013년 11 · 12월호	경실련	경실련
20131129	보도자료	의료법 개정안 입법예고에 대한 경실련 의견서 제출 보도 요청	경실련	보건의료위원회
20131129	보도자료	전국 경실련 공동 보육료 국고지원 확대에 대한 국회의원 공개질의	경실련	전국경실련
20131129	보도자료	정부의 WTO 정부조달협정 의정서 개정 위헌 행위에 대한 입장	경실련	국책사업감시단
20131130	교육	우리 문제는 현장 속에 답이 있다-DMZ 현장견학	경실련	통일협회
20131202	보도자료	국정원 개혁, 어떻게 할 것인가? -정치적 중립성과 효율성 확보를 위한 방안들-	경실련	시민입법위원회
20131202	보도자료	그루브샤크의 접속차단결정 및 이의절차에 대한 논평	경실련	시민권익센터
20131203	보도자료	교육부의 특정대기업 특혜 훈령 시범운영에 대한 성명	경실련	도시개혁센터
20131203	보도자료	국가기관 대선개입과 민주주의 위기에 대한 7개 시민단체 공동기자회견	경실련공동	시민사회단체연대회의
20131203	보도자료	박근혜정부의 전월세 후속 대책에 대한 입장	경실련	정책위원회
20131203	보도자료	최근 5년간 국가재정운용계획 분석 결과	경실련	재정세제위원회
20131205	보도자료	선별급여 도입 국민건강보험법 시행령개정안 국무회의 통과에 대한 입장	경실련	보건의료위원회
20131205	교육	[25기 민족화해아카데미 8강] Made In 남북경협 2.0	경실련	통일협회
20131205	보도자료	수서발KTX 법인 설립방안에 대한 입장	경실련	국책사업감시단
20131206	보도자료	수직증축 리모델링 법안소위 통과에 대한 성명	경실련	부동산감시팀

생산일자	세부형태	제목	출처분류	생산자(처)
20131209	회의	2013년 제9차 소비자정의센터 운영위원회	경실련	소비자정의센터
20131209	보도자료	경실련 제11대 사무총장 후보자 모집	경실련	사무국
20131209	보도자료	동양그룹 법정관리 계열사에 대한 법원 의견서 제출	경실련	재벌개혁위원회
20131211	보도자료	최근 4년간 국가채무관리계획 분석 결과	경실련	재정세제위원회
20131212	보도자료	서승환 국토교통부 장관의 거품 조장 잘언에 대한 논평	경실련	정책위원회
20131212	보도자료	정부 최저가낙찰제 폐지(종합심사제 도입)에 대한 의견	경실련	국책사업감시단
20131212	보도자료	트래픽 관리기준 발표에 대한 망중립성 이용자포럼의 입장	경실련공동	망중립성이용자포럼
20131213	보도자료	국정원 자체개혁안 발표에 대한 입장	경실련	정책위원회
20131213	보도자료	의료법인의 자법인 설립허용에 대한 입장	경실련	보건의료위원회
20131213	보도자료	제4차 투자활성화대책(보건의료분야)에 대한 입장	경실련	보건의료위원회
20131213	보도자료	철도문제의 올바른 해결을 촉구하는 사회적 대화 모임 기자회견	경실련공동	철도문제의 올바른 해결을 촉구하는 사회적 대화 모임
20131216	회의	제24기 11차 상임집행위원회	경실련	상임집행위원회
20131217	보도자료	서울시 종합심사제 도입 시도에 대한 입장	경실련	국책사업감시단
20131217	보도자료	포스코 낙하산 인사 내정설과 관련한 입장	경실련	정책위원회
20131218	보도자료	국회 정개특위, 기초지방선거 정당공천폐지 통해 정치쇄신 의지와 공약이행 보여달라!	경실련공동	기초지방선거 정당공천 폐지 대선공약 이행촉구 시민행동
20131218	보도자료	대선1년 민주회복 시민행진	경실련공동	시민사회단체연대회의
20131219	정책토론	Post 2015 국제적 논의와 국내목표 설정에 대한 영역별 시리즈 1차 간담회	경실련	국제위원회
20131219	보도자료	UN 프라이버시 결의안 통과에 대한 시민단체 입장	경실련공동	진보네트워크센터 외
20131219	보도자료	경실련 대선 1년, 민주적 국정운영 촉구 시민행진	경실련	정책위원회
20131219	보도자료	경실련, 모바일상품권 유효기간 실태조사 결과발표	경실련	소비자정의센터
20131219	보도자료	국회 보건복지위원회는 의료인 단순 폭행 · 협박을 중형으로 가중해 처벌하도록 규정한 의료법 개정안을 부결시키거나 법안소위에서 재심의하라	경실련공동	건강세상네트워크 외
20131219	보도자료	사이버사령부 선거개입 의혹 국방부 수사결과에 대한 경실련 입장	경실련	정책위원회
20131219	보도자료	철도노조파업 지지와 의료민영화 저지 투쟁 선포 노동시민사회단체 공동기자회견	경실련공동	의료민영화저지범국민운동본부
20131220	보도자료	군 사이버사령부 대선개입 사건 부실 · 축소 · 은폐 수사결과에 대한 입장	경실련	정책위원회
20131220	보도자료	부산 남 · 북항대교 접속도로 공사 사고에 대한 입장	경실련	국책사업감시단
20131222	보도자료	경찰의 철도노동자 강제 검거에 대한 입장	경실련공동	철도공공성시민모임
20131223	보도자료	경실련 사이버사령부 선거개입 의혹 부실수사 규탄 기자회견	경실련	정책위원회
20131223	보도자료	시민들을 뒤로 하고 당파싸움만 하는 시의원님들 "안녕들 하십니까?"	경실련공동	진보네트워크센터 외
20131223	보도자료	철도노동자 강제 검거시도에 대한 시민단체 긴급 기자회견	경실련공동	참여연대 외
20131224	보도자료	국회 정무위원회의 순환출자 금지 공정거래법 개정안 의결에 대한 입장	경실련	재벌개혁위원회
20131226	보도자료	정당공천 폐지 정개특위에서 반드시 통과되어야	경실련	정책위원회
20131227	보도자료	식약처의 GMO표시제도 고시개정에 대한 입장	경실련	소비자정의센터
20131227	보도자료	헌법재판소의 대형마트 의무휴업 판결에 대한 입장	경실련	중소기업위원회
20131227	보도자료	특별감찰관제 강화, 상설 기구특검 도입해야	경실련	정책위원회
20131229	소송	경실련, 9.15 정전사태 손해배상청구 공익소송 승소	경실련	시민권익센터
20131230	보도자료	국회철도발전소위원회 구성과 철도노조 파업철회에 대한 입장	경실련	정책위원회
20131230	보도자료	방통위의 「빅데이터 개인정보보호 가이드라인(안)」에 대한 시민단체 입장	경실련공동	진보네트워크센터 외
20140106	보도자료	5.24조치 해제 없이 통일시대 기반 구축 불가능	경실련	통일협회
20140106	보도자료	박근혜 대통령 신년 기자회견에 대한 논평	경실련	정책위원회
20140106	보도자료	코레일의 수서고속철도주식회사 출범 강행에 대한 입장	경실련공동	철도공공성시민모임 외
20140107	보도자료	새누리당은 퇴행적 지방자치쇄신안 폐기하고 정당공천폐지 공약 이행해야	경실련	지방자치위원회
20140108	보도자료	박근혜대통령의 의료 및 부동산 규제 완화 발언에 대한 입장	경실련	정책위원회
20140110	보도자료	캄보디아 노동자 파업 유혈진압에 대한 입장	경실련	국제위원회
20140113	보도자료	경실련 등 기초선거 정당공천폐지 촉구 기자회견	경실련공동	기초지방선거 정당공천 폐지 대선공약 이행촉구 시민행동
20140113	보도자료	박근혜 정부 의료민영화 반대 100만 서명운동 선포 기자회견	경실련공동	의료민영화저지범국민운동본부
20140113	보도자료	서울 지하철7호선 연장 입찰담합 판결결과에 대한 입장	경실련	국책사업감시단
20140113	보도자료	의협의 총파업 결의에 대한 입장	경실련	보건의료위원회

생산일자	세부형태	제목	출처분류	생산자(처)
20140114	보도자료	철도문제, 국민의 시선과 마음으로 풀어야합니다	경실련공동	도법스님 외
20140116	보도자료	새누리당 정당공천폐지 '공약파기'에 대한 입장	경실련	정책위원회
20140116	보도자료	코레일 최연혜사장의 새누리당 당협위원장 협의에 관한 입장	경실련공동	철도공공성시민모임
20140116	보도자료	유전자변형식품등의 표시기준 제정고시(안) 검토 의견	경실련	소비자정의센터
20140121	보도자료	'국가기관 대선개입사건 8개 시민사회단체 공동기자회견'	경실련공동	참여연대 외
20140121	보도자료	대규모 금융정보 유출에 대한 입장	경실련	소비자정의센터
20140122	보도자료	금융회사 고객정보 유출사건 재발방지 종합대책에 대한 입장	경실련	소비자정의센터
20140122	보도자료	새누리당 정당공천유지 당론확정 움직임에 대한 경실련 규탄 기자회견	경실련	지방자치위원회
20140122	보도자료	합리적인 약가제도 모색을 위한 정책 토론회 - "의약품 시장형실거래가제도 재시행, 이대로 좋은가"	경실련	보건의료위원회
20140123	보도자료	미국 법원의 판결, 망중립성 원칙에 대한 부정 아니다.	경실련공동	망중립성이용자포럼
20140123	보도자료	LH공사 보금자리주택 분양원가 자료 공개촉구	경실련	정책위원회
20140124	보도자료	「스마트폰 앱 선탑재에 관한 가이드라인」에 대한 입장	경실련	소비자정의센터
20140124	보도자료	현오석 부총리의 개인정보 유출 소비자 책임 전가에 대한 입장	경실련	금융개혁위원회
20140124	보도자료	박근혜 대통령은 북의 중대제안을 전향적으로 검토하라	경실련	통일협회
20140124	보도자료	건보공단 담배소송 추진에 대한 입장	경실련	보건의료위원회
20140127	보도자료	경제부총리, 금융위원장, 금융감독원장 사퇴 촉구 기자회견	경실련	금융개혁위원회
20140127	보도자료	동양증권 주주대표소송 소제기청구서 제출	경실련	금융개혁위원회
20140127	보도자료	이산가족 상봉, 이번에는 반드시 성사되어야 한다	경실련	통일협회
20140127	정책토론	긴급토론회 - "카드사 개인정보 유추대란의 근본해결점 모색"	경실련	소비자정의센터
20140127	보도자료	약가제도개선협의체 시장형실거래가제도 최종 논의에 대한 입장	경실련공동	환자단체연합 외
20140127	회의	제25기 1차 상임집행위원회	경실련	상임집행위원회
20140128	보도자료	분양가상한제 적용된 민간 분양아파트 85% 법정 건축비보다 비싸	경실련	정책위원회
20140128	감사청구	경실련 금융위 금감원의 관리감독 부실 책임에 대한 공익 감사청구	경실련	소비자정의센터
20140128	보도자료	국가인권위원회의 개인정보 유출 관련 성명에 대한 경실련 환영 논평	경실련	소비자정의센터
20140128	보도자료	박근혜 정부는 역사의 죄인으로 평가받을 의료민영화 정책을 즉각 철회하라	경실련공동	의료민영화 저지와 의료공공성 강화를 위한 범국민운동본부
20140128	보도자료	주민번호 변경하자 청구인단 모집 및 정보인권 침해하는 주민번호제도, 국가인권위 민원 진정 기자회견	경실련공동	진보네트워크센터 외
20140129	보도자료	안전행정부 '지자체 파산제' 도입 검토에 대한 입장	경실련	지방자치위원회
20140204	소송	LH공사 보금자리주택 분양원가 자료 공개 행정심판 청구	경실련	정책위원회
20140205	보도자료	카드사 개인정보유출에 대한 시민단체 공동입장	경실련공동	진보네트워크센터 외
20140206	보도자료	4대강 담합 집행유예 선고에 대한 입장	경실련	국책사업감시단
20140206	교육	20기 도시대학_정부정책과 마을만들기	경실련	도시개혁센터
20140207	보도자료	김용판 전 청장 무죄 판결에 대한 입장	경실련	정책위원회
20140207	간행물	월간경실련 2014년 1 · 2월호(통권 138호)	경실련	경실련
20140210	보도자료	박근혜대통령 4대중증 국가보장 공약 폐기에 대한 입장	경실련공동	건강보험가입자포럼
20140210	참고자료	인권시민단체, 미국 정보기관의 인터넷 감시에 협조한 구글에 정보공개 요청	경실련공동	국제엠네스티 외
20140211	보도자료	3대 비급여 폐지, 건강보험 보장성 강화 촉구 기자회견	경실련공동	의료민영화저지범국민운동본부
20140212	보도자료	법정 건축비, 실제 건축비보다 과도하게 높아	경실련	정책위원회
20140212	청원	주민번호 변경 허용하는 「주민등록법」 개정안 발의	경실련공동	소비자시민모임 외
20140212	보도자료	사법부의 재벌총수에 대한 관결 후퇴에 대한 입장	경실련	재벌개혁위원회
20140213	소송	군 PX 내 고가판매 방치에 따른 해당 책임자 검찰 고발	경실련	시민권익센터
20140213	보도자료	주민등록법 개정안 통과를 촉구한다	경실련	소비자정의센터
20140217	회의	제25기 2차 상임집행위원회	경실련	상임집행위원회
20140218	보도자료	경실련 국회의 GMO표시제도 개선입법 통과 촉구	경실련	소비자정의센터
20140218	보도자료	안전행정부 주민등록제도 관련 업무보고에 대한 시민사회의 입장	경실련공동	소비자시민모임 외
20140219	보도자료	국회 미방위 소관 법률 입법에 대한 시민사회단체 긴급 입장	경실련공동	진보네트워크센터 외
20140219	보도자료	국토부 업무보고에 대한 논평	경실련	부동산감시팀
20140219	정책토론	주민등록번호제도 개편 토론회	경실련	소비자정의센터
20140219	교육	서울시 주거재생 대안모델 개발과 추진현황	경실련	도시개혁센터
20140219	보도자료	정부의협 의료발전협의회 협의결과에 대한 건강보험가입자		

생산일자	세부형태	제목	출처분류	생산자(처)
		포럼 입장	경실련공동	건강세상네트워크 외
20140220	보도자료	안전행정부 장관은 민주화운동기념사업회 이사장직에 대한 낙하산 인사를 철회해야 한다	경실련공동	녹색연합 외
20140221	보도자료	박근혜 정부 1년 국정운영에 대한 전문가 평가 설문 결과	경실련	정책위원회
20140221	회의	제13기 1차 중앙위원회	경실련	중앙위원회
20140224	보도자료	정무위 법안소위 금융감독체계 개편 논의에 대한 입장	경실련	금융개혁위원회
20140224	보도자료	국회 정무위의「금융지주회사법」개정안 논의에 대한 입장	경실련	금융개혁위원회
20140224	보도자료	민주당 기초공천 유지와 '상향식 공천제' 도입에 대한 입장	경실련	정책위원회
20140224	정책토론	박근혜 정부 1년 평가 토론회 ① : 정치 분야	경실련	정책위원회
20140224	정책토론	박근혜 정부 1년 평가 토론회 ② : 경제 분야	경실련	정책위원회
20140224	정책토론	박근혜 정부 1년 평가 토론회 ③ : 사회 분야	경실련	정책위원회
20140224	정책토론	열린좌담회 - 박근혜 정부 1년, 통일과 평화의 현 주소 및 전망은?	경실련	통일협회
20140225	보도자료	기초선거 정당공천 배제 위헌성 논란에 대한 '공법학자 설문조사결과'	경실련	정치개혁위원회
20140225	보도자료	박근혜 정부 출범 1년 관련 공동 입장 발표 기자회견	경실련공동	시민사회단체연대회의
20140225	보도자료	경제혁신 3개년 계획에 대한 입장	경실련	정책위원회
20140225	보도자료	박근혜정부 1년에 즈음한 입장	경실련	정책위원회
20140225	보도자료	'통일대박'에 '통일부'가 없다	경실련	통일협회
20140227	보도자료	기초연금법 제정안 처리위한 여야정 합의 실패에 대한 입장	경실련	사회복지위원회
20140228	보도자료	'눈 가리고 아웅'하는 '껍데기' 제도특검과 특별감찰관제	경실련	정책위원회
20140228	보도자료	간첩 증거조작 · 은닉 사건에 대한 입장	경실련	정책위원회
20140303	보도자료	'서울시 공무원 간첩 증거조작 · 은닉 사건' 규탄 기자회견	경실련	정책위원회
20140303	정책토론	손배가압류 등 노동현안으로 본 박근혜 정부 1년 평가와 개선방향	경실련	정책위원회
20140303	보도자료	2월 국회, 개인정보보호 대책에 대한 시민사회의 입장	경실련공동	소비자시민모임 외
20140303	보도자료	민주당, 새정치연합 기초선거 무공천 환영 및 박근혜 대통령과 새누리당의 결단을 촉구하는 시민사회단체 공동 기자회견	경실련공동	기초지방선거 정당공천 폐지 대선공약 이행촉구 시민행동
20140305	보도자료	공정거래위원회 스마트폰 앱 마켓 이용약관 시정조치에 대한 논평	경실련	소비자정의센터
20140305	보도자료	한국소비자원의 GMO표시제도 개선 발표에 대한 입장	경실련	소비자정의센터
20140306	보도자료	KT 개인정보 유출에 대한 시민사회 입장	경실련공동	진보네트워크센터 외
20140306	보도자료	박근혜 대통령 대선공약 이행 평가 결과	경실련	정책위원회
20140306	보도자료	임대소득세 부과 유예에 대한 입장	경실련	정책위원회
20140307	정책토론	Post 2015 국제적 논의와 국내목표 설정에 대한 영역별 시리즈 2차 간담회	경실련	국제위원회
20140310	보도자료	간첩 증거조작 · 사건 국정원 입장발표에 대한 성명	경실련	정책위원회
20140311	보도자료	의료민영화 · 영리화 저지와 의료공공성 강화를 위한 범국민운동본부 출범 기자회견	경실련공동	의료민영화저지범국민운동본부
20140312	보도자료	개인정보 대량유출 방지 근본대책 촉구 공동 기자회견	경실련공동	소비자시민모임 외
20140312	보도자료	정부-의사협회 2차 협의결과에 대한 건강보험가입자포럼 입장	경실련공동	건강세상네트워크 외
20140312	보도자료	한국감정원 엉터리 전세 상승률 분석	경실련	정책위원회
20140313	보도자료	11개 시민사회단체, 남재준 국정원장 해임촉구 기자회견	경실련공동	참여연대 외
20140313	보도자료	관광진흥 핑계삼은 전경련의 학교주변 호텔건립허용요구에 대한 입장	경실련	도시개혁센터
20140313	보도자료	그린벨트 해제지역 용도변경 허용에 대한 입장	경실련	도시개혁센터
20140313	보도자료	주민번호 제도 관련 개인정보보호위원회 진정서 제출	경실련공동	소비자시민모임 외
20140317	보도자료	정부의 IATI 가입에 대한 입장	경실련	국제위원회
20140318	소송	KT 개인정보 유출 공익소송 제기	경실련	소비자정의센터
20140318	보도자료	의료민영화 정책 중단 촉구 기자회견	경실련공동	의료민영화저지범국민운동본부
20140320	보도자료	고액 주택임대소득 탈루 관련 국세청장 검찰 고발	경실련	재정세제위원회
20140320	보도자료	정부-의사협회 야합 규탄 및 2015수가계약에 대한 건강보험 가입자포럼 입장 발표 기자회견	경실련공동	건강보험가입자포럼
20140321	보도자료	규제개혁 장관회의에 대한 입장	경실련	정책위원회
20140324	보도자료	방통위의「빅데이터 개인정보보호 가이드라인(수정안)」에 대한 시민단체 입장	경실련공동	진보네트워크센터 외
20140325	보도자료	의료민영화 정책, 원격의료 허용 국무회의 통과 규탄 기자회견	경실련공동	의료민영화저지범국민운동본부
20140326	보도자료	박근혜 정부의 학교주변 호텔건립 추진과 규제 폐지시도에 대한 입장	경실련	도시개혁센터

생산일자	세부형태	제목	출처분류	생산자(처)
20140327	보도자료	정부는 엉터리 주간아파트 가격동향 발표를 중단하라	경실련	부동산감시팀
20140327	보도자료	최근 철도공사의 노조탄압에 대한 철도공공성시민모임 입장	경실련공동	철도공공성시민모임
20140327	정책토론	카드사 개인정보유출사건 정부대책 평가 및 대안모색	경실련	소비자정의센터
20140330	보도자료	박근혜 대통령의 드레스덴 제안, 북한의 호응 이끌어내야	경실련	통일협회
20140331	회의	제25기 3차 상임집행위원회	경실련	상임집행위원회
20140401	보도자료	기업임원 연봉 공개에 대한 입장	경실련	정책위원회
20140401	간행물	월간경실련 2014년 3 · 4월호	경실련	경실련
20140402	보도자료	송현동 부지 호텔건립 저지를 위한 시민단체 공동 기자회견	경실련공동	도시연대 외
20140402	보도자료	개인정보 근본대책에 대한 국회의원 설문조사	경실련공동	진보네트워크센터 외
20140403	보도자료	공정위의 경인운하 턴키공사 담합결과 발표에 대한 입장	경실련	국책사업감시단
20140403	보도자료	박 대통령, 정당공천 폐지 입장 밝혀라	경실련공동	한국YMCA전국연맹 외
20140404	보도자료	동양증권 주주대표소송 제기	경실련	정책위원회
20140405	보도자료	19대 총선 정당 공약 평가 - 노후보장/취약계층	경실련	정책위원회
20140408	보도자료	방통위에 KT 피해입증자료 제공거부 및 고객정보 보존조치 요구 신고	경실련	소비자정의센터
20140408	보도자료	공정위의 사회적 경제 관련 지자체 조례 · 규칙 개선 및 폐지 지침에 대한 입장	경실련	정책위원회
20140408	보도자료	삼성 특혜 방지 보험업법 개정안 통과 촉구 기자회견	경실련	금융개혁위원회
20140408	보도자료	한 · 미 "유기가공식품 동등성 인정" 협의에 대한 입장	경실련	소비자정의센터
20140409	보도자료	공직선거법상 인터넷 본인확인제 폐지 촉구	경실련	소비자정의센터
20140410	정책토론	금강산관광 재개 그 해법은?	경실련공동	우상호 국회의원 외
20140410	보도자료	연간 임대소득 44조 불로소득 방치, 임대소득세 도입해야	경실련	정책위원회
20140410	보도자료	정부여당 분양가상한제 폐지 당정협의에 대한 입장	경실련	정책위원회
20140414	보도자료	'경실련 2014지방선거 유권자운동본부' 발족 및 지방선거 개혁과제 발표 기자회견	경실련	유권자운동본부
20140414	보도자료	잘못된 규제개혁 10대 사례	경실련	정책위원회
20140414	보도자료	학교주변 호텔건립 저지를 위한 서울시 호텔이용률 조사결과 발표	경실련	도시개혁센터
20140415	보도자료	간첩 증거조작 사건 검찰 수사결과 발표에 대한 입장	경실련	정책위원회
20140415	보도자료	건설업 업역구분 규제철폐와 직접시공제 전면도입 촉구 공동기자회견문	경실련공동	건설산업연맹 외
20140415	정책토론	드레스덴선언 이후 남북관계와 대북정책의 방향	경실련	통일협회
20140415	보도자료	서울시의 교통카드 현황자료 비공개 결정에 대한 입장	경실련	시민권익센터
20140416	보도자료	국회 교문위 법안심사소위 관광진흥법 일부개정안 상정에 대한 입장	경실련	도시개혁센터
20140416	정책토론	송현동 부지 호텔건립 저지를 위한 NGO 연대 토론회	경실련공동	도시연대 외
20140416	보도자료	한국감정원 주택 가격동향 분석 3. 실제 주택상황과 동떨어진 표본 비교	경실련	정책위원회
20140421	보도자료	문용린 서울 교육감 공약 미이행률 60%	경실련공동	서울교육감시민선택
20140423	정책토론	새마을운동 세계화 진단 토론회	경실련	국제위원회
20140427	보도자료	국가인권위원회에 개인정보공유 허용하는「금융지주회사법」 개정 권고 촉구	경실련공동	진보네트워크센터 외
20140428	보도자료	상파울로 멀티스테이크홀더 선언문 채택 환영	경실련공동	망중립성이용자포럼 외
20140428	보도자료	세월호 침몰사고 구조 및 사태수습 과정에 대한 입장	경실련	도시개혁센터
20140428	보도자료	한 · 미, 제재와 압박에서 벗어나 북핵문제 해법 제시해야	경실련	통일협회
20140428	회의	제25기 4차 상임집행위원회	경실련	상임집행위원회
20140428	조직	먹거리안전과 식량주권 실현을 위한 범국민연대(식량주권 운동본부)	경실련	상임집행위원회
20140429	정책토론	화상경마장(장외발매소) 문제 토론회	경실련	시민권익센터
20140429	보도자료	식량주권과 먹거리 안전을 위한 일만오천배 개최	경실련	소비자정의센터
20140501	보도자료	국회 미방위 전기통신사업법 개정안에 대한 시민사회 입장	경실련공동	진보네트워크센터 외
20140501	보도자료	국회 정무위 법안소위의「금융지주회사법」개정안 통과에 대한 입장	경실련공동	진보네트워크센터 외
20140502	보도자료	2014년 장기요양 수가협상에 대한 시민사회단체 입장	경실련공동	전국민주노동조합총연맹 외
20140502	보도자료	서울시교육감 선거결과에 대한 논평	경실련공동	서울교육감시민선택
20140508	보도자료	카드 3사 개인정보 유출 피해자 〈주민등록번호 변경〉 소송 제기	경실련공동	민주사회를위한변호사모임 외
20140509	보도자료	정부의 부동산 공시제도 개선 추진에 대한 논평	경실련	아파트값거품빼기운동본부
20140512	보도자료	[관피아 시리즈1] 해양수산 관련 출신 공무원(해(海)피아)의 민간 협회 취업 현황 조사 결과	경실련	정책위원회
20140514	보도자료	주요 라면 GMO표시실태 결과발표 및 식약처 등에 GMO포함 여부 조사요청	경실련	소비자정의센터

생산일자	세부형태	제목	출처분류	생산자(처)
20140514	보도자료	조건부급여 의약품 건강보험정책심의위원회 대면심의에 대한 가입자포럼 입장	경실련공동	건강보험가입자포럼
20140515	보도자료	검경합동수사본부의 세월호 선원기소 발표에 대한 경실련 입장	경실련	도시개혁센터
20140519	보도자료	박근혜 대통령 세월호 사고 대국민 담화 발표에 대한 입장	경실련	도시개혁센터
20140519	보도자료	[관피아 시리즈2] 재해 · 안전 관련 출신 공무원(안(安)피아)의 민간 협회 취업 현황 조사 결과	경실련	정책위원회
20140519	보도자료	2014 지방선거 광역단체장 후보 공약 평가 1.부산시장	경실련	유권자운동본부
20140519	보도자료	2014 지방선거 광역단체장 후보 공약 평가 2.대전시장	경실련	유권자운동본부
20140519	보도자료	2014 지방선거 광역단체장 후보 공약 평가 3.충남도지사	경실련	유권자운동본부
20140520	보도자료	2014 지방선거 광역단체장 후보 공약 평가 4. 강원도지사	경실련	유권자운동본부
20140521	보도자료	2014 지방선거 광역단체장 후보 공약 평가 5. 인천시장	경실련	유권자운동본부
20140521	회의	제25기 5차 상임집행위원회	경실련	상임집행위원회
20140521	정책토론	2014 서울교육감후보 초청공약토론회	경실련공동	서울교육감시민선택
20140522	보도자료	5.24 조치 관련 전문가 설문조사 결과 발표	경실련	통일협회
20140523	보도자료	2014 지방선거 광역단체장 후보 공약 평가 6. 서울시장	경실련	유권자운동본부
20140523	보도자료	경실련 등 인권시민단체 인권위 감시 및 모니터링 강화	경실련	소비자정의센터
20140523	보도자료	김기춘 대통령 비서실장 해임 촉구 성명	경실련	정책위원회
20140523	보도자료	우리의 미래인 남북교류협력을 위하여 이제는 5.24조치를 해제할 때다	경실련공동	한반도 평화와 남북관계 발전을 기원하는 남북경협&통일운동단체 일동
20140526	보도자료	2014지방선거 경실련 '후보선택도우미' 가동	경실련	유권자운동본부
20140526	정책토론	교통사고 심각성과 보행자 안전대책	경실련	도시개혁센터
20140526	보도자료	2014 지방선거 광역단체장 후보 공약 평가 7. 대구시장	경실련	유권자운동본부
20140526	보도자료	2014 지방선거 광역단체장 후보 공약 평가 8.경기도지사	경실련	유권자운동본부
20140526	보도자료	2014 지방선거 광역단체장 후보 공약 평가 9.충북도지사	경실련	유권자운동본부
20140527	보도자료	국가인권위원회의 주민등록번호제도 개선 권고에 대한 입장	경실련공동	진보네트워크센터 외
20140527	보도자료	공정위의 무점포창업 5개 업체 불공정계약서 시정조치에 대한 입장	경실련	시민권익센터
20140527	간행물	월간경실련 2014년 5 · 6월호	경실련	경실련
20140527	정책토론	통일이념, 무엇으로 할 것인가?	경실련	통일협회
20140528	보도자료	2014 지방선거 광역단체장 후보 공약 평가 10. 광주시장	경실련	유권자운동본부
20140528	모니터링	2014 서울교육감 후보 공약 평가 보고	경실련공동	서울교육감시민선택
20140528	보도자료	로비 댓가성 입법활동한 박상은 의원 등에 대한 검찰수사 및 윤리특별위원회 징계 촉구	경실련	정책위원회
20140528	모니터링	서울교육감 후보 공약 평가 결과 발표 기자회견	경실련공동	서울교육감시민선택
20140528	보도자료	안대희 국무총리 후보자 지명을 철회하라	경실련	정책위원회
20140529	보도자료	지방선거 개발공약 분석 1. 철도	경실련	국책사업감시단
20140602	보도자료	53개 현안에 대한 서울시장 후보 입장 비교 분석	경실련	유권자운동본부
20140602	보도자료	대북강경책에서 한 발자국도 벗어나지 못한 김관진 안보실장 인사	경실련	통일협회
20140603	보도자료	17개 광역시도지사 주요후보 민자사업 공약 및 정책질의 답변 분석결과	경실련	정책위원회
20140603	보도자료	6 4지방선거 투표참여 촉구 성명	경실련	유권자운동본부
20140605	보도자료	6.4지방선거 결과에 대한 입장	경실련	유권자운동본부
20140605	보도자료	서울시교육감 선거결과에 대한 논평	경실련공동	서울교육감시민선택
20140605	보도자료	6 · 4 지방선거 평가와 지방자치 발전 방안 토론회	경실련	정책위원회
20140608	보도자료	6 · 13 지방선거 강원도지사 후보 공약평가	경실련	정책위원회
20140610	보도자료	박근혜 대통령의 국무총리 내정에 대한 논평	경실련	정책위원회
20140610	보도자료	박근혜정부 병원 부대사업 확대와 영리자회사 설립추진 강행 규탄 기자회견	경실련공동	의료민영화저지범국민운동본부
20140610	보도자료	의료법인 부대사업 확대 등 의료법 시행규칙개정안 입법 예고에 대한 입장	경실련	보건의료위원회
20140610	보도자료	회의록 유출사건, 특검도입으로 사법정의 바로 세워야	경실련	정책위원회
20140611	보도자료	개발제한구역 해제지역 정비촉진 위한 정부의 규제완화에 대한 입장	경실련	도시개혁센터
20140613	보도자료	문창극 총리 지명은 심각한 국격 훼손	경실련	정책위원회
20140613	보도자료	정부의 인천공항철도 매각에 대한 입장	경실련	도시개혁센터
20140613	보도자료	정부의 임대소득 과세 수정안에 대한 입장	경실련	정책위원회
20140616	보도자료	문창극 국무총리 후보 지명 철회 촉구 기자회견	경실련	정책위원회
20140617	보도자료	정부의 LTV, DTI 완화에 대한 입장	경실련	금융개혁위원회
20140617	정책토론	시민사회에서 바라보는 새마을운동ODA와 국제개발사업 토론회	경실련	국제위원회

생산일자	세부형태	제목	출처분류	생산자(처)
20140618	보도자료	박 대통령, 시간끌기로 국민기만 말고 문창극 지명철회하라	경실련	정책위원회
20140618	보도자료	최수현 금감원장의 LTV, DTI 관련 발언에 대한 입장	경실련	금융개혁위원회
20140620	보도자료	노대래 공정위원장의 입찰참가자격제한제도 폐지 발언에 대한 입장	경실련	국책사업감시단
20140623	보도자료	위약금 없는 KT 해지를 위해 집단분쟁조정 참가자 모집	경실련	소비자정의센터
20140623	보도자료	광주광역시장 후보 (윤장현, 강운태) 3대 핵심공약 및 5대 주요분야 정책 평가	경실련	정책위원회
20140624	보도자료	GMO 의심, 시판 식용유 GMO표시는 전무	경실련공동	MOP7 한국시민네트워크
20140624	보도자료	국토부의 유주택자 청약 완화에 대한 입장	경실련	정책위원회
20140624	보도자료	문형표 보건복지부 장관 고발장 접수 기자회견	경실련공동	의료민영화저지범국민운동본부
20140625	보도자료	대형병원 경영이익 축소 실태 조사 결과 발표	경실련	보건의료위원회
20140625	보도자료	문화체육관광부의 학교주변 호텔건립 추진에 대한 입장	경실련	도시개혁센터
20140626	보도자료	학교주변 호텔건립으로 인한 고용창출 효과 조사분석결과	경실련	도시개혁센터
20140626	보도자료	경실련 KT 개인정보유출 손해배상 청구소송 제기	경실련	소비자정의센터
20140626	보도자료	공정위, 멜론 등 4개 사업자 전자상거래법 위반행위 시정조치에 대한 입장	경실련	소비자정의센터
20140626	보도자료	병협의 경실련 보도자료에 대한 성명에 대한 입장	경실련	보건의료위원회
20140626	보도자료	정부합동 자동차 연비검증결과 발표에 대한 입장	경실련	소비자정의센터
20140630	보도자료	iMBC, 이용자 감시하는 콘키퍼 사용 즉각 중단해야	경실련	시민권익센터
20140630	회의	제25기 6차 상임집행위원회	경실련	상임집행위원회
20140701	보도자료	박 대통령, 인사청문회 개선 운운은 견강부회	경실련	정책위원회
20140701	보도자료	시판 장류 GMO표시 실태조사 결과 발표	경실련공동	MOP7 한국시민네트워크
20140701	보도자료	정부 및 새누리당의 분양가 상한제 폐지 추진 협의에 대한 입장	경실련	정책위원회
20140702	보도자료	일본의 집단적 자위권 행사, 우려스럽다	경실련	통일협회
20140702	정책토론	통일원칙을 재검토하다	경실련	통일협회
20140704	보도자료	애플, 구글 앱마켓 이용약관 시정조치에 대한 입장	경실련	소비자정의센터
20140706	보도자료	위례신도시 분양원가 분석 시리즈 1.공공분양	경실련	아파트값거품빼기운동본부
20140707	보도자료	김명수 교육부장관 후보자 사기 및 업무방해죄 등 검찰고발	경실련	정책위원회
20140708	보도자료	시판 빵류 GMO표시 실태조사 결과 발표	경실련공동	MOP7 한국시민네트워크
20140709	보도자료	애플 "수리약관" 공정위에 약관심사 청구 제기	경실련	소비자정의센터
20140709	보도자료	시민단체, 망중립성 입법운동 전개	경실련공동	망중립성이용자포럼
20140709	보도자료	위례신도시 분양원가 분석 시리즈 2.민간분양_①아파트용지	경실련	아파트값거품빼기운동본부
20140709	정책토론	임대소득 과세 어떻게 할 것인가_정부 수정안에 대한 평가와 향후 개선방안	경실련	정책위원회
20140710	보도자료	건정심, 수가인상체계 개편방안 심의결과에 대한 건강보험 가입자포럼 입장	경실련공동	건강세상네트워크 외
20140711	보도자료	위례신도시 분양원가 분석 시리즈 3. 민간분양_②주상복합 용지	경실련	정책위원회
20140715	보도자료	국회의 세월호 특별법 제정 파행에 대한 입장	경실련	도시개혁센터
20140715	보도자료	올리고당물엿 GMO표시 실태조사 결과 발표	경실련공동	MOP7한국시민네트워크
20140715	보도자료	정부의 LTV 완화에 대한 입장	경실련	금융개혁위원회
20140716	보도자료	이스라엘 정부는 팔레스타인 가자지구 민간인에 대한 공습을 중단하라	경실련공동	팔레스타인 민간인 피해를 우려하는 시민사회단체
20140717	보도자료	방통위의 「빅데이터 개인정보보호 가이드라인」제정 회의에 대한 시민단체 입장	경실련공동	진보네트워크센터 외
20140718	보도자료	송현동 호텔건립 중단촉구 및 학교주변 호텔건립 반대 캠페인 출범 기자회견	경실련공동	송현동호텔건립반대시민모임
20140718	보도자료	정부의 쌀 전면개방에 대한 입장	경실련	정책위원회
20140721	간행물	월간경실련 통권 141호	경실련	경실련
20140722	보도자료	LTV, DTI 완화에 따른 부동산 지표변화와 대출액 증가 분석	경실련	아파트값거품빼기운동본부
20140722	보도자료	건강기능식품 GMO표시 실태조사 결과 발표	경실련공동	MOP7 한국시민네트워크
20140722	보도자료	박근혜 정부는 학교주변 호텔건립추진 즉각 철회하라	경실련공동	송현동호텔건립반대시민모임
20140722	보도자료	병원 부대사업 확대 의료법 시행규칙 개정안 입법예고에 대한 경실련 의견서 제출	경실련	보건의료위원회
20140723	정책토론	부동산 금융규제 완화 무엇이 문제인가	경실련	정책위원회
20140723	보도자료	한국 인권시민단체 활동가 6명, 구글본사와 구글코리아에 소송제기	경실련공동	진보네트워크센터 외
20140724	보도자료	한국소비자원에 위약금 없는 KT 서비스 해지 집단분쟁조정 신청	경실련	소비자정의센터
20140724	보도자료	부동산 금융 규제(LTV, DTI) 완화를 반대하는 경제 · 금융분야 학자 성명	경실련	정책위원회
20140725	보도자료	민자사업의 민간제안 방식 실태조사 결과 발표	경실련	국책사업감시단

생산일자	세부형태	제목	출처분류	생산자(처)
20140728	보도자료	"이지훈 제주시장 '특혜의혹' 악화일로…도지사의 조속한 결단을 촉구한다"	경실련	정책위원회
20140729	보도자료	시판 시리얼 팝콘 스위트콘 제품 GMO표시 실태조사 결과 발표	경실련공동	MOP7 한국시민네트워크
20140730	보도자료	빅데이터 개인정보보호 가이드라인(안) 관련 진정	경실련공동	진보네트워크센터 외
20140731	보도자료	안전행정부, 개인정보 유출 피해구제 대책의 문제점	경실련공동	진보네트워크센터 외
20140804	보도자료	「빅데이터 개인정보보호 가이드라인」 위법성 인정 개인정보 보호위원회의 권고 결정을 환영한다	경실련공동	진보네트워크센터 외
20140807	보도자료	2014년 정부 세법개정안에 대한 입장	경실련	재정세제위원회
20140808	감사청구	서울춘천 민자고속도로 감사청구	경실련	국책사업감시단
20140808	정책토론	박근혜정부의 지구촌새마을운동 진단, 평가 및 발전방향	경실련	국제위원회
20140812	보도자료	교육부의 송현동 대한항공 호텔건립 특혜 훈령 입법예고에 대한 입장	경실련	도시개혁센터
20140812	보도자료	세월호 특별법 제정촉구 시민사회단체 기자회견	경실련공동	한국여성단체연합 외
20140813	보도자료	25개 업체에 GMO 사용여부 공개질의	경실련공동	MOP7 한국시민네트워크
20140813	보도자료	박근혜 정부 유망서비스산업 육성 대책 규탄 및 투쟁계획 발표 기자회견	경실련공동	의료민영화저지범국민운동본부
20140813	보도자료	제2롯데월드 임시사용 승인에 대한 입장	경실련	도시개혁센터
20140813	정책토론	창립20주년 연속토론회 "대안적 통일론과 새로운 통일운동" 통일환경의 변화와 통일방안의 재검토	경실련	통일협회
20140814	보도자료	박근혜 대통령의 8.15 경축사에 바란다	경실련	통일협회
20140818	회의	제25기 7차 상임집행위원회	경실련	상임집행위원회
20140819	보도자료	사학비리 김문기 전 상지대 이사장의 총장 선임에 대한 입장	경실련	교육개혁위원회
20140819	보도자료	의료민영화 반대 200만 서명지 청와대 전달 기자회견	경실련공동	의료민영화저지범국민운동본부
20140820	보도자료	석촌대로 싱크홀 원인조사 결과에 대한 경실련입장	경실련	정책위원회
20140821	보도자료	전매제한 완화 등 정부의 부동산시장 활성화대책 논의에 대한 입장	경실련	국책사업감시단
20140822	회의	제13기 2차 중앙위원회	경실련	중앙위원회
20140825	보도자료	시민 510명 학교주변 호텔건립 허용 교육부훈령 제정 반대 의견서 제출	경실련공동	송현동호텔건립반대시민모임
20140825	보도자료	식약처 GMO표시 조사에 대한 입장	경실련	소비자정의센터
20140825	보도자료	정부는 금강산관광 재개에 적극적으로 나서라	경실련	통일협회
20140826	보도자료	「관광호텔업에 관한 학교환경위생정화위원회 심의규정」 제정안 입법예고에 대한 의견서 제출	경실련	도시개혁센터
20140826	보도자료	박근혜 대통령은 대통령으로서의 역할과 책임을 회피하지 말라	경실련	정책위원회
20140826	보도자료	최경환 경제부총리 학교주변 호텔건립 촉구에 대한 입장	경실련	도시개혁센터
20140828	보도자료	공정위의 재벌 순환출자고리 파악 태만 등 경제민주화 업무소홀에 대한 입장	경실련	재벌개혁위원회
20140829	보도자료	세월호 특별법 제정을 위한 박근혜 대통령의 결단을 촉구한다	경실련공동	전국경실련
20140829	보도자료	한국전력 본사 부지 매각공고에 대한 입장	경실련	정책위원회
20140901	정책토론	2014 하반기 남북관계 전망과 통일운동의 방향	경실련	통일협회
20140901	보도자료	학습환경 파괴하는 초법적인 교육부 훈령을 반대한다	경실련공동	송현동호텔건립반대시민모임
20140901	보도자료	정부가 주장하는 민생법안에 대한 평가	경실련	정책위원회
20140901	보도자료	주택시장 활력회복 및 서민 주거안정 강화방안에 대한 논평	경실련	국책사업감시단
20140903	보도자료	국민과의 약속을 파기한 동아ST는 스티렌정 소송을 즉각 취하하라!	경실련공동	건강보험가입자포럼
20140903	보도자료	제품별 GMO 사용여부 관련 업체답변	경실련공동	MOP7 한국시민네트워크
20140904	보도자료	CJ제일제당 등 GMO 사용여부 밝혀야	경실련	소비자정의센터
20140904	보도자료	대한항공 송현동 호텔건립 강행 발언에 대한 시민모임 입장	경실련공동	송현동호텔건립반대시민모임
20140904	보도자료	제2롯데월드 프리오픈에 대한 입장	경실련	도시개혁센터
20140904	보도자료	도시 및 건축규제 혁신방안에 대한 입장	경실련	도시개혁센터
20140904	보도자료	제 식구 감싸기에 국민은 안중에도 없는 뻔뻔한 국회	경실련	정책위원회
20140905	보도자료	「클라우드컴퓨팅 발전 및 이용자 보호에 관한 법률안」에 대한 의견발표	경실련공동	진보네트워크센터 외
20140911	보도자료	원세훈 전 국정원장 판결에 대한 입장	경실련	정책위원회
20140911	보도자료	정부의 담뱃값 인상에 대한 입장	경실련	보건의료위원회
20140912	보도자료	정부의 지방세 개편방안에 대한 입장	경실련	정책위원회
20140912	보도자료	학교주변 호텔건립허용 교육부훈령에 대한 국회입법조사처		

생산일자	세부형태	제목	출처분류	생산자(처)
		법률검토에 대한 입장	경실련공동	송현동호텔건립반대시민모임
20140916	보도자료	관치금융에 휘둘리는 KB사태, 이사회의 독립적 운영과 결정 절실해	경실련	정책위원회
20140916	보도자료	대한민국 검찰은 청와대의 들러리인가	경실련	정책위원회
20140916	보도자료	보육료 · 기초연금 등 복지비 분담 논란에 대한 입장	경실련	사회복지위원회
20140916	보도자료	복지부의 제주 영리병원 승인 철회에 대한 입장	경실련	보건의료위원회
20140916	보도자료	식약처 GMO표시 적정성 점검결과 공개해야	경실련	소비자정의센터
20140916	보도자료	의료민영화 강행 문형표 보건복지부 장관 사퇴하라!	경실련공동	의료민영화저지범국민운동본부
20140916	정책토론	학교 주변 호텔 건립 허용하는 교육부 훈령 철회 촉구 공동 기자회견 개최	경실련공동	송현동호텔건립반대시민모임
20140917	보도자료	박근혜 대통령 국무회의 세월호 특별법 관련 논평	경실련	정책위원회
20140918	보도자료	2015년 예산안에 대한 입장	경실련	재정세제위원회
20140918	감사청구	문화체육관광부는 『중봉 알파인 활강경기장』 주민감사청구를 수용하라	경실련	도시개혁센터
20140918	보도자료	유전자변형식품(GMO)에 대한 소비자 설문 조사 결과	경실련공동	MOP7 한국시민네트워크
20140918	보도자료	정부의 쌀시장 전면개방에 대한 입장	경실련	정책위원회
20140918	보도자료	최경환 부총리의 서민증세 반박에 대한 입장	경실련	정책위원회
20140922	보도자료	전국 시도교육감협의회의 '학교주변 호긴급결의문 채택에 대한 시민단체 입장	경실련공동	송현동호텔건립반대시민모임
20140924	보도자료	정부의 실적공사비 개악 시도에 대한 입장	경실련	국책사업감시단
20140925	보도자료	『중봉 알파인 활강경기장 조성사업』주민감사청구 심의에 관한 '의견서 발송	경실련공동	참여연대 외
20140925	보도자료	연이은 인사 참사 김기춘 비서실장 해임해야	경실련	정책위원회
20140925	정책토론	지속가능하고 형평성 있는 공무원 연금 개혁방향과 과제	경실련	사회복지위원회
20140925	보도자료	총체적 부적절함을 보여준 박 대통령의 UN총회 연설	경실련	통일협회
20140926	보도자료	황교안 · 최경환 장관의 중대범죄 기업인 사면시사 발언에 대한 입장	경실련	재벌개혁위원회
20140929	회의	제25기 8차 상임집행위원회	경실련	상임집행위원회
20140930	간행물	월간경실련 2014년 9 · 10월호	경실련	경실련
20141001	보도자료	검찰의 온라인 상시 검열 방침에 대한 입장	경실련	정책위원회
20141001	보도자료	세계 주요도시 1인당 GDP 및 최저임금 대비 주택가격 비교 조사결과	경실련	국책사업감시단
20141002	보도자료	서울시의 제2롯데월드 임시사용승인에 대한 입장	경실련	도시개혁센터
20141006	보도자료	박근혜 정부 조세정책 분석 1 : 부자감세 서민증세	경실련	정책위원회
20141006	보도자료	주민등록법 일부개정법률안 입법예고에 대한 의견	경실련공동	소비자시민모임 외
20141007	보도자료	황교안 법무부 장관 및 최경환 부총리 검찰 고발	경실련	재벌개혁위원회
20141008	보도자료	검찰 군PX 입찰비리 기소, 군피아 해결 계기 되어야	경실련	시민권익센터
20141008	보도자료	정부 주장 민생안정 및 경제활성화 관련 30대 중점법안에 대한 평가	경실련	정책위원회
20141009	보도자료	카카오톡의 투명성 보고서 발표에 대한 입장	경실련	소비자정의센터
20141013	보도자료	남북관계 악화시키는 대북전단 살포 중단하라	경실련	통일협회
20141013	보도자료	동아ST의 스티렌정 급여 제한조치 처분취소청구소송에 대한 가입자포럼 입장	경실련공동	건강보험가입자포럼
20141014	보도자료	「국가를 당사자로 하는 계약에 관한 법률 시행령」 입법예고에 대한 경실련 의견	경실련	국책사업감시단
20141014	보도자료	건강보험공단이사장 자격 관련 문형표복지부장관 발언에 대한 가입자포럼 입장	경실련공동	건강세상네트워크 외
20141014	보도자료	국내 가구소득 대비 아파트가격 변화 비교	경실련	정책위원회
20141014	보도자료	클라우드산업협회 보도자료에 대한 입장	경실련	정책위원회
20141015	보도자료	시민단체 학교주변 호텔건립허용 훈령제정에 대한 교육부 항의방문	경실련공동	송현동호텔건립반대시민모임
20141015	보도자료	한은 금리인하 결정에 대한 입장	경실련	정책위원회
20141016	보도자료	동서식품 대장균군 시리얼 관련 피해자 모집	경실련	소비자정의센터
20141021	보도자료	박근혜 정부 조세정책 분석 2 : 소득재분배 왜곡	경실련	정책위원회
20141021	정책토론	제23회 경제정의 좋은기업상	경실련	경제정의연구소
20141022	보도자료	건강보험공단이사장 후보 성상철 전 병협 회장 포함에 대한 건강보험가입자포럼 입장	경실련공동	건강보험가입자포럼
20141022	보도자료	가중평균가 수용 신약, 약가협상의 예외일 수 없다	경실련공동	건강보험가입자포럼
20141023	보도자료	상품권 낙전규모 실태조사 결과발표	경실련	시민권익센터
20141023	보도자료	최경환 부총리 겸 기획재정부 장관 취임 100일에 대한 경실련 입장	경실련	정책위원회
20141024	보도자료	전작권 환수 재연기는 주권국가로서 자주성에 큰 상처	경실련	통일협회

생산일자	세부형태	제목	출처분류	생산자(처)
20141024	정책토론	통일운동의 성찰과 과제	경실련	통일협회
20141027	보도자료	정부의 공무원연금개혁안에 대한 입장	경실련	사회복지위원회
20141027	회의	제25기 9차 상임집행위원회	경실련	상임집행위원회
20141028	보도자료	신혼가구 소득과 전세 가격 변화 비교 조사결과	경실련	국책사업감시단
20141029	보도자료	2014년 국회 국정감사 평가결과 및 상임위별 우수의원	경실련	정책위원회
20141029	보도자료	새누리당은 공적연금 정상화를 위한 개혁방안을 제시하라!	경실련	정책위원회
20141030	보도자료	서민 주거비 부담 완화 방안에 대한 논평	경실련	국책사업감시단
20141030	보도자료	주택법 및 도정법 시행령 개정안 의견서 제출	경실련	정책위원회
20141031	정책토론	창립25주년 기획토론-경실련 25년, 시민운동과 경제정의	경실련	정책위원회
20141104	보도자료	경실련 창립25주년 기념식 및 후원의 밤	경실련	사무국
20141104	보도자료	선거구획정위원회를 상설 독립기구로 설치하라	경실련	정책위원회
20141105	정책토론	서민증세와 재정건전성 어떻게 볼 것인가	경실련	정책위원회
20141105	보도자료	정부는 남북고위급 회담을 즉각 제안하라!	경실련공동	남북경협기업비상대책위원회 외
20141106	보도자료	부동산 중개보수체계 개선 조속히 추진되어야 한다	경실련공동	서울YMCA 외
20141107	보도자료	독도 입도지원센터 건립 취소는 영토주권 포기	경실련	정책위원회
20141107	보도자료	동서식품에 대장균 시리얼 유통거래정보 요청	경실련	소비자정의센터
20141110	보도자료	부정청탁금지 및 공직자의 이해충돌방지법 위헌성 논란에 대한 공법학자 설문조사 결과	경실련	정책위원회
20141110	보도자료	릴레이세미나 · 건축규제 완화로 인한 도시환경 변화	경실련	도시개혁센터
20141111	정책토론	정부조직 개편, 제2의 세월호 참사 막을 수 있나?	경실련	정부개혁위원회
20141111	보도자료	청와대 · 새누리당의 교육청 누리과정 예산 편성 주장에 대한 입장	경실련	사회복지위원회
20141112	정책토론	25주년 기획토론회2. 한국경제 발전모델 모색	경실련	정책위원회
20141113	보도자료	삼성그룹 경영권 승계 및 지배구조개편 관련 입장 발표	경실련	재벌개혁위원회
20141113	보도자료	제약사 대상 환자의 의약품 리베이트 환급 민사소송 관련 법원의 패소 판결은 실거래가 상환제도를 파탄시키는 것이다	경실련공동	건강세상네트워크 외
20141117	정책토론	경제학자가 본 최경환 경제정책의 문제점과 개선방안	경실련	정책위원회
20141117	보도자료	상품권에 대한 소비자 인식 설문조사 결과	경실련	시민권익센터
20141117	보도자료	시민단체 남북경협기업 국회 지방자치단체 금강산관광 재개 촉구 공동기자회견	경실련공동	금강산기업인협의회 외
20141118	보도자료	농심 라면 GMO표시실태 결과발표	경실련	소비자정의센터
20141118	보도자료	공익제보자 보호제도 강화를 위한 국회의원 및 시민단체 공동 기자회견	경실련	정책위원회
20141118	보도자료	국회 예결위에 정부 예산안 의견서 제출	경실련	재정세제위원회
20141119	정책토론	국회의원 선거구 획정과 선거제도 어떻게 할 것인가	경실련	정책위원회
20141120	정책토론	전 · 월세 불안, 서민주거안정 대책은 없나!	경실련	정책위원회
20141120	보도자료	최경환 경제정책 관련 경제전문가 설문 결과	경실련	정책위원회
20141121	보도자료	군 PX 납품비리 공익제보자에 대한 보복성 징계 취소 판결을 환영한다	경실련	시민권익센터
20141124	보도자료	예산낭비 및 부정비리 4대강 자원외교 방위산업 국정조사 및 검찰수사 촉구 기자회견	경실련	정책위원회
20141124	회의	제25기 10차 상임집행위원회	경실련	상임집행위원회
20141125	보도자료	2014년 주요 세제개편안에 대한 경실련 의견	경실련	재정세제위원회
20141126	보도자료	OECD 영리병원 허용국가의 공공병원 병상 보유율 조사 발표	경실련	보건의료위원회
20141126	보도자료	김영란법 원안 입법 촉구 법학 · 정치학 · 행정학자 169명 공동선언	경실련	정책위원회
20141127	보도자료	국회 국토교통위 쟁점법안 관련 의견서 제출	경실련	정책위원회
20141127	정책토론	삼성그룹 경영권 승계 및 소유 · 지배구조문제 진단과 개선 방안	경실련	재벌개혁위원회
20141128	간행물	월간경실련 2014년 11 · 12월호	경실련	경실련
20141202	보도자료	경실련 · 전국시장군수구청장협의회 업무협약(MOU) 체결식 개최	경실련	정책위원회
20141202	소송	보금자리주택 공사비 비공개 결정 행정심판에 대한 입장	경실련	국책사업감시단
20141202	보도자료	성상철 전 병협 회장의 건보공단 이사장 임명 강행에 대한 건강보험가입자포럼 입장	경실련공동	건강보험가입자포럼
20141204	보도자료	남북관계 개선 없는 남북협력기금 증액은 이무 효과없다	경실련	통일협회
20141204	보도자료	박 대통령은 국정 농단 책임지고 사과하라	경실련	정책위원회
20141204	보도자료	최경환 부총리와 서승환 장관 등 정부 부동산3법 폐지에 대한 입장	경실련	국책사업감시단
20141204	보도자료	한국화이자의 건강보험 약제급여위원 로비 시도에 대한 건강보험가입자포럼 입장	경실련공동	건강보험가입자포럼
20141205	보도자료	「국민건강보험 요양급여 기준에 관한 규칙」 일부 개정령안에		

생산일자	세부형태	제목	출처분류	생산자(처)
		대한 의견	경실련	보건의료위원회
20141208	보도자료	이광구 부행장의 우리은행장 내정에 대한 입장	경실련	정책위원회
20141209	보도자료	지방자치발전위원회 회의 내용 정보공개청구	경실련	정책위원회
20141209	보도자료	대한항공은 초법적 호텔건립 시도를 중단하라	경실련공동	송현동호텔건립반대시민모임
20141209	청원	서민주거안정을 위한 전월세상한제 및 계약갱신청구권 도입 경실련「주택임대차보호법」개정안 입법청원	경실련	시민입법위원회
20141209	보도자료	특별 · 광역시 자치구 폐지는 지방자치 말살 행위	경실련	정책위원회
20141211	보도자료	서울시는 제2롯데월드 임시사용승인을 철회하라	경실련	도시개혁센터
20141211	보도자료	정부는 대한항공 호텔건립 특혜위한 관광진흥법 개정안을 철회하라	경실련공동	송현동호텔건립반대시민모임
20141212	정책토론	상품권 이대로 괜찮은가?	경실련	시민권익센터
20141215	보도자료	상고법원 설치를 위한 의원 청부입법은 국민 기만 행위	경실련	시민입법위원회
20141216	보도자료	남북경협기업 5.24조치 등 경협환경 설문조사 결과 발표	경실련	통일협회
20141216	보도자료	민간택지 분양가상한제 폐지에 대한 경실련 의견	경실련	국책사업감시단
20141218	보도자료	박원순시장은 제2롯데월드 임시사용승인을 취소하라	경실련	도시개혁센터
20141218	보도자료	삼성그룹 제일모직 상장에 대한 입장	경실련	재벌개혁위원회
20141218	보도자료	정부의 실적공사비 제도 개선방안에 대한 입장	경실련	정책위원회
20141218	보도자료	조현아 전 부사장의 일등석 항공권 무상 이용 관련한 검찰 수사 의뢰	경실련	재벌개혁위원회
20141219	보도자료	헌재의 통합진보당 해산결정에 대한 논평	경실련	정책위원회
20141222	보도자료	국내 의료기관 외국인환자 유치 실태 발표	경실련	보건의료위원회
20141222	감사청구	대한항공 땅콩회항 관련 국토교통부 감사청구	경실련	시민권익센터
20141222	정책토론	한국의 지방자치, 어디로 가는가?	경실련	지방자치위원회
20141222	회의	제25기 11차 상임집행위원회	경실련	상임집행위원회
20141223	보도자료	4대강 조사위원회 조사결과에 대한 입장	경실련	정책위원회
20141223	보도자료	새정치민주연합은 부동산3법 야합을 중단하라	경실련	국책사업감시단
20141226	보도자료	정부여당은 원칙없는 재벌총수 사면 · 가석방 여론 조성 즉각 중단하라	경실련	정책위원회
20141230	보도자료	특검 통한 국정농단 진실규명에 즉각 나서라	경실련	정책위원회
20141231	보도자료	정부의 주민등록법 개정안에 대한 입장	경실련	시민권익센터
20150108	참고자료	GMO 수입현황 등 식약처에 정보공개 청구	경실련	소비자정의센터
20150108	교육	경실련 전국 상근자 교육	경실련	경실련아카데미
20150112	보도자료	박 대통령 기자회견, 국정정상화 · 민생경제 안정 위한 '근본문제' 외면	경실련	정책위원회
20150112	보도자료	잘못된 규제완화, 안전사고 반복될 수밖에 없다	경실련	도시개혁센터
20150113	보도자료	여전한 남 탓, 북핵 · 노동개혁 · '위안부'문제 등 정부의 책임방기	경실련	정책위원회
20150113	보도자료	대기업 특혜를 통한 영리병원 추진을 중단하라	경실련	보건의료위원회
20150113	보도자료	기업형 주택임대사업 육성에 대한 논평	경실련	부동산국책사업감시팀
20150115	참고자료	온누리상품권 낙전 현황 정보공개청구	경실련	시민권익센터
20150117	회원	통일협회 회원산행	경실련	통일협회
20150121	보도자료	연말정산 논란에 대한 입장	경실련	재정세제위원회
20150121	보도자료	용산 화상경마장 저지 노숙농성 1년 기자회견	경실련공동	도박규제네트워크 외
20150122	참고자료	지방자치발전위원회 회의 내용 비공개 결정에 대한 이의신청	경실련	지방자치위원회
20150122	참고자료	수입 GMO 가공식품 정보공개 청구	경실련	소비자정의센터
20150123	보도자료	지방의 자율성과 다양성 훼손하는 지방조직개편방안 철회하라	경실련	지방자치위원회
20150123	보도자료	또다시 국민 요구 저버린 청와대 인사개편	경실련	정책위원회
20150126	보도자료	식약처 GMO표시제도 개선 계획에 대한 입장	경실련	소비자정의센터
20150126	보도자료	전 세계 GMO표시제도 등 개선 동향 보도자료	경실련	소비자정의센터
20150127	정책토론	기업형 주택임대사업 평가 공동 토론회	경실련공동	김상희 국회의원 외
20150128	보도자료	초저금리 수익공유형 은행대출에 대한 논평	경실련	부동산국책사업감시팀
20150129	보도자료	복지부의 건강보험 부과체계 개편 추진 중단에 대한 입장	경실련	보건의료위원회
20150201	보도자료	박근혜 대통령의 증세 없는 복지 발언에 대한 입장	경실련	재정세제위원회
20150201	보도자료	경기도의회 부동산 중개 수수료 개정안에 대한 입장	경실련	부동산국책사업감시팀
20150202	보도자료	김영란법 정무위원 처리 촉구 반부패 · 교육 · 언론분야 10개 시민사회단체 공동 기자회견	경실련공동	민주언론시민연합 외
20150203	보도자료	제약회사에 건강보험료 퍼주는 약값인상안 설명회 개최 규탄	경실련공동	건강세상네트워크 외
20150203	보도자료	홈플러스 개인정보유출 관련 입장	경실련공동	진보네트워크센터 외
20150205	정책토론	건강보험 부과체계 개편 중단, 무엇이 문제인가?	경실련공동	남인순 국회의원 외
20150209	보도자료	'분양가상한제 적용기준' 주택법 시행령 개정안 반대 의견서 제출	경실련	부동산국책사업감시팀
20150210	보도자료	홈플러스, 개인정보유출 피해사실 즉각 통지하라	경실련공동	진보네트워크센터 외

생산일자	세부형태	제목	출처분류	생산자(처)
20150210	소송	동서식품 대장균군 시리얼 관련 소송 제기	경실련	소비자정의센터
20150211	보도자료	공평과세를 위한 법인세 정상화 촉구	경실련	참여연대 외
20150211	정책토론	건강보험 중기보장성 계획의 문제와 개선방안 모색 정책토론회	경실련공동	건강보험가입자포럼 외
20150211	보도자료	자격 미달 이완구 후보자는 즉각 사퇴하라	경실련	정책위원회
20150211	보도자료	온누리상품권의 활용 방안 없는 낙전수익	경실련	시민권익센터
20150212	보도자료	19대 국회 의원 법안 발의 · 가결 분석 및 평가	경실련	정책위원회
20150212	회의	2015년 경실련 도시개혁센터 정기총회	경실련	도시개혁센터
20150213	보도자료	국민건강보험요양급여의 기준에 관한 규칙 개정안 등 입법 예고에 대한 의견	경실련	보건의료위원회
20150213	정책토론	콜로키움 〈빅데이터와 프로파일링〉	경실련공동	프라이버시워킹그룹
20150216	보도자료	박근혜 대통령 집권 3년차 대선공약 이행 평가 - 대선공약 완전이행률 : 37%	경실련	정책위원회
20150223	정책토론	박근혜 정부 2년을 말하다 : 외면당한 민생, 추락하는 신뢰 어떻게 할 것인가	경실련	정책위원회
20150224	정책토론	박근혜 정부 2년, 대북정책 평가와 제언	경실련	통일협회
20150224	보도자료	박근혜 정부 2년 외교통일, 국방 공약이행 평가	경실련	통일협회
20150226	정책토론	조세형평성 제고를 통한 증세 방안 모색 토론회	경실련	재정세제위원회
20150227	보도자료	법인 · 단체의 정치자금 후원 허용은 반(反) 정치 개혁	경실련	정책위원회
20150227	회의	중앙위원회	경실련	중앙위원회
20150227	기타	경실련 OI(Organization Identity) 제작 배포	경실련	사무국
20150302	보도자료	서울시의회 부동산 중개수수료 인하 조례개정 처리 촉구	경실련	부동산국책사업감시팀
20150302	보도자료	여야는 선거구 획정위원회 독립 기구화부터 즉각 이행하라	경실련	정치개혁위원회
20150302	보도자료	차한성 전 대법관 변호사 개업신청에 대한 입장	경실련	시민입법위원회
20150302	보도자료	경남도 서민자녀교육지원사업 조례통과에 대한 입장	경실련	사회복지위원회
20150303	보도자료	국회 정개특위 구성에 즈음한 시민단체 공동 기자회견	경실련	한국YMCA전국연맹 외
20150303	보도자료	2014년 적발된 입찰담합 사건 과징금 부과실태 분석	경실련	부동산국책사업감시팀
20150303	보도자료	김영란법 통과, '부패공화국' 오명 벗는 계기되어야	경실련	정책위원회
20150303	보도자료	공무원연금개혁방안에 대한 입장	경실련	사회복지위원회
20150304	보도자료	담뱃갑 경고그림 도입 무산에 대한 입장	경실련	보건의료위원회
20150304	보도자료	학교 앞 호텔건립허용 「관광진흥법」, 4월 임시국회 처리 합의에 대한 입장	경실련공동	송현동호텔건립반대시민모임
20150305	보도자료	아이핀 부정발급 사건에 대한 입장	경실련공동	진보네트워크센터 외
20150306	보도자료	마크 리퍼트 주미대사 피습사건에 대한 입장	경실련	통일협회
20150309	보도자료	종합병원 건강보험 진료비 내역 공개결정에 대한 입장	경실련	보건의료위원회
20150309	소송	홈플러스 개인정보 유출에 대한 집단분쟁조정 신청 및 손해배상청구 소송 제기	경실련공동	진보네트워크센터 외
20150311	보도자료	국민총소득에서 차지하는 법인소득과 가계소득 비중 추이 분석	경실련	재정세제위원회
20150311	보도자료	지방정부 누리과정과 학교급식 중단위기에 대한 입장	경실련	사회복지위원회
20150311	보도자료	통준위 부위원장의 흡수통일 발언에 대한 경실련통일협회 입장	경실련	통일협회
20150312	보도자료	홈플러스 혁신안에 대한 입장	경실련공동	진보네트워크센터 외
20150316	보도자료	홈플러스 개인정보 유출피해 미조치 관련 방통위 신고 접수	경실련공동	진보네트워크센터 외
20150317	보도자료	최근 4년 간 법인세 실효세율 및 공제감면세액 추이 분석결과	경실련	재정세제위원회
20150317	보도자료	장기요양기관평가결과 분석 및 평가제도 개선방안	경실련	사회복지위원회
20150318	보도자료	국회 주거복지특위 주거기본법 제정 합의에 대한 논평	경실련	부동산국책사업감시팀
20150319	보도자료	공공아이핀 유출 관련 공동기자회견	경실련공동	진보네트워크센터 외
20150323	보도자료	박근혜 대통령 집권 3년차 대선공약 이행 평가	경실련	정책위원회
20150323	감사청구	시민사회단체 잴코리 로비 관련 심평원 감사 청구	경실련공동	건강세상네트워크 외
20150323	정책토론	지방재정 정상화운동 1차 전국경실련 워크샵	경실련	사무국
20150323	보도자료	무허가 캠핑장 화재 사고에 대한 논평	경실련	보건의료위원회
20150324	보도자료	서민주거안정을 위한 10대 정책의제	경실련	부동산국책사업감시팀
20150325	보도자료	분양권 되팔기, 2000년대 아파트 값 폭등기보다 심하다	경실련	부동산국책사업감시팀
20150325	소송	식약처 상대 정보공개거부 취소소송 제기	경실련	소비자정의센터
20150326	정책토론	정치관계법 개정 연속 토론회 (1) : 권역별 비례대표제 · 석패율제, 정치 개혁 가능한가	경실련	정치개혁위원회
20150327	정책토론	UN지속가능발전목표(SDGs)의 국내 적용방안 모색을 위한 예비토론회	경실련	국제위원회
20150331	보도자료	"5.24조치 해제 캠페인 - 3/31일(화) 4/14일(화) 4/28(화) 5/12(화) 5/19(화) *광화문 광장 "	경실련	통일협회
20150331	보도자료	관광진흥법 처리 합의 철회 촉구 시민사회단체 공동기자회견	경실련공동	송현동호텔건립반대시민모임
20150331	정책토론	『관광진흥법』 개정 진단토론회, 학교 앞 관광호텔, 학습환경 문제없나?	경실련공동	송현동호텔건립반대시민모임

생산일자	세부형태	제목	출처분류	생산자(처)
20150401	보도자료	사드 배치 논의, 국익 · 안보와 무관한 정치적 공론화에 심각한 우려를 표명한다	경실련	통일협회
20150401	보도자료	정부의 세월호 특별법 시행령안에 대한 입장	경실련	정책위원회
20150401	보도자료	정부 복지재정 효율화방안에 대한 논평	경실련	사회복지위원회
20150401	보도자료	김기춘 · 허태열 등 성완종 수수리스트 즉각 수사하라	경실련	정책위원회
20150402	정책토론	상고법원 어떻게 할 것인가? - 대법원 개혁 방안을 중심으로	경실련	시민입법위원회
20150402	보도자료	상고법원 설치 반대 의견	경실련	시민입법위원회
20150402	보도자료	정부와 여당은 4월 임시국회 「관광진흥법」 개정 추진을 당장 중단하라	경실련공동	송현동호텔건립반대시민모임
20150402	보도자료	개인정보분쟁조정위 홈플러스 분쟁조정 즉각 개시해야	경실련공동	진보네트워크센터 외
20150402	소송	홈플러스 제3자 제공현황 삭제 등 관련 검찰 수사의뢰	경실련공동	진보네트워크센터 외
20150403	보도자료	국민 두 번 우롱하는 세월호 시행령 수정안 폐기하라	경실련	정책위원회
20150403	보도자료	국회 법사위 담뱃갑 경고그림 도입 법안 심사에 대한 입장	경실련	보건의료위원회
20150403	보도자료	공정거래위원회 '신유형상품권 표준약관' 제정에 대한 입장	경실련	시민권익센터
20150406	보도자료	세월호 참사 시행령 제정안에 대한 의견	경실련	정책위원회
20150406	정책토론	[제1차 도시안전 릴레이세미나] '안전불감사회, 안전한 도시를 위한 정책방향 모색' 개최	경실련	도시개혁센터
20150407	보도자료	서민주거비 부담 완화 방안에 대한 논평	경실련	부동산국책사업감시팀
20150408	보도자료	4월 임시국회에서 반드시 처리 · 부결해야할 법안	경실련	정책위원회
20150408	보도자료	방통위, 이동통신단말장치 지원금 상한에 대한 입장	경실련공동	진보네트워크센터 외
20150413	보도자료	세월호 참사 1년, 진상규명 촉구 기자회견	경실련	정책위원회
20150415	보도자료	이완구 총리는 즉각 사퇴하라	경실련	정책위원회
20150416	보도자료	대법원의 상고법원 설치 방안에 대한 법학자 설문조사 - 상고법원 설치 반대 : 74.1%	경실련	시민입법위원회
20150416	참고자료	인터넷 전문은행 TF 회의록 · 회의자료 전체 · 구성원 등 금융위원회 대상 정보공개청구	경실련	금융개혁위원회
20150416	정책토론	'좋은 농협만들기 국민운동본부' 출범식 및 정책토론회	경실련공동	좋은농협만들기국민운동본부
20150417	정책토론	서민 주거위기 진단 및 해법 논의 토론회, 국회의원회관	경실련	좋은농협만들기국민운동본부
20150417	정책토론	UN지속가능발전목표(SDGs)의 국내 적용방안 모색을 위한 연속토론회, 경제분야	경실련	국제위원회
20150421	보도자료	지방자치발전위원회 회의내용 정보공개청구 소송	경실련	지방자치위원회
20150421	보도자료	국회 교육문화관광위원회 법안소위 의원 대상 학교 앞 호텔 「관광진흥법」개정반대의견서 전달	경실련공동	송현동호텔건립반대시민모임
20150421	정책토론	단통법 6개월 진단토론회 개최	경실련공동	진보네트워크센터 외
20150421	상징	경실련 새 OI 선포식	경실련	사무국
20150421	조직	봄 후원만찬	경실련	사무국
20150422	보도자료	약제급여평가위원회 운영규정 일부개정안에 대한 의견	경실련	보건의료위원회
20150422	보도자료	행복주택 표준임대료 기준안 행정예고 수정 의견	경실련	부동산국책사업감시팀
20150423	보도자료	정부 · 여당은 건설사 특혜, 기업형 임대주택을 중단하라	경실련	부동산국책사업감시팀
20150424	보도자료	홍익표 의원의 상품권 관련 법안 발의에 대한 입장	경실련	시민권익센터
20150424	보도자료	홈플러스 개인정보분쟁조정 관련 입장	경실련공동	진보네트워크센터 외
20150427	보도자료	공무원연금법개정안에 대한 의견서 국회 공무원연금개혁 특위 제출	경실련	사회복지위원회
20150427	홍보	불어 터진 남북교류, 중국이 다 먹어치웠다(카드뉴스)	경실련	통일협회
20150427	보도자료	공정위 홈플러스 과징금 부과에 대한 입장	경실련공동	진보네트워크센터 외
20150427	보도자료	방통위 단통법 단속에 대한 입장	경실련공동	진보네트워크센터 외
20150428	보도자료	박상옥 대법관 후보 임명동의안 국회의장 직권상정 반대한다	경실련	정책위원회
20150428	보도자료	학교급식 의무화 '학교급식법 개정안' 상정 불발에 대한 입장	경실련	사회복지위원회
20150428	보도자료	성완종 8인 리스트 사건에 대한 시민사회단체 공동기자회견	경실련공동	문화연대 외
20150428	교육	경실련 제 2기 국제시민학교 운영	경실련	국제위원회
20150429	보도자료	성완종 리스트 박 대통령 사과하고 성역없는 수사에 나서라	경실련	정책위원회
20150429	보도자료	국회 교문위 법안심사소위 학교 앞 관광호텔 허용 「관광진흥법」 개정안 상정 규탄	경실련공동	송현동호텔건립반대시민모임
20150429	보도자료	선거구획정위원회 독립기구화 촉구 정치학 전문가 104인 공동선언	경실련	정치개혁위원회
20150429	정책토론	인터넷실명제 폐지 3년, 그 후 - 2015년 본인확인제도 진단 토론회	경실련공동	진보네트워크센터 외
20150501	정책토론	UN지속가능발전목표(SDGs)의 국내 적용방안 모색을 위한 연속토론회,평화안보 및 이행기제분야	경실련	국제위원회
20150502	보도자료	국민 부담 가중시키는 상고법원 도입 반대한다	경실련	시민입법위원회
20150504	보도자료	공무원연금개혁안 여야 합의에 대한 입장	경실련	사회복지위원회
20150506	보도자료	그린벨트 해제 정책에 대한 입장	경실련	도시개혁센터

생산일자	세부형태	제목	출처분류	생산자(처)
20150507	홍보	"북한 이러다간 중국 하청기지 전락한다"(카드뉴스)	경실련	통일협회
20150507	보도자료	박근혜 대통령의 학교 앞 관광호텔 허용 발언에 대한 입장	경실련공동	송현동호텔건립반대시민모임
20150507	보도자료	홈플러스 개인정보 유출 관련 긴급 기자간담회	경실련공동	진보네트워크센터 외
20150508	보도자료	이통사 배만 불린 단통법	경실련공동	진보네트워크센터 외
20150511	정책토론	대법원 개혁 관련 서기호 의원실 면담	경실련	정책위원회
20150511	참고자료	지자체별 다중이용시설의 임시사용승인현황	경실련	도시개혁센터
20150512	단행본	경제정의브리프스 1호 발간	경실련	경제정의연구소
20150513	보도자료	국가재정전략회의 결과에 대한 논평	경실련	재정세제위원회
20150513	보도자료	재개발 · 재건축 공공임대주택 매입 및 공급현황 분석	경실련	부동산국책사업감시팀
20150513	보도자료	수입 GMO가공식품 표시 실태조사	경실련	소비자정의센터
20150514	보도자료	그린벨트 무력화에 대한 국토부 · 중앙도시계획위원회 항의 시위	경실련	도시개혁센터
20150515	보도자료	뉴스테이, 가구당 평균소득과 기업형 임대주택 예상 임대료 분석	경실련	부동산국책사업감시팀
20150515	정책토론	UN지속가능발전목표(SDGs)의 국내 적용방안 모색을 위한 연속토론회, 환경분야	경실련	국제위원회
20150515	홍보	청년들에게 기회는 중동 아닌 개성에 있다	경실련	통일협회
20150515	보도자료	외환은행 불법 노동감시 등에 대한 시민 · 인권단체 공동입장	경실련공동	민주사회를위한변호사모임 외
20150519	보도자료	이완구 · 홍준표 구속수사하고, 리스트 6인 즉각 소환조사 하라	경실련	정책위원회
20150519	보도자료	서민주거복지특위 중간평가 및 노력한 · 노력할 의원선정	경실련	부동산국책사업감시팀
20150520	보도자료	데이터중심요금제 도입 관련 입장	경실련공동	진보네트워크센터 외
20150521	보도자료	제주도 영리병원 도입 전면 철회하라	경실련	보건의료위원회
20150521	보도자료	황교안 공안총리는 국민통합의 적임자가 아니다	경실련	정책위원회
20150521	보도자료	서민주거복지특위, 의지가 없다면 차라리 해산하라	경실련	부동산국책사업감시팀
20150522	보도자료	혈세 낭비 쌈짓돈 국회 특수활동비 투명화하라	경실련	정책위원회
20150522	참고자료	5년간 국회 특수활동비 활동내역 정보공개청구	경실련	정책위원회
20150526	보도자료	홈플러스 개인정보 유상판매 형사재판 관련 탄원서 등 제출	경실련공동	진보네트워크센터 외
20150527	정책토론	최저임금제도 문제진단과 개선방안 토론회	경실련	은수미 국회의원 외
20150527	보도자료	삼성그룹의 제일모직 삼성물산 합병 발표에 대한 입장	경실련	재벌개혁위원회
20150528	보도자료	삼성생명법 통과 촉구 4개 시민단체 연대성명	경실련공동	참여연대 외
20150528	보도자료	서울 · 인천 · 경기도의 장기 공공임대주택 공급현황 비교	경실련	부동산국책사업감시팀
20150528	홍보	열배 남는 장사' 한국은 미지근, 중-러는 후끈(카드뉴스)	경실련	통일협회
20150529	보도자료	주거기본법 국회 본회의 통과에 대한 입장	경실련	부동산국책사업감시팀
20150529	보도자료	서울시 학생인권위원회의 학교 앞 호텔, 학생인권침해 결정에 대한 입장	경실련공동	송현동호텔건립반대시민모임
20150601	보도자료	건강보험 수가협상 부대조건에 대한 건강보험가입자포럼 공개질의	경실련공동	건강보험가입자포럼
20150601	보도자료	황교안 총리 후보에 대한 전문가 평가	경실련	정책위원회
20150602	보도자료	농수산식품 원산지 거짓표시 처벌강화 발표에 대한 입장	경실련	농업개혁위원회
20150602	보도자료	금융당국의 LTV DTI 완화 1년 유예에 대한 입장	경실련	금융개혁위원회
20150602	보도자료	홈플러스 개인정보 유상판매 규탄 1인 시위 진행	경실련공동	진보네트워크센터 외
20150603	정책토론	정치관계법 개정 연속 토론회 (2) : 성완종 사건과 불법 정치자금 어떻게 할 것인가 - 법인 · 단체 정치자금 기부 허용 문제를 중심으로	경실련	정책위원회
20150603	보도자료	메르스 사태는 무사안일 복지부동 행정이 부른 참사	경실련	보건의료위원회
20150603	보도자료	공직선거법 · 정당법 · 정치자금법 등 정치관계법 개정 의견	경실련	정책위원회
20150603	보도자료	2015 시민사회단체 정치개혁방안 발표 공동 기자회견	경실련공동	참여연대 외
20150603	보도자료	행자부, 주민등록증 일제교체 계획에 대한 입장	경실련공동	진보네트워크센터 외
20150603	보도자료	개인정보 보호위원의 영리활동 관련 국민권익위 민원 제기	경실련공동	진보네트워크센터 외
20150604	보도자료	공공의료를 확충하고 방역체계를 강화하라	경실련	보건의료위원회
20150604	보도자료	국회 주거복지특위는 정쟁을 중단하고 주거약자 보호에 나서라	경실련	부동산국책사업감시팀
20150605	보도자료	금융위 빅데이터 활성화 방안에 대한 입장	경실련공동	진보네트워크센터 외
20150608	보도자료	빅데이터 및 비식별화 관련 법안에 대한 반대 의견 발표	경실련공동	진보네트워크센터 외
20150609	보도자료	국회 서민주거복지특위 활동기한 연장에 대한 입장	경실련	부동산국책사업감시팀
20150611	보도자료	한국은행의 추가 금리인하에 대한 입장	경실련	금융개혁위원회
20150611	보도자료	이동통신시장 경쟁촉진 방안 관련 의견서 제출	경실련	소비자정의센터
20150612	정책토론	UN지속가능발전목표(SDGs)의 국내 적용방안 모색을 위한 연속 토론회, 사회발전분야	경실련	국제위원회
20150613	홍보	웃고 있는 북한 사람들, 왜 불편할까 (카드뉴스)	경실련	통일협회
20150613	홍보	통일대박? 말은 무성한데 북한학과는 달랑 2개(카드뉴스)	경실련	통일협회

생산일자	세부형태	제목	출처분류	생산자(처)
20150615	보도자료	국회법 개정안 위헌성 논란 관련 공법학자 설문조사	경실련	정책위원회
20150616	보도자료	6월 임시국회에서 막아야할 반민생 · 기업특혜 3대 악법	경실련	정책위원회
20150617	보도자료	LTV · DTI 규제 완화 존속기간 연장 반대 의견	경실련	금융개혁위원회
20150617	보도자료	티머니 불공정한 환불정책에 대한 입장	경실련	시민권익센터
20150618	보도자료	금융위 인터넷전문은행 도입방안 발표에 대한 입장	경실련	금융개혁위원회
20150618	보도자료	남북대화 재개로 남북관계 개선의 계기 마련해야	경실련	통일협회
20150624	보도자료	재무회계기준 도입 노인장기요양보험법개정안에 대한 입장	경실련	사회복지위원회
20150625	보도자료	박 대통령의 국회법 개정안 거부권 행사에 대한 입장	경실련	정책위원회
20150625	정책토론	삼풍백화점 20주기 도시안전 토론회 개최	경실련	도시개혁센터
20150626	보도자료	새누리당 유승민 원내대표의 서민주거복지특위 연장 반대 발언에 대한 입장	경실련	정책위원회
20150629	참고자료	국회 특수활동비 지급내역 비공개 결정에 이의신청	경실련	정책위원회
20150629	보도자료	건강보험 국민 부담은 늘고 혜택 줄어 무엇을 위해 건강보험 곳간만 채우는가	경실련	보건의료위원회
20150629	정책토론	지방재정 정상화운동 2차 전국경실련 워크샵	경실련	지역경실련협의회
20150630	보도자료	수입차 수리비 관련 소비자피해에 대한 입장	경실련	시민권익센터
20150630	보도자료	통신요금 인가제 폐지에 대한 입장	경실련공동	진보네트워크센터 외
20150701	보도자료	최저임금 협상결렬에 대한 입장	경실련	노동위원회
20150701	보도자료	미국 뉴욕시의 임대료 동결 결정에 대한 입장	경실련	부동산국책사업감시팀
20150701	소송	티머니 불공정약관 공정위 신고	경실련	시민권익센터
20150701	보도자료	참치 통조림 내 식용유 관련 업체 공개질의	경실련	소비자정의센터
20150701	소송	홈플러스 개인정보 불법 유상판매 관련 손배소 제기	경실련공동	진보네트워크센터 외
20150702	보도자료	검찰의 성완종 리스트 중간수사결과 발표에 대한 입장	경실련	정책위원회
20150702	소송	구글 정보공개 소송, 쟁점과 전망	경실련공동	진보네트워크센터 외
20150703	정책토론	정부의 인터넷전문은행 설립방안 문제진단과 개선방안 토론회	경실련공동	민병두 국회의원 외
20150708	보도자료	서울 · 제주지역 시내면세점 사업권 심사에 대한 관세청 의견	경실련	재벌개혁위원회
20150708	보도자료	경실련-동아일보, 17개 광역자치단체 3대 핵심공약 이행 평가	경실련공동	동아일보 외
20150708	홍보	관광객 피살 사건, 이명박 대통령과 달랐다	경실련	통일협회
20150708	보도자료	업무용 고가차량 세제혜택 문제 관련 기자회견	경실련	시민권익센터
20150709	보도자료	최저임금결정에 대한 입장	경실련	노동위원회
20150709	참고자료	인터넷 전문은행 TF 회의록 · 회의자료 전체 · 구성원 등 정보 공개 재청구	경실련	금융개혁위원회
20150709	보도자료	메르스 사태에 대한 국가와 의료기관의 책임을 묻는다	경실련	보건의료위원회
20150709	보도자료	서울시는 삼성동 서울의료원 부지 매각을 중단하라	경실련	부동산국책사업감시팀
20150710	기타	경실련 및 로고 업무표장등록(경제정의연구소, 특허청, 제41-0005835호, 제42-0006256호)	경실련	사무국
20150713	보도자료	제일모직 · 삼성물산 합병에 관한 긴급기자회견	경실련	정책위원회
20150713	홍보	우리나라 선거제도 어떻게 바꿔야 할까요?	경실련	정치개혁위원회
20150713	홍보	박근혜 대통령에겐 아직 '절호의 기회'가 있다	경실련	통일협회
20150714	보도자료	관세청은 서울 및 제주지역 시내면세점 사업자 평가결과를 전면 공개하라	경실련	재벌개혁위원회
20150714	보도자료	통준위 1년 평가 전문가 설문조사 발표	경실련	통일협회
20150714	보도자료	통일준비위원회 회의 내용 비공개 결정에 대한 이의신청 제기	경실련	통일협회
20150715	보도자료	상고법원 반대 법학자 100인 전문가 선언	경실련	시민입법위원회
20150715	보도자료	국정원 불법사찰 의혹 철저한 진상규명을 촉구한다	경실련	정책위원회
20150716	보도자료	서울의료원 매각, 민간기업에게 수천억 개발이득 안긴다	경실련	부동산국책사업감시팀
20150716	보도자료	예결위의 객관적인 추경예산 심사 촉구 성명	경실련	재정세제위원회
20150716	조직	양평경실련 창립	경실련	양평경실련
20150717	보도자료	제일모직 · 삼성물산 합병 통과에 대한 입장	경실련	재벌개혁위원회
20150717	보도자료	국정원 대선개입, 대법원의 정치적 판결	경실련	정책위원회
20150717	보도자료	부정 · 비리 경제인 · 정치인 사면은 법치주의 훼손 넘어 정권불신 자초하는 것	경실련	정책위원회
20150720	보도자료	"SDGs 확산캠페인: 대한민국이 바라는 수다Go (SDGs) - 7월 30일 ~12월 13일"	경실련공동	지구촌빈곤퇴치시민네트워크
20150720	보도자료	참치 통조림 내 식용유 GMO표시 실태조사 결과	경실련	소비자정의센터
20150721	단행본	「도시계획의 위기와 새로운 도전」 책 출간	경실련	도시개혁센터
20150722	보도자료	국정원의 국민해킹 사태 관련 시민사회단체 공동성명	경실련공동	민주사회를위한변호사모임 외
20150723	보도자료	박원순 시장은 서울의료원 부지 매각에 대해 답하라	경실련	부동산국책사업감시팀
20150801	보도자료	서울의료원부지 헐값매각발표, 서울시에 공개토론 요구한다	경실련	부동산국책사업감시팀
20150802	보도자료	서영교 의원 관세법 일부 개정안(면세점 사업자 별도 재무제표 공시) 발의에 대한 입장	경실련	재벌개혁위원회

생산일자	세부형태	제목	출처분류	생산자(처)
20150802	보도자료	임금피크제 도입에 대한 의견	경실련	노동위원회
20150802	보도자료	정진엽 장관 내정자에게 보내는 공개질의 : 제주영리병원 불승인 · 의료민영화 정책 중단 입장표명 촉구 기자회견	경실련공동	의료민영화저지와무상의료실현을위한 운동본부
20150804	보도자료	롯데그룹 경영권 분쟁에 대한 입장	경실련	재벌개혁위원회
20150804	보도자료	선거제도 개혁 논의, 권역별 비례대표제 · 비례대표 확대가 핵심이다	경실련	정치개혁위원회
20150805	보도자료	지속가능 발전을 위한 시민의 다섯가지(五) 즐거운(樂) 실천(實), 오락실을 댓글로 달기	경실련공동	지구촌빈곤퇴치시민네트워크
20150806	보도자료	박근혜 대통령 대국민담화에 대한 입장	경실련	정책위원회
20150806	보도자료	2015년 세법개정안에 관한 입장	경실련	재정세제위원회
20150806	보도자료	서울의료원 부지매각 공개질의 답변에 대한 입장	경실련	부동산국책사업감시팀
20150806	정책토론	"염원에서 실천으로"	경실련	통일협회
20150806	보도자료	업무용 차량 관련 '15년 세법개정안에 대한 입장	경실련	시민권익센터
20150807	보도자료	재벌 살리기 특혜사면 원점에서 전면 재검토하라	경실련	재벌개혁위원회
20150811	보도자료	롯데그룹 신동빈 회장 대국민사과에 대한 입장	경실련	재벌개혁위원회
20150811	보도자료	국회 서민주거복지특위 재구성하고 세입자 보호대책 마련하라	경실련	부동산국책사업감시팀
20150812	보도자료	국민연금은 제일모직 · 삼성물산 합병찬성 근거와 의사결정에 관한 회의록을 투명하게 공개하라	경실련	재벌개혁위원회
20150817	보도자료	정부의 인터넷전문은행 설립방안에 대한 전문가 설문조사	경실련	금융개혁위원회
20150817	보도자료	통준위 정보공개청구 결과 분석 및 민간 통일단체 설문조사 결과 발표	경실련	통일협회
20150818	교육	그린벨트 해제를 통한 KTX 수서 역세권 개발 공동 대응 방안 모색 워크숍	경실련공동	환경운동연합 외
20150818	보도자료	이통사 결합상품 할인율 실태조사 결과발표	경실련	소비자정의센터
20150819	보도자료	'빚내서 집 사라'고 한 적 없다 발뺌하는 건 정책 실패를 스스로 인정하는 것	경실련	부동산국책사업감시팀
20150819	보도자료	UN 지속가능발전목표(SDGs) 국내이행방안에 대한 의견서 제출	경실련	국제위원회
20150819	보도자료	대한항공의 호텔포기? 학교 앞 호텔허용 관광진흥법 개정안도 폐기하라	경실련공동	송현동호텔건립반대시민모임
20150819	정책토론	"빅데이터 활용과 다가올 위험" 토론회 개최	경실련공동	진보네트워크센터 외
20150820	청원	자동차 대체부품 활성화를 위한 법안발의 공동 기자회견 개최	경실련공동	한국자동차부품협회 외
20150821	보도자료	자동차 대체부품 활성화 법안 관련 입장	경실련	시민권익센터
20150821	회의	제13기 4차중앙위원회	경실련	중앙위원회
20150825	보도자료	지방세제 개편안에 대한 입장	경실련	재정세제위원회
20150825	보도자료	남북고위급 회담 타결에 따른 경실련통일협회 입장	경실련	통일협회
20150825	보도자료	서울시는 서울의료원 부지 매각을 포기하라	경실련	부동산국책사업감시팀
20150825	보도자료	〈도시계획의 위기와 새로운 도전〉 출판기념 북콘서트 개최	경실련	도시개혁센터
20150826	홍보	권역별 비례대표제 연동형 VS 병립형?(카드뉴스)	경실련	정치개혁위원회
20150827	보도자료	개별소비세 인하에 대한 입장	경실련	재정세제위원회
20150827	감사청구	도시가스 매몰형 볼밸브 안전성 관련 한국가스안전공사의 직무유기 공익감사 청구	경실련	도시개혁센터
20150827	보도자료	인터넷 임시조치 피해 심각	경실련공동	진보네트워크센터 외
20150828	보도자료	정종섭 장관 · 최경환 부총리 선거 개입 발언에 대한 입장	경실련	정책위원회
20150828	보도자료	사업제도 개선을 위한 국회 기재위 입법 의견	경실련	정책위원회
20150831	보도자료	GMO 정보공개청구소송 승소	경실련	소비자정의센터
20150901	보도자료	통합 삼성물산 출범에 대한 입장	경실련	재벌개혁위원회
20150901	보도자료	농협중앙회 개혁과 중앙회장 직선제 도입 촉구	경실련공동	좋은농협만들기국민운동본부
20150901	소송	메르스 피해 손해배상청구 2차 공익소송 제기	경실련	보건의료위원회
20150901	보도자료	2015년 국정감사 다뤄야 할 16대 의제 발표	경실련	정책위원회
20150902	보도자료	롯데의 대형마트 의무휴업 무력화 시도에 대한 입장	경실련	중소기업위원회
20150902	정책토론	고위급접촉 이후 남북관계의 전망과 해법은?	경실련	통일협회
20150902	보도자료	정부의 서민중산층 주거안정강화 방안에 대한 입장	경실련	부동산국책사업감시팀
20150902	보도자료	상품권 유효기간 관련 표시 및 이용약관 실태조사 결과	경실련	시민권익센터
20150903	보도자료	국회 면세점 사업제도 개선 촉구	경실련	재벌개혁위원회
20150903	홍보	국회 정치개혁특별위원회, 정치개혁 대체 언제 하시나요? (카드뉴스)	경실련	정치개혁위원회
20150903	보도자료	서울시 매입 토지 가치상승률 분석 및 서울의료원 부지 매각 중단 촉구	경실련	부동산국책사업감시팀
20150903	보도자료	국회 서민주거복지특위 활동 재개에 대한 입장	경실련	부동산국책사업감시팀
20150903	보도자료	김무성 새누리당 대표의 관광진흥법 통과촉구 연설에 대한 입장	경실련공동	송현동호텔건립반대시민모임
20150903	보도자료	차등수가제 폐지는 의료계 퍼주기	경실련	보건의료위원회

생산일자	세부형태	제목	출처분류	생산자(처)
20150903	정책토론	유엔 지속가능발전목표(SDGs) 국내 적용방안 모색을 위한 간담회	경실련	국제위원회
20150903	보도자료	홈플러스 매각 관련 업체 공개질의	경실련공동	진보네트워크센터 외
20150905	보도자료	노사정 합의에 대한 입장	경실련	노동위원회
20150908	보도자료	2016년 예산안에 대한 입장	경실련	재정세제위원회
20150908	홍보	경실련과 함께 하는 상고법원 반대 이야기(카드뉴스)	경실련	시민입법위원회
20150911	보도자료	기초지자체별 분양률 현황 분석 국감 공동보도자료	경실련	부동산국책사업감시팀
20150912	보도자료	학교 앞 호텔 7대 불가론 발표	경실련공동	송현동호텔건립반대시민모임
20150914	보도자료	주택매매가격 대비 주택담보대출 '주택구입비' 비율 분석	경실련	부동산국책사업감시팀
20150915	보도자료	권력 눈치보는 선관위, 선거 불신만 초래	경실련	정책위원회
20150917	보도자료	노사정 합의 평가 및 대응방안 모색 긴급좌담회	경실련공동	새정치민주연합 외
20150921	보도자료	대형마트 영업일 제한 대법원 변론에 대한 입장	경실련	중소기업위원회
20150922	보도자료	폭스바겐 배기가스 조작은 소비자 기만행위	경실련	소비자정의센터
20150923	보도자료	상품권 관련 피해 법제정 통해 근절해야	경실련	시민권익센터
20150925	보도자료	서울의료원 부지 매각 2차 유찰에 대한 논평	경실련	부동산국책사업감시팀
20151001	보도자료	지구촌 새마을운동에 대한 입장 발표	경실련	국제위원회
20151002	보도자료	타당성 없는 전문병원 지원 방안 철회하라	경실련	보건의료위원회
20151002	보도자료	전월세 대책 마련 촉구 기자회견 및 캠페인	경실련	부동산국책사업감시팀
20151003	보도자료	차등수가제 폐지 "절차상 문제없다"는 복지부 주장은 궤변	경실련	시민입법위원회
20151006	교육	27기 민족화해아카데미	경실련	통일협회
20151008	보도자료	2015 국정감사 평가 결과 - 우수국감의원 : 미선정	경실련	정책위원회
20151008	보도자료	박근혜 정부는 주거안정에 역행하는 과도한 공공택지 이윤 추구를 중단하라	경실련	부동산국책사업감시팀
20151008	보도자료	의사에게는 특혜지원, 국민에겐 과소 진료	경실련	보건의료위원회
20151012	보도자료	선거구획정위는 원칙대로 선거구 획정에 임하라	경실련	정치개혁위원회
20151012	보도자료	획정위는 언제까지 정치권 눈치만 볼 셈인가	경실련	정치개혁위원회
20151012	보도자료	2015년 국정감사 서민주거안정 부분 평가 결과	경실련	부동산국책사업감시팀
20151013	보도자료	정권을 위한 역사교과서로 다시 돌아가나?	경실련	교육개혁위원회
20151014	보도자료	선거구획정위는 정치권 눈치보기를 중단하라	경실련	정치개혁위원회
20151014	보도자료	서민에겐 땅장사 폭리, 기업에겐 고수익 특혜	경실련	부동산국책사업감시팀
20151016	보도자료	소비자는 GMO벼 상용화를 반대한다	경실련	소비자정의센터
20151017	보도자료	action/2015 지구촌빈곤퇴치시민네트워크 캠페인 경실련 부스 행사 운영	경실련	국제위원회
20151018	보도자료	박원순 서울시장은 서울의료원 조건변경 특혜 매각을 포기하라	경실련	부동산국책사업감시팀
20151018	보도자료	구글은 국내법에 따른 이용자 개인정보 보호 의무를 이행해야	경실련공동	진보네트워크센터 외
20151019	보도자료	음식점 원산지표시제 소비자 인식조사	경실련	농업개혁위원회
20151020	정책토론	업무용 차량의 공평과세를 위한 정책토론회	경실련공동	김종훈 국회의원 외
20151021	보도자료	박근혜 정부와 새누리당의 노동개혁에 대한 시민단체 공동 기자회견	경실련공동	함께하는시민행동 외
20151021	보도자료	제2차 국제개발협력기본계획 중도본에 대한 성명 발표	경실련	국제위원회
20151021	보도자료	피해 확산하는 통신요금 인가제 폐지 반대	경실련	소비자정의센터
20151022	정책토론	인터넷전문은행 설립, 무엇이 문제인가?	경실련공동	전국금융산업노동조합 외
20151022	감사청구	복지부의 차등수가제 폐지와 전문병원 지원 관련 감사원 공익감사청구	경실련공동	건강보험가입자포럼
20151022	보도자료	서민주거 외면하는 이재영은 LH 사장 자격 없다	경실련	부동산국책사업감시팀
20151022	보도자료	"정부가 자랑하는 한국형 원조, 그 부끄러운 이면"	경실련	국제위원회
20151022	보도자료	일본 자위대의 한반도 진출에 대해 정부의 단호한 태도를 촉구한다	경실련	통일협회
20151022	정책토론	폭스바겐 사태로 돌아본 소비자정책 토론회	경실련공동	김제남 국회의원 외
20151026	홍보	"탱크 체험하면서 남북 교류, 모순적인 통일 교육" (카드뉴스)	경실련	통일협회
20151027	정책토론	원산지표시제 문제점과 해결방안 모색 토론회	경실련공동	박민수 국회의원 외
20151027	정책토론	TPP 가입이 우리농업에 미치는 영향과 대응 방안 모색 토론회	경실련공동	김우남 국회의원 외
20151027	보도자료	서민주거안정 촉구를 위한 서민주거복지특위 국회의원 지역구 사무실 1인시위 (10월 26일 ~ 30일)	경실련	부동산국책사업감시팀
20151027	보도자료	국회 서민주거복지특위의 주택임대차분쟁조정위원회 합의는 서민주거안정 포기 합의이다	경실련	부동산국책사업감시팀
20151027	보도자료	소비자들은 단통법 폐지를 원한다	경실련	소비자정의센터
20151027	보도자료	국회 미방위는 단통법 폐지와 가계통신비 인하에 앞장서야	경실련	소비자정의센터
20151028	보도자료	공공서비스 · 의료 민영화, 환경파괴 초래할 '서비스산업발전기본법'등 민생 파탄법 폐기하라	경실련	보건의료위원회
20151028	보도자료	대법원 상고 특별재판부는 상고심 제도 개선 대안이 아니다	경실련	시민입법위원회
20151102	보도자료	세입자 주거안정을 위한 법률전문가 설문조사 결과	경실련	부동산국책사업감시팀

생산일자	세부형태	제목	출처분류	생산자(처)
20151102	보도자료	역사교과서 국정화 반대 의견	경실련	교육개혁위원회
20151103	보도자료	최저임금제도개선위원회에 대한 입장	경실련	노동위원회
20151103	보도자료	정부 역사교과서 국정화 날치기 강행	경실련	교육개혁위원회
20151105	보도자료	2분 진료 어떻게 막나? 차등수가제 유지해야	경실련	보건의료위원회
20151106	보도자료	'무늬만 회사차 방지법' 입법청원 기자회견	경실련	시민권익센터
20151111	보도자료	강호인 국토부장관 후보자의 인사청문회에 대한 입장	경실련	부동산국책사업감시팀
20151111	보도자료	SK는 소비자들의 민감정보 수집 중단하라	경실련공동	진보네트워크센터 외
20151112	보도자료	새누리당 노동법 개정안에 대한 의견	경실련	노동위원회
20151112	보도자료	단통법 시행 1년 소비자 인식조사 결과 국회 미방위 전달	경실련	소비자정의센터
20151113	정책토론	면세점 사업 공정화를 위한 입법공청회	경실련공동	새정치민주연합 외
20151115	정책토론	서민주거안정을 위한 공공임대주택 제도개선 토론회	경실련공동	주거권실현을위한국민연합 외
20151117	보도자료	농협중앙회개혁과 중앙회장 직선제 도입 범국민서명운동 전달식 및 기자회견	경실련공동	좋은농협만들기국민운동본부
20151117	정책토론	농협중앙회장 직선제와 농협중앙회 개혁과제 토론	경실련공동	좋은농협만들기국민운동본부
20151117	보도자료	언제까지 주먹구구식 장기요양 수가 인상할 것인가?	경실련	사회복지위원회
20151117	보도자료	국회 기재위는 '무늬만 회사차' 근절 법안 신속히 처리해야	경실련	시민권익센터
20151117	보도자료	레몬법 관련 「자동차관리법」 개정안에 대한 반대의견 국회 제출	경실련	소비자정의센터
20151119	정책토론	2015년 세법개정안 평가 토론회	경실련공동	홍종학 국회의원 외
20151119	교육	경제민주화 강좌(경제민주화 정치인에게 맡길수 있을까)	경실련	경제정의연구소
20151119	보도자료	새누리당 노동법 개정안 반대 시민사회단체 기자회견	경실련공동	문화연대 외
20151119	보도자료	국회 보복위의 GMO표시제도 개선안 통과에 대한 입장	경실련	소비자정의센터
20151123	홍보	온라인 캠페인-SDGs 웹툰 감상	경실련공동	지구촌빈곤퇴치시민네트워크
20151123	홍보	"한국, 아베의 자위권 행사에 일조했다"	경실련	통일협회
20151123	보도자료	빅데이터 관련 국회 법안심사 관련 의견서 전달	경실련공동	진보네트워크센터 외
20151124	보도자료	국회 법제사법위원회는 상고법원 법안 폐기하라	경실련	시민입법위원회
20151125	보도자료	대법원 내 상고법원 설치는 국민 우롱하는 꼼수	경실련	시민입법위원회
20151125	보도자료	국회에 전월세난 해법에 대한 공개질의	경실련	부동산국책사업감시팀
20151125	보도자료	2015년 세법개정안 평가 국회 기획재정위 의견	경실련	재정세제위원회
20151125	보도자료	정부의 업무용 차량 공평과세 보완방안에 대한 입장	경실련	시민권익센터
20151126	보도자료	새누리당의 위헌적인 집시법 발의 규탄한다	경실련	정책위원회
20151126	보도자료	폭스바겐그룹은 한국소비자 피해 즉각 보상하라	경실련	소비자정의센터
20151130	보도자료	국회의 업무용 차량의 공평과세 외면을 규탄한다	경실련	시민권익센터
20151202	회원	회원 송년의 밤	경실련	통일협회
20151202	보도자료	학교 앞 호텔법 본회의 처리합의 비판	경실련공동	송현동호텔건립반대시민모임
20151203	보도자료	박근혜 정부의 일본군 '위안부'문제 한일협상은 밀실 · 졸속 · 굴욕 협상	경실련	정책위원회
20151203	보도자료	"지구촌빈곤퇴치, 나눔으로" 토크콘서트	경실련공동	지구촌빈곤퇴치시민네트워크
20151204	보도자료	법무부 사법시험 폐지 유예에 대한 입장	경실련	시민입법위원회
20151208	정책토론	노동자 증언대회 : 노동자의 눈으로 본 노동개정안	경실련	노동위원회
20151208	정책토론	지방자치 20년 평가와 과제	경실련공동	전국시도지사협의회
20151209	보도자료	부족한 공공의사 정부가 직접 양성하라	경실련	보건의료위원회
20151209	정책토론	2015 원조투명성 기획포럼 개최	경실련	국제위원회
20151209	보도자료	요금할인 20% 제도의 허상	경실련	소비자정의센터
20151210	보도자료	파리기후총회, 환경부 · 외교부 직무유기에 대한 해명 요구	경실련	국제위원회
20151215	보도자료	제1회 경실련 좋은사회적기업상 수상기업 발표 및 시상식 및 제24회 경실련 좋은기업상 평가 및 시상 개최 보도	경실련	경제정의연구소
20151215	보도자료	여야는 당리당략 배제하고 조속히 선거구 획정하라	경실련	정치개혁위원회
20151215	보도자료	전월세난 해법에 대한 국회의원 공개질의 결과	경실련	부동산국책사업감시팀
20151215	교육	'도시재생대학' 개최	경실련	도시개혁센터
20151217	보도자료	정부 · 여당의 근거 없는 경제위기 조장은 혹세무민 행태	경실련	정책위원회
20151221	보도자료	국민 생명 위협하는 영리병원 강행과 입원료 인상 규탄한다	경실련	보건의료위원회
20151223	보도자료	주민등록번호 변경을 요구하는 헌법소송, 헌법재판소 결정에 대한 입장발표 기자회견	경실련공동	진보네트워크센터 외
20151228	보도자료	헌재 결정 취지에 따른 민병두, 진선미 주민등록법 통과 촉구 기자회견	경실련공동	진보네트워크센터 외
20160102	소송	문형표 전 보건복지부 장관 메르스 사태 직무유기 검찰 고발	경실련	보건의료위원회
20160102	보도자료	박근혜 대통령 경제 관련 법안 서명에 대한 입장	경실련	정책위원회
20160102	보도자료	노사정 합의 파기에 대한 입장	경실련	노동위원회
20160106	보도자료	SDGs 공론화를 위한 기획기사 : SDGs의 탄생, 지속가능에 대한 이야기	경실련	국제위원회
20160106	보도자료	북, 핵실험은 한반도 정세 파국으로 몰고 가는 것	경실련	통일협회
20160108	보도자료	홈플러스 개인정보 불법매매사건 형사판결에 대한 입장	경실련공동	진보네트워크센터 외

생산일자	세부형태	제목	출처분류	생산자(처)
20160113	보도자료	홈플러스 형사 1심 재판부에 1mm 글씨 항의 서한 전달	경실련공동	진보네트워크센터 외
20160114	보도자료	서민주거안정으로 포장한 건설사 특혜 업무보고에 대한 입장	경실련	정책위원회
20160119	보도자료	건보공단의 제약사 부당이득 환수소송 결정 환영 논평	경실련	보건의료위원회
20160121	보도자료	국토부는 부동산 공시제도 개선에 대한 구체적 계획 밝혀라	경실련	정책위원회
20160124	보도자료	양대 행정지침 발표에 대한 입장	경실련	노동위원회
20160125	보도자료	건강보험정책심의위원 노동소비자 대표단체 배제에 대한 입장	경실련	보건의료위원회
20160125	보도자료	SDGs 공론화를 위한 기획기사 : 최저임금 그리고 저녁이 있는 삶	경실련	국제위원회
20160202	보도자료	성남시의 '표준품셈 적용' 거부 환영한다	경실련	국책사업감시단
20160203	보도자료	기업의 상품권 지급보증 등 체결 현황 실태조사	경실련	시민권익센터
20160208	보도자료	SDGs 공론화를 위한 기획기사 : 지속가능한 도시, 88만원 세대의 보금자리	경실련	국제위원회
20160211	보도자료	개성공단 폐쇄는 대북제재가 아닌 입주기업들에 대한 제재	경실련	통일협회
20160212	참고자료	2014년 지구촌 새마을운동 ODA 예산에 대한 정보공개청구	경실련	국제위원회
20160215	보도자료	박근혜 정부 3년 평가 전문가 설문	경실련	정책위원회
20160215	보도자료	SDGs 공론화를 위한 기획기사 : 헬조선에 띄우는 편지	경실련	국제위원회
20160215	보도자료	SKT-CJHV 인수합병 관련 미래부 의견	경실련	소비자정의센터
20160216	보도자료	박근혜 대통령 국회연설에 대한 입장	경실련	정책위원회
20160216	보도자료	개별소비세 인하에 대한 입장	경실련	재정세제위원회
20160216	정책토론	박근혜 정부 3년 평가 토론회	경실련	정책위원회
20160222	보도자료	박근혜 대통령 집권 4년차 대선공약이행 평가결과	경실련	정책위원회
20160222	보도자료	경실련 대학생 공명 · 정책선거 서포터즈 캠페인 (2월 22일 ~ 4월 27일)	경실련	정책위원회
20160222	보도자료	지구촌빈곤퇴치 화이트밴드 캠페인: 지속가능한 우리사회 나눔으로 (2월 22일 ~ 23일)	경실련공동	지구촌빈곤퇴치시민네트워크
20160222	조직	경실련 서민주거안정운동본부 발족	경실련	서민주거안정운동본부
20160223	보도자료	졸속 선거구 획정 구태 반복한 여야를 규탄한다	경실련	정치개혁위원회
20160224	정책토론	SKT-CJHV 인수합병 관련 미래부 2차 공청회	경실련	소비자정의센터
20160226	회의	제14기 1차 중앙위원회	경실련	중앙위원회
20160226	정책토론	위기의 남북관계 어떻게 헤쳐갈 것인가?	경실련공동	금강산기업인협의회 외
20160229	보도자료	국민 기본권 위협하는 테러방지법 악법 조항 없애야	경실련	정책위원회
20160301	보도자료	19대 국회의원 법안 발의 및 가결 분석 평가	경실련	정책위원회
20160303	보도자료	경실련 정당선택도우미 운영 (3월 30일 ~ 4월 28일)	경실련	정책위원회
20160303	회의	GCAP Asia 회의 및 UN ESCAP CSO 포럼 참석	경실련공동	지구촌빈곤퇴치시민네트워크
20160303	보도자료	사회보험 재정건전화 협의체 운영 입장	경실련	정책위원회
20160307	보도자료	화이트밴드 캠페인 온라인 에세이 대회,	경실련공동	지구촌빈곤퇴치시민네트워크
20160307	보도자료	SKT-CJHV 인수합병 관련 미래부, 공정위 추가의견	경실련	정책위원회
20160308	보도자료	주거환경개선사업 임대주택 공급 무력화 중단 촉구 의견	경실련	정책위원회
20160314	보도자료	지구촌빈곤퇴치 화이트밴드 캠페인 : 지속가능한 우리사회 나눔으로 (3월 14일 ~ 15일), 대구 · 포항	경실련공동	지구촌빈곤퇴치시민네트워크
20160316	보도자료	20대 국회의원 선거 유권자 운동본부 출범	경실련	유권자운동본부
20160316	보도자료	20대 총선 복지분야 개혁과제	경실련	정책위원회
20160317	보도자료	kt 개인정보 유출사건 3차 소송인단 모집	경실련	소비자정의센터
20160321	보도자료	19대 국회의원 본회의 법안 투표 참여 분석 결과	경실련	정책위원회
20160322	정책토론	20대 총선 노동 · 일자리 공약평가 토론회	경실련	참여연대 외
20160322	보도자료	지구촌빈곤퇴치 화이트밴드 캠페인 : 지속가능한 우리사회 나눔으로 (3월 21일 ~ 22일), 제주	경실련공동	지구촌빈곤퇴치시민네트워크
20160323	보도자료	양극화 및 불평등 개선을 위한 20대 총선 '5대 부문 15대 경제구조개혁 과제'	경실련	정책위원회
20160325	보도자료	지구촌빈곤퇴치 화이트밴드 캠페인 : 지속가능한 우리사회 나눔으로 (3월 25일 ~ 26일), 광주 · 청주 · 담양	경실련공동	지구촌빈곤퇴치시민네트워크
20160325	교육	전국경실련 임원교육, 경실련 강당	경실련	정책위원회
20160401	보도자료	20대 국회의원 선거 걸림돌 · 디딤돌 후보 선정	경실련	정책위원회
20160402	보도자료	노골적인 정치개입, 전경련 즉각 해체해야	경실련	정책위원회
20160402	정책토론	실손의료보험 손해율 대응 시민단체 간담회	경실련공동	건강세상네트워크 외
20160402	회의	2016 지구촌빈곤퇴치네트워크 총회	경실련공동	지구촌빈곤퇴치시민네트워크
20160404	보도자료	경실련-경향신문 공동 20대 국회의원선거 정당공약 평가 : 청년 · 주거 · 노인 · 보육 분야	경실련	유권자운동본부
20160405	보도자료	경실련-경향신문 공동 20대 국회의원선거 정당공약 평가 : 노동 · 재벌개혁 분야	경실련	유권자운동본부
20160406	보도자료	경실련-경향신문 공동 20대 국회의원선거 정당공약 평가 : 정치개혁 · 국정원 및 사법개혁 분야	경실련	유권자운동본부

생산일자	세부형태	제목	출처분류	생산자(처)
20160406	보도자료	새누리당 강봉균 공동 선대위원장 양적완화 · 부가세인상 정책에 대한 입장	경실련	유권자운동본부
20160407	보도자료	경실련-경향신문 공동 20대 국회의원선거 정당공약 평가 : 통일 · 외교 · 안보 공약	경실련	유권자운동본부
20160407	보도자료	신영철 전 대법관 변호사 개업 있을 수 없다	경실련	정책위원회
20160407	보도자료	20대 국회의원선거 공명 · 정책선거 캠페인, 광화문 교보문고 앞	경실련	유권자운동본부
20160408	보도자료	20대 국회의원 선거 주요 격전지 후보 공약 평가	경실련	유권자운동본부
20160408	보도자료	20대 국회의원 선거 공명 · 정책선거 캠페인	경실련	유권자운동본부
20160411	보도자료	20대 국회의원 선거 153개 정당정책 비교평가	경실련	유권자운동본부
20160411	보도자료	청와대는 북풍 이용 선거개입 즉각 중단하라	경실련	통일협회
20160414	보도자료	20대 총선 결과에 대한 논평	경실련	정책위원회
20160414	정책토론	20대 총선 평가 토론회 : 20대 총선 평가와 향후과제	경실련	정책위원회
20160421	소송	전경련 금융실명제 위반 · 조세포탈 · 업무상 배임 혐의 여부 검찰 수사의뢰	경실련	정책위원회
20160421	교육	수원 도시재생대학, 수원시 매산동 주민센터	경실련	도시개혁센터
20160425	보도자료	실손의료보험 손해율 철저 조사 촉구	경실련공동	건강세상네트워크 외
20160426	보도자료	정부의 제 3차 구조조정 협의체 회의 및 방안 발표에 대한 입장	경실련	정책위원회
20160426	보도자료	경실련 정당선택도우미 참여자 결과 분석 발표	경실련	정책위원회
20160427	보도자료	서울시는 '역세권 2030 청년주택'을 중단하라	경실련	정책위원회
20160427	보도자료	금융위의 신용정보법 개정안에 대한 시민단체 공동 기자회견	경실련공동	진보네트워크센터 외
20160428	보도자료	청와대 · 국정원의 극우단체 동원에 대한 국회 국정조사 촉구 기자회견	경실련공동	민주사회를위한변호사모임 외
20160428	교육	전국경실련 상근활동가 실무교육	경실련	경실련아카데미
20160428	보도자료	규제프리존 특별법 추진 야당 잠정 합의 규탄 공동 기자회견	경실련공동	의료민영화저지와무상의료실현을위한 운동본부
20160501	보도자료	올바른 기업구조조정 5대 원칙과 방안 발표	경실련	정책위원회
20160503	조직	봄 후원만찬, 퍼시픽 호텔	경실련	정책위원회
20160503	정책토론	기업구조조정 올바른 방안은 무엇인가?	경실련	정책위원회
20160504	보도자료	관세청 시내면세점 추가 계획 발표에 대한 입장	경실련	정책위원회
20160504	교육	경제민주화 강좌 : 삼성전자가 몰락해도 한국이 사는 길	경실련	재벌개혁위원회
20160509	보도자료	옥시 제품 불매 집중 행동 선언, 세종문화회관 계단	경실련공동	환경운동연합 외
20160512	보도자료	규제프리존 특별법 즉각 폐기 의견 국회 제출	경실련	정책위원회
20160512	보도자료	검찰, 정운호 게이트 전관예우 명백히 수사하라!	경실련	정책위원회
20160512	보도자료	규제개혁위원회의 담뱃갑 경고그림 부착 재심의에 대한 입장	경실련	정책위원회
20160512	보도자료	임의번호 도입 없는 주민등록법 19대 처리 반대한다	경실련	정책위원회
20160513	보도자료	공무원의 불법전매, 검찰 수사와 별도로 청와대가 직접 진상 규명에 나서라	경실련공동	한국여성민우회 외
20160516	보도자료	주민등록법 처리 반대 의견	경실련	정책위원회
20160516	보도자료	옥시는 영업을 중단하고, 가습기 사고를 책임져라, 옥시RB 코리아 본사 앞, 경실련 소비자정의센터 등 56개 단체	경실련공동	환경운동연합 외
20160519	보도자료	주민등록법 19대 통과에 대한 시민사회단체 입장	경실련공동	민주사회를위한변호사모임 외
20160519	보도자료	금융위원회는 구체적 기업구조조정 추진방안을 국민에게 밝혀라	경실련	정책위원회
20160519	보도자료	전월세 전환율 인하 등 주택임대차보호법 개정에 대한 입장	경실련	정책위원회
20160519	보도자료	식약처는 업체별 GMO 수입현황 즉각 공개하라	경실련	소비자정의센터
20160519	보도자료	한반도 경제 · 평화 위협하는 대북정책 전환하라	경실련공동	개성공단근로자협의회 외
20160523	보도자료	응급 피임제 전문의약품 유지에 대한 입장	경실련	정책위원회
20160524	보도자료	세종시 아파트 공무원특별공급, 5,326억 · 1인당 3,800만원 특혜	경실련	정책위원회
20160525	정책토론	이재용 시대 2년, 삼성리스크 진단과 개선방안 모색	경실련	재벌개혁위원회
20160527	보도자료	일하는 국회 거부하는 대통령의 거부권 행사	경실련	정책위원회
20160531	보도자료	옥시불매 2차 집중행동 보고 및 책임자 처벌과 옥시 예방법 촉구 선언	경실련공동	환경운동연합 외
20160601	보도자료	휴대전화 지원금 상한제 폐지에 대한 입장	경실련	소비자정의센터
20160601	교육	지역경실련 경기도협의회 도시재생사업 워크샵	경실련	도시개혁센터
20160602	보도자료	식약처 유전자변형식품등의 표시기준 개정안 의견	경실련	소비자정의센터
20160602	보도자료	가습기살균제 참사 전국네트워크 출범 기자회견	경실련공동	가습기살균제 참사 전국네트워크
20160603	보도자료	미래부 전기통신사업법 개정(안) 관련 의견	경실련	소비자정의센터
20160603	정책토론	직접시공제 도입 필요성과 일자리 희망 만들기 위한 긴급 토론회	경실련공동	정동영 국회의원 외
20160603	보도자료	행자부 개인정보 비식별 조치 가이드라인 반대한다	경실련공동	진보네트워크센터 외
20160603	보도자료	GMO완전표시제 도입 촉구 국회 공동기자회견	경실련공동	소비자시민모임 외

생산일자	세부형태	제목	출처분류	생산자(처)
20160603	보도자료	시민사회 캠페이너 역량강화 강연	경실련공동	지구촌빈곤퇴치시민네트워크
20160608	보도자료	정부의 부실업종구조조정 현황 및 계획발표에 대한 입장	경실련	정책위원회
20160608	보도자료	새마을운동 글로벌 확산에 깊은 우려를 표명한다	경실련	정책위원회
20160613	보도자료	역세권2030청년주택 조례심사 공청회 의견	경실련	정책위원회
20160621	보도자료	김영란법 시행령(안) 완화 반대 의견	경실련공동	참여연대 외
20160622	보도자료	2017년도 최저임금에 대한 입장 발표 및 최저임금운동 집중 행동주간 선포	경실련	노동위원회
20160622	보도자료	동남권 신공한 입지 선정결과 발표에 대한 논평	경실련	정책위원회
20160624	보도자료	최저임금위원회 5차 전원회의에 대한 입장	경실련	노동위원회
20160627	보도자료	최저임금 인상촉구 기자회견 및 집중행동주간 캠페인, 광화문 교보문고 앞	경실련	정책위원회
20160627	보도자료	#만만캠페인 : 1만원 인증샷 SNS 캠페인	경실련	정책위원회
20160627	정책토론	대만시민사회의 선거를 통한 주거권 강화 운동	경실련	도시개혁센터
20160628	보도자료	최저임금 관련 전문가 설문조사 결과 발표 - 전문가 90.5% 최저임금 인상 찬성	경실련	노동위원회
20160628	보도자료	하도급 통보의무 면제 「건설산업기본법」 시행령 입법예고 의견	경실련	정책위원회
20160629	보도자료	최저임금결정 법정시한 미준수에 대한 입장, 세종로 공원	경실련	노동위원회
20160701	보도자료	한국은행 금통위의 자본확충펀드 지원 의결에 대한 입장	경실련	정책위원회
20160701	보도자료	경실련 회원확대 캠페인	경실련	사무국
20160702	보도자료	'2017 최저임금 재심의 요청서한' 고용노동부 제출	경실련	노동위원회
20160702	보도자료	우병우 청와대 민정수석 즉각 사퇴하라	경실련	정책위원회
20160702	정책토론	GMO표시제도 개선을 위한 공동 토론회	경실련공동	소비자시민모임 외
20160704	보도자료	최저임금 인상 촉구 전국경실련 동시다발 기자회견	경실련	전국경실련
20160705	보도자료	지방 간 분열 조장하는 땜질식 처방 철회하고 근본적인 지방 재정 해결책을 제시하라	경실련	정책위원회
20160705	보도자료	전국경실련 상근활동가 IT실무교육, KT원주리더십 아카데미	경실련	경실련아카데미
20160706	보도자료	생활 가능한 수준의 최저임금 실현을 위한 전문가 112인 공동선언, 경실련 강당	경실련	노동위원회
20160708	보도자료	국회는 직접시공제로 건설 브로커를 청산하라	경실련	정책위원회
20160711	보도자료	민중을 개 · 돼지로 비하한 나향욱 교육부 정책기획관 즉각 파면하라	경실련	정책위원회
20160711	보도자료	유전자변형식품등의 표시기준 개정안에 대한 시민의견 수렴 (7월 11일 ~ 17일)	경실련	소비자정의센터
20160711	보도자료	사드 배치는 막대한 폐혜와 사회경제적 비용 유발할 것	경실련	통일협회
20160712	보도자료	최저임금 인상 촉구 전국경실련 합동기자회견	경실련	노동위원회
20160713	보도자료	최저임금 공익위원 중재안에 대한 입장	경실련	노동위원회
20160713	보도자료	빅데이터 시대의 비식별화 문제와 소비자 개인정보보호를 위한 기자간담회	경실련공동	진보네트워크센터 외
20160715	보도자료	서울시 역세권 2030 청년주택 부작용 보완책 필요하다	경실련	정책위원회
20160715	보도자료	경실련 홈페이지 개편	경실련	사무국
20160717	보도자료	2017 최저임금 결정에 대한 입장	경실련	노동위원회
20160718	보도자료	국회는 공평하고 합리적인 건강보험부과체계 마련하라	경실련	정책위원회
20160719	보도자료	유전자변형식품등의 표시기준 개정안에 대한 추가의견 제출	경실련	소비자정의센터
20160719	정책토론	유엔 해비타트Ⅲ 한국 민간위원회 발족식 및 기념세미나	경실련공동	UN-HABITATⅢ 한국민간위원회
20160725	보도자료	반부패 빛 검찰개혁 시민단체 고위공직자비리수사처 도입 촉구 공동 기자회견	경실련공동	민주사회를위한변호사모임 외
20160803	보도자료	김경환 차관 8.25대책 발언에 대한 논평	경실련	정책위원회
20160805	보도자료	김영란법 무력화시키는 일체의 행위 중단하라	경실련	정책위원회
20160808	보도자료	'부정청탁 및 금품수수 등 금지에 관한 법률' 입법취지 훼손 규탄 기자회견	경실련	정책위원회
20160808	보도자료	국회의원 특권 내려놓기 추진위에 국회의원 6대 특권 폐지 제안서 제출	경실련	정책위원회
20160812	보도자료	20대 국회는 주거안정과 투기근절을 위한 토지임대 건물 분양법을 다시 제정하라	경실련	정책위원회
20160812	보도자료	홈플러스 형사 항소심 기각판결에 대한 시민사회 입장	경실련공동	진보네트워크센터 외
20160817	정책토론	2017 최저임금 평가 및 결정방식 · 결정기준 개선을 위한 토론회	경실련공동	정동영 국회의원 외
20160817	회의	통일협회 총회	경실련	통일협회
20160818	보도자료	2016년 세법개정안 입법예고 의견서 기획재정부 제출	경실련	정책위원회
20160819	회의	제14기 2차 중앙위원회	경실련	정책위원회
20160819	보도자료	박근혜 대통령은 우병우 민정수석 즉각 경질하고, 검찰은 철저한 수사에 나서라	경실련	정책위원회

생산일자	세부형태	제목	출처분류	생산자(처)
20160822	보도자료	우병우 청와대 민정수석 경질 및 엄정 수사 촉구 기자회견	경실련	정책위원회
20160822	보도자료	홈플러스 항소심 무죄판결 문제제기와 롯데홈쇼핑 고발	경실련공동	진보네트워크센터 외
20160823	보도자료	우병우 비호 청와대 규탄 및 공수처 도입 촉구 5개 단체 공동 기자회견	경실련공동	민주사회를위한변호사모임 외
20160823	보도자료	우병우 민정수석 해임 및 고위공직자비리수사처 도입 촉구 1인시위 및 서명 운동 (8월 23일 ~ 9월 2일)	경실련공동	민주사회를위한변호사모임 외
20160824	소송	GMO 업체별 수입량 정보공개 소송, 식약처 상대 승소	경실련	정책위원회
20160824	보도자료	박근혜 대통령은 이철성 경찰청장 후보자 임명 즉각 중단하라	경실련	정책위원회
20160824	보도자료	C형 감염 집단 감염사태에 대한 입장	경실련	정책위원회
20160825	보도자료	정부 저출산대책 발표에 대한 입장 발표	경실련	정책위원회
20160828	보도자료	8.25 가계부채 관리방안에 대한 논평	경실련	정책위원회
20160829	보도자료	GMO 정보공개 상고심 최종 승소, 대법원 판결을 환영한다	경실련	소비자정의센터
20160830	조직	GMO반대전국행동 참여	경실련	소비자정의센터
20160831	보도자료	2017년 예산안에 대한 논평	경실련	정책위원회
20160831	보도자료	정부부처 대상 상품권 구매 및 배분 관리 현황	경실련	시민권익센터
20160831	정책토론	신뢰경제의 효과적 수단으로써 CSR의 역할 : 자유로부터 의무까지, 집단소송제와 징벌적배상제 사례	경실련공동	콘라드아데나워재단 외
20160901	보도자료	청년들은 들어갈 수 없는 '억' 소리나는 청년주택 중단하라	경실련	정책위원회
20160901	보도자료	검찰 법조비리 근절안은 실효성 없는 미봉책	경실련	정책위원회
20160902	홍보	전월세인상률상한제, 계약갱신청구권 들어보셨나요?(카드뉴스)	경실련	정책위원회
20160902	참고자료	한국조폐공사 대상 상품권 제조현황 및 국세청 대상 법인 등 상품권 경비처리 현황	경실련	시민권익센터
20160902	보도자료	민자도로 운영기간 연장특혜 시도를 중단하라	경실련	정책위원회
20160902	보도자료	정부, 북한수해 인도적 지원 나서라	경실련	통일협회
20160903	보도자료	대형 공공공사 입찰 차액 0.1%도 안돼	경실련	정책위원회
20160903	정책토론	상품권 관련 김현미 의원실 한국은행 국정감사 질의 논의	경실련공동	김현미 국회의원 외
20160905	보도자료	전세가율 하락은 착시현상, 월세인상률상한제 도입 시급하다	경실련	정책위원회
20160905	보도자료	GMO완전표시제를 위한 시민사회 입법청원 기자회견	경실련공동	한국YMCA전국연맹 외
20160906	보도자료	근본적 개혁 없이 사법 불신 해결 못해	경실련	정책위원회
20160907	보도자료	20대 국회는 서민 주거불안 해결에 적극 나서라	경실련	정책위원회
20160907	정책토론	빅데이터 시대 개인정보 보호를 위한 정책토론회	경실련공동	진보네트워크센터 외
20160908	보도자료	청년 · 여성 1인 가구 주거안정 시급하다	경실련	정책위원회
20160908	보도자료	한진해운사태에 대한 입장	경실련	정책위원회
20160909	교육	SDGs와 도시: UN HabitatⅢ논의를 중심으로	경실련공동	지구촌빈곤퇴치시민네트워크
20160909	보도자료	북한, 5차 핵실험으로 동북아 정세를 또다시 파국으로 몰아	경실련	통일협회
20160912	보도자료	16년 가구소득 모두 모아야 서울에 아파트 살 수 있다	경실련	정책위원회
20160912	보도자료	김영란법 시행돼도 상품권 악용소지 높아	경실련	시민권익센터
20160919	보도자료	부작용 뻔한 가계부채 관리방안 대신 서민 주거안정대책과 투기방지대책을 시행하라	경실련	정책위원회
20160921	보도자료	업체별 식용 GMO농산물 수입현황 공개 기자회견	경실련	소비자정의센터
20160926	보도자료	백남기 농민 사망에 대한 입장	경실련	정책위원회
20160926	보도자료	분양권 전매 금지하고 후분양제 도입해야	경실련	정책위원회
20160926	보도자료	북한 수해지원을 위한 정부의 결단을 촉구한다	경실련공동	나눔문화 외
20160929	보도자료	서울시의 100억 원 이상 공사 직접시공제 유예 대책, 건설업 혁신 아니다	경실련	정책위원회
20161001	보도자료	세금으로 최고 수익 인천공항도로, 최초 계약에 없었던 MRG 특혜 철회하라	경실련	정책위원회
20161002	보도자료	정부는 투기방지책을 즉각 시행하라	경실련	정책위원회
20161002	정책토론	GMO 표시제도 개선을 위한 국회 내부 간담회	경실련공동	GMO반대전국행동 외
20161005	보도자료	김경환 국토교통부 차관은 정책 실패를 시민들 오해로 면피하는가	경실련	정책위원회
20161006	보도자료	공기업 LH공사는 본분을 망각한 임대료 장사꾼인가	경실련	정책위원회
20161006	정책토론	행자부 개인영상정보보호법 제정을 위한 간담회	경실련공동	진보네트워크센터 외
20161007	보도자료	전경련은 모든 의혹 투명하게 해명하고 즉각 해체하라	경실련	정책위원회
20161007	보도자료	정부는 언제까지 '빚내서 집 사라'고 할 건가	경실련	정책위원회
20161011	보도자료	서울시는 '청년주택'을 뉴스테이 대신 토지임대부 방식으로 추진하라	경실련	정책위원회
20161012	보도자료	의원님! 서민들의 주거 신음이 들리지 않습니까	경실련	정책위원회
20161017	보도자료	정부는 전국의 투기판 조장을 멈춰라	경실련	정책위원회
20161018	보도자료	2016 국정감사 평가 : 20대 국회 첫 국감 정책실종 · 민생외면 '사상최악'- 국감 우수의원 : 미선정	경실련	정책위원회
20161019	보도자료	경제 · 경영학자 등 전문가 312명 공동 기자회견 : 전경련은		

생산일자	세부형태	제목	출처분류	생산자(처)
		해체되어야 합니다	경실련	정책위원회
20161021	보도자료	부동산 안정 책무를 내팽개친 정부의 명백한 직무유기	경실련	정책위원회
20161024	보도자료	박근혜 대통령 개헌 논의 자격 없어	경실련	정책위원회
20161024	보도자료	미르 · K스포츠 재단 의혹 진상규명 촉구 기자회견	경실련	정책위원회
20161025	보도자료	묵과할 수 없는 국기문란에 대해 박 대통령의 단순 사과로 넘길 수 없다	경실련	정책위원회
20161025	보도자료	업체의 신뢰할 수 없는 식용GMO 사용처	경실련	소비자정의센터
20161026	보도자료	전경련 해체에 대한 주요 6개 재벌그룹 공개질의 : 삼성 · 현대차 · LG · SK · 롯데 · 한화 그룹에 전경련 탈퇴 의향에 대해 공개질의	경실련	정책위원회
20161026	교육	전국 지역상근활동가 워크샵	경실련	도시개혁센터
20161028	보도자료	세종시 특별분양 불법전매 수사결과에 대한 입장	경실련	정책위원회
20161031	보도자료	정부는 전면적 투기방지와 서민주거안정 대책을 시행하라	경실련	정책위원회
20161031	보도자료	GMO완전표시제 17만명 서명 전달 기자회견	경실련공동	한국YMCA전국연맹 외
20161101	보도자료	정부 빅데이터 예산에 대한 입장	경실련	시민권익센터
20161101	보도자료	해방촌 신흥시장 임대료 동결 합의 환영한다	경실련	도시개혁센터
20161102	보도자료	현 시국에 대한 전국경실련 공동기자회견	경실련	정책위원회
20161102	보도자료	정보통신망법개정안 입법예고에 대한 의견서 제출	경실련공동	진보네트워크센터 외
20161102	보도자료	장기요양 촉탁의제도 개선에 대한 입장	경실련	사회복지위원회
20161103	보도자료	삼성의 최순실 모녀 지원의혹에 대한 입장	경실련	정책위원회
20161103	보도자료	박 대통령은 국정운영 전권 내려놓고, 국민과 야당이 동의하는 거국중립내각 수용하라	경실련	정책위원회
20161103	보도자료	11.3 부동산대책에 대한 논평	경실련	정책위원회
20161103	보도자료	임대소득 비과세 유예 합의에 대한 입장	경실련	재정세제위원회
20161103	보도자료	후분양제 당장 도입하라	경실련	서민주거안정운동본부
20161104	보도자료	박 대통령, 국정농단 사건을 최순실의 개인비리라며 수사 가이드라인 제시	경실련	정책위원회
20161104	조직	경실련 경기도협의회 상근활동가 워크샵	경실련	도시개혁센터
20161107	보도자료	전경련 해체에 대한 주요 6개 재벌그룹 2차 공개질의	경실련	정책위원회
20161107	보도자료	국회는 서민주거 안정대책 입법에 적극 나서라	경실련	정책위원회
20161107	홍보	최순실 아니 박근혜 게이트 (카드뉴스)	경실련	정책위원회
20161108	보도자료	인권위의 빅데이터 정책 비판에 대한 입장	경실련공동	진보네트워크센터 외
20161108	교육	28기 민족화해아카데미	경실련	통일협회
20161109	조직	창립 27주년 기념식 및 후원의 밤	경실련	사무국
20161109	보도자료	GMO완전표시제 도입에 대한 입장을 묻는 국회의원 공개질의	경실련	소비자정의센터
20161113	보도자료	청년, 개성공단의 길을 묻다,	경실련공동	한겨레통일문화재단 외
20161114	보도자료	국민 여론수렴 없는 일방적인 한일 군사정보보호협정 체결 즉각 중단해야	경실련	통일협회
20161115	보도자료	국회는 서민주거안정을 위해 전월세 대책 마련하라	경실련	정책위원회
20161116	보도자료	박근혜 대통령 검찰 수사 촉구 기자회견	경실련	정책위원회
20161118	참고자료	상품권 관련 포함된 부패행위 현황 및 상품권 관련 금품수수 등 검찰 기소 현황	경실련	시민권익센터
20161121	보도자료	범죄 피의자 박근혜 대통령은 퇴진을 결단하라	경실련	정책위원회
20161122	보도자료	검찰은 박근혜 대통령을 즉각 강제 소환조사하라	경실련	정책위원회
20161122	보도자료	국민 정서 외면한 일방적 한일 군사정보보호협정 체결 즉각 중단해야	경실련	통일협회
20161123	청원	전월세인상률상한제, 계약갱신청구권 등 주택임대차보호법 입법청원	경실련	정책위원회
20161123	홍보	주택임대차보호법 이렇게 개정하면 어때요?(카드뉴스)	경실련	서민주거안정운동본부
20161123	참고자료	온누리상품권 발행규모 및 낙전규모 등	경실련	시민권익센터
20161123	보도자료	장명진 방위사업청장 즉각 해임하고 불분명한 방위분담금에 대해 상세하게 밝혀라	경실련	통일협회
20161124	소송	박근혜 대통령 위법행위 위헌 확인 헌법소원 및 직무정지 가처분 청구	경실련	정책위원회
20161124	보도자료	신규 시내면세점 추진과 미르 · K스포츠재단 기금의 대가성 의혹, 철저히 조사하라	경실련	재벌개혁위원회
20161124	보도자료	의사의 설명의무 명시 의료법개정안에 대한 의견	경실련	보건의료위원회
20161125	보도자료	세법개정에 관한 의견	경실련	재정세제위원회
20161125	보도자료	가계부채 관리방안 후속조치에 대한 논평	경실련	금융개혁위원회
20161129	보도자료	박 대통령 탄핵 앞둔 국회를 동요시키는 술책	경실련	정책위원회
20161129	보도자료	서울아파트, 소득대비 런던 · 뉴욕 등 주요도시 중 가장 비싸	경실련	서민주거안정운동본부
20161129	보도자료	국정역사교과서 현장 검토본 공개에 대한 입장	경실련	교육개혁위원회

생산일자	세부형태	제목	출처분류	생산자(처)
20161201	소송	박근혜 의료게이트 관련자 검찰 고발장 제출	경실련	보건의료위원회
20161201	보도자료	수도권 서민들 전세금 마련 위해 매월100만원 빚내야	경실련	서민주거안정운동본부
20161203	보도자료	박근혜 정부의 일본군 '위안부' 문제 한일협상은 밀실 · 졸속 · 굴욕협상	경실련	정책위원회
20161206	보도자료	이동통신 유통점 신분증스캐너 도입에 대한 입장	경실련	소비자정의센터
20161206	회원	민화회 송년회	경실련	통일협회
20161207	보도자료	삼성물산 · 제일모직합병 및 면세점 특혜 수사촉구 전문가 147인 공동성명	경실련	재벌개혁위원회
20161207	보도자료	재벌총수 청문회 결과에 대한 입장	경실련	재벌개혁위원회
20161208	보도자료	기획재정부 · 관세청에 시내면세점 사업 추진 중단요청 항의서한 제출	경실련	재벌개혁위원회
20161208	보도자료	탄핵하라	경실련	정책위원회
20161208	보도자료	이동통신 신분증스캐너 관련 이동통신 3사 공개질의	경실련	소비자정의센터
20161209	보도자료	박근혜 대통령 탄핵소추안 가결에 대한 논평	경실련	정책위원회
20161209	보도자료	IMS헬스사건 시민단체 의견	경실련공동	진보네트워크센터 외
20161212	청원	최저임금법 개정안 입법청원	경실련	노동위원회
20161212	정책토론	도시재생 정책 현황 및 젠트리피케이션 발생원인과 정책과제	경실련	도시개혁센터
20161213	보도자료	2030 소득과 하위 20% 전세가격 변화 비교	경실련	서민주거안정운동본부
20161213	참고자료	신용카드사 사회공헌재단 설립 회의록 · 정관 · 예산 등	경실련	시민권익센터
20161213	정책토론	도시와 불평등	경실련	도시개혁센터
20161215	보도자료	신분증스캐너 관련 방통위의 즉각 조사 재촉구	경실련	소비자정의센터
20161216	보도자료	민주당 전월세 동결 조치 검토에 대한 논평	경실련	서민주거안정운동본부
20161217	보도자료	정부 · 여당의 근거 없는 경제위기 조장은 혹세무민 행태	경실련	정책위원회
20161219	보도자료	신규 시내면세점 추진 대가성 의혹에 대해 특검은 철저히 수사하라	경실련	재벌개혁위원회
20161219	보도자료	제2회 좋은사회적기업상 및 제25회 좋은기업상 시상식	경실련	경제정의연구소
20161221	보도자료	제약사 건강보험 약가 부당편취 환수 의견서 전달	경실련	보건의료위원회
20161221	정책토론	이동통신 신분증스캐너 관련 방통위 담당자 면담	경실련	소비자정의센터
20161223	청원	시내 면세점 특허수수료 가격경쟁방식 도입 등 관세법 일부 개정안 입법청원	경실련	재벌개혁위원회
20161229	기타	경실련 기부금대상민간단체 지정	경실련	사무국
20170101	보도자료	정치권은 김영란법 기준 완화 시도 즉각 중단하라	경실련	정책위원회
20170101	보도자료	불공평한 건강보험부과체계 실태고발 기획 (1) : 월 300만원 연금소득에 보험료 "0"원 피부양자 무임승차 문제	경실련	보건의료위원회
20170102	보도자료	삼각지역 2030 청년주택 임대료 분석	경실련	서민주거안정운동본부
20170111	보도자료	전경련 30대 재벌 회원사 회원탈퇴 공개질의	경실련	재벌개혁위원회
20170111	보도자료	불공평한 건강보험부과체계 실태고발 기획 (2) : 저소득 장기 체납 지역가입자 부과 문제	경실련	보건의료위원회
20170111	보도자료	상가건물임대차보호법 시행령 개정안 입법예고에 대한 의견서	경실련	도시개혁센터
20170112	보도자료	불공평한 건강보험부과체계 실태고발 기획 (3) : 직장가입자는 연 7000만원 '금융 · 임대'소득에 보험료 '0원'	경실련	보건의료위원회
20170117	보도자료	권력형 부패의 산물, 미르 · K스포츠재단 해산 촉구	경실련	재벌개혁위원회
20170118	보도자료	서민 경제와 무관한 김영란법 상한액 상향 시도 즉각 중단하라	경실련	정책위원회
20170119	보도자료	이재용 부회장 구속영장 기각에 대한 입장	경실련	정책위원회
20170119	보도자료	박근혜 정권 공작정치 철저히 진상규명하라	경실련	정책위원회
20170119	보도자료	건보공단 제약사 부당이득 환수소송 결정 환영	경실련	보건의료위원회
20170119	보도자료	박근혜 정부 공공임대주택 공급현황 분석	경실련	서민주거안정운동본부
20170121	보도자료	도시재생사업 선도지역 예산분석 보고	경실련	도시개혁센터
20170123	보도자료	황교안 권한대행은 안정적 국정관리에 매진하라	경실련	정책위원회
20170125	청원	경실련 최저임금법 개정안(정동영 의원) 입법발의	경실련	노동위원회
20170125	보도자료	삼각지 청년주택 살기위해 소득 1/3이상 지출해야	경실련	서민주거안정운동본부
20170201	보도자료	2월 임시국회, 18개 개혁입법과제	경실련	정책위원회
20170201	보도자료	박근혜 정부 4년 지역별 아파트 가격 상승 격차 비교	경실련	서민주거안정운동본부
20170202	보도자료	'전경련 해산 촉구 결의안' 처리 촉구	경실련	재벌개혁위원회
20170202	보도자료	황교안 권한대행은 특검수사기간 연장 즉각 결정하라	경실련	정책위원회
20170206	보도자료	전경련의 보수단체 지원에 대한 입장	경실련	재벌개혁위원회
20170207	보도자료	산자부의 전경련 설립허가 취소 촉구 기자회견	경실련	재벌개혁위원회
20170207	보도자료	황교안 권한대행 압수수색 거부 규탄 및 특검 기간 연장 촉구	경실련	정책위원회
20170208	보도자료	공수처 설치 법안, 국회 처리 촉구 기자회견	경실련공동	민주사회를위한변호사모임 외
20170208	보도자료	박근혜 정부 4년, 국내 총생산(GDP)보다 집값이 3.5배 많이 증가	경실련	서민주거안정운동본부
20170209	보도자료	재벌특혜 시내 면세점 제도개선 '관세법 개정안'에 대한 논평	경실련	재벌개혁위원회

생산일자	세부형태	제목	출처분류	생산자(처)
20170209	보도자료	미르 · K스포츠재단 청산 계획 및 현황에 대한 공개질의	경실련	정책위원회
20170209	청원	국민의당 재벌특혜 면세점 사업제도 개선을 위한 「관세법 개정안」 발의를 환영한다	경실련	재벌개혁위원회
20170209	보도자료	GMO표시기준 시행과 국산 GMO농산물 본격 개발에 대한 입장	경실련	소비자정의센터
20170209	보도자료	남북관계 회복의 단초이자 남북협력의 상징인 개성공단 정상화에 즉각 나서야 한다	경실련	통일협회
20170213	보도자료	최저임금법 개정에 대한 의견	경실련	노동위원회
20170213	보도자료	건강보험료 부과체계 개편을 위한 의견	경실련	보건의료위원회
20170214	보도자료	원내 5개 정당 전경련 해체 정견 공개질의	경실련	재벌개혁위원회
20170214	보도자료	국토부는 꼼수 피우지 말고 후분양제 즉시 시행하라	경실련	서민주거안정운동본부
20170215	보도자료	전경련 30대 회원사 공개질의 결과 및 현대차 · SK의 회원 탈퇴 약속 미이행에 대한 입장 - 공개질의 결과 : OCI그룹 전경련 탈퇴선언 회신	경실련	재벌개혁위원회
20170216	보도자료	자유한국당은 의사일정에 즉각 복귀하라	경실련	정책위원회
20170216	보도자료	건강보험료 부과체계 개편촉구 시민사회 공동 긴급기자회견	경실련공동	보건의료위원회
20170216	홍보	고위공직자비리수사처 꼭 도입되어야 합니다(카드뉴스)	경실련	정책위원회
20170216	홍보	개성공단 폐쇄 1년, 지금의 상황은?(카드뉴스)	경실련	통일협회
20170217	보도자료	후분양제 도입 문제제기에 대한 경실련 반론	경실련	서민주거안정운동본부
20170217	보도자료	이재용 부회장 구속에 대한 입장	경실련	재벌개혁위원회
20170217	회의	14기 3차 중앙위원회	경실련	중앙위원회
20170221	보도자료	건강보험료 부과체계 개편 관련 국회의원 공개질의	경실련	보건의료위원회
20170222	보도자료	특검은 우병우 보완수사 통해 구속영장 재청구해야	경실련	정책위원회
20170222	보도자료	전경련 해체에 대한 대선주자 공개질의 결과 및 전경련 거짓 쇄신안 발표	경실련	재벌개혁위원회
20170222	보도자료	한국소비자원의 집단분쟁조정 장기간 방치 후 기각결정에 대한 의견	경실련	소비자정의센터
20170223	보도자료	자유한국당의 '전경련 해체 촉구 결의안' 처리 저지에 대한 입장	경실련	재벌개혁위원회
20170223	보도자료	국회는 전월세 인상률 상한제를 즉시 입법화 하라	경실련	서민주거안정운동본부
20170223	보도자료	정부 내수활성화 방안에 대한 입장	경실련	정책위원회
20170223	감사청구	미래부의 민간위탁 직무유기에 대한 공익감사청구	경실련	소비자정의센터
20170224	보도자료	전경련 정기총회 개최 강행에 대한 입장	경실련	재벌개혁위원회
20170224	보도자료	국민의당 분양원가 공개 및 후분양제 의무화 약속을 환영한다	경실련	서민주거안정운동본부
20170224	보도자료	말로만 건보 부과체계 개편하겠다는 국회	경실련	보건의료위원회
20170224	보도자료	한국소비자원의 옹색한 해명에 대한 입장	경실련	소비자정의센터
20170227	보도자료	황교안 권한대행 특검 연장 거부 철회 촉구	경실련	정책위원회
20170227	보도자료	성희롱 사실로 확인된 서종대 한국감정원장을 즉각 해임하라	경실련	정책위원회
20170301	보도자료	구글 상대 개인정보 공개소송 2심 일부 승소 판결에 대한 논평	경실련	소비자정의센터
20170301	보도자료	박근혜 대통령 탄핵은 시민혁명이다	경실련	정책위원회
20170301	보도자료	임금체불 미봉책 아닌 근본대책으로 해결해야	경실련	서민주거안정운동본부
20170302	보도자료	고위공직자비리수사처 도입 지금이 적기	경실련공동	민주사회를위한변호사모임 외
20170302	보도자료	상품권의 음성적인 거래 방지를 위해 상품권법 제정해야	경실련	시민권익센터
20170303	보도자료	개혁입법, 3월 임시국회에서 반드시 처리되어야	경실련	정책위원회
20170303	보도자료	전경련의 신규회원단체 가입 관련 거짓보도에 대한 입장	경실련	재벌개혁위원회
20170303	보도자료	경실련-경향신문 공동기획(3) : 50년간 발생한 불로소득 6,700조원 중 상위 1%가 2,500조원 독식	경실련	서민주거안정운동본부
20170306	참고자료	산업은행의 전경련회관 건립 대출 관련 금액 · 기간 · 이자율 등 정보공개청구	경실련	재벌개혁위원회
20170306	보도자료	국정원의 헌재 불법사찰 의혹, 철저하게 진상규명해야	경실련	정책위원회
20170306	보도자료	경실련-경향신문 공동기획(1) : 서울 아파트값 30년간 변화 실태 분석	경실련	정책위원회
20170307	참고자료	산자부 전경련 관리 · 감독(사업보고 · 사업계획 · 재정 · 정관 개정 등)현황 정보공개청구	경실련	재벌개혁위원회
20170307	보도자료	양극화 해소를 위한 2017 세법개정 건의안	경실련	재정세제위원회
20170307	보도자료	미르 · K스포츠재단 청산절차 시작에 대한 입장	경실련	정책위원회
20170307	정책토론	자동차 교환 · 환불 · 리콜 제도개선을 위한 정책토론회	경실련공동	박용진 국회의원 외
20170308	보도자료	주거안정 실현을 위한 5대 정책 요구안 발표 기자회견, 광화문광장, 경실련 · 주거관련시민단체	경실련공동	빈곤사회연대 외
20170308	보도자료	정부는 한반도 사드배치를 즉각 중단하고 차기 정부로 넘겨라	경실련	통일협회
20170309	보도자료	문채부의 미르재단 뇌물인정 공문 공개에 대한 입장	경실련	정책위원회
20170309	청원	공공과 재벌건설사 후분양제 의무화 입법청원	경실련	정책위원회
20170315	보도자료	검찰은 법과 원칙에 따라 박 전 대통령을 수사하라	경실련	정책위원회
20170315	보도자료	경실련-경향신문 공동기획(2) : 대한민국 땅값은 8,400조원,		

생산일자	세부형태	제목	출처분류	생산자(처)
		4천배 상승	경실련	서민주거안정운동본부
20170316	보도자료	정략적 졸속 개헌 추진을 중단하라	경실련	정책위원회
20170316	청원	분양가상한제 확대 및 상세한 분양원가 공개 입법청원	경실련	서민주거안정운동본부
20170321	보도자료	미르 · K스포츠재단 설립허가 취소 처분에 대한 입장	경실련	정책위원회
20170321	보도자료	박근혜 전 대통령, 국정농단에 대한 진정성 있는 사죄 없어	경실련	정책위원회
20170321	보도자료	건보 부과체계 개편, 정부 3단계안 일괄 추진해야	경실련	보건의료위원회
20170322	보도자료	국회 보복위 법안심사소위의 건보 부과체계 절충합의에 대한 입장	경실련	보건의료위원회
20170322	보도자료	문재인 정부의 100대 국정과제 중 집단소송제에 대한 의견	경실련	시민권익센터
20170322	보도자료	기초의회 GMO완전표시제 결의문 채택에 대한 의견	경실련	소비자정의센터
20170323	보도자료	19대 대선, 소비자 권리 실현을 위한 개혁과제 발표 기자회견	경실련공동	소비자시민모임 외
20170323	정책토론	주거안정실현을 위한 정책토론회(주거관련시민단체)	경실련공동	참여연대 외
20170323	보도자료	주요 대선후보 소비자정책 공개질의	경실련	정책위원회
20170324	보도자료	전경련 혁신안에 대한 입장	경실련	정책위원회
20170324	보도자료	국토부 '2016 자체 평가 결과'에 대한 논평	경실련	서민주거안정운동본부
20170327	보도자료	문재인 · 유승민 후보는 서민주거안정 방안을 밝혀라	경실련	서민주거안정운동본부
20170327	조직	제주 4.3 70주년 기념사업 범국민위원회	경실련공동	정책위원회
20170328	보도자료	국회 법사위 상정 자동차관리법 개정안에 대한 의견	경실련	소비자정의센터
20170329	참고자료	공공기관의 전경련 회원탈퇴에 대한 정보공개청구 결과	경실련	재벌개혁위원회
20170329	홍보	후분양제와 분양원가 공개에 대한 대선주자7인의 생각은? (카드뉴스)	경실련	서민주거안정운동본부
20170331	보도자료	최저임금제도 개선에 대한 입장	경실련	노동위원회
20170331	보도자료	박근혜 전 대통령 구속은 당연하다	경실련	정책위원회
20170401	보도자료	전경련 및 산하기관의 정부위원회 참여실태 조사결과 발표	경실련	재벌개혁위원회
20170401	보도자료	19대 대선 개혁과제 퍼포먼스 (4월 10일 ~ 14일)	경실련	정책위원회
20170402	보도자료	투표독려 및 정책선거 캠페인 (4월 20일 ~ 5월 8일)	경실련	정책위원회
20170402	정책토론	국민의당 안철수 캠프 주거안정 정책 간담회	경실련	정책위원회
20170402	보도자료	감사원의 미래부 민간위탁 관리 · 감독 부실 봐주기	경실련	소비자정의센터
20170403	보도자료	대우조선해양 구조조정 지원에 대한 입장	경실련	재벌개혁위원회
20170405	정책토론	이제는 아파트도 물건보고 고를 때, 후분양제 집담회	경실련공동	불평등사회경제조사연구포럼 외
20170405	보도자료	제조물 책임법 개정안 국회 본회의 통과에 대한 입장	경실련	시민권익센터
20170405	보도자료	둥지내몰림 방지 및 극복을 위한 대선 개혁과제	경실련	도시개혁센터
20170406	보도자료	19대 대통령 선거 경실련 유권자운동본부 출범	경실련	유권자운동본부
20170407	보도자료	대법원의 홈플러스 개인정보 불법매매 유죄판결에 대한 의견	경실련공동	진보네트워크센터 외
20170407	보도자료	개인정보 비식별화 관련 의견서 박정 의원실 제출경실련	소비자정의센터	
20170411	보도자료	복지부는 노바티스 리베이트 의약품의 건보 적용 정지하라	경실련	보건의료위원회
20170411	정책토론	개인정보 비식별화 관련 박정 의원실 면담, 국회의원회관	경실련	소비자정의센터
20170412	참고자료	전문가 릴레이 칼럼, 19대 대선, 차기정부에 바란다 (7회 연재)	경실련	정책위원회
20170412	보도자료	우병우 전 수석 구속영장 기각 비판 및 검찰개혁 촉구	경실련	정책위원회
20170412	보도자료	일명 가짜뉴스 청소법 국회 발의에 대한 입장	경실련	소비자정의센터
20170412	보도자료	김관영 의원이 발의 예정인 정보통신망법 개정안에 대한 반대의견	경실련	소비자정의센터
20170413	정책토론	차기정부 반부패 국가기구 어떻게 구성할 것인가	경실련공동	참여연대 외
20170413	보도자료	주요 대선후보 소비자 정책 비교 · 분석 발표, 19대대선 소비자정책연대	경실련	정책위원회
20170414	정책토론	19대 대통령선거 소비자 정책 토론회 : 모든 유권자가 소비자다	경실련공동	소비자시민모임 외
20170417	보도자료	국정원 알파팀, 국정조사로 밝혀라	경실련	정책위원회
20170418	보도자료	법관 블랙리스트 · 사법개혁 저지의혹 진상규명 촉구	경실련	정책위원회
20170419	보도자료	19대 대선 후보선택 도우미 운영 (4월 19일 ~ 5월 9일)	경실련	유권자운동본부
20170419	정책토론	농정철학 및 농정공약 정책토론회	경실련공동	한국농정식품정책학회 외
20170425	보도자료	반부패 운동 5개 시민단체 정채제안 기자회견	경실련공동	참여연대 외
20170426	정책토론	정경유착 근절 및 재벌개혁 공약평가 토론회	경실련공동	민주사회를위한변호사모임 외
20170426	보도자료	경실련-경향신문 공동 대선후보 공약평가 : 외교 · 통일 · 안보 공약	경실련공동	경향신문 외
20170427	보도자료	복지부의 노바티스 리베이트 의약품 과징금 처분에 대한 입장	경실련	보건의료위원회
20170428	보도자료	경실련-경향신문 공동 대선후보 공약평가 : 일자리 · 복지 · 교육 공약	경실련공동	경향신문 외
20170501	보도자료	경실련-경향신문 공동 대선후보 공약평가 : 재벌개혁 · 소득불평등 · 4차 산업혁명	경실련공동	경향신문 외
20170501	보도자료	대선결과에 대한 논평 : 문재인 19대 대통령에게 바란다	경실련	유권자운동본부
20170501	정책토론	대선평가 토론회 : 19대 대선 평가와 향후 과제	경실련	유권자운동본부

생산일자	세부형태	제목	출처분류	생산자(처)
20170502	보도자료	대선후보들의 철도외주화 관련 답변에 대한 입장	경실련	정책위원회
20170502	보도자료	주요 대선후보 GMO표시제도개선 공개질의	경실련공동	한국YMCA전국연맹 외
20170502	회원	민화회 봄 산행, 북한산둘레길	경실련	통일협회
20170503	보도자료	경실련-경향신문 공동 대선후보 공약평가 : 지방분권 · 권력기관개혁 · 정치개혁	경실련공동	경향신문 외
20170503	보도자료	문재인 정부의 최저임금 결정에 대한 입장	경실련	노동위원회
20170504	보도자료	농어업 분야 대선후보 공약평가 결과	경실련	농업개혁위원회
20170504	보도자료	187개 정책 후보별 입장 비교 분석	경실련	정책위원회
20170504	보도자료	주요 대선후보 소비자 정책 공약 평가 결과	경실련공동	19대대선소비자정책연대
20170508	보도자료	투표로 '정의가 시작되는 5월'	경실련	유권자운동본부
20170516	보도자료	국정농단 수사팀과 검찰국장의 부적절한 술자리 비판	경실련	정책위원회
20170517	보도자료	문재인 정부는 전 정부들이 결정한 용산미군기지 이전부지 헐값 매각을 전면 재검토하라	경실련	정책위원회
20170518	보도자료	전국 법관대표회의, 사법개혁 계기 돼야	경실련	정책위원회
20170519	보도자료	'쌈짓돈' 전락한 특수활동비 폐지하라	경실련	정책위원회
20170519	보도자료	민간투자사업 공사비 정보공개 소송 의견	경실련	정책위원회
20170521	보도자료	상생의 남북경협을 위한 서울시민 한마당	경실련공동	한겨레통일문화재단 외
20170522	감사청구	복지부의 노바티스 행정처분 관련 감사청구	경실련	정책위원회
20170522	조직	임원 이 · 취임식 및 봄 후원만찬	경실련	사무국
20170523	보도자료	GMO완전표시제법제화 촉구 기자회견	경실련공동	한국YMCA전국연맹 외
20170523	회의	식약처 GMO표시제도 검토 협의회 회의	경실련	소비자정의센터
20170525	보도자료	문재인 정부에 바라는 소비자 정책 방향	경실련공동	한국YMCA전국연맹 외
20170526	보도자료	검찰 돈봉투 사건 진상규명 및 검찰 개혁 촉구	경실련	정책위원회
20170528	보도자료	주민등록번호제도 변경 시행에 따른 입장	경실련공동	민주사회를위한변호사모임 외
20170529	정책토론	정보통신망법상 이용자 권리보호제도 실질화 방안을 위한 시민단체 간담회	경실련공동	방송통신위원회 외
20170531	보도자료	부동산 부자에게 세금특혜 주는 엉터리 과표 전면 재검토 하라	경실련	서민주거안정운동본부
20170531	보도자료	국방부의 사드 추가 반입 보고 누락에 대해 명백하게 진상을 밝히고 관련 책임자를 처벌하라	경실련	통일협회
20170602	보도자료	철도공사-철도시설공단 통합 공약을 국정과제로 채택하라	경실련공동	철도공공성시민모임
20170603	정책토론	'문재인정부 재벌개혁 어떻게 하나' 토론회	경실련공동	참여연대 외
20170603	보도자료	투기세력과 전쟁 선포한 문재인 정부가 꼭 해야 할 5대 부동산 개혁 과제	경실련	서민주거안정운동본부
20170607	보도자료	김진표 위원장은 종교인 과세 유예 법안 발의 즉각 중단하라	경실련	재정세제위원회
20170608	정책토론	소비자 정책 거버넌스 강화를 위한 라운드테이블	경실련공동	한국YWCA연합회 외
20170608	보도자료	'도시재생활성화 및 지원에 관한 특별법 개정안' 의견	경실련	도시개혁센터
20170608	조직	정치개혁공동행동 참여	경실련공동	정책위원회
20170612	정책토론	직접시공제 도입 위한 경실련 · 건설노조 · 건설협회 정책간담회	경실련	정책위원회
20170613	보도자료	개인정보보호 관련 제도 심의에 대한 반대의견 국회 미래 일자리 특별위 제출	경실련	소비자정의센터
20170614	보도자료	김상조 공정거래위원장 임명에 대한 입장	경실련	재벌개혁위원회
20170614	보도자료	국민인수위에 GMO표시제도 개선 정책제안서 전달	경실련	소비자정의센터
20170615	보도자료	통신비 인하 촉구 기자회견	경실련공동	한국YWCA연합회 외
20170615	보도자료	라면의 GMO검출 전수조사 촉구	경실련공동	한국YMCA전국연맹 외
20170616	보도자료	시민의 의사를 정확히 반영하는 선거제도 도입이 정치개혁 핵심이다	경실련	정치개혁위원회
20170619	보도자료	문재인 정부 첫 투기억제책 후퇴 없이 꾸준히 추진해가야	경실련	서민주거안정운동본부
20170619	보도자료	통신비 인하 촉구 피켓팅	경실련공동	참여연대 외
20170621	보도자료	요양급여 대상 약제 평가기준 개정 관련 의견	경실련	보건의료위원회
20170621	보도자료	GMO표시 실태조사 결과 발표 기자회견	경실련공동	소비자시민모임 외
20170622	보도자료	김현미 장관의 공공아파트 원가공개 약속 꼭 이행되길 바란다	경실련	서민주거안정운동본부
20170622	보도자료	경실련 8대 소비자 정책 제안서 국민인수위에 전달	경실련	시민권익센터
20170622	정책토론	집단소송제 및 징벌배상제 법안 검토를 위한 전문가 간담회	경실련공동	백혜련 국회의원 외
20170622	회의	경실련통일협회 임시총회- 사단법인 해산 결의	경실련	통일협회
20170627	정책토론	바람직한 소비자 행정체계는 무엇인가	경실련공동	김상희 국회의원 외
20170627	정책토론	순천시 도시재생사업 현황과 바람직한 추진방향(경실련 도시개혁센터 · 순천경실련)	경실련	도시개혁센터
20170629	회의	지구촌빈곤퇴치시민네트워크 해산총회	경실련공동	지구촌빈곤퇴치시민네트워크
20170701	정책토론	부산 젠트리피케이션 실상과 대안(경실련도시개혁센터 · 부산경실련)	경실련	도시개혁센터
20170702	보도자료	문재인 정부 국정과제에 대한 입장	경실련	정책위원회
20170702	홍보	어디서 이런 식으로 약을 팔어? : 제약회사 리베이트 문제		

생산일자	세부형태	제목	출처분류	생산자(처)
		(카드뉴스)	경실련	보건의료위원회
20170702	홍보	6.19 부동산대책 이후 한달, 왜 집값은 아직도 상승 중? (카드뉴스)	경실련	서민주거안정운동본부
20170704	보도자료	국정자문위원회, 국가반부패전담기구 설치 촉구 기자회견, 국정기획자문위원회 앞, 반부패5개시민단체	경실련공동	참여연대 외
20170705	보도자료	둥지내몰림 방지 및 극복을 위한 국정과제 의견	경실련	도시개혁센터
20170705	정책토론	금강산관광 재개를 위한 환경과 방안	경실련	통일협회
20170706	보도자료	김영록 장관에게 농업의 새로운 미래를 위해 우선으로 이행해야 할 공약 5가지 제안	경실련	농업개혁위원회
20170711	보도자료	레인지로버 판사 무죄 판결 비판 및 사법개혁 촉구	경실련	정책위원회
20170711	보도자료	양승태 대법원장 사퇴 및 법관 블랙리스트 재조사 촉구	경실련	정책위원회
20170711	보도자료	국정원 'SNS 장악 보고서', 검찰은 수사에 즉각 나서라	경실련	정책위원회
20170711	보도자료	증권집단소송 첫 승소 확정판결에 대한 입장	경실련	시민권익센터
20170711	보도자료	북한은 미사일 도발을 즉각 중단하라	경실련	통일협회
20170711	보도자료	정부는 금강산 관광 조속히 재개하라	경실련공동	흥사단 외
20170712	보도자료	감사원의 면세점 사업자 선정 추진 실태 감사결과에 대한 입장	경실련	재벌개혁위원회
20170714	정책토론	29개 업체 개인정보 열람 실태조사 관련 간담회	경실련	소비자정의센터
20170721	보도자료	광우병 발병한 미국산 쇠고기 수입 즉각 중단하라	경실련	농업개혁위원회
20170721	정책토론	상생결제시스템 도입 관련 정책간담회	경실련	정책위원회
20170721	보도자료	양승태 대법원장의 법관 블랙리스트 재조사 거부에 대한 공동입장	경실련공동	전국 183개 인권시민사회노동단체
20170721	보도자료	식품 및 의약외품 분야 집단소송제 도입에 대한 의견	경실련	시민권익센터
20170724	보도자료	정부와 여당은 조세형평성과 소득재분배 기능에 중점을 둔 종합적인 세제개편안을 제시하라	경실련	재정세제위원회
20170724	보도자료	각종 로비 수단의 단골 상품권, 상품권 불법 악용 근절을 위해 상품권법 제정해야	경실련	시민권익센터
20170725	보도자료	양승태 대법원장 사퇴촉구	경실련	정책위원회
20170726	보도자료	공공부문 정규직화에 대한 입장	경실련	노동위원회
20170726	정책토론	집단소송법안 관련 백혜련 의원 면담	경실련	시민권익센터
20170726	정책토론	상품권법 관련 이학영 의원 면담	경실련	시민권익센터
20170727	정책토론	인사청문회 제도개선 방안 마련 토론회	경실련	정책위원회
20170728	보도자료	솜방망이 처분으론 고질적 리베이트 근절 어려워	경실련	보건의료위원회
20170728	보도자료	서울-세종고속도로 국책사업 전환에 대한 입장	경실련	국책사업감시단
20170731	보도자료	한반도 평화를 해치는 갈등 행위 모두 중단하라	경실련	통일협회
20170801	보도자료	남경필 경기도지사 부실시공 부영 행정제재 조치 관련 입장	경실련	서민주거안정운동본부
20170801	보도자료	김진표 의원 등 28인 의원의 종교인 과세 유예법안 발의에 대한 입장	경실련	재정세제위원회
20170801	보도자료	건강보험 보장성 강화 위해 재정관리 대책 보완해야	경실련	보건의료위원회
20170801	보도자료	관주도 · 졸속 · 예산나눠먹기, 정부의 도시재생뉴딜사업 전면 재검토하라	경실련	도시개혁센터
20170802	보도자료	8.2부동산 대책에 대한 입장	경실련	서민주거안정운동본부
20170803	정책토론	자동차 교환 · 환불법 제정을 위한 자동차 동호회 간담회	경실련	소비자정의센터
20170803	보도자료	신안산선 논란으로 드러난 민자 특혜 폐지해야	경실련	국책사업감시단
20170803	보도자료	원세훈 전 국정원장 판결에 대한 입장	경실련	정책위원회
20170804	보도자료	부실경영의 책임추궁과 구조조정의 원칙부터 세워야 한다	경실련	재벌개혁위원회
20170804	보도자료	국정원 댓글 부대 운영, 이명박 정권의 정치공작 철저히 수사하라	경실련	정책위원회
20170808	정책토론	상품권법 관련 이학영 의원 면담	경실련	시민권익센터
20170809	보도자료	박기영 과학기술혁신본부장은 당장 자진사퇴하라	경실련	정책위원회
20170816	정책토론	집단소송법 도입을 위한 입법공청회	경실련	시민권익센터
20170816	정책토론	문재인 정부 100일, 베를린 구상 성공을 위한 진단과 제언	경실련공동	김종대 국회의원 외
20170817	정책토론	2017 세법개정안 토론회	경실련	재정세제위원회
20170818	회의	14기 4차 중앙위원회, KT&G경주수련관	경실련	중앙위원회
20170821	보도자료	인터넷 전문은행도 시중은행과 같은 규제를 적용하라	경실련	금융개혁위원회
20170822	정책토론	문재인 정부 100일 평가토론회	경실련	정책위원회
20170822	보도자료	복지부는 리베이트 제약사 비호하는 내부지침 철회하라	경실련	보건의료위원회
20170823	보도자료	보험업 감독규정 개정 의견	경실련	재벌개혁위원회
20170823	보도자료	김현미 국토부장관이 지금 당장 할 수 있는 집값 안정책(1) : 공공주택 분양원가 공개	경실련	서민주거안정운동본부
20170824	정책토론	상품권법 제정을 위한 입법토론회 : 올바른 상품권법 제정 방안은 무엇인가?	경실련공동	이학영 국회의원 외
20170825	보도자료	이재용 부회장 유죄판결에 대한 입장	경실련	재벌개혁위원회

생산일자	세부형태	제목	출처분류	생산자(처)
20170825	보도자료	5.18 민주화 운동 특별 조사위를 구성하여 모든 진실을 규명하라	경실련	통일협회
20170828	보도자료	평택국제대교 상판붕괴 사고 관련 입장	경실련	국책사업감시단
20170828	보도자료	발암물질 생리대 등 소비자 보호를 위해 집단소송제 도입해야	경실련	시민권익센터
20170828	정책토론	문재인 정부 도시재생뉴딜사업 진단 토론회, 경실련강당	경실련	도시개혁센터
20170829	보도자료	개헌 과정에 국민참여 보장 촉구 기자회견	경실련공동	국민주도헌법개정 전국네트워크
20170829	보도자료	김현미 국토부장관이 지금 당장 할 수 있는 집값 안정책(2) : 값싸고 질 좋은 공공주택 공급확대	경실련	서민주거안정운동본부
20170831	보도자료	정기국회에서 반드시 처리해야 할 40대 개혁법안	경실련	정책위원회
20170831	보도자료	혼다의 녹투성이 불량자동차 교환 · 환불 실시하라	경실련	소비자정의센터
20170902	보도자료	자동차관리법 개정안에 대한 의견	경실련	소비자정의센터
20170902	조직	도시개혁센터 20주년 기념사업, 퍼시픽호텔 - 경실련도시개혁센터 도시권선언 발표	경실련	도시개혁센터
20170904	보도자료	살충제 계란 파동에 대한 입장	경실련	농업개혁위원회
20170904	정책토론	국제개발협력 전문가 간담회	경실련	정책위원회
20170904	보도자료	농촌진흥청의 GM작물 생산중단 선언에 대한 입장	경실련	소비자정의센터
20170904	보도자료	북한의 6차 핵실험 강력 규탄한다	경실련	통일협회
20170905	보도자료	부동산이 불로소득 창출의 수단이 되지 않게 보유세 강화 법안 발의해야	경실련	재정세제위원회
20170905	보도자료	자유한국당은 무책임한 정쟁을 중단하고 정기국회에 복귀하라	경실련	정책위원회
20170905	보도자료	금융위원회는 인터넷 전문은행의 은산분리 완화에 대해 입장을 밝혀라	경실련	금융개혁위원회
20170905	보도자료	8.2 부동산 대책 후속조치에 대한 입장	경실련	서민주거안정운동본부
20170906	보도자료	개헌 논의 이대로는 결코 안 된다	경실련공동	국민주도헌법개정 전국네트워크
20170906	보도자료	김현미 국토부장관이 지금 당장 할 수 있는 집값 안정책(3) : 기본형 건축비 인하	경실련	서민주거안정운동본부
20170906	보도자료	개인정보 열람 실태조사 결과 발표	경실련공동	소비자시민모임 외
20170907	보도자료	국가 에너지 정책에 대한 전국경실련의 입장	경실련	전국경실련
20170907	보도자료	공공와이파이 정책 컨트롤 타워 · 로드맵 유무 · 보안 대책 등에 대한 공개질의	경실련	정보통신위원회
20170907	교육	경실련 아카데미 : 전국경실련 상근활동가 교육, 서울여성플라자	경실련	경실련아카데미
20170907	보도자료	사드배치 강행을 강력히 규탄한다	경실련	통일협회
20170911	보도자료	안산선 논란, 특혜로 점철된 민자사업 전면 개혁하라	경실련	국책사업감시단
20170911	보도자료	식품과 의약외품 분야 집단소송제 도입에 대한 의견	경실련	시민권익센터
20170911	보도자료	국방부 셀프조사로 5.18 민주화 운동 진실규명 할 수 없어	경실련	통일협회
20170912	보도자료	개헌논의 과정에 실질적 국민참여 보장하라	경실련공동	국민주도헌법개정 전국네트워크
20170913	보도자료	자산격차 해소 및 부동산 거품 제거를 위한 핵심 대책인 보유세 강화해야	경실련	재정세제위원회
20170913	회의	서울 ODA 국제회의 참석	경실련	국제위원회
20170913	정책토론	인터넷전문은행에 대한 특혜, 이대로 괜찮은가?	경실련	금융개혁위원회
20170913	보도자료	닛산 패스파인더 국내 리콜 미시행 관련 한국닛산 대상 공개질의	경실련	소비자정의센터
20170914	정책토론	연속 토론회 (1) : 직불금 중심의 농정전환과 예산구조 개편을 위한 정책토론회	경실련공동	박완주 국회의원 외
20170915	보도자료	기본형 건축비 인상은 건설사 수익 보장을 위한 특혜이다	경실련	서민주거안정운동본부
20170915	보도자료	국회는 부실시공 방지 위한 감리대가 예치제 입법화하라	경실련	서민주거안정운동본부
20170915	정책토론	4차산업혁명 시민포럼 : 4차산업혁명의 정의	경실련	경제정의연구소
20170915	보도자료	도시재생뉴딜사업 선정 계획도 재검토하라	경실련	도시개혁센터
20170918	보도자료	모든 선분양 아파트는 분양원가를 상세히 공개해야 한다	경실련	서민주거안정운동본부
20170918	참고자료	EDCF 입찰방해 기업명단 정보공개청구	경실련	서민주거안정운동본부
20170919	참고자료	과기정통부 공공와이파이 확대 실무작업반 명단 정보공개청구	경실련	정보통신위원회
20170919	보도자료	국회는 정기국회에서 공수처 법제화 하라	경실련	정책위원회
20170919	보도자료	공공주택 분양원가 공개는 당연한 결정	경실련	서민주거안정운동본부
20170921	보도자료	당정, 철거 · 재건축 시 퇴거보상제 도입 상가임대보호법 개정하라	경실련	도시개혁센터
20170925	보도자료	공수처설치촉구공동행동 발족 기자회견	경실련공동	공수처설치촉구공동행동
20170925	보도자료	자동차 교환 · 환불법 제정을 위한 소비자 의견수렴	경실련	소비자정의센터
20170926	보도자료	정부는 재건축 사업의 비리근절을 위한 근본대책을 제시하라	경실련	서민주거안정운동본부
20170926	보도자료	공정위 재벌개혁 방안 공개질의	경실련	재벌개혁위원회
20170926	보도자료	'상품권을 둘러싼 문제와 상품권법 제정의 필요성' 이슈리포트	경실련	시민권익센터
20170926	보도자료	관주도 졸속 도시재생뉴딜 공모계획 철회하라	경실련	도시개혁센터

생산일자	세부형태	제목	출처분류	생산자(처)
20170927	보도자료	기재부 면세점 제도개선TF의 면세점 제도 개선안에 대한 입장	경실련	재벌개혁위원회
20170927	보도자료	파리바게트는 고용노동부의 직접고용 지시 이행하라	경실련	민주사회를위한변호사모임 외
20170927	정책토론	4차산업혁명 시민포럼 : 4차산업혁명과 고용 · 지식정보기술 성능테스트 및 선결과제, 경실련 강당	경실련	경제정의연구소
20170928	보도자료	부정부패 근절을 위해 청탁금지법 개정논의를 중단하라	경실련	정책위원회
20170928	보도자료	공공아파트 분양원가공개 확대와 분양권 불법전매 처벌 강화를 반대하는 자유한국당을 강력히 규탄한다	경실련	서민주거안정운동본부
20170928	보도자료	GMO를 둘러싼 문제와 제도도입의 필요성 이슈리포트	경실련	소비자정의센터
20170929	보도자료	정부는 청탁금지법을 후퇴시키려는 논의를 즉각 중단하라	경실련	정책위원회
20170929	보도자료	RCEP 협정 논의과정에 실질적 국민참여를 보장하라	경실련공동	건강권실현을위한보건의료단체연합 외
20170929	참고자료	산업통상자원부 통상조약 정보공개 실적 및 현황에 관한 자료 요청	경실련	정책위원회
20170929	정책토론	건설현장 적정임금 도입 및 체불방지, 어떻게 할 것인가	경실련	국책사업감시단
20170929	보도자료	자동차 관리법 개정안 국회 본회의 통과에 대한 의견	경실련	소비자정의센터
20171002	보도자료	LH 공급 후분양 아파트 분양가 상승률 0.57%	경실련	서민주거안정운동본부
20171002	정책토론	4차산업혁명 시민포럼 : 4차산업혁명과 사회적 이슈, 경실련 강당	경실련	경제정의연구소
20171003	소송	이중근 회장 등 부영주택 대표이사 업무방해 · 사기죄 고발	경실련	서민주거안정운동본부
20171003	정책토론	수원시 도시재생 정책 방향 토론회	경실련	도시개혁센터
20171011	보도자료	부실시공 부영아파트, 분양가도 부풀렸다	경실련	서민주거안정운동본부
20171011	보도자료	박근혜 정권의 빅데이터 정책 폐기하라	경실련공동	건강권실현을위한보건의료단체연합 외
20171012	보도자료	김현미 장관의 공공아파트 후분양제 도입을 환영한다	경실련	서민주거안정운동본부
20171012	보도자료	'국민주도헌법개정 전국네트워크' 발족 기자회견	경실련공동	국민주도헌법개정 전국네트워크
20171013	보도자료	탄핵 이후 7개월 동안 박근혜 정부 4년 동안 오른 아파트 값의 절반 수준 올랐다	경실련	서민주거안정운동본부
20171013	정책토론	4차산업혁명 시민포럼 : 4차산업혁명과 노동 · 4차산업혁명 Dark side의 관찰, 경실련 강당	경실련	경제정의연구소
20171016	보도자료	법무부 공수처안은 고위공직자 비리척결과 검찰개혁 이룰 수 없어	경실련	정책위원회
20171016	보도자료	공수처 설치 촉구 릴레이 1인 시위(10월 16일 ~ 10월 31일)	경실련	정책위원회
20171016	보도자료	임대아파트 주택도시기금의 54%, 부영이 차지했다	경실련	서민주거안정운동본부
20171016	보도자료	제20차 RCEP 인천 협상, 더 이상의 비밀주의는 안 된다	경실련	국제위원회
20171017	참고자료	자치분권 시리즈 칼럼 게재 (10월 17일 ~ 2018년 4월 10일, 총 18회)	경실련	정책위원회
20171017	보도자료	재건축사업의 불법 · 비리 근절 대책을 제시하라	경실련	도시개혁센터
20171018	보도자료	공정위 국감은 '구체적인 재벌개혁 정책 수단과 계획, 실행 일정 점검'이 이뤄져야 한다	경실련	재벌개혁위원회
20171018	보도자료	법사위는 명분 없고 잘못된 반대 중단하고 민생법안 통과시켜야	경실련	정책위원회
20171018	정책토론	GMO표시제도 개선을 위한 법제연구원 간담회	경실련	소비자정의센터
20171018	정책토론	개인정보 열람 관련 방송통신위원회 간담회	경실련	소비자정의센터
20171024	정책토론	주민참여로 만들어가는 광명시 도시재생 토론회	경실련	도시개혁센터
20171025	보도자료	민간보험사에 국민건강정보 팔아넘긴 심평원을 규탄한다	경실련	보건의료위원회
20171025	보도자료	서울시 공공임대주택 땅값 장부가는 5.4조원, 시세는 25조원	경실련	서민주거안정운동본부
20171025	보도자료	RCEP협정, 한미FTA에 미치는 악순환, 국회 정론관	경실련공동	RCEP대응시민네트워크 외
20171025	정책토론	통상조약 인권 영향력 평가 시민사회단체 국가인권위원회 간담회	경실련공동	RCEP대응시민네트워크 외
20171026	보도자료	금융위는 은산분리 불변 입장 밝히고, 무단 인출 사고 긴급 조사하라	경실련	금융개혁위원회
20171026	보도자료	2013년 이후 선분양에서 웃돈 거래된 투기성 전매만 63만 건	경실련	서민주거안정운동본부
20171026	교육	"경제민주화 강좌 : 대한민국 재벌이 사는 법 - 1강 : 재벌개혁과 시장경제의 복원 (10월 26일) - 2강 : 재벌의 상속 & 불공정과 혁신 (11월 2일) - 3강 : 재벌개혁, 어디까지 가봤니? (11월 9일) - 4강 : 언론을 통해 바라본 재벌 (11월 16일) - 5강 : 경영권 승계 수단, 일감몰아주기의 실태 (11월 23일)"	경실련	경제정의연구소
20171027	정책토론	4차산업혁명 시민포럼 : 4차산업혁명과 정보접근성	경실련	경제정의연구소
20171031	보도자료	삼성 이건희 회장 차명재산에 적합한 과세와 과징금을 부과하라	경실련	재벌개혁위원회
20171031	보도자료	소비자 보호 위해 후분양제와 상세한 분양원가 공개 시행하라	경실련공동	전국세입자협회 외
20171031	보도자료	후분양제는 문재인 정부 부동산 개혁의 첫걸음이다(1인 시위)	경실련	정책위원회
20171101	보도자료	2017 국정감사 평가결과 및 우수의원 - 국감우수의원 : 노회찬 · 전해철 · 김정우 · 박광온 · 김성수 · 김병욱 · 유은혜 ·		

생산일자	세부형태	제목	출처분류	생산자(처)
		김경협 · 김종대 · 이철희 · 박남춘 · 이재정 · 박완주 · 황주홍 · 김경수 · 윤소하 · 정춘숙 · 강병원 · 윤관석 · 정동영 의원 (이상 20인)	경실련	정책위원회
20171102	보도자료	소비자 위한 후분양제, 경기도도 지금 당장 할 수 있다	경실련	서민주거안정운동본부
20171102	보도자료	56차 유엔 사회개발위원회 '빈곤퇴치 전략'에 대한 입장	경실련	국제위원회
20171102	보도자료	자동차 교환 및 환불 관련 국토부 공개질의	경실련	소비자정의센터
20171103	보도자료	국회는 공수처 설치를 위한 입법논의에 즉각 나서라	경실련	공수처설치촉구공동행동
20171103	보도자료	부동산 적폐를 개혁해야 주거사다리도 성공할 수 있다	경실련	서민주거안정운동본부
20171103	보도자료	소비자주권을 지키기 위한 집단소송법 발의 기자회견	경실련	시민권익센터
20171106	보도자료	국민건강 위협하는 복지부 빅데이터사업 예산 전액 삭감하라	경실련	소비자정의센터
20171106	보도자료	불법전매 근본해결책은 후분양제이다	경실련	서민주거안정운동본부
20171107	보도자료	트럼프 대통령 핵무기금지조약 비준에 나서야	경실련	국제위원회
20171108	보도자료	보건의료빅데이터정책 공개 논의로 전환하라	경실련	소비자정의센터
20171109	보도자료	주택도시보증공사의 후분양 연구는 엉터리다	경실련	서민주거안정운동본부
20171113	조직	창립 28주년 기념식 및 후원의 밤, 은행회관 - 경제정의실천 시민상 : 촛불시민 · 김의겸 기자 · 최예용 소장	경실련	사무국
20171115	보도자료	전월세상한제 · 후분양제 도입 결단을 촉구하는 주거시민 단체 기자회견	경실련공동	참여연대 외
20171116	정책토론	연속 토론회(2) : 안전한 먹거리를 위한 관리체계 개선방안 제안	경실련공동	박완주 국회의원 외
20171116	청원	상가건물임대차보호법개정안 입법청원	경실련	도시개혁센터
20171117	정책토론	4차산업혁명 시민포럼 : 4차산업혁명과 개인정보	경실련	경제정의연구소
20171121	보도자료	공수처 논의, 야당도 적극적으로 참여해야	경실련공동	공수처설치촉구공동행동
20171122	보도자료	정부산하 위원회 내 전경련 및 그 유관기관 소속위원 현황	경실련	재벌개혁위원회
20171122	보도자료	투명사회를 위한 상품권법 발의 기자회견	경실련	시민권익센터
20171124	보도자료	후분양제 도입에 대한 청와대 입장은 무엇인가	경실련	서민주거안정운동본부
20171127	보도자료	자유한국당은 공수처 원천봉쇄 중단하고 논의에 동참하라	경실련	공수처설치촉구공동행동
20171127	보도자료	국회는 후분양제법을 제정하라	경실련	서민주거안정운동본부
20171127	보도자료	과거 정부의 재탕식 공급확대로는 주거안정 어림없다	경실련	서민주거안정운동본부
20171128	보도자료	철도 공공성 강화를 위한 개혁 촉구 기자회견	경실련공동	철도공공성시민모임
20171128	보도자료	부정청탁금지법 완화 시도, 권익위 전원위 부결은 당연하다	경실련	정책위원회
20171129	보도자료	과기정통부의 신분증 스캐너 특혜 감사결과에 대한 의견	경실련	소비자정의센터
20171201	보도자료	문재인 정부는 기약 없는 기다림을 끝내고 재벌개혁 공약을 이행하라	경실련	정책위원회
20171202	정책토론	국민이 원하는 후분양제 전면실시, 문재인 정부 왜 주저하나	경실련공동	불평등사회경제조사연구포럼 외
20171204	보도자료	국민건강 위해 안전한 상비약의 편의점 판매 확대하라	경실련	보건의료위원회
20171204	교육	"29기 민족화해아카데미, 경실련 강당 - 1강 : 2018 남북관계 복원이 가능할까? (12월 4일) - 2강 : 한반도 신경제지도를 전망하다 (12월 7일, 1부) - 3강 : 남과 북 서로의 차이를 좁혀갈 수 있을까? (12월 7일, 2부) - 4강 : 한반도 평화체제 구축을 위한 우리의 역할 (12월 11일)"	경실련	통일협회
20171205	보도자료	공수처 설치에 대한 공법학자 설문조사 결과	경실련	공수처설치촉구공동행동
20171205	보도자료	건설 일자리 개선 위해 불법취업 외국인력 근절하고 직접 시공제 정상화하라	경실련	국책사업감시단
20171205	보도자료	독립적 반부패기관의 설치를 강력히 촉구한다	경실련	흥사단 외
20171206	보도자료	공수처 설치 촉구 전국경실련 동시다발 기자회견	경실련	전국경실련
20171206	정책토론	쉽고 안전한 공공와이파이 활성화를 위한 토론회	경실련공동	박홍근 국회의원 외
20171207	보도자료	청탁금지법을 약화시키려는 시도를 강력히 반대한다	경실련	정책위원회
20171207	보도자료	강제수용 토지는 되 팔고 민간에게 임대주택 손 벌리는 엉터리 주거복지로드맵 재검토 하라	경실련	서민주거안정운동본부
20171207	회의	식약처 GMO표시제도 검토 협의회	경실련	소비자정의센터
20171207	회원	신입회원의 밤	경실련	사무국
20171207	보도자료	"제3회 좋은사회적기업상 및 제26회 좋은기업상 시상식, - 좋은사회적기업상 최우수기업 : 세림조경디자인(주) - 좋은사회적기업상 최우수기업 : ㈜공감씨즈 - 좋은기업상 대상 : ㈜유한양행 - 좋은기업상 최우수기업 : ㈜KSS해운"	경실련	경제정의연구소
20171208	보도자료	제 4기 방통위 정책과제에 대한 입장	경실련	소비자정의센터
20171211	백서	지구촌빈곤퇴치시민네트워크 활동백서(2005-2016)	경실련공동	지구촌빈곤퇴치시민네트워크
20171212	보도자료	국민 아닌 기득권 권익 앞장 선 권익위	경실련	정책위원회
20171212	보도자료	국회와 정부는 소비자 위한 후분양제법을 통과시켜라	경실련	서민주거안정운동본부
20171212	보도자료	전월세상한제 등 세입자보호대책 촉구 종교계 · 시민사회 선언 기자회견	경실련공동	종교계 · 시민사회

생산일자	세부형태	제목	출처분류	생산자(처)
20171212	참고자료	인터넷 윤리교육 관련 방통위 정보공개청구	경실련	소비자정의센터
20171213	보도자료	이름뿐인 종교인 과세, 조세형평성 제고와 저소득 종교인 보호를 위해 꾸준한 실질화 노력 필요	경실련	재정세제위원회
20171213	보도자료	불법 외국인 노동자, 불법 재하도급 판치는 건설현장 개혁 없이는 임금직불제 도입해도 실효성 없다	경실련	국책사업감시단
20171213	보도자료	공수처 설치 쟁점 관련 국회의원 공개질의	경실련공동	공수처설치촉구공동행동
20171214	보도자료	주거복지로드맵 규탄 종교계 · 시민사회 기자회견	경실련공동	참여연대 외
20171214	정책토론	둥지내몰림 방지 법제화 방안 토론회 : 상업 젠트리피케이션 어떻게 극복할 것인가	경실련공동	불평등사회경제조사연구포럼 외
20171215	정책토론	4차산업혁명 시민포럼 : 4차산업혁명 시민포럼이 다뤄야 할 의제	경실련	경제정의연구소
20171218	보도자료	주민참여 없는 도시재생뉴딜사업은 기대효과 없다	경실련	도시개혁센터
20171219	정책토론	정의로운 경제, 헌법에 담다	경실련공동	국민주도헌법개정 전국네트워크
20171221	보도자료	공정위는 하도급거래 공정화를 위해 상한 없는 징벌배상과 디스커버리 제도를 도입하라	경실련	재벌개혁위원회
20171221	보도자료	제약사 건강보험료 약가 부당편취 환수 촉구	경실련	보건의료위원회
20171222	정책토론	연속 토론회 (3) : 경자유전의 원칙 재확립을 위한 농지법 개정방안 모색 토론회	경실련공동	박완주 국회의원 외
20171222	보도자료	제천스포츠센터 화재는 불법 · 편법으로 빚어진 구조적 인재이다	경실련	국책사업감시단
20171227	보도자료	건강보험보장성강화는 의사와 정부의 협상대상이 아니다	경실련공동	시민사회단체연대회의 외
20180101	보도자료	문재인 대통령 신년사에 대한 논평 : 집권 2년차 개혁을 위한 구체적 내용과 의지 안 보여	경실련	정책위원회
20180101	보도자료	남북 고위급회담의 진전된 합의를 환영한다	경실련	통일협회
20180102	정책토론	국민참여 개헌프로젝트 '정책배틀'개최	경실련공동	국민주도헌법개정 전국네트워크
20180103	보도자료	보편요금제 도입 촉구 기자회견	경실련공동	소비자시민모임 외
20180103	보도자료	집값상승 조장하는 공공의 땅장사를 중단시켜라	경실련	정책위원회
20180108	보도자료	남북고위급회담 D-1준비에 대한 논평 : 민족공조와 올림픽 정신에 근간한 남북대화 재개를 환영한다	경실련	통일협회
20180111	보도자료	상가건물임대차보호법시행령일부개정 입법예고에 대한 의견	경실련	도시개혁센터
20180112	보도자료	'국회 사개특위의 최우선 과제는 공수처 도입' 성명	경실련	공수처설치촉구공동행동
20180115	보도자료	'정부는 여야 협치를 통해 권력기관 개혁을 조속히 실현해야 한다'	경실련	정책위원회
20180116	보도자료	헌법개정-선거제도 개혁촉구 전국시민사회 · 노동 · 지방자치단체 공동기자회견	경실련공동	전국 940 시민사회 · 노동 · 지방자치단체
20180117	보도자료	반부패 운동 시민단체, 권익위에 독립적인 반부패총괄기구 설치 의견 전달	경실련공동	흥사단 외
20180118	보도자료	유엔 안보리 CBMs 정책 의견서한 전달	경실련	국제위원회
20180118	보도자료	법원의 홈플러스 '1mm' 위법행위 확인 판결 환영한다	경실련	소비자정의센터
20180121	보도자료	주민참여 없는 토목 · 건축사업 중심의 도시재생사업 개선하라!	경실련	도시개혁센터
20180123	정책토론	연속 토론회 (4) : 식량자급률 제고를 위한 정책방안 모색	경실련공동	박완주 국회의원 외
20180123	보도자료	재건축사업의 개발이익을 철저하게 환수하라	경실련	도시개혁센터
20180124	보도자료	개헌 15대 과제 국회 의견 청원	경실련공동	국민주도헌법개정 전국네트워크
20180125	보도자료	사법농단에 대한 조속하고 철저한 추가 진상조사와 책임자 처벌에 나서라	경실련	정책위원회
20180125	보도자료	초고가 표준단독주택 공시가격은 여전히 시세의 절반에 불과	경실련	정책위원회
20180125	보도자료	4기 방통위 비전 및 주요 정책과제에 대한 시민단체 평가 의견	경실련공동	민주언론시민연합 외
20180129	보도자료	연이은 화재 참사 키운 원인 철저히 규명하고 책임자 처벌하라	경실련	국책사업감시단
20180129	보도자료	공수처설치촉구 대국민 서명운동	경실련	공수처설치촉구공동행동
20180131	보도자료	박원순 시장, 재벌 위한 서울의료원 부지 매각 중단하라	경실련	서민주거안정운동본부
20180201	보도자료	4년간 물가보다 5배(강남10배) 상승한 아파트값이 진짜 문제다	경실련	서민주거안정운동본부
20180201	정책토론	헌법개정 속에서 통일을 이야기하다 '헌법 제3조, 4조, 66조 3항, 92조를 중심으로'	경실련공동	김경협 국회의원 외
20180202	보도자료	업역규제 폐지 환영하나 직접시공제 등 생산체계 개선 미진	경실련	국책사업감시단
20180202	보도자료	끝장토론, 밤샘협상 통해 사개특위 가동하고 공수처법 처리하라	경실련공동	공수처설치촉구공동행동
20180202	보도자료	정부는 신안산선 민자사업 사업자선정 절차를 즉각 중단하라	경실련	국책사업감시단
20180202	보도자료	부영 부실시공은 빙산의 일각에 불과, 아파트 부실시공 전수 조사하라	경실련	서민주거안정운동본부
20180205	보도자료	이재용 부회장 항소심 선고에 대한 입장	경실련	재벌개혁위원회
20180205	보도자료	'공수처 설치촉구' 주간지 광고 게제	경실련공동	공수처설치촉구공동행동
20180205	보도자료	부영의 동탄2 분양아파트 건축비 폭리를 철저하게 수사하라	경실련	서민주거안정운동본부
20180208	보도자료	경실련-오마이뉴스 공동기획 : 강남 잡으러 판교에 3만채… 집값은 더 올랐다	경실련	서민주거안정운동본부

생산일자	세부형태	제목	출처분류	생산자(처)
20180208	보도자료	당장 할 수 있는 공공 후분양제, 정부는 지체 없이 시행하라	경실련	서민주거안정운동본부
20180209	보도자료	통신 3사는 보편요금제 수용하라	경실련공동	참여연대 외
20180209	보도자료	경실련-오마이뉴스 공동기획 : 판교 실패 부른 공공기관의 6조 땅장사	경실련	서민주거안정운동본부
20180209	보도자료	정부는 개성공단 정상화를 위한 노력에 나서라	경실련	통일협회
20180212	보도자료	경실련-오마이뉴스 공동기획 : 판교신도시, 주택이 재테크 수단으로 가는데 일조	경실련	서민주거안정운동본부
20180212	보도자료	문재인정부, 부동산 적폐청산 미루지마라	경실련	참여연대 외
20180213	보도자료	정권은 바뀌었지만 재벌 · 부동산부자 위한 엉터리 표준지 가격은 여전하다	경실련	서민주거안정운동본부
20180214	보도자료	설맞이 공동 기자회견 및 전국동시다발 거리 홍보 활동	경실련공동	전국 941개 시민사회 · 노동 · 지방자치단체
20180216	홍보	고위공직자비리수사처 꼭 도입되어야 합니다(카드뉴스)	경실련	정책위원회
20180221	보도자료	박원순 시장은 공공임대 숫자 부풀리기 대신 집값 · 임대료 안정을 위한 공공의 역할을 우선하라	경실련	서민주거안정운동본부
20180221	보도자료	후퇴한 재건축 허용 연한을 정상화하라	경실련	도시개혁센터
20180222	보도자료	법원의 부영 임대아파트 부당이득금 반환 판결 환영	경실련	서민주거안정운동본부
20180222	보도자료	공정거래법 집행체계개선TF 보고서에 대한 입장	경실련	재벌개혁위원회
20180223	회의	제15기 1차 중앙위원회	경실련	중앙위원회
20180226	보도자료	주권강화와 정치개혁을 위한 시민사회 개헌안 입법청원	경실련	국민주도헌법개정 전국네트워크
20180227	보도자료	환경노동위원회의 근로시간 단축 의결, 전반적인 근로조건 개선의 계기가 돼야	경실련	노동위원회
20180228	보도자료	경실련 헌법개정안 제출	경실련	정책위원회
20180302	보도자료	공정위의 지주회사 수익구조 조사 착수에 대한 입장	경실련	재벌개혁위원회
20180302	보도자료	금융위원회는 개인정보에서 손 떼라	경실련공동	소비자시민모임 외
20180302	정책토론	평창올림픽 이후 한반도 평화의 길을 모색하다	경실련	통일협회
20180302	조직	GMO완전표시 국민청원단	경실련공동	소비자정의센터
20180303	보도자료	복지부 건강정보 빅데이터 시범사업, 법제도 정비 선행하라	경실련	소비자정의센터
20180303	정책토론	4차 산업혁명 시민포럼, 콘라드아데나워재단 회의실, 경제정의연구소 · 콘라드아데나워재단	경실련공동	콘라드아데나워재단 외
20180305	보도자료	차한성 전 대법관은 이재용 변호인단에서 즉각 사임해야 한다	경실련	정책위원회
20180306	보도자료	삼성 장충기 전 사장 문자 관련 입장	경실련	재벌개혁위원회
20180306	보도자료	2018 세법 건의안 제출	경실련	재정세제위원회
20180306	보도자료	화성 동탄 2지구 건축비 거품 1.9조원(세대당 8천만원)	경실련	서민주거안정운동본부
20180306	보도자료	공공의 땅장사로 벌어진 로또판에 서민은 없다	경실련	서민주거안정운동본부
20180307	정책토론	자산불평등 개선을 위한 종합부동산세 강화방안 토론회	경실련공동	참여연대 외
20180307	보도자료	문재인 정부는 기본형건축비를 투명히 공개하라	경실련	서민주거안정운동본부
20180307	보도자료	유엔 인권최고대표사무소(OHCHR) 여성인권 경제개혁정책 의견 성명	경실련	국제위원회
20180307	보도자료	남북정상회담 개최합의를 환영한다	경실련	통일협회
20180308	보도자료	공적개발원조(ODA) 정책 개선과제에 대한 입장	경실련	국제위원회
20180309	감사청구	동탄2 신도시 허수아비 사업비 · 분양가 심사, 화성시장, 분양가 심사위원회 직무유기 감사청구	경실련	서민주거안정운동본부
20180309	보도자료	미대화를 통해 한반도 평화를 위한 전기 마련해야	경실련	통일협회
20180309	보도자료	군의 촛불 무력 진압모의, 국정조사를 통한 진상규명과 관련자를 엄벌하라	경실련	통일협회
20180312	보도자료	GMO완전표시제 청와대 국민청원 시작 기자회견	경실련공동	GMO완전표시제시민청원단
20180312	보도자료	GMO완전표시제 청와대 국민청원 캠페인(3월 12일 ~ 4월 11일)	경실련공동	GMO완전표시제시민청원단
20180313	보도자료	KAIT는 이익단체다, 방통위는 부적절한 용역발주 철회하라	경실련	시민권익센터
20180314	보도자료	국회는 즉각 개헌안 마련하고, 6월 개헌 약속 이행하라	경실련	정책위원회
20180314	보도자료	국회에서 막힌 공수처, 사개특위 언제까지 책임방기할 것인가	경실련	공수처설치촉구공동행동
20180315	정책토론	농산물 적정가격 수준의 안정화를 위한 토론회	경실련공동	박완주 국회의원 외
20180315	보도자료	박근혜 정부의 민자사업 운영기간 연장 특혜 계승을 중단하라	경실련	정책위원회
20180315	보도자료	평화롭게 살 권리와 국방 · 외교 정책의 민주적 통제를 위한 시민사회 개헌안 청원 기자회견	경실련공동	민주사회를위한변호사모임 외
20180319	보도자료	여당이 정부의 재건축사업 정상화대책 발목 잡나	경실련	도시개혁센터
20180321	보도자료	삼성 에버랜드 공시지가 승계활용 의혹에 대한 입장	경실련	정책위원회
20180322	정책토론	특별좌담회 : 대통령 개헌안 발의 후 개헌 논의 전망과 과제	경실련공동	국민주도헌법개정 전국네트워크
20180322	보도자료	국회도 '토지공개념'을 명확히 하는 개헌안을 조속히 발의하라	경실련	서민주거안정운동본부
20180322	보도자료	포장만 화려한 허울뿐인 지방분권 개헌을 반대한다	경실련	지방자치위원회
20180323	보도자료	이명박 구속은 당연하다	경실련	정책위원회
20180327	보도자료	검찰개혁 외면하는 국회의 직무유기 · 국회는 공수처 설치 논의에 즉각 착수하라	경실련공동	공수처설치촉구공동행동

생산일자	세부형태	제목	출처분류	생산자(처)
20180327	보도자료	'국민은 개헌을 원한다 국민이 참여하는 개헌논의 시작하라' 기자회견	경실련공동	국민주도헌법개정 전국네트워크
20180329	보도자료	현대차그룹 출자구조 재편에 대한 입장	경실련	재벌개혁위원회
20180329	보도자료	정부는 민관협력 거버넌스 구축과 5.24조치 해제에 나서라	경실련	통일협회
20180401	보도자료	GMO완전표시제 국민청원 성사, 청와대는 직접 나서서 식품분야 적폐청산에 서둘러 나설 것을 요청한다	경실련	소비자정의센터
20180402	보도자료	GMO완전표시제 국민청원 집중행동선포 기자회견	경실련공동	GMO완전표시제시민청원단
20180402	보도자료	자유한국당은 국민투표법 처리에 즉각 나서라	경실련	정책위원회
20180402	정책토론	중소기업진흥공단 정책자금 관련 간담회	경실련	정책위원회
20180403	보도자료	정부가 당장 할 수 있는 재벌개혁 시리즈 (1) : 삼성만을 위한 보험업 감독규정을 바꿔야 한다	경실련	재벌개혁위원회
20180403	보도자료	'국민의 뜻 반영된 개헌합의안을 마련하는 것이 국회의 존립 이유다'	경실련공동	전국 951개 사회단체
20180403	참고자료	'아름다운 청년선거단' 칼럼게재 (총 11회)	경실련	정책위원회
20180403	정책토론	한반도에도 봄이 오는가	경실련	통일협회
20180404	보도자료	정부 · 공공기관 상가임대료 한시적 동결 및 법무부장관 면담요청 기자회견	경실련공동	참여연대 외
20180404	보도자료	상가건물임대차보호법 개정의견	경실련	도시개혁센터
20180405	보도자료	유권자 운동본부 출범 기자회견, 경실련 강당	경실련	유권자운동본부
20180406	보도자료	박근혜 전대통령 중형은 자작자수	경실련	정책위원회
20180406	회의	경제정의연구소 이사회 및 총회	경실련	경제정의연구소
20180409	보도자료	삼성증권 주식배당사고에 관한 입장	경실련	금융개혁위원회
20180409	보도자료	삼성의 노조파괴공작에 대한 성명	경실련	노동위원회
20180409	보도자료	특수활동비 공개, 국회는 왜 거부하는가	경실련	정책위원회
20180409	보도자료	GMO완전표시제 20만 국민청원 달성에 대한 입장	경실련	소비자정의센터
20180409	보도자료	유엔 핵군축위원회(UNDC) 신뢰안보구축조치(CSBMs) 및 투명신뢰구축조치(TCMBs) 의견서한 전달	경실련	국제위원회
20180411	보도자료	957개 사회단체 및 각계인사 351명 공동 '헌법개정과 정치개혁을 위한 시국선언'	경실련공동	헌법 개정과 선거제도 개혁을 촉구하는 957개 사회단체, 각계인사 351명 일동
20180412	보도자료	국민이 이긴다. GMO완전표시제 청와대는 응답하라	경실련공동	GMO완전표시제시민청원단
20180412	보도자료	김기식 금융감독원장 직무수행에 대한 입장	경실련	금융개혁위원회
20180412	보도자료	면세점 제도개선방안 공청회에 대한 입장	경실련	재벌개혁위원회
20180412	보도자료	국립공공의대 정원 49명으로는 부족하다	경실련	보건의료위원회
20180412	보도자료	해커톤 합의, 개인정보보호체계 일원화가 전제되어야 한다	경실련공동	소비자시민모임 외
20180417	보도자료	옥시의약품 불매운동 선언 및 시민참여 촉구 기자회견	경실련공동	가습기살균제 참사 전국네트워크
20180417	조직	임원 이 · 취임식 및 봄 후원만찬	경실련	사무국
20180418	보도자료	정부가 당장 할 수 있는 재벌개혁 시리즈 (2) : 일감몰아주기 규제강화 시행령 개정만으로도 가능하다	경실련	재벌개혁위원회
20180423	보도자료	국민투표법 처리 촉구 및 개헌방향 의견제출	경실련	정책위원회
20180424	보도자료	정부는 전경련의 설립허가를 취소하라	경실련	재벌개혁위원회
20180425	정책토론	GMO완전표시제 국민청원 청와대 간담회	경실련공동	GMO완전표시제시민청원단
20180427	보도자료	새로운 역사가 시작된 '판문점 합의'를 환영한다	경실련	통일협회
20180428	조직	'아름다운 청년선거단' 오리엔테이션	경실련	정책위원회
20180501	정책토론	불평등 공시가격 개선 토론회	경실련공동	불평등사회경제조사연구포럼 외
20180501	보도자료	'5대 재벌 주요빌딩 공시가격 시세 39%, 연 수천억 보유세 특혜 누린다' 기자회견	경실련	서민주거안정운동본부
20180501	보도자료	국회의원 정치자금 지출 관련 실태조사	경실련	정책위원회
20180501	정책토론	문재인 정부 1년 부동산 정책 평가 토론회	경실련공동	불평등사회경제조사연구포럼 외
20180501	참고자료	공수처 설치 촉구 칼럼 게재 (5월 10일, 11월 5일, 12월 14일)	경실련공동	공수처설치촉구공동행동
20180502	보도자료	문재인 정부 1년 전문가 설문조사	경실련	정책위원회
20180503	보도자료	"가진 만큼 공평하게 세금내자" 서울시 100억 이상 고가 단독주택 과표실태	경실련	서민주거안정운동본부
20180503	보도자료	고가 다주택자에게 특혜 주는 종부세 개정안 반대 의견서 제출	경실련	재정세제위원회
20180503	정책토론	문재인 정부 1년 재벌정책 평가 토론회	경실련	최운열 국회의원 외
20180503	보도자료	양승태 전 대법원장을 직접 수사하라	경실련	정책위원회
20180503	보도자료	정부의 도시재생뉴딜 투기대책은 무책임 행정의 전형	경실련	도시개혁센터
20180504	정책토론	문재인 정부 1년 평가 토론회	경실련	정책위원회
20180504	보도자료	문재인 정부 출범 1년 공약이행 평가 결과 : 공약 완전 이행률 : 12.3%	경실련	정책위원회
20180504	정책토론	상가임대차보호법 개정 시민단체-국토부 간담회	경실련공동	참여연대 외
20180508	정책토론	UN주거권 보고관 방한 기념 기자간담회	경실련	도시개혁센터

생산일자	세부형태	제목	출처분류	생산자(처)
20180509	정책토론	문재인 정부 1년 농업정책 평가 토론회	경실련공동	한국농어민신문 외
20180509	보도자료	GMO완전표시제 청와대 답변 규탄 기자회견	경실련공동	GMO완전표시제시민청원단
20180511	보도자료	대한약사회는 이기주의를 버리고 국민의 약품 접근성을 높이는 데 봉사하라	경실련	보건의료위원회
20180511	보도자료	'2018 서울교육감 공약 평가운동을 시민들과 함께 시작합니다' 기자회견	경실련공동	서울교육감시민선택
20180511	정책토론	주거권 보고관 주거권단체 비공개 간담회	경실련공동	주거권실현을위한한국 NGO모임
20180511	보도자료	UN주거권 특별 보고관 방한 2018 한국주거권 보고서 작성, 주거권실현을위한한국 NGO모임	경실련공동	주거권실현을위한한국 NGO모임
20180514	보도자료	핑계대지 말고 원가공개 : 공공택지 매각 중단 촉구_마곡신도시 개발이익 추정	경실련	서민주거안정운동본부
20180514	보도자료	미국 트럼프 대통령, 이란 핵협정 탈퇴 결정에 대한 논평	경실련	국제위원회
20180515	보도자료	정부가 당장 할 수 있는 재벌개혁 시리즈(3) : 한국거래소 상장 규정 개정으로 범죄행위 있는 임원의 경영 참여 제한해야 한다	경실련	재벌개혁위원회
20180517	보도자료	문재인 정부는 전 정부들이 결정한 용산미군기지 이전부지 헐값 매각을 전면 재검토하라	경실련	정책위원회
20180517	보도자료	우원식 원내대표의 분양원가 공개 의지 환영한다	경실련	서민주거안정운동본부
20180517	정책토론	GMO완전표시제 국민청원 청와대 답변에 대한 긴급토론회	경실련공동	소비자시민모임 외
20180517	보도자료	시민사회 빅데이터 시대의 안전한 개인정보 활용을 위한 원칙 제시	경실련공동	진보네트워크센터 외
20180523	보도자료	국회와 정부는 업계대변 중단하고 서민주거안정 정책 입법화에 나서라	경실련	서민주거안정운동본부
20180523	정책토론	주거권 보고관 주거권 단체 공개 간담회, 국가인권위 배움터	경실련	도시개혁센터
20180524	보도자료	면세점 제도개선 TF 권고안에 대한 입장	경실련	재벌개혁위원회
20180524	보도자료	건강보험재정 퍼주려는 '요양기관 자율점검제도' 즉시 폐기하라	경실련	보건의료위원회
20180525	보도자료	트럼프 대토령은 북미정상회담 취소를 재고해야 한다	경실련	통일협회
20180529	보도자료	최저임금 산입범위 개정은 반드시 재고되어야 한다	경실련	노동위원회
20180531	보도자료	국민부담을 고려한 합리적 수준에서 수가 결정하라	경실련	보건의료위원회
20180531	보도자료	검찰의 공정위 수사에 대한 입장	경실련	재벌개혁위원회
20180531	보도자료	삼성생명의 삼성전자 주식 블록딜에 대한 입장	경실련	재벌개혁위원회
20180531	조직	공매도 제도개선을 위한 주주연대	경실련공동	정책위원회
20180601	보도자료	6 · 13 지방선거 후보자 전과 및 체납 분석 결과 발표 : 6 · 13 지방선거 후보자 중 전과경력자 비율 38.2%	경실련	유권자운동본부
20180601	보도자료	17개 시도 광역단체장 공약 검증 및 결과	경실련	유권자운동본부
20180601	보도자료	'아름다운 청년선거단' 투표 독려 기자회견 및 거리 캠페인 (6월 1일 ~ 6월 10일)	경실련	유권자운동본부
20180601	정책토론	2018 서울시 교육감 후보 초청 개별토론회	경실련	서울교육감시민선택
20180601	보도자료	국회와 정부는 혈세낭비 시도를 즉각 중단하라	경실련	정책위원회
20180602	보도자료	신혼희망타운 토지 팔지 말고 건물만 분양하라	경실련	서민주거안정운동본부
20180602	보도자료	캐나다산 미승인 GMO 밀 유통 중단에 대한 입장	경실련	소비자정의센터
20180604	보도자료	후보선택도우미 운영 (6월4일 ~ 6월 13일)	경실련	유권자운동본부
20180604	보도자료	예산낭비 조장해온 조달청을 문책하라	경실련	국책사업감시단
20180605	보도자료	'아름다운 청년선거단' 기획기사 게재 (총 4회)	경실련	유권자운동본부
20180605	보도자료	건강보험 재정 파탄 불러 올 '요양급여 비용효과성 원칙 삭제' 반대한다	경실련	보건의료위원회
20180605	보도자료	임차인 생존권 위협하는 비인권적 강제집행 중단하라	경실련	도시개혁센터
20180607	보도자료	'서울교육감 시민선택' 서울교육감 후보 공약평가 결과 발표, 사교육걱정없는세상, 2018서울교육감시민선택	경실련	서울교육감시민선택
20180608	보도자료	'아름다운 청년선거단' 경기도지사 후보자 청년공약 평가 결과	경실련	유권자운동본부
20180611	보도자료	6.13 지방선거 투표독려 및 정책선거 캠페인	경실련	유권자운동본부
20180611	보도자료	서울지역 광역단체장 후보선택도우미 답변서 분석 발표	경실련	유권자운동본부
20180611	보도자료	김동연 경제부총리의 전경련 공식 만남에 대한 입장	경실련	재벌개혁위원회
20180612	보도자료	비방만이 난무하는 2018 지방선거, 그래도 정책선거가 답이다	경실련	정책위원회
20180612	보도자료	국회는 임차인 사지로 내모는 불공정한 상가법 개정하라	경실련	도시개혁센터
20180612	보도자료	북 · 미정상의 역사적 만남과 합의를 환영한다	경실련	통일협회
20180614	보도자료	찐담배 경고그림 강화 적극 환영한다	경실련	보건의료위원회
20180614	정책토론	6.13 지방선거 평가토론회 : 지방선거 평가와 지방자치 발전 방안, 경실련 강당	경실련	유권자운동본부
20180614	보도자료	문재인 정부, 지방선거 민의 받들어 개혁과제 이행에 적극 나서야	경실련	유권자운동본부
20180615	보도자료	상가법개정촉구 기자회견 - 국회는 더 이상 미루지 말고, 상가법 즉시 개정하라	경실련공동	참여연대 외
20180618	정책토론	기촉법 일몰도래에 따른 친시장적 구조조정방식으로의 전환		

생산일자	세부형태	제목	출처분류	생산자(처)
		모색 토론회	경실련공동	최운열 국회의원 외
20180618	보도자료	시도별 땅값 1위 시세는 1.3조, 과세는 5천억원에 불과	경실련	서민주거안정운동본부
20180619	보도자료	주식시장 신뢰회복과 개인투자자보호를 위해 실효성 있는 공매도 개선방안 마련해야	경실련공동	희망나눔주주연대 외
20180619	보도자료	영리법인 '공사비 정상화' 요구에 불복할 경우, 연간 7조원 예산 낭비	경실련	국책사업감시단
20180621	보도자료	국회 검경수사권 조정 등 검찰개혁 입법에 적극 나서라, 공수처 도입도 반드시 이루어져야	경실련	정책위원회
20180621	보도자료	김동연 경제부총리의 전경련 공식 만남에 대한 입장	경실련	재벌개혁위원회
20180621	보도자료	공정거래위원회와 재벌의 유착관계 철저 수사 촉구	경실련	재벌개혁위원회
20180621	보도자료	주거시민단체 민선 7기 당선자들에게 주거정책 요구안 제안	경실련공동	전국세입자협회 외
20180621	보도자료	정부의 EU 개인정보 보호수준 적정성 평가 추진에 대한 시민사회 의견	경실련	소비자정의센터
20180625	보도자료	은행 대출금리 조작에 대한 입장	경실련	금융개혁위원회
20180626	보도자료	상가법개정을 최우선 순위로 놓고 전력을 다하라	경실련	도시개혁센터
20180627	보도자료	시도별 개별지 상위 100위 보유세 특혜 추정	경실련	정책위원회
20180627	보도자료	한국증권금융주의 불공정 주식담보대출시스템 운영에 대한 금융당국 조사 촉구	경실련	금융개혁위원회
20180627	보도자료	건설업계 적정공사비 요구 관련 주요부처(기재부 · 국토부 · 행안부 등)공개질의	경실련	국책사업감시단
20180627	보도자료	화재참사 키우는 건축자재에 대한 유해가스 기준 마련하라	경실련	시민안전감시위원회
20180627	보도자료	경기도 주요 부동산 과표실태 발표 기자회견	경실련	경실련경기도협의회
20180628	보도자료	자산불평등 해소 위한 보유세 강화 촉구 시민사회 공동기자회견	경실련공동	전국세입자협회 외
20180629	참고자료	최근 5년간 불법 무차입 공매도 적발 현황에 대한 금융위 정보공개청구	경실련	금융개혁위원회
20180629	보도자료	40년 넘은 낡은 칸막이식 업역규제 폐지를 환영한다	경실련	국책사업감시단
20180629	보도자료	정부는 예외 없고 즉각적인 후분양을 시행하라	경실련	서민주거안정운동본부
20180629	참고자료	금융위 5년 간 불법 무차입 공매도 적발 관련 자료 정보공개 청구	경실련	금융개혁위원회
20180702	보도자료	검찰은 강제수사를 통해 사법농단 철저히 파헤쳐라	경실련	정책위원회
20180702	보도자료	무능 · 무성의 · 무기력, 3무(無)의 국회 사법개혁특위	경실련공동	공수처설치촉구공동행동
20180703	보도자료	여야는 당리당략 떠나 원구성하고 개혁입법에 나서라	경실련	정책위원회
20180703	보도자료	땅부자 · 재벌기업 비켜간 구멍 뚫린 권고안으로는 공평과세 · 자산불평등 해소 어림없다	경실련	서민주거안정운동본부
20180703	보도자료	'편의점 상비약 판매 확대' 반대는 약사회의 이기주의	경실련	보건의료위원회
20180703	보도자료	공정위 공정거래법 전면개편방안 TF 최종보고서에 대한 입장	경실련	재벌개혁위원회
20180704	보도자료	공정위 지주회사 수익구조 조사 결과발표에 대한 입장	경실련	재벌개혁위원회
20180704	보도자료	건설업계 '공사비 정상화 요구' 관련 공개질의	경실련	국책사업감시단
20180704	보도자료	가격경쟁 대신 로비경쟁으로 얼룩진 입찰제도 전면 개선하라	경실련	국책사업감시단
20180705	보도자료	GMO수입현황 시리즈 실태조사 : GMO농산물 수입현황 실태조사	경실련	소비자정의센터
20180709	정책토론	경실련-공정위 경제민주화 TF 간담회	경실련	정책위원회
20180711	보도자료	국토부는 말로만 하는 반성대신 개선안을 적극 이행하라	경실련	서민주거안정운동본부
20180711	보도자료	20대 하반기 국회, 개혁입법 조속히 추진하라	경실련	정책위원회
20180711	정책토론	소비자 개인정보 침해에 대한 손해배상제도의 개선방안	경실련공동	진보네트워크센터 외
20180711	보도자료	상가임대차보호법 개정 국민운동본부 출범	경실련공동	상가법개정국민운동본부
20180711	보도자료	상가법 개정 촉구 동시다발 피켓 시위	경실련공동	상가법개정국민운동본부
20180712	보도자료	위례 · 고덕 신혼희망타운에서 LH공사 1,200억 수익	경실련	서민주거안정운동본부
20180713	보도자료	정부와 여당의 은산분리 완화 정책에 대한 입장	경실련	재벌개혁위원회
20180717	보도자료	GMO수입현황 시리즈 실태조사 : GMO가공식품 수입현황 실태조사	경실련	소비자정의센터
20180717	보도자료	금감원의 키코사태 재조사에 대한 입장	경실련	금융개혁위원회
20180718	정책토론	중소기업 R&D자금 지원에 대한 문제 진단 관련 과학기술 정책연구원 간담회	경실련	정책위원회
20180719	정책토론	시민사회단체-행정안전부 간담회	경실련공동	참여연대 외
20180724	보도자료	국민연금공단 주식대차거래에 대한 입장 질의 및 정보공개청구	경실련	금융개혁위원회
20180725	보도자료	GMO수입현황 시리즈 실태조사 : GMO 수입승인 및 공인 검사 현황	경실련	소비자정의센터
20180725	보도자료	박원순 시장 표준지 가격결정권 이양요구 환영한다	경실련	서민주거안정운동본부
20180726	보도자료	종부세 개편으로 35개 재벌빌딩에서만 연 780억 특혜	경실련	서민주거안정운동본부
20180727	보도자료	피감 · 산하기관의 부당한 해외출장 지원 근절하라	경실련	정책위원회
20180727	보도자료	이재명 경기도지사의 공공사업 원가공개 환영한다	경실련	국책사업감시단
20180731	보도자료	정부 2018년 세법개정안 발표에 대한 입장	경실련	재정세제위원회

생산일자	세부형태	제목	출처분류	생산자(처)
20180731	보도자료	사법농단 의혹 국정조사 통해 명명백백히 진상규명하고, 특별재판부 구성 통해 공정하게 재판하라	경실련	정책위원회
20180801	보도자료	청와대는 진정 개인정보 보호할 의지 있는가	경실련공동	참여연대 외
20180802	보도자료	국회는 20대 초반기 특수활동비 내역을 당장 공개하라	경실련	정책위원회
20180802	보도자료	은산분리 규제완화 법안 처리 중단 촉구 공동 기자회견	경실련공동	참여연대 외
20180802	보도자료	양승태 사법농단 특별법 통과 촉구	경실련	정책위원회
20180802	교육	경실련 아카데미 : 전국경실련 상근활동가 및 임원 교육, 대전 뿌리공원 (8월 20일 ~ 22일)	경실련	경실련아카데미
20180803	보도자료	청와대와 정부는 GMO표시강화 공약 이행을 위한 책임 있는 자세를 보여라	경실련	소비자정의센터
20180803	보도자료	정부의 BMW 화재 대국민 담화 발표에 대한 입장	경실련	소비자정의센터
20180803	정책토론	BMW사태로 본 '자동차 교환 · 환불제도' 개선 토론회	경실련공동	윤관석 국회의원 외
20180803	보도자료	지주회사 현황과 문제 인지 부족 김상조 공정거래위원장은 수장 자격없어	경실련	재벌개혁위원회
20180803	보도자료	더불어민주당은 은행을 재벌의 먹잇감으로 주려는 법안 논의를 즉각 중단하라	경실련	재벌개혁위원회
20180803	보도자료	치솟는 임대료 감당 못해..을은 오늘도 이삿짐 싼다	경실련	도시개혁센터
20180806	보도자료	건설사 직원이 스스로 분양가 심사하는 분양가심사위원회 제도 개선하라	경실련	서민주거안정운동본부
20180806	정책토론	문재인정부 가습기 살균제 참사 해결 평가 토론회	경실련공동	가습기살균제 참사 전국네트워크
20180807	보도자료	'상비약 약국 외 판매' 시민 설문조사 - 상비약 편의점 판매 제도 "필요하다" 97.0%	경실련	보건의료위원회
20180807	보도자료	가습기 살균제 피해자, 대통령 사과 1년 평가 및 제안 기자회견	경실련공동	가습기살균제 참사 전국네트워크
20180807	정책토론	은산분리 규제완화의 문제점 진단 토론회 : 천만계좌의 예금 재벌금고로 들어가나?	경실련공동	참여연대 외
20180807	보도자료	쫓겨나지 않을 권리 : 백년가게 특별법 제정을 위한 기자회견	경실련공동	참여연대 외
20180808	정책토론	경실련-민주평화당 정책간담회, 경실련 강당	경실련	정책위원회
20180809	보도자료	GMO수입현황 시리즈 실태조사 : 수입대두 비의도적 GMO 혼입치 현황	경실련	소비자정의센터
20180809	보도자료	문재인 대통령과 정부의 은산분리 완화 정책 철회 촉구 기자회견	경실련	재벌개혁위원회
20180809	보도자료	'쌈짓돈' 전락한 국회 특수활동비 즉각 폐지하라	경실련	정책위원회
20180809	보도자료	국회는 상가법 우선 처리 약속 잊었나	경실련	도시개혁센터
20180813	보도자료	국회 특수활동비 폐지 당연하다	경실련	정책위원회
20180813	정책토론	'사법농단실태 톺아보기' 토론회	경실련공동	민주사회를위한변호사모임 외
20180814	보도자료	경기도시공사 원가 공개 환영한다	경실련	서민주거안정운동본부
20180814	보도자료	신안산선 의혹 철저히 감사해 민자사업을 바로 잡아라	경실련	국책사업감시단
20180814	보도자료	보편요금제 법안 처리를 촉구 기자회견	경실련공동	소비자시민모임 외
20180814	보도자료	'BMW 화재' 사태에 대한 점검 및 운행정지 명령은 누구를 위한 조치인가	경실련	소비자정의센터
20180814	보도자료	자유한국당 원내대표 등 면담요청 기자회견	경실련공동	상가법개정국민운동본부
20180816	보도자료	국회 특수활동비 전면 폐지하라	경실련	정책위원회
20180816	정책토론	공개세미나 : 제4차 산업혁명에 따른 사회보장 및 조세정책 방향, 경실련 강당, 경제정의연구소 · 콘라드아데나워재단	경실련	경제정의연구소
20180816	보도자료	민주평통 특활비 폐지가 아닌 조직해체가 답이다	경실련	통일협회
20180817	정책토론	법무부 장관 면담, 망원동 상인회 사무실	경실련	도시개혁센터
20180817	정책토론	법사위 법안심사 1소위 더불어민주당 의원 보좌진 간담회	경실련	도시개혁센터
20180822	정책토론	규제혁신 5개 법안에 대한 긴급좌담회	경실련공동	참여연대 외
20180822	보도자료	개인정보 감독기구 통합 없는 무분별한 규제완화 반대 기자회견	경실련공동	참여연대 외
20180823	보도자료	규제개악법 처리 중단 촉구 기자회견	경실련공동	참여연대 외
20180824	보도자료	'인터넷전문은행 특례법 8월 졸속 처리 중단하라' 기자회견	경실련공동	참여연대 외
20180827	보도자료	반부패총괄기구 설치 촉구 및 국민권익위원회 조직개편안에 대한 반대 의견서 제출	경실련	정책위원회
20180827	보도자료	더불어민주당과 국회 정무위원회는 금융건전성 훼손하는 은산분리 완화 등 금융규제 완화 3개법안 논의를 즉각 중단하라	경실련	금융개혁위원회
20180827	정책토론	경기도 공사원가 공개 심층 토의 : 경실련 · 이재명 도지사 · 경기도시공사 간담회	경실련	국책사업감시단
20180827	보도자료	박원순 시장 여의도 · 용산개발 전면보류에 대한 입장	경실련	서민주거안정운동본부
20180827	보도자료	8.27대책은 개발확대에 기댄 투기조장책이다	경실련	서민주거안정운동본부
20180827	정책토론	상가임대차보호법 무엇이 쟁점인가?	경실련공동	상가법개정국민운동본부
20180828	보도자료	피감기관의 국회의원 해외출장 지원 관련 국회 공개 질의	경실련	정책위원회
20180828	보도자료	폐지 대상인 법원행정처의 셀프개혁은 어불성설	경실련	정책위원회
20180828	보도자료	100조원 불로소득 발생시키고도 반성 없는 진희선 서울		

생산일자	세부형태	제목	출처분류	생산자(처)
		부시장 경질하라	경실련	서민주거안정운동본부
20180828	정책토론	윤소하 정의당 원내대표 면담	경실련공동	참여연대 외
20180829	회의	선거제도 개편을 위한 민주평화당 대표 면담 및 협약식	경실련공동	정치개혁공동행동
20180829	보도자료	박근혜정부가 시작한 민자사업 특혜정책, 문재인 정부가 완성하나	경실련	국책사업감시단
20180829	보도자료	상가법 개정 논의 지역, 자유한국당 규탄 기자회견	경실련공동	상가법개정국민운동본부
20180831	보도자료	진정 데이터를 가장 허술하게 막 쓰는 나라로 만들겠다는 겁니까?	경실련공동	진보네트워크센터 외
20180831	보도자료	여야는 상가법과 재벌규제완화법 연계처리 철회하라	경실련	도시개혁센터
20180901	참고자료	중앙정부(LH공사), 서울시(SH공사) 분양원가 관련 공사비 내역서 정보공개 청구	경실련	소비자정의센터
20180901	보도자료	5G 통신정책 협의회는 공정하고 투명하게 운영되어야 한다	경실련	시민권익센터
20180901	홍보	반값 아파트, 그 역사와 의의에 대한 고찰(카드뉴스)	경실련	서민주거안정운동본부
20180902	보도자료	국회 본회의 '인터넷전문은행특례법' 처리 중단 촉구	경실련공동	참여연대 외
20180902	보도자료	사법농단의 핵심인물인 유해용 전 재판연구관에 대한 구속영장 발부하라	경실련	정책위원회
20180902	보도자료	문제인정부는 생명벨트 해제 정책 철회하라	경실련공동	도시연대 외
20180903	보도자료	8대 분야 35개 정기국회 개혁과제 발표	경실련	정책위원회
20180903	보도자료	원가공개에 저항하는 관료가 누구인가	경실련	서민주거안정운동본부
20180904	보도자료	더 이상 늦출 수 없다! 20대 국회는 공수처 설치법을 처리하라!	경실련공동	공수처설치촉구공동행동
20180905	보도자료	국민연금공단은 주식대여 효과의 일방적 주장 말고 관련 정보부터 투명하게 공개하라	경실련공동	희망나눔주주연대 외
20180905	보도자료	집권여당 대표의 무책임한 공급확대, 강력히 규탄한다	경실련	정책위원회
20180906	보도자료	분양원가 공개에 대한 각 정당 대표 공개질의	경실련	정책위원회
20180906	정책토론	자동차산업 중소협력업체 보호를 위한 제도개선 방안 모색 공청회	경실련공동	고용진 국회의원 외
20180906	보도자료	이명박에 대한 엄중한 선고가 이루어져야 한다	경실련	정책위원회
20180906	보도자료	분양원가 공개, 김현미 장관은 말 보다 행동에 나서라	경실련	서민주거안정운동본부
20180906	보도자료	정부의 '자동차리콜 대응체계 혁신방안' 발표에 대한 입장	경실련	소비자정의센터
20180907	보도자료	국회는 국민연금공단의 주식대여를 금지하는 법안을 반드시 통과시켜야 한다	경실련공동	희망나눔주주연대 외
20180907	보도자료	경기도시공사 아파트 분양 건축비, 실제보다 26% 비싸	경실련	서민주거안정운동본부
20180907	보도자료	국회는 국민연금공단의 주식대여를 금지하는 법안을 반드시 통과시켜야 한다	경실련	정책위원회
20180907	보도자료	2018 정기국회에서 반드시 처리해야 할 7대 소비자정책 제안, 경실련 소비자정의센터	경실련	소비자정의센터
20180907	보도자료	정부 투기사업 토지비축처가 된 그린벨트 해제 논의 중단하라	경실련	도시개혁센터
20180911	정책토론	세법개정안 토론회 : 조세형평성과 소득재분배 및 부동산 세제를 중심으로	경실련	재정세제위원회
20180911	정책토론	문재인정부 조직운영 혁신방안 평가 토론회 : 문재인 정부 제대로 가고있나	경실련	정부개혁위원회
20180911	정책토론	부동산 개혁 긴급 토론회 : 문재인 정부의 공급확대, 뛰는 집값에 독인가, 약인가	경실련공동	불평등사회경제조사연구포럼 외
20180911	보도자료	자동차관리법 시행령 · 시행규칙 개정안에 대한 의견	경실련	소비자정의센터
20180911	보도자료	국토부는 엉터리 과표 방치 말고 즉각 개선하라	경실련	서민주거안정운동본부
20180912	보도자료	국민권익위원회의 소극적인 조직개편안에 반대한다	경실련공동	흥사단 외
20180912	회의	선거제도 개편을 위한 바른미래당 대표 면담 및 협약식	경실련공동	정치개혁공동행동
20180913	보도자료	법원의 사법농단 수사방해에 국민들의 인내심은 바닥났다	경실련	정책위원회
20180913	보도자료	9.13 부동산 정책에 대한 입장	경실련	서민주거안정운동본부
20180913	보도자료	어떤 경우에도 투기로 돈 벌 수 없는 부동산 대책을 발표하라, 청와대 분수대 앞	경실련	서민주거안정운동본부
20180913	보도자료	복지부가 결과 뒤집은 안전상비약 6차 심의위,'자료 없다' 무책임한 태도 규탄	경실련	보건의료위원회
20180913	보도자료	국회는 판문점 선언 비준에 조속히 나서라	경실련	통일협회
20180917	보도자료	'인터넷전문은행 은산분리완화 중단 촉구 의견서' 더불어 민주당 및 국회 정무위원회 제출	경실련	재벌개혁위원회
20180917	보도자료	은산분리 규제완화 법안 처리 중단 촉구 공동 기자회견	경실련공동	참여연대 외
20180917	보도자료	'국민연금 주식대여 문제 국정감사 핵심사항으로 다뤄져야'	경실련공동	희망나눔주주연대 외
20180917	보도자료	경기도시공사 4개 블록 분양건축비, 실제보다 한 채당 3,600만원 비싸	경실련	서민주거안정운동본부
20180917	정책토론	법무부 집단소송제 확대 도입 정책간담회	경실련공동	참여연대 외
20180917	보도자료	박원순 시장은 투기수요 배불리는, 그린벨트 해제 요청 거부하라	경실련공동	한국환경회의 외

생산일자	세부형태	제목	출처분류	생산자(처)
20180918	보도자료	집단적 피해가 발생하는 모든 분야에 집단소송제 확대 도입하라	경실련	시민권익센터
20180918	홍보	법원의 날에 돌아보는 사법파동의 역사(카드뉴스)	경실련	정책위원회
20180918	홍보	2018 정기국회 개혁입법 과제(카드뉴스)	경실련	정책위원회
20180919	보도자료	서울시는 61개 분양원가 그치지 말고 설계 · 도급 · 하도급 등 공사비 내역도 공개하라	경실련	서민주거안정운동본부
20180919	보도자료	국회 정무위원회 '인터넷전문은행특례법' 반드시 막아야	경실련	참여연대 외
20180919	보도자료	자동차 화재 실태조사 결과	경실련	소비자정의센터
20180919	보도자료	9월 평양 공동선언, 항구적인 한반도 평화 정착으로 이어져야	경실련	통일협회
20180921	보도자료	투기 조장하는 공급 확대정책 책임자를 교체하라	경실련	서민주거안정운동본부
20180921	보도자료	사법농단 수사 방해하는 법원은 국민의 심판 받을 것	경실련	정책위원회
20180921	청원	청와대 국민청원 : '국민연금 주식대여 문제 국정감사 핵심 사항으로 다뤄져야'	경실련공동	희망나눔주주연대 외
20180921	보도자료	'인터넷전문은행특례법' 대통령 거부권 행사 촉구 기자회견	경실련공동	참여연대 외
20180928	정책토론	논란의 구글세, 해외사업자 세금 제대로 내고 있나?	경실련공동	박영선 국회의원 외
20181001	보도자료	보유세강화시민행동 출범 기자회견	경실련공동	불평등해소를위한보유세강화시민행동
20181001	보도자료	문재인 정부의 개인의료정보 상업화에 반대한다	경실련공동	참여연대 외
20181002	보도자료	LH · SH 모두 아파트 공사비내역 비공개 처분 명분 없다	경실련	서민주거안정운동본부
20181002	보도자료	정치개혁특위 구성 및 연내 선거제도 개혁 결의 촉구	경실련공동	정치개혁공동행동
20181003	보도자료	2018 국감 '부실 · 맹탕 국감' 속 빛난 우수의원 발표 : 박주민 · 심상정 · 박용진 · 박선숙 · 심재권 · 유민봉 · 김종회 · 정동영 의원	경실련	정책위원회
20181003	보도자료	국토부는 건축자재에 대한 유독가스 규정을 강화하라	경실련	정책위원회
20181004	보도자료	공정거래법 전부개정안 의견	경실련	재벌개혁위원회
20181005	보도자료	2018 국정감사 농정분야 12대 과제	경실련	농업개혁위원회
20181005	보도자료	범죄자 이명박 전 대통령에게 징역 15년으로는 부족하다	경실련	정책위원회
20181008	보도자료	재벌 · 대기업과 다주택보유자, 지난 10년간 부동산 투기에 집중했다	경실련	서민주거안정운동본부
20181008	보도자료	선거제도 개혁 서명운동 시작	경실련	정책위원회
20181009	보도자료	2018 국정감사에서 다뤄야 할 29대 의제 발표	경실련	정책위원회
20181010	보도자료	보유세 강화 시민행동	경실련	정책위원회
20181011	보도자료	국회는 절치부심해 사법농단 진상 규명에 앞장서야 할 것	경실련	정책위원회
20181011	보도자료	삼성 에버랜드 차명부동산 활용 상속세 회피 세금추징과 처벌 필요	경실련	재벌개혁위원회
20181011	보도자료	국회는 사개특위 즉각 구성해 공수처부터 논의하라	경실련공동	공수처설치촉구공동행동
20181011	보도자료	2018년 가기 전, 선거제도를 바꿔서 정치를 바꾸자	경실련공동	정치개혁공동행동
20181011	보도자료	민간참여형 공동주택 대기업 건설사가 독차지	경실련	서민주거안정운동본부
20181012	보도자료	검찰은 반부패 의지 있는가	경실련	정책위원회
20181015	보도자료	집단적 소비자피해 재발 방지를 위한 집단소송 법제화 촉구 기자회견	경실련공동	가습기살균제 참사 전국네트워크
20181015	보도자료	다주택자 최상위 1위~100위 주택보유 현황 공개	경실련	서민주거안정운동본부
20181015	보도자료	검찰은 임종헌 전 차장의 사법농단 직권남용 혐의 철저히 수사하라	경실련	정책위원회
20181016	보도자료	삼성바이오로직스 고의 분식회계 증선위 결론에 대한 입장	경실련	재벌개혁위원회
20181016	보도자료	삼성 총수일가 차명부동산 방치 국세청에 대한 감사와 검찰 수사 필요	경실련	재벌개혁위원회
20181016	보도자료	법무부 가짜뉴스 대책 민주주의 파괴 우려	경실련	소비자정의센터
20181016	보도자료	2018 국정감사 소비자정책 의제 제안	경실련	소비자정의센터
20181017	보도자료	상위10개 법인 토지, 10년간 4.7억평 283조원 증가	경실련	서민주거안정운동본부
20181017	보도자료	더불어민주당의 차등의결권 도입 추진에 대한 입장	경실련	재벌개혁위원회
20181017	보도자료	우병우 몰래 변론 사건의 핵심은 검찰의 현직비리, 공수처가 답이다	경실련공동	공수처설치촉구공동행동
20181017	보도자료	10년 넘게 반복되는 공시가격 조작, 재벌 세금특혜	경실련	서민주거안정운동본부
20181018	보도자료	국토부와 국세청 건물가격 평균 8억(58%), 최대 74억 차이	경실련	서민주거안정운동본부
20181019	보도자료	공수처 설치는 검찰개혁과 권력형 비리근절을 염원하는 시대적 요구	경실련공동	공수처설치촉구공동행동
20181019	보도자료	어렵게 구성된 정개특위, 기득권 내려놓고 선거제도 개혁에 적극 임하라	경실련공동	정치개혁공동행동
20181022	보도자료	박원순 서울시장, 종상향 승인으로 가락시영 시세 9조원 상승	경실련	서민주거안정운동본부
20181023	보도자료	국토부의 공시가격 해명은 거짓	경실련	서민주거안정운동본부
20181023	보도자료	국민연금 주식대여 금지에 대한 리얼미터 여론조사 - 응답자 76.1%, 국민연금 주식대여 금지 찬성	경실련	희망나눔주주연대 외
20181023	보도자료	국민연금공단 국내주식 대여 중단 결정 환영 논평	경실련	금융개혁위원회

생산일자	세부형태	제목	출처분류	생산자(처)
20181024	보도자료	정개특위 모니터링 : 국회 정개특위, 연동형 비례대표제부터 합의해야	경실련공동	정치개혁공동행동
20181024	보도자료	국민연금 주식대여 금지 청와대 국민청원 독려 캠페인, 대학로 일대	경실련	정책위원회
20181029	보도자료	가맹사업 현황 국정감사 정책보고	경실련	시민권익센터
20181029	조직	평화통일비전 사회적 대화를 위한 전국시민회의 참여	경실련	상임집행위원회
20181031	보도자료	연동형 비례대표제 도입촉구 기자회견 및 '아주 정치적인 밤' 문화제	경실련공동	정치개혁공동행동
20181031	정책토론	법무부 집단소송법 개정 법률안 입법 평가 토론회	경실련공동	참여연대 외
20181031	정책토론	사법개혁특별위원회 박영선 위원장 · 백혜련 간사 면담	경실련	정책위원회
20181101	보도자료	공수처안 통과 촉구 목요 집중행동(11/01~11/29)	경실련공동	공수처설치촉구공동행동
20181101	보도자료	부동산 보유세 강화 서명 모아 청와대 면담 요청서 전달	경실련공동	불평등해소를위한보유세강화시민행동
20181102	보도자료	삼성 반도체 백혈병 피해 중재안 최종 확정에 대한 입장	경실련	노동위원회
20181102	보도자료	사개특위, 공수처 설치 논의 신속히 임해야	경실련공동	공수처설치촉구공동행동
20181102	보도자료	GTX-A 협상 관련 공개질의 답변 요청	경실련	정책위원회
20181103	보도자료	철도공동조사, 남북의 평화와 번영의 출발점이다	경실련	통일협회
20181105	보도자료	서울시, 6년간 감춰왔던 상세내역까지 공개하라	경실련	서민주거안정운동본부
20181107	홍보	연동형 비례대표제로 지금 당장 정치개혁 (카드뉴스)	경실련	정책위원회
20181107	보도자료	분양원가 61개 항목에 머물지 말고 세부 자료 공개하라	경실련	서민주거안정운동본부
20181107	보도자료	공공성으로 포장된 정부의 개발제한구역 훼손 중단하라	경실련	도시개혁센터
20181108	보도자료	사법발전위원회 법원조직법 개정안으로는 환골탈태의 법원 개혁 어렵다	경실련	정책위원회
20181108	보도자료	정개특위모니터링 : 정개특위는 비례성과 대표성 강화 위해 연동형 비례대표제 도입에 합의해야	경실련공동	정치개혁공동행동
20181108	보도자료	보유세강화시민행동 청와대 면담 촉구 기자회견	경실련공동	불평등해소를위한보유세강화시민행동
20181108	보도자료	칸막이식 업역규제 폐지를 환영한다	경실련	정책위원회
20181108	정책토론	광명시 그린벨트 해제 택지개발사업의 문제와 생태습지 보전 방안 모색 토론회	경실련	도시개혁센터
20181109	보도자료	홍남기 경제부총리와 김수현 정책실장 임명에 대한 입장	경실련	정책위원회
20181109	보도자료	다중이용시설의 화재안전시설, 국가가 직접 나서라	경실련	정책위원회
20181111	조직	평화 · 통일비전 사회적 대화를 위한 전국시민회의 발기인 대회	경실련공동	평화통일전국시민회의
20181112	보도자료	법무부와 사개특위는 공수처 수사대상에 국회의원 반드시 포함시켜라	경실련	정책위원회
20181112	보도자료	서초 우성1차 재건축아파트 분양가 검증	경실련	정책위원회
20181112	정책토론	"소비자 개인정보 침해에 대한 손해배상제도의 개선방안" 토론회	경실련공동	진보네트워크센터 외
20181113	보도자료	자유한국당, 명분없는 공수처 반대주장, 언제까지 반복할 것인가	경실련공동	공수처설치촉구공동행동
20181114	교육	경실련 시민강좌 '우리가 몰랐던 집값이야기(4강)	경실련	정책위원회
20181114	회의	서울 평화통일원탁회의	경실련공동	민주평화통일자문회의
20181115	조직	창립 29주년 기념식(경제정의실천시민상 : '반도체노동자의 건강과 인권지킴이' 반올림)	경실련	사무국
20181115	보도자료	민의를 반영하는 연동형 비례대표제 도입과 의원정수 확대 기자회견	경실련공동	정치개혁공동행동
20181115	보도자료	정개특위 모니터링 : 연동형 비례대표제에 대한 공감대 확인된 국회 정개특위	경실련공동	정치개혁공동행동
20181115	보도자료	공공토지 매각해 부자와 건설사 위한 개발하지 말고 서민 위한 저렴한 공공주택 · 사회주택 공급하라	경실련	정책위원회
20181116	보도자료	정치개혁 100인 인증샷 캠페인 개시	경실련공동	정치개혁공동행동
20181116	정책토론	공매도 제도개선 관련 코스콤 노조위원장 면담	경실련	정책위원회
20181116	정책토론	신용카드수수료 혜택축소 관련 더불어민주당 간담회	경실련	시민권익센터
20181116	보도자료	사개특위, 공수처 설치 논의 속도내야	경실련공동	공수처설치촉구공동행동
20181119	보도자료	집단소송 제도화 촉구 기자회견	경실련	시민권익센터
20181119	보도자료	사법농단 특별재판부 설치 위헌 여부에 대한 법학자 설문 조사 · 법학자 71.4%, 사법농단 특별재판부 위헌 아니다	경실련	정책위원회
20181121	보도자료	더불어민주당 연동형 비례대표제 공약 파기 결코 안 돼	경실련공동	정치개혁공동행동
20181121	보도자료	문재인 정부의 개인정보 규제완화 비판 기자회견	경실련공동	함께하는시민행동 외
20181122	보도자료	정개특위 모니터링 : 선거연령 하향 등 청소년 참정권 확대 조속히 결단내려야	경실련공동	정치개혁공동행동
20181122	보도자료	'사개특위는 공수처안 즉각 통과시켜라	경실련	정책위원회
20181122	홍보	사법농단 특별재판부, 위헌인가? 아닌가?(카드뉴스)	경실련	정책위원회
20181126	정책토론	제4차 산업혁명 시민포럼 한독세미나 개최, 연세대 백양누리, 경제정의연구소 · 콘라드아데나워재단 · 연세대경영연구소	경실련	경제정의연구소

생산일자	세부형태	제목	출처분류	생산자(처)
20181126	조직	전국민주시민교육네트워크 참여	경실련	상임집행위원회
20181127	보도자료	가습기살균제 제조 · 유통시킨 SK케미칼 · 애경산업 재고발 기자회견 및 수사촉구 1인시위	경실련공동	가습기살균제 참사 전국네트워크
20181127	보도자료	한 달 남은 사개특위, 공수처 설치법안 본격적으로 논의해야	경실련공동	공수처설치촉구공동행동
20181128	보도자료	정부는 GMO감자 수입승인절차 즉각 중단하라	경실련	소비자정의센터
20181129	보도자료	불법 무차입 공매도 방관해온 금융당국, 조속한 적발시스템 도입해야	경실련	금융개혁위원회
20181129	보도자료	연동형 비례대표제는 민주당 공약, 더 이상 국민 우롱하지 말아야	경실련공동	정치개혁공동행동
20181201	보도자료	민주당과 한국당은 12월 임시국회 합의하고 정개특위 연장하라	경실련공동	정치개혁공동행동
20181201	보도자료	철거민.서민.청년 주거대책 마련 촉구 기자회견	경실련공동	빈곤사회연대 외
20181203	보도자료	사개특위 검경개혁소위는 공수처법 반드시 논의해야	경실련공동	공수처설치촉구공동행동
20181205	보도자료	더불어민주당 · 자유한국당은 정치개혁 · 국회개혁을 위한 연동형 비례대표제 도입에 즉각 동참하라	경실련공동	정치개혁공동행동
20181206	보도자료	박병대 · 고영한 전 대법관에 대한 구속영장 발부로 사법정의 바로 세워야	경실련	정책위원회
20181206	보도자료	법사위는 집단소송제 연내 도입을 위해 적극 논의에 나서라	경실련	시민권익센터
20181206	회원	2018 회원의 밤	경실련	사무국
20181206	보도자료	주거세입자 사지로 내모는 강제집행 중단하라	경실련	도시개혁센터
20181207	보도자료	사법농단 진상규명 의지 없는 대법원, 더 이상 신뢰할 수 없어	경실련	정책위원회
20181211	보도자료	사개특위, 조속히 회의 열고 공수처 설치법안 합의하라	경실련공동	공수처설치촉구공동행동
20181211	보도자료	삼성바이오로직스 거래재개 결정은 자본시장 불신과 불투명성만 키운 것	경실련	재벌개혁위원회
20181211	보도자료	민생외면 · 밥그릇 챙기기로 불신 키운 국회, 조속한 임시국회 소집으로 개혁입법 처리하라	경실련	정책위원회
20181211	보도자료	사회적기업 전국네트워크 "우수 사회적기업 어워드" 시상식	경실련공동	한국YWCA연합회 외
20181211	보도자료	UN주거권 특별보고관 긴급 서한	경실련공동	주거권실현을위한한국 NGO모임
20181211	보도자료	북교류협력법 개정안 입법청원 기자회견	경실련	통일협회
20181212	보도자료	금융위원회의 신용정보법 비판 기자회견	경실련공동	건강권실현을위한보건의료단체연합 외
20181213	보도자료	선거제도 개혁 촉구 여의도 불꽃집회	경실련공동	정치개혁공동행동
20181213	회의	GMO표시제도 개선 사회적협의체 출범	경실련공동	GMO표시제도 개선 사회적협의체
20181213	보도자료	제4회 경실련 좋은사회적기업상 및 제27회 경실련 좋은기업상 시상식	경실련	경제정의연구소
20181214	보도자료	무분별한 토건사업위해 혈세낭비 앞장서는 문재인 정부를 규탄한다	경실련	정책위원회
20181215	보도자료	선거제도 개혁을 위한 행진 및 여의도 불꽃 집회, 국회 앞	경실련공동	정치개혁공동행동
20181217	보도자료	5당 합의를 바탕으로 비가역적 정치개혁으로 나아가야	경실련공동	정치개혁공동행동
20181217	보도자료	경제교육 포럼 개최 및 경제교육상 시상식	경실련공동	경제교육단체협의회
20181217	보도자료	대법원의 법원조직법 개정안 즉각 폐기해야	경실련	정책위원회
20181218	정책토론	선거법 개정 방향 합의를 위한 시민사회 대토론회	경실련공동	시민사회단체연대회의 외
20181218	보도자료	토건주도 성장으로는 지속적인 경제성장 불가능하다	경실련	정책위원회
20181219	보도자료	고속철도 분리운영 2년에 대한 국민여론조사 - 응답자의 50.6%, KTX와 SRT 통합 찬성	경실련	정책위원회
20181219	보도자료	공급확대 보다는 고장난 시스템부터 바로 잡아라	경실련	서민주거안정운동본부
20181221	보도자료	서울 주요 아파트 단지 30년간 공시지가 변화 발표 기자회견, 경실련 강당	경실련	서민주거안정운동본부
20181221	보도자료	국회는 더 이상 공수처 법안을 외면하지 말라	경실련	정책위원회
20181227	보도자료	또 다시 무산된 공수처 설치와 검찰개혁 : 국회는 분노하는 국민의 목소리가 들리지 않는가	경실련공동	공수처설치촉구공동행동
20190107	보도자료	토지공개념의 뿌리인'공시지가'조작의 몸통을 밝혀내라	경실련	서민주거안정운동본부
20190107	정책토론	세운상가 인근지역 재개발사업 대응을 위한 시민단체 회의	경실련공동	도시연대 외
20190108	보도자료	경실련, 정치 · 국회불신 해소 위해서도 연동형 비례대표제 도입해야	경실련	정책위원회
20190109	보도자료	최저임금 중요성에 비추어 최저임금 결정체계 이원화는 신중하게 검토해야	경실련	노동위원회
20190109	보도자료	경원 원내대표와 자유한국당은 '공평과세'부정하나	경실련	서민주거안정운동본부
20190110	보도자료	대통령 신년 기자회견 논평	경실련	정책위원회
20190110	보도자료	국회는 소모적 정쟁을 중단하고 1월내에 선거제도 개혁에 합의하라	경실련공동	정치개혁공동행동
20190111	보도자료	사법농단 핵심 피의자, 양승태 전 대법원장 철저히 수사하라	경실련	정책위원회
20190111	보도자료	예천군의회 추태, 공천제도 및 해외연수제도 전반 개선해야	경실련	지방자치위원회
20190114	보도자료	1월 내 연동형 비례대표제 도입 등 선거제도 개혁안 합의 처리하라!	경실련공동	정치개혁공동행동

생산일자	세부형태	제목	출처분류	생산자(처)
20190114	보도자료	미룰 이유 없는 공수처 설치, 조속히 합의해야	경실련공동	공수처설치촉구공동행동
20190114	보도자료	불로소득 환수를 위한 공시가격 개선을 촉구한다!	경실련	서민주거안정운동본부
20190115	보도자료	혁명보다 어려운 조달관료개혁, 대통령이 직접 나서라	경실련	국책사업감시단
20190116	정책토론	대한항공 정상화를 위한 국민연금의 역할은 무엇인가?	경실련공동	참여연대 외
20190116	보도자료	제주영리병원 철회를 위한 의료민영화 저지 범국민운동본부 재출범	경실련공동	의료민영화저지범국민운동본부
20190116	보도자료	검찰의 SK케미칼 · 애경산업 · 이마트 압수수색에 대한 의견	경실련	가습기살균제 참사 전국네트워크
20190117	보도자료	국회는 공수처안 즉각 통과시켜라	경실련공동	공수처설치촉구공동행동
20190117	보도자료	표준주택 공시가격 재조사 요청한 6개 자치단체장 공개질의	경실련	서민주거안정운동본부
20190117	보도자료	도심산업생태계와 역사문화가 보전되는 재생으로 전환하라	경실련	도시개혁센터
20190118	보도자료	지자체별 나눠 먹기식 예타 면제 중단하라	경실련	국책사업감시단
20190121	보도자료	가압류 당한 녹지국제병원 엉터리 허가 철회 촉구	경실련공동	의료민영화저지범국민운동본부
20190121	보도자료	제주 녹지국제병원에 대한 공공병원 인수 요구를 거부한 원희룡 도지사 규탄	경실련공동	의료민영화저지범국민운동본부
20190121	보도자료	정부가 정한 땅값은 시세의 38%, 집값은 67% 두 배 차이	경실련	서민주거안정운동본부
20190122	보도자료	선거제도 개혁 취지보다 정당 이해 앞세운 민주당 선거제도 개혁안	경실련공동	정치개혁공동행동
20190123	보도자료	더불어민주당과 자유한국당은 1월 내 선거제도 개혁이라는 국민과의 약속을 이행하라	경실련공동	정치개혁공동행동
20190123	홍보	연동형 비례대표제, 왜 필요할까요? (카드뉴스)	경실련	정책위원회
20190123	보도자료	토건재벌 배불리는 나눠먹기 예타 면제 중단하라	경실련공동	환경운동연합 외
20190124	보도자료	국회는 연동형 비례대표제 도입 등 선거제도 개혁에 나서라!	경실련	전국경실련
20190124	보도자료	양승태 구속을 시작으로 사법농단에 대한 명명백백한 진상 규명이 이루어져야	경실련	정책위원회
20190124	보도자료	애플-통신사의 시연폰 강매 불공정관행 규탄 기자회견 개최	경실련공동	참여연대 외
20190125	정책토론	경실련 대표단-심상정 정개특위 위원장 면담 통해 인식 공유	경실련	정책위원회
20190125	보도자료	공시가격 현실화 53%는 공평과세 의지가 없는 것이다	경실련	서민주거안정운동본부
20190127	보도자료	지자체 나눠먹기 예타 면제, 과거 5년치(4.7조원)의 최대 9배 (42조원) 규모	경실련	서민주거안정운동본부
20190128	보도자료	[72시간 비상행동] 선거제도 개혁 합의처리 촉구 국회 앞 72시간 이어말하기 및 농성	경실련공동	정치개혁공동행동
20190128	보도자료	공수처 가로막는 국회 사개특위 의원들에게 항의합시다!	경실련공동	공수처설치촉구공동행동
20190129	정책토론	바람직한 농업농촌 공익기능 활성화 직접보상기본법 제정 방향은?	경실련공동	김종회 국회의원 외
20190129	정책토론	오신환 사개특위 검경개혁소위 위원장 면담	경실련공동	공수처설치촉구공동행동
20190129	보도자료	문재인 정부의 토건적폐 경기부양을 규탄한다	경실련	서민주거안정운동본부
20190129	보도자료	상가법개정운동본부 해단식	경실련공동	참여연대 외
20190130	정책토론	세운상가 일대 산업생태계와 역사문화, 어떻게 보존할 것인가?	경실련공동	도시연대 외
20190130	조직	정보경찰 폐지 인권시민사회단체 네트워크	경실련공동	정책위원회
20190131	보도자료	1월 선거제도 개혁 합의 약속 파기한 두 거대정당을 강력히 규탄한다	경실련공동	정치개혁공동행동
20190131	소송	정진엽 전 보건복지부장관의 직무유기 고발	경실련공동	의료민영화저지범국민운동본부
20190201	홍보	연동형 비례대표제, 이렇게 해야합니다!(카드뉴스)	경실련공동	정치개혁공동행동
20190201	보도자료	설 맞이 선거제도 개혁 홍보 전단지 서울역.용산역 배포	경실련공동	정치개혁공동행동
20190208	보도자료	공정위와 기재부는 일감몰아주기 과세와 공시에 대한 특혜를 중단하고, 즉각 개정하라!	경실련	재벌개혁위원회
20190208	보도자료	재벌빌딩 공시가격 아파트의 절반 수준(36%)	경실련	서민주거안정운동본부
20190211	보도자료	더불어민주당은 재벌숙원사업 차등의결권 도입 즉각 중단하라!	경실련	재벌개혁위원회
20190211	보도자료	제주 영리병원 철회 및 공공병원 전환 촉구 청와대 앞 결의대회	경실련공동	의료민영화저지범국민운동본부
20190212	정책토론	김종민 정개특위 간사와의 면담	경실련공동	정치개혁공동행동
20190212	보도자료	자유한국당 당대표 후보들의 공수처 도입에 관한 입장표명을 요청한다!	경실련공동	공수처설치촉구공동행동
20190212	보도자료	찔끔 인상된 2019년 표준지가로는 공평과세 어림없다	경실련	서민주거안정운동본부
20190214	보도자료	불법 무차입 공매도 방치한 최종구 금융위원장 등 고발 기자회견	경실련공동	희망나눔주주연대 외
20190214	보도자료	기초 단위 중심의 자치경찰제 도입이 필요하다	경실련	지방자치위원회
20190214	보도자료	소비자 선택권 없는 GMO감자 수입승인 반대한다!	경실련	소비자정의센터
20190215	보도자료	DTC 유전자 검사 항목 확대 특례 철회 요구	경실련	보건의료위원회
20190218	회의	제 30기 1차 상임집행위원회	경실련	상임집행위원회
20190218	조직	경실련 재벌개혁운동본부 발족	경실련	재벌개혁운동본부
20190218	조직	경실련 부동산건설개혁운동본부 발족	경실련	부동산건설개혁운동본부

생산일자	세부형태	제목	출처분류	생산자(처)
20190218	보도자료	14년간 공시가격 조작으로 징수 못한 세금만 70조	경실련	부동산건설개혁본부
20190218	보도자료	금융위원회의 비민주적 신용정보법 개정 반대한다!	경실련공동	함께하는시민행동 외
20190219	보도자료	제주 영리병원, 공공병원 전환의 대안을 마련하다!	경실련공동	의료민영화저지범국민운동본부
20190221	보도자료	국회의원 전원 입장 혹인 및 선거제도 국회 개혁 수용 촉구 활동 선포 기자회견	경실련공동	정치개혁공동행동
20190222	회의	제 15기 2차 중앙위원회	경실련	중앙위원회
20190226	보도자료	5대 재벌 토지자산(땅값) 실태 조사 기자회견	경실련	재벌개혁운동본부
20190226	보도자료	공공뿐 아니라 민간도 분양가상한제와 원가공개 시행하라	경실련	부동산건설개혁본부
20190227	보도자료	유선주 공정위 심판관리관 공익신고자 인정, 보호조치 및 불이익조치 금지가 이루어져야	경실련	재벌개혁운동본부
20190227	보도자료	자유한국당 전당대회에서 공수처를 외치다!	경실련공동	공수처설치촉구공동행동
20190227	정책토론	포털뉴스서비스 이용자 평가와 과제 토론회 개최	경실련공동	언론개혁시민연대 외
20190228	보도자료	북미정상회담의 실망스러운 결과... 해답은 대화뿐	경실련	통일협회
20190304	보도자료	녹지국제병원 개원 시한 종료에 따른 영리병원 즉각 철회 촉구	경실련공동	의료민영화저지범국민운동본부
20190305	보도자료	국내 판매되는 모든 자동차는 예외 없이 레몬법에 적용 되어야 한다	경실련	소비자정의센터
20190305	보도자료	SK케미칼 임직원 구속영장, 늦었지만 환영한다	경실련공동	가습기살균제 참사 전국네트워크
20190306	보도자료	개인정보보호법, '빨리'가 아니라 '제대로' 개정해라	경실련공동	민주사회를위한변호사모임 외
20190307	보도자료	이명박 전 대통령의 증거인멸 우려 자초한 재판부, 엄정하고 신속하게 재판 진행하라	경실련	정책위원회
20190307	보도자료	개성공단 · 금강산관광 재개로 한반도 평화, 남북관계 발전 주도하자	경실련공동	흥사단 외
20190307	보도자료	고가단독은 '마이너스' 건물값으로 세금 특혜제공	경실련	부동산건설개혁본부
20190308	보도자료	공직자부패범죄수사처 설치 의견서 제출	경실련공동	공수처설치촉구공동행동
20190311	보도자료	정치개혁에 관한 의원 입장표명 단속하는 더불어민주당 개탄스럽다	경실련공동	정치개혁공동행동
20190311	보도자료	기득권 챙기기에 급급한 더불어민주당과 자유한국당의 선거법 협상안을 강력히 규탄한다.	경실련공동	정치개혁공동행동
20190311	보도자료	3월 임시국회에서 "처리해야 할" 8대 법안 "철회해야 할" 2대 법안	경실련	정책위원회
20190312	보도자료	주민투표법 개정, 개정이 아니라 개악이다	경실련	지방자치위원회
20190313	보도자료	영동개발 강제수용 했던 땅으로 협회와 공기업만 배불려	경실련	부동산건설개혁본부
20190313	보도자료	제주 영리병원 사업계획서에 대한 입장 및 영리병원 즉각 철회 각계각층 선언	경실련공동	의료민영화저지범국민운동본부
20190313	보도자료	모든 피해에 집단소송을 제기할 수 있어야 한다	경실련	시민권익센터
20190314	보도자료	선거제도 및 국회개혁 관련 국회의원 전수 결과 발표	경실련공동	정치개혁공동행동
20190314	보도자료	자동차 업체에 레몬법 적용여부 공개질의	경실련	소비자정의센터
20190314	정책토론	세운재개발 지가상승 및 계획변경 결과 검토 및 개선방안 모색 간담회	경실련	도시개혁센터
20190315	보도자료	문재인정부도 재벌 건물주 위해 공시가격 조작에 동참하려는가?	경실련	부동산건설개혁본부
20190318	보도자료	'타워크레인 안전사고' 이대로 괜찮나?	경실련	시민안전감시위원회
20190319	보도자료	대통령은 공시가격 시세반영률 산정근거를 공개하라	경실련	부동산건설개혁본부
20190319	청원	독립적 반부패 총괄기구 설치를 위한 부패방지법, 공직자 윤리법 개정 입법청원	경실련공동	흥사단 외
20190320	보도자료	제대로 분양원가 공개하면 강남에도 900만원대 아파트 가능하다	경실련	부동산건설개혁본부
20190320	보도자료	여야4당 합의안, 선거법개정 논의의 시작	경실련공동	정치개혁공동행동
20190320	보도자료	제약사와 이해관계 얽힌 이의경 식약처장 즉각 사퇴하라	경실련	보건의료위원회
20190320	보도자료	개인정보보호법 일부개정법률안 발의	경실련	소비자정의센터
20190320	정책토론	신용정보 규제완화, 빅데이터 시대의 해법인가?	경실련공동	함께하는시민행동 외
20190320	보도자료	제대로 분양원가 공개하면 강남에도 900만원대 아파트 가능하다	경실련	부동산건설개혁본부
20190321	정책토론	차등의결권 도입문제 진단 및 지배구조개선 상법개정 모색 토론회	경실련공동	경제개혁연대 외
20190322	보도자료	7개 부처 장관 후보자들의 부동산 재산 신고 가격 시세 60.4%에 불과	경실련	정책위원회
20190322	보도자료	'몽땅 하청' 건설업체에게 "돈 퍼주자"는 국회 규탄한다	경실련	부동산건설개혁본부
20190325	회의	제 30기 2차 상임집행위원회	경실련	상임집행위원회
20190325	보도자료	의료민영화, 보건의료 규제개악 3법 즉각 폐기 촉구 기자회견	경실련공동	의료민영화저지범국민운동본부
20190326	보도자료	최정호 국토교통부 장관 후보자는 자진 사퇴하라	경실련	부동산건설개혁본부
20190327	보도자료	문재인 대통령의 국정농단 주범인 전경련과 공식만남은 재벌개혁 포기 선언	경실련	재벌개혁운동본부
20190327	보도자료	대한항공 조양호 회장 이사 선임부결은 기업가치와 주주 가치를 심각히 훼손한데 따른 당연한 결과	경실련	재벌개혁운동본부

생산일자	세부형태	제목	출처분류	생산자(처)
20190327	보도자료	핵심 쟁점을 축소 은폐한 원희룡 도지사의 행정청문 규탄	경실련공동	의료민영화저지범국민운동본부
20190328	보도자료	공시가격 정상화, 다시 박원순 서울시장에게 묻는다	경실련	부동산건설개혁본부
20190328	보도자료	기소권 없는 공수처는 공수처가 아니다	경실련공동	공수처설치촉구공동행동
20190328	보도자료	최정호, 조동호, 진영 장관 후보자 지명 철회하라	경실련	정책위원회
20190329	보도자료	부동산 자산증식 당연시하는 청와대 인식 및 제도 개선 필요하다	경실련	부동산건설개혁본부
20190329	보도자료	국회는 중앙 조달행정을 개혁하라	경실련	부동산건설개혁본부
20190329	보도자료	문재인 대통령은 무너진 인사시스템을 바로 세워라	경실련	정책위원회
20190329	보도자료	재정비촉진지구 주상복합아파트 건설 활성화방안 중단 촉구	경실련	도시개혁센터
20190331	보도자료	유전자 치료제 '인보사' 성분 변경 사태에 대한 논평	경실련	보건의료위원회
20190401	보도자료	대통령은 진영 장관후보자도 지명을 철회하라!	경실련	부동산건설개혁본부
20190402	보도자료	14년간 공시가격 축소조작한 자치 단체장 감사청구	경실련	부동산건설개혁본부
20190402	홍보	공수처 팩트체크 ; 공수처를 둘러싼 오해와 진실(카드뉴스)	경실련	시민입법위원회
20190402	보도자료	SK케미칼 홍지호 전 대표 구속, 진상 규명 이제 시작일 뿐	경실련공동	가습기살균제 참사 전국네트워크
20190403	감사청구	국민연금 스튜어드십코드 부적정 적용한 보건복지부, 국민연금 기금운용본부, 수탁자책임전문위원회 등을 철저하게 감사하라	경실련	재벌개혁운동본부
20190403	보도자료	공시가격 조작의 몸통인 국토부를 감사하라	경실련	부동산건설개혁본부
20190403	보도자료	전국을 토건판으로 만들기 위한 예타제도 무력화방안	경실련	국책사업감시단
20190403	보도자료	자동차 레몬법 적용여부 공개질의 결과발표	경실련	시민권익센터
20190404	보도자료	세운재개발 개발이익 추정 및 특혜개발 중단 촉구 기자회견	경실련	도시개혁센터
20190405	보도자료	"유전자 검사, 이대로 좋은가?" 토론회	경실련공동	한국일차보건의료학회
20190405	보도자료	유영민 장관의 '보호'를 뺀 '개인정보위원회' 주장에 대한 입장	경실련공동	진보네트워크센터 외
20190409	보도자료	무차입 공매도 방치하는 금융당국은 자본시장 관리 · 감독 책무를 방기한 명백한 직무유기	경실련	금융개혁위원회
20190410	보도자료	5대재벌 계열사 수 및 업종 분석 발표	경실련	재벌개혁운동본부
20190411	보도자료	국민 눈높이에 맞는 공직자 인사검증, 어떻게 할 것인가	경실련	정책위원회
20190411	보도자료	이미선 헌법재판관 후보자 자진 사퇴하라	경실련	정책위원회
20190411	보도자료	실손보험 청구간소화 소비자 편익 위해 반드시 필요하다	경실련	보건의료위원회
20190411	보도자료	자동차 레몬법 시행촉구 벤츠, 아우디 · 폭스바겐 의견제시 방문	경실련	시민권익센터
20190415	보도자료	분양원가공개 아파트 분석결과 2,300억 부풀렸다	경실련	부동산건설개혁본부
20190415	보도자료	국회는 국민 앞에 사과하고, 즉각 선거법 개혁에 착수하라	경실련공동	정치개혁공동행동
20190417	보도자료	국민권익위는 공정위 유선주 국장을 조속히 공익신고자 인정하라	경실련	재벌개혁운동본부
20190417	보도자료	감사원은 국토부와 지방정부의 공시가격 조작을 조속히 감사하라	경실련	부동산건설개혁본부
20190417	보도자료	바른미래당은 공수처에서 기소권을 빼는 우를 범해서는 안 됩니다	경실련	시민입법위원회
20190417	보도자료	자유한국당은 세월호 참사 희생자와 유가족을 조롱한 차명진 전 국회의원 영구 제명하라	경실련	정책위원회
20190418	보도자료	부풀려진 기본형 건축비, 2005년 이후 150조원 바가지	경실련	부동산건설개혁본부
20190418	정책토론	문재인 정부 2년, 제대로 가고 있나?	경실련	정책위원회
20190418	보도자료	문재인 정부 2년 공약 이행률 평가 결과 발표	경실련	정책위원회
20190418	보도자료	문재인 정부 2년 전문가 국정운영 설문조사, 10점 만점에 5.1점	경실련	정책위원회
20190418	보도자료	선거제도 개혁, 검찰개혁에 관한 더불어민주당과 바른미래당의 진정성 있는 결단을 촉구한다	경실련공동	정치개혁공동행동
20190418	보도자료	제주 영리병원 허가 취소 결정 관련 범국본 입장발표 기자회견	경실련공동	의료민영화저지범국민운동본부
20190419	보도자료	조선일보는 왜곡보도 정정하고, 사과하라	경실련	정책위원회
20190422	정책토론	스튜어드십 코드 어떻게 운영할 것인가?	경실련공동	경제개혁연대 외
20190423	보도자료	국회는 선거제도 개혁을 더 이상 늦춰서는 안 된다	경실련공동	정치개혁공동행동
20190423	보도자료	여야4당은 패스트트랙안에 안주하지 말고, 국민이 원하는 공수처 설치하라	경실련	시민입법위원회
20190424	보도자료	로스쿨 도입 10년, 변호사시험의 자격시험화를 요구합니다	경실련	시민입법위원회
20190424	보도자료	「통신3사 망접속료 관련 불공정거래행위 신고 기자회견」	경실련	정보통신위원회
20190429	회의	제 30기 3차 상임집행위원회	경실련	상임집행위원회
20190429	보도자료	효성그룹 전관 변호사들의 비정상적 자문계약 수사해야	경실련	시민입법위원회
20190430	보도자료	자유한국당은 명분 없는 반대 중단하고 엄중한 자세로 정치 검찰개혁 임하라	경실련공동	정치개혁공동행동
20190430	보도자료	평화 · 통일비전 사회적 대화 전국시민회의 창립총회	경실련공동	평화 · 통일비전 사회적 대화 전국시민회의
20190430	보도자료	「불법 무차입 공매도 전수조사 및 근절촉구 기자회견」	경실련공동	희망나눔주주연대 외
20190430	보도자료	문재인 정부는 ILO 핵심협약 비준에 적극 나서라	경실련	노동위원회
20190502	보도자료	문재인 대통령 삼성전자 비전선포식 참석, 참석의도와 경제 현실인식을 우려한다	경실련	재벌개혁운동본부
20190502	보도자료	엉터리 분양원가 공개로 4,100억원, 평당 490만원 부풀려	경실련	부동산건설개혁본부
20190502	보도자료	패스트트랙 그것이 궁금타(카드뉴스)	경실련	정책위원회

생산일자	세부형태	제목	출처분류	생산자(처)
20190503	정책토론	소득주도성장, 혁신성장, 공정경제는 어떻게 되었나?	경실련공동	민주사회를위한전국교수협의회 외
20190507	보도자료	판교, 위례 방식의 3기 신도시개발은 투기만 조장할 뿐이다	경실련	부동산건설개혁본부
20190509	보도자료	허술한 분양가 심사제도 즉시 폐지하라	경실련	부동산건설개혁본부
20190514	정책토론	가업상속공제제도 바람직한 개정방향은?	경실련	재벌개혁운동본부
20190514	보도자료	정부가 1천억 남긴다 발표했던 판교 이익 6.3조원, 60배 더 많아	경실련	부동산건설개혁본부
20190514	보도자료	조달청은 위법한 조달행정 농단을 즉각 중단하라	경실련	부동산건설개혁본부
20190514	보도자료	남북교류협력사업 활성화와 기반조성에 관한 통일부 공개질의	경실련	통일협회
20190515	보도자료	복지 · 노동예산 확대 요구를 요구한다	경실련공동	빈곤사회연대 외
20190515	정책토론	건강보험 보장성 확대를 위한 국민건강보험공단 간담회 참석	경실련공동	참여연대 외
20190520	보도자료	강원랜드 관련 대법원 판결은 거수기로 전락한 사외 이사들에게 경종을 울리는 계기가 되어야	경실련	재벌개혁운동본부
20190521	보도자료	금융당국은 무차입 공매도 근절 약속 조속히 이행하라	경실련	금융개혁위원회
20190522	보도자료	경기도는 불공정 공시가격 실태조사 및 개선에 적극 나서라	경실련	부동산건설개혁본부
20190522	보도자료	ILO긴급 공동행동 - 문재인 대통령은 ILO 핵심협약 즉각 비준하라	경실련공동	시민사회단체연대회의 외
20190523	보도자료	감사원은 70조 세금특혜, 불공정 공시가격 당장 감사하라	경실련	부동산건설개혁본부
20190523	보도자료	과천 지식정보타운 분양을 중단하고, 관련자를 수사하라	경실련	부동산건설개혁본부
20190527	회의	제 30기 4차 상임집행위원회	경실련	상임집행위원회
20190527	보도자료	연 4조 원을 삼성 등 재벌 대기업에 퍼주는 바이오헬스 전략 철회촉구	경실련공동	의료민영화저지범국민운동본부
20190527	보도자료	문재인 정부와 국회는 국민건강 팔아넘기는 의료민영화 중단하라	경실련공동	의료민영화저지범국민운동본부
20190528	보도자료	인보사 허가취소, 식약처도 공범이다	경실련	보건의료위원회
20190530	보도자료	세운재개발사업 사업자 개발이익실태 발표	경실련	도시개혁센터
20190603	보도자료	인터넷전문은행 대주주 자격 완화 추진 중단해야	경실련공동	참여연대 외
20190603	보도자료	내구연한 7.9년짜리 타워크레인, 정부가 20년으로 사용연한 늘려줘	경실련	시민안전감시위원회
20190604	보도자료	자유한국당의 막말 정치, 총선에서 표로 심판받을 것	경실련	정치개혁위원회
20190604	교육	준연동형 비례대표제에 대한 평가와 전망	경실련공동	정치개혁공동행동
20190605	보도자료	인터넷전문은행 대주주 자격 완화 추진 규탄 공동기자회견	경실련공동	참여연대 외
20190610	보도자료	지속가능발전위원회 회의	경실련	경실련지속가능발전위원회
20190610	보도자료	국회의 잘못된 관행과 제도 바로 잡아야	경실련	정치개혁위원회
20190611	보도자료	가업상속공제, 제도 취지와 달리 부의 대물림으로만 활용 되어서는 안된다	경실련	재벌개혁운동본부
20190611	보도자료	재벌체제 개혁을 위한 을들의 만민공동회	경실련공동	전국민주노동조합총연맹 외
20190611	보도자료	정치개혁공동행동 대표단의 원내대표 면담	경실련공동	정치개혁공동행동
20190611	보도자료	이희호 여사의 별세에 깊은 애도를 표합니다	경실련	통일협회
20190612	보도자료	선거제도 개혁 추진 방향에 대한 요구	경실련공동	정치개혁공동행동
20190612	보도자료	새 검찰총장은 정치적 중립과 검찰개혁 의지가 강한 인물이어야	경실련	시민입법위원회
20190613	보도자료	자유한국당은 조건 없이 국회 정상화에 협조하라!	경실련	정치개혁위원회
20190613	보도자료	의정은 나몰랑, 특권만 챙기면 되징~	경실련	정치개혁위원회
20190614	보도자료	ILO 핵심협약 조건 없는 즉각비준이 해법이다	경실련공동	ILO긴급 공동행동
20190617	보도자료	국민 외면 파행국회, 더 이상은 못 참겠다!	경실련공동	정치개혁공동행동
20190617	보도자료	ILO 핵심협약 비준 촉구 대행진	경실련공동	ILO긴급 공동행동
20190618	참고자료	칼이 살아야 나라도 산다(칼럼)	경실련	시민입법위원회
20190618	보도자료	손혜원 의원의 부패방지 위반 혐의 철저히 따져 공직자의 부패 재발 막아야 한다	경실련	정부개혁위원회
20190620	보도자료	국회는 정치개혁특위 활동기한부터 연장하라	경실련공동	정치개혁공동행동
20190620	보도자료	건강보험 보장성 강화와 재정 지속 가능성을 위한 구체적 방안을 마련 촉구	경실련	보건의료위원회
20190621	보도자료	김상조 정책실장, 이호승 경제수석 등 임명에 대한 입장	경실련	재벌개혁운동본부
20190624	회의	제 30기 5차 상임집행위원회	경실련	상임집행위원회
20190624	보도자료	15년째 조작하고 있는 공시가격제도 폐지하라	경실련	부동산건설개혁본부
20190625	보도자료	국토부는 변명대신 공시가격과 시세반영률 산정근거부터 공개하라	경실련	부동산건설개혁본부
20190626	보도자료	'인보사 사태 해결과 의약품 안전성 확보를 위한 시민대책위' 출범 기자회견	경실련공동	인보사 사태 해결과 의약품 안전성 확보를 위한 시민대책위원회
20190627	보도자료	정개특위는 패스트트랙 지정 공직선거법 개정안을 당장 의결 하라!	경실련	정책위원회
20190630	보도자료	남북미 정상의 역사적 만남을 환영한다	경실련	통일협회
20190701	보도자료	10년 임대주택 불공정약관 공정위 심사청구	경실련	부동산건설개혁본부
20190701	보도자료	자동차 레몬법 시행 6개월, 아직 10개 수입차 브랜드 수용 거부	경실련	소비자정의센터
20190703	교육	4차 산업혁명 시민포럼 아카데미(7.3-8.14)	경실련공동	콘라드아데나워재단 외

생산일자	세부형태	제목	출처분류	생산자(처)
20190704	정책토론	임시조시제도 개선 국회 토론회	경실련공동	참여연대 외
20190705	보도자료	공직자 공개재산, 시세의 국토부 57.7% · 인사혁신처 52.1%에 불과	경실련	부동산건설개혁본부
20190709	소송	과천지식정보타운 조성사업 특혜 고발	경실련	부동산건설개혁본부
20190709	보도자료	통일부 장관 간담회	경실련	통일협회
20190710	보도자료	인사혁신처에 고위공직자 부동산 재산신고 기준인 실거래가 해석에 대한 질의서 발송	경실련	부동산건설개혁본부
20190711	보도자료	소비자 편익 제고를 위한 실손보험 청구간소화 법안 통과가 시급하다!	경실련	보건의료위원회
20190712	보도자료	'인보사' 건강보험 등재 연구용역을 수행한 이의경 식약처장은 사퇴하라!	경실련공동	인보사 사태 해결과 의약품 안전성 확보를 위한 시민대책위원회
20190712	보도자료	정부는 최저임금 결정 결과에 대해 명확한 입장을 밝혀라	경실련	노동위원회
20190715	정책토론	공정위 현대중공업-대우조선 기업결합심사 문제점 진단 전문가 집담회	경실련공동	재벌특혜대우조선매각저지전국대책위 외
20190715	보도자료	김현미 장관은 제대로 된 분양가상한제를 시행하라	경실련	부동산건설개혁본부
20190715	소송	예정가격 초과 입찰자 선정으로 수백억 혈세 낭비한 조달청 관계자 등 검찰 고발	경실련	부동산건설개혁본부
20190715	정책토론	로스쿨제도 취지 구현을 위한 변호사시험 개선방안 모색 토론회	경실련공동	민주사회를위한변호사모임 외
20190717	정책토론	공직자 이해충돌 어떻게 막을 것인가?	경실련공동	흥사단 외
20190718	보도자료	부도덕 정치인에 대한 징계로 국회 쇄신해야	경실련	정치개혁위원회
20190718	보도자료	청와대는 정보국 해체하고, 정보경찰 폐지하라!	경실련공동	민주사회를위한변호사모임 외
20190719	보도자료	분양가상한제 '제대로' 적용하면 아파트 분양가 절반으로 낮아진다	경실련	부동산건설개혁본부
20190722	보도자료	유엔 경제사회이사회 "재벌개혁" 기조연설	경실련	재벌개혁운동본부
20190722	보도자료	정부는 눈치보지 말고 소비자위한 분양가상한제 실시하라	경실련	부동산건설개혁본부
20190722	보도자료	국민권익위의 공직자 이해충돌방지법 제정안 환영논평	경실련	시민입법위원회
20190722	보도자료	'졸속,불통,토건'광화문광장 재구조화사업 중단 촉구 기자회견	경실련공동	도시연대 외
20190724	정책토론	99% 상생을 위한 사회연대 방안 모색_최저임금으로 바라본 소득주도성장과 양극화 해소 정책진단, 재벌개혁	경실련공동	참여연대 외
20190724	보도자료	공공이 땅장사 안 했다면 13조원 민간로또도 없었을 것	경실련	부동산건설개혁본부
20190724	보도자료	진영 행안부 장관의 정당공천 폐지 발언지지 한다	경실련	지방자치위원회
20190725	소송	LH · SH공사 분양원가(공사비내역) 비공개 처분 취소 행정소송 제기	경실련	부동산건설개혁본부
20190725	보도자료	10년임대아파트 약관심사 청구 관련 공정거래위원회 면담	경실련	부동산건설개혁본부
20190725	보도자료	과거사 부정, 경제보복, 한일갈등 조장 아베정권 규탄 기자회견	경실련공동	민주사회를위한변호사모임 외
20190730	보도자료	경실련, 검찰개혁에 대한 시민인식조사 발표	경실련	시민입법위원회

2. 연대활동

활동일시	활동내용
1999 04 02	환경농업실천가족연대 창립
1990 08 02	한국 · 일본 · 대만 토지주택시민연맹
1990 09	수돗물살리기연합
1991 01 29	무주택 청약가입자의 권익지키기 모임
1991 02 07	공명선거실천시민운동협의회 발족(2007.5.28. 탈퇴)
1991 02 19	수서비리규명 시민진상조사위원회
1991 03 21	수돗물페놀오염 시민단체 대책협의회
1991 02 10	사법부의 공명선거의지축구를 위한 긴급대책위원회
1992 03 23	군부재자 투표 부정 진상규명대책위원회
1992 03 31	UN환경개발회의 한국위원회
1992 04 21	성폭력 특별법 제정 추진 특별위원회
1992 06 18	깨끗한 정치를 위한 시민의 모임
1992 10 30	환경사회단체협의회
1992 09 19	MBC정상화와 공정방송실현을 위한 범국민대책위원회
1992 11 05	주한미군의 윤금이씨 살해사건공동대책위원회
1993 02 20	정의로운 사회를 위한 시민운동협의회(정사협)
1993 03	담배광고 금지입법 공동추진위원회
1993 04 01	쌀과 기초농산물 수입개방저지 범국민운동
1994 09 12	한국시민단체협의회(시민협) 참여
1994 10	의료보험통합일원화와 보험적용 확대를 위한 범국민 대책위원회
1994 11 29	식품안전성 확보 시민연대기구
1995 04 07	아태지역 시민사회지도자 포럼
1995 05 12	수입식품안전성 확보를 위한 시민 농민단체 연대회의
1995 05 12	96 세계주거회의 한국민간위원회
1995 05 26	우리 쌀 지키기 캠페인
1995 07 25	5.18 학살자처벌특별법제정 범국민비상대책위원회
1995 08 29	바른정치 입법청원운동본부
1995 08 29	성폭력 대책기구
1995 10 13	근로자파견법 저지 공동대책위원회
1995 10 13	5세아 조기입학반대 연대회의
1995 12 26	부패추방범국민연대회의
1996 01 19	국민복지실현추진연합회
1996 01 29	3 · 8세계여성의날 기념 한국여성대회
1996 03 06	1996 지구의날 자전거대행진
1996 05 21	경주문화재 보존을 위한 시민사회단체 연석회의
1996 05 21	국가보안법개정운동
1996 05 21	북한식량지원운동

활동일시	활동내용
1996 05 28	의료보험연대회의
1996 06 14	외국인노동자 인권보장 및 지원활동 탄압저지를 위한 공동대책협의회
1996 06 25	교수 재임용제도 악용 관련 위헌신청 및 개정운동
1996 06 25	미기지공여관련 한미행정협정 불평등 해소운동
1996 07 16	세계우리겨레공동체(Global Korean Network, GKN)
1996 06 23	가정평화를 위한 가정폭력방지법 제정 추진 범국민운동본부
1996 08 02	스크린쿼터감시단
1996 08 02	1996 양심수석방을 위한 캠페인
1996 08 23	서울교통문제 해결을 위한 시민단체 연대
1996 09 13	사회복지예산 GDP 5% 확보운동 공동대책위원회
1996 09 13	6 · 10항쟁 10주년기념사업 발기인
1996 09 24	중국동포의 밤 및 일본군위안부 문제의 올바른 해결을 위한 시민연대
1996 01 22	외국인노동자제도 개혁을 위한 시민대책위원회
1997 11 06	택시제도 개선운동
1998 11 24	그린벨트살리기 국민행동
1999 03 30	의약분업실현과 의료계의 부당한 집단진료거부 철회를 위한 시민단체연석회의
1999 06 19	희망의 행진 99
1999 06 19	ASEM2000 한국민간단체포럼
1999 06 19	한국장묘문화개혁범국민협의회
1999 09 20	국가보안법 반대 국민연대
1999 10	불평등한 SOFA개정국민행동
1999 10 27	의료개혁시민연합
2000 02 18	프로야구 선수협을 지지하는 시민단체모임
2000 04 03	의약분업 정착을 위한 시민운동본부
2000 05 25	서울시 친환경 도시계획조례 제정촉구운동
2000 08	언론개혁시민연대 언론정보공개시민운동본부
2000 08 02	수도권 살리기 시민네트워크
2000 08 14	국민건강권 수호와 의료계 폐업철회를 위한 범국민대책회의
2000 08 30	지리산 살리기 국민행동
2000 09 04	호주제 폐지를 위한 시민연대
2000 09 04	국정감사 모니터 시민연대
2000 09 07	경인운하건설 백지화 촉구 시민공동대책위
2000 09 20	새국토연구협의회
2000 09 28	박정희 기념관 반대 국민연대
2000 10	국민기초생활보장법 제정 추진 연대회의
2001 02 24	시민사회단체연대회의
2001 03 20	수도권 공장총량제 완화반대운동
2001 04 30	공직사회개혁과 공무원 노동기본권 쟁취를 위한 공동대책위원회
2001 08 31	그린벨트해제반대운동
2001 12 13	금강산을 사랑하는 범국민연대

활동일시	활동내용
2002 01 04	민간의료보험 확대저지 공동대책위원회
2002 03 13	그린벨트 내 임대주택 건설 반대운동
2002 05 21	덕수궁 터 미 대사관 아파트 신축반대 시민모임
2002 06 24	공공부문의 바람직한 발전을 위한 공동대책위원회
2002 09 14	깨끗한 대통령 만들기 유권자 캠페인
2002 10	자랑스런 나라 만들기운동
2003 04 08	올바른 청계천 복원 촉구운동
2003 04 18	이라크 난민돕기 시민네트워크
2003 04	반전반핵평화 시민네트워크
2003 04 18	최저주거기준 법제화 운동
2003 09	반부패 정치개혁 국민행동
2003 10	서울시 학교급식조례 제정운동본부
2003 11	납세자 모니터단
2004 04 27	북한 룡천역 폭발사고 피해동포돕기 운동본부
2004 08 24	의료의 공공성과 건강보험 보장성 강화를 위한 연대회의(종료)
2004 10 25	성매매 없는 사회 만들기 시민연대
2004 11 29	토지정의시민연대(2006.2.27. 탈퇴)
2005 03 28	미디어수용자주권연대
2005 04 25	MDGs 한국위원회
2005 10 21	의료사고피해구제법 제정을 위한 시민연대
2007 06 25	NGO사회적 책임운동
2007 09 17	세금낭비 시민감시운동
2007 11 26	국민농업포럼
2008 03 31	티베트국민행동
2009 05 25	중소상인 살리기 전국 네트워크
2009 05 25	기초지방선거 정당공천 폐지를 위한 전국운동본부
2009 05 25	인천공항철도 민자사업 진상규명과 책임자 처벌을 위한 국민조사단
2009 12	적십자병원 공공성 확대를 위한 시민대책위
2010 03 29	사할린 희망캠페인
2010 04 22	금융규제강화와 투기자본과세를 위한 시민사회네트워크
2010 06 21	KBS 수신료 인상저지 범국민행동
2010 10 14	4대강사업 검증 연대
2011 03 09	조중동 방송저지 네트워크
2011 05 02	사법개혁을 위한 안전시민사회단체 공동대책위원회
2011 11 28	사회적 기업 활성화 전국 네트워크
2012 01 30	KTX 민영화 저지와 철도 공공성 강화를 위한 범국민대책위원회
2012 05 03	망중립성이용자포럼
2013 01	SDSN 포럼
2013 07	기초지방선거 정당공천 폐지대선공약 이행촉구시민행동

활동일시	활동내용
2013	균형발전지방분권 전국연대
2013 09 22	철도공공성시민모임
2013 11 07	송현동 호텔건립반대 시민모임
2014 03 11	의료민영화 저지 및 의료공공성 강화 범국민대책위원회
2014 04 28	먹거리안전과 식량주권실현을 위한 범국민연대(식량주권운동본부)
2014 10 27	2015 농협조합장 동시선거 매니페스토
2005 01 28	서민주거안정을 위한 임대차보호법 개선 주거단체 연대
2015 04	좋은 농협만들기 국민운동본부
2016 06 20	가습기살균제참사전국네트워크(종료)
2016 08 30	GMO반대전국행동
2017 02	경제교육단체협의회
2017 03 27	제주 4.3 70주년 기념사업 범국민위원회
2017 04 24	국민주권제도화운동
2017 06 08	정치개혁공동행동
2017 06 26	국민주도 헌법개정 전국네트워크
2017 09 25	공수처설치촉구공동행동
2018 03 02	GMO 완전표시제 국민청원단
2018 04	GMO 완전표시제 시민청원단
2018 05	공매도 제도개선을 위한 주주연대
2018 07 11	상가임대차보호법 개정 국민운동본부
2018 09 17	정치개혁 공동행동
2018 10 10	불평등 해소를 위한 보유세 강화 시민행동
2018 10 29	평화통일비전 사회적 대화를 위한 전국시민회의
2018 11 26	전국민주시민교육네트워크
2018 11 26	GMO 표시제도 개선 사회적 협의체
2019 01 30	정보경찰 폐지 인권시민사회단체 네트워크
2019 06 00	ILO 긴급 공동행동
2019 06 24	99% 상생연대
2019 06 25	인보사 사태 해결과 의약품 안전성 확보를 위한 시민대책위
2019 07 22	광화문 광장 졸속추진 중단운동
2019 09 24	주택임대차보호법개정연대
2019 09 26	개성공단-금강산관광 재개 범국민 운동본부

시민과 함께 한
경제정의실천시민연합 30년사

Ⅱ. 경실련의 조직 및 운영

1. 규약 개정의 역사
2. 규약 및 규칙
3. 주요 회의

1. 규약 개정의 역사

경실련 규약은 경실련 본부와 지역경실련의 조직 운영과 활동의 기준을 정한 규칙이다. 경실련 규약은 1989년 11월 4일 창립대회에서 제정된 이후 지금까지 총 22차례 개정되었다. 규약의 개정은 조직의 구성에 중대한 변화를 반영해야하는 경우, 비영리민간단체나 지정기부금단체로 지정되는 등 법적 지위의 변화에 따라 법령에 맞게 정비해야하는 경우, 조직의 효율적인 운영을 위하여 현실에 맞게 조정이 필요한 경우 등의 이유로 이뤄졌다.

2019년 7월 현재의 경실련 규약은 총 6장 35조로 구성되어 있다. 제1장 총칙은 명칭, 목적, 소재, 사업 등 비영리 시민단체로서의 기본사항을 규정하고 있다. 제2장 회원은 회원의 자격과 종류, 의무, 권리, 징계, 가입과 자격상실 및 징계절차를 정하고 있다. 제3장 조직은 회원대회, 중앙위원회, 공동대표, 고문 및 지도위원, 자문회의, 감사, 상임집행위원회, 사무국, 위임 등 조직의 의사결정과 실무체계를 정하고 있다. 제4장 활동조직은 정책위원회, 조직위원회, 시민입법위원회, 국제위원회, 윤리위원회, 경실련아카데미, 지부조직 및 지역경실련협의회, 회원조직, 임원의 임기 및 결격 등 경실련 내 활동조직들의 설치 목적과 운영의 기준을 정하고 있다. 제5장 특별기구와 부설기관은 특별기구와 부설기관의 목적과 운영원칙, 성립 조건 등을 정하고 있다. 제6장 예산 및 결산은 후원회, 수입, 회계연도, 예 결산 공개, 잔여재산의 귀속 등을 규정하고 있다.

1989년 창립대회에서 제정된 경실련 창립규약은 총 6장 25조로 구성되었다. 제1장 총칙은 명칭, 목적, 소재이며, 제2장 사업은 목적 사업, 제3장 회원은 회원의 자격, 권리와 의무, 가입절차 및 징계로 구성되어 있다. 제4장 조직은 총회, 중앙위원회, 중앙상임위원회, 공동대표, 고문 및 자문위원, 감사, 상임집행위원회, 사무국, 정책연구위원회, 지역별 직종별조직, 정책연구실장 기획실장 대변인, 후원회, 특별기구를 규정하고 있다. 제5장 재정은 수입을, 제6장 부칙은 규약개정, 준칙, 효력발생을 정하고 있다.

• 1차 개정(제1기 2차 중앙위원회, 1990.9.15.) 경제정의실천시민연합의 약칭 경실련

규약 1조의 명칭에 약칭 경실련을 추가하였다. 제1조 명칭에 '이 연합은 경제정의실천시민연합이라 칭하고 필요한 경우 경실련으로 약칭한다.' 이후 '필요한 경우'를 삭제하였다.

• 2차 개정(제2차 회원총회, 1991.10.19) 회원의 권리 명시, 의결체계의 정비, 임원의 결격사유 명시

창립 규약은 이 연합의 큰 골격만 갖추고 있어 총회는 중앙위원회에 규약 개정의 권한을 위임하였다.

① 회원과 관련하여, 회원의 자격과 종류를 구분하였다. 회원가입 신청자는 회원으로, 사업을 지원하는 자는 후원회원으로 정하였다. 회원의 권리를 별도로 정하였는데 모든 회원에게는 발언권을 부여하고, 회원가입 6개월이 경과된 회원에게는 총회 의결권과 선거권 및 피선거권을 부여하였다. 예외로 상임집행위원회의 의결을 받은 자는 임원의 피선거권과 선거권 그리고 총회에서의 발언권을 부여하였다. 회원의 가입과 자격상실, 징계 등의 절차는 별도의 내규를 정하도록 하였다.

② 총회와 관련하여, 총회를 이 연합의 최고의결기구에서 최고기구로 지위를 변경하고, 매 2년마다 총회를 개최하도록 하였다. 총회의 소집권자를 공동대표에서 공동대표 또는 중앙위원회와 상임집행위원회의 결의로 가능하게 하였고, 의결 정족수를 회원 과반수 찬성에서 의결권 가진 회원 10분의 1 출석으로 개회하고 출석위원의 과반수로 규정하였다. 중앙위원은 총회가 선임하도록 하였다.

③ 중앙위원회와 관련하여, 중앙위원회의 구성은 상임집행위원회가 총회에 추천하여 선출하고, 선출된 중앙위원회가 의장단을 선출 하도록 신설하였다. 중앙위원회의 권한은 총회의 권한이었던 규약의 제정 및 개정을 할 수 있도록 하였고, 상임집행위원 및 감사 선임, 사업계획의 승인, 사업보고와 결산 등의 권한을 부여하였다. 그리고 중앙위원회의 권한을 상임집행위원회에 위임하는 조건으로 포괄 위임이 아닌 특정 사안을 지정하여 위임토록 하였다.

④ 상임집행위원회와 관련하여, 창립 규약은 의결체계를 총회 → 중앙위원회 → 중앙 상임위원회 → 상임집행위원회의 4단계에서 총회 → 중앙위원회 → 상임집행위원회의 3단계로 축소하였다. 상임집행위원회의 권한으로 고문 지도위원 상임집행위원장 및 부위원장 사무총장 정책연구위원장 조직위원장 기획실장 정책연구실장의 선임권을 부여하였다. 그리고 조직운영에 필요한 내규의 제정 및 개정권을 부여하고, 회의개최 시기를 매 2개월마다 1회에서 월 1회로 하였다.

⑤ 조직운영과 관련하여 사무처, 정책연구위원회, 조직위원회, 지역조직 등은 별도의 내규를 제정하도록 신설하였다.

⑥ 창립 규약에는 없었던 '임원의 임기와 결격'을 새 조항으로 만들었다. 임원의 임기를 상임집행위원 및 위원장, 정책연구위원장, 조직위원장, 특별기구의 장 및 운영위원은 1년, 공동대표, 중앙위원회 의장단, 중앙위원, 고문 및 지도위원은 2년, 사무총장은 3년으로 하였고, 보선된 임원의 임기는 잔여임기로 하였다. 그리고 임원의 결격 사유로 '정당에 가입한 자는 이 연합의 임원이 될 수 없으며 임기 중인 임원이 정당에 가입한 경우는 자격을 상실한다'고 구체적으로 명시하였다. 대상자는 위의 임기직 임원뿐만 아니라 지역조직과 부문조직의 임원까지 넓게 규정하여 정치 활동을 제한하였다.

⑦ 권한의 위임을 신설하였는데 총회, 중앙위원회, 상임집행위원회의 출석권과 의결권을 위임할 수 있도록 하였다. 그리고 회계연도를 1월 1일부터 12월 31일까지로 신설하였다.

- 3차 개정(제2기 3차 중앙위원회, 1990.2.20)
  - 자료 없음

- 4차 개정(제3차 회원총회, 1994.2.26)
  - 자료 없음

- 5차 개정(제4차 회원총회, 1996.2.24) 시민입법위원회와 국제위원회 신설, 정책연구위원회 개명

5차 개정에서 정책연구위원회를 정책위원회로 명칭을 변경하였다. 그리고 정책위원회 산하에 시민들의 입법운동을 지원하기 위한 시민입법위원회(제17조 1), 국제적 활동과 연대를 위한 국제위원회(제17조 2)를 신설하였다. 신설된 시민입법위원회와 국제위원회의 위원장은 상임집행위원회가 선임하고, 위원장은 임원의 임기 및 결격의 대상자로 포함하였다. 그리고 규약상의 위원회로서 조직 운영의 주요한 회의체계에 위원장이 참여하도록 자격을 부여하였다.

- 6차 개정(제4기 2차 중앙위원회, 1997.2.21) 윤리위원회 신설, 시민입법위원회와 국제위원회의 독립기구화

6차 개정은 회원 규정의 세분화와 징계, 총회의 지위, 윤리위원회의 신설 등의 개정이 있었다.

① 회원과 관련하여, 회원의 종류로 정회원, 후원회원, 특별회원으로 세분화하였다. 정회원은 정회원 명부에 등록된 자, 후원회원은 경실련을 지원하고자 하는 개인 법인 단체, 특별회원은 경실련의 발전에 기여한 자로 구분하였다. 그리고 징계 사유 중 '공신력의 실추'를 '대외적인 명예의 실추'로 변경하고, 징계 절차를 윤리위원회의 건의로 상임집행위원회의 결정하도록 하였고, 징계의 종류도 제명 정권 경고 등으로 구체화 하였다.

② 총회와 관련하여, 총회를 최고기구에서 최고 의결기구로 변경하고, 권한의 위임을 중앙위원회로 '위임 한다'에서

'할 수 있다'로 하였다.

③ 중앙위원회와 관련하여, 중앙위원회의 지위를 대의기구에서 의결기구로 변경하였고, 권한의 위임도 '특정사안'을 지정해서 상임집행위원회에 위임할 수 있다는 조항을 '위임할 수 있다'라는 포괄 위임으로 개정하였다.

④ 정책위원회 산하에 두었던 시민입법위원회와 국제위원회를 독립 기구로 분리하였다.

⑤ 경실련의 도덕적 · 운동적 관행과 품위를 유지하고 규율하기 위해 윤리위원회를 신설하였다. 윤리위원회의 의결사항은 상임집행위원회의 결정으로 확정하도록 하였다.

• 7차 개정(제5기 5차 중앙위원회, 1999.10.30) 목적에 사회정의 추가, 대의원회 신설 등 전면개정

경실련 개혁특별위원회의 제3차 회의('99.9.12)에서는 경실련의 실질적인 최고 의사결정기구를 대의원회로, 집행기구는 상임집행위원회로, 공동대표 중 1인을 지역경실련 추천인사로, 사무부총장제 도입 등을 결정하고 규약 개정을 권고하였다. 이에 제5기 임시중앙위원회에서 전면 개정에 준하는 규약개정이 있었다.

① 경실련의 목적과 관련하여, 규약의 목적에 '우리사회의 경제정의를 실현하기 위한..'에서 '우리사회의 경제정의와 사회정의를 실현하기 위한..'으로 하여 경실련의 목적에 '사회정의'를 추가하였다.

② 회원과 관련하여, 정회원의 개념을 '일반회원으로서 1년 이상 회비를 납부한 자'로 명확히 규정하고, 특별회원 규정은 삭제하였다. 후원회원은 총회에서 발언권만 인정하였다. 회원에 대한 징계 청구자격을 '윤리위원회의 건의로 상임집행위원회가 결정'으로 규정하였던 것을 '해당 기관의 장의 청구 또는 상임집행위원회의 청구가 있을 때 윤리위원회가 결의'로 청구자의 범위를 확대하였다.

③ 총회와 관련하여, 2년마다 개최하는 총회를 매년 개최하도록 하였다. 총회의 권한도 공동대표 선출 외에 총회 선출직 대의원의 선출 규약개정의 승인 감사 선임권을 부여하였다.

④ 대의원회와 관련하여, 대의원회의 구성을 150-300인 이내로 하고 각 조직들은 미리 정해진 대의원 배분 규칙에 따라 각 부문조직에서 선출하도록 하였다. 대의원회의 권한으로 공동대표 감사 총회선출직 대의원 후보 추천, 대의원회 선출직 상임집행위원 선출, 규약의 제 개정 발의권, 조직의 관련 규칙 제 개정, 개별기구 및 부설기관의 설립 및 폐지 등을 부여하였다. 회의는 년 1회의 중앙위원회와 달리 대의원회는 '반기마다' 개최하도록 하였고, 개회 성원을 제적 대의원 1/3출석으로 완화하였다.

⑤ 자문회의를 신설하였다. 원래 창립 규약에 '고문 자문회의'가 있었으나 이후 고문 지도위원'으로 개정하면서 '자문회의'를 폐지하였었다. 상임집행위원회의의 자문으로 다시 부활시켰다.

⑥ 상임집행위원회의 구성을 90인 이내에서 30-40인으로 축소하였고, 대의원회와 각 부문조직에서 선출하고, 선출된 위원들이 위원장과 부위원장을 호선으로 선출하도록 정하였다. 위원회 산하에 소위원회를 둘 수 있도록 하였다. 상임집행위원회의 권한으로 예결산안의 사전 심의, 고문 지도위원의 위촉, 사무총장의 선출, 규칙의 제정 및 개정의 발의권 등 구체화 하였고, 회의 소집 요건을 1/4에서 1/3로 강화하였다.

⑦ 사무처 관련하여, 상급부서의 설치와 장 임면 시 사무총장은 상집위원장 및 부위원장, 정책 · 조직 시민 · 입법 · 국제위원장과 협의를 하도록 했으나 상집위원장 · 정책 · 조직위원장과 협의하도록 간소화 하였다. 그리고 사무처의 부서 설치 및 인사는 사무총장과 상임집행위원장이 협의로 할 수 있도록 하였다.

⑧ 제5장 활동조직을 신설하였다. 활동조직에는 기존의 정책협의회, 조직위원회, 시민입법위원회, 국제위원회, 윤리위원회를 포함하고, 재정위원회와 지역경실련협의회를 신설하였다. 조직위원회는 회원조직 및 지역조직의 설립 운영 및 폐지와 관련한 별도의 규칙을 만들도록 하였다. 경실련의 재정을 담당하는 재정위원회는 별도의 운영규칙을 제정하도록 하였다. 지역조직 및 지역경실련협의회는 지역조직 상호간의 사업 및 정보교류를 위해 설치하며, 별도의 운영규칙을 제정하도록 했다.

⑨ 임원의 임기에서 정책협의회의 장과 재정위원장의 임기를 2년으로 하였고, 사무총장의 임기는 3년에서 2년으로 축소하였다. 임원의 결격을 판단하는 윤리위원회는 '윤리위원회의 의결사항은 상임집행위원회 의결을 거쳐 확정 한다'를 삭제하여 독립성을 강화하였다.
⑩ 제6장 개별기구와 부설기관을 신설하였다. 개별기구와 부설기관은 경실련의 목적과 취지에 부합하는 특정한 사업을 수행하기 위하여 설치할 수 있도록 하였다. 각 개별기구들은 별도의 정관을 가질 수 있고, 규약과 규칙 내에서 자율성을 갖으며, 규약이 개별기구의 정관이나 규칙에 우선함을 명시하였다. 그리고 개별조직의 성립조건으로 일정 수 이상의 회원, 재정의 독립, 일정비용의 분담금 납부 등의 조건을 정하였다.
⑪ 위임과 관련하여, 구성원들의 출석권과 의결권의 위임을 서면으로 하도록 규정하였다.
⑫ 재정과 관련하여, '모금은 시민운동의 도덕성을 훼손하지 않아야 한다'는 재정의 일반원칙을 신설하였다.

• 8차 개정(제8차 회원총회, 2000.11.25.) 상집위원 구성 재배분, 협동총장제 신설, 임원 임기연장

8차 회원총회에서는 상임집행위원회 재구성 및 임원의 임기 조정이 있었다.
① 총회의 권한 중 '규약 개정의 승인'을 폐지하여 대의원회의 권한을 강화하였다.
② 대의원회 권한 중 '규약의 제 개정 발의권'에서 '발의권'을 삭제하여 규약 개정의 주체임을 명시하였다. 그리고 '조직의 구성 및 운영에 필요한 각종 규칙의 제정 및 개정'을 삭제하여 상임집행위원회로 이관하였다.
③ 상임집행위원회의 위원 구성을 '30-40인 이내'에서 '50-60인 이내'로 확대하면서 산하 조직의 분과위원회도 위원이 될 수 있도록 하고 위원정수 배분을 조정하였다. 그리고 권한 중 '조직의 구성 및 운영에 필요한 각종 규칙의 제정 및 개정 발의권'에서 '발의권'을 삭제하여 규칙의 제 개정권을 확인하였다.
④ 사무국에서, '사무총장의 업무를 보좌하고 협력하기 위하여 협동총장을 둘 수 있다'를 신설하였다.
⑤ 임원의 임기와 결격에서, 단서조항으로 '경실련 각급 조직의 대표, 집행(운영)위원장, 정책위원장 등 주요 임원은 1회에 한하여 연임할 수 있다'로 규정하여 인적자원 활용의 한계에 있던 조직의 활동을 지원하였다.

• 9차 개정(제6기 2차 대의원대회, 2002.2.23.) 총회를 회원대회로, 대의원제를 중앙위원회로 변경

총회는 경실련 최고 의결기관으로, 공동대표와 감사의 선출, 총회 선출직 대의원의 선출 등 중요한 권한을 가지고 있었지만 지역경실련 회원까지 포함하게 되면서 년 2회 개최되는 총회의 정족수도 파악하기도 어려운 여건이었다. 그리고 각 단위로 권한이 분산되어 있어 총회 중 정회하고 중앙위원회를 개최하고, 중앙위원회 중 정회하고 상임집행위원회를 여는 등 비효율적으로 회의가 진행을 될 수밖에 없었다. 이에 총회의 지위를 '회원대회'로 변경하여 2년에 1회 개최하며, 총회가 가지고 있는 공동대표와 감사의 선출, 선출직 대의원의 선출 권한 등을 대의원회로 이관하여 효율적인 회의 체계를 갖추는 개정을 하였다.
① 회원과 관련하여, '상임집행위원회의 승인을 얻은 사람은 총회에서의 의결권 및 임원의 피선거권과 피선거권을 갖는다'를 '상임집행위원회의 승인을 얻은 사람은 임원의 피선거권을 가진다'로 변경하였다.
② 총회와 관련하여, '총회'를 '회원대회'로 성격을 변경하고, '회원대회는 2년마다 공동대표가 소집한다. 다만 공동대표 전원이 필요하다고 인정하거나, 대의원회 또는 상임집행위원회의 결의로 임시 회원대회를 소집할 수 있다'로 규정하였다. 그리고 기존의 총회의 권한은 대의원 대회로 이관하였다.
③ 대의원대회와 관련하여, 대의원대회의 지위를 이 연합의 최고 의결기관으로 하고, 위원은 상임집행위원회와 각 부문조직에서 선출하도록 하였다. 대의원대회의 권한은 공동대표 및 감사의 선출, 대의원회 선출직 상임집행위원의 선출, 규약의 개정, 사업보고 및 사업계획의 승인, 예산 및 결산의 승인, 개별기구 및 부설기관의 설립 및 폐지, 회원대회가 위임한 사항으로 규정하여 최고 의결기관의 지위에 맞는 권한을 부여하였다.
④ 예정된 규약 개정 안건이 아니었으나 일부 대의원이 '대의원회를 중앙위원회로의 명칭변경'을 기타 안건으로 제안하였다. 정식 안건으로 상정한 후 논의를 하였으나 합의에 이르지 못하여 표결(찬성 34명, 반대 20명)을 하여

대의원회를 중앙위원회로 개칭하였다. 이에 따라 차기 대회인 2002년 12월 7일 제7기 3차부터 중앙위원회로 기수를 조정하였다.

• 10차 개정(제7기 5차 대의원대회, 2003.11.29) 일부 임원의 임기 연장

① 상임집행위원회의 위원 정수를 '50인 이상 60인 이내'에서 '50인 이상 75인 이내'로 확대 하였다.
② 기구의 명칭 중 정책협의회를 정책위원회로, 국제위원회를 국제연대로, 개별기구를 특별기구로 변경하였고, 재정위원회를 삭제하였다.
③ 임원의 임기를, 공동대표, 중앙위원 및 중앙위원회의 의장단, 고문 지도위원, 사무총장, 각 특별기구의 이사장 및 대표의 임기는 2년, 상임집행위원 및 위원장, 정책위원장, 조직위원장, 시민입법위원장, 윤리위원장, 특별기구의 운영위원장, 각 특별위원회 및 소위원회의 위원장의 임기는 1년으로 조정하였다. 이에 따라 감사, 국제위원장, 개별기구의 운영위원은 임기 제한에서 제외되었다. 임기 개시일은 1월 1일로 명시하였다.
④ 임원의 연임 제한과 관련하여, 경실련 및 산하 각 특별기구의 모든 임원은 1회에 한하여 연임할 수 있었는데, 단서 조항으로 '정책협의회 산하 각종 소위원회, 특별위원회, 각 특별기구 산하 각 소위원회 위원장은 상집의 결의에 의해 2회에 한하여 연임할 수 있다. 일반 상임집행위원, 중앙위원은 연임에 제한을 두지 아니한다.'로 규정하여 2회 연임이 가능하도록 하였고, 일부 임원은 연임제한에서 해제하였다.

• 11차 개정(제8기 3차 중앙위원회, 2005.1.29) 임원 인선위원회 신설, 조직위원회 역할 구체화

① 상임집행위원회와 관련하여, 상임집행위원장과 부위원장 및 소위원장은 상임집행위원회에서 선임하고, 상집위원회는 상임집행위원장 후보추천 및 선출절차를 담당할 인선위원회를 구성하여 선출 하도록 규정하였다.
② 조직위원회와 관련하여, 조직위원회의 역할은 지역조직 활동의 협의 및 지원, 전국 및 지역공동사업에 대한 협의 및 지원, 기타 전국적 통일성 및 협력관계를 높일 수 있는 사업 등으로 구체화하였고, 지역조직의 설립 운영 폐지는 별도의 규칙을 정하도록 하였다.
③ 제4장 활동조직 산하에 회원조직을 신설하였다. 회원조직의 설립 운영 폐지는 별도의 규칙을 정하도록 하여 체계적인 지원이 가능하도록 하였다.

• 12차 개정(제9기 1차 중앙위원회, 2006.1.20.) 국제연대를 국제위원회로, 임원의 임기 개시일 지정

① 국제연대를 국제위원회로 변경하였다. 국제연대는 경실련의 국제적 연대 및 제반 국제 활동을 위해 설치하였지만, 국제적 연대활동 외 정부의 국제개발관련 정책에 대한 감시 및 제도개선을 위해 국제위원회로 명칭을 변경하였다.
② 임원의 임기 및 결격 중 '임원의 임기 개시는 1월 1일로 하되, 중앙위원회에서 선출되는 임원의 임기는 중앙위원회 선출로부터 차기년도 1회차 중앙위원회까지'로 하였다.
③ 위임에서 '출석권과 의결권은 서면으로 위임할 수 있다'는 규정을 출석권의 위임만으로 제한하였다.

• 13차 개정(제9기 3차 중앙위원회, 2007.1.19.) 일부 임원의 임기 연장

조직위원회와 국제위원회는 인적네트워크 형성과 관리가 중요함에도 짧은 임기와 잦은 교체는 사업단위 내 상호간의 신뢰구축과 효율적인 사업 진행에 어려움이 있어 상임집행위원회의 결의로서 1회 연임을 2

회 연임할 수 있도록 하였다.

• 14차 개정(제9기 4차 중앙위원회, 2007.8.17.) 지부조직의 소속 및 통합성 강화, 사무총장 임기연장

① 중앙위원회의 권한과 관련하여, 특별기구와 부설기관과 지부조직의 설치 및 폐지를 추가하였다.
② 상임집행위원회와 관련하여, 권한 중 '특별기구 부설기관 지부조직 회원조직의 사고지부 및 활동정지에 대한 지정과 해제'를 신설하여 권한을 명확히 하였다.
③ 지부조직 및 지역경실련협의회와 관련하여, '이 연합은 지역조직을 둔다'는 선언적 규정을 '이 연합은 지역조직을 둘 수 있으며, 지부는 00경제정의실천시민연합 이라 칭한다'로 하여 소속을 명시하도록 하였다. 또한 '지부조직 상호간의 사업 및 정보교류를 위해 지역경실련협의회를 둔다. 지부조직의 구성 운영에 관한 세부사항은 별도의 규칙에 의한다'고 하여 별도의 규정을 만들도록 하였고, '지부조직은 이 연합의 정책적 일관성과 조직적 통합성을 유지해야'를 명시하여 본부와 지역 간 또는 지역과 지역 간의 정책과 조직운영의 일관성, 통합성을 규율하였다.
④ 사무총장의 임기를 2년에서 3년으로 연장하고 1회 연임이 가능하도록 하여 조직의 임원과 사무총장이 동시에 임기를 마감하는 것을 방지하여 활동의 연속성을 갖췄다. 사무총장은 다른 임원과 달리 경실련의 업무집행의 총괄 재정 조직 운영에 대한 책임 그리고 새로운 운동의제를 개발해야 하는 등의 업무적 특성과 조직의 내외적 환경에 영향을 미치는 요인들의 파악하고 각 주체들(시민단체, 언론, 기업, 공공기관 등)과의 교류 및 관계 형성이 중요하여 조정하였다.
⑤ 위임에서 총회의 위임을 삭제하였다. 규약의 개정에 다라 총회가 회원 간의 친목을 도모하는 회원대회로 성격이 변화되어 출석권의 위임을 삭제하였다.

• 15차 개정(제10기 1차 중앙위원회, 2008.1.25.) 목적 사업에 소비자 권익증진 추가

① 경실련의 목적 사업과 관련하여, 기존의 '시민행동'을 '소비자 권익증진 등 시민행동'으로 변경하였다. 소비자 운동은 제품의 기술적인 문제뿐만 아니라 소비자의 생명안전까지 포괄적이며 기업의 위법과 부당행위 등을 감시하는 활동을 위해 목적사업의 영역을 확대하였다.
② 회원대회와 관련하여, 회원대회는 친목 성격으로 2년마다 개최하도록 규정하고 있지만 이미 다양한 방법으로 사업공유 및 친목이 실질적으로 수행되고 있으므로 회원대회의 개최 시기 및 소집 주체를 삭제하여 중앙위원회 또는 상임집행위원회의 결의로 소집할 수 있게 하였다.
③ 국제위원회는 국제적 연대와 정부의 해외원조 정책을 감시 개선하도록 규정하고 있는데 별도의 운영규칙을 제정하고, 설치 목적을 국제적 연대로 개칭하여 성격을 명확히 하였다.
④ 공동대표의 지위를 '이 연합을 대표하고 회의를 총괄한다'에서 '회의'를 '회무'로 변경하였다
⑤ 임원의 임기 및 결격에서 조직위원장의 임기를 1년에서 2년으로 확장하였다.
⑥ 특별기구들의 각 명칭을 규약에 명시하였다.

• 16차 개정(제10기 2차 중앙위원회, 2008.8.29.) 일부 임원의 임기 연장

임원의 임기를 규정함에 있어 인적역량의 합리적 운용을 위하여 국제위원장, 시민입법위원장, 각 특별위원회 및 소위원회의 위원장의 임기를 1년에서 2년으로 확대하였다. 그리고 임원의 임기 연임제한에서 단서조항이었던 '정책위원회 산하 각종 소위원회, 특별위원회, 각 특별기구 산하 각 소위원회 위원장, 조직위원장, 국제위원장은 상임집행위원회의 결의에 의해 2회에 한하여 연임할 수 있다'를 삭제하였다.

• 17차 개정(제12기 2차 중앙위원회, 2012.8.24.) 공동대표의 일부 권한을 사무총장이 수행

공동대표는 경실련을 대표하고 회무를 총괄한다. 이에 따라 경실련의 행정 및 재정 회계 등 법률적 대표를 공동대표 중 1인이 맡고 있으나 실제는 사무총장이 담당하고 있는 이원화 체계이다. 형식과 실제의 이원화된 체계의 불합리성을 개선하기 위하여 공동대표로부터 행정 및 재정 회계 업무의 권한을 사무총장이 위임받아 처리는, 권한과 책임을 일치시키는 개정을 추진하였다. 규약의 '공동대표는 이 연합을 대표하고 회무를 총괄한다.'에 단서조항으로 '단, 이 연합의 행정사무 및 재정(회계)는 사무총장이 대표한다.'를 추가하였다. 그리고 사무총장의 역할에서 '사무총장은 공동대표로부터 위임받은 권한을 행사 할 수 있다.'로 개정하였다.

• 18차 개정(제12기 3차 중앙위원회, 2013.2.22) 특별기구 임원의 임기 연장

① 특별기구 운영위원장 등의 임기는 1년에 1회 연임하게 되어 있으나 현재 인적자원의 한계로 수시 교체가 쉽지 않고 연임이 되어도 2년 정도의 임기 동안 안정적으로 성과를 내기 어려운 여건임을 고려하여 각 특별기구의 임원(이사장, 대표, 운영위원장 등)의 임기를 1년에서 2년으로 연장하고 1회 연임할 수 있도록 개정하였다.
② 경실련의 고문·지도위원은 전직 임원들이 활동에 조언을 하는 조직으로 연임을 제한하는 것이 무의미하여 임기는 2년으로 하되 연임 제한은 폐지하였다.

• 19차 개정(제13기 2차 중앙위원회, 2014.8.22) 아카데미 신설

상임집행위원회(제24기 7차, 2014.8.18)는 중앙 및 지역조직의 임원, 상근활동가, 회원, 시민들에게 경제정의와 사회정의 등 교육 활동을 위한 전담 조직의 설치에 공감하고, 교육기관의 권위와 집행력을 담보하기 위해 규약에 근거를 마련하기로 하였다. 이에 규약에 경실련아카데미(제24조)를 신설하고, '이 연합의 임원, 상근활동가, 회원, 시민들에게 경제정의와 사회정의의 교육 훈련을 위해 경실련 아카데미를 설치한다. 경실련아카데미의 운영에 관한 세부사항은 별도의 규칙에 의한다.'로 규정하였다.

• 20차 개정(제14기 2차 중앙위원회, 2016.8.19.) 예 결산의 공개 및 잔여재산의 귀속 명시

경실련의 회계투명성 제고와 소득세법에 근거한 회비 및 후원금 처리를 위해 경실련을 '기부금대상민간단체'로 등록하기로 상임집행위원회(제27기 5차, 2016.5.30.)는 의결하였다. 경실련이 행정자치부에 기부금대상민간단체로 등록되기 위해서는 해당 단체의 정관에 '인터넷 홈페이지와 국세청의 인터넷 홈페이지를 통하여 연간 기부금 모금액 및 활용실적을 매년 3월 31일까지 공개한다'와 '해산 시 잔여재산을 국가 · 지방자치단체 또는 유사한 목적을 가진 비영리단체에 귀속하도록 한다'를 명시하도록 규정되어 있기에 이의 근거 마련을 위해 규약 개정을 추진하였다. 규약에 '이 연합은 인터넷 홈페이지와 국세청 홈페이지를 통하여 연간 기부금 모금액 및 활용실적을 매년 3월 31일까지 공개해야 한다.'는 예결산 공개(34조), '이 연합이 해산하는 경우 잔여 재산은 중앙위원회의 의결에 따라 국가 지방자치단체 또는 이 연합과 유사한 목적을 가진 비영리단체에 귀속하도록 한다.'는 잔여재산의 귀속(35조) 등을 신설하였다.

• 21차 개정(제14기 3차 중앙위원회, 2017.2.17) 경실련과 산하 법인들의 회계 통일성 강화

임의단체(비법인)인 경실련과 산하 3개 사단법인(경제정의연구소, 경실련통일협회, 경실련도시개혁센

터)간의 회계 통일성을 높이기 위해 '경실련 회원은 3개 사단법인의 회원을 겸한다'는 제27기 11차 상임집행위원회(2016.12.19.)의 결정에 따라 규약을 개정하였다. 규약 제5조 '회원자격 및 종류'의 4항에 '위 1, 2, 3호의 회원은 제28조 2항의 특별기구의 회원을 겸한다'를 신설하였다.

- 22차 개정(제15기 1차 중앙위원회, 2018.2.23) 지역임원의 임기 연장, 중앙위원회 년1회로 축소

① 경실련은 본부 및 산하 조직들의 주요임원에 대해 임기를 제한을 하고 있다. 이로 인해 일부 지역조직들이 조직운영의 어려움이 있어 수차례 개선을 건의하였다. 조직위원회는 지역조직들의 임원의 활동기간 및 연임 횟수의 연장 등을 검토한 후 연임의 제한 규정의 완화를 요청하였다. 이에 규약 제27조 임원의 임기 및 결격의 3항(연임제한)의 단서조항으로 '다만 상임집행위원, 중앙위원, 고문 및 지도위원은 연임에 제한을 두지 아니하며, 지역경실련은 표준규약에 따른다.'로 개정하였고, 지역경실련 표준규약에는 상임집행위원회의 결의로 1회 더 연장이 가능하도록 개정하였다.

② 상임집행위원회는 경실련의 임원 및 상근활동가들에 대한 안정적인 교육과 훈련을 지원하기위하여 년 2회 개최되는 중앙위원회를 1회 개최로 축소하고, 여름(8월) 행사를 임원 및 상근활동가들의 교육대회로 결정(제29기 2차 상임집행위원회, 2018.2.19.)하였다. 이에 규약 제11조 중앙위원회의 소집 조항을 '중앙위원회는 연 1회 중앙위원회 의장이 소집한다.'로 개정하였다.

2. 규약 및 규칙

경실련의 최고 의결기구인 총회와 중앙위원회에서 제정되고 개정되는 '경실련 규약'은 경실련 본부와 산하조직 그리고 지역경실련 등의 조직의 구성과 운영의 기준이 된다. 규칙은 '경실련 규약'에 근거하여 상임집행위원회에서 제정 및 개정되며 산하기관의 구성과 운영 등 특성을 반영하고 있다. 정관은 경실련 산하 법인 기구들의 목적과 활동에 관한 기준이 되는 것이다. 일부 규칙은 제정된 이후 정비를 하지 않아 현재의 조직 구성과 직책 등에서 차이가 있으나 그 기준되는 원칙이 지켜지고 있다.

경실련의 주요한 규약과 규칙은 아래와 같다.

- 경제정의실천시민연합 규약
- 경실련 중앙위원회의 구성에 관한 규칙
- 경실련 상임집행위원회의 구성에 관한 규칙
- 경실련 상임집행위원장 선출 절차에 관한 규칙
- 경실련의 대외적 입장 발표 과정에 관한 규정
- 경실련 윤리위원회 운영규칙
- 경실련 정책위원회 운영규칙
- 경실련 조직위원회 운영규칙
- 경실련 아카데미 운영 규칙
- 경실련 특별기구 운영규칙
- 경실련 부설기관운영규칙
- 경실련 시민권익센터 운영규칙
- 사단법인 경제정의연구소 정관
- 사단법인 경실련도시개혁센터 정관
- 사단법인 경실련통일협회 정관
- 지역경제정의실천시민연합 표준규약
- 경실련 지부조직의 설립 운영 폐지에 관한 규칙
- 경실련 운동의 통합성과 건전성 확보에 관한 규칙
- 지역경실련협의회 운영규칙
- 시민단체 사회적 책임헌장
- 경실련 임원의 윤리행동강령
- 경실련 회원의 다짐
- 경실련 우리의 다짐

경제정의실천시민연합 규약

제1장 총칙

제1조 [명칭]

이 연합은 경제정의실천시민연합이라 칭하고 경실련으로 약칭한다.

제2조 [목적]

이 연합은 우리 사회의 경제정의와 사회정의를 실현하기 위한 평화적 시민운동을 전개함으로써 민주복지사회의 기틀을 마련하는 데 이바지함을 목적으로 한다.

제3조 [소재]

이 연합의 사무실은 서울에 둔다.

제4조 [사업]

이 연합은 목적을 달성하기 위하여 아래의 사업을 한다.

1. 조사연구
2. 시민조직
3. 시민교육
4. 홍보선전
5. 시민고발센타운영 및 법률구조
6. 소비자 권익증진 및 시민행동
7. 그 밖에 이 연합의 목적에 필요한 사업

제2장 회원

제5조 [회원 자격 및 종류]

1. (일반회원) 이 연합의 목적에 동의하여 이 연합의 사업에 참여하고자 하는 자로서 일반회원명부에 등록하는 자는 이 연합의 일반회원이 된다.
2. (정회원) 일반회원으로서 회비를 1년 이상 납부한 자는 이 연합의 정회원이 된다.
3. (후원회원) 이 연합의 목적과 사업을 지원하고자 하는 개인, 단체 및 법인을 후원회원으로 한다.
4. 위 1, 2, 3호의 회원은 제28조 2항의 특별기구의 회원을 겸한다.

제6조 [의무]

일반회원 및 정회원의 의무는 다음과 같다.

1. 이 연합의 규약, 규칙 및 결의를 준수할 의무
2. 이 연합의 목적을 실현하기 위한 운동에 적극적으로 참여할 의무
3. 회비를 납부할 의무
4. 이 연합의 교육 및 훈련과정을 이수할 의무

제7조 [권리]

① 일반회원, 정회원, 후원회원의 권리는 다음과 같다.

1. 이 연합의 운영과 활동전반에 관하여 발의 및 참여할 권리

② 정회원은 총회에 참석하여 발언할 수 있으며 총회에서의 의결권과 선거권, 피선거권을 갖는다. 그리고 일반회원과 후원회원은 총회에 참석하여 발언할 수 있다.

③ 전항의 규정에도 불구하고 상임집행위원회의 승인을 얻은 사람은 총회에서의 의결권 및 임원의 선거권, 피선거권을 가진다.

제8조 [징계]

이 연합의 회원으로서 이 연합의 사업에 유해한 행위를 하거나 이 연합의 대외적인 명예를 현저히 실추시킨 자에 대하여는 해당기관의 장의 청구 또는 상임집행위원회의 청구가 있을 때 윤리위원회의 결의로서 제명, 정권, 경고 등 징계를 할 수 있다.

제9조 [가입, 자격상실 및 징계절차]

회원의 가입 및 징계에 관하여는 별도의 규칙에 의한다.

제3장 조직

제10조 [회원대회]

회원대회는 회원 간의 친목과 사업의 공유를 목적으로 하며, 공동대표 전원이 필요하다고 인정하거나, 중앙위원회 또는 상임집행위원회의 결의로 회원대회를 소집할 수 있다.

제11조 [중앙위원회]

① (지위) 중앙위원회는 이 연합의 최고 의결기관이다.

② (구성) 중앙위원회는 150인 이상 300인 이내의 중앙위원으로 구성하고 1인의 의장과 약간 명의 부의장을 둔다.

③ (선출)

1. 중앙위원은 이 연합의 각 부문조직과 상임집행위원회에서 선출되며 조직별 중앙위원의 배분과 선출방법은 별도의 규칙에 의한다.
2. 의장과 부의장은 중앙위원회에서 선출한다.

④ (권한) 중앙위원회의 권한은 다음과 같다.

1. 공동대표 및 감사의 선출
2. 중앙위원회 선출직 상임집행위원 선출
3. 규약의 개정
4. 사업보고 및 계획의 승인
5. 예산 및 결산의 승인
6. 특별기구 및 부설기관의 설치 및 폐지
7. 지부조직의 설치 및 폐지
8. 회원대회가 위임한 사항

⑤ (소집) 중앙위원회는 연1회 중앙위원회 의장이 소집한다. 다만, 중앙위원회 의장이 필요하다고 인정하거나 중앙위원 5분의 1이상의 요구가 있을 때에는 즉시 임시회의를 소집한다.

⑥ (의결) 중앙위원회의는 재적의원 3분의 1이상의 출석으로 개회하며 출석 중앙위원 과반수의 찬성으로 의결한다.

⑦ (권한의 위임) 중앙위원회는 다음 중앙위원회의전까지 그 권한을 상임집행위원회에 위임할 수 있다.

제12조 [공동대표]

공동대표는 이 연합을 대표한다. 다만 공동대표는 이 연합의 행정사무 및 재정회계 등 일부 권한을 사무총장에게 위임 할 수 있다.

제13조 [고문 및 지도위원]

이 연합의 사업을 효과적으로 수행하기 위해 약간 명의 고문 및 지도위원을 둘 수 있다.

제14조 [자문회의]

상임집행위원회는 주요 사항에 대해 자문을 구하는 자문회의를 둘 수 있으며, 그 구성과 운영에 대

한 세부 사항은 별도의 규칙에 의한다.

제15조 [감사]

이 연합의 사업 및 재정업무를 감사하기 위해 약간 명의 감사를 둔다.

제16조 [상임집행위원회]

① (지위) 상임집행위원회는 이 연합의 상설집행기구이다.

② (구성) 상임집행위원회는 50인 이상 80인 이내의 상임집행위원으로 구성하며, 1인의 위원장과 약간 명의 부위원장을 둔다.

③ (선출)

1. 상임집행위원은 중앙위원회와 각 부문조직에서 선출하며 조직별 상임집행위원의 배분과 선출방법은 별도의 규칙에 의한다.
2. 상임집행위원장과 부위원장 및 소위원장은 상임집행위원회에서 선임한다. 상임집행위원장 후보추천 및 선출절차를 담당할 인선위원회를 둔다.

④ (조직) 상임집행위원회 회의를 원활하게 하기 위해 산하에 소위원회를 둘 수 있다.

⑤ (권한)

1. 중앙위원회가 결의한 모든 사업의 집행 및 그 집행을 위하여 필요하다고 인정되는 사항의 결정.
2. 중앙위원회에 대한 의안의 제안 및 사전 심의
3. 예산, 결산안의 제안 및 사전심의
4. 고문, 지도위원 위촉
5. 상임집행위원회 선출직 중앙위원 선출
6. 중앙위원회 선출직 상임집행위원 후보의 추천
7. 사무총장 선출
8. 사무국 상급부서의 설치 및 그 장의 임면에 관한 승인
9. 조직의 구성 및 운영에 필요한 각종 규칙의 제정 및 개정
10. 특별기구, 부설기관, 지부조직, 회원조직의 사고지부 및 활동정지에 대한 지정과 해제
11. 중앙위원회가 위임한 사항

⑥ (소집) 상임집행위원회는 월 1회 상임집행위원장이 소집한다. 다만 상임집행위원장이 필요하다고 인정하거나 상임집행위원 3분의 1이상의 요구가 있을 때에는 즉시 임시회의를 소집한다.

⑦ (의결) 상임집행위원회는 재적위원 과반수의 출석으로 개회하며 출석위원 과반수의 찬성으로 의결한다.

제17조 [사무국]

① 이 연합의 사업 수행을 위해 사무국을 설치하고 사무총장이 이를 총괄하며, 사무총장은 공동대표로부터 위임받은 권한을 행사 할 수 있다.

② 사무국 상급부서의 설치 및 그 장의 임면에 관하여는 사무총장이 상임집행위원장, 정책위원장, 조직위원장과 협의를 거쳐 상임집행위원회에 그 승인을 요청한다.

③ 사무국 상급부서의 설치 및 그 장의 임면을 제외한 사무국 부서의 설치 및 직원의 임면은 사무총장이 상임집행위원장과의 협의를 거쳐 행한다.

④ 사무국의 조직과 운영에 관하여는 별도의 규칙에 의한다.

제18조 [위임]

중앙위원회, 상임집행위원회의 출석권은 위임할 수 있다.

제4장 활동조직

제19조 [정책위원회]

① 이 연합의 정책연구와 정책결정에 필요한 제반활동을 위해 정책위원회를 설치하며 정책위원장이 이를 총괄한다.
② 정책위원회는 각종 위원회를 둘 수 있다.
③ 정책위원회의 구성 및 운영에 관한 세부내용 및 절차는 별도의 규칙에 의한다.

제20조 [조직위원회]

① 이 연합의 아래 사업을 원활히 수행하기 위해 조직위원회를 설치하며 조직위원장이 이를 총괄한다.
1. 지역조직 활동의 협의 및 지원
2. 전국 및 지역공동사업에 대한 협의 및 지원
3. 기타 전국적 통일성 및 협력관계를 높일 수 있는 사업
② 조직위원회는 산하에 각종 소위원회를 둘 수 있으며 조직위원회의 구성 및 운영에 관한 세부사항 및 절차는 별도의 규칙에 의한다.

제21조 [시민입법위원회]

① 이 연합의 시민입법운동을 위해 시민입법위원회를 설치하며 시민입법위원장이이를 총괄한다.
② 시민입법위원회의 조직 및 운영에 관한 세부사항은 별도의 규칙에 의한다.

제22조 [국제위원회]

① 이 연합의 국제적 연대활동을 위해 국제위원회를 설치하며 국제위원장이 이를 총괄한다.
② 국제위원회의 운영에 관한 세부사항은 별도의 규칙에 의한다.

제23조 [윤리위원회]

① 이 연합의 도덕적, 운동적 관행과 품위를 유지하고 규율하기 위해 윤리위원회를 둔다.
② 윤리위원회에 관한 세부사항은 별도의 규칙에 의한다.

제24조 [경실련아카데미]

① 이 연합의 임원, 상근활동가, 회원, 시민들에게 경제정의와 사회정의의 교육 및 훈련을 위해 경실련아카데미를 설치한다.
② 경실련아카데미의 운영에 관한 세부사항은 별도의 규칙에 의한다.

제25조 [지부조직 및 지역경실련협의회]

① 이 연합은 지역에 지부조직을 둘 수 있으며, 지부는 00경제정의실천시민연합이라 칭한다. 지부의 설립, 운영, 폐지에 관한 세부사항은 별도의 규칙에 의한다.
② 지부조직 상호간의 사업 및 정보교류를 위해 지역경실련협의회를 두며, 그 구성, 운영에 관한 세부사항은 별도의 규칙에 의한다.
③ 지부조직은 이 연합의 정책적 일관성과 조직적 통합성을 유지해야 하며, 그 세부사항은 별도의 규칙에 의한다.

제26조 [회원조직]

이 연합의 원활한 목적 수행을 위해 회원조직을 둘 수 있다. 회원조직의 설립, 운영 및 폐지는 별도의 규칙에 의한다.

제27조 [임원의 임기 및 결격]

① (임기) 공동대표, 중앙위원회 의장단, 중앙위원, 고문 및 지도위원, 감사, 조직위원장, 국제위원장, 시민입법위원장, 각 특별위원회 및 정책소위원회 위원장, 각 특별기구의 이사장, 대표 및 운영위원장 등의 임기는 2년, 상임집행위원장, 정책위원장, 상임집행위원의 임기는 1년, 사무총장의 임기는 3년으로 하되 보선된 임기는 잔여임기로 한다.
② (임기개시) 임원의 임기 개시일은 1월 1일로 한다. 다만, 중앙위원회에서 선출되는 임원의 임기는 중앙위원회 선출로부터 차기년도 1차 중앙위원회까지로 한다.

③ (연임제한) 경실련 및 산하 각 특별기구의 모든 임원은 1회에 한하여 연임할 수 있다. 다만 상임집행위원, 중앙위원, 고문 및 지도위원은 연임에 제한을 두지 아니하며, 지역경실련은 표준규약에 따른다.

④ (결격) 정당에 가입한 자는 이 연합의 임원이 될 수 없으며 임기 중인 임원이 정당에 가입한 경우는 자격을 상실한다. 여기서 임원이라 함은 1항에 열거된 임원 외에 지역조직 또는 부문별 조직에서 위 1항의 임원직에 해당하는 직책을 가진 사람을 포함한다.

제5장 특별기구와 부설기관

제28조 [특별기구와 부설기관]

① 이 연합은 연합의 목적과 취지에 부합하는 특정한 사업목적을 수행하기 위하여 특별기구와 부설기관을 둘 수 있으며 그 조직 및 운영에 관하여는 별도의 규칙에 의한다.

② 특별기구는 (사)경제정의연구소, (사)경실련 통일협회, (사)경실련 도시개혁센터, 시민권익센터 등 이다.

제29조 [운영 원칙]

각 특별기구는 별도의 정관을 가질 수 있으며 본 연합의 규약과 규칙의 범위 내에서 운영의 자율성을 갖는다. 다만 별도의 정관이 이 규약이나 이 규약에 의해 제정된 규칙(이하 규약 등이라 한다)에 어긋나는 경우 이 규약 등이 우선한다.

제30조 [특별기구 및 부설기관의 성립조건]

① 각 특별기구는 다음과 같은 조건을 충족시켜야 한다.

1. 일정 수 이상의 회원확보
2. 재정의 독립
3. 이 연합의 운영비용의 일정한 분담금 납부

② 전항 제1호와 제3호의 회원의 일정 수와 분담금은 상임집행위원회의 승인을 얻은 별도의 규칙에 의한다.

제6장 예산 및 결산

제31조 [후원회]

이 연합의 사업을 효과적으로 수행하기 위해 각종 후원회를 둘 수 있다.

제32조 [수입]

이 연합의 수입은 회원회비, 특별모금, 사업수익으로 한다.

제33조 [회계년도]

이 연합의 회계년도는 매년 1월 1일부터 12월 31일까지로 한다.

제34조 [예결산 공개]

이 연합은 인터넷 홈페이지를 통하여 연간 기부금 모금액 및 활용 실적을 매년 3월 31일까지 공개해야한다.

제35조 [잔여재산의 귀속]

이 연합이 해산하는 경우 잔여 재산은 중앙위원회 의결에 따라 국가 지방자치단체 또는 이 연합과 유사한 목적을 가진 비영리단체에 귀속하도록 한다.

부칙

제1조 [규약개정] 이 연합의 창립대회 이후의 규약은 중앙위원회가 개정할 수 있다.

제2조 [준칙] 이 연합의 규약에 명시되지 않은 사항은 민주주의 일반원칙과 중앙위원회의 결의에 준한다.

제3조 [효력발생] 이 규약은 창립대회(1989.11.4.)에서 통과되는 즉시 효력을 발생한다.

부칙

제1조 [규약개정]

이 규약은 제2차 중앙위원회(1990.9.15.)에서 통과되는 즉시 효력을 발생한다.

부칙

제1조 [경과규정]

이 규약에 의해 첫 번째 선출되는 임원의 임기는 다음과 같다. ① 공동대표, 중앙위원, 고문, 지도위원의 임기만료일은 1994년 2월 28일까지로 한다. ② 상임집행위원, 상임집행위원장, 부위원장, 정책연구위원장, 조직위원장 등 임기 1년의 임원의 임기만료일은 1993년 2월 28일까지로 한다. ③ 현직 사무총장의 임기만료일은 1993년 2월 28일까지로 한다.

제2조 [효력발생]

이 규약은 제2차 총회(1991.10.19)에서 통과되는 즉시 효력을 발생한다.

부칙

제1조 [효력발생]

이 규약은 제2기 3차 중앙위원회(1990.2.20.)에서 통과되는 즉시 효력을 발생한다.

부칙

제1조 [효력발생]

이 규약은 제3차 총회(1994.2.26.)에서 통과되는 즉시 효력을 발생한다.

부칙

제1조 [효력발생]

이 규약을 제4차 총회(1996.2.24.)에서 통과되는 즉시 효력을 발생한다.

부칙

제1조 [경과규정]

4차 총회에서 선출된 공동대표, 중앙위원, 고문, 지도위원의 임기는 1997년 7월 7월 31일까지로 한다.

제2조 [효력발생]

이 규약은 제4기 2차 중앙위원회(1997.2.21.)에서 의결되는 즉시 효력을 발생한다.

부칙

제1조 [경과규정]

① 이 규약 개정 전에 선임된 모든 임원의 임기는 규약 개정 후 총회에서 새 임원이 선출됨과 동시에 만료한다.

② 이 규약 개정 전의 연합의 산하기구 및 각 위원회는 개정 후 규약에 의한 기구로 본다.

③ 이 규약에 의한 최초의 선출직 중앙위원은 규약 개정 전 중앙위원회가 추천한다.

④ 이 규약에 의한 최초의 선출직 상임집행위원은 규약 개정 전 상임집행위원회가 추천한다.

제2조 [효력발생]

이 규약은 제5기 5차 중앙위원회(1999.10.30.)에서 의결되는 즉시 효력을 발생한다.

부칙

제1조 [효력발생]

이 규약은 제 8차 총회(2000.11.25.)에서 통과되는 즉시 효력을 발생한다.

부칙

제1조 [효력발생]

이 규약은 제6기 2차 대의원회(2002.2.23.)에서 통과되는 즉시 효력을 발생한다.

부칙

제1조 [효력발생]

이 규약은 제7기 5차 대의원회(2003.11.29.)에서 통과되는 즉시 효력을 발생한다.

부칙

제1조 [효력발생]

이 규약은 제8기 3차 대의원회(2005.1.29.)에서 통과되는 즉시 효력을 발생한다.

부칙

제1조 [효력발생]

이 규약은 제9기 1차 중앙위원회(2006.1.20.)에서 통과되는 즉시 효력을 발생한다.

부칙

제1조 [효력발생]

이 규약은 제9기 3차 중앙위원회(2007.1.19.)에서 통과되는 즉시 효력을 발생한다.

부칙

제1조 [효력발생]

이 규약은 제9기 4차 중앙위원회(2007.7.17.)에서 통과되는 즉시 효력을 발생한다.

부칙

제1조 [효력발생]

이 규약은 제10기 1차 중앙위원회(2008.1.25.)에서 통과되는 즉시 효력을 발생한다.

제2조 [경과규정]

현 조직위원장의 임기는 2008년 12월 31일까지로 한다.

부칙

제1조 [효력발생]

이 규약은 제10기 2차 중앙위원회(2008.8.29.)에서 통과되는 즉시 효력을 발생한다.

부칙

제1조 [효력발생]

이 규약은 제12기 2차 중앙위원회(2012.8.24)에서 통과되는 즉시 효력을 발생한다.

부칙

제1조 [효력발생]

이 규약은 제12기 3차 중앙위원회(2013.2.22)에서 통과되는 즉시 효력을 발생한다.

부칙

제1조 [효력발생]

이 규약은 제13기 2차 중앙위원회(2014.8.22.)에서 통과되는 즉시 효력을 발생한다.

부칙

제1조 [효력발생] 이 규약은 제14차 2차 중앙위원회(2016.8.19.)에서 통과되는 즉시 효력을 발생한다.

부칙

제1조 [효력발생]

이 규약은 제14차 3차 중앙위원회(2017.2.17.)에서 통과되는 즉시 효력을 발생한다.

부칙

제1조 [효력발생]

이 규약은 제15차 1차 중앙위원회(2018.2.23.)에서 통과되는 즉시 효력을 발생한다.

경실련 중앙위원회의 구성에 관한 규칙

2005. 06. 27 부분개정
2006. 01. 16 부분개정

제1조【목적】

이 규칙은 경실련 규약 제11조 3)항에 의하여 이 연합 중앙위원회의 구성에 관한 제반사항을 규정함을 목적으로 한다.

제2조【구성원칙】

이 연합의 중앙위원은 150인 이상 300인 이내로 구성하며 각 부문조직과 상임집행위원회에서 선출한다.

제3조【상임집행위원회선출직 중앙위원】

① (정수) 상임집행위원회에서 선출하는 중앙위원의 정수는 전체 정원의 5분의 1을 초과할 수 없다.

② (선출방법)

가. 상임집행위원회는 중앙위원회 직전 상임집행위원회에서 추천하는 후보명부에 대해 인준여부를 표결에 붙여 출석위원 과반수의 찬성에 의해 선출한다. 표결방법에 대하여는 상임집행위원회가 정하는 방법에 의한다.

나. 상임집행위원회에서 추천하는 후보에 대해 중앙위원회가 인준을 거부하는 경우에는 부문조직 선출직 중앙위원만으로 우선 중앙위원회를 구성하고 새로 구성된 중앙위원회는 새로운 후보명부를 만들어 임시중앙위원회에 인준여부를 표결토록 하여야 한다.

다. 새로 구성된 중앙위원회가 제출한 후보명부에 대해서도 인준이 거부될 경우의 상임집행위원회 선출직 중앙위원의 선출방법은 중앙위원회가 정하는 방법에 의한다.

제4조【부문조직 선출직 중앙위원】

①(선출방법) 각 부문조직은 정기총회 15일 전까지 다음 호에서 정한 배분정수에 따른 중앙위원을 선출하여 중앙위원회에 보고한다.

②(배분정수)

부문조직에 대한 중앙위원 배분정수는 다음과 같다.

가. 규약상 활동조직 중 정책위원회, 윤리위원회, 조직위원회, 지역경실련협의회를 제외한 활동조직과 특별기구는 각 6인.

나. 정책위 산하 분과위원회 및 활동 중인 회원조직은 각 2인

다. 상임집행위원회의 결의에 의해 구성된 특별위원회 및 부설기관은 각 4인

라. 지역경실련

- 광역시 소재 경실련은 각 6인
- 창립하여 활동 중인 지역경실련은 각 4인
- 준비위 단계에 있는 지역경실련 및 정상적인 활동이 이루어지고 있지 않다고 조직위원회가 결정한 지역 경실련은 각 2인 이하.
- 발기인대회 이전의 준비모임과 사고지부로 지정된 지역경실련은 중앙위원을 배정하지 않는다.

마. 중앙경실련 사무국의 부장급 이상 간부

경실련 상임집행위원회의 구성에 관한 규칙

2005. 02. 28 부분개정
2005. 06. 27 부분개정
2006. 01. 16 부분개정

제1조【목적】

이 규칙은 규약 제16조 3항에 근거하여 이 연합 상임집행위원의 구성에 관한 제반사항을 규정함을 목적으로 한다.

제2조【구성원칙】

이 연합의 상임집행위원회는 50인 이상 80인 이내의 상임집행위원으로 구성하며 중앙위원회와 부문조직에서 선출한다.

제3조【중앙위원회 선출직 위원】

① 중앙위원회는 중앙위원회 직전 상임집행위원회에서 추천하는 선출직 상임집행위원회 위원 후보명부에 대해 인준여부를 표결에 붙여 출석중앙위원회원 과반수이상의 찬성에 의해 선출한다. 표결방법에 대하여는 중앙위원회가 정하는 방법 에 의한다.

② 상임집행위원회에서 추천하는 후보에 대해 중앙위원회가 인준을 거부하는 경우에는 부문조직선출직 상임집행위원만으로 우선 상임집행위원회를 구성하고 새로 구성된 상임집행위원회는 새로운 후보명부를 만들어 임시중앙위원대회에 인준여부를 표결토록 하여야 한다.

③ 새로 구성된 상임집행위원회가 제출한 후보명부에 대해서도 인준이 거부될 경우의 중앙위원회선출직 상임집행위원의 선출방법은 중앙위원회가 정하는 방법에 의한다.

제4조【부문조직선출직 위원】

부문조직선출직 상임집행위원은 다음과 같이 구성한다.

① 상임집행위원장, 규약 상 활동조직인 정책위원회, 조직위원회, 시민입법위원회, 국제위원회, 윤리위원회의 장 및 지역경실련협의회 운영위원장

② 정책위원회 산하 각 분과위원회 및 특별위원회의 장, 특별기구와 부설기관의 운영위원장 또는 이에 해당하는 직책을 가진 자, 상집위의 결의로 상집위원이 배분된 회원조직의 대표자

③ 광역시 소재 경실련은 각 1인, 충남북, 강원, 경북, 전북, 전남지역 소재 경실련은 각 지역별 1인, 경기지역 경실련 2인의 선출된 상집위원

④ 중앙 사무국의 사무총장, 기획실장, 정책실장, 시민감시국장

경실련 상임집행위원장 선출 절차에 관한 규칙

2005. 02. 28 제정

제1장 총칙

제1조【목적】

이 규칙은 경제정의실천시민연합(이하 '경실련') 규약 제16조 3항에 근거하여 상임집행위원장 선출 절차에 필요한 사항을 규정하는 데 있다.

제2조【선출시기】

상임집행위원장은 매년 11월 소집되는 상임집행위원회에서 차기년도 상임집행위원장을 선출한다.

제3조【선출방법】

상집위원장은 인선위원회가 추천한 후보를 대상으로 상임집행위원회에서 선출한다.

제4조【인선위원회의 구성】

차기년도 상집위원장 선임절차를 담당할 인선위원회를 둔다. 인선위원회 위원장은 당해년도 상집위원장이 맡으며, 인선위원은 상집부위원장, 정책위원장, 시민입법위원장, 조직위원장, 윤리위원장, 특별기구의 운영위원장, 사무총장 및 지역협의회 운영위원장, 그리고 경인지역, 충청강원지역, 호남제주지역, 영남지역경실련 협의회가 추천하는 각 1인씩으로 한다.

제5조【후보추천 절차】

① 상임집행위원장 후보 추천은 인선위원 1인 이상이 정해진 기간 내에 후보추천서를 제출하는 것으로 이루어진다. 후보 추천의 대상은 임기 중인 상임집행위원으로 한다.

② 추천된 후보가 복수일 경우, 인선위원회는 회의를 소집하여 단수후보 추천을 위해 의견을 조율하는 과정을 갖는다. 인선위원회에서 단일후보 추천이 이루어지지 않을 경우 복수의 후보를 상집위에 추천한다.

③ 인선위원은 추천된 후보들에 대하여 각자 자기의견을 피력하여야 한다. 회의 참석이 어려울 경우 문서로 입장을 표명할 수 있다.

부 칙

이 규칙은 〈경실련〉 상임집행위원회의 의결을 거친 즉시 효력을 발생한다.

경실련의 대외적 입장 발표 과정에 관한 규정

2001.3.26. 제정

1. 해당 분야의 의견 발표에 있어 해당 위원회 또는 특별기구의 입장이 존중되어야 한다.
2. 본부 각 위원회 및 특별기구에서 성명서, 기자회견 등의 형태로 공식적인 의견을 발표할 경우 해당 위원회/특별기구는 정책위원장 및 사무총장과 사전 협의토록 한다. 사안이 긴박함에도 불구하고 연결이 원활하지 않을 경우에는 가능한 빠른 시간내에 사후에 전달하도록 한다. 협의는 각급 위원장 또는 해당 위원회의 실무책임자(정책실장, 부실장 또는 팀장)가 할 수 있다.
3. 사안이 매우 중요하고 대내외적 파급효과가 큰 사안에 대해서는 정책위원장 및 사무총장의 판단에 따라 상임집행위원장, 대의원대회 의장단, 공동대표 등과 협의토록 한다.
4. 내부의 의견이 일치하지 않을 경우,
   4.1 1차 적으로 해당 위원장(또는 위원), 정책위원장, 사무총장 및 정책실장간의 협의를 통해 이견을 조정하도록 한다.
   4.2 위 1항에 의한 의견조율이 원만히 이루어지지 않을 경우에는 조속히 정책조정회의를 개최한다. 정책조정회의에는 해당위원회와 (유관 또는) 전체 분과위원장들이 참여토록 한다.
   4.3 최종적으로는 상임집행위원회에서 이견을 조율한다. 이견이 조정될 때까지 해당 위원회는 공식적 의견 표명을 자제해야 한다.
5. 사전 협의 및 이견 조율의 실무적 책임은 정책실장이 맡도록 한다. 정책실장은 사안의 중요성과 타이밍을 고려하여 제 1항의 불가피한 사후전달에 대한 최종 결정을 내릴 수 있다. 아울러 협의의 범위와

조율의 방식 등에 관한 의견을 정책위원장 및 사무총장 등에게 제안함으로써 위 과정이 원활히 진행될 수 있도록 해야 한다.

6. 사무국의 각 부서장은 대외적 발언 등과 관련된 사업을 추진함에 있어 가능한 빠른 기획단계에서부터 정책실장과 협의하여 원만한 의견의 조율이 이루어지도록 한다.

경실련 윤리위원회 운영규칙

제1조【목 적】

이 규칙은 규약 제22조에 근거하여 윤리위원회(이하 "위원회"라 한다)의 구성과 운영에 관한 사항을 규정함을 목적으로 한다.

제2조【조 직】

① 위원회는 5인 이상 10인 이내의 위원으로 구성한다.

② 위원은 윤리위원장이 추천하여 상임집행위원에서 선임한다.

③ 위원의 임기는 1년으로 한다.

④ 위원 중에서 결원이 생긴 때에는 추가하여 선임한다. 다만, 그 임기는 전임자의 잔임기간으로 한다.

제3조【임 원】

① 위원회에 위원장, 부위원장 각 1인 및 간사를 둔다.

② 위원장은 상임집행위원회에서 선임하고, 부위원장은 위원회가 위원 중에서 호선한다.

③ 위원장은 위원회를 통할하고 위원회를 대표한다.

④ 부위원장은 위원장을 보좌하고 위원장이 사고가 있을 때에는 그 직무를 대행한다.

⑤ 간사는 위원장의 지시에 따라 위원회의 사무를 담당한다.

⑥ 임원의 임기 및 보선에 관하여는 제2조 제3항 및 제4항을 준용한다.

제4조【회 의】

① 위원회는 위원장이 소집하고 그 의장이 된다.

② 회의는 재적위원 과반수의 출석으로 성립하고 출석위원과반수의 찬성으로 의결한다.

③ 공동대표, 중앙위원회 의장, 상임집행위원장, 상임집행위원은 위원회에 출석하여 의견을 진술할 수 있다.

④ 위원회의 의사는 비공개를 원칙으로 한다. 다만, 위원회가 공개결의를 한 때에는 그러하지 아니한다.

⑤ 위원회의 의사에 관하여는 의사록을 작성하여야 한다.

제5조【직 무】

위원회의 직무사항은 아래와 같다.

① 연합의 도덕적, 운동적 관행과 품위를 깨뜨린 사건에 대한 진상조사, 책임규명, 감독 및 대책 수립

② 기타 상임집행위원장이 위촉하는 사항

제6조【권 한】

① 위원회는 연합의 도덕적, 운동적 관행과 품위를 깨뜨렸다는 혐의가 있는 때에는 사건관련자에 대하여 조사에 필요한 각종 자료의 제출 및 설명을 요구할 수 있다.

② 위원회는 각 지역조직 및 중앙사무국의 사무책임자에게 필요한 자료의 제출을 요청할 수 있다.

③ 조사결과 연합의 도덕적, 운동적 관행과 품위를 깨뜨린 혐의가 발견된 때에는 위원회는 상임집행위원장에게 규약 제8조의 제명, 정권, 경고 등 징계를 요청할 수 있다.

제7조【조사위원】

① 위원장은 연합의 도덕적, 운동적 관행과 품위를 깨뜨린 사건의 조사를 위하여 위원 중에서 3인 이내의 위원을 당해 사건의 조사위원으로 지명할 수 있다.

② 조사위원은 조사결과를 서면으로 작성하여 위원회에 보고한다.

제8조【비밀유지의무】

위원장, 위원 및 이 업무를 담당한 직원은 업무상 알게 된 비밀을 누설하여서는 아니된다. 그 직을 그만둔 후에도 같다. 다만, 상임집행위원장의 요구가 있을 때에는 위원장은 자료를 공개할 수 있다.

제9조【세칙제정】

위원회는 필요한 때에는 운영세칙을 제정할 수 있다.

경실련 정책위원회 운영규칙

제1조【목 적】

이 규칙은 경제정의실천시민연합(이하"연합") 규약 제18조3항에 근거하여 정책위원회(이하 "위원회")의 기능 및 운영에 관한 사항을 규정함을 목적으로 한다.

제2조【사 업】

1. 이 연합의 정책운동 계획 및 평가
2. 이 연합의 정책 운동성을 띤 각 조직들의 정책 조정, 협의
3. 상급기관이 위임한 사항

제3조【구 성】

① 위원회는 정책운동 단위의 각 위원회와 정책운동성을 갖춘 연합의 다른 규약조직의 정책기구로 구성한다.

② 정책운동 단위의 각 위원회는 다음 각 호와 같다.

1. 금융개혁위원회 2. 재정세제위원회
3. 재벌개혁위원회 4. 중소기업위원회
5. 토지주택위원회 6. 농업개혁위원회
7. 보건의료위원회 8. 노동개혁위원회
9. 교육개혁위원회 10. 사회복지위원회
11. 정보통신위원회 12. 과학기술위원회
13. 정치개혁위원회 14. 정부개혁위원회
15. 예산감시위원회

③ 정책 운동성을 갖춘 규약조직의 정책기구는 다음과 같다.

1. 시민입법위원회 2. (사)경제정의연구소
3. (사)경실련통일협회 4. (사)경실련도시개혁센타
5. 시민권익센터 6. (사)갈등해소센터

④ 이 위원회는 필요에 따라 산하에 특별위원회를 둘 수 있다.

⑤ 이 위원회는 자문위원 또는 특별위원을 둘 수 있다.

⑥ 이 위원회 가입결정은 이 위원회 임원회의에서 결정한다.

⑦ 이 위원회의 기구표는 〈별표1〉과 같다

제4조【위원회】

① (지위) 위원회는 경실련이 정책운동을 원활히 하기 위하여 설치하는 활동 위원회를 말한다.

② (창립) 개별위원회는 본 연합의 회원 30인 이상의 요구, 정책 운동성을 띤 각 조직의 의결, 본회 상급기관의 의결 등 이중 하나의 요건이 성립하면 위원회가 발의하고, 활동할 수 있는 요건이 충족되었다고 판단할 때 정책위원장이 그 창립을 승인한다.

③ (위원)

1. 해당 위원회의 목적 실현을 위하여 합리적이고 전문적인 지식과 현장 경험이 있는 자는 위원이 될 수 있으며 2개 이상의 위원회 활동도 가능하다.
2. 위원은 소속 위원장이 의뢰한 사항, 위원회 고유한 활동에 필요한 업무에 관하여 사업개발 및 조사 연구 활동에 성실히 참여해야 한다.
3. 위원은 이 연합의 정회원으로 회원으로서의 권한과 의무를 이행하여야한다.

④ (위원장)

1. 해당 위원회는 위원 중 1인을 호선으로 위원장을 선출하여 정책위원회에 추천하고 정책위원장이 임명한다.
2. 위원장은 위원회를 대표하며 이 연합의 당연직 중앙위원이 된다.
3. 위원장의 임기는 1년이며 연임할 수 있다.

⑤ (회의)

1. 회의는 월 1회 이상의 정기회의를 개최한다.
2. 회의 소집은 위원장이 하며 위원의 3분의 1이상의 요구가 있을 때 즉시 임시회의를 하여야 한다.
3. 의결은 위원의 과반수 이상의 출석으로 개회하고 출석위원의 과반수 찬성으로 의결한다.

⑥ (활동보장)

해당 위원회의 정책연구, 활동, 결정사항은 이 연합의 정신과 결정과정의 절차상 문제가 없는 한 존중된다. 다만, 대외적인 발언은 본연합의 정책 통합성의 정신에 따라 상급 기관의 장과 협의하여야 한다.

⑦ (업무 및 기능)

1. 해당 위원회의 고유한 활동에 필요한 조사, 연구 활동
2. 이 연합의 정신에 맞는 사업의 제안
3. 상급기관이 의뢰한 사항
4. 기타

⑧ (보고) 위원장은 위원회 제반의 사항을 상급기관 회의에 정기적으로 문서로 보고한다.

⑨ (업무인계) 해당 위원회 활동과 관련하여 사업, 인사 등의 사항에 변동이 있을 경우 각 해당자에게 성실히 업무를 인계하여야 한다.

⑩ (해산) 해당 위원회가 그 목적을 다 한 때 또는 활동을 지속적으로 하기 어렵다고 판단될 경우 정책위원회의 결정으로 해산 할 수 있다.

제5조【임 원】정책위원회 운영을 위해 위원장 1인과 약간 명의 부위원장을 둘 수 있다.

1. (정책위원장) 이 위원회 규칙 제3조제2항의 각 위원장 중 1인을 위원장으로 호선하고 상임집행위원회에 보고하여야 한다.
2. (정책부위원장) 위원장은 정책위원 중 약간 명을 부위원장으로 지명하여 상임집행위원회에 보고하여야 한다.
3. (위원장) 이 위원회의 규칙 제3조제2항의 각 위원장은 해당 위원회에서 1인을 호선하고 상임집행위원회에 보고하여야 한다.
4. (특별위원장) 특별위원회 위원 중 호선한다.

제6조【회 의】

① (총회)

1. (구성) 이 위원회 직속 위원회의 위원 전원으로 한다.
2. (소집) 매년 1회 정책위원장이 소집하고 위원 5분의 1이상의 요구가 있을 때 임시총회를 개최한다.
3. (안건) 당 해 년도 사업 평가

차기 연도 사업 방향 및 중점사업 결정

기타 의장이 부의한 사항

4. (의결) 위원회 위원의 과반수 출석과 의사정족수 유지 상태의 출석위원 과반수 찬성으로 의결한다.

② (위원장회의)

1. (구성) 이 위원회 의장단 및 각 위원회 위원장으로 구성한다.
2. (소집) 매 분기별 정책위원장이 소집하고, 회의구성원 3분의 1이상의 요구가 있을 때, 또는 정책위원장이 필요하다고 판단할 경우 임시회의를 소집한다.
3. (안건) 분기별 사업 평가

기타 의장이 부의한 사항

4. (의결) 위원의 과반수 출석과 의사정족수 유지 상태의 출석위원 과반수 찬성으로 의결한다.

③ 임원회의

1. (구성) 이 위원회의 의장단, 각 위원회 위원장으로 구성한다.
2. (소집) 매월 1회 정책위원장이 소집하고 회의구성원 3분의 1이상의 요구가 있을 때 임시회의를 소집한다.
3. (안건) 당월 사업 심의

기타 의장이 부의한 사항

4. (의결) 위원의 과반수 출석과 의사정족수 유지 상태의 출석위원 과반수 찬성으로 의결한다.

제7조【정책조정회의】

① 정책위원장이 필요시 정책운동성을 갖춘 규약의 다른 조직의 정책책임자를 소집하여 개최하는 회의를 말한다.

② 정책조정회의와 제6조제2항의 임원 회의를 합동으로 할 수 있다.

제8조【회의보고】 매 회의는 차기 상임집행위원회에 정책위원장이 보고한다.

제9조【의결위임】 각종 회의 시 위원은 서면으로 출석권과 의결권을 위임 할 수 있다.

제10조【정책발표】

① 모든 정책 관련 대외적인 활동은 경실련의 공동대표, 중앙위원회 의장단, 상집위원장, 위원회 의장단에 실시간으로 보고한다.

② 성명서, 현안 의견 개진, 집회, 토론회, 공청회 등은 해당 위원장이 정책위원장, 상임집행위원장 및 사무총장과 협의하여 발표하여야 한다.

③ 기자회견 및 중대한 사안이라 판단 할 경우 해당 소위원장은 전항의 절차에 공동대표, 중앙위원 의장과도 협의하여야 한다.

준 칙

이 규칙에 정하지 아니한 사항에 관하여는 경실련 규약 및 제 규정이 정하는 바에 따른다.

부 칙

1.이 규칙은 제정한 날로부터 시행한다.

2.이 규칙 제정 시 정책위원회 조직은 아래와 같다.

3.이 규칙의 제정 이전에 선임된 임원은 이 규칙에 의해 선임된 것으로 본다.

(별표1)

1)정책위원회 직속 정책위원회

◇경제개혁위원회	- 금융개혁소위원회	- 재정세제소위원회
	- 재벌개혁소위원회	- 중소기업소위원회
	- 토지주택소위원회	- 농업개혁소위원회
◇사회개혁위원회	- 보건의료소위원회	- 노동개혁소위원회
	- 교육개혁소위원회	- 사회복지소위원회
◇정보과학위원회	- 정보통신소위원회	- 과학기술소위원회
◇정치개혁위원회		
◇정부개혁위원회		
◇예산감시위원회		
◇국제위원회		
◇특별위원회	- 아파트값거품빼기운동본부	- 국책사업감시단

2)정책운동성을 갖춘 규약의 다른 조직

◇시민입법위원회

◇ (사)경제정의연구소 정책기구

◇ (사)경실련통일협회 정책기구

◇ (사)도시개혁센터 정책기구

◇ 시민권익센터 정책기구

◇ (사)갈등해소센터 정책기구

경실련 조직위원회 운영규칙

제1장 총칙

제1조【목적】

이 규칙은 경제정의실천시민연합(이하 연합이라 한다) 규약 제19조에 근거하여 조직위원회(이하 위원회라 한다)의 기능 및 운영에 관한 사항을 규정함을 목적으로 한다.

제2조【지위】

위원회는 이 연합 전국 조직의 통합성 유지와 전국 조직의 발전을 위한 제반 사항을 심의, 집행하는 상설기구이다.

제3조【사 업】 위원회는 다음의 각 호의 사업을 한다.

① 지역조직 활동의 협의 및 지원에 관한 사항

- 지역경실련의 창립, 징계, 해산 및 사고조직 처리에 관한 사항 포함

② 전국 및 지역공동사업에 대한 협의 및 지원에 관한 사항

③ 전국적 통일성 및 협력관계를 높일 수 있는 사업

④ 기타 상급기관이 위임한 사항

제2장 위원

제4조【위원구성】(위원)

조직위원은 본부 임직원 및 지역경실련 관계자 등으로 상임집행위원회에서 선임한다.

제5조【임원】

위원회의 원활한 운영을 위해 위원장 1인과 약간 명의 부위원장을 둘 수 있다. ① (위원장) 이 위원회 규칙 제4조의 구성원 중 1인을 위원장으로 호선하고 상임집행위원회 승인을 받아야한다. ② (부위원장) 이 위원회 규칙 제4조의 구성원 중 약간 명을 부위원장으로 선출한다. 조직위원장은 상임집행위원회에 보고하고 추인을 받아야 한다.

제3장 회의

제6조【조직위원회의】

① (구성) 조직위원 전원회의 ② (소집) 매분기별 위원장이 소집하고, 위원과반수 이상의 요구가 있을 때 임시회의를 개최한다. ③ (안건) 1. 격월 사업 심의, 기타 위원장이 부의한 사항 2.매년 마지막 정기회의에는 당 해 년도 사업 평가, 차기 연도 사업 방향 및 중점사업 결정, 임원선출을 포함한다. ④ (의결) 위원의 과반수 출석과 의사정족수 유지 상태의 재석위원 과반수 찬성으로 의결한다.

제7조【임원회의】

① (구성) 위원장, 부위원장 ② (소집) 매월 1회 위원장이 소집하고, 위원 과반수 요구가 있을 때 임시회의 ③ (안건) 1.월별 사업 심의 및 평가 2. 기타 위원장이 부의한 사항 ④ (의결) 위원의 과반수 출석과 의사정족수 유지 상태의 재석위원 과반수 찬성으로 의결한다.

제8조【소위원회의】

조직위원회 산하에 필요에 따라 소위원회 및 특별위원회를 구성할 수 있다.

제9조【회의보고】

매 회의는 차기 상집위원회에 위원장이 보고한다.

제10조【의결위임】

위원은 서면으로 출석권과 의결권을 위임 할 수 있다

부 칙

이 규칙은 상임집행위원회에서 의결되는 즉시 효력을 발휘한다.

경실련 아카데미 운영 규칙

2014. 9. 29 제정

제1조 [목적]

이 규칙은 경제정의실천시민연합(이하"연합") 규약 제24조 2항에 근거하여 경실련아카데미(이하 "아카데미")의 기능 및 운영에 관한 사항을 규정함을 목적으로 한다.

제2조 [사업] 이 아카데미는 다음 각 호의 사업을 한다.

1. 이 연합의 임원, 상근활동가, 회원의 교육 및 훈련

2. 시민 교육
3. 조사 연구
4. 국내외 연대활동
5. 상급기관이 위임한 사항
6. 그 밖의 이 아카데미의 목적에 필요한 사업

제3조 [위원]

① (구성) 위원은 당연직과 상임집행위원회 선출직으로 구성하며 7인에서 15인 이내로 한다.
1. 당연직 위원은 상임집행위원장, 정책위원장, 사무총장, 지역경실련협의회 운영위원장이다.
2. 상임집행위원회 선출직 위원은 이 아카데미의 목적을 달성하기 위한 역량을 갖추고 있는 이 연합의 회원 중 상임집행위원회가 선출한다.

② (소위원회) 이 아카데미의 효율적 운영을 위해 산하에 소위원회를 둘 수 있다.

③ (자문회의) 이 아카데미의 사업 및 활동에 대하여 자문과 지원을 위한 자문회의를 둘 수 있다

④ (결격) 위원의 결격에 대한 사항은 경실련 규약 및 경실련 윤리행동강령을 준용한다.

제4조 [임원]

① (임원) 이 아카데미의 원활한 운영을 위해 위원장 1인과 약간 명의 부위원장을 둘 수 있다.
1. 위원장은 아카데미를 대표하며, 이 규칙 제3조 1항의 구성원 중 1인을 위원장으로 호선하고 상임집행위원회 승인을 받아야한다.
2. 부위원장은 위원장을 보좌하며, 이 규칙 제3조 1항의 구성원 중 약간 명을 부위원장으로 선출하며, 상임집행위원회에 보고하고 추인을 받아야 한다.

② (임기) 위원장 및 부위원장 등의 임기는 2년이며 1회에 한하여 연임할 수 있다. 보선된 임원의 임기는 잔여임기로 한다.

제5조 [회의]

① (소집) 이 아카데미의 회의는 매분기마다 위원장이 소집하며, 위원의 과반수의 요구가 있을 때 즉시 임시회의를 개최한다.

② (의결) 위원의 과반수 출석으로 개회하며 출석위원 과반수의 찬성으로 의결한다. 위원의 출석권과 의결권은 위임 할 수 있다.

제6조 [계획의 수립 및 보고]

① (계획의 수립) 이 아카데미를 효율적 운영과 체계적 활동을 위해 매년 1월까지 연간 교육 및 훈련 계획을 수립하고 상임집행위원회의 승인을 얻어야한다.
1. 연간 교육 및 훈련계획에는 전년도 사업평가, 당해 연도 사업방향 및 중점사업, 재정계획, 상급기관이 위임한 사항의 집행결과 등을 포함한다.

② (보고) 이 아카데미의 활동 및 회의결과 등은 상임집행위원회에 보고한다.

제7조 [징계]

이 아카데미의 위원으로서 이 연합 및 아카데미에 유해한 행위를 하였거나 대외적인 명예를 현저히 실추시킨 위원은 경실련 윤리위원회의 결의로 징계를 할 수 있다.

부 칙

제1조 [준칙] 이 규칙에 명시되어 있지 않은 사항은 경실련의 규약과 결의 그리고 민주주의 일반원칙에 따른다.

제2조 [효력발생] 이 규칙은 상임집행위원회의 제정 즉시 효력을 발생한다.

경실련 특별기구 운영규칙

제1장 총칙

제1조【목 적】

이 규칙은 경제정의실천시민연합(이하 연합) 규약 제26조에 근거하여 이 연합 산하 특별기구 설치 및 운영에 관한 사항을 규정함을 목적으로 한다.

제2조【정 의】

특별기구라 함은 이 연합 목적과 취지에 부합하여 특정한 사업을 수행하기 위하여 설치된 운동적 성격의 법인 및 비법인 기구를 말한다.

제3조【소 속】

특별기구는 이 연합의 산하 기구로 조직적 특성에 맞는 정관과 이에 상응하는 법규를 가질 수 있다. 단, 특별기구의 모든 법규는 상임집행위원회의 승인을 얻어야 한다. 특별기구는 정관과 이에 상응하는 법규 그리고 사업과정에 이 연합의 산하 기관임을 명시해야 한다.

제4조【명 칭】

이 연합 산하 특별기구는 중앙위원회의 승인 없이 다른 명칭을 사용할 수 없다.

제5조【구 성】

①법인 기구는 (사)경제정의연구소, (사)경실련통일협회, (사)경실련도시개혁센터, (사)갈등해소센터이다.

②비법인 기구는 시민권익센터, 월간 경실련이다.

제6조【운영원칙】

①(자립, 자율성 보장) 특별기구는 이 연합의 창립 정신과 목적에 맞는 활동을 자율적, 자립적으로 할 수 있으며 본부는 이를 존중한다.

②(조직의 통일성 유지) 특별기구는 본부와 조직과 정책의 통합성을 유지한다.

③(협의) 활동 과정에서 사회적 파장이 큰 사안에 대해서는 상급기관과 협의해야한다.

제2장 회원

제7조【회 원】

①(지위) 특별기구의 회원은 자동적으로 이 연합의 회원이 되며 회원으로서의 의무와 권리를 갖는다.

②(규정) 특별기구는 조직의 특성에 맞는 회원규정을 둘 수 있으나 이 연합의 회원 규정에 우선할 수 없다.

③(보고) 특별기구는 경실련 규약 제5조 2항에 의한 정회원 명단을 매 반기마다 서면으로 보고하여야 한다.

제3장 기구신설

제8조【절 차】

①(발의) 특별기구의 신설은 이 연합의 회원 50인 이상의 요구, 정책위원회의가 필요하다고 인정하여 결정할 때, 상임집행위원회의 결의로 발의 할 수 있다.

②(준비위원회)

1. 준비위원회 구성은 활동분야가 기존 활동기구와 명백히 구별되고 해당 분야에서 2년 이상 연구, 경력, 활동이 인정되는 7인 이상의 위원으로 구성하고 활동기간은 3개월을 넘지 않아야 한다.
2. 준비위원회는 원활한 활동을 위하여 상임집행위원회에 필요한 지원을 요청할 수 있다.
3. 준비위원회는 다음과 같은 활동을 한다.
   가. 특별기구 신설의 타당성 검토 및 사업계획 등
   나. 경실련 설명회
   다. 위원모집
   라. 준비위원장 선출
   마. 재정계획
   바. 기구 창립을 위한 승인 요청서
4. 창립을 위한 승인 요청 시 다음 각 호의 내용을 담아야 한다.
   가. 특별기구 창립 취지문 및 경과보고서
   나. 정관
   다. 회원명단(성명, 생년월일, 주소, 연락처, 경력 등 소개 양식)
   라. 임원명부(직위 및 성명)와 선출 결과 보고서
   마. 재정계획
   바. 사업계획서
   사. 회의록

③(창립승인)

1. 상임집행위원회는 해당 준비위원회의 보고를 득 한 후 가장 가까운 시일에 열리는 회의에서 검토하고 차기 중앙위원회에 승인을 요청한다.
2. 상임집행위원회는 해당 준비위원회의 보고가 미흡하다고 판단될 경우 이를 보완 요청을 할 수 있다.

제4장 행정

제9조【행 정】

①(공문서) 각 특별기구는 이 연합이 지정한 공문서 양식을 사용하거나 특별기구 별도의 양식을 사용할 수 있다. 단, 별도의 양식을 사용할 경우 본부에 보고하여야 한다.

②(회원관리) 각 특별기구는 독자적으로 회원관리를 하며 회원의 정보는 공유하여야 한다.

③(회원분담금) 각 특별기구는 회원이 납부한 회비 중 일정액을 본부에 납부해야 하며 이는 매년 특별기구의 운영위원장과 사무총장이 협의하여 결정한다.

④(관리분담금) 특별기구는 사무행정을 위한 분담금을 본부에 납부해야 한다.

1. 건물 임대료
2. 통신비(인원수 비례-전화, 팩스, 컴퓨터 등)
3. 사무용품 및 비품
4. 회계업무 대행비(회계업무자 급여 기준)

제5장 재정

제10조【재 정】

①(원칙) 각 특별기구의 재정은 자립적으로 운영하며 이 연합의 통일적인 재정 업무에 필요한 사항은 사무

총장과 각 특별기구의 운영위원장 및 이에 상응하는 임원이 협의하여 결정한다.

②(예산 및 집행책임)

1. 각 특별기구는 외부로부터 자금을 차입할 경우 경실련 상임집행위원장, 사무총장과 사전 협의를 하여야 한다.
2. 각 특별기구의 운영위원장은 회계에 대한 지휘감독의 책임을 진다.
3. 각 특별기구의 운영위원장은 이 연합 기획조정실에 회계업무를 위탁한다. 각 특별기구는 일정액수의 회계업무 대행비를 본부에 납부하고 이 금액은 매년 협의하여 결정한다.

③(차입 및 대여) 이 연합 또는 각 특별기구의 내부간의 차입 또는 대여를 할 경우에는 사전에 사무총장 및 각 특별기구 운영위원장간의 합의에 의해서만 가능하다.

④(사업수익 및 외부계약) 각 특별기구는 프로젝트 등 사업수익 및 외부계약에 대하여 계약금액 기준으로 10%내지 15%를 이 연합 본부에 납입하여야 한다.

제11조【보 고】

①특별기구는 상임집행위원회에 사업, 인사, 재정 등에 관하여 관련사항을 매월 정기보고서를 제출한다.

②특별기구는 중앙위원회에 회원명단, 사업활동보고, 차기 정기보고일 까지 사업계획, 재정 및 기타의 기록상황을 보고한다.

제6장 사무국

제12조【사무국】

①(실국장회의) 이 연합의 본부 및 특별기구의 실 국장이 참여하는 정기회의를 매주 개최하며 사무책임자는 반드시 참여하여야 한다.

②(인사)

1. 경실련 사무국 상근자의 인사, 직제, 복무 등에 관하여는 사무국 운영규칙에 준한다.
2. 사무국장은 사무총장과 각 특별기구 대표 또는 운영위원장이 협의하여 상임집행위원회에 추천하며 상임집행위원회에서 임명한다.
3. 상근자의 임명은 각 기구 운영위원장과 사무총장이 협의하여 결정한다.
4. 본부와 특별기구의 상근자는 순환보직을 원칙으로 하며 특별기구 운영위원장과 사무총장이 협의하여 이를 행할 수 있다.

제7장 해산

제13조【해 산】

특별기구의 활동이 다음 각 호에 해당 될 때 상임집행위원회는 결의로서 특별기구의 활동 정지를 명할 수 있고 상임집행위원장은 이를 중앙위원회에 보고하여 해산을 요청할 수 있다.

-해당 특별기구가 해산을 결의 할 때

-해당 특별기구가 사업 활동 내용 또는 운영이 본래의 목적과 현저히 어긋나거나 매우 부실하여 존재의 의의가 없다고 인정될 때

-해당 특별기구가 내분 및 기타의 사유로 활동을 지속적으로 하기 어렵다고 판단될 때

-기타

준 칙

이 규칙에 정하지 아니한 사항에 관하여는 이 연합 규약 및 규칙이 정하는 바에 따른다.

부 칙
이 규칙은 제정한 날로부터 시행한다.

경실련 부설기관 운영규칙

(2005 . 06. 27 부분개정)

제1조【목 적】
이 규칙은 경제정의실천시민연합(이하“연합”) 규약 제26조에 근거하여 이 연합 산하부설기관의 설치 및 운영에 관한 사항을 규정함을 목적으로 한다.

제2조【정 의】
부설기관이라 함은 이 연합의 목적과 취지에 부합하여 특정한 사업목적을 수행하기 위하여 설치한 사업적인 성격의 법인 및 비법인 기구를 말한다.

제3조【소 속】
부설기관은 이 연합의 산하 기관으로 조직적 특성에 맞는 정관과 이에 상응하는 법규를 가질 수 있다. 단 부설기관의 모든 법규는 상임집행위원회의 승인을 얻어야 한다. 각 기관의 정관과 이에 상응하는 법규 그리고 사업과정에 이 연합의 산하 부설기관임을 명시해야 한다.

제4조【구 성】
①비법인 기관은 경실련 환경농업실천가족연대이다.

제5조【명 칭】 이 연합 산하 부설기관은 중앙위원회의 승이 없이 다른 명칭을 사용할 수 없다.

제6조【운영원칙】
①(자립, 자율성 보장) 부설기관은 이 연합의 창립 정신과 목적에 맞는 사업을 자율적, 자립적으로 한다.
②(조직의 통일성 유지) 부설기관은 본부와의 조직적 통합성을 유지해야 한다.
③(사전협의) 사업 과정에서 일정규모 이상의 재정투자, 대외적인 계약, 신규사업, 경실련 명의사용에 관하여는 상임집행위원회에 사전 보고하고 승인을 얻어야 한다.

제7조【회 원】
①(지위) 부설기관의 회원은 자연적으로 이 연합의 회원의 되지는 않는다.
②(규정) 부설기관은 조직의 특성에 맞는 회원규정을 둘 수 있다.
③(보고) 부설기관은 경실련 규약 제15조 2항에 근거한 정회원 명단을 매 반기마다 보고한다.
④(정회원) 부설기관의 회원 중 3분 1은 이 연합의 정회원이 되어야 하며 이 연합회원의 권리와 의무를 갖는다.

제8조【회 의】
①(운영위) 부설기관의 대표 또는 이에 상응하는 임원은 이 연합의 당연직 중앙위원이다.
②(조직위원회) 부설기관의 조직 책임자는 조직의원회의 당연직 위원이다.
③(본부임원) 이 연합의 상임집행위원장 또는 주요임원 1인 이상을 이사 및 운영위원으로 선임하여야 하고 경실련 사무총장은 산하 부설기관의 당연직 이사 및 운영위원이 된다.

제9조【신 설】
①(발의) 부설기관의 신설을 위한 발의는 이 연합의 회원 50인 이상의 요구, 조직위원회가 필요하다고 인정하여 결정할 때, 상임집행위원회의 결의로 발의할 수 있다.

②(준비위원회)

1)준비위원회 구성은 사업 분야가 기존 기관과 명백히 구별되고 해당 분야에서 2년 이상 연구, 경력, 활동이 인정되는 7인 이상의 위원으로 구성하고 활동기간은 3개월을 넘지 않아야 한다.

2)준비위원회는 원활한 활동을 위하여 상임집행위원회에 필요한 지원을 요청할 수 있다.

3)준비위원회는 다음과 같은 활동을 한다.

-부설기관 신설의 타당성 검토 및 사업계획 등

-경실련 설명회

-회원모집

-준비위원장 선출

-재정계획

-기관 창립을 위한 승인 서류

4)기관 창립을 위한 승인 요청 시 다음 각 호의 내용을 담아야 한다.

-부설기관 설립 취지문 및 경과보고서

-정관

-회원명단(성명, 생년월일, 주소, 연락처 등 소개 양식)

-임원명부(직위 및 성명)와 선출 결과 보고서

-재정계획

-사업계획서

-회의록

-사무국

③(창립 승인)

-상임집행위원회는 해당 준비위원회의 보고를 득 한 후 가장 가까운 시일에 열리는 회의에서 심사하고 차기 중앙위원 대회에 승인을 요청한다.

-상임집행위원회는 해당 준비위원회의 보고가 미흡하다고 판단될 경우 이의 보완을 요청 할 수 있다.

제10조【행 정】

①(공문서) 각 부설기관은 공문서에 이 연합의 부설기관임을 명시하여야 한다.

②(회원관리) 각 부설기관은 독자적으로 회원관리를 하며 회원명단은 반기마다 조직위원에 보고한다.

③(회원분담금) 각 부설기관은 이 연합의 정회원으로 등록한 회원이 납부한 회비 중 50%를 경실련에 납부해야 한다.

제11조【재 정】

①(원칙) 각 부설기관의 예산과 결산은 독립적으로 하며 이 연합의 통일적인 재정업무에 필요한 사항은 사무총장과 각 부설기관의 대표 또는 이에 상응하는 임원이 협의하여 결정한다.

②(예산 및 집행책임) 각 부설기관의 대표는 예산 및 집행의 책임을 진다.

③(차입 및 대여) 경실련 또는 각 부설기관 내부간의 차입 또는 대여를 할 경우에는 사전에 경실련 상임집행위원장, 사무총장과 각 부설기관 대표간의 합의에 의해서만 가능하다.

④(사업수익 및 외부계약) 각 부설기관은 사업수익 및 외부계약에 대하여 일정액을 경실련 본부에 납입하며 이에 대하여는 상임집행위원장, 사무총장과 해당 기관의 대표가 협의하여 결정한다.

제12조【보 고】

①부설기관은 이 연합의 조직위원회 및 상임집행위원회가 사업, 인사. 재정 등 관련사항을 요구 할 경우 보고해야 할 의무가 있다.

②부설기관은 중앙위원회에 임원, 사업활동보고, 차기 정기보고일 까지의 사업계획, 재정 및 재산 변동, 이사회 회의록 및 총 회의록 등을 보고한다.

제13조【사무국】

①(실국장회의) 이 연합의 사무국 실국장 및 부설기관의 사무국장간 정기회의를 개최한다.

②(인사)

1)사무총장과 각 부설기관의 대표 또는 운영위원장은 부설기관 사무국장 임명에 대하여 협의하고 상임집행위원회에 추천하며 상임집행위원회에서 임명한다.

2)상근자 및 직원의 임명은 각 기관의 운영위원장과 사무총장이 협의하여 결정한다.

3)본부와 부설기관의 상근자는 부설기관의 대표와 사무총장이 협의하여 교환 근무를 하게 할 수 있다.

제14조【해 산】

①(요건) 부설기관의 활동이 다음 각 호에 해당 될 때 상임집행위원회는 결의로서 부설기관의 활동정지를 명할 수 있고 상집위원장은 이를 대위원회에 보고하여 해산을 요청 할 수 있다.

-해당 부설기관이 해산을 결의 할 때

-해당 부설기관이 사업활동 내용 또는 운영이 본래의 목적과 현저히 어긋나거나 매우 부실하여 존재의 의의가 없다고 인정될 때.

-해당 부설기관이 재정사고 및 내분 등의 사유로 활동을 지속적으로 하기 어렵다고 판단될 때

-시민운동 기관으로서의 정당하지 못한 행위가 드러날 때

-기타

준 칙

이 규정에 정하지 아니한 사항에 관하여는 본 연합 규약 및 규칙이 정하는 바에 따른다.

부 칙

이 규칙은 제정한 날로부터 시행한다.

경실련 시민권익센터 운영규칙

제1장 총칙

제1조【규칙 제정의 근거】

이 규칙은 개별기구로서 경실련 규약 제26, 27조에 근거하여 제정한다.

제2조【명칭】

이 조직은 경실련 시민권익센터(이하 '시민권익센터'라 표기)라 창한다.

제3조【목적】

시민권익센터는 인간 존엄성에 대한 공평한 기회를 보장하기 위한 제도개선과 의식개혁운동, 사회적 경제적 문화적 소외되고 과소 대변되는 계층과 집단의 이익을 대변하는 운동, 서민적 삶과 직결된 실질적 생활개선 운동을 통해 경제정의와 사회정의를 실현하는 것을 그 목적으로 한다.

제4조【소재】

시민권익센터의 사무실은 경실련 사무국 내에 둔다.

제5조【활동】

시민권익센터는 목적을 달성하기 위하여 아래와 같은 활동을 한다.

1. 시민권익 대변과 권리구제운동
2. 조사연구와 제도개선운동
3. 생활개선과 의식개혁운동
4. 시민교육 및 홍보활동
5. 민원상담 및 법률구조
6. 기타 시민권익센터의 목적 달성에 필요한 활동

제2장 회원

제6조【자격】

시민권익센터의 회원은 시민권익센터의 목적에 동의하여 시민권익센터의 사업에 참여하고 회원으로서의 권리와 의무를 이행하는 자로 구성한다.

제7조【구분】

시민권익센터의 회원은 다음과 같이 구분한다.

1. 일반회원 : 시민권익센터의 목적에 동의하여 시민권익센터의 사업에 참여하고자 하는 자로 일반회원명부에 등록한 자
2. 정회원 : 일반회원으로서 회비를 1년 이상 납부한 자
3. 후원회원 : 시민권익센터의 목적과 사업을 지원하고자 하는 개인, 단체 및 법인

제8조【권리】

일반회원, 정회원, 후원회원의 권리는 다음과 같다.

1. 시민권익센터의 운영과 활동전반에 관하여 발의 및 참여할 권리

제9조【의무】

일반회원 및 정회원의 의무는 다음과 같다.

1. 시민권익센터의 규칙 및 결의를 준수할 의무
2. 시민권익센터의 목적을 실현하기 위한 운동에 적극적으로 참여할 의무
3. 회비를 납부할 의무

제10조【징계】

시민권익센터의 회원으로서 시민권익센터의 사업에 유해한 행위를 하거나 시민권익센터의 대외적인 명예를 현저히 실추시킨 자는 운영위원회의 의결로서 징계할 수 있다.

제3장 조직

제11조【대표】

대표는 시민권익센터를 대표하며 내외의 모든 활동을 총괄한다.

1. (선출) 대표는 시민권익센터 운영위원회의 결의를 거쳐 상임집행위원회에서 승인한다.
2. (임기) 대표의 임기는 2년이며 1회에 한해서 연임할 수 있다.
3. (직무대행) 대표의 궐위 시 운영위원장이 그 직무를 대행한다.

제12조【운영위원회】

시민권익센터의 사업수행에 필요한 중요사항을 협의, 조정, 의결, 집행하기 위하여 운영위원회를 둔다.

1. (지위) 운영위원회는 시민권익센터의 최고 의결기관이다.
2. (구성) 운영위원회는 당연직 운영위원과 선출직 운영위원으로 구성되며, 1인의 운영위원장을 둔다.
   당연직 운영위원은 대표, 운영위원장, 각 분과위원장, 사무총장, 사무국(처)장이며 선출직 운영위원은 운영위원장의 제청 및 운영위원회의 동의로 10인 이상 20인 이내로 구성한다.
3. (소집) 정기운영위원회는 격월로 소집하며 대표, 운영위원장 또는 운영위원 1/3이상의 동의로 임시운영위원회를 소집할 수 있다.
4. (운영위원장)
   ① (임명) 운영위원장은 운영위원회에서 선출한다.
   ② (권한) 운영위원장은 사무국 사업과 운영에 관한 협의, 조정의 권한을 가진다.
5. (회의 및 의결) 운영위원의 1/2이상 출석으로 성립하며, 출석위원 과반수로 의결 한다.
6. (임기) 운영위원장의 임기는 1년이며 1회에 한하여 연임할 수 있다. 운영위원의 임기는 1년으로 하며 연임할 수 있다.
7. (권한) 운영위원회는 다음 각 호를 의결한다.
   ① 운영규칙변경 심의
   ② 사업계획 심의
   ③ 예산 및 결산 심의
   ④ 회원의 제명과 징계
   ⑤ 기타 시민권익센터 운영상 필요하다고 인정하는 사항

제13조【분과위원회】

시민권익센터는 목적의 효과적 수행을 위해 운영위원회의 결의로써 소위원회 및 분과위원회를 둘 수 있다.

제14조【회원조직】

회원의 참여를 제고하고 활동회원확대를 위해 다양한 회원조직을 둘 수 있다.

제15조【사무국】

시민권익센터의 사업수행을 위하여 사무국을 두며, 사무국장이 이를 총괄한다.

1. (사무국장) 경실련 사무총장이 시민권익센터 대표, 상임집행위원장, 정책위원장, 조직위원장과 협의를 거쳐 상임집행위원회에 그 승인을 제청한다.
2. (부장, 간사) 경실련 사무총장이 시민권익센터 대표의 협의를 거쳐 선임한다.
3. (운영) 사무국의 운영에 관한 세부내용은 별도의 내규에 의한다.
4. 위 조항 이외의 사항은 경실련 본부의 규정이나 규칙에 준한다.

제4장 재정

제17조【수입】

시민권익센터의 수입은 회원회비, 후원금, 특별모금, 사업수익 등으로 한다.

제18조【회계년도】

시민권익센터의 회계년도는 매년 1월 1일부터 12월 31일까지로 한다.

부 칙

제1조【규칙개정】

규칙개정안은 시민권익센터 운영위원회에서 의결한다.

제2조【준칙】
이 규칙에 명시되지 않은 사항은 경실련 규약 및 민주주의 일반원칙과 관례에 따른다.
제3조【경과규정】
이 규칙 시행일 이전에 신임되거나 임명 또는 위촉된 자는 이 규칙에 의하여 선임되거나 임명 또는 위촉된 것으로 본다.
제4조【효력발생】
이 규칙은 시민권익센터 운영위원회에서 의결함과 동시에 효력을 발생한다.

시민단체 사회적 책임헌장

우리는 공익성, 자발성, 자율성 및 독립성의 가치를 추구하는 비정부 · 비영리 시민단체들로서 인권과 정의, 평화, 지속가능성 및 기타 공공의 이익을 증진시키기 위해 활동한다.

우리는, 평화롭고 환경적 · 사회적으로 지속가능한 사회, 일한만큼 대접받고 사회적 약자들이 보호받는 정의로운 사회, 효율과 형평이 균형을 이루며 성장하는 사회를 추구한다. 우리는 안전하며, 인간으로서 최소한의 품의를 유지할 수 있고, 지역, 인종, 성, 종교 등에 관계없이 평등한 권리를 누릴 수 있는 사회를 지향한다. 우리는 독립적이고 자유로우며 연대와 박애정신에 근거한 자발적 시민참여가 폭넓게 이뤄지는 건강한 시민사회의 형성을 위해 노력한다. 성숙한 시민사회가 우리사회의 건강하고 지속적인 발전을 이끌어낼 것으로 믿는다.

우리가 행사할 권리는 보편성이 인정되고, 대한민국 헌법이 보장하는 의사표현, 집회 및 결사의 자유에 기초하며, 사회의 민주적 발전에 기여하는, 우리가 추구하고 촉진하려는 가치들에 근거한다.

우리는 시민주권의 원리에 입각하여 정치 · 경제 · 사회적 제반 기관들의 힘의 오 · 남용을 감시하고 견제하는 동시에, 이들과의 사회적 공익 증진을 위한 협력을 추구한다. 우리는 공공의 이익을 촉진하기 위한 정부의 역할과 책임을 우리가 보완할 수 있으나 대체할 수는 없음을 인정한다. 우리는 정부, 기업 및 다른 사회적 기관들이 해결할 수 없거나 하려하지 않는 문제와 이슈들을 제기하고 대안을 제시한다. 우리는 연구, 조사, 주장과 집합행동 및 그 밖의 활동들을 통해 우리의 사명을 이루고자 하며, 뜻을 함께 하는 단체들과의 연대가 목표의 성취에 기여할 수 있을 때에는 그런 단체들과 함께 행동한다. 우리는 건설적인 도전을 통해 우리의 목표를 향해 나아갈 수 있다고 믿는다.

우리의 정당성은 우리의 활동의 질과 시민적 지지에 달려 있다. 우리는 공공의 권익 증진에 관련된 사안에 반응하고 우리의 활동과 성과에 대한 책임성을 제고함으로써 우리의 정당성을 확보하려 한다. 우리는 우리의 조직과 활동에 관한 정보를 시민들에게 공개하고, 시민들의 의견에 겸허하게 귀를 기울이며, 이를 토대로 지속적인 내적 혁신을 통해 책임성을 증진시키려 한다.

우리는 모든 활동을 수행함에 있어 보편적 가치를 존중한다. 우리는 시민들의 필요와 역할기대에 성실히 부응하기 위해 시민중심으로 생각하고 활동하며, 실사구시의 정신에 따라 현실에 기초한 합리적 대안을 추구하고 합의의 과정을 존중한다. 우리는 윤리적으로 건전하고, 장기적으로 효과적이며, 지속가능한 발전

을 담보할 수 있는 원칙에 근거하여 활동한다. 우리는 정치 · 경제적 및 제반 사적이익으로부터 독립성을 이루고, 양심을 따르며, 전문성을 지키기 위해 노력한다.

우리는 조직구조, 사명, 정책 및 활동에 대해 개방성과 투명성을 유지하며, 모든 부정과 부도덕한 행위에 반대하고 함께 일하는 시민들의 존엄성과 인권을 존중함으로써 높은 도덕성을 유지한다.

우리는 민주적인 의사결정구조를 확립하고 시민들과의 의사소통에 힘쓰며 시민들의 제안과 참여를 촉진한다. 우리는 재정의 건전성과 지속가능성을 추구한다. 단체의 사명에 근거하여 정직하게 모금하고, 투명하고 효과적이고 효율적으로 사용한다. 우리는 재정 및 인적자원 등 조직 내부 관리에 있어 효율성과 탁월성을 추구하며 자원봉사자와 상근자의 권리를 존중하고 모든 차별을 배제한다.

우리는 이 헌장에 서명함으로써, 이 현장과 행동규범을 준수하고 우리가 추구하는 책임성의 가치를 더욱 촉진해 나갈 것을 약속한다.

2007년 6월 26일

NGO 사회적 책임운동(준)
경실련, 기윤실, 녹색미래. 대한YWCA연합회, 흥사단

경제정의실천시민연합 임원의 윤리행동강령

제정 2004. 5. 1
개정 2017. 2. 13

제1조【목적】

본 강령은 「경제정의실천시민연합 규약」에서 정한 경제정의실천시민연합의 임원이 준수해야할 윤리행동의 기준을 규정함을 목적으로 한다.

제2조【적용 대상】

본 강령은 「경제정의실천시민연합 규약」 제27조의 직책에 재직 중인 임원에게 적용된다.

※ 〈경실련 규약〉 27조 ①항의 임원은 공동대표, 중앙위원, 상임집행위원, 고문 및 지도위원, 감사, 각 특별위원회 및 정책소위원회 위원장, 각 특별기구의 이사장, 대표 및 운영위원장, 사무총장이며, ④항의 임원은 그 외 지역조직과 특별조직에서 앞의 임원직에 해당하는 직책을 가진 회원이다.

제3조【행동의 윤리적 기준】

임원은 다음의 각 호를 준수해야 한다.

1. 경제정의와 사회정의 실현을 통해 땀 흘려 일하는 모두가 잘 사는 정의로운 민주공동체를 이룩하려는 경실련의 사명에 충실해야 한다.
2. 경실련 운동이 비영리성, 공익성, 비당파성, 독립성, 자율성, 자발성을 지킬 수 있도록 협력해야 한다.
3. 경실련이 시민 의사를 대변하는 대표성, 내부 의사결정의 민주성, 자원 활용의 투명성, 영향력 증대에 따른 사회적 책무성을 지킬 수 있도록 협력해야 한다.
4. 경실련이 전국적 시민운동단체로서 조직의 건전성과 통합성을 유지할 수 있도록 협력해야 한다.

제4조【정치활동의 제한】

① 임원은 공직선거의 출마, 정당 및 후보자의 선거운동, 정치인의 후원회장 취임 및 활동, 정당의 당직 수행 등의 정치행위를 해서는 안 된다.
② 임원은 정무직 또는 정부관련 기관의 장 등 공직에 취임하면 그 직을 상실한다.

제5조【사전 통보】
① 상임집행위원회는 임원의 위촉 시 구두 또는 서면 등으로 본 강령을 알려야 한다.
② 임원은 제4조에 해당하는 행위가 발생하거나 또는 예정되어 있을 경우 사전에 상임집행위원회 위원장 또는 사무총장에게 그 사실을 알려야 한다.

제6조【징계 등】
① 상임집행위원회 위원장은 소위원회를 구성하여 특정 사안이 본 강령에 위반되는지 여부를 조사하고, 상임집행위원회 본 회의에 회부할 수 있다.
② 상임집행위원회는 본 강령을 위반한 임원에 대하여 제명, 정권, 경고 등 징계와 면책을 의결하고, 필요한 경우 그 결과를 공개할 수 있다.

제7조【효력발생】이 강령은 상임집행위원회의 의결 즉시 효력을 갖는다.

경실련 회원의 다짐

오늘 우리들 경실련 회원들은 한 목소리로 '경실련 회원의 다짐'을 하고자 합니다. 이 다짐은 경실련의 모든 공식 집회 때마다 한 목소리로 하는 다짐입니다.

우리는 땀 흘려 일하는 사람이 대접받는 사회, 시민이 주인이 되는 사회, 더불어 사는 사회가 이룩되기를 원합니다. 그러나 이러한 사회는 정부나 정치인에게만 맡겨서는 결코 이룩되지 않습니다.

나부터 나서서 개인의 이익을 떠나 공동의 이익을 위해 행동할 때 새로운 사회는 만들어집니다.

경실련이 추구하는 사회는 경제성장과 사회적 형평, 그리고 환경보존이 동시에 이룩되는 사회입니다. 그러나 아무리 제도가 좋아도 정신이 성숙되어 있지 않으면 그 제도는 유지될 수가 없습니다. 따라서 우리는 나눔과 근검절약과 정직을 생활화해야 할 뿐만 아니라 도움을 필요로 하는 소외된 이웃을 위한 구체적 사랑을 실천해야 합니다.

경실련은 일차적으로 제도개혁을 위해 노력하지만 그러나 근본적으로 이 운동은 정신혁명 운동입니다.

경실련은 특정계급이나 집단, 지역의 이해관계를 초월하여 사회적 공공선과 정론을 추구합니다. 그러나 집단이기주의에 빠지지 않고 다수의 의견이라고 무조건 따라가지 않고 정말 옳은 이야기를 하는 것은 쉬운 일이 아닙니다. 뿐만 아니라 한편의 의견만을 듣고서 쉽게 발언해서도 안 되고, 경실련 내부의 의견이 일치되지 않았는데도 쉽게 발언해서는 안 됩니다. 철저히 조사연구한 후 합리적인 대안을 만들어야 합니다.

경실련 회원은 외로움과 손가락질을 감수하면서까지 정론을 말해야 하며 정확하지 않은 열 번의 주장보다 정확한 한 번의 주장을 선택해야 합니다.

제아무리 옳은 주장을 하려고 해도 인간의 부족 때문에 얼마든지 잘못을 저지를 수 있습니다. 그러나 잘못을 깨달았을 때가 더 중요합니다.

정직하게 잘못을 인정할 수 있는 용기가 오히려 우리의 공신력을 높여줍니다.

경실련은 사람을 가진 자와 가지지 않은 자로 구분하지 않습니다. 우리는 가진 자든 가지지 않은 자든 상관하지 않고 우리 사회가 이렇게 되어서는 안 되겠다고 생각하는 모든 사람들의 가슴 속에 있는 선한 의지를 조직해서 그 힘으로 세상을 변화시키는 운동을 전개합니다. 선한 의지는 겉으로는 약한 것 같아도 사람의 마음을 움직이는 힘이 있습니다.

경실련은 진실성과 정직성, 그리고 상대에 대한 사랑의 마음을 가지고 선으로 악을 이기는 운동을 전개합니다.

그러나 우리는 악과의 싸움에서 져서는 결코 안 됩니다. 악 앞에서 타협하거나 침묵하거나 굴종해서는 안 됩니다. 악을 근원적으로 척결할 수 있는 방안을 모색하고 이를 단호하게 밀고 나가야 합니다. 한번이라도 불의와 타협하는 순간 경실련의 도덕성은 무너지고 말 것입니다.

우리는 경실련을 이 사회에서 결코 로비가 통하지 않는 단체로 만들어야 합니다.

경실련 운동은 한마디로 뜨겁게 사랑과 정의를 실현하는 운동입니다. 인간에 대한 신뢰와 애정 속에서 인간해방의 꿈을 실현하는 운동입니다. 경실련의 방법론은 매우 현실적이고 합리적이지만 우리의 꿈은 그지없이 이상주의적입니다.

경실련은 우리에게 도움을 요청하는 안타까운 손길들을 빈손으로 돌려보내서는 안 됩니다.

경실련은 재정 없이는 존재할 수 없습니다. 그러나 한두 개 대기업의 거액의 지원으로 유지되는 일이 있어서는 결코 안 됩니다. 이렇게 되면 당장은 편할지 모르나 결국은 타락과 소멸의 길을 걷고 말 것입니다.

경실련은 시민들의 성의 있는 회비와 성금을 주된 재원으로 할 때에만 장기적으로 살아남을 수 있습니다.

경실련은 끝까지 비정치적인 순순한 시민운동의 길을 가야 합니다. 물론 훌륭한 정치세력도 필요하지만 그것 못지않게 훌륭한 시민운동이 존재하는 것이 무엇보다 중요합니다. 특별히 시민운동이 정치권의 당리당략과 기업의 이윤추구에 맞서 인간의 존엄성과 시민사회의 자율성을 지켜내어야 나라의 방향이 바르게 될 것입니다.

경실련은 백년대계의 초석을 쌓겠다는 신념을 가지고 순수하게 시민운동의 외길을 가야 합니다.

경실련 회원으로 있다 보면 때로는 특별한 일 없이 소극적인 회원으로 지낼 때도 있을 것입니다. 그러나 그렇다고 해서 경실련 회원이 아니라고 생각해서는 안 됩니다. 종교인이 평생 종교를 믿듯이 경실련 회원은 평생을 회원으로 사는 그런 회원이여야 합니다.

우리는 경실련에서 같은 뜻을 가진 사람들을 만나 서로 의지 하고 친구로 사귀면서 평생을 보람 있게 살기를 희망합니다.

경실련 우리의 다짐

모든 사회적 억압, 차별, 불의와 빈곤을 추방하여 자유와 정의가 충만하며, 모두가 인간으로서의 존엄성을 갖고 살 수 있는 사회의 건설을 우리는 지향한다.

모든 개인, 집단, 인종, 민족과 국가 간에 평화와 우애가 충만하며, 소중하고 아름다운 자연이 보호되며, 모든 생명의 존엄성이 존중되는 아름답고 따뜻한 사회를 우리는 추구한다.

우리는 단지 물질적으로 잘 사는 사회만이 아니라 바르고 따뜻한 사회를 지향하며, 단지 제도 개선운동만이 아니라, 의식과 윤리를 바르게 하는 정신운동도 함께 전개한다.

시민단체는 정부와 시장과 더불어 사회발전을 이끌어 가는 세 주역의 하나이다. 이러한 시민단체의 역할을 경실련이 수행할 수 있도록 우리 모두 앞장선다.

우리는 항상 시민들의 비판과 충고를 겸허히 받아들이고 모든 것을 시민들과 함께하는 시민들에 의한 시민운동을 전개한다.

우리는, 특정한 이해관계로부터 벗어나서 공공선을 추구하며 불편부당한 정론을 주장한다.

우리는 비난과 비판에 그치지 않고, 찬 머리와 더운 가슴으로 실사구시 정신에 입각하여 합리적이며 실현가능한 해결책을 제시하고 실천한다.

우리는 사회갈등을 상호 파멸적인 적대적 투쟁이 아니라 상생의 갈등으로 승화시켜서 모두가 함께 발전하는 계기로 활용한다.
우리는 자신의 출세와 이익을 위하여 경실련을 이용하지 않으며, 각자 회비를 성실히 납부한다.

경실련의 한 가족인, 회원, 자원봉사자, 임원, 상근활동가는 모두 평생의 진정한 친구로서 서로 존중하고 사랑한다.

사단법인 경제정의연구소 정관

제 1 장 총칙

제1조 (명칭)
본 연구소는 사단법인 경제정의연구소라 칭한다.
제2조 (목적)
본 연구소는 경실련의 특별기구로서 우리 사회의 경제적 균형발전과 공정분배를 위한 경제정책에 대한 조사연구 및 홍보를 목적으로 한다.

제3조 (사업)

본 연구소는 전조의 목적을 달성하기 위하여 다음의 사업을 행한다.

1. 공정분배에 대한 정책대안 개발 및 조사 연구
2. 정부, 국회 및 기타 요로에 대한 의견의 개진 또는 건의
3. 조사, 연구물 간행, 출판 및 홍보사업
4. 회원 상호간의 학술토론의 개최
5. 기타 연구소 목적달성에 필요한 사항

제4조 (소재)

본 연구소는 본부를 서울특별시에 두고, 국내 필요한 지역에 지소 또는 주재원을 둘 수 있다.

제 2 장 회원

제5조 (자격 및 종류)

1. (일반회원) 회원은 본 연구소의 목적에 동의하여 본 연구소의 사업에 참여하고자 하는 개인과 단체로서 일반회원 명부에 등록하는 개인과 단체는 본 연구소의 일반회원이 된다.
2. (정회원) 정회원은 일반회원으로서 회비를 1년 이상 납부한 자로 한다. 단 최근 1년 간 6만원 이상 회비 납부 실적이 없을 경우 정회원 자격이 상실된다.
3. (후원회원) 본 연구소의 목적과 사업을 지원하고자 하는 개인 단체 및 법인을 후원회원으로 한다.

제6조 (의무) 일반회원 및 정회원의 의무는 다음과 같다.

1. 본 연구소의 정관, 내규 및 결의를 준수할 의무
2. 본 연구소의 목적을 실현하기 위한 운동에 적극적으로 참여할 의무
3. 회비를 납부할 의무. 단, 개인과 단체의 회비는 별도의 규정을 둔다.

제7조 (권리) 일반회원, 정회원, 후원회원의 권리는 다음과 같다.

1. 본 연구소의 운영과 활동전반에 관하여 발의 및 참여할 권리
2. 정회원은 총회에 참석하여 발언할 수 있으며 총회에서의 의결권과 선거권, 피선거권을 갖는다. 그리고 일반회원과 후원회원은 총회에 참석하여 발언할 수 있다.
3. 전(前)항의 규정에도 불구하고 이사회의 승인을 얻은 사람은 총회에서의 의결권 및 임원의 선거권, 피선거권을 가진다.

제8조 (징계)

다음 각 호 중 하나에 해당하는 행위를 할 때에는 운영위원회의 청구가 있을 때 이사회의 결의로서 제명, 정권, 경고를 할 수 있다.

1. 연구소의 명예를 훼손한 자
2. 연구소 또는 회원에 대하여 현저한 피해를 가하는 불의의 행위를 한 자
3. 장기간 회비납입을 태만히 한 자
4. 총회 또는 이사회의 결의사항을 준수 이행치 않는 자

제9조 (가입, 자격상실 및 징계절차)

회원의 가입 및 징계에 관하여는 별도의 규칙에 의한다.

제 3 장 총회

제10조 (지위와 구성)

총회는 최고의결기구로서 회원으로 구성한다.

제11조 (소집)

총회는 정기총회와 임시총회로 구분하고 정기총회는 사업개시일 2개월 이내에, 임시총회는 다음의 경우에 총회의장이 소집 한다

1. 정회원 3분의 1이상의 요청이 있을 때
2. 이사회의 결의로서 요청이 있을 때
3. 이사장이 필요하다고 인정할 때

제12조 (통지)

총회의 소집은 개최일 7일 전에 의안, 일시 및 장소를 기재한 서면으로 정회원에게 통지하여야 한다. 단 긴급을 요할 때는 총회의장의 승인에 따라 통지기간을 단축할 수 있고 통신수단일체의 방법으로 통지할 수 있다.

제13조 (의장)

총회의 의장은 이사장이 된다. 이사장 유고 시는 부이사장이 되며, 이사장, 부이사장 모두 유고 시는 연구소장이 된다.

제14조 (의결)

총회는 정회원 과반수 이상의 출석으로 성립하고 결의는 출석자 과반수 찬성으로 행한다. 가부동수인 때에는 의장이 정하는 바에 따라 결정한다.

제15조 (총회의 권한)

총회의 의결사항은 각 호로 결정한다.

1. 정관의 변경
2. 사업의 계획과 보고
3. 수지의 예산과 결산
4. 이사회의 결의로서 총회에 부의된 사항
5. 이사 및 이사장의 선임
6. 감사의 선임
7. 연구소의 해산

제 4 장 이사회

제16조 (구성)

1. 본 연구소의 이사회는 6인 이상 20인 이하의 이사로 구성한다. 단, 10인 이내의 비등기이사를 둘 수 있다.
2. 경제정의연구소 소장 및 경실련 사무총장, 경실련 상집위원장, 경실련 정책위원장은 당연직 이사가 된다.

제17조 (임원)

1. 이사회는 이사장 1인과 연구소장 1인을 두며, 부이사장 1인을 둘 수 있다.
2. 이사장을 제외한 임원은 이사회에서 선출한다.

제18조 (임기)

1. 이사는 이사장의 추천을 받아 총회에서 선임한다.
2. 이사장과 부이사장, 이사의 임기는 2년으로 한다. 이사장은 1회에 한하여 연임할 수 있다. 소장의 임기는 2년으로 한다. 단, 1회에 한하여 연임할 수 있다.
3. 임원은 임기가 만료되어도 새로 선임한 임원의 취임 시까지 계속 재임하여야 하며 보궐 및 증원으로 선임된 임원의 임기는 여타 임원의 잔임 기간으로 한다.

제19조(역할)

1. 이사장은 연구소를 대표한다.
2. 부이사장은 이사장을 보좌하고 이사장 유고 시에 미리 정한 순서에 따라 이사장의 직무를 대리한다.
3. 연구소장은 이사장의 감독 하에 업무를 총괄한다.

제20조 (고문)

본 연구소는 경제정의에 관한 지식 및 경험이 풍부하고 덕망이 높은 자 또는 본 연구소의 현저한 공적이 있는 자를 이사회의 결의로서 고문에 추대할 수 있다.

제21조 (소집)

이사장은 다음 각 호에 해당하는 경우 그 사유를 명시하여 이사회를 소집한다.

1. 이사장이 필요하다고 인정한 때
2. 재적이사 3분의 1이상의 소집요구가 있을 때

제22조 (의장)

이사회의 의장은 이사장이 된다. 단, 이사장 유고 시는 부이사장, 소장, 부소장 순으로 의장을 대리한다.

제23조 (통지)

이사회의 소집은 개최 3일전까지 의안, 일시 및 장소를 이사에게 통지하여야 한다. 단, 긴급히 소집할 때에는 예외로 한다.

제24조 (의결)

이사회는 재적이사 과반수의 출석으로 성립하고 출석이사 과반수의 찬성으로 결의한다.
가부동수인 때에는 의장이 정하는 바에 따라 결정한다. 단, 긴급을 요할 때에는 서면으로 결의할 수 있으며 또한 타 이사에게 회의 출석 대리권 및 의결권을 위임할 수 있다.

제25조 (이사회의 권한)

이사회의 결의사항은 다음과 같다.

1. 정관변경 심의
2. 사업계획 심의
3. 예산 및 결산 심의
4. 회원의 제명 및 징계
5. 제 규정의 제정 및 개정
6. 총회에 부의할 안건
7. 운영위원회 위원의 선임과 해임
8. 위원회의 신설과 해산
9. 정관에 의해 그 권한에 속한 사항
10. 기타 이사장이 연구소 운영상 필요하다고 인정하는 사항

제 5 장 감사

제26조 (선출, 임기, 임무 등)

1. (선출) 감사는 1인으로 하고 총회에서 선출한다.
2. (임기) 감사의 임기는 2년으로 한다. 단, 1회에 한하여 연임할 수 있다.
3. (역할)

① 감사는 본 연구소의 업무 및 회계에 관한 사항을 감사하며 이사회 출석하여 발언할 수 있다.
② 감사는 만일 부정사실을 발견하였을 때는 이를 총회에 보고해야 한다.

제 6 장 위원회

제27조 (설치)

본 연구소의 사업수행 상 필요가 있을 때는 이사회의 결의를 얻어 상시 또는 임시로 위원회를 둘 수 있다.

제28조 (운영위원회)

1. 이사회가 개회하지 않은 기간 동안 본 연구소의 상설적이며 전반적인 운영을 위하여 운영위원회를 두며 운영위원장이 이를 총괄하고 연구소 소장이 그 직책을 수행하며 위원은 위원장의 추천을 받아 이사회에서 임명한다.
2. 운영위원회의 운영에 관하여는 별도의 규칙에 정한다.

제29조 (기타위원회)

각 위원회 위원장 등의 임기는 1년으로 하고 운영위원장을 제외한 위원장은 소장의 추천을 받아 이사회에서 임명하며 부위원장 및 위원은 위원장의 추천을 받아 소장이 임명한다. 단, 위원장은 위원회의 합의에 의해 1회에 한하여 연임할 수 있다.

제30조 (의결)

위원회는 과반수의 출석으로 성립하고 결의는 출석자 과반수 찬성으로 행한다. 가부동수일 때에는 의장이 정하는 바에 따라 결정한다.

제 7 장 사무국

제31조 (구성)

본 연구소는 사업수행을 위해 사무국을 둔다. 사무국은 소장이 총괄하고 사무국의 원활한 사업수행을 위해 1인 이내의 비상임 부소장을 둘 수 있다. 부소장은 소장의 추천을 받아 이사회에서 임명한다.

제32조 (임명)

사무국장과 상근직원은 연구소장과 경실련 사무총장이 합의하여 이사회에서 임명한다.

제33조 (규칙)

사무국의 구성과 운영에 관하여는 별도의 규칙으로 정한다.

제 8 장 재무 및 회계

제34조 (수입)

본 연구소의 재원은 가입금, 회비, 사업수익금, 후원금 및 잡수입으로 충당한다.

제35조 (잉여금)

본 연구소는 총수입에서 총지출을 공제하고 잉여금이 있을 때는 이를 후기에 이월한다.

제36조 (회계연도)

본 연구소의 사업 연도는 매년 1월 1일에 개시하여 12월 말일에 종료한다.

제37조 (결의)

이사장은 이사회의 심의를 거쳐 전년도 말의 재산목록, 대차대조표, 수지결산서, 사업보고서 및 신년도의 사업계획서와 수지 예산서를 작성하여 이를 정기총회의 결의를 받아야 한다.

제38조 (감사 보고)

감사는 재산목록, 대차대조표, 수지결산서, 사업보고서 각 서류를 감사하여 총회에 그 의견을 보고하여야 한다.

제39조 (자료 보관)

총회의 승인을 받은 서류 및 기타 일체의 회계장부는 연구소 사무국에 비치하여야 한다.

제 9 장 존립 및 해산

제40조 (기간)

본 연구소의 존속기간은 설립 인가 일로부터 일 백년으로 한다. 단, 총회에서 회원 3분의 2이상의 결의로서 다시 연장할 수 있다.

제41조 (해산)

본 연구소의 해산은 총회에서 회원 3분의 2이상의 찬성결의로서 행한다.

제42조 (청산)

본 연구소를 해산할 때에는 재산을 청산하기 위하여 총회에서 청산위원을 선임한다.

제 10 장 보칙

제43조 (의사록 작성, 보존)

총회와 이사회는 의사진행을 기록한 의사록을 작성하여 출석 이사의 기명날인을 받아 보존한다.

부 칙

본 정관은 1990년 5월 15일부터 시행한다.

부 칙

본 정관은 1995년 5월 15일부터 시행한다.

부 칙

본 정관은 1999년 2월 21일부터 시행한다.

부 칙

본 정관은 2001년 6월 7일부터 시행한다.

부 칙

본 정관은 2004년 2월 10일부터 시행한다.

부 칙

본 정관은 2005년 2월 17일부터 시행한다.

부 칙

본 정관은 2014년 2월 6일부터 시행한다.

사단법인 경실련도시개혁센터 정관

부분개정 2005. 6. 23
전면개정 2008. 2. 28
부분개정 2010. 2. 24
부분개정 2011. 7. 29
부분개정 2011. 12. 20
부분개정 2015. 2. 12
부분개정 2016. 2. 17
부분개정 2016. 11. 18

제1장 총칙

제1조【명 칭】

이 조직은 경제정의실천시민연합의 특별기구로서 사단법인 경실련도시개혁센 터라 칭하고, 영문은 URBAN REFORM CENTER로 표기한다.

제2조【목 적】

이 센터는 시민의 일상적인 삶이 영위되는 도시를 시민 스스로 만들어 가는 시민중심의 도시, 삶이 풍요롭고 쾌적한 환경의 도시, 역사와 전통의 자부심을 갖고 살 수 있는 문화의 도시, 시민이 안심하고 건강하게 살 수 있는 안전한 도시, 서로 돕고 더불어 사는 공동체 도시를 만들기 위한 도시개혁운동을 전개 하는 것을 목적으로 한다.

제3조【사 업】

1. 도시개혁을 위한 의식개혁 운동
2. 도시개혁과 관련된 정책 연구 . 개발 . 평가 . 용역, 그리고 자료 및 도서의 발간
3. 도시개혁을 위한 교육 홍보
4. 도시개혁을 위한 시민행동 및 시민 사회단체와의 연대
5. 시민의 도시 문제 관련 상담센터 운영 및 법률 지원
6. 그 밖에 이 센터의 목적 달성에 필요한 사업
7. 위 각호 사업수행을 위해 경제정의실천시민연합과 상호협력과 지원

제4조【소재지】

이 센터의 본부는 서울에 두며, 국내외 필요한 지역에 지부 또는 주재원을 둘 수 있다.

제2장 회원

제5조【자격 및 종류】

1. (일반회원) 이 센터의 목적에 동의하여 사업에 참여하고자하는 자로서 회원 가입을 신청한 자는 일반회원이 된다.
2. (정회원) 일반회원으로서 회비를 1년 이상 납부한 자는 정회원이 된다. 단, 직전 회계연도에 월 회비를 6회 이상 납부하지 아니하거나 연회비를 납부 하지 아니한 정회원은 그 자격을 상실한다.
3. (후원회원) 이 센터의 목적에 동의하고 사업을 지원하고자 하는 개인, 단체 및 법인을 후원회원으로 한다.

4. (학생 회원) 이 센터의 사업을 지원 또는 도움 받고자 하는 학생은 학생회 원으로 등록하고 활동할 수 있다.

제6조【가입 및 의무】

이 센터의 회원으로 가입하고자 하는 자는 회원가입 신청서를 사무국에 제출해야 하며, 회원의 의무는 다음과 같다.

1. 이 센터의 정관 및 규칙을 준수할 의무
2. 이 센터의 총회, 이사회, 운영위원회의 결의를 준수하고 이행할 의무
3. 이 센터가 정한 회비를 납부해야할 의무
4. 이 센터의 목적을 실현하기 위한 운동에 적극적으로 참여할 의무
5. 이 센터의 교육 및 훈련과정을 이수할 의무

제7조【권 리】

1. 일반회원, 정회원, 후원회원은 이 센터의 운영과 활동에 관하여 발의 및 참 여할 권리가 있다.
2. 정회원은 총회에 참석하여 발언할 수 있으며 의결권과 선거권, 피선거권을 갖는다. 그리고 일반회원과 후원회원은 총회에 참석하여 발언할 수 있다.
3. 전(前)항의 규정에도 불구하고 이사회의 승인을 득한 회원은 총회에서의 의 결권 및 임원의 선거권, 피선거권을 가진다.

제8조【회원의 탈퇴】

회원이 탈퇴하고자 할 때에는 회원 탈퇴서를 제출함으로써 탈퇴가 된다. 단, 기납 회비는 반납하지 않는다.

제9조【징 계】

다음 각 호 중 하나에 해당하는 행위를 할 때에는 이사회 또는 운영위원회가 징계를 발의할 수 있으며, 이사회의 결의로서 제명, 정권, 경고를 할 수 있다.

1. 이 센터의 사업 및 활동에 유해한 행위를 한 자
2. 이 센터의 대외적인 명예를 현저히 실추시킨 자
3. 이 센터 또는 회원에 대하여 현저한 피해를 가하는 불의의 행위를 한 자
4. 총회 또는 이사회의 결의사항을 준수 이행치 않는 자
5. 장기간 회비를 납입하지 않는 자

제3장 조직 및 임원

제10조【총 회】

1. (지위) 총회는 이 센터의 최고의결기구이다.
2. (소집) 총회는 정기총회와 임시총회로 구분한다.
   가. 정기총회는 사업개시일 60일 이내에 매1년마다 개최한다.
   나. 임시총회는 이사회 결의 또는 이사장이 필요하다고 인정한 때 또는 의결권을 가진 회원 3분의 1이상의 요청이 있을 때에는 15일 이내에 소집해야한다.
3. (통지) 총회의 소집은 개최일 7일 전에 의안, 일시 및 장소 등을 회원에게 통지하여야 한다. 단 긴급을 요할 때는 총회의장의 승인으로 통지 기간을 단축할 수 있다.
4. (의장) 총회의 의장은 이사장이 된다. 이사장 유고 시는 운영위원장이 된다.
5. (의결) 총회는 위임을 포함한 의결권을 가진 회원 3분의 1 이상의 출석으로 개회하고 출석인원 과반수의 찬성으로 의결한다. 단, 가부동수인 때에는 의장이 정하는 바에 따라 결정한다.
6. (권한) 총회의 권한은 다음의 각 호이다.
   가. 정관의 변경

나. 전년도 사업의 보고와 신년도 사업계획의 승인
다. 전년도 결산과 신년도 예산의 승인
라. 이사회의 결의로서 총회에 부의된 사항
마. 이사 및 감사의 선출
바. 이 센터의 법인격 변경 또는 해산
사. 기타 회원들이 부의한 사항

7. (위임) 총회는 그 권한의 일부를 이사회에 위임할 수 있다.

제11조【이사회】

1. (구성) 이사회는 6인 이상 15인 이내의 이사로 구성하며, 이사회는 이사장을 선출한다. 단, 과반수 이상의 비등기 이사를 둘 수 없다.
2. (이사구분) 이사는 당연직 이사와 선임직 이사로 구분한다. 당연직 이사는 운영위원장, 정책위원장, 도시대학 학장, 경실련 사무총장으로 한다.
3. (의장) 이사회의 의장은 이사장이 된다. 이사장은 법인을 대표하고 업무를 총괄한다.
4. (소집과 통지) 이사회는 정기이사회와 임시이사회로 구분한다.
   가. 정기이사회는 매년 분기마다 개최하고, 임시이사회는 이사장이 필요하다고 인정한 때 또는 재적이사의 3분의 1 이상의 요청이 있을 경우에는 그 사유를 명시하여 소집한다.
   나. 이사회의 통지는 개최 7일전까지 의안, 일시 및 장소를 이사에게 통지하여야 한다. 단, 긴급히 소집할 때에는 예외로 한다.
5. (성립 및 의결) 이사회는 재적이사 과반수 출석으로 성립하고 출석이사 과반수의 찬성으로 의결한다. 가부동수인 때에는 의장이 정하는 바에 따라 결정한다. 단, 긴급을 요할 때에는 서면으로 결의할 수 있으며 또한 이사장에 게 출석권을 위임할 수 있다.
6. (권한 및 역할)
   가. 제 규정의 제정과 개정
   나. 사업계획 및 예산.결산 심의
   다. 운영위원장, 정책위원장, 특별기구와 부설기관의 장, 시민조직의 장 선임
   라. 고문 및 자문위원의 추대
   마. 운영위원회 위원의 선임과 해임
   바. 산하 조직의 신설과 해산
   사. 회원의 징계
   아. 총회로부터 위임 받은 사항 및 부의할 안건
   자. 사무국장의 선임
   차. 기타 정관에 의해 그 권한에 속한 사항
7. (위임) 이사회는 그 권한의 일부를 운영위원회에 위임할 수 있다.

제12조【감 사】

이 센터의 사업 및 회계를 감사하기 위해 2인의 감사를 둔다.

제13조【고문 및 자문위원】

이 센터의 사업을 효과적으로 수행하기 위하여 도시에 관한 지식과 경험이 풍부하고 덕망이 높은 자 또는 이 센터의 활동에 현저한 공적이 있는 자를 고문 및 자문위원으로 위촉할 수 있다.

제14조【후원회】

이 센터의 목적 사업을 원활히 수행하기 위해 후원회를 둘 수 있다.

제15조【임원의 임기 및 결격】

1. (임원의 범위) 이 센터의 임원 및 그에 준하는 지위에 있는 자는 총회, 이사회, 운영위원회에서

선출 또는 선임된 자이다.

2. (임기) 임원의 임기는 2년으로 하며, 이사장, 감사, 운영위원장, 정책위원장, 특별기구와 부설기관의 장, 시민조직의 장은 1회에 한하여 연임할 수 있다.
3. (임기의 연장) 임원의 임기 개시일은 해당 조직에서 선출된 날을 기준으로 하며, 임기가 만료되어도 새로 선출 및 선임한 임원의 취임 시까지 재임하여야 한다.
4. (결격) 정당에 가입한 자는 이 센터의 임원이 될 수 없으며, 임기 중인 임원이 정당에 가입한 경우는 자격을 상실한다. 여기서 임원의 결격에 해당하는 직책은 1항의 임원 및 그에 준하는 지위를 가진 자를 말한다.

제4장 위원회

제16조【운영위원회】

1. (지위) 이사회는 이 센터의 사업집행을 위하여 운영위원회를 둔다.
2. (구성) 운영위원회는 이사회에서 15인 이내로 선임한다.
   가. 운영위원회 위원장은 이 센터의 이사 중 이사회가 선임하며, 운영위원장은 운영위원의 의장이 된다.
   나. 당연직 운영위원은 도시대학 학장, 정책위원장, 정책분과위원장, 시민조직의 장, 사무국장이며, 선임직 운영위원은 이사회에서 센터의 활동에 필요하다고 인정하는 자를 회원중에서 선출한다.
   다. 이사는 운영위원회에 참여하여 의견을 제시할 수 있다.
3. (소집) 운영위원회는 월1회 개최하며, 운영위원장 또는 운영위원 3분의 1의 요구로 소집한다.
4. (권한)
   가. 총회와 이사회에서 결의 또는 위임한 사항
   나. 총회와 이사회에 부의할 사항
   다. 도시센터의 사업과 정책 등 운영에 관한 사항
   라. 정책위원회 분과위원장 승인
   마. 시민조직의 장 추천 및 운영에 관한 사항
   바. 기타

제17조【정책위원회】

1. (역할) 이 센터의 정책 연구 및 정책 결정에 필요한 제반 활동을 위하여 정책위원회를 둔다.
2. (위원장) 위원장은 정책위원회의 업무를 총괄하며, 운영위원장의 궐위 시 그 직무를 대행한다.
3. (분과위원회) 이 센터의 정책 연구 및 대안제시 등 전문적 활동을 수행하기 위하여 분과위원회를 두며, 분과위원장은 분과위원회의 업무를 총괄한다.

제18조【시민조직】

이 센터는 목적에 부합하는 현장 중심의 시민 활동을 위하여 시민조직을 둘 수 있다. 시민조직의 활동과 운영은 운영위원회에서 총괄한다.

제5장 특별기구와 부설기관

제19조【도시대학】

1. (역할) 이 센터의 목적을 달성하기 위한 교육 및 홍보 등을 담당할 특별기구로 도시대학을둔다.
2. (학장) 도시대학 학장은 도시대학의 업무를 총괄한다.
3. (교무 처장 및 교육위원) 도시대학 학장을 보좌할 교무처장 및 교육위원은 도시대학 학장의 추천으로 운영위원회에서 선임한다.

제20조【특별기구와 부설기관의 설치】

이 센터의 목적과 취지에 부합하는 특정한 사업을 수행하기 위하여 특별기구 와 부설기관을 둘 수 있으며, 그 조직 및 운영에 관하여는 별도의 규칙에 의한다.

제6장 사무국

제21조【사무국】

1. (설치) 이 센터의 사업수행을 위해 사무국을 설치하며 사무국장이 이를 총괄한다.
2. (사무국 직원) 사무국의 직원의 임면은 사무국장이 운영위원장, 정책위원장, 경실련 사무총장과 협의하여 행한다.
3. (운영) 사무국의 조직과 운영에 관하여는 별도의 규칙으로 정한다.

제7장 재정과 회계

제22조【재정】

이 센터의 재정은 회원의 회비, 후원회비, 사업수입, 특별모금, 기부금, 기타 수입으로 한다.

제23조【회계】

1. (회계년도) 이 센터의 회계연도는 매년 1월 1일에 개시하여 12월 31일에 종료한다.
2. (잉여금) 이 센터는 총수입에서 총지출을 공제하고 잉여금이 있을 때는 이 를 차기년도에 이월한다.
3. (예산 및 결산) 이사장은 이 센터의 전년도의 재산목록, 대차대조표, 수지 결산서 및 신년도의 예산서를 작성하고 이사회의 심의를 거쳐 정기총회의 승인을 받아야 한다.
4. (회계감사) 감사는 이 센터의 재산목록, 대차대조표, 수지결산서, 사업보고 서 등을 감사하고 총회에 보고하여야 한다.

제24조【재정 공개】

연간 기부금 모금액 및 활용실적은 홈페이지를 통해 공개한다.

제25조【해산 시 잔여재산 귀속】

해산 시 잔여재산은 국가, 지방자치단체 또는 유사한 목적을가진 다른 비영리 법인에게 귀속되도록 한다.

부칙

제1조【해 산】

1. 이 센터는 총회에서 재적인원의 4분의 3의 찬성으로 해산할 수 있다.
2. 이 센터를 해산할 때에는 재산을 청산하기 위하여 총회에서 청산위원을 선임하여야 한다. 제2조【정관의 개정】이 센터의 정관 개정은 총회에서 한다. 단, 총회의 위임에 의하여 이사회가 개정할 수 있으며, 이때에는 그 변경된 사항을 30일 이내에 회원들에게 통지하여야 한다. 제3조【자료의 보존 및 공개】이 센터의 총회, 이사회, 운영위원회 회의록 및 회계 서류는 사무국에 비치하여야 하고, 다른 매체를 통하여 회원들에게 상시 공개해야 한다.

제4조【위 임】

이 센터의 총회, 이사회, 운영위원회의 출석권은 위임할 수 있다.

제5조【준 칙】

이 센터의 정관에 명시되지 않는 사항은 민주주의의 일반 원칙에 준한다.

제6조【효력발생】
이 정관은 총회에서 통과되는 즉시 효력을 발생한다.
부칙
제1조【임원 임기】
정기총회 일정 조정에 따라 2005년 선출된 이사장, 이사, 대표의 임기는 2006년 정기총회까지로 한다.(2005.6.23)
부칙
제1조【대표의 표기】
정관의 전면 개정에 따라 대표가 운영위원장으로 변경된다. 단 '대표'의 직책은 2009년 정기총회 이전까지 병기할 수 있다.(2008.2.28.)
부칙
제1조【임원 임기】
정관의 개정에 따라 '보선 및 증원으로 선임된 이사 및 감사의 임기는 전임자의 잔여기간으로 한다.'라는 단서조항을 삭제해 정관에 보장된 임원의 임기를 보장하도록 한다.(2014.2.12.)
부칙
제1조【임원 임기】
정관의 개정에 따라 감사, 특별기구와 부설기관의 장, 시민조직의 장의 임기는 2년으로 하며 1회에 한하여 연임할 수 있도록 임기를 둔다.(2016. 2.17.)
부칙
제1조【사업】
정관의 개정에 따라 사업에 경제정의실천시민연합과 합호협력과 지원을 할 수 있도록 한다.(2016. 10. 4.)

사단법인 경실련통일협회 정관

제 정 일 1994년 01월 18일
1차 개정일 1999년 02월 10일
2차 개정일 2001년 03월 16일
3차 개정일 2011년 11월 24일
4차 개정일 2014년 02월 07일
5차 개정일 2016년 08월 17일

제1장 총칙

제1조 (명칭)
이 단체는 경제정의실천시민연합(약칭 경실련)의 특별기구로 사단법인 경실련 통일협회(CCEJ KOREA REUNIFICATION SOCIETY, 이하 협회라 한다)라 칭한다.
제2조 (소재지)
협회의 주사무소는 서울특별시에 둔다. 또한 필요에 따라 지회 또는 연락 사무소를 국내 및 국외에 둘 수 있다.
제3조 (목적)
협회는 평화통일을 위한 시민운동, 조사연구, 교육, 홍보, 남북교류 및 국제 협력 등을 통하여 한반도의 자주적 평화통일에 기여함을 그 목적으로 한다.

제4조 (사업) 협회는 제3조의 목적을 달성하기 위해 다음 각 호의 사업을 수행한다.

1. 자주적 평화통일을 위한 조직활동, 여론조성활동
2. 통일문제에 관한 정책연구, 각종 세미나, 공청회, 여론조사
3. 연구결과의 발간 및 출판
4. 북한과의 경제, 학술, 문화 등의 민간교류 추진
5. 통일환경 조성을 위한 민간 차원에서의 국제교류와 협력
6. 통일을 대비한 시민 의식개혁운동
7. 위 각호 사업의 추진을 위한 경실련과의 상호협력과 지원
8. 기타 부대사업

제2장 회원

제5조 (회원의 자격)

회원은 협회의 설립취지에 찬동하는 자로서 정회원만을 둔다.

1. 정회원은 협회의 설립목적에 찬동하여 능동적으로 참여하며, 연회비를 납부하는 사람으로 한다.

제6조 (회원의 가입)

정회원(이하 회원)이 되고자 하는 사람은 입회신청서를 내어 운영위원회의 승인을 얻어야 한다.

제7조 (회원의 권리의무)

1 회원은 협회의 모든 사업에 참가할 수 있으며 선거권과 피선 거권을 가지며 협회가 발간하는 모든 자료를 제공받을 권리가 있다.

2 회원은 정관 및 제규정의 준수, 이사회의 결의사항 이행, 회비납부의무가 있다.

제8조 (회원의 탈퇴)

협회의 회원이 탈퇴하고자 할 때에는 탈퇴원을 제출함으로써 탈퇴가 된다. 단, 기납회비는 반납하지 않는다.

제9조 (회원의 제명)

다음 각호 중 하나에 해당하는 행위를 할 때에는 이사회의 결의로서 제명 할 수 있다.

1. 협회의 명예를 훼손한 사람
2. 협회 또는 회원에 대한 현저한 피해를 가하는 불의의 행위를 한 사람
3. 장기간 회비납입을 태만히 한 사람
4. 총회 또는 이사회의 결의사항을 준수, 이행치 않는 사람

제10조

회원이 그 자격을 상실한 경우에는 기납한 각종회비 부과금의 반환 및 기타 재산상의 청구를 할 수 없다.

제3장 임원

제11조 (임원의 종류와 정수)

임원의 종류와 정수는 다음과 같다.

① 이사장 1인

② 이사7인 이상(이사장 포함)

③ 감사 2인

제12조 (임원의 선출)

①임원은 회원 중 총회에서 선출하고 통일부 장관에게 보고한다.

②임원은 임원 상호간에 민법 제777조에 규정된 친족관계나 혈족관계에 있는 자가 임원 정수의 3분의 1을 초과하지 않아야 한다.

③감사도 감사 상호간 또는 이사와 감사 간에 전항에 규정된 관계가 없는 사람이어야 한다.

④ 협회의 운영위원장, 정책위원장, 경실련 상임집행위원장, 경실련 사무총장, 협회의 회원 대표는 당연직 이사로 포함된다.

제13조 (임원의 임기)

① 이사의 임기는 2년으로 하고 감사의 임기는 2년으로 한다. 단, 연임할 수 있다.

② 이사장, 운영위원장, 정책위원장 임기는 2년으로 한다. 단 1회에 한하여 연임할 수 있다.

③ 임원이 임기 중 사직 및 기타의 사유로 궐위될 경우, 이사장의 소집으로 임시총회를 열어 그 후임을 선출한다. 후임자의 임기는 위 제1항, 제2항에 따른다.

④ 이사장이 사고가 있거나 궐위된 때에는 후임 이사장이 선출 될 때까지 이사회에서 선출한 이사가 그 직무를 대행할 수 있다.

제14조 (임원의 직무)

① 이사장은 협회를 대표하여 이사회와 총회의 의장이 된다.

② 이사는 이사회에 출석하여 협회의 업무에 관한 사항을 의결하며 총회 또는 이사장으로부터 위받는 사항을 처리한다.

③ 감사의 직무는 다음 각 호의 것으로 한다.

1. 협회의 재산상황을 감사하는 일.
2. 이사회의 운영과 그 업무에 관한 사항을 감사하는 일. 3. 제1호 및 제2호의 감사결과 부정 또는 부당한 점이 있음을 발견할 때에는 총회또는 이사회에 그 시정을 요구하고 통일부에 보고하는 일.
4. 제3호의 보고를 위해 필요한 때에는 총회 또는 이사회의 소집을 요구하는 일.
5. 협회의 재산상황, 총회 또는 이사회의 운영과 그 업무에 관한 사항에 대하여 이사장에게 의견을 진술하거나 총화 또는 이사회에서 그 의견을 진술하는 일.

제4장 총회

제15조 (구성) 총회는 최고의결기구로서 회원으로 구성한다.

제16조 (소집)

① 총회는 정기총회와 임시총회가 있다.

② 정기총회는 년 1회 2월중에 소집한다.

③ 임시총회는 다음 각 호의 경우에 소집한다.

1. 재적회원 3분의 1이상이 소집을 요구한 때.
2. 이사회의 의결로서 소집을 요구한 때.
3. 이사장이 필요하다고 인정한 때.

④ 총회의 소집은 개최일 7일 전에 의안, 일시 및 장소 등을 회원에게 통지하여야 한다. 단. 긴급을 요할 때에는 통지기간을 단축하고 통지를 할 수 있다.

⑤ 총회는 전항의 통지사항에 한하여 의결한다. 단, 출석회원의 전원이 찬성한 경 우에는 그렇지 아니한다.

제17조 (총회의 의결사항) 총회의 의결사항은 다음 각 호로 결정한다.

1. 임원선출

2. 협회의 해산 및 정관 변경
3. 재산의 매도, 증여, 담보, 대요, 취득 기채 등에 관한 사항
4. 예산 및 결산의 승인
5. 사업계획의 승인
6. 기타 중요한 사항

제18조 (의결정족수)

① 총회는 특별한 규정이 없는 한 재적회원 과반수의 출석과 출석회원 과반수의 찬성으로 의결한다. 단, 가부동수인 경우 이사장이 결정한다.

② 총회 불참시에는 의장에게 위임 할 수 있다.

제19조 (총회의결의 제적사유)

이사장 또는 회원이 다음 각 호의1에 해당하는때에는 그 의결에 참여하지 못한다.

1. 임원 취임 및 해임에 있어서 자신에 관한 사항
2. 금전 및 재산수수를 수반하는 사항으로 이사장 또는 자신과 협회의 이해가 상반 되는 사항

제5장 이사회

제20조 (이사회의 구성)

이사회는 이사장과 이사로 구분한다.

제21조 (이사회의 소집)

이사장은 다음 각 호에 해당하는 경우 그 사유를 명시하여 이사회를 소집한다.

1. 이사장이 필요하다고 인정한 때.
2. 재적이사 과반수 이상의 소집요구가 있을 때.
3. 감사의 소집요구가 있을 때.
4. 기타 협회의 운영에 관하여 중요한 사항이 있을 때.

제22조 (이사회의 의결사항) 이사회는 다음 각 호를 의결한다.

1. 사업계획안
2. 예산결산안
3. 정관변경 안
4. 재산관리
5. 각 위원회 위원장 및 위원의 선임에 관한 사항
6. 기타 총회에 부의할 안건,
7. 정관에 의해 그 권한에 속한 사항.
8. 총회에서 위임받은 사항.

9 기타 이사장이 부의하는 사항.

제23조 (의결)

이사회는 재적이사 과반수의 출석과 출석이사 과반수의 찬성으로 의결한다. 가부동수인 때에는 이사장이 결정한다. 단, 긴급을 요할 때에는 서면으로 결의할 수 있으며 또한 타임원에게 회의 출석대리권을 위임할 수 있다.

제6장 위원회

제24조 (운영위원회)

이사회가 개최하지 않은 기간동안 본 통일협회의 상설적이며 전반적인 운영을 위하여 운영위원회를 두며 운영위원장이 이를 총괄한다.

제25조 (정책위원회)

본 통일협회의 정책연구와 정책결정에 필요한 제반활동을 위해 정책위 원회를 두며 정책위원장이 이를 총괄한다.

제26조

본 통일협회의 사업진행을 위하여 재정위원회, 조직위원회, 여성위원회, 홍보위원회를 둘 수 있다.

제27조 (위원회의 운영)

그 구성 및 운영 등에 관하여서는 위원회별로 규정을 둔다.

제7장 특별위원회

제28조

민족화해아카데미 총동창회 본 협회가 운영하는 민족화해아카데미를 졸업한 사람을 중심으로 민족화해아카데미 총동창회를 특별회원조직으로 하며 운영을 위한 자체규정을 가진다.

제29조

통일언론 모니터회 올바른 통일언론의 정착을 위하여 통일언론모니터를 두며 운영을 위한 자체규정을 가진다.

제8장 재정

제30조 (재산의 종류)

① 협회의 재산은 기본재산과 보통재산으로 한다.

② 기본재산은 설립자의 출연재산과 이사회에서 기본재산으로 정한 재산으로 한다.

③ 기본재산은 년 1회 그 목록을 작성하여 통일부장관에게 보고한다.

제31조 (협회의 재원)

협회의 재원은 다음 각 호의 것으로 충당한다.

1. 회원의 회비 및 기부금
2. 연구용역비
3. 기본재산의 과실
4. 발간물 판매수익 및 기타 수익
5. 수입을 회원의 이익을 위하여 사용하지 아니하고, 사회복지 문화 예술 교육 종교 자선 학술 등 공익을 위하여 사용하며, 사실상 특정정당 또는 선출직 후보를 지지 지원하는 등 정치활동을 하지 않는다.
6. 인터넷 홈페이지를 통해 연간 기부금 모금액 및 활용실적을 다음연도 3월말까지 공개한다.

제32조 (회계연도)

협회의 회계연도는 정부회계년도에 준한다.

제33조 (예산, 결산)

① 협회의 세입 및 세출예산은 회계연도 개시 1개월 전까지 편성하여 이사회의 의결을 걸쳐 총회의 승인을 얻어야 한다.

② 협회의 결산은 익년도 1월중에 이사회의 의결을 거쳐 정기총회의 승인을 얻어야 한다.

제34조 (회계감사)

감사는 회계감사를 익년 2월 이전에 실시한다.

제35조 (임원의 보수)

임원의 보수에 관한 규정은 이사회의 의결로 따로 정한다. 단, 상근하며 사업운영을 전담하는 이사를 제외한 임원의 보수는 직무상 필요한 실비를 제 외하고는 지급하지 아니함을 원칙으로 한다.

제9장 사무국

제36조 (설치)

이사장의 지시를 받아 협회의 업무를 처리하기 위하여 사무국을 둔다.

제37조 (구성)

사무국에는 이사장의 명을 받아 협회의 행정업무를 담당 할 사무처장 및 약간의 직원을 둘 수 있다.

제38조 (직제및직원)

협회의 직제 및 직원의 정수에 관하여는 이사회의 의결로 따로 정한다.

제10장 부설조직

제39조 (설치)

협회는 사업수행상 필요하다고 판단할 시 이사회의 결의를 얻어 상설 혹은 임시부설조직을 둘 수 있다.

제40조 (고문추대)

협회는 통일문제에 대한 지식 및 경험이 풍부하고 덕망이 높은 자 또는 협회에 현저한 공적이 있는 자를 이사회의 결의로 고문에 추대할 수 있다.

제11장 보칙

제41조 (해산)

① 협회는 총회에서 재적인원의 4분의 3의 찬성으로 해산할 수 있다.

② 본 협회의 해산시 잔여재산은 통일부장관의 허가를 받아 국가 지방자치단체 또는 유사한 목적을 가진 다른 비영리법인에게 귀속하도록 한다.

제42조 (정관의 변경) 협

회의 정관은 이사회와 총회에서 각각 재적인원의 3분의 2이상의 찬성으로 의결하여 통일부장관의 허가를 얻어 변경한다.

제43조 (사업계획서 등의 제출)

다음 연도의 사업계획서 및 예산서와 당해년도의 사업실적서 및 수지결산서는 회계연도 종료 후 2월 이내에 통일부장관에게 제출한다. 이때 재산목록과 업무현황 및 감사보고서도 함께 제출한다.

제44조 (의사록의 작성, 보존)

총회와 이사회는 의사진행을 기록한 의사록을 작성하여 출석 이사의 기명날인을 받아 보존한다.

제45조 (운영규칙의 제정)

협회 운영규칙은 이사회의 의결로 별도로 정한다.

지역경제정의실천시민연합 표준규약

2006. 02. 21 제정
2014. 08. 22. 개정
2018. 03. 26. 개정

제1장 총칙

제1조(명칭)

이 연합은 "경제정의실천시민연합 00지부"라 칭하고 필요한 경우 "경실련 00지부" 또는 "00경실련"이라고 약칭한다.

제2조(목적)

이 연합은 지역사회에서 경제정의, 사회정의를 실천하기 위한 평화적 시민운동을 전개함을 목적으로 한다.

제3조(소재)

이 연합은 경제정의실천시민연합에 속하며, 사무실은 00지역에 둔다.

제2장 사업

제4조(사업)

이 연합의 목적을 실현하기 위하여 아래의 사업을 한다.

1. 조사연구
2. 시민조직
3. 시민교육
4. 홍보, 선전
5. 시민고발센터 운영 및 법률구조
6. 시민행동
7. 그 밖에 이 연합의 목적에 필요한 사업

제3장 회원

제5조(자격 및 종류)

1.(회원) 이 연합의 목적에 동의하여 회원가입 신청과 회비를 납부한 사람은 이 연합의 회원이 된다.
2.(후원회원) 일상적인 회원활동은 원하지 않지만 이 연합의 목적과 사업을 지원하기로 한 사람은 후원회원으로 한다.

제6조(의무)

회원의 의무는 다음과 같다.

1. 이 연합의 규약과 내규 및 결의를 준수할 의무
2. 이 연합의 목적을 실현하기 위한 운동에 적극적으로 참여할 의무
3. 회비를 납부할 의무
4. 이 연합의 교육 및 훈련과정을 이수할 의무

제7조(권리)

회원 및 후원회원의 권리는 다음과 같다.

1. 이 연합의 운영과 활동전반에 관하여 발의 및 참여할 권리
2. 회원은 총회에 참석하여 발언할 수 있으며, 회원으로 가입한 후 6개월이 경과하고 회원의 의무를 충실히 이행한 사람은 총회 의결권과 함께 선거권, 피선거권을 가지며 후원 회원은 총회에 참석하여 발언할 수 있다. 단, 총회일 현재 6개월 이상 회비를 납부하지 않는 회원의 경우에는 그러하지 아니하다.

제8조(포상)

이 연합의 회원으로서 이 연합의 활동에 적극 참여하여 이 연합의 명예를 높이고 지역사회의 발전에 이바지한 사람은 집행위원회의 결의로 포상한다. 포상의 종류와 내용은 별도의 내규에 정한다.

제9조(징계)

이 연합의 회원으로서 이 연합의 사업에 유해한 행위를 하였거나 이 연합의 대외적인 명예를 현저히 실추시킨 사람은 집행위원회의 결의로 제명, 정권, 경고 등 징계를 할 수 있다.

1.(절차)
① 회원 및 상근활동가는 해당 지부경실련의 집행위원회에서 결정하고 조직위원회에 보고한다.
② 임원 및 사무책임자(사무국장, 사무처장)는 해당 지부경실련 집행위원회의 요청으로 조직위원회의 심의 후 상임집행위원회가 결정한다.
③ 위 제1호, 제2호의 규정에도 불구하고 조직위원회는 징계 사유를 자체 인지한 경우 직권으로 조사하여 그 결과를 상임집행위원회에 보고하고, 상집위원회는 징계를 결정할 수 있다.

2. 파면 또는 제명된 자는 2년 내에 회원가입 및 복적 할 수 없다. 그러나 1년이 경과하여 해당 조직의 대표 및 집행위원회의 발의와 조직위원회의 동의를 거치는 경우에는 그러하지 아니한다.

제10조(가입, 자격상실 등) 회원의 가입 및 자격상실 등에 관한 세부 내용과 절차는 별도의 내규에 따른다.

제4장 조직

제11조(총회)

1.(지위) 총회는 이 연합의 최고의결기구이다.
2.(소집) 총회는 매 1년마다 공동대표가 소집한다. 다만, 공동대표 전원이 필요하다고 인정될 때, 또는 회원 4분의 1의 요구가 있을 때에는 임시총회를 소집한다.
3.(의결) 총회는 의결권을 가진 회원 4분의 1 이상의 출석으로 개회하며 출석회원 과반수의 찬성으로 의결한다.
4.(권한)
① 규약의 제정 및 개정
② 공동대표, 감사, 집행위원의 선출
③ 사업 보고 및 계획의 승인
④ 결산 및 예산의 승인
⑤ 규약 상 조직의 설치 및 폐지
⑥ 위 제1호, 제2호, 제5호의 권한을 위임할 수 없다. 다만 제2호의 집행위원 선출에 한해 정수를 명시하여 위임할 수 있다.

제12조(집행위원회)

1.(지위)집행위원회는 이 연합의 상설집행기구이다.

2.(구성) 집행위원회는 30인 내외로 한다. 집행위원회의 장은 집행위원 중에서 호선한다.
3.(소집) 집행위원회는 월 1회 집행위원장이 소집한다. 다만 집행위원장이 필요하다고 인정하거나 집행위원의 3분의 1 이상의 요구가 있을 경우 즉시 임시회의를 소집한다.
4(권한) 집행위원회의 권한은 다음과 같다.
① 총회에서 결의한 사업이나 위임한 사항의 집행 및 그 집행을 위하여 필요하다고 인정되는 사항의 의결
② 총회에 대한 의안의 제안 및 사전 심의
③ 예산, 결산안의 제안 및 사전심의
④ 각 위원회의 설치 및 폐지
⑤ 각 위원회의 장 임면
⑥ 사무국(처)장의 임면을 위한 추천
⑦ 각종 내규의 제정 및 개정
5.(의결) 의결은 제적위원 과반수 출석으로 개회하며 출석위원 과반수의 찬성으로 의결한다.
제13조(공동대표) 공동대표는 이 연합을 대표하고 회의를 총괄한다.
제14조(감사)
이 연합의 사업 및 재정업무를 감사하기 위해 약간 명의 감사를 둔다.
제15조(고문, 지도위원, 자문위원)
이 연합의 사업을 효과적으로 수행하기 위하여 약간 명의 고문, 지도위원, 자문위원을 둘 수 있다.
제16조(사무처(국))
1. 이 연합의 사업수행을 위하여 사무처(국)을 설치하고 사무처(국)장이 이를 총괄한다.
2. 사무처(국) 내부의 부서 설치는 사무처(국)장이 집행위원회와 협의를 거쳐 설치한다.
3. (인사) 사무책임자(사무국장, 사무처장)는 해당 지역경실련 추천과 조직위원회의 심의 그리고 상임집행위원회의 동의로 해당 지부조직의 집행위원회에서 임면한다.
4. (급여) 지부경실련은 매년 〈경실련 운동의 통합성과 건전성 확보에 관한 규칙〉 제6장이 정한 급여 지급기준을 준수해야 한다.
5. 기타 사무처(국)의 운영에 관한 세부사항 및 절차는 별도의 내규에 의한다.
제17조(조직위원회)
1. 이 연합의 회원 참여 및 조직의 활성화를 위한 필요한 제반 활동을 위해 조직위원회를 설치하며, 조직위원장이 이를 총괄한다.
2. 조직위원회는 그 내부에 분과위원회를 둘 수 있으며 이는 조직위원장이 집행위원회와 협의하여 설치한다.
3. 조직위원회의 운영에 관한 세부내용 및 절차는 별도의 내규에 의한다.
제18조(정책위원회)
1. 이 연합의 정책연구와 정책결정에 필요한 제반활동을 위해 정책위원회를 설치하며 정책위원장이 이를 총괄한다.
2. 정책위원회는 그 내부에 분과위원회를 둘 수 있으며 이는 정책위원장이 집행위원회와 협의하여 설치한다.
3. 정책위원회의 운영에 관한 세부내용 및 절차는 별도의 내규에 의한다.
제19조(사업기구)
1. 이 연합의 상시적인 사업수행을 보다 효율적으로 수행하기 위하여 분야별 사업기구를 두며, 위원장이 이를 총괄한다.
2. 각 사업기구는 집행위원회의 의결을 거쳐 설치하며, 운영에 대한 세부 내용 및 절차는 별도의 내규에 의한다.
3. 각 사업기구는 그 내부에 독자적인 집행기구를 둘 수 있고 이의 설치 및 운영에 관한 사항은 사업기구의 장이 집행위원회와 협의하여 결정한다.

제20조(특별위원회)

1. 특정 현안문제에 대한 한시적 필요에 따라 특별위원회를 설치할 수 있고, 해당 특별위원회 위원장이 이를 총괄한다.
2. 특별위원회 운영에 관한 사항은 별도의 내규에 의한다.

제21조(임원의 임기와 결격)

1. (임기) 이 연합의 공동대표, 감사의 임기는 2년, 각 위원 및 장의 임기는 2년, 사무처(국)장은 3년으로 한다. 단, 특별위원회 위원장의 경우 해당 특별위원회가 해체됨과 동시에 임기를 마감한다. 또한 보선된 자의 경우 전임자의 잔여임기를 승계한다.
2. (연임제한) 공동대표 및 감사, 각 위원장의 임기는 1회 연임으로 제한한다. 단 연임자의 임기가 종료된 경우 조직위원회의 심의 후 상임집행위원회의 결의로써 1회에 한하여 더 연장할 수 있다.
3. (겸직제한) 총회에서 선출된 임원은 조직 내의 다른 선출직 임원을 겸할 수 없다.
4. (임원의 결격) 임원의 결격에 대한 사항은 경실련 규약 및 경실련 윤리행동강령을 준용한다.

제22조(후원회)

이 연합의 사업을 효과적으로 수행하기 위하여 후원회를 둘 수 있다.

제23조(위임)

이 연합의 총회, 집행위원회 및 각종 회의의 출석권과 의결권은 위임할 수 있다.

제5장 재정

제24조(재정의 일반원칙)

이 연합의 모금은 시민운동의 도덕성을 훼손하지 않아야 한다.

제25조(수입)

이 연합의 수입은 회원회비, 특별모금, 사업수익, 후원금 등으로 한다.

제26조(회계년도)

이 연합의 회계연도는 매년 1월 1일부터 12월 31일까지로 한다.

부칙

제1조(규약준수의무) 이 연합의 모든 지역은 표준규약 제1조(명칭), 제2조(목적), 제3조(소재), 제6조(의무), 제7조(권리), 제11조(총회), 제12조(집행위원회), 제17조(조직위원회), 제18조(정책위원회), 제21조(임원의 임기와 결격)의 사항은 반드시 준수하여야 한다.

제2조(규약개정) 이 연합의 창립총회이후 규약개정에 있어 규약준수의무의 조항에 관한 사항은 경실련 상임집행위원회의 승인을 얻어야 한다.

제3조(준칙) 이 연합의 규약에 명시되어 있지 않은 사항은 경실련규약 및 결의, 지역경실련협의회의 결의 및 민주주의 일반원칙에 따른다.

제4조(효력발생) 이 규약은 총회에서 통과되고 중앙<경실련> 상임집행위원회의 승인을 받는 즉시 효력을 발생한다.

부칙

제1조(효력발생) 이 규칙은 제00기 0차 회원총회(0000.00.00)의 가결 즉시 효력을 발생한다.

0000.00.00
00경제정의실천시민연합

경실련 지부조직의 설립 운영 폐지에 관한 규칙

제정 2007. 12
개정 2016. 9. 26.

제1장 총칙

제1조【목적】

이 규칙은 경제정의실천시민연합(이하 '경실련') 규약 제23조 1항에 근거 하여 지부조직의 창립과 운영, 폐지에 관한 제반 사항을 규정하여 경실련 지부조직이 해당지역에서 경실련 창립 목적에 맞는 활동을 지속할 수 있도록 하는 데 목적이 있다.

제2조【명칭】

해당 지역을 〈경실련〉 앞에 붙여 "00경제정의실천시민연합"으로 하며, 약칭으로 "00경실련"이라 한다.

제3조【소재지】

해당 지역에 둔다.

제4조【운영원칙】

① 〈경실련〉 창립정신과 목적에 맞는 활동을 해당지역에서 민주적이고 자율적으로 행한다. 개인, 정당, 종교 등 특정 개인과 단체의 이익을 위하여 활동하지 못한다.

② 지부경실련은 중앙경실련과의 정책적 일관성, 전국 경실련과의 조직적 통합성 유지에 노력하고, 중앙은 지부조직 활동의 의사를 존중하며 상호 협력한다.

③ 지부경실련은 경실련의 중앙위원회, 상임집행위원회, 정책위원회에 해당 위원을 추천 할 수 있다.

제2장 창립 및 해산

제5조【창립조건】

① 지부경실련은 광역시의 경우 하나의 단위로, 도의 경우 개별 시 · 군을 하나의 단위로 하여 창립한다. 다만 두세 개 시 · 군이 밀접한 생활권을 형성하고 있을 경우 이를 묶어 하나의 단위로 활동할 수 있다.

② 지부경실련의 창립은 창립주비위원회 구성, 발기인 대회 개최와 창립준비위원회 구성, 창립대회 개최 등의 절차를 거쳐야 하며, 중앙위원회에서 최종승인을 받음으로써 성립한다.

제6조【창립주비위원회】

① (절차) 1. 지부를 창립하고자 할 시에는 창립을 희망하는 지역의 주민 대표가 먼저 조직위원회에 창립절차 착수와 주비위원회 구성에 대한 승인을 요청해야 한다. 2. 승인을 요청받은 조직위원회는 지부 창립 조건과 참여자들의 지역 내에서의 평판, 향후 지부조직으로서 지속 가능성과 운동 전망, 인근 지역 경실련들의 의견 등을 종합적으로 심의하여 승인여부를 서면으로 통지한다.

② (구성) 조직위원회의 승인이 이루어지면, 해당 지역사회의 각 부문이 균형 있게 반영된 30명 이내의 주민 및 유능한 지도자들이 지부〈경실련〉창립에 뜻을 모아 조직위원회와 합의하여 창립준비위원회를 구성한다.

③ (역할) 주비위원회는 창립에 필요한 기초 작업을 행하는 준비모임으로 창립발기인대회에서 창립준비위원회가 구성되면 자동으로 이에 흡수된다. 주비위원회는 다음 각 호의 활동을 해야 한다.

1. 창립 발기인 선정과 모집
2. 사무실 마련
3. 발기취지문 작성

④ (연락) 주비위원회는 책임자를 두고 창립준비의 제반 실무를 담당케 한다.

⑤ 주비위원회는 구성 후 6개월 이내에 창립발기인 대회를 개최하여 창립준비위원회를 구성해야 한다. 6개월의 기간이 초과되어 발기인대회를 개최하지 못할 시에는 주비위원회는 자동해체된 것으로 하며, 지부창립도 포기한 것으로 간주한다.

제7조【창립 발기인 대회】

① 제6조 제3항의 준비위원회 역할이 완료되면 조직위원회의 사전 동의를 받아 30명 이상의 발기인이 모여 창립 발기인대회를 공개적으로 개최 한다.

② 조직위원회는 준비위원회 활동, 창립준비위원회 구성안 등을 종합적으로 평가하여 상임집행위원회에 보고하고, 상임집행위원회는 2개월 이내에 해당지역 경실련 창립발기인 대회 동의여부를 결정하여, 이를 서면으로 통지한다.

③ 다음 각 호의 자는 발기인이 될 수 없다.

1. 정당의 당적을 가진 자
2. 선출직을 포함하여 공무원의 신분을 가진 자

④ 발기인대회에서는 발기취지문, 창립준비위원회 규약을 정하고 대표자 · 사무책임자 등을 선임하여 00<경실련>창립준비위원회를 구성한다.

⑤ 창립준비위원회가 구성되면 해당지역 대표자는 조직위원회에 다음 각 호의 서류를 제출해야 한다.

1. 발기취지문
2. 발기인의 명단
3. 대표자의 취임동의서
4. 발기인대회 회의록 사본
5. 사무소의 소재지 및 연락처
6. 대표자와 사무책임자의 이력서

제8조【창립준비위원회】

① (역할) 창립준비위원회는 지부의 창립을 목적으로 설립 · 운영되는 조직으로 창립의 목적범위 안에서만 활동을 할 수 있다. 창립의 목적범위라 함은 창립을 위한 조직 활동을 말하며 그 구체적 활동내용은 다음 각 호와 같다.

1. 경실련 설명회 개최
2. 지역사회의 각 분야 전문가 및 시민 등 100명 이상의 회원 모집
3. 사업계획과 사업의 지속적 추진에 필요한 지도력, 자원의 효율적 동원과 가능성에 대한 검토(지도자, 예산, 업무 공간 등)
4. 창립총회 개최

② (구성) 준비모임에 참여한 발기인과 이후 가입한 회원으로 구성한다.

③ (활동범위 및 기간) 발기인대회 이후 6개월 이내에 창립총회를 개최해야 한다. 창립 준비 이외에 지역사회 현안 대응 등 대외활동을 하고자 할 경우에는 조직위원회의 사전 승인을 받아야 한다.

④ (조직) 창립 활동을 효율적으로 전개하기 위하여 창립준비위원장, 집행위원회, 분과위원회, 창립준비실무위원회를 둘 수 있다. 조직의 역할은 다음 각 호와 같다.

1. (준비위원장) 창립과 관련한 제반 활동의 책임과 결정권한을 갖는다. 1인 이상도 가능하며 필요한 경우 부위원장을 둘 수 있다.
2. (집행위원회) 창립준비실무위원회와 분과 모임의 대표로 구성하고 창립준비위원장과 사무책임자는 당연직 집행위원이다. 집행위원회는 창립총회까지 사업계획안 마련, 회원모집, 재정확보 등을 위해 노력하고 이를 집행한다.

3. (분과위원회) 10인 내외의 발기인으로 구성하고 관련 지역 전문가 및 시민들이 참여할 수 있도록 노력하여야 한다. 지방자치, 도시개혁, 환경, 교육문화, 사회복지 등의 분과조직과 지역적 특성에 맞는 회원모임을 설치할 수 있으며 3개 이상 조직을 창립준비위원회 내에 갖추어야 한다.
4. (창립준비실무위원회) 창립총회 때까지 한시적으로 운영되며 다음의 소위원회를 둔다.
- 규약기초소위원회 : "경실련운동의 통합성과 건전성 확보에 관한 규칙"에 규정된 지부 경실련의 표준 규약을 참조하여 해당지부 <경실련>규약초안을 작성한다.
- 창립총회준비소위원회 : 공동대표 및 임원후보 교섭, 창립총회관련 실무를 총괄한다.
- 회원모집소위원회 : 회원 모집을 위한 홍보 및 교육 그리고 재정확보를 총괄한다.

⑤ (사무국) 발기인대회 이후 첫 집행위원회에서 사무국을 설치한다. 인구 30만 이하의 도시에서는 상근활동가를 최소 1명 이상, 30만 이상 도시에서는 최소 2명 이상의 상근활동가를 확보해야 하며, 그 중 1인을 사무책임자로 선정해야 한다. 상근활동가는 중앙경실련에서 주관하는 소정의 교육과정을 이수해야 한다. 사무국장은 창립 이후 중앙경실련 상임집행위원회의 승인을 얻어 해당지역 경실련 집행위원회에서 선임한다.

⑥ (소멸 및 자진해산 신고) 1. 창립준비위원회는 창립활동기간 만료, 자진해산 신고, 상임집행위원회의 해산 명령, 중앙위원회의 창립승인에 의해서 소멸된다. 2. 창립준비위원회가 자진 해산하고자 하는 경우에는 발기인 전체회의나 그 대의기관의 결의로써 해산할 수 있으며, 해산을 한 때에는 그 대표자는 지체없이 조직위원회에 이를 신고하여야 한다.

제9조【창립총회】

① 지부 창립준비위원회가 창립준비를 완료한 때에는 창립총회를 공개적으로 개최하여야 한다. 집회개최일 까지 언론보도자료, 초청장 등을 통해 집회개최 공고를 해야 한다.

② (총회 개최 사전 동의) 조직위원회는 지부<경실련>창립준비위원회의 창립총회개최 동의 요청에 따라 다음 각 호의 조건을 검토한 후 중앙위원회에 이를 보고하고, 중앙위원회는 총회개최 사전 동의여부를 결정하여 서면으로 이를 통지한다.

1. 규약 초안의 검토
2. 회원 모집 현황
3. 임원 : 공동대표 등 임원 후보의 결격 사유 여부
4. 재정 : 사무실, 상근자 급여, 기타 사업수행 가능여부 검토
5. 사업평가 : 발기인 대회 이후 사업내용 평가
6. 사업계획 : 창립이후 사업계획
7. 인근 지부<경실련>의 평가
8. 기타 창립에 필요한 사항

③ (총회순서) 창립총회는 창립에 대한 결의를 하여야 하며, 다음의 호가 반드시 포함되어야 한다.

1. 창립활동 경과보고
2. 창립결의
3. 창립선언문 낭독
4. 규약채택
5. 임원선출(공동대표, 집행위원, 감사, 사무책임자)
6. 사업계획의 승인

제10조【창립보고】

창립총회 개최 후 2주일 이내에 지부 창립준비위원장은 다음 각 호의 서류를 구비하여 조직위원회에 창립총회를 보고하여야 한다.

1. 임원 및 상근활동가의 명단과 이력서

2. 창립총회 회의록 사본
3. 대표와 임원의 취임동의서
4. 관할 지역에 주소를 둔 회원의 입회원서 사본
5. 사무소 소재지의 약도 및 연락처
6. 사업계획서(예산포함)
7. 지부 규약

제11조【창립승인】

① 조직위원회는 00지역〈경실련〉창립보고를 득한 후 지부〈경실련〉이 규칙에 의거 적법한 절차에 따라 창립되었는지를 심의한 후 중앙위원회에 창립승인을 요청해야 한다. 다만 조직위원회 자체 심의결과 창립절차상 하자나 문제점이 인정될 경우 중앙위원회에 승인부의를 중단하고, 문제를 수정할 수 있도록 할 수 있다.

② 중앙위원회는 창립승인 여부를 심의하여 의결하여야 하며, 그 결과를 1주일 이내에 지부경실련 창립준비위원회에 통지한다.

③ 중앙위원회에서 창립승인이 가결되면 중앙위원회 명의의 지부 등록증을 지부경실련에 교부함으로써 지부경실련의 모든 창립절차는 완료되며, 만약 부결되면 그간 지부경실련의 창립절차는 모두 무효화 된다.

제12조【지부해산】

① 지부경실련의 의사결정기구인 집행위원회가 심의하여 조직위원회에 사전 통지하고 회원총회가 지부해산 결정을 하면 해당 지부경실련은 자동 해산된다.

② 집행위원회는 회원총회에 지부해산 안건을 부의할 경우, 세부적인 지부 청산 절차에 대한 계획안을 같이 제출해야 한다.

③ 위 제1항의 규정과 관계없이 이 규칙 제20조 제4항 규정에 따라 중앙위원회에서 폐쇄결정이 난 지부경실련은 자동 해산된다.

제13조【재조직】

사고지부로 지정되거나 해산 또는 폐쇄된 지부경실련을 재조직하는 것은 지부경실련 창립절차에 준한다.

제3장 지회조직

제14조【지회조직】

① (기준) 제5조에 의거하여 〈경실련〉지부조직으로의 활동 조건이 미흡하다고 조직위원회가 판단 할 경우 상임집행위원회의 승인을 받아 〈경실련〉지회조직으로 할 수 있다.

② (지휘) 지회조직은 조직위원회에서 지정한 지부〈경실련〉또는 중앙경실련 조직 담당부서의 지휘를 받아 활동한다.

③ 지부경실련이 인근지역에 지회를 구성하고자 할 경우에는 조직위원회의 동의와 상임집행위원회의 승인을 얻어야 한다. 다만, 광역시 구 지부 구성은 예외로 한다.

제4장 회원

제15조【회 원】

① 지부경실련에 가입한 회원은 경실련 회원이 되며 회원으로서의 의무와 권리를 갖는다.

② 지부경실련은 지역의 실정에 맞게 다양한 회원규정을 둘 수 있다.

③ 지부경실련은 경실련 규약 제5조 2항에 기초한 정회원 명단을 매 분기마다 보고한다.
④ 지부경실련은 매년 정기총회 보고서를 총회 개최 후 1주일 이내에 중앙경실련조직담당부서에 보고하여야 한다.

제5장 임원

제16조【임 원】
① (지위) 지부경실련 임원은 경실련의 임원으로서의 지위와 역할이 보장된다.
② (범위) 임원은 정회원 중에서 선출하며 임원의 범위는 공동대표, 고문, 지도위원, 집행위원, 감사, 중앙위원, 분과위원장, 회원조직의 대표, 특별기구의 대표 및 중앙경실련에서 선출한 임원 등 이다.
③ (의무) <경실련> 창립 정신을 준수하고 지속적으로 활동에 참가해야 하며 사무국의 활동과 재정을 위해 적극적으로 노력해야 한다.
④ (결격) <경실련> 규약 제25조 3항에 근거하여 정당에 가입한 회원은 임원이 될 수 없으며 임기 중 정당에 가입한 경우는 가입한 동시에 임원자격이 상실되고 회원자격은 유지된다.
1. 이 조항은 지부<경실련>의 사무처, 사무국의 상근활동가에게도 해당한다.
2. 지부<경실련>은 이를 즉시 지역사회에 공표하고 조직위원회에 보고하여야 한다.

제6장 사무국

제17조【사무국】
① (역할) 지부경실련은 <경실련>조직의 통일성 및 운동의 지속성, 제반 실무를 위하여 사무국을 둔다.
② (인사) 사무책임자(사무국장, 사무처장)는 조직위원회의 심의와 상임집행위원회의 승인을 받아 해당 지부조직의 집행위원회에서 임면한다. 사무책임자(사무국장, 사무처장)는 상근을 원칙으로 한다. 기타 사항은 '경실련 운동의 통합성과 건정성 확보에 관한 규칙' 제11조를 준용한다.
③ (급여) 지부경실련은 매년 "경실련 운동의 통합성과 건전성 확보에 관한 규칙" 제6장이 정한 급여 지급기준을 준수해야 한다.
④ (교육) 지부 경실련 상근활동가는 경실련 규약 제6장에서 규정한 교육과정을 이수해야 한다.
⑤ (교류) 전국 경실련 운동의 활성화를 위하여 지부 및 중앙, 지부 및 지부 간 상근활동가의 교환근무 또는 순환 근무를 할 수 있다.

제7장 징계

제18조【징 계】
① (사유) 다음 각 호의 해당되는 자는 징계에 처한다.
1. 이 연합의 정신 및 목적과 다른 유해행위를 한 자
2. 이 연합의 명예를 현저히 실추시킨 자
3. 이 연합의 규약, 규칙 및 결의를 지키지 않는 자
② (대상) 지부경실련의 회원, 임원, 상근활동가
③ (종류) 경고, 견책, 감봉, 정직, 권고사직, 파면, 제명 등
④ (절차) 1. 회원 및 상근활동가는 해당 지부<경실련> 집행위원회에서 결정하고 조직위원회에 보고한다. 2. 임원 및 사무책임자(사무국장, 사무처장)는 해당 지부경실련 집행위원회의 요청으로 조직위원회에서 조사, 심의하여 보고하면 상임집행위원회가 결정한다. 3. 위 제1호, 제2호의 규정에도 불구하고 조직위원회는 징계 사유를 자체 인지한 후 직권으로 징계절차에 착수하여 조사를 진행하고 이를 상임집행위원

회에 보고하여 상집위원회가 징계를 결정할 수 있다.

⑤ 파면이나 제명된 자는 2년 내에 회원가입 및 복적 할 수 없다. 그러나 1년이 경과하여 해당 조직의 대표 및 집행위원회의 발의와 조직위원회의 동의를 거치는 경우에는 그러하지 아니한다.

제19조【사고지부 및 지부폐쇄 결정】

① 다음 각 호에 해당되는 지부경실련은 사고지부 지정 또는 폐쇄에 필요한 조치를 한다.

1. 지방자치단체 혹은 특정 정치세력이나 지역사회 내 기득권세력과의 유착으로 인해 경실련 운동의 정체성을 훼손할 우려가 있는 경우
2. 조직 내에 특정인의 비정상적인 영향력이 장기간 지속되어 사조직화의 우려가 있는 경우
3. 경실련의 정체성과 정책기본방향에 위배되는 주장 혹은 활동을 하고, 이의 시정명령을 수용하지 않은 경우
4. 조직내부의 갈등이 심화되어 정상적인 조직운영이 불가능한 경우
5. 상근활동가의 급여가 3개월 이상 체불되는 등 재정이 악화되어 정상적인 조직운영이 불가능한 경우
6. 회원 수가 현저하게 적어 사실상 소수의 임원만으로 조직이 유지되어 정상적인 조직운영이 불가능한 경우
7. 장기간의 사무책임자(사무국장, 사무처장) 유고 및 임원구조 상 현저한 문제가 있어 정상적인 조직운영이 불가능한 경우
8. 총회, 집행위원회 등 의사결정기구가 규약에 따라 개최되지 않아 정상적인 조직운영이 되지 않은 경우
9. 경실련 전국단위 및 광역단위의 회의 및 활동에의 참여 등 교류와 협력을 현저히 태만히 한 경우
10. 경실련의 규약, 규칙, 지침, 결의 등을 이행하지 않고 시정명령을 수용하지 않는 경우
11. 기타 경실련운동으로서 요구되는 건전성과 통합성을 현저히 훼손하는 경우

② (절차) 다음 각 호의 절차에 따라 상임집행위원회는 위 제1항에 해당되는 지부경실련을 사고지부 지정 또는 폐쇄에 필요한 조치를 한다.

1. 조직위원회는 조직진단, 제보 등을 통해 위 제1항에 해당되는 경우에 처해 있다고 판단되는 지부경실련에 대해 조사단을 구성하여 조사활동을 실시하여야 한다. 해당 지부경실련의 임원, 상근활동가 등 모든 관계자는 성실하게 조사에 협력하여야 한다.
2. (시정명령) 조직위원회는 조사결과, 해당 지부경실련이 위 제1항에 해당되면 먼저 일정한 기한을 정하여 해당 지부경실련의 건전성 회복을 위한 구체적인 시정조치를 명 할 수 있다. 해당 지부경실련이 시정명령을 거부하거나, 기한 내에 이를 이행하지 않을 경우 조직위원회는 해당 지부경실련의 사고지부 지정을 상임집행위원회에 건의한다. 다만, 해당 지부경실련이 기한연장의 필요성에 따라 합리적인 근거를 제시할 경우 조직위원회는 그 기한을 연장할 수 있다.
3. (사고지부 지정 또는 폐쇄 건의) 위 제2호의 규정에도 불구하고 조직위원회는 해당 지부경실련의 상황이 심각한 수준, 자체적인 시정 가능성이 희박하다고 판단, 조직재건이 불가능하다고 판단되는 등 경우에 시정명령 단계 없이 곧바로 상임집행위원회에 사고지부 지정 또는 폐쇄를 건의할 수 있다.

③ (사고지부 지정의 효력과 처리) 지부경실련이 사고지부로 지정되면 발생되는 효력과 사고지부 처리절차는 다음 각 호와 같다.

1. 해당 지부경실련의 총회, 집행위원회 및 각급 위원회 등 의사결정기구의 기능은 정지되며, 임

원과 상근활동가 등은 경실련과 관계된 직책과 호칭이 자동 상실되어 사용하지 못한다.

2. 사고지부 지정에도 불구하고 해당 지부경실련 및 관계자들이 지부경실련 명의의 대외적 발언 및 활동을 계속하거나 계속할 우려가 있다고 판단될 경우, 조직위원회는 해당 지역사회의 제반 기관, 언론, 단체 등에 해당 지부경실련이 사고지부로 지정되었음을 공시한다.
3. (비상대책위원회) 조직위원회는 사고지부로 지정된 지부경실련의 재건 또는 폐쇄과정을 담당할 비상대책위원회를 지체 없이 구성해야 하며, 이 경우 비상대책위원회는 지부 재건 또는 폐쇄에 필요한 모든 권한을 갖는다. 재건 또는 폐쇄에 소요되는 기간은 6개월을 초과할 수 없다.
4. 조직위원회는 재건과정이 완료되었다고 판단되면 해당 지부경실련의 활동재개를 상임집행위원회에 건의할 수 있으며, 상임집행위원회의 활동재개 결의에 따라 해당 지부경실련의 모든 의사결정기구는 그 권한을 회복하며 임원 등 관계자는 그 직책과 호칭을 사용할 수 있다.

④ (지부폐쇄) 지부경실련의 폐쇄는 다음 각 호의 절차를 따른다.

1. 조직위원회는 사고지부로 지정된 지부경실련의 재건이 불가능하다고 판단되거나, 재건소요기간이 만료되었음에도 사고지부 지정을 철회할만한 성과가 없다고 판단될 경우 해당 지역경실련의 폐쇄를 상임집행위원회에 건의할 수 있다.
2. 상임집행위원회는 이 규칙 제19조의 ②항3호, ③항3호, ④항1호 등의 폐쇄 건의를 심의하여 타당하다고 판단되면 폐쇄에 필요한 조치를 취하고 중앙위원회에 폐쇄에 대한 승인을 요청한다.
3. 중앙위원회는 해당 지부경실련 폐쇄여부를 의결하며, 폐쇄가 가결되면 그 즉시 해당 지부경실련은 폐쇄된다.
4. 조직위원회는 지부 폐쇄사실을 해당 지역사회의 제반기관, 언론, 단체 등에 알릴 수 있다.

부칙

이 규칙은 상임집행위원회(2007.12) 의결을 거친 즉시 효력을 발생한다.

부칙

이 규칙은 제27기 8차 상임집행위원회(2016.9.26.) 의결을 거친 즉시 효력을 발생한다.

경실련 운동의 통합성과 건전성 확보에 관한 규칙

2008. 2. 25 제정
2014. 8. 18 부분개정

제1장 총 칙

제1조【목적】

이 규칙은 경제정의실천시민연합(이하 '경실련') 규약 제25조 3항에 근거하여 경실련이 비전과 정체성을 공유하는 전국적 시민운동체로서 정책적 일관성, 동일한 도덕적 가치와 조직적 규범, 통합성을 견지하기 위해 이와 관련한 제반사항을 규정하여 경실련운동의 질적 도약을 도모하는 데에 그 목적이 있다.

제2조【기본원칙】

중앙 및 모든 지부경실련이 경실련 운동의 통합성과 건전성 확보를 위해 준수해야 할 기본원칙은 다음 각 호와 같다.

1. 경실련은 공익성, 자율성, 자발성, 독립성 및 비당파성의 가치에 기초한 실사구시적 운동으로서의 정체

성을 공유한다.

2. 지부경실련의 운동의제와 방식의 다양성은 존중하되, 정책대안과 운동방법론은 통합되어야 한다.
3. 경실련이 전국적 규모를 갖춘 시민운동체로서 사회적 신뢰와 존경을 받을 수 있도록 시민운동으로서의 건전성과 전국조직으로서의 통합성이 유지되어야 한다.
4. 모든 회원, 특히 임원과 상근 활동가들은 경실련운동의 비전과 정체성에 대한 공유와 동지적 유대감으로 연합되어야 한다.
5. 사람 중심의 발전전략을 견지해야 한다. 따라서 상근활동가들은 경실련운동에 전념할 수 있도 최소한의 경제적 안정을 보장받아야 하며, 경실련운동의 효과적 수행과 자기계발에 필요한 적절한 교육훈련을 받을 권리가 있다.

제3조【의무】

중앙경실련 및 모든 지부경실련은 이 규칙을 성실히 이행해야 한다.

제2장 표준규약

제4조【제정 및 적용】

① 모든 지부경실련의 통합성 제고를 위해 별지1의 [지역경실련 표준규약]을 제정한다.

② 모든 지부경실련은 표준규약에 따라 의사결정기구의 구조와 명칭, 권한과 책임을 일치시키고 임원의 명칭 및 임기, 권한과 책임의 통일을 추구해야 한다.

제5조【지부 규약 및 내규 개정】

① 조직위원회는 지부경실련의 규약 및 내규에 대한 심의를 통해 [경실련 규약] 및 [지역경실련 표준규약]에 현저히 위배되는 조항에 대해 개정을 권고할 수 있다.

② 해당 지부경실련이 조직위원회 개정 권고를 수용하지 않을 경우 조직위원회는 이를 상임집행위원회에 보고해야 하며, 상임집행위원회의 개정결의가 있을 경우 해당 지부경실련은 차기 지부 회원총회에서 상임집행위원회의 개정결의안에 따라 규약을 개정해야 한다.

③ 지부경실련은 정기총회 및 임시총회 종료 후 10일 이내에 조직위원회에 총회 자료집과 총회 회의록을 보고해야한다.

제3장 지부 간 이견의 조정 및 중재

제6조【조정 및 중재】

특정 현안에 대해 지부경실련 간 이해관계 혹은 입장이 상충되어 갈등이 심화될 가능성이 있는 경우 조직위원회는 이를 조정 및 중재한다.

제7조【절차】

조정 및 중재의 절차는 다음 각 호에 따른다.

1. 조정 및 중재는 1개 이상의 이해관계자인 지부경실련 혹은 지역경실련협의회의 요청에 의해 이루어지며, 조직위원회의 자체 결의에 의해서도 가능하다.
2. 지부경실련 혹은 지역경실련협의회의 조정 · 중재요청이 이루어지면 조직위원회는 조정 · 중재가 필요한 사안인지 여부를 결정한다.
3. 조정 · 중재가 필요한 사안이라고 결정되면 조직위원회는 상임집행위원회의 결의를 거쳐 조정 · 중재활동에 착수한다. 다만, 시급한 사안의 경우 상집위원장, 정책위원장, 조직위원장, 사무총장의 결정으로 조정 · 중재활동에 착수할 수 있으며, 이 경우 차기 상임집행위원회의

승인을 받아야 한다.

4. 조직위원회는 조직위원 및 필요한 경우 해당 이슈에 대한 전문가와 갈등해소전문가들을 포함하여 조정 · 중재과정을 담당할 조정 · 중재단을 구성할 수 있다.
5. 조정 · 중재과정에서 관련 지부경실련의 소명기회는 반드시 보장되어야 한다.
6. 조직위원회는 우선적으로 관련 지부경실련 간의 원만한 합의를 위해 노력하되, 조정이 되지 않을 경우 독자적으로 중재안을 낼 수 있다.
7. 조직위원회는 조정 · 중재활동 및 그 결과를 차기 상임집행위원회에 보고해야 한다.
8. 조정 · 중재가 필요한 사안이 아니라고 결정될 경우 해당 사안은 조직위원회에서 적절한 방식으로 해결한다.

제8조【중재안 수용의무】

해당 지부경실련은 위 제7조 6호의 조직위원회 중재안을 의무적으로 수용해야 한다. 이를 거부할 경우 [경실련 지부조직의 설립 · 운영 · 폐지에 관한 규칙] 제19조(사고지부 및 지부폐쇄 결정) 4호, 10호에 규정된 조직 내부의 갈등이 심화되어 정상적인 조직운영이 불가능한 경우에 해당되는 것으로 본다.

제9조【발언 및 활동 제한】

조정 · 중재가 필요한 사안이라는 조직위원회의 결정이 내려진 시점부터 이견 혹은 갈등이 해소되거나 조정 · 중재단의 중재안이 나오기까지 관련 지부경실련의 해당 사안에 대한 발언 및 활동은 조직위원회의 심의와 상임집행위원회의 결의를 거쳐 제한될 수 있다. 시급한 사안의 경우 상집위원장, 정책위원장, 조직위원장과 사무총장의 결정으로 상임집행위원회의 결의를 대체할 수 있으며, 이 경우 차기 상임집행위원회의 승인을 받아야 한다.

제4장 지부경실련의 조직관리

제10조【조직진단 및 건전성 지표】

① 조직위원회는 지부경실련의 건전성을 유지하고, 통합적 발전을 도모하기 위해 연 1회 정기적인 조직진단을 실시한다. 조직진단에 필요한 표준양식과 건전성 측정에 필요한 지표는 별도로 정한다.

② 조직진단의 절차는 다음 각 호와 같다.

1. 매년 말, 조직위원회는 각 지부경실련에 조직진단 보고서 제출을 통지한다. 지부경실련은 표준양식에 따른 보고서를 성실하게 작성하여 마감기한 내에 조직위원회에 제출하여야 한다.
2. 조직위원회는 제출된 보고서를 검토하고 종합보고서를 작성한다. 검토과정에서 필요하다고 판단된 경우, 해당 지부경실련이 속한 지역경실련협의회의 협력을 구할 수 있으며, 해당 지부경실련에 대해 실사를 실시할 수 있다.

③ 조직진단 결과에 대한 처리는 다음 각 호와 같다.

1. (종합보고서의 작성 및 발표) 조직의 전국적 상황을 모두 공유하고, 벤치마킹을 통한 조직발전에 기여하기 위해 조직위원회는 조직진단의 결과 및 개선방안 등에 대한 종합 보고서를 작성하여 상입집행위원회에 보고한 후 발표한다.
2. (건전성 지표에 따른 평가) 조직진단 결과를 토대로 건전성 지표에 따라 지부경실련을 평가한다. 상위 그룹에 속한 지부경실련은 공표하고 시상한다. 평가순위 전체에 대한 공개여부는 조직위원회에서 판단한다.
3. 조직위원회는 조직진단의 결과, 개선이 필요하다고 판단된 지부경실련에 대해 개선권고 혹은 시정명령을 할 수 있다.
4. 조직위원회의 개선권고는 해당 조직의 발전 및 건전성 제고에 기여할 것으로 판단되는 사항을 권고하는 것으로 반드시 이행해야 할 사항은 아니다. 다만, 이행하지 않을 경우 해당 지역경실련은 그 사

유를 조직위원회에 통지해야 한다.

5. 시정명령은 반드시 이행해야 할 사항으로 이를 거부하거나 기한 내에 이행하지 않을 경우 [경실련지부조직의 설립 · 운영 · 폐지에 관한 규칙] 제19조(사고지부 및 폐쇄 결정) 제2항2호의 절차에 따른다.

③ (발전계획안의 권고) 조직위원회는 해당 지부경실련 또는 해당 지역경실련협의회와 협의하여 해당 지부경실련에 대한 발전계획안을 작성, 이를 권고할 수 있다.

제5장 상근활동가 직제

제11조【직제의 표준화】

① 조직의 통일성을 유지하기 위해 지부 경실련의 상근활동가의 직제를 표준화 한다.

② 표준 직제는 수습간사, 간사, 부장, 사무국장(실국장 포함), 사무처장 등 5단계로 구분하며, 직제의 승급은 최소근무연한 이상을 근무하고 승급에 필요한 교육훈련을 이수한 자 중에서 그 절차에 따라 이루어진다.

③ 간사로의 승진은 지부경실련이 수습간사 이후 최소 6월 이상 근무하고 정규 간사교육을 이수한 자 중에서 내규에 따라 임명한다.

④ 부장으로의 승진은 지부경실련이 간사승진 이후 최소 1년 이상 근무하고 정규 중견 간부 교육을 이수한 자 중에서 내규에 따라 임명한다.

⑤ 사무국장은 조직위원회의 심의와 상임집행위원회의 동의를 거쳐 해당 지부경실련이 임면한다. 그 대상과 절차는 다음 각 호와 같다.

1. 사무국장으로의 승진은 부장승진 이후 최소 1년 이상 근무하고 정규 고급 간부교육을 이수한 자 중에서 임명하되, 지부경실련은 조직위원회의 심의와 상임집행 위원회의 동의를 거쳐 임명한다.
2. 조직 내부에 준비된 사무국장 후보가 없어 불가피하게 외부에서 영입하거나 새롭게 지부경실련을 창립하는 경우에는 최소근무연한의 시점을 근무 개시일로부터 산정하고 다른 조건과 절차는 동일하게 적용한다.
3. 사무국장의 면직은 지부경실련이 조직위원회의 심의와 상임집행위원회의 동의를 획득해야 한다.
4. 위 절차를 거쳐 사무국장으로 임명될 때까지 사무국장 호칭을 사용하지 못한다.

⑥ 사무처장은 소속된 지부경실련 뿐만 아니라 광역단위 및 전국단위의 상근자 리더십으로서의 역할과 책임을 부여받는다. 사무처장으로의 승진은 사무국장으로 선임된 후 3년 이상 근무한 자 중에서 경실련운동에의 기여도, 자질과 품성 등에 대한 조직위원회의 심의와 상임집행위원회의 동의를 거쳐 해당 지부경실련에서 임명한다. 면직도 임명절차와 동일하다.

제12조【인사기록 통합관리】

① 경실련 전국 상근활동가의 인사관리를 통합관리 하기 위해 중앙경실련 사무처는 전국 상근활동가 인사기록카드를 관리한다.

② 지부경실련은 표준양식에 따른 인사기록카드를 작성하여 중앙 사무처에 제출해야 하며, 변동사유 발생 시 사무처에 즉시 통지해야 한다.

제6장 상근활동가 보상 체계

제13조【표준적인 급여체계】

① 전국적으로 표준적인 급여체계를 확립한다. 상근활동가 표준급여체계는 다음과 같다.
급여 = 기본급{고정급+ (½A + B)호봉급} + 수당
A = 입사년도 - 고교졸업년도
B = 현재년도 - 입사년도
② 직책수당과 근속수당 등의 수당을 둘 수 있다.
③ 지역의 재정상황에 따라 상여금을 지급할 수 있다.

제14조【급여 최저선】
① 모든 지부경실련은 상근활동가들이 최소한의 경제적 안정을 꾀할 수 있도록 최저선 이상의 급여를 지급해야 한다.
② 해당연도의 급여 최저선은 상여금을 포함한 연봉개념으로 매년 1월 책정되는 중앙경실련 급여수준의 80%로 정한다.
③ 지부경실련은 분기별로 상근활동가 급여(상여금 포함) 지급 내역을 중앙 사무처에 통지야 한다. 사무처는 이를 조직위원회에 보고한다.
④ 급여최저선의 준수는 1년의 유예기간을 거쳐 2007년 1월부터 시행한다.

제15조【퇴직금】
① 지부경실련은 근로기준법에 따른 퇴직금을 퇴직한 상근활동가에게 지급해야 한다. 이를 위해 지부경실련은 상근활동가의 퇴직금을 별도로 적립해야 한다.
② 퇴직금의 장기적립이 어려울 경우 매 1년마다 퇴직금을 정산하여 지불할 수 있다.

제16조【4대 보험】
지부경실련은 사업자등록을 한 후 모든 상근활동가에 대한 건강보험, 고용보험, 산재보험, 국민연금 등에 가입해야 하며 급여지급 시 원천징수를 실시해야 한다.

제17조【재충전 휴가】
① 지부경실련은 상근활동가들의 장기근속에 대한 동기부여와 재충전을 위해 재충전휴가를 유급으로 주어야 한다.
② 근속기간에 따른 재충전휴가 기간은 3년 만기 근속 시 1개월, 6년 만기 근속 시 2개월, 9년 만기 근속 시 3개월로 한다.

제7장 상근활동가 교육훈련

제18조【종류】
모든 경실련의 상근활동가들은 시민운동가로서의 자질과 역량을 함양하고, 경실련운동의 비전과 정체성을 공유하며 업무수행능력을 증진하고, 전국 상근활동가간 동지적 유대감을 강화하기 위한 교육훈련을 받을 권리가 있다. 교육 훈련의 종류는 다음 각 호와 같다.
1. 직급별 기본교육
2. 업무수행에 필요한 실무적 기능교육
3. 리더십 함양을 위한 교육 등 기타 필요에 따른 교육
4. 기타 교육 및 교류 프로그램

제19조【직급별 기본교육】
① 중앙경실련에서 실시하는 직급별 기본교육은 해당 직급으로 승급하기 위한 필수교육으로 모든 상근활동가들은 의무적으로 해당 교육과정을 이수해야 한다. 직급별 기본교육의 종류는 다음 각 호와 같다.
1. 간사교육
2. 중견간부교육

3. 고급간부교육

② 직급별 교육커리큘럼 및 대상자는 해당연도 초에 지부경실련의 사무국장과 협의하여 '경실련 상근자 교육위원회'가 정한다.

제20조【업무수행능력 함양교육】

상근 시민운동가로서 필요한 리더십 및 업무수행능력 함양을 위한 교육을 필요한 시기에 실시할 수 있다. 교육커리큘럼 및 대상자는 지부경실련의 사무국장과 협의하여 '경실련 상근자 교육위원회'가 정한다.

제21조【상근활동가교육위원회】

① 상근활동가 교육훈련의 안정적이고 효과적인 실행을 위해 [경실련 상근활동가 교육위원회]를 둔다.

② 본 위원회는 중앙경실련의 사무총장, 사무처장, 주요 실국장 및 지역경실련협의회 운영위원장과 지부경실련의 사무처장들로 구성하되, 필요한 경우 비상근 임원을 포함할 수 있다.

③ 본 위원회는 매년 초에 연간교육계획 및 대상자를 발표하고 실행하며, 상근자들의 교육상황과 그 성과들을 관리한다.

제22조【비용】

상근활동가 교육에 소요되는 비용은 중앙경실련과 지역협의회, 해당 지부경실련이 분담한다.

제8장 비상근 임원 및 회원교육

제23조【프로그램】

경실련 임원 간 경실련운동에 대한 비전과 정체성 공유와 유대관계 증진을 위해 교류와 협력프로그램을 강화하여 다음 각 호와 같이 실시한다.

1. 연 1회 이상 경실련 전국 임원연수
2. 광역별 임원연수프로그램

제24조【표준 커리큘럼과 방법론 개발】

임원 및 회원에 대한 표준 교육커리큘럼 및 방법론을 개발하여 보급한다. 지부경실련은 이와 함께 지역특성에 맞는 교육내용을 개발하여 임원 및 회원교육을 실시한다.

부 칙

제1조 [효력발생] 이 규칙은 제19기 2차 상임집행위원회(2008.2.25) 가결 즉시 효력을 발생한다.

부 칙

제1조 [효력발생] 이 규칙은 제25기 7차 상임집행위원회(2014.8.22)의 가결 즉시 효력을 발생한다.

지역경실련협의회 운영규칙

전면개정 2017. 8. 11

제1조 (목적)

이 규칙은 경제정의실천시민연합("연합") 규약 제25조에 의거하여 지역경실련협의회("협의회")의 기능 및 운영 사항을 규정함을 목적으로 한다.

제2조 (지위)

이 연합 지역조직 상호간의 협력을 통해 지역운동에 기초한 경실련 운동의 단결과 발전을 도모하는 지역경실련 간의 상설협의 기구이다.

제3조 (구성)

이 연합 상임집행위원회의 승인을 받은 지역경실련으로 한다.

제4조 (사업)

① 지역경실련 간의 사업 및 정보의 교류
② 지역경실련 임원, 상근활동가 및 회원에 대한 교육
③ 지역사회에 기초한 공동사업 및 정책의 개발과 전국화
④ 전국 공동사업에 대한 시민행동의 조직
⑤ 기타 협의회의 목적을 위한 사업

제5조 (운영위원회)

① (구성) 각 지역경실련이 추천한 임원 1명, 실무책임자 1명으로 구성한다.
② (운영위원장) 운영위원회에서 호선하며, 운영위원회를 총괄한다.
③ (권한 및 역할)
1) 지역경실련의 활성화에 필요한 각종 사업의 결정 및 집행
2) 지역경실련 사업의 교류와 협력
3) 특별위원회 및 특별기구의 구성(사업별, 이슈별)
4) 지역 관련 이 연합 본부 임원(공동대표, 중앙위원회 부의장)의 추천
5) 사무처의 장의 추천
6) 기타 본 협의회의 목적달성을 위한 사업의 결정과 집행
④ (회의) 운영위원회는 연 2회 이상 운영위원장이 소집한다. 단, 필요시에는 운영위원장 또는 지역경실련 3분의 1이상의 발의로 임시회의를 소집할 수 있으며, 위원 과반수 출석과 과반수 찬성으로 의결한다.
⑤ (조직) 운영위원회의 원활한 운영을 위해 산하에 소위원회를 둘 수 있다.
⑥ (사무국) 이 협의회의 원활한 운영을 위해 사무국을 둘 수 있다.

제6조 (권역별협의회)

이 협의회의 효율적인 운영을 위하여 행정, 생활권을 고려하여 권역별 협의회를 둘 수 있다.

제7조(재정)

① 이 협의회의 재정은 지역경실련 회비와 이 연합 본부의 지원금, 기타 수입으로 한다.
② 이 협의회의 운영을 위해 지역경실련은 운영위원회에서 결정한 분담금을 납부한다.
③ 이 협의회의 회계연도는 매년 1월 1일부터 12월 31일까지로 하며, 운영위원회에 재정보고를 한다.
④ 이 협의회 재정은 운영위원회의 의결을 통해서 집행한다. 단, 긴급하고 불가피한 재정집행은 운영위원회에 추인을 받는다.

제8조 (연합과의 협력 도모)

① 이 연합의 본부 임원 및 사무국은 협의회의 각종 회의 및 사업에 참석하여 의견을 개진할 수 있다.
② 이 협의회가 전국 단위의 사업을 실시할 경우 이 연합과 협력하여 진행한다.

준 칙

이 규칙에 정하지 아니한 사항에 관하여는 이 연합의 규약 및 내규, 일반관례에 따른다.

부 칙

이 규칙은 이 연합 상임집행위원회의 승인을 거쳐 제정한 날로부터 시행한다.

3. 주요 회의

1. 총회, 중앙위원회, 대위원회

년도	회차	대회	장소
1989-11-04	-	창립총회	정동문화체육관
1990-02-17	제1기	중앙위원회	
1990-09-03	제1기4차	중앙위원회	
1990-09-15	제2차	중앙위원회	온누리교회
1991-01-12	제5차	중앙위원회	
1991-10-19	제2차	회원총회	전국농업기술진흥회관
1991-10-19	제2기 1차	중앙위원회	전국농업기술진흥회관
1992-02-22	제2기 2차	중앙위원회	전국농업기술진흥회관
1993-02-20	제2기 3차	중앙위원회	KOEX회관
1994-02-26	3차	회원총회	한국종합전시장
1995-02-18	3기 3차	중앙위원회	한국학술진흥회관
1996-02-24	4기 1차	중앙위원회	향군회관
1996-02-24	4차	회원총회	향군회관
1997-02-21	4기 2차	중앙위원회	한국교회백주년기념관
1997-07-05	5차	회원총회	사학연금회관
1998-02-14	5기 2차	중앙위원회	경주온천관광호텔
1999-02-06	5기 3차	중앙위원회	여성개발원
1999-07-10	6차	회원총회	농협중앙회
1999-11-13	7차	임시회원총회	농협별관 대강당
1999-11-13	1기 1차	대의원회	농협별관 대강당
2000-01-22	1기 2차	대의원회	무궁화 뷔페
2000-08-26	1기 3차	대의원회	무궁화 뷔페
2000-11-25	8차	회원총회	기독교회관
2000-11-25	1기 4차	대의원회	기독교회관
2001-02-24	1기 5차	대의원회	성대 600주년기념관
2001-11-10	1기 6차	대의원회	서울 종로구청 대강당
2001-11-10	2기 1차	대의원회	서울 종로구청 대강당
2002-02-23	2기 2차	대의원회	서울 종로구청 대강당
2002-12-07	7기 3차	중앙위원회	서울 종로구청 대강당
2003-02-15	7기 4차	중앙위원회	서울 숭실대 사회봉사관
2003-11-29	8기 1차	중앙위원회	서울 경실련 회관
2004-02-20	8기 2차	중앙위원회	서울 숭실대 사회봉사관
2005-01-29	8기 3차	중앙위원회	순천 청소년 수련원
2005-08-25	8기 4차	중앙위원회	거제 문화관광농원
2006-01-20	9기 1차	중앙위원회	원주 KT리더십아카데미
2006-09-07	9기 2차	중앙위원회	오산 롯데연수원

년도	회차	대회	장소
2007-01-19	9기 3차	중앙위원회	대전 케이티인재개발원
2007-08-17	9기 4차	중앙위원회	오산 엘지화학연수원
2008-01-25	10기 1차	중앙위원회	대전 케이티인재개발원
2008-08-29	10기 2차	중앙위원회	오산 롯데연수원
2009-02-20	10기 3차	중앙위원회	유성 삼성화재연수원
2009-08-28	10기 4차	중앙위원회	오산 롯데연수원
2010-02-05	11기 1차	중앙위원회	대전 동구 청소년수련원
2010-08-20	11기 2차	중앙위원회	춘천 숲체험장
2011-02-18	11기 3차	중앙위원회	대전 만인산푸른학습원
2011-08-26	11기 4차	중앙위원회	군산 청소년수련관
2012-02-17	12기 1차	중앙위원회	목포 국제축구센터
2012-08-24	12기 2차	중앙위원회	인천 인재개발원
2013-02-22	12기 3차	중앙위원회	수원 보훈교육연구원
2013-08-23	12기 4차	중앙위원회	부산 부산은행연수원
2014-02-21	13기 1차	중앙위원회	원주 KT리더십아카데미
2014-08-22	13기 2차	중앙위원회	순천 국제습지센터
2015-02-27	13기 3차	중앙위원회	대전 만인산푸른학습원
2015-08-21	13기 4차	중앙위원회	괴산 충북자연학습원
2016-02-26	14기 1차	중앙위원회	서울 여성프라자
2016-08-19	14기 2차	중앙위원회	담양 담양군청소년수련원
2017-02-17	14기 3차	중앙위원회	천안 상록리조트
2017-08-18	14기 4차	중앙위원회	KT&G경주수련관(경주)
2018-02-23	15기 1차	중앙위원회	대구 비슬산 유스호스텔
2019-02-22	15기 2차	중앙위원회	서울 숲속도봉마을

2. 경실련 상임집행위원회

년도	회차
1989 07 11	제1기 1차
1989 08 16	제1기 6차
1989 10 18	제1기 11차
1990 07 07	제1기 12차
1990 09 03	제4차 중앙상임위
1990 11 01	제5차 중앙상임위
1990 11 27	제2기 1차
1990 12 22	제2기 2차
1991 01 08	제2기 3차
1991 02 19	제2기 4차
1991 03 28	제6차 중앙상임위

년도	회차
1991 04 24	제2기 5차
1991 05 22	제2기 6차
1991 06 25	제2기 7차
1991 07 16	제2기 8차
1991 08 08	제2기 9차
1991 09 17	제2기 10차
1991 10 19	제3기 11차
1991 11 06	제3기 1차
1991 11 26	제3기 2차
1991 12 27	제3기 3차
1992 01 13	제3기 1월(임시)

년도	회차
1992 01 28	제3기 4차
1992 02 22	제3기 2월(임시)
1992 03 31	제3기 5차
1992 04 28	제3기 6차
1992 05 26	제3기 7차
1992 06 30	제3기 8차
1992 07 28	제3기 9차
1992 08 25	제3기 10차
1992 09 29	제3기 11차
1992 10 27	제3기 12차
1993 02 20	제4기 1차
1993 03 08	제4기 2차(임시)
1993 03 23	제4기 2차
1993 04 27	제4기 3차
1993 05 25	제4기 4차
1993 06 29	제4기 5차
1993 07 27	제4기 6차
1993 08 31	제4기 7차
1993 09 27	제4기 8차
1993 10 26	제4기 9차
1993 11 30	제4기 10차
1993 12 16	제4기 11차
1994 02 22	제4기 12차
1994 03 16	제5기 1차
1994 04 26	제5기 2차
1994 05 31	제5기 3차
1994 06 28	제5기 4차
1994 08 27	제5기 5차
1994 09 27	제5기 6차
1994 10 25	제5기 7차
1994 11 29	제5기 8차
1994 12 26	제5기 9차
1995 01 09	제6기 1월(실무회의)
1995 01 21	제5기 11차
1995 02 11	제6기 2월(실무회의)
1995 02 13	제5기 12차
1995 02 18	제6기 1차
1995 03 17	제6기 4월(실무회의)
1995 03 28	제6기 2차
1995 04 07	제6기 4월(실무회의)
1995 04 21	제6기 4월(실무회의)
1995 04 25	제6기 3차
1995 05 26	제6기 5월(실무회의)
1995 05 30	제6기 4차
1995 05 31	제10기 5차
1995 06 09	제6기 6월(실무회의)
1995 06 23	제6기 6월(실무회의)
1995 06 29	제6기 5차
1995 07 07	제6기 7월(실무회의)
1995 07 21	제6기 7월(실무회의)
1995 07 25	제6기 6차
1995 08 24	제6기 8월(실무회의)
1995 08 29	제6기 7차
1995 09 22	제6기 9월(실무회의)
1995 09 26	제6기 8차
1995 10 13	제6기 10월(실무회의)
1995 10 31	제6기 9차
1995 11 09	제6기 11월(실무회의)
1995 11 24	제6기 11월(실무회의)
1995 11 28	제6기 10차
1995 12 07	제6기 12월(실무회의)
1995 12 22	제6기 12월(실무회의)
1995 12 26	제6기 11차
1996 01 12	제6기 1월(실무회의)
1996 01 19	제6기 1월(실무회의)
1996 01 27	제6기 1월(실무회의)
1996 01 30	제6기 12차
1996 02 21	제6기 2월(실무회의)
1996 02 24	제7기 1차
1996 03 06	제7기 3월 1차(실무회의)
1996 03 22	제7기 3월 2차(실무회의)
1996 03 26	제7기 2차
1996 04 19	제7기 4월(실무회의)
1996 04 23	제7기 제3차
1996 05 03	제7기 5월실무회
1996 05 21	제7기 5월(실무회의)
1996 05 28	제7기 4차
1996 06 14	제7기 6월(실무회의)
1996 06 25	제7기 5차
1996 07 16	제7기 7월(실무회의)
1996 07 20	제7기 6차
1996 08 02	제7기 8월(실무회의)

년도	회차
1996 08 23	제7기 8월(실무회의)
1996 08 27	제7기 7차
1996 09 13	제7기 9월(실무회의)
1996 09 24	제7기 8차
1996 10 11	제7기 10월(실무회의)
1996 10 22	제7기 9차
1996 11 08	제7기 11월 1차(실무회의)
1996 11 22	제7기 11월 2차(실무회의)
1996 11 26	제7기 10차
1996 12 14	제7기 11차
1997 01 28	제7기 12차
1997 01 28	제8기 1차
1997 03 07	제8기 1차(실무회의)
1997 03 18	제8기 2차(비상)
1997 04 29	제8기 3차
1997 05 27	제8기 4차
1997 06 24	제8기 5차
1997 08 26	제8기 7차
1997 09 30	제8기 8차
1998 12 19	제9기 12월(실무회의)
1999 02 06	제10기 1차
1999 02 22	제10기 2차
1999 03 06	제10기 3월(실무회의)
1999 03 15	제10기 3월(임시)
1999 03 29	제10기 3차
1999 04 07	제10기 4월(임시)
1999 04 16	제10기 4월(실무회의)
1999 04 26	제10기 4차
1999 05 13	제10기 5월(실무회의)
1999 05 31	제10기 5차
1999 06 01	제10기 6월(실무회의)
1999 06 19	제10기 6월(실무회의)
1999 06 26	제10기 6월(실무회의)
1999 06 28	제10기 6차
1999 07 03	제10기 7월(실무회의)
1999 07 07	제10기 7월(실무회의)
1999 07 08	제10기 7월(임시)
1999 07 09	제10기 7월(실무회의)
1999 07 10	제10기 7월(임시)
1999 07 22	제10기 7차(임시)
1999 07 29	제10기 7월(임시)

년도	회차
1999 08 23	제10기 8월(실무회의)
1999 08 30	제10기 8차
1999 09 27	제10기 9월(실무회의)
1999 09 30	제10기 9월(실무회의)
1999 10 04	제10기 9차(임시)
1999 10 25	제10기 10차
1999 10 30	제10기 10월(임시)
1999 11 29	제11기 2차
1999 12 27	제11기 3차
2000 01 17	제11기 1월(임시)
2000 01 31	제11기 1월(확대)
2000 04 03	제11기 6차
2000 05 01	제11기 7차
2000 07 10	제11기 9차
2000 08 09	제11기 8월(운영소위)
2000 09 04	제11기 10차
2000 10 02	제11기 11차
2000 11 06	제11기 12차
2000 11 25	제12기 1차
2000 12 18	제12기 2차
2001 01 05	제12기 1월(운영소위)
2001 01 18	제12기 3차
2001 02 05	제12기 2월(운영소위)
2001 02 24	제12기 4차
2001 03 26	제12기 5차
2001 04 23	제12기 5월(임시)
2001 04 30	제12기 6차
2001 05 28	제12기 7차
2001 07 06	제12기 8차
2001 08 27	제12기 9차
2001 09 13	제12기 9월(운영소위)
2001 09 24	제12기 10차
2001 10 15	제12기 1차(인선소위)
2001 10 22	제12기 2차(인선소위)
2001 10 29	제12기 11차
2001 11 07	제12기 11월(운영소위)
2001 11 10	제13기 1차
2001 11 22	제13기 11월(운영소위)
2001 11 26	제13기 2차
2002 01 04	제13기 3차
2002 02 04	제13기 2월(운영소위)

년도	회차	년도	회차
2002 02 04	제13기 4차	2004 05 31	제15기 7차
2002 03 22	제13기 3월(운영소위)	2004 06 28	제15기 8차
2002 03 25	제13기 5차	2004 08 30	제15기 9차
2002 04 22	제13기 4월(재정소위)	2004 10 04	제15기 10차
2002 04 26	제13기 4월(운영소위)	2004 10 25	제15기 11차
2002 04 29	제13기 6차	2004 11 29	제15기 12차
2002 05 25	제13기 5월(운영소위)	2004 12 27	제15기 13차
2002 05 27	제13기 7차	2005 01 24	제15기 14차
2002 06 24	제13기 8차	2005 02 28	제16기 1차
2002 07 27	제13기 7월(운영소위)	2005 03 28	제16기 2차
2002 08 19	제13기 9차	2005 04 25	제16기 3차
2002 09 14	제13기 9월(운영소위)	2005 05 30	제16기 4차
2002 09 18	제13기 9월(운영소위)	2005 06 27	제16기 5차
2002 09 30	제13기 10차	2005 08 22	제16기 6차
2002 10 21	제13기 10월(운영소위)	2005 09 26	제16기 7차
2002 10 28	제13기 11차	2005 10 24	제16기 8차
2002 11 25	제13기 12차	2005 10 28	제16기 8차
2002 12 23	제13기 13차	2005 11 28	제16기 9차
2003 01 18	제14기 1월(운영소위)	2005 12 19	제16기 10차
2003 01 27	제14기 1차	2006 01 13	제17기 1월(운영소위)
2003 02 21	제14기 1차(임시)	2006 01 16	제17기 1차
2003 03 24	제14기 2차	2006 02 27	제17기 2차
2003 04 04	제14기 4월(운영소위)	2006 03 27	제17기 3차
2003 04 28	제14기 3차	2006 04 24	제17기 4차
2003 05 26	제14기 4차	2006 05 29	제17기 5차
2003 06 25	제14기 5차	2006 06 26	제17기 6차
2003 08 27	제14기 6차	2006 08 28	제17기 7차
2003 09 24	제14기 7차	2006 09 25	제17기 8차
2003 10 11	제14기 10월(운영소위)	2006 10 30	제17기 9차
2003 10 29	제14기 8차	2006 11 27	제17기 10차
2003 11 26	제14기 9차	2006 12 18	제17기 11차
2003 12 19	제14기 10차	2007 01 15	제18기 1차
2003 12 19	제15기 12월(임시)	2007 02 26	제18기 2차
2004 01 13	제15기 1월(임시)	2007 03 26	제18기 3차
2004 02 03	제15기 3차	2007 04 30	제18기 4차
2004 02 16	제15기 2월(운영소위)	2007 05 28	제18기 5차
2004 03 03	제15기 4차	2007 06 25	제18기 6차
2004 03 17	제15기 3월(임시)	2007 08 17	제18기 7차
2004 03 31	제15기 5차	2007 09 17	제18기 8차
2004 04 02	제15기 4월(운영소위)	2007 10 29	제18기 9차
2004 04 26	제15기 6차	2007 11 26	제18기 10차

년도	회차
2007 12 20	제18기 11차
2008 01 21	제19기 1차
2008 02 25	제19기 2차
2008 03 31	제19기 3차
2008 04 28	제19기 4차
2008 05 26	제19기 5차
2008 06 30	제19기 6차
2008 08 25	제19기 7차
2008 09 29	제19기 8차
2008 10 27	제19기 9차
2008 11 24	제19기 10차
2008 12 24	제19기 11차
2009 01 19	제20기 1차
2009 02 16	제20기 2차
2009 03 30	제20기 3차
2009 04 27	제20기 4차
2009 05 25	제20기 5차
2009 06 29	제20기 6차
2009 08 24	제20기 7차
2009 09 29	제20기 8차
2009 10 26	제20기 9차
2009 12 02	제20기 10차
2009 12 28	제20기 11차
2010 01 25	제21기 1차
2010 02 22	제21기 2차
2010 03 29	제21기 3차
2010 04 26	제21기 4차
2010 05 31	제21기 5차
2010 06 21	제21기 6차
2010 08 16	제21기 7차
2010 09 27	제21기 8차
2010 10 26	제21기 9차
2010 11 29	제21기 10차
2010 12 20	제21기 11차
2011 01 24	제22기 1차
2011 02 14	제22기 2차
2011 03 28	제22기 3차
2011 04 25	제22기 4차
2011 05 30	제22기 5차
2011 06 27	제22기 6차
2011 08 22	제22기 7차

년도	회차
2011 09 26	제22기 8차
2011 10 31	제22기 9차
2011 11 28	제22기 10차
2011 12 19	제22기 11차
2012 01 30	제23기 1차
2012 02 13	제23기 2차
2012 03 26	제23기 3차
2012 04 25	제23기 4차
2012 05 21	제23기 5차
2012 06 25	제23기 6차
2012 08 20	제23기 7차
2012 09 24	제23기 8차
2012 10 30	제23기 9차
2012 11 26	제23기 10차
2012 12 17	제23기 11차
2013 01 28	제24기 1차
2013 02 18	제24기 2차
2013 03 25	제24기 3차
2013 04 29	제24기 4차
2013 05 27	제24기 5차
2013 06 24	제24기 6차
2013 08 19	제24기 7차
2013 09 30	제24기 8차
2013 10 28	제24기 9차
2013 11 25	제24기 10차
2013 12 16	제24기 11차
2014 01 27	제25기 1차
2014 02 17	제25기 2차
2014 03 31	제25기 3차
2014 04 28	제25기 4차
2014 05 21	제25기 5차
2014 06 30	제25기 6차
2014 08 18	제25기 7차
2014 09 29	제25기 8차
2014 10 27	제25기 9차
2014 11 24	제25기 10차
2014 12 22	제25기 11차
2015 01 26	제26기 1차
2015 02 23	제26기 2차
2015 03 30	제26기 3차
2015 04 27	제26기 4차

년도	회차
2015 06 01	제26기 5차
2015 06 29	제26기 6차
2015 08 17	제26기 7차
2015 09 21	제26기 8차
2015 10 26	제26기 9차
2015 11 30	제26기 10차
2015 12 21	제26기 11차
2016 01 25	제27기 1차
2016 02 22	제27기 2차
2016 03 28	제27기 3차
2016 04 25	제27기 4차
2016 05 30	제27기 5차
2016 06 27	제27기 6차
2016 08 12	제27기 7차
2016 09 26	제27기 8차
2016 10 31	제27기 9차
2016 11 28	제27기 10차
2016 12 19	제27기 11차
2017 01 23	제28기 1차
2017 02 13	제28기 2차
2017 03 27	제28기 3차
2017 04 24	제28기 4차
2017 05 22	제28기 5차
2017 06 26	제28기 6차
2017 08 11	제28기 7차
2017 09 25	제28기 8차
2017 10 30	제28기 9차
2017 11 13	제28기 10차
2017 12 18	제28기 11차
2018 01 29	제29기 1차
2018 02 19	제29기 2차
2018 03 26	제29기 3차
2018 04 30	제29기 4차
2018 05 28	제29기 5차
2018 06 25	제29기 6차
2018 08 13	제29기 7차
2018 09 17	제29기 8차
2018 10 29	제29기 9차
2018 11 19	제29기 9차
2018 11 26	제29기 10차
2018 12 20	제29기 11차

년도	회차
2019 01 28	제30기 1차
2019 02 18	제30기 2차
2019 03 25	제30기 3차
2019 04 29	제30기 4차
2019 05 27	제30기 5차
2019 06 24	제30기 6차
2019 08 26	제30기 7차
2019 09 30	제30기 8차

시민과 함께 한
경제정의실천시민연합 30년사

Ⅲ. 경실련의 활동

1. 헌법소원, 입법청원, 신고 · 청구, 소송, 고발 및 수사의뢰

[헌법소원]

1991 02 22	지방의회 선거법의 선거운동 제한 등에 대한 헌법소원심판
1995 08 07	선거법의 국회의원 지역선거구 구역표에 의한 선거구획정 위헌법률 헌법소원심판
1998 05 01	공직선거법의 시민사회단체 선거운동 금지에 대한 헌법소원심판
1998 12 04	국회 예결산위원회 방청불허에 대한 헌법소원심판
1999 08 24	재외동포의 출입국과 법적지위에 관한 법률의 평등권 침해 헌법소원 심판
2000 07 19	평등권 침해 SOFA(한미행정협정)에 대한 헌법소원심판
2005 06 30	공정거래법 헌법소원
2006 11 24	보건복지부의 입법부작위 위헌확인 헌법소원심판
2011 11 30	경인고속도로 통행료부과처분 위헌법률 헌법소원심판
2012 03 22	경인고속도로 통행료부과처분 취소 헌법소원심판
2016 11 24	박근혜 대통령 위법행위 위헌확인 헌법소원심판
2016 11 24	박근혜 대통령 위법행위 직무효력정지 가처분 신청

[입법청원]

1990 12 07	부동산 투기 근절과 공평과세 확립을 위한 세제개혁 청원 (소개의원:강금식 외 18인)
1990 12 07	종합토지세의 과표 현실화를 위한 지방세법 개정 입법청원 (소개의원:정균환)
1991 04 22	공명선거 실현을 위한「지방의회의원선거법」개정 입법청원 (소개의원:강금식 외 3인)
1993 05 03	공직자 재산등록과 공개를 위한「공직자윤리법」개정 입법청원 (소개의원:이철)
1993 07 12	시민의 알 권리 보장을 위한「정보공개법」제정 청원 (소개의원:유인태·박범진)
1993 11 09	개혁의 제도화를 위한「국회법」개정 입법청원 (소개의원:원혜영)
1993 11 19	금융실명제 정착과 공평과세 확립을 위한「세법」개정 입법청원(소개의원:김원길)
1993 12 18	농업진흥을 위한「농어촌발전특별조치법」,「농수산물가공산업육성법」,「농수산물 유통 및 가격안정에 관한 법률」개정 입법청원 (소개의원:김영진)
1993 12 12	정치관계법(정치자금법, 정당법, 국회법, 선거법) 개정 청원
1994 10 28	한국은행의 독립과 금융실명제 비밀보장을 위한「한국은행법」개정 입법청원(소개의원: 김원길 외 9인)
1995 02 27	부동산 투기 억제와 토지거래의 정상화를 위한「부동산실명법」제정 입법청원 (소개의원: 이철)
1995 12 13	부동산 투기와 근절을 위한「지방세법」개정 입법청원 (소개의원:김원길)
1995 12 13	상속, 증여 세제 강화를 위한「상속세법」개정 입법청원 (소개의원:제정구)
1995 12 13	재벌의 소유구조 개혁과 공정거래위원회 위상 강화를 위한「독점규제 및 공정거래에 관한 법률」개정 입법청원 (소개의원:제정구)
1995 12 13	금융실명제의 강화와 돈세탁 방지규정을 위한「금융실명거래 및 비밀보장에 관한 긴급재정 경제명령」개정 입법청원 (소개의원:김원길)
1995 12 13	공직자의 권력 남용과 부정부패 근절을 위한「공직자윤리법」개정 입법청원 (소개의원: 문희상)
1995 12 13	정경유착의 근절과 투명한 정치 실현을 위한「공직선거 및 선거부정방지법」,「정치자금에 관한 법률,「정당법,「국회법 개정 입법청원 (소개의원:장영달)

1996 10 16 공정거래위원회의 위상 강화를 위한 「독점규제 및 공정거래에 관한 법률」 개정 청원 (소개의원: 유재건)

1996 11 13 공직자의 재산공개제도의 실효성 확보를 위한 「공직자윤리법」 개정 입법청원 (소개의원:이석현)

1996 11 13 행정 민주화를 위한 「행정절차법」 제정 입법청원 (소개의원:이석현)

1996 11 13 국민의 알 권리 보장과 행정 민주화를 위한 「정보공개법」 제정 입법청원 (소개의원:이석현)

1996 11 15 새로운 시위문화를 정착시키기 위한 「집회 및 시위에 관한 법률」 개정 입법청원 (소개의원:천정배 외 4인)

1996 11 15 영업용건물 임대차 관계에서 보증금과 권리금에 대한 임차인 지위를 보장하기 위한 「영업용건물임대차보호법」 제정 입법청원 (소개의원:천정배 외 5인)

1996 11 26 바른 선거문화 정착을 위한 「공직선거 및 선거부정방지법」 개정 입법청원 (소개의원:김상현 외 3인)

1996 121 0 주민투표의 발의 요건을 인구 규모에 따라 차등화하는 주민투표법 제정 입법청원 (소개의원:정균환)

1997 02 12 건전한 정치자금의 운용과 깨끗한 정치 실현을 위한 「정치자금에 관한 법률」 개정 입법 청원(소개의원:김홍신)

1997 06 12 중앙은행 독립을 위한 「한국은행법」 개정 입법청원 (소개의원:김원길)

1997 06 18 부정선거에 대한 실효성 있는 단속과 수사를 위한 「선거관리위원회」 개정 입법청원 (소개의원:안상수 외 3인)

1997 06 18 정책 중심의 선거 정치문화 유도를 위한 「공직선거 및 선거부정방지법」 개정 입법청원 (소개의원:유선호 외 3인)

1997 06 18 깨끗한 정치 실현을 위한 「정치자금에 관한 법률」 개정 입법청원 (소개의원:추미애 외 3인)

1997 06 18 정당운영의 비민주적 관행 개선을 위한 「정당법」 개정 입법청원 (소개의원:이미경 외 3인)

1997 07 04 「금융실명거래 및 비밀보장에 관한 긴급재정경제명령」 개정 입법청원 (소개의원:김원길)

1997 11 06 지방자치권을 확대하고 지방의회 역량을 강화하기 위한 「지방자치법」 개정 입법청원 (소개의원:정균환)

1997 11 06 지방자치 시대의 국가경찰과 지방경찰로 이원화하는 「경찰법」 개정 입법청원 (소개의원:정균환)

1998 03 24 지방의회의 발전을 위한 「지방자치법」 개정 입법청원 (소개의원:정균환)

1998 03 24 정당명부식 비례대표 도입, 사회단체의 선거운동 전면보장 등 「공직선거법」 개정 입법청원 (소개의원:정균환)

1998 11 23 경제위기의 원인조사 및 책임자 규명을 위한 「경제위기 진상규명특별위원회」 구성 입법 청원(소개의원:김민석)

1998 11 24 금융소득종합과세 실시 등 금융실명제 정착을 위한 「금융실명거래 및 비밀보장에 관한 법률」 개정 입법청원 (소개의원:김윤환 외 2인)

1998 11 24 고소득 전문직 종사자에 대한 부가가치세 과세를 위한 「부가가치세법」 개정 입법청원 (소개의원:정세균)

1998 11 24 재벌의 경제력 집중을 억제하기 위한 「독점규제 및 공정거래에 관한 법률」 개정 입법청원 (소개의원:김영선)

1999 06 23 범죄 수사와 공소 제기 및 공소 유지 등에 관하여 정치적 독립성 확보를 위한 「특별검사의 임명 등에 관한 법률」 제정 입법청원 (소개의원:이미경)

1999 07 27 포괄적으로 보증인의 책임을 제한하는 「보증책임제한법」 제정 입법청원 (소개의원:김근태)

1999 09 28 집중투표제에 관한 규정의 강제를 요구하는 「상법」 개정 입법청원 (소개의원:정우택)

1999 10 26 수사권 남용과 기본권 침해 방지를 위한 「통신비밀보호법」 개정 입법청원 (소개의원:안상수)

2000 10 11 다수인의 집단적 분쟁을 효율적으로 처리하기 위한 「집단소송법」 제정 입법청원 (소개의원:송영길 외 2인)

2001 02 13 국가채무 축소와 재정적 감축을 위한 「국가채무 축소와 재정건전화를 위한 특별조치법」 제정 입법청원 (소개의원:김홍신)

2002 02 15 금융감독 체계 선진화를 위한 「은행법 개정 입법청원 (소개의원:정세균)

2002 10 24 부정부패 척결을 위한 「부패방지법」 개정 입법청원 (소개의원:김부겸)

2002 10 24 정치적 사건과 권력형 비리 사건에 대해 정치적 중립성 확보를 위한 「특별검사임명 등에 관한 법률」 제정 입법청원 (소개의원:김부겸)

2003 06 16 증권시장에서 기업 경영의 투명성 제고와 소액주주의 권리실현을 위한 「증권 관련 집단소송법」 제정 입법청원 (소개의원:천정배)

2004 11 23 민간기업의 과도한 특혜와 특례로 인한 전면 재검토를 위한 「민간투자활성화를 위한 복합개발 특별법안에 관한 입법의견」 청원 (소개의원:박재완)

2005 12 02 의료사고 예방과 피해 구제를 위한 「의료사고피해구제법」 제정 입법청원 (소개의원:박재완 외 1인)

2009 01 12 존엄하게 죽을 권리를 위한 「존엄사법」 제정 청원 (소개의원:주성영 외 1인)

2009 04 08 공적자금의 투명하고 효율적 관리를 위한 「공적자금관리 특별법」 개정 입법청원 (소개의원:이석현)

2009 07 15 국민의 생명권과 건강권 확보를 위한 「의료사고피해구제법」 제정 청원 (소개의원:박은수)

2010 10 28 비실명거래 및 차명계좌 거래 처벌 강화 「금융실명거래 및 비밀보장에 관한 법률」 개정 입법청원 (소개의원:이용섭)

2000 12 13 회사정리의 투명성 강화를 위한 「회사정리법」 개정 입법청원 (소개의원:천정배)

2008 11 11 담배의 위해로부터 국민을 보호하기 위한 「담배제조 및 매매 등의 금지에 관한 법률」 제정입법 청원 (소개의원:전현희 외 8인)

2011 04 18 임차인의 계약갱신 청구권 보장과 전·월세 인상률 제한하는 등 「주택임대차보호법」 개정 입법 청원 (소개의원:조승수)

2011 05 25 퇴직 공직자의 영리 사기업체의 취업제한 규정을 강화하는 「공직자윤리법」 개정 청원 (소개의원:조승수)

2014 12 09 임대차 기간 최소 6년간 보장을 위한 「주택임대차보호법」 개정 입법청원 (소개의원:박수현)

2015 11 06 업무용 차량의 공평과세를 위한 '무늬만 회사 차 방지법' 「법인세법」과 「소득세법」 개정 청원(소개의원:민병두)

2016 09 05 원료기반 GMO 완전표시제 도입을 위한 「식품위생법」, 「건강기능식품에 관한 법률」 개정 청원 (소개의원:남인순·김광수·윤소하)

2016 11 23 임대차 기간 최소 6년간 보장을 위한 「주택임대차보호법」 개정 입법청원 (소개의원:이원욱)

2016 12 22 특허수수료 납부방식 개선 등 「관세법」 개정 입법청원 (소개의원:박광온)

2017 03 13 후분양제 도입을 위한 「주택법」 개정 입법청원 (소개의원:정동영)

2017 03 16 분양가상한제 확대 및 분양원가 공개를 위한 「주택법」 개정 입법청원 (소개의원:심상정)

2017 11 16 건물의 우선 입주권 및 퇴거 보상료 근거마련을 위한 「상가건물 임대차보호법」 개정 입법청원(소개의원:백혜련)

2017 11 22 투명한 상품권 유통을 위한 「상품권법」 제정 입법청원 (소개의원:이학영)

2017 11 30 소비자 피해 예방과 구제를 위한 「집단소송법」 제정 입법청원 (소개의원:백혜련)

2018 02 26 국민주권 강화와 정치개혁을 위한 시민사회 「헌법」 개헌안 입법청원 (소개의원:심상정)

2018 03 15 평화롭게 살 권리와 국방·외교 정책의 민주적 통제를 위한 시민사회 「헌법」 개헌안 입법청원
2018 12 11 민간 분야의 남북 간 교류협력 촉진을 위한 「남북교류협력법」 개정 입법청원

[신고·청구]

1999 09 15 국립암센터 건립관련 의혹 감사원 감사청구
2000 06 02 의료계의 의약분업 관련 허위광고에 대한 공정거래위원회 신고
2000 09 14 국세청의 세무조사 및 체납내역에 대한 정보비공개처분 취소 행정심판 청구
2001 04 02 시중은행의 우월적 지위 남용에 의한 예금약관 변경에 대한 공정거래위원회 약관심사청구
2001 04 02 시중은행의 예금약관 변경이 소액예금자를 부당한 차별에 대한 금융감독원 신고
2001 04 19 보건복지부의 의약분업 관련 자료 정보비공개 처분에 따른 행정심판청구
2005 04 28 GS25, 세븐일레븐 등 4개 편의점 가맹본부의 불공정 가맹계약서에 대한 공정거래위원회 신고
2005 06 10 바이더웨이 편의점 가맹본부의 불공정 가맹계약서에 대한 공정거래위원회 신고
2005 09 27 5개 편의점 가맹본부의 과도한 위약금 부과 등 불공정거래행위에 대한 공정거래위원회 신고
2006 04 17 보건복지부의 병원식대 건강보험 적용 관련 의혹에 대한 감사원 특별감사 청구
2008 04 30 정부 부처 홈페이지 불공정이용약관 개선에 대한 국민권익위원회 신고
2008 10 22 BBQ의 불공정거래행위 및 불공정 가맹계약서에 대한 공정거래위원회 신고
2008 11 05 SKT, KT, LGT 등 불공정한 정보통신서비스 이용약관에 대한 공정거래위원회 약관심사청구
2009 03 19 멜론 등 대형 음원 유통사의 음원 가격담합 및 재판매 가격에 대한 유지행위 공정거래위원회 신고
2009 09 25 턴키발주 담합의혹에 대한 공정거래위원회 신고
2009 09 23 대한항공 항공마일리지 사용제한에 대한 공정거래위원회 신고
2009 10 12 묻지마식 재개발사업 묵인 국토해양부 및 지자체 감사 청구
2009 10 14 배스킨라빈스, 파리바게뜨, 던킨도너츠 불공정 가맹계약서에 대한 공정거래위원회 약관심사청구
2009 10 27 12개 제약사와 44개 요양기관의 가격담합 의혹에 대한 공정거래위원회 신고
2009 10 27 의약품 실거래가격제도 부실운영에 대한 복지부와 심평원의 직무유기 감사원 감사청구
2009 11 16 턴키발주 담합 의혹에 대한 국민권익위원회 부패신고
2010 04 27 서울-춘천고속도로(주)와 현대산업개발 등 5개 건설업체의 탈세에 대한 국세청 신고
2010 04 27 서울-춘천고속도로(주)와 현대산업개발 등 5개 건설업체의 민자고속도로 비리에 대한 국민권익위원회 신고
2011 01 31 을지병원의 연합뉴스TV 출자와 복지부의 위법 용인, 책임의무 위반에 대한 특별감사 청구
2011 04 05 4대강 선급금 불법유용 업체에 대한 공정위 신고
2011 11 23 SKT와 KT의 모바일인터넷전화(mVoIP) 제한에 대한 공정거래위원회 신고
2011 11 23 SKT와 KT의 모바일인터넷전화(mVoIP) 제한에 대한 방송통신위원회 신고
2011 11 23 이동통신 3사의 사생활 침해 DPI 사용에 대한 국가인권위원회 진정
2012 04 05 4대강 선급금 불법유용 업체 공정거래위원회 신고
2012 06 21 포괄수가제 확대시행에 반발하는 의사협회 수술 거부에 대한 공정거래위원회 신고
2012 08 09 사조그룹의 부당한 지원행위 등 불공정거래행위에 대한 공정거래위원회 신고
2013 03 21 앱 마켓 이용약관에 대한 공정거래위원회 신고
2013 03 21 애플의 '하드웨어 품질보증서' 불공정약관에 대한 공정거래위원회 약관심사청구
2013 10 31 소자본 무점포창업 불공정계약서에 대한 공정거래위원회 약관심사청구
2014 02 04 LH공사 보금자리 주택 분양원가 자료 정보비공개처분 취소 행정심판 청구

2014 03 13 주민등록번호 개선을 위한 개인정보보호위원회 진정
2014 04 08 KT 개인정보 유출 피해입증자료 제공거부 및 고객정보 보존조치 요구를 위한 방송통신위원회 신고
2014 07 10 애플의 불공정한 '수리약관'에 대한 공정거래위원회 약관심사청구
2014 07 24 위약금 없는 KT 서비스 해지에 대한 한국소비자원 집단분쟁 조정 신청
2015 03 09 홈플러스 개인정보 유출에 대한 한국소비자원 집단분쟁 조정 신청
2015 07 01 불공정 환불정책 '티머니 이용약관'에 대한 공정거래위원회 약관심사청구
2015 10 22 차등수가제 폐지 및 전문병원 지원 감사원 공익감사 청구
2017 05 22 복지부의 리베이트 의약품 봐주기 행정처분에 대한 감사원 공익감사 청구
2018 03 02 GMO 완전표시제 및 학교급식 퇴출에 대한 청와대 국민청원
2018 03 09 화성동탄2신도시 사업비·분양가 심사 관련 화성시장, 분양가심사위원회 직무유기 감사청구
2019 02 18 공시지가·공시가격 축소왜곡 관련 부동산공시업무 직무유기로 국토부장관 및 한국감정원장 감사원 감사청구
2019 04 24 구글·넷플릭스 등의 망접속료 차별 행위의 이동통신 3사에 대한 공정거래위원회 불공정거래행위 신고
2019 07 01 판교10년 임대주택 불공정 약관에 대한 공정거래위원회 약관심사청구

[소송]

1990 07 09 서초동 주거용 비닐하우스 주민의 주민등록 허용
1991 01 30 서울시의 수서지구 택지분양 특혜 무효청구 소송
1996 01 영광원전 5,6호기 온배수문제 대응 및 부지 사전승인취소 소송
2000 06 24 의료계 집단폐업 피해자 손해배상청구 소송
2000 08 21 의료계 1차 집단폐업의 피해자 2차 손해배상 청구 소송
2000 11 1 국회사무처의 국회의원 외유 현황 및 보좌진 급여지급 내역 정보공개거부처분 취소소송
2006 10 02 서울시, 경기도의 도시가스 소비자요금 산정 최종보고서 정보공개거부처분 취소소송
2008 02 18 SH공사의 분양원가공개 정보공개거부처분 취소소송
2008 05 08 심평원의 의약품 실거래가격 신고내역 정보공개거부처분 취소소송
2008 07 23 하나로텔레콤(현 SK브로드밴드)의 개인정보침해행위 중단에 대한 소비자단체소송
2010 01 21 보건복지가족부의 건강보험심사평가원 위원 위촉절차 취소 및 위원회직무집행금지 가처분신청 행정소송
2010 04 19 대한항공, 아시아나항공 등 10여 개 항공사의 항공요금 국제담합 소비자피해구제를 위한 손해배상청구 소송
2010 04 20 서울지방국토관리청의 4대강 사업비 산출근거 정보공개거부처분 취소소송
2010 04 29 부산지방국토관리청의 4대강 사업비 산출근거 정보공개거부처분 취소소송
2010 04 30 익산지방국토관리청의 4대강 사업비 산출근거 정보공개거부처분 취소소송
2010 05 12 국토해양부, 한국수자원공사의 4대강 사업비 산출근거 정보공개거부처분 취소소송
2011 06 01 한국도로공사를 상대로 경인고속도로 통행료 부과처분 취소 행정소송
2011 10 21 국토해양부 장관을 상대로 경인고속도로 통행료 수납기간 변경공고 무효확인 소송
2011 4대강 턴키사업장 원가공개 소송
2011 10 27 복지부의 직장보육시설설치현황 정보비공개결정 처분취소 소송
2013 04 02 방송통신위원회의 망중립성 논의자료 정보비공개결정 처분취소청구소송
2013 09 30 모바일인터넷전화(mVoIP) 차단에 대한 이동통신사 상대로 손해배상청구 소송
2013 11 04 동양증권 경영진의 사기성 기업어음 발행에 대한 주주대표소송

2014 04 04　동양증권 경영진의 사기성 기업어음 발행에 대한 주주대표소송
2014 05 08　카드 3사 개인정보 유출 피해자의 주민등록번호 변경신청 거부처분 소송
2014 06 26　KT 개인정보 유출 피해자 2,796명 손해배상청구 소송
2014 07 23　한국 이용자의 개인정보를 미국 정보기관 등에 제공한 구글에 대한 개인정보 제3자 제공 내용 공개소송
2014 09 02　국민건강보험공단의 종합병원 건강보험 진료비 지급 현황 비공개 결정처분 취소 소송
2015 02 10　동서식품 대장균군 시리얼 피해자 11명 손해배상청구 소송
2015 03 09　홈플러스 개인정보 유출에 대한 손해배상청구 소송
2015 03 25　식약처의 업체별 GMO 수입현황 정보공개거부처분 취소소송
2015 04 02　홈플러스 개인정보 유출 미통지와 제3자 제공현황 삭제에 대한 검찰 수사의뢰
2015 07 01　홈플러스 개인정보 불법 유상판매 피해자 1,074명 손해배상청구 소송
2015 09 10　2차 메르스 피해자 손해배상청구 소송
2015 07 09　메르스(MERS) 감염 의심자와 감염자, 사망자 등 15명의 손해배상청구 소송
2015 09 10　2차 메르스(MERS) 피해자 손해배상청구 소송
2019 07 25　LH·SH공사 분양원가(공사비 내역) 정보공개거부처분 취소소송

[고발 및 수사의뢰]

1991 02 23　배문환 종로구청장을 수서 비리 집회 방해 및 직권남용혐의로 고소
1991 03 28　`환경처 장관, 두산그룹 회장 등 페놀 오염 및 직무유기 혐의로 검찰 고발
1992 11 28　11건의 불법 선거운동 사례 검찰 고발
1992 12 15　4건의 불법 선거운동 사례 검찰 고발 및 16건 수사 의뢰
1992 12 16　1건의 불법 선거운동 사례 검찰 고발 및 1건 수사 의뢰
1997 01 28　코리아제록스의 사무기기 부정수입 의혹에 대한 검찰 고발
1991 09 01　서울지역 344개 대형학원 국세청에 고발
2000 06 08　대한의사협회 회장의 의약분업으로 인한 의사회 폐업에 대한 검찰 고발
2000 07 18　인천국제공항 사장, 여객터미널 감리단장, 신공항건설기획단장 고발
2001 06 21　건교부 장관의 최저가낙찰제 포기로 인한 직권남용에 대한 검찰 고발
2001 08　서울시지하철 9호선 담합입찰, 공정거래위원회에 조사의뢰
2002 09 26　서울지하철 9호선 담합입찰 조달청장의 직무유기 혐의에 대한 검찰 고발
2004 03 05　이명박 서울시장, 양윤재 청계천복원추진본부장의 발굴문화유적 훼손에 대한 검찰 고발
2005 09 27　편의점 불공정거래행위의 공정거래위원회 고발
2006 09 28　정동채 문화부 장관, 전윤철 감사원장 등 사행성 게임 정책추진 관련 공직자 직무유기 검찰 고발
2006 11 13　화성시장, 건설사의 동탄신도시 택지비 허위신고 업체 직무유기에 대한 검찰 고발
2006 12 12　보건복지부, 건강보험공단의 가입자단체 배제 및 무리한 건강보험료 인상에 대한 직무유기 검찰 고발
2006 12 22　민간건설업체의 택지비 허위 신고에 대해 국세청에 세무조사 의뢰
2008 09 09　하나로텔레콤, KT, LG파워콤의 개인정보 제3자 불법 제공 검찰 고발
2010 04 29　서울-춘천 고속도로 관련 국세청과 국민권익위원회에 조사의뢰
2010 11 09　이백순 신한은행장의 불법 자금 수수 의혹 검찰 고발
2011 11 23　거가대교 특혜비리 혐의로 시행자와 지방자치단체 검찰 고발
2011　4대강 선급금 불법유용 업체 공정위에 고발
2011　SKT와 KT, 모바일인터넷전화(mVoip) 제한에 대한 공정위 및 방통위에 고발
2012 06 14　김재철 MBC 사장을 법인카드를 개인적으로 사용하고, 지위를 이용하여 지인에게 특혜를

	제공한 혐의로 업무상 배임 및 부동산실명제 위반 혐의로 검찰에 고발
2012 08 30	서울시 지하철 9호선 협상 책임자, 맥쿼리 투자 민자기업 이사들, 이현동 국세청장 검찰 고발
2013 10 02	무점포창업 사기업체 검찰 고발
2013 10 07	사기성 기업어음 발행 논란 현재현 동양그룹 회장과 정진석 동양증권 사장에 대한 검찰 고발
2013 11 21	사기성 기업어음 발행 논란 현재현 동양그룹 회장 등 5개 계열사 경영진 39명에 대한 2차 검찰 고발
2014 02 13	군 PX 내 고가판매 방치에 따른 국방부 책임자 업무상 배임 및 직무유기 혐의 검찰 고발
2014 07 07	김명수 사회부총리 겸 교육부 장관 후보자 사기·업무방해죄 검찰 고발
2014	고액 주택임대소득 탈루 방조 관련 국세청장 검찰 고발
2015 11 19	최경환 기재부 장관의 민자사업 특혜로 인한 배임 및 직무유기 검찰 고발
2016 01 20	문형표 전 보건복지부 장관 메르스 사태 직무유기 검찰 고발
2016 04 21	전경련 금융실명제 위반 · 조세포탈 · 업무상 배임 혐의 여부 검찰에 수사의뢰
2016 08 22	홈플러스 개인정보 불법 매매로 드러난 롯데홈쇼핑 검찰 고발
2016 12 01	박근혜 의료 게이트 관련자 박근혜, 최순실, 김기춘 외 5명 검찰 고발
2017 10 30	이중근 회장 등 부영주택 대표이사 업무방해·사기죄 검찰 고발
2019 07 15	한국은행 통합별관 공사 예정가격 초과 입찰 관련 조달청장 및 조달청 공무원 업무상배임·직무유기죄로 검찰 고발

2. 시상

1. 경제정의실천시민상

- 경제정의실천시민연합은 1989년 11월 창립 이후 우리사회의 경제정의와 사회정의 실현을 위해 노력하는 개인과 단체를 선정하여《경제정의실천시민상》을 수여하고 있음. 경실련은 이 상을 수여함으로써, 수상자들의 '양심을 존중하고 용기 있는 행동을 격려'하며 시민들이'우리 사회의 빛과 소금의 역할을 더 할 수 있도록 장려'하는 데 의의가 있음

1990년	이문옥(감사관, 감사원 비리 폭로)
1991년	제주도 탑동도민회(공유수면매립지 개발이익을 도민에게 환원)
1992년	한겨레신문사, 겨레사랑-북녘동포돕기 범국민운동, 우리민족서로돕기운동(민족애 고취와 북한 동포 살리기의 헌신적 수행)
1993년	박종규(기업인, 바른경제동인회 설립 및 활동)
1994년	정농회(유기농업 실천, 환경보호, 소비자 건강)
1995년	김성훈(중앙대 교수, 우루과이라운드 협상 대응)
1996년	5·18 학살자처벌특별법제정 범국민비상대책협의회(특별법제정)
1998년	참여민주사회시민연대(참여연대) 경제민주화위원회
2000년	고양시 러브호텔 및 유흥업소난립저지 공동대책위 미군기지 군무원(주한미군의 독극물 한강 방류 고발)
2002년	김근태(국회의원, 정치자금 수수 양심고백)
2006년	천안시(천안시 아파트 분양가 상한선 시책)
2009년	이용석(연세대 교수, 신도시 건설업체 선정 심사위원 로비 폭로)

2013년 뉴스타파(한국탐사저널리즘센터, 사회지도층의 역외 탈세 보도)
권은희(서울 송파경찰서, 국정원 선거개입 수사 축소 압력 공개)
2014년 김이태(한국건설기술연구원 연구원, MB정부 대운하사업 양심선언)
2016년 JTBC보도국 사회2부(최순실 비선실세 국정개입, 세월호참사 후속 보도)
2017년 촛불시민(정의, 평화, 연대를 기치로 촛불을 밝히고 민주주의의 새 장을 염)
김의겸(전 한겨레신문 기자, 최순실 비선실세의 국정개입 실체 보도)
최예용(환경보건시민센터 소장, 가습기 살균제 유해성을 밝히고 피해자 구제운동 전개)
2018년 반올림(반도체 산업현장의 위험성, 건강권이 짓밟힌 노동환경 고발, 직업병의 진실을 밝혀 노동기본권 보장에 공헌)

2. 경실련이 기억하는 시민상

- 김종한 경주경실련
- 유석환 울산대 교수
- 이행식 장로
- 정태원 인천국제공항공사 건설 감리원
- 한재호
- 박계동 전국회의원, 전직 대통령 비자금 조성 폭로
- 이지문 군부재자 투표 양심선언
- 자비의집 경불련 산하 봉사단체
- 최성주 경실련 미디어워치 회장
- 황인철 인권변호사, 초대공동대표

3. 경실련 좋은기업상(구. 경제정의기업상)

① 취지

- 경제정의연구소는 한국 자본주의의 건전한 발전을 위해 국민으로부터 사랑과 존경받는 기업상을 정립하고자 1991년 좋은기업상을 제정함.
- 사회적 책임을 다하고 있는 기업들을 시민들에게 널리 알려, 기업들의 사회적 책임 실천을 유도하고자 평가와 시상을 진행해오고 있음.

② 역대 수상기업 (대표이사명은 수상 당시 명임)

- 제1회 경제정의기업상 수상기업(1991.12.)
  1. 대상(전체 1위) 및 대형규모부문 : 한국유리공업(주) 최태섭 대표이사 사장
  2. 중형규모부문 : 수상기업 없음
  3. 소형규모부문 : 해태전자(주)

- 제2회 경제정의기업상 수상기업(1993.03.)
  1. 대상(전체 1위) 및 대형규모부문 : 삼성전자(주)
  2. 중형규모부문 : 일양약품(주)
  3. 소형규모부문 : 코오롱유화(주)

- 제3회 경제정의기업상 수상기업(1994.02.)
  1. 대상(전체 1위) 및 대형규모부문 : 포항종합제철(주) 정명식 대표이사 회장
  2. 중형규모부문 : 대덕전자(주) 김정식 대표이사 사장
  3. 소형규모부문 : (주)제일엔지니어링 윤청목 대표이사 사장
  4. 음식료품 : OB맥주(주)

5. 섬유·의복 및 피혁 : (주)대농
6. 종이·제지·나무목재 : 한솔제지(주)
7. 화학업종 : 한양화학(주)
8. 제약업종 : (주)대웅제약
9. 조립금속 및 기계장비 : 한국컴퓨터
10. 전기전자·통신기기 : 삼성전관(주)
11. 자동차 정밀·기타제조업 : (주)기아정기

- 제4회 경제정의기업상 수상기업(1995.01.)

1. 대상(전체 1위), 소형·전기전자 : (주)제일엔지니어링 윤청목 대표이사
2. 대형/1차금속·비금속 : 포항종합제철(주)
3. 중형, 제약업 : (주)중외제약
4. 음식료품 : 보해양조(주)
5. 섬유·의복 : (주)선경인더스트리
6. 종이·제지 : 쌍용제지(주)
7. 화학업 : (주)LG화학
8. 조립금속·기계장비 : 대우중공업(주)
9. 자동차·운송장비 : 기아자동차(주)
10. 기타제조업 : 영창악기제조(주)
11. 건설업 : (주)기산

- 제5회 경제정의기업상 수상기업(1996.02.)

1. 대상, 중형규모(156사) 및 전기전자업종 최우수 : 대덕전자(주) - 대표이사 김정식
2. 대형규모(168사) 및 제약업종 최우수기업 : (주)녹십자 - 대표이사 허영섭
3. 소형규모(137사) : 흥창(주) - 대표이사 손정수
4. 섬유·의복 및 피혁제품 제조업 : (주)신원 - 대표이사 고두모
5. 종이·제지 및 출판·인쇄 제조업 : 수상기업 없음
6. 화학 제조업 : 이수화학(주) - 대표이사 김찬욱
7. 1차금속 및 비금속광물 제조업 : 한일시멘트(주) - 대표이사 허동섭
8. 조립금속 및 기계장비 제조업 : 동양기전(주) - 대표이사 엄기화
9. 시계·정밀 및 기타제조업 : 오리엔트(주) - 대표이사 강춘근

- 제6회 경제정의기업상 수상기업(1997.03.)

1. 대상, 대형규모 및 1차금속 및 비금속광물 제조업 : 한일시멘트(주) - 대표이사 허동섭
2. 중형규모 및 화학제조업 : (주)포스코켐→(주)거평제철화학 - 대표이사 염태섭
3. 소형규모 및 섬유의복피혁 제조업 : (주) 신원 - 대표이사 박성철
4. 음식료품 제조업 : (주)풀무원 - 대표이사 남승우
5. 종이·제지 및 출판·인쇄 제조업 : 한국수출포장공업(주) - 대표이사 허용삼
6. 제약제조업 : (주)유한양행 - 대표이사 김선진
7. 조립금속 및 기계장비 제조업 : (주)삼보컴퓨터 - 대표이사 이홍순
8. 전기·전자 제조업 : 수상기업없음
9. 자동차·시계정밀 및 기타제조업 : (주)오리엔트

10. 건설업 : 수상기업 없음

• 제7회 경제정의기업상 수상기업(1998.04.)
1. 대상 및 제약 제조업 : (주)유한양행 - 대표이사 김선진
2. 중형규모 및 조립금속·기계장비 제조업 : 동양물산기업(주) - 대표이사 김희용
3. 소형규모 : 평화산업(주) - 대표이사 조치호
4. 음식료품 제조업 : (주)서흥캅셀 - 대표이사 양주환
5. 섬유의복 : (주)신원 - 대표이사 박성철
6. 종이·제지 출판 제조업 : 웅진출판(주) - 대표이사 백석기
7. 화학 제조업 : (주)태평양 - 대표이사 서경배
8. 1차금속·비금속광물 제조업 : 고려제강(주) - 대표이사 홍영철
9. 전기전자 제조업 : LG전자(주) - 대표이사 구자홍
10. 시계정밀 등 기타제조업 : (주)퍼시스

• 제8회 경제정의기업상 수상기업(1999.04.)
1. 대상 및 제약업종 : 한미약품공업(주) - 임성기 대표이사 회장
2. 대형규모 : 금호석유화학(주) - 박찬구 대표이사 사장
3. 중형규모 및 전기전자업종 : 대덕산업(주) - 유영훈 대표이사 사장
4. 소형규모 : 태경산업(주) - 김영환 대표이사 회장
5. 음식료품 제조업종 : (주)삼양제넥스 - 박종헌 대표이사 사장
6. 섬유의복 제조업종 : 수상기업 없음
7. 종이제지 제조업종 : (주)대한펄프 - 최병민 대표이사 사장
8. 화학업종 : (주) 태평양 - 서경배 대표이사 사장
9. 1차금속·비금속광물 제조업 : 동양시멘트(주) - 노영인 대표이사 사장
10. 조립금속·기계장비 제조업종 : 대경기계기술(주) - 김석기 대표이사 회장
11. 자동차·기타제조업종 : 삼성라디에터공업(주) - 고호곤 대표이사 사장

• 제9회 경제정의기업상 수상기업(2000.05.)
1. 대상, 중형, 전기전자업종 : 대덕전자(주) - 김성기 대표이사 사장
2. 대형규모 및 1차금속·비금속광물업종 : 한국유리공업(주) - 김성만 대표이사 사장
3. 소형규모 : 수상기업없음
4. 음식료품 제조업종 : (주)남양유업 - 홍원식 대표이사 사장
5. 섬유의복 제조업종 : (주)삼양사 - 김 윤 대표이사 사장
6. 종이제지출판 제조업종 : 한솔제지(주) - 차동천 대표이사 사장
7. 화학업종 : (주)이수화학 - 윤신박 대표이사 사장
8. 제약업종 : 동화약품공업(주) - 황규언 대표이사 사장
9. 조립금속 기계장비업 : (주)경동보일러 - 김철병 대표이사 회장
10. 자동차·기타제조업종 : 평화산업(주) - 김종석 대표이사 부회장

• 제10회 경제정의기업상 수상기업(2001.04.)
1. 대상 및 자동차·기타제조업 : (주)퍼시스
2. 음식료업종 : 동원 F&B(주)

3. 섬유의복업종 : (주)BYC - 한석범 대표이사
4. 종이제지출판 - (주)웅진닷컴
5. 화학업 : (주)태평양 - 서경배 대표이사
6. 제약업 : 환인제약(주) - 김금림 대표이사 사장
7. 1차금속 및 비금속광물 : 포스코 - 이구택 대표이사
8. 조립금속 및 기계장비 : 계양전기(주) - 이상익 대표이사 사장
9. 전기전자 : 삼화전자공업(주)

• 제11회 경제정의기업상 수상기업(2002.02.)
1. 대상 부문 : (주)태평양 - 서경배 대표이사 사장
2. 음식료 업종 : 롯데칠성음료(주) - 김부곤 대표이사 사장
3. 섬유종이기타제조업종 : (주)비비안 - 윤재성 대표이사 사장
4. 화학업종 : 한국쉘석유(주) - 김동수 대표이사 사장
5. 제약업종 : (주)대웅제약 - 윤재승 대표이사 사장
6. 1차금속 및 비금속광물업종 : 수상기업 없음
7. 조립금속 및 기계장비업종 : (주)경동보일러 - 박천곤 대표이사 사장
8. 전기전자업종 : 미래산업(주) - 장대훈 대표이사 사장
9. 특별추천부문상 : 안철수연구소 - 안철수 대표이사 사장

• 제12회 경제정의기업상 수상기업(2003.02.)
1. 대상 부문 : 삼성SDI(주) - 김순택 대표이사 사장
2. 음식료 업종 : 남양유업(주) - 홍원식 대표이사 사장
3. 섬유/종이/기타제조 업종 : (주)비와이씨(BYC) - 한석범 대표이사 사장
4. 제약 업종 : 유한양행(주) - 김선진 대표이사 사장
5. 1차금속 및 비금속 광물 업종 : 한일시멘트(주) - 정환진 대표이사 사장
6. 조립금속 및 기계장비 업종 : 계양전기(주) - 이상익 대표이사 사장
7. 추천부문특별상 : (주)신세계 - 구학서 대표이사 사장

• 제13회 경제정의기업상 수상기업(2003.12.)
1. 대상 부문 : 대덕GDS(주) - 유영훈 대표이사
2. 음식료 및 제약업종 : 롯데칠성음료(주) - 이종원 대표이사
3. 섬유/종이/기타제조 업종 : (주)퍼시스 - 양영일 대표이사
4. 화학업종 : 한국쉘석유(주) - 김동수 대표이사
5. 1차금속 및 비금속광물업종 : (주)포스코 - 이구택 대표이사
6. 조립금속/기계장비/전기전자업종 : 삼성전자(주) - 윤종용 대표이사
7. 추천부문특별상 : (주)케이티 - 이용경 대표이사

• 제14회 경제정의기업상 수상기업(2004.12.)
1. 대상 : 주식회사 포스코 - 이구택 대표이사 회장
2. 식약/섬유/종이업 : CJ 주식회사 - 김주형 대표이사 사장
3. 금속/비금속/화학업 : 한일시멘트 주식회사 - 정환진 대표이사 사장
4. 전기전자/기계업 : 현대중공업 주식회사 - 유관홍 대표이사 사장

5. 비제조/서비스업 : 주식회사 케이티 - 이용경 대표이사 사장

• 제15회 경제정의기업상 수상기업(2005.12.)
1. 대상 : 수상기업 없음
2. 식약/섬유/종이업 : (주)LG생명과학 - 양흥준 대표이사 사장
3. 금속/비금속/화학업 : (주)LG화학 - 노기호 대표이사 사장
4. 전기전자/기계업 : 기아자동차(주) - 김익환 대표이사 사장
5. 비제조/서비스업 : 수상기업 없음

• 제16회 경제정의기업상 수상기업(2006.12.)
1. 대상 : 제일모직 주식회사 - 제진훈 대표이사 사장
2. 식약/섬유/종이업 : 한미약품(주) - 민경윤 대표이사 사장
3. 금속/비금속/화학업 : 수상기업 없음
4. 전기전자/기계업 : 삼성테크윈 주식회사 - 이중구 대표이사 사장
5. 비제조/서비스업 : 경남에너지 주식회사 - 정연욱 대표이사 사장

• 제17회 경제정의기업상 수상기업(2007.10.)
1. 대상 : 주식회사 케이티 - 남중수 대표이사 사장
2. 식약/섬유/종이업 : 일동제약 주식회사 - 이금기 대표이사 회장
3. 금속/비금속/화학업 : 한일시멘트 주식회사 - 허기호 대표이사 사장
4. 전기전자/기계업 : 수상기업 없음
5. 비제조/서비스업 : 수상기업 없음

• 제18회 경제정의기업상 수상기업(2009.03.)
1. 대상 : 주식회사 포스코 - 정준양 대표이사 회장
2. 식약/섬유/종이업 : 광동제약(주) - 최수부 대표이사 회장
3. 금속/비금속/화학업 : 수상기업 없음
4. 전기전자/기계업 : (주)경동나비엔 - 김철병 대표이사
5. 비제조/서비스업 : 수상기업 없음

• 제19회 경제정의기업상 수상기업(2010.03.)
1. 대상 : 수상기업 없음
2. 식약/섬유/종이업 : 샘표식품 주식회사 - 박진선 대표이사 사장
3. 금속/비금속/화학업 : 수상기업 없음
4. 전기전자/기계업 : 현대중공업(주) - 민계식 대표이사 회장
5. 비제조/서비스업 : 경남에너지주식회사 - 정연욱 대표이사 사장

• 제20회 경제정의기업상 수상기업(2011.06.)
1. 대상 : (주)하이닉스반도체 - 권오철 대표이사 사장
2. 식약/섬유/종이업 : 광동제약(주) - 최수부 대표이사 회장
3. 금속/비금속/화학업 : 한일시멘트(주) - 허기호 대표이사 사장
4. 전기전자/기계업 : (주)현대미포조선 - 최원길 대표이사 사장

5. 비제조/서비스업 : 수상기업 없음

• 제21회 경실련 좋은기업상 수상기업(2012.12.)
1. 금속/비금속/화학업 : 에쓰-오일 (주) - CEO Nasser D. Al-Mahasher
2. 금융업 : JB전북은행 - 김한 은행장
3. 비제조/서비스업 : NHN(주) - 김상헌 대표이사
4. 식약/섬유/종이업 : 수상기업 없음
5. 전기전자/기계업 : (주)광명전기 - 이재광 대표이사

• 제22회 경실련 좋은기업상 수상기업(2013.10.)
1. 금속/비금속/화학업 : (주)LG화학 - 박진수 대표이사
2. 금융업 : 수상기업 없음
3. 비제조/서비스업 : (주)KSS해운 - 윤장희 대표이사
4. 식약/섬유/종이업 : 한국수출포장공업(주) 허정훈 대표이사
5. 전기전자/기계업 : 대덕GDS(주) - 유영훈 대표이사

• 제23회 경실련 좋은기업상 수상기업(2014.10.)
1. 금속/비금속/화학업 : (주)LG생활건강 - 차석용 대표이사
2. 금융업 : 수상기업 없음
3. 비제조/서비스업 : (주)풀무원 - 남승우 대표이사
4. 식약/섬유/종이업 : 대원제약주식회사 - 백승열 대표이사
5. 전기전자/기계업 : 계양전기주식회사 - 김승노 대표이사

• 제24회 경실련 좋은기업상 수상기업(2015.12.)
1. 대상 : 대원제약주식회사 - 백승열 대표이사
2. 금속/비금속/화학업 : 수상기업 없음
3. 금융업 : 수상기업 없음
4. 비제조/서비스업 : 수상기업 없음
5. 식약/섬유/종이업 : (주)코아스 - 노재근 대표이사
6. 전기전자/기계업 : (주)필룩스 - 노시청 대표이사

• 제25회 경실련 좋은기업상 수상기업(2016.12.)
1. 금속/비금속/화학업 : 미원스페셜티케미칼(주) - 임한순 대표이사

• 제26회 경실련 좋은기업상 수상기업(2017.12.)
1. 대상 : ㈜유한양행 - 이정희 대표이사
2. 비제조/서비스업 : (주)KSS해운 - 이대성 대표이사

• 제27회 경실련 좋은기업상 수상기업(2018.12.)
1. 전기전자/기계업 : 다스코(주)

4. 경실련 좋은사회적기업상

① 취지

- 2007년 사회적기업육성법이 제정됨에 따라, 사회적 기업의 설립과 지원정책이 활성화 됨. 그러나 사회적 기업이 확대되고 있지만, 정부의 칸막이 행정, 비효율적 지원체계, 사회적 기업 자체의 경영능력 부족 등의 문제로 지속가능성이 담보되지 못함.
- 이에 경실련은 사회적기업의 지속가능한 발전을 유도하고, 정착시키며, 우수한 기업을 알리고, 격려하기 위해 좋은사회적기업상을 제정해 시상하고 있음.

② 역대 수상기업

- 제1회 경실련 좋은사회적기업상 수상기업(2015)
  1. 일자리제공부문 최우수기업 : (주)아키테리어 금빛가람
  2. 일자리제공부문 우수기업 : 농업회사법인 농터(주)
  3. 지역사회공헌 및 사회서비스 제공부문 최우수기업 : (주)희망하우징
  4. 지역사회공헌 및 사회서비스 제공부문 우수기업 : 재단법인 울산행복한학교

- 제2회 경실련 좋은사회적기업상 수상기업(2016)
  1. 일자리제공부문 최우수기업 : 주식회사 중원기업
  2. 일자리제공부문 우수기업 : 주식회사 싸리비
  3. 지역사회공헌 및 사회서비스 제공부문 최우수기업 : 미담장학회
  4. 지역사회공헌 및 사회서비스 제공부문 우수기업 : (주)가온

- 제3회 경실련 좋은사회적기업상 수상기업(2017)
  1. 일자리제공부문 최우수기업 : 세림조경디자인(주)
  2. 지역사회공헌 및 사회서비스 제공부문 최우수기업 : (주)공감씨즈

- 제4회 경실련 좋은사회적기업상 수상기업(2018)
  1. 일자리제공부문 최우수기업 : (주)일렉콤
  2. 일자리제공부문 우수기업 : (주)청소하는마을
  3. 지역사회공헌 및 사회서비스 제공부문 최우수기업 : (주)노리소리강원두레
  4. 지역사회공헌 및 사회서비스 제공부문 우수기업 : (주)미항주거복지센터

5. 바른외국기업상

① 취지

- 1997년 외환위기 이후 외자유치의 필요성이 증대되어, 다국적기업의 국내 진출이 가속화 됨.
- 경제정의연구소는 다국적기업 역시 우리 경제체제의 일원으로서 이에 걸 맞는 사회적 책임을 실천할 것을 촉구하고, 건전화를 유도하여, 우리 국민의 삶을 한차원 높게 발전시키는데 기여하기 위해 '바른외국기업상'을 제정해 시상함.
- 바른외국기업상은 다국적기업의 공시자료 미비로 10회까지만 진행하고, 평가방법, 지표개발 등을 위해 중단한 상태임.

② 역대 수상기업

- 제1회 바른외국기업상(2001)
  ▷ 한국 후지제록스

- 제2회 바른외국기업상(2002)
  ▷ 제조업분야 : 볼보건설기계코리아
  ▷ 비제조업분야 : 한국 IBM

- 제3회 바른외국기업상(2003)
  ▷ 제조업 최우수 : 팬아시아페이퍼코리아(주)
  우수: 한국엔지니어링플라스틱(주)
  ▷ 비제조업 최우수 : 삼성테스코 주식회사

- 제4회 바른외국기업상(2004)
  ▷ 제조업 최우수 : 한국쓰리엠주식회사
  우수 : 한국후지제록스주식회사
  ▷ 비제조 우수 : 한국까르푸(주)

- 제5회 바른외국기업상(2005)
  ▷ 제조업 우수 : (주)오미아코리아 / 한국SMC공압(주)
  ▷ 비제조업 최우수 : 한국애질런트테크놀로지스(주)

- 제6회 바른외국기업상(2006)
  ▷ 제조업 최우수 : 한국후지제록스(주)
  우수 : 도레이새한(주)
  ▷ 비제조업 우수 : 야후코리아(주)

- 제7회 바른외국기업상(2007)
  ▷ 제조업 최우수 : 한국쓰리엠주식회사
  우수 : 한국알박(주)
  ▷ 비제조업 우수 : (주)디 에이치엘 코리아

- 제8회 바른외국기업상(2008)
  ▷ 제조업 최우수 : 페어차일드코리아반도체(주)
  우수 : 해리슨엔지니어링코리아(주)
  ▷ 비제조업 최우수 : (주)디에이치엘 코리아
  우수 : 한국애보트(주)

- 제9회 바른외국기업상(2009)
  ▷ 제조업 최우수 : (주)아이피케이이

- 제10회 바른외국기업상(2010)
  - ▷ 제조업 최우수 : 한국알박(주)

    우수 : ㈜바커케미칼코리아
  - ▷ 비제조업 우수 : ㈜ 디 에이치엘 코리아

6. 지속가능한 도시대상

① 취지

- 성장주의에 따른 국토난개발 문제가 사회문제화 되면서 국토와 도시관리의 패러다임을 성장 위주에서 지속가능하고 친환경적인 방향으로 전환해야 한다는 사회적 요구가 대두됨. 이러한 흐름에 맞춰 도시관리에 대한 새로운 제도가 도입되는 등 관련 정책들이 추진됨에 따라 지방정부의 정책 도입을 유도해야할 필요성이 제기됨.
- 2000년 경실련도시개혁센터는 대한국토도시계획학회 및 중앙일보 등 시민단체, 학회, 언론기관 공동으로 일정기간 동안의 개선률을 반영하는 등 모든 도시의 참여를 유도하는 평가 방식의 "지속가능한 도시대상"을 신설 운영함.
- 지속가능한 도시대상은 2006년까지 진행되다가 2007년 국가균형발전위원회가 주관하는 "살기좋은 지역만들기"사업의 일환으로 건설교통부에서 "살고싶은 도시만들기"사업을 추진하면서 명칭을 "살고싶은 도시대상"으로 개편함. 지자체 참여율을 높이기 위해 정부의 재정지원 방침이 결정됐으나, 경실련은 재정지원과 연계한 평가에는 참여하지 않기로 하면서 지속가능한 도시대상 평가 작업은 막을 내림.

② 평가 과정 및 내용

- 지속가능한 도시대상 평가를 위해 평가 원칙, 평가부문, 평가지표 등 평가기준을 확정해 지자체에 통보하고 지자체의 응모접수를 받음.
- 평가분야는 친환경, 참여, 자족, 정보화, 녹색교통, 문화 등 6개 부문으로 나눠 분야별 평가와 이를 합산하여 종합평가를 실시함.
- 친환경부문은 환경친화적 도시개발과 기반시설 정비 실적을, 참여부문은 주민참여의 활성화 정도와 효율적 운영을, 자족부문은 생산성 및 자족적 정주기반 확보를, 정보화부문은 시설과 인력확충을, 녹색교통은 녹색교통수단의 정량 및 정성적 평가와 문화부문은 역사전통자원과 환경생태자원의 개발보전계승 노력을 평가함.

③ 역대 수상 명단

- 1회 지속가능한 도시대상(2000년)
  - ▷ 대통령상 : 청주시
  - ▷ 국무총리상 : 김천시
  - ▷ 건설교통부장관상 : 제주시(정보화), 순천시(자족), 경주시(친환경), 김해시(문화), 서울 광진구(참여), 서울 서초구(녹색교통)
  - ▷ 학회장상 : 진주시, 대전 대덕구, 경남 거창군, 전남 장성군

- 2회 지속가능한 도시대상(2001년)
  - ▷ 대통령상 : 경주시
  - ▷ 국무총리상 : 서귀포시
  - ▷ 건설교통부장관상 : 김천시(친환경), 김해시(주민참여), 밀양시(도시관리), 전주시(정보화), 영덕군(녹색교통), 제주시(문화)

▷ 학회장상 : 대전 대덕구, 원주시, 순천시, 과천시, 무주군, 장성군
▷ 기관장장 : 서울 강동구, 양천구, 진주시, 영주시, 군포시, 태백시

• 3회 지속가능한 도시대상(2002년)
▷ 대통령상 : 제주시
▷ 국무총리상 : 순천시
▷ 건설교통부장관상 : 대구 수성구(친환경), 서울 강동구(녹색교통), 태백시(도시관리), 과천시(문화), 군포시(정보화), 서귀포시(주민참여)
▷ 학회장상 : 전남 함평군, 안양시, 진해시

• 4회 지속가능한 도시대상(2003년)
▷ 대통령상 : 순천시
▷ 국무총리상 : 제주시
▷ 건설교통부장관상 : 구미시(친환경), 진해시(녹색교통), 안양시(문화), 태백시(도시관리), 전남 장성군(주민참여), 과천시(정보화)
▷ 학회장상 : 영주시, 안동시, 서울 송파구

• 5회 지속가능한 도시대상(2004년)
▷ 대통령상 : 과천시
▷ 국무총리상 : 전남 장성군, 서울 송파구
▷ 건설교통부장관상 : 구리시(환경), 서귀포시(녹색교통), 김천시(문화), 태백시(도시관리), 순천시(주민참여), 창원시(정보화)
▷ 학회장상 : 안양시, 경북 영주시, 전북 부안군

• 6회 지속가능한 도시대상(2005년)
▷ 대통령상 : 대통령상
▷ 국무총리상 : 강원 횡성군
▷ 건설교통부장관상 : 서울 송파구(친한경), 김해시(주민참여), 광주 광산구(도시관리), 창원시(정보화), 과천시(녹색교통), 순천시(문화), 서귀포시(모범사례)
▷ 학회장상 : 제주시, 서울 성북구, 전북 부안군, 부산 수영구

• 7회 지속가능한 도시대상(2006년)
▷ 대통령상 : 파주시
▷ 국무총리상 : 전남 장성군, 서울 송파구
▷ 건설교통부장관상 : 광주 광산구, 순천시, 여수시, 진주시, 과천시, 원주시, 창원시
▷ 학회장상 : 충남 아산시, 강원 속초시, 강원 횡성군, 서울 강서구

시민과 함께 한
경제정의실천시민연합 30년사

Ⅳ. 경실련 사람들

1. 임원
2. 기구 및 기관 임원
3. 회원
4. 상근활동가

1. 임원

[역대 주요 임원]

1. 공동대표

	성 명	기 간
제1대	변형윤, 황인철, 송월주, 이효재	1989.7.~1991.7.
제2대	변형윤, 송월주, 황인철(91.7-92.2)	1991.7.~1993.7.
제3대	송월주, 권태준, 손봉호	1993.7.~1995.7.
제4대	송월주, 손봉호, 권태준(95.7-96.10)	1995.7.~1997.7.
제5대	김윤환, 유현석, 이설조	1997.7.~1999.7.
제6대	유현석, 조창현, 이종훈, 이종석	1999.7.~2001.7.
제7대	이종훈, 신용하(01.7-02.3), 김정련, 오경환	2001.7.~2003.12.
제8대	김성훈, 허창수(04.1~12), 법등(05.1-12), 홍원탁(05.1~12)	2004.1.~2005.12.
제9대	김성훈, 법등, 홍원탁	2006.1.~2007.12.
제10대	강철규, 김성남, 김용채, 이근식	2008.1.~2009.12.
제11대	강철규, 안기호, 이근식, 조현	2010.1.~2011.12.
제12대	최정표, 보선, 임현진, 조현, 박종두	2012.1.~2013.12.
제13대	임현진, 선월몽산, 최정표, 최인수	2014.1.~2015.12.
제14대	선월몽산, 김완배, 김대래, 인명진(16.1~12), 박상기(17.2~6)	2016.1.~2017.12
제15대	권영준, 정미화, 신철영, 퇴우정념, 목영주	2018.1.~2019.12.

2. 중앙위원회

	성 명	기 간
제1기	**상임위원장:** 손봉호 **부위원장:** 김낙중	1989.7.~1991.7.
제2기	**상임위원장:** 손봉호 **부위원장:** 안병영(92.11~93.7)	1991.7.~1993.7.
제3기	**의장:** 박종규 **부의장:** 김성남	1993.7.~1995.7.
제4기	**의장:** 박종규 **부의장:** 김성남	1995.7.~1997.7.
제5기	**의장:** 김성남 **부의장:** 강철규, 김종오, 이정자, 서경석	1997.7.~1999.7.
제6기	**[대의원회] 의장:** 이정자 **부의장:** 김일수, 김명한	1999.7.~2001.7.
제7기	**[대의원회] 의장:** 윤경로 **부의장:** 김일수, 하성규, 목영주, 조수종	2001.7.~2003.12.
제8기	**의장:** 서경석 **부의장:** 이광택, 권용우, 임덕호, 이용선	2004.1.~2005.12.
제9기	**의장:** 이근식 **부의장:** 황이남, 황희연, 조연상, 최인식	2005.1.~2007.12.
제10기	**의장:** 황이남 **부의장:** 김완배, 권영준, 김숙정, 박종두	2008.1.~2009.12.
제11기	**의장:** 김완배 **부의장:** 김갑배, 김익식, 안동규, 최인수	2010.1.~2011.12.
제12기	**의장:** 박상기 **부의장:** 권해수, 류중석, 김대래, 이국성	2012.1.~2013.12.
제13기	**의장:** 박상기 **부의장:** 이기우, 권해수(14.1~6), 공재식, 황신모(14.1~10)	2014.1~2015.12.
제14기	**의장:** 권영준 **부의장:** 김호균, 이기우, 문병규, 김춘호	2016.1.~2017.12.
제15기	**의장:** 이의영 **부의장:** 김호균, 김철환, 김형태, 조문수	2018.1.~2019.12.

3. 상임집행위원회

	성 명	기 간
1기	**위원장:** 정성철 **부위원장:** 이형모	1989.7.~1990.7.
2기	**위원장:** 정성철 **부위원장:** 이현배, 이형모	1990.7.~1991.7.
3기	**위원장:** 이현배 **부위원장:** 강철규, 이각범	1991.7.~1992.7.
4기	**위원장:** 이영희 **부위원장:** 윤경로, 이근식, 윤원배, 이형모	1992.7.~1993.7.
5기	**위원장:** 이영희 **부위원장:** 김일수, 신철영, 이형모	1993.7.~1994.7.
6기	**위원장:** 강철규 **부위원장:** 윤경로, 이근식, 서경석, 이각범, 윤원배, 이형모	1994.7.~1995.7.
7기	**위원장:** 이근식 **부위원장:** 김일수, 이형모, 신철영	1995.7.~1996.7.
8기	**위원장:** 윤경로 **부위원장:** 김일수, 이형모, 신철영	1996.7.~1997.7.
9기	**위원장:** 김일수 **부위원장:** 이형모, 신철영	1997.7.~1998.7.
10기	**위원장:** 김일수 **부위원장:** 김석준, 김영래, 이필상, 이형모	1998.7.~1999.7.
11기	**위원장:** 하성규 **부위원장:** 이장희, 양건, 양지원, 김병준, 김장호	1999.7.~2000.7.
12기	**위원장:** 윤경로 **부위원장:** 김병준, 김석준	2000.7.~2001.7.
13기	**위원장:** 서경석 **부위원장:** 이진순, 김완배, 이광택	2001.7.~2002.7.
14기	**위원장:** 서경석 **부위원장:** 김완배, 이광택	2002.7.~2003.12.
15기	**위원장:** 권영준 **부위원장:** 황이남, 박상기	2004.1.~2004.12.
16기	**위원장:** 김완배 **부위원장:** 김철환, 송병록(05.1.~5.)	2005.1.~2005.12.
17기	**위원장:** 이종수 **부위원장:** 이의영, 정미화	2006.1.~2006.12.
18기	**위원장:** 최정표 **부위원장:** 정미화	2007.1.~2007.12.
19기	**위원장:** 정미화 **부위원장:** 김상겸, 김철환	2008.1.~2008.12.
20기	**위원장:** 정미화 **부위원장:** 김철환, 황도수	2009.1.~2009.12.
21기	**위원장:** 이의영 **부위원장:** 김철환, 황도수	2010.1.~2010.12.
22기	**위원장:** 이의영 **부위원장:** 황도수, 권해수	2011.1.~2011.12.
23기	**위원장:** 김갑배(12.1.~10.) **부위원장:** 양혁승	2012.1.~2012.12.
24기	**위원장:** 김호균 **부위원장:** 김유찬, 김철환	2013.1.~2013.12.
25기	**위원장:** 김호균 **부위원장:** 김유찬, 김철환	2014.1.~2014.12.
26기	**위원장:** 김태룡 **부위원장:** 김유찬, 양혁승	2015.1.~2015.12.
27기	**위원장:** 양혁승 **부위원장:** 김유찬	2016.1.~2016.12.
28기	**위원장:** 양혁승 **부위원장:** 서순탁, 채원호	2017.1.~2017.12.
29기	**위원장:** 채원호 **부위원장:** 서순탁	2018.1.~2018.12.
30기	**위원장:** 채원호 **부위원장:** -	2019.1.~2019.12.

4. 정책·조직위원회

	기 간	정책위원장	조직위원장
1기	1989.7.~1990.7.	이근식	신대균
2기	1990.7.~1991.7.	이근식	신대균
3기	1991.7.~1992.7.	강철규	윤경로
4기	1992.7.~1993.7.	윤원배	윤경로
5기	1993.7.~1994.7.	조우현	김영래
6기	1994.7.~1995.7.	박세일	김영래
7기	1995.7.~1996.7.	김태동	김석준
8기	1996.7.~1997.7.	이필상	김석준
9기	1997.7.~1998.7.	이필상	김석준
10기	1998.7.~1999.7.	이성섭	신철영
11기	1999.7.~2000.7.	나성린	김동흔
12기	2000.7.~2001.7.	최정표	신대균
13기	2001.7.~2002.7.	윤건영	-
14기	2002.7.~2003.12.	권영준	-
15기	2004.1.~2004.5.	박재완	김재관
16기	2004.5.~2005.12.	이의영	박동철
17기	2006.1.~2006.12.	홍종학	박동철
18기	2007.1.~2007.12.	김상겸	박동철
19기	2008.1.~2008.12.	양혁승	박동철
20기	2009.1.~2009.12.	양혁승	조근래
21기	2010.1.~2010.12.	이기우	조근래
22기	2011.1.~2011.12.	이기우	조근래
23기	2012.1.~2012.12.	송병록	이광진
24기	2013.1.~2013.12.	채원호	이광진
25기	2014.1.~2014.12.	채원호	이광진
26기	2015.1.~2015.12.	서순탁	이광진
27기	2016.1.~2016.12.	서순탁	조광현(16.08~12)
28기	2017.1.~2017.12.	소순창	조광현
29기	2018.1.~2018.12.	소순창	이광진
30기	2019.1.~2019.12.	박상인	이광진

5. 사무총장

	기 간	사무총장	협동사무총장
1대	1989.11.~1993.02.	서경석	
2대	1993.03.~1995.02.	서경석	
3대	1995.03.~1997.03.	유재현	
	1997.04.~1999.02.	유종성	
4대	1999.02.~1999.07.	유종성	
5대	1999.07.~2001.11.	이석연	2000.11. 도입
6대	2001.11.~2003.12.	신철영	이상희(2000), 김동흔(2002)
7대	2004.01.~2005.12.	(박병옥)박성수	이동환(2004)
8대	2006.01.~2007.12.	(박병옥)박성수	이대영(2006)
9대	2008.01.~2010.12.	이대영	김재석, 조근래(2008) 김종익, 박완기(2009)
10대	2011.01.~2013.12.	고계현	
11대	2014.01.~2016.12.	고계현	
12대	2017.01.~	윤순철	

6. 상임집행위원(총 30기)　　※ 자료없음: 5, 7, 9, 11기 위원명단

	성 명	기 간
1기	**위원장:** 정성철 **부위원장:** 이형모	1989.7.~1990.7.
	강철규, 고왕인, 고직한, 김규칠, 김덕봉, 김동흔, 김영호, 김일수, 김종덕, 김태동, 류우익, 박기봉, 박남수, 박세일, 박인제, 박재창, 범산, 서경석, 성백엽, 신대균,심현천, 양건, 여운, 윤경로, 이근식, 이문식, 이용철, 이진순, 이현배, 이형모, 인명진, 정길안, 정성철, 한상진, 홍용찬, 황경식, 황철민	
2기	**위원장:** 정성철 **부위원장:** 이현배, 이형모	1990.7.~1991.7.
	강철규, 고직한, 김규칠, 김동흔, 김병욱, 김영호, 김인배, 김종덕, 김태동, 김흥신, 박기봉, 박남수, 박세일, 박승룡, 박인제, 박영률, 박철수, 범산, 서경석, 신대균, 심현천, 양건, 양요한, 여운, 윤경로, 이각범, 이근식, 이승선, 이영욱, 이영희, 이용철, 이진순, 이현배, 이형모, 정성철, 한상진, 황경식, 황상근	
3기	**위원장:** 이현배 **부위원장:** 강철규, 이각범	1991.7.~1992.7.
	강철규, 고충석, 곽영훈, 권용우, 김동흔, 김병욱, 김상환, 김성재, 김완배, 김용채, 김종배, 김종수, 김홍신, 김영호, 김인배, 김종덕, 김태동, 김흥신, 박기봉, 박문숙, 박세일, 박인제, 박영률, 서경석, 서원석, 송일섭, 신대균, 심현천, 양건, 양요한, 여운, 윤경로, 이각범, 이근식, 이금현, 이문식, 이범래, 이숭리, 이영욱, 이용철, 이정자, 이진순, 이현배, 인명진, 임계묵, 장신규, 장원석, 전성, 정성길, 정세국, 최낙용, 최승은, 하성규, 한상진, 현영석, 황성근	
4기	**위원장:** 이영희 **부위원장:** 강철규, 이각범	1992.7.~1993.7.
	강경근, 강철규, 강헌구, 곽영훈, 곽현, 권도용, 김동흔, 김병욱, 김병준, 김석준, 김성남, 김성훈, 김영래, 김완배, 김장호, 김종배, 김종수, 김홍신, 박기봉, 박세일, 박인제, 박재창, 박종규, 백용호, 서경석, 서원석, 송일섭, 신대균, 신철영, 신현일, 심현천, 양지원, 오용석, 우주호, 유재건, 유재현, 유종성, 유철, 윤경로, 윤병섭, 윤영오, 윤원배, 이각범, 이근식, 이금현, 이대희, 이문식, 이상희, 이숭리, 이영련, 이영희, 이용철, 이장희, 이정자, 이진순, 이진아, 이형모, 인명진, 장신규, 장원석, 전성, 정상묵, 정세국, 정수복, 정승화, 정영재, 정종섭, 정태윤, 조우현, 조창현, 최낙용, 최정표, 하성규, 홍용찬, 홍원탁, 황성근	
5기	**위원장:** 이영희 **부위원장:** 김일수, 신철영, 이형모	1993.7.~1994.7.
	- 자료 없음 -	
6기	**위원장:** 강철규 **부위원장:** 윤경로, 이근식, 서경석, 이각범, 윤원배, 이형모	1994.7.~1995.7.
	강경근, 강명득, 강철규, 강헌구, 고은택, 고충석, 공창배, 곽영훈, 곽현, 권도용, 권용우, 김기웅, 김동흔, 김병욱, 김병준, 김석준, 김성국, 김성남, 김성봉, 김성훈, 김영래, 김완배, 김용환, 김영한, 김일수, 김장호, 김종배, 김종수, 김종오, 김태계, 김태동, 김홍권, 김홍신, 나성린, 박기봉, 박병옥, 박세일, 박용훈, 박인제, 박재창, 박종규, 박주현, 박철수, 박헌권, 백용호, 서경석, 서원석, 손중양, 송일섭, 신대균, 신우진, 신철영, 신현일, 심요섭, 심현천, 양대석, 양지원, 오용석, 오치원, 우주호, 유재건, 유재현, 유종성, 유철, 윤경로, 윤병섭, 윤영오, 윤원배, 이각범, 이국행, 이근식, 이금현, 이기우, 이대영, 이대희, 이동규, 이문식, 이병민, 이상희, 이성섭, 이숭리, 이영련, 이영희, 이용철, 이장희, 이정자, 이진순, 이주형, 이진순, 이진아, 이필상, 이해익, 이형모, 인명진, 임배근, 장순관, 장신규, 장원석, 전성, 정상묵, 정세국, 정수복, 정승화, 정영재, 정종섭, 정태윤, 조우현, 조운식, 조창현, 진장철, 최낙용, 최정표, 하성규, 하승창, 한정화, 홍동선, 홍용찬, 홍원탁, 홍준형, 황성근	

기수	위원	기간
7기	**위원장:** 이근식 **부위원장:** 김일수, 이형모, 신철영	1995.7.~1996.7.
	- 자료 없음 -	
8기	**위원장:** 윤경로 **부위원장:** 김일수, 이형모, 신철영	1996.7.~1997.7.
	강명득, 권광식, 김대래, 김동흔, 김병준, 김석준, 김성봉, 김성재, 김일수, 김장호, 김종길, 김종수, 김종오, 김태계, 김택술, 나성린, 목영주, 문국현, 민영창, 박기봉, 박동철, 박병옥, 박원규, 박주현, 박흥수, 서왕진, 신대균, 신철영, 신현일, 오치원, 유종성, 윤경로, 이경재, 이금현, 이기우, 이대영, 이상희, 이석연, 이석형, 이성섭, 이숭리, 이장호, 이장희, 이정수, 이정자, 이정전, 이정희, 이주형, 이진순, 이철규, 이필상, 이해익, 이형모, 임배근, 장성철, 정상묵, 정세국, 정영수, 조운식, 조윤식, 진장철, 최정표, 최진철, 하성규, 하승창, 허장협, 홍용찬, 황이남	
9기	**위원장:** 김일수 **부위원장:** 이형모, 신철영	1997.7.~1998.7.
	- 자료 없음 -	
10기	**위원장:** 김일수 **부위원장:** 김석준, 김영래, 이필상, 이형모, 신철영	1998.7.~1999.7.
	강만길, 권광식, 김석준, 김영래, 김일수, 김장호, 송산, 신철영, 양건, 원경선, 이명호, 이석형, 이설조, 이성섭, 이영욱, 이종훈, 이필상, 이형모, 조창현, 황이남	
11기	**위원장:** 하성규 **부위원장:** 이장희, 양건, 양지원, 김병준, 김장호	1999.7.~2000.7.
	- 자료 없음 -	
12기	**위원장:** 윤경로 **부위원장:** 김병준, 김석준	2000.7.~2001.7.
	강경근, 고병련, 곽도, 구석모, 구정모, 권광식, 권영준, 권용우, 김갑배, 김광윤, 김동흔, 김병준, 김용환, 김종걸, 김종길, 김진수, 김철환, 김태룡, 김홍권, 나성린, 목영주, 박병옥, 서기영, 송병록, 신대균, 신동천, 신철영, 안종범, 윤경로, 윤석원, 이광택, 이대영, 이동환, 이문지, 이민원, 이석연, 이원희, 이장희, 이종수, 정영평, 정재영, 주세일, 진장철, 최산호, 최성주, 홍순명, 홍종학, 황이남	
13기	**위원장:** 서경석 **부위원장:** 김석준	2001.7.~2002.7.
	고계현, 고병련, 구정모, 권광식, 권영준, 김갑배, 김광윤, 김동흔, 김석준, 김영일, 김용환, 김익식, 김종걸, 김종국, 김찬호, 김철환, 김태룡, 김통원, 류중석, 박상기, 박재완, 서경석, 서기영, 서정화, 송병록, 신대균, 신동천, 신철영, 심의섭, 안동규, 안종범, 윤건영, 윤석원, 이강원, 이광택, 이동환, 이문지, 이민원, 이상희, 이장희, 이종수, 이형모, 임덕호, 임영래, 전영을, 전영평, 정재영, 정태명, 조대용, 주세일, 최성주, 함시창, 홍종학, 황이남	
14기	**위원장:** 서경석 **부위원장:** 김완배, 이광택	2002.7.~2003.12.
	강태중, 고계현, 권광식, 권영준, 권해수, 김갑배, 김광윤, 김동흔, 김성준, 김영일, 김완배, 김익식, 김재관, 김종국, 김진현, 김태룡, 김통원, 나성린, 류중석, 문영성, 박명광, 박상기, 박용현, 박정수, 서경석, 송병록, 신대균, 신철영, 심의섭, 안동규, 윤석원, 이강원, 이광택, 이대영, 이동환, 이두영, 이문지, 이민원, 이상희, 이영욱, 이용선, 이원희, 이윤규, 이의영, 이진순, 임승규, 임영래, 전영을, 전영평, 정재영, 조대용, 최성주, 함시창, 홍종학, 황이남	
15기	**위원장:** 권영준 **부위원장:** 황이남, 박상기	2004.1.~2004.12.
	고계현, 구정모, 권영준, 권해수, 김갑배, 김동흔, 김병식, 김상겸, 김선숙, 김완배, 김익식, 김재구, 김재석, 김종국, 김종웅, 김진현, 김창선, 김철환, 김태룡, 김헌동, 김현삼, 김희철, 나성린, 류중석, 문영성, 박동철, 박병옥, 박상기, 박수경, 박완기, 박창근, 송병록, 양혁승, 윤순철, 이대영, 이문지, 이민원, 이병훈, 이원희, 이의영, 이정희, 이종수, 이태호, 임효정, 전강수, 정범석, 정재영, 정재영, 조광수, 조대용, 조명래, 조장영, 진용주, 최덕천, 최완규, 최정표, 허경식, 홍종학, 황도수, 황영호, 황이남, 황희연	

16기	**위원장:** 김완배 **부위원장:** 김철환, 송병록(05.1.~5.)	2005.1.~2005.12.
	고계현, 구정모, 권영준, 권해수, 김건진, 김병식, 김상겸, 김영수, 김완배, 김용하, 김익식, 김재구, 김재석, 김종국, 김진현, 김창선, 김철환, 김헌동, 김현삼, 김희철, 나성린, 남주하, 류중석, 문영성, 박동철, 박병옥, 박상기, 박완기, 박준상, 박창근, 양혁승, 윤석원, 윤순철, 이대순, 이대영, 이문지, 이민원, 이선우, 이승빈, 이원희, 이종수, 임효정, 전강수, 정범석, 정재영, 정진민, 조광수, 조대용, 조명래, 조장영, 진용주, 최덕천, 최성주, 최용록, 최정표, 허경식, 허식, 허준수, 홍종학, 황이남, 황희연	
17기	**위원장:** 이종수 **부위원장:** 이의영, 정미화	2006.1.~2006.12.
	권성연, 권영준, 권해수, 김광희, 김상겸, 김완배, 김용하, 김익식, 김재구, 김재석, 김종국, 김진수, 김창선, 김철환, 김헌동, 김혜경, 나성린, 류중석, 문영성, 박동철, 박병옥, 박상기, 박완기, 박준상, 박창근, 백인길, 서순탁, 신영철, 신현호, 양혁승, 옥동석, 윤석원, 윤순철, 이강원, 이광진, 이대순, 이대영, 이두영, 이민원, 이봉의, 이영욱, 이웅립, 이원희, 이의영, 이종수, 임성호, 임승빈, 임효정, 정미화, 정범석, 조근래, 조대용, 조명래, 조장영, 진용주, 차진구, 최덕천, 최영식, 최영출, 최용록, 최인수, 최정철, 최정표, 홍용표, 홍종학	
18기	**위원장:** 최정표 **부위원장:** 정미화	2007.1.~2007.12.
	고계현, 권성연, 권영준, 권해수, 김광희, 김성수, 김완배, 김익식, 김인영, 김재구, 김재석, 김진수, 김철환, 김헌동, 김혜경, 류중석, 문영성, 박동철, 박병옥, 박상기, 박완기, 박준상, 박창근, 박행우, 백인길, 서순탁, 신영철, 신현호, 양혁승, 윤석원, 윤순철, 이강원, 이광진, 이대순, 이대영, 이두영, 이선우, 이웅립, 이원희, 이의영, 이정희, 이종수, 임승빈, 임효정, 정미화, 정범석, 조현, 조근래, 조대용, 조명래, 조장영, 진용주, 차진구, 최덕천, 최산호, 최영식, 최영출, 최인수, 최정철, 최정표, 한영조, 홍용표, 황도수	
19기	**위원장:** 정미화 **부위원장:** 김상겸, 김철환	2008.1.~2008.12.
	고계현, 권해수, 김갑배, 김상겸, 김성수, 김재석, 김재춘, 김종걸, 김진수, 김진현, 김철환, 김한택, 김헌동, 김형태, 류중석, 문영성, 박동철, 박준상, 박행우, 백인길, 서순탁, 소순창, 송병록, 신영철, 신현호, 심충진, 양혁승, 위정희, 유희숙, 윤순철, 윤종빈, 이강원, 이광진, 이대순, 이대영, 이두영, 이선우, 이웅립, 이원희, 이의영, 이정희, 이태주, 임승빈, 임효정, 전현준, 정명채, 정미화, 조근래, 조장영, 진용주, 최덕천, 최성재, 최영출, 최용록, 최인수, 최정철, 최정표, 한영조, 홍종학, 황도수	
20기	**위원장:** 정미화 **부위원장:** 김철환, 황도수	2009.1.~2009.12.
	고계현, 권해수, 김갑배, 김광수, 김대래, 김유찬, 김재석, 김재춘, 김종걸, 김종익, 김진수, 김진현, 김철환, 김헌동, 김호균, 류중석, 문영성, 박동철, 박행우, 백인길, 서순탁, 송병록, 신영철, 신현호, 안종원, 양혁승, 위정희, 유희숙, 윤순철, 윤종빈, 이강원, 이광진, 이기우, 이대영, 이선우, 이웅립, 이원희, 이의영, 이정희, 임승빈, 임효정, 전현준, 정명채, 정미화, 조광현, 조근래, 진용주, 채원호, 최덕천, 최용록, 최인수, 최정표, 한영조, 홍종학, 황도수	
21기	**위원장:** 이의영 **부위원장:** 김철환, 황도수	2010.1.~2010.12.
	강미화, 고계현, 권해수, 김광수, 김대래, 김유찬, 김재구, 김재춘, 김종걸, 김종익, 김진수, 김진현, 김철환, 김태룡, 김헌동, 김호균, 나병현, 류중석, 박경준, 박동철, 박순장, 박완기, 서순탁, 소순창, 송병록, 신영철, 심충진, 안종원, 양혁승, 윤순철, 윤종빈, 이강원, 이광진, 이기우, 이대영, 이선우, 이의영, 이인영, 이재준, 이정희, 임효정, 전영선, 전현준, 정명채, 조광현, 조근래, 진용주, 채원호, 최덕천, 한영조, 홍종학, 황도수	

기수	구성	기간
22기	**위원장:** 이의영 **부위원장:** 황도수, 권해수	2011.1.~2011.12.
	고계현, 권해수, 김광수, 김대래, 김세용, 김유찬, 김유환, 김재구, 김재일, 김재춘, 김종걸, 김종익, 김진현, 김철환, 김태룡, 김헌동, 김호균, 나병현, 류권홍, 류중석, 박경준, 박동철, 박순장, 박완기, 서순탁, 소순창, 송병록, 신영철, 심충진, 안종원, 양혁승, 윤순철, 윤종빈, 이강원, 이광진, 이기우, 이선우, 이원희, 이의영, 이인영, 이정희, 임효정, 임효창, 전영선, 전현준, 정미화, 정예성, 조광현, 조근래, 채원호, 최덕천, 허준수, 홍종학, 황도수	
23기	**위원장:** 김갑배(12.1.~10.) **부위원장:** 양혁승	2012.1.~2012.12.
	고계현, 권해수, 김갑배, 김광수, 김대래, 김세용, 김유찬, 김재구, 김재일, 김재춘, 김종익, 김진현, 김철환, 김태룡, 김헌동, 나병현, 류권홍, 류중석, 박경준, 박동철, 박순장, 박완기, 서순탁, 소순창, 송병록, 신영철, 신현호, 심충진, 안종원, 양혁승, 윤순철, 윤종빈, 이강원, 이광진, 이기우, 이선우, 이영범, 이원희, 이의영, 이정희, 임을출, 임효정, 임효창, 전영선, 정명채, 정미화, 정예성, 조광현, 조근래, 채원호, 최덕천, 허준수, 홍종학, 황도수	
24기	**위원장:** 김호균 **부위원장:** 김유찬, 김철환	2013.1.~2013.12.
	고계현, 김광수, 김근식, 김대래, 김영미, 김유찬, 김재일, 김종근, 김진현, 김철환, 김태균, 김헌동, 김호균, 나병현, 남현주, 류권홍, 박경준, 박동철, 박순장, 박완기, 박준영, 박훈, 서순탁, 소순창, 손희준, 신영철, 신현호, 심충진, 안종원, 양혁승, 유희숙, 윤순철, 이강원, 이광진, 이기우, 이영범, 이의영, 이정희, 임을출, 임효정, 임효창, 장진영, 전태석, 정미화, 조광현, 조진만, 채원호, 최덕천, 최봉문, 한명진, 황도수, 황민호	
25기	**위원장:** 김호균 **부위원장:** 김유찬, 김철환	2014.1.~2014.12.
	강희관, 고계현, 김기홍, 김송원, 김연식, 김영미, 김용운, 김유찬, 김재일, 김준영, 김진현, 김철환, 김태균, 김한기, 김헌동, 김호균, 나병현, 남현주, 노규성, 박경준, 박명호, 박상인, 박순장, 박완기, 박준상, 박찬우, 박훈, 변재우, 서보혁, 서순탁, 설원식, 소순창, 손희준, 신영철, 심헌섭, 양혁승, 윤순철, 이광진, 이기우, 이영범, 이의영, 이정희, 임효정, 임효창, 정동욱, 정미화, 조순열, 조진만, 주상운, 채원호, 최덕천, 최봉문, 한명진, 한영조, 황도수, 황민호	
26기	**위원장:** 김태룡 **부위원장:** 김유찬, 양혁승	2015.1.~2015.12.
	고계현, 권순남, 권오현, 김호, 김송원, 김유찬, 김응배, 김재일, 김준영, 김진현, 김태균, 김태룡, 김한기, 김헌동, 김혜진, 김호균, 나병현, 남현주, 노규성, 류성민, 박경준, 박상인, 박성용, 박순장, 박완기, 박준상, 배웅규, 변재우, 서순탁, 서지만, 소순창, 손희준, 송병록, 송오성, 신범철, 신영철, 심헌섭, 양혁승, 오수균, 윤종빈, 이광진, 이기우, 이의영, 이정희, 이주하, 임효정, 임효창, 전영선, 정동욱, 정미화, 정창률, 조순열, 조진만, 주상운, 채원호, 최덕천, 최봉문, 한영조, 황도수, 황영호	
27기	**위원장:** 양혁승 **부위원장:** 김유찬	2016.1.~2016.12.
	고계현, 권순남, 권용범, 김호, 김동헌, 김송원, 김연옥, 김용운, 김유찬, 김준영, 김진현, 김태균, 김태룡, 김한기, 김혜진, 김호균, 나병현, 남현주, 노규성, 박훈, 박경준, 박상인, 박성용, 박순장, 박준상, 배웅규, 변재우, 서순탁, 서지만, 소순창, 손희준, 신범철, 신영철, 양혁승, 오수균, 윤순철, 이광진, 이기우, 이의영, 이정희, 이주하, 임효정, 전영선, 정동욱, 정미화, 정창률, 조광현, 조순열, 조진만, 채원호, 최덕천, 최봉문, 허정호, 황도수	

기수	구성	기간
28기	**위원장:** 양혁승 **부위원장:** 서순탁, 채원호	2017.1.~2017.12.
	권순남, 권용범, 김호, 김동헌, 김송원, 김숙희, 김연옥, 김응배, 김정수, 김준영, 김진현, 김찬동, 김태룡, 김한기, 김호균, 나병현, 나태균, 남현주, 노건형, 노상헌, 박훈, 박경준, 박상인, 박성용, 박순장, 박영식, 방효창, 백인길, 변재우, 서순탁, 서지만, 소순창, 손희준, 신범철, 신영철, 양채열, 양혁승, 오길영, 오수균, 윤순철, 윤철한, 이광재, 이광진, 이기우, 이상은, 이의영, 이정희, 이제선, 이주하, 임효정, 임효창, 정동욱, 정미화, 조광현, 조진만, 채원호, 최덕천, 황도수	
29기	**위원장:** 채원호 **부위원장:** 서순탁	2018.1.~2018.12.
	고선영, 고태식, 권순남, 권용범, 김호, 김동헌, 김숙희, 김연옥, 김준영, 김진현, 김찬동, 김태룡, 김한기, 김호균, 나병현, 나태균, 남현주, 노상헌, 박훈, 박경준, 박상인, 박성용, 박순장, 박영식, 박종국, 방효창, 백인길, 변재우, 서순탁, 서지만, 소순창, 손희준, 신영철, 신창호, 신현호, 양문수, 양채열, 양혁승, 오길영, 오수균, 원동환, 윤순철, 윤철한, 이광재, 이광진, 이기우, 이상은, 이정희, 이제선, 이주하, 이헌환, 임효정, 임효창, 정동욱, 조진만, 채원호, 최덕천, 최윤정, 황도수	
30기	**위원장:** 채원호 **부위원장:** -	2019.1.~2019.12.
	고태식, 권순남, 권용범, 김호, 김숙희, 김연옥, 김준영, 김진현, 김찬동, 김태룡, 김헌동, 김호균, 남현주, 노건형, 노상헌, 박훈, 박경준, 박상인, 박선아, 박성용, 박순장, 박영식, 방효창, 배귀희, 백인길, 변재우, 서지만, 소순창, 손희준, 송기민, 신영철, 신창호, 신현호, 심제원, 양문수, 양채열, 양혁승, 오길영, 오수균, 오희택, 원동환, 윤순철, 윤철한, 이광재, 이광진, 이정희, 이종준, 이주하, 임효정, 임효창, 정동욱, 조진만, 채원호, 최윤정	

7. 중앙위원(총 15기) / ※ 자료없음: 5, 6기 위원명단

	성 명	기 간
제1기	**상임위원장:** 손봉호 **부위원장:** 김낙중	1989.7.~1991.7.

▸ **학계:** 강철규, 권용우, 김기석, 김대환, 김성재, 김일수, 김태동, 김형근, 류이익, 문용린, 장지상, 정중재, 임지순, 이재웅, 박명진, 박상섭, 박세일, 박재창, 박종화, 안병영, 양건, 양윤재, 윤경로, 이근식, 전영서, 김상균, 김장호, 조우현, 주한광, 최장집, 이종오, 한상진, 이진순, 권오대, 황한식, 황경식, 이명복, 윤평구, 김종해, 성백남, 이영희, 유재현, 옥규성, 손덕수, 김상환, 최정표, 이만우, 조은, 김두철, 김정구, 안철원, 최성재, 허우긍, 박진우, 곽태운, 한상운, 허창수, 이상범, 원제무, 황의서, 이각범, 김인철, 장오현, 정헌석, 김창호, 이성섭, 이영선, 최광, 이영환, 이상화, 신황호, 김완배, 윤진호, 최명근, 하성규, 안국신, 장원석, 이재기, 박태규, 이희봉, 안경환, 강광하, 신봉호
▸ **기독교:** 강경민, 고왕인, 박노원, 박봉규, 박이석, 박창빈, 박철수, 서경석, 정명기, 허춘중, 인명진, 조성기, 황성근, 장갑덕
▸ **카톨릭:** 박홍, 정호경, 황상근, 오경환
▸ **불교:** 목우, 성렬, 지명, 최유심, 김동흔, 진욱, 석담, 원행, 범산, 효종, 평상
▸ **법조계:** 박연철, 박인제, 전욱, 김동현, 박영림, 천정배, 이문성, 한만수, 양승찬, 신기남, 윤종헌, 김대호, 박성귀, 오창수, 이경우, 심재두, 우수영, 전병목, 손광문, 박상열, 김삼화, 유선호, 노생만, 김충진, 윤성한, 김주원, 한기찬
▸ **노동계:** 김경은, 공금영, 공병원, 박남수, 정인숙, 최낙용, 오순부, 장춘규, 이진엽, 전흥진, 신용일, 모연준, 이태영, 박상호, 김연환, 김유미, 허선희, 박상범, 이문희, 안재복, 장진수, 김완식
▸ **여성:** 이계경, 이숭리, 이승선, 성백엽, 신선, 나영희, 박혜경, 이현주, 한인규, 권수옥, 이영욱, 김은희, 허경식, 이경진, 최성숙, 민영미, 김순실, 이순자, 이순영, 박기영, 임소애, 김태의, 최숙경, 이경희, 이영미, 이영주, 심상원, 김봉선, 윤수경, 전상금, 정은, 최경혜, 임희경, 윤복경, 이은주, 김수임, 나운경, 박은주
▸ **청년:** 고직한, 김준식, 류해신, 박성호, 박현규, 변창배, 이상신, 이정규, 한철호, 송인수, 남부원, 이문식, 강선규, 서일목, 임동혁, 오창희, 진삼현, 심영길, 윤석규, 박병옥, 김선기, 김동문, 이정호, 최민경, 양혁승, 김진섭, 이용철, 금빛내렴, 한병선, 기준우, 최정인, 황진신. 윤환철, 박승룡, 배종우, 강인호, 강문희, 이현선, 박인순, 최은주, 하충만, 신동주, 윤치은, 박귀태
▸ **사회운동:** 강대인, 신대균, 이창식, 장신규
▸ **문화예술:** 여운, 김성동, 전진우
▸ **시민:** 이형모, 김경룡, 이성렬, 김재부, 성팔경, 김인선, 배영효, 이동현, 장성수, 한봉기, 서원석, 심현천, 최승은, 이효극, 이충남, 김병욱, 고광삼, 조근식, 이상천, 김태인, 강대홍, 김유석, 서성욱, 김규철, 이형수, 김용석, 김창엽, 공환, 조홍준, 손수정, 박태섭, 박신, 전응휘, 신원철, 강대용, 윤달호, 서재현, 김덕봉, 허성관, 조재문, 심상완, 서동우
▸ **중소상공인:** 강원철, 김재학, 박기봉, 이훈민, 홍용찬, 이현배, 김영호, 이희택, 황철민, 한보찬, 임석, 한두성, 이경남, 두만석, 성상건, 도재영, 정일용, 문하연
▸ **도시빈민:** 한인선, 박창숙, 신태상, 장형욱, 박동규, 김인배, 정순자, 조용만, 전길자, 곽영화, 김종덕, 정길안, 안대식, 김양전, 이영순, 유영식
▸ **지방**
-대구: 권기홍, 금병태, 김경민, 김태범, 김한규, 오남수, 이용철, 이원락, 이철우, 이한유, 이효수, 정호영, 정병국, 정학, 조화영, 허창수, 서석구, 여이화
-대전: 황규상, 김광수, 정명기, 윤평구, 김유환, 박태응, 홍욱희, 박진도, 박경교, 임인봉, 유영소, 이중삼, 김광률, 장길섭, 이일호, 문충모, 양승봉, 조주환, 박성일, 오상근, 이경숙
-부산: 정일수, 김동수, 김영식, 김장환, 김정광, 김종복, 박광선, 박상도, 김재형, 이기학, 이대길, 이성헌, 이일호, 정형철, 하선규, 허성관, 김희욱
-인천: 박정규, 김옥영, 김정범, 송영환, 이영환, 신맹순, 나용식, 이원길, 주괄, 이영남, 김승선
-광주: 이동화

제2기	**상임위원장:** 손봉호 **부위원장:** 안병영(92.11~93.7)	1991.7.~1993.7.

▸ **학계:** 강만길, 강철규, 고준환, 권오대, 권용우, 권태준, 김광수, 김기석, 김병준, 김상환, 김석준, 김성재, 김성훈, 김세열, 김완배, 김용준, 김은용, 김일수, 김장호, 김찬국, 김태동, 김희섭, 노정현, 류우익, 문용린, 박경효, 박덕제, 박명진, 박상섭, 박세일, 박영은, 박정대, 박재창, 박태규, 박흥, 백종국, 변형윤, 성백남, 손동현, 손봉호, 신봉호, 신용하, 신혜수, 안병영, 안철원, 양건, 양윤재, 옥규성, 원제무, 유영제, 유재현, 윤경로, 윤기관, 윤여창, 윤원배, 윤진호, 이각범, 이광택, 이근식, 이기춘, 이만열, 이만우, 이삼열, 이상화, 이상곤, 이성섭, 이수성, 이영환, 이영희, 이인호, 이정전, 이재기, 이재응, 이종훈, 이진순, 이필상, 이한빈, 이희봉, 임원택, 임현진, 장덕주, 장성수, 장원석, 장지상, 전영서, 전철환, 전호진, 정재춘, 정중재, 조요한, 조우현, 조은, 조창현, 조형, 주종환, 주한광, 최광, 최상철, 최성재, 최정표, 하성규, 한상범, 한상진, 한정화, 황경식, 황의서, 황한식, 홍원탁

▸ **기독교:** 강경민, 강선규, 고왕인, 고직한, 김세준, 김용복, 김진홍, 대천덕, 류해신, 박성남, 박승룡, 박용권, 박창빈, 박철수, 서경석, 신용인, 신익호, 오병수, 오창희, 유경재, 이문식, 이종국, 이훈, 인명진, 임택진, 장갑덕, 장소영, 정명기, 정순모, 조성기, 한철호, 황상근

▸ **카톨릭:** 오경환, 유철, 이영섭, 정성현, 정호경, 황상근

▸ **불교:** 강석주, 김동흔, 김서운, 김재일, 김형중, 노귀남, 목우, 박재방, 박형순, 범산, 송월주, 연기영, 오원명, 윤세원, 이명규, 이범래, 임영래, 정광식, 정산, 정일행, 조수영, 혜오

▸ **법조계:** 김삼화, 김주원, 박삼열, 박연철, 박인제, 박주현, 서희원, 손광운, 신기남, 심재두, 양승찬, 오창수, 우수영, 이건호, 이경우, 이돈명, 이문성, 이병호, 이세중, 임희동, 전욱, 정성철, 조영황, 한만수, 황산성, 황인철,
홍남순

▸ **노동계:** 공금영, 공병원, 김경은, 김민수, 김완식, 김유미, 모연준, 박남수, 박상범, 박상호, 신용일, 안재복, 이문희, 이태영, 이택주, 장진수, 장춘규, 조성준, 최규덕, 최낙용, 최재곤, 허선회

▸ **농민계:** 백한기, 오재길, 원경선, 정상묵, 정종진

▸ **여성:** 강명자, 권수옥, 기소영, 김복순, 김수임, 김영순, 김은나, 김은희, 김태자, 김현양, 민기남, 민영미, 박혜경, 유승희, 윤수경, 이경진, 이계경, 이구인, 이순례, 이순자, 이숭리, 이승선, 이영욱, 이현주, 이효재, 임희경, 장동인, 장혜숙, 전상금, 정명자, 정순자, 정효진, 최중숙, 한인규, 허경식, 허명화

▸ **청년:** 고광삼, 고대우, 곽정동, 김근수, 김민범, 김민수, 김병욱, 김선기, 김용석, 김정일, 김찬호, 금빛내렴, 남금란, 남부원, 문성혜, 박병옥, 박수경, 박세호, 백창석, 안용백, 엄창준, 유승완, 윤종길, 이무성, 이용철, 이정수, 이종인, 임계묵, 조유동, 주창돈, 최정이, 홍후자

▸ **시민:** 공태주, 김경환, 김성배, 김승태, 김영도, 김용배, 김용환, 김인배, 김종덕, 김태인, 김호근, 김홍권, 나용식, 민정기, 박종권, 서동우, 서원석, 송일섭, 신성일, 심영길, 심유중, 심현천, 안기옥, 안창도, 양혁승, 오승호, 오장룡, 원임진, 유운기, 이강용, 이재구, 이효극, 임석, 전응휘, 조근식, 조재문, 한상석

▸ **중소상공인:** 곽영훈, 김영호, 김재학, 도재영, 두만석, 박기봉, 박성현, 박영복, 배현수, 여성훈, 오수관, 오의교, 이경남, 이현배, 이형모, 이희택, 임용호, 최병춘, 홍용찬

▸ **보건의료계:** 강대용, 김영순, 김철환, 박준범, 송일수, 양요환, 이혜자, 임종한, 주괄, 최승은

▸ **사회운동:** 강대인, 강문규, 김규칠, 김성수, 서영훈, 송남헌, 신대균, 신맹순, 이문옥, 유종성, 윤석규, 이덕승, 이윤구, 이창식, 장신규, 전대련, 전풍자, 차준엽, 하장보

▸ **문화예술:** 김지하, 김홍신, 노영신, 문병란, 박완서, 서유석, 송영, 여운, 이호철, 전진우, 정태춘

▸ **지방**

-대구: 김경민, 김한규, 서석구, 양희창, 이원락, 이철우, 전호영, 정학, 조화영, 최한별, 허창수
-제주: 고경휴, 고동희, 고충석, 김용범, 김태보, 서경림, 양시경
-광주: 김광우, 김용채, 김제안, 문이식, 서인근, 손길옥, 이동화, 임근홍, 전종채, 홍종국
-부산: 김성식, 김장환, 최기환, 허성관
-대전: 강용찬, 김규일, 김광수, 박경, 이일호, 현영석, 황규상

제3기	**의장:** 박종규 **부의장:** 김성남	1993.7.~1995.7.

▸ **학계:** 강경근, 강만길, 강철규, 고준환, 권오대, 권용우, 권태준, 김광수, 김기석, 김동희, 김병준, 김상균, 김상환, 김석준, 김성재, 김성훈, 김수곤, 김완배, 김용준, 김일수, 김장호, 김찬국, 김태동, 류우익, 문용린, 박경효, 박덕제, 박명진, 박상섭, 박세일, 박영은, 박재창, 박정대, 박태규, 박흥, 백용호, 백종국, 백종만, 변형윤, 서광선, 성백남, 손동현, 손봉호, 송근원, 신봉호, 신용하, 신혜수, 안병영, 안병직, 안철원, 양건, 양봉민, 양윤재, 오용석, 옥규성, 원제무, 유영제, 유재천, 유재현, 윤경로, 윤기관, 윤여창, 윤원배, 윤진호, 윤창호, 이각범, 이광택, 이근식, 이기춘, 이만열, 이만우, 이삼열, 이상곤, 이상화, 이성섭, 이수성, 이영환, 이영희, 이인호, 이재기, 이재웅, 이정전, 이종훈, 이진순, 이필상, 이한구, 이한빈, 이희봉, 임영상, 임원택, 임현진, 장덕주, 장성수, 정원석, 전영서, 정재춘, 정중재, 조요한, 조우현, 조은, 조중래, 조창현, 조태영, 조형, 주종환, 주한광, 최광, 최명근, 최상철, 최성재, 최정표, 하성규, 한완상, 한정화, 홍원탁, 홍준형, 황경식, 황의서, 황진수
▸ **기독교:** 강경민, 고왕인, 고직한, 김성수, 김세준, 김용복, 김진홍, 대천덕, 류해신, 박성남, 박수경, 박승룡, 박영률, 박은옥, 박은철, 박지현, 박창빈, 박철수, 서경석, 신익호, 오병수, 오병수, 우상두, 유경재, 이문식, 이종국, 이훈, 인명진, 임태수, 임택진, 정명기, 조성기, 한철호
▸ **카톨릭:** 이영섭, 정성현, 정호경, 주수욱
▸ **불교:** 강석선, 김규범, 김동흔, 김승태, 김재일, 김형중, 노귀남, 목우, 박재방, 박종후, 범산, 송월주, 심유중, 연기영, 윤세원, 이금현, 이명규, 이범래, 임영래, 임효정, 정광식, 정산, 조근식, 한상범
▸ **원불교:** 조정근, 정성길
▸ **법조계:** 김삼화, 김성남, 김주원, 박삼열, 박연철, 박인제, 박주현, 손광운, 신기남, 심재두, 양승찬, 오창수, 우수영, 이건호, 이경우, 이돈명, 이문성, 이세중, 이용철, 이호선, 임희동, 전욱, 정미화, 정성철, 조경근, 조영황, 한만수, 한승헌, 홍남순, 황산성
▸ **노동계:** 공금영, 김문수, 김민수, 김유미, 김종관, 김현삼, 김희성, 노기수, 모연준, 박남수, 박상범, 박상호, 박완기, 박춘노, 신용일, 안재복, 유승호, 이광열, 이태영, 이택주, 장진수, 장춘규, 최규덕, 최낙용, 최재곤, 허선회
▸ **농민계:** 김인식, 백한기, 오재길, 원경선, 정상묵, 정종진
▸ **중소상공인:** 곽영훈, 권황복, 김영호, 김재학, 김종수, 도재영, 두만석, 박기봉, 박성현, 배현수, 여성훈, 오수관, 오의교, 이갑산, 이경남, 이영우, 이현배, 이희택, 임용호, 최병춘, 최정명, 홍용찬
▸ **보건의료계:** 김철환, 박준범, 송일수, 양요환, 임종한, 최승은
▸ **문화예술:** 김지하, 김홍신, 김희섭, 노영신, 문병란, 문홍삼, 박완서, 서유석, 송영, 여운, 이호철, 정태춘
▸ **시민:** 김경환, 김영도, 김인배, 김종덕, 김종배, 김홍권, 민정기, 박종권, 박중원, 서원석, 송일섭, 신성일, 심영길, 심현천, 안기옥, 안창도, 양혁승, 오장룡, 원임진, 유운기, 윤정문, 이강용, 이상목, 이재구, 이효극, 임석, 조재문, 최판식
▸ **여성:** 강명자, 권수옥, 김복순, 김수임, 김은나, 김은희, 김태자, 김현양, 민기남, 박혜경, 유승희, 윤수경, 이경진, 이계경, 이구인, 이순례, 이순자, 이숭리, 이승선, 이영욱, 이정자, 이현주, 이효재, 임희경, 장동인, 정명자, 정효진, 최중숙, 한인규, 허경식, 허명화
▸ **청년:** 고대우, 곽정동, 금빛내렴, 김근수, 김대선, 김민범, 김민수, 김병욱, 김선기, 김용석, 김정일, 김찬호, 김태현, 남금란, 남부원, 박병옥, 백창석, 송창석, 신용인, 안용백, 엄창준, 유승완, 윤종길, 이무성, 이종란, 이종인, 임계묵, 조유동, 정세홍, 이정원, 최정이
▸ **사회운동:** 강대인, 강문규, 김규칠, 김성수, 권오구, 박문숙, 서영훈, 손중양, 송남헌, 신대균, 유종성, 윤석규, 이덕승, 이대영, 이문옥, 이윤구, 이진아, 이창식, 이형모, 장신규, 전대련, 전성, 전응휘, 전풍자, 정원민, 차준엽
▸ **대학생:** 김영덕, 박용운, 박정열, 신현영, 원석준, 유지호, 이대규, 이화영, 전재헌, 최철규
▸ **지방**
-부산: 김성식, 김장환, 문석웅, 서병철, 우주호, 이종석, 장차남, 전호진, 허성관, 황한식, 회암
-광주: 김광우, 김용채, 김제안, 김준원, 박종렬, 배영남, 문이식, 서인근, 손길옥, 이동화, 지병문, 황승룡, 임근홍, 전종채, 홍종국
-대전: 강성두, 강용찬, 김광수, 김규일, 김세열, 김영철, 김은용, 박경, 송헌영, 이일호, 장갑덕, 전철환, 현영석, 황규상
-대구: 강은희, 김경민, 김한규, 김희섭, 민영창, 서석구, 양희창, 이철우, 장지상, 전호영, 정학, 정순모, 허창수
-제주: 고경휴, 고동희, 고충석, 김용범, 김태보, 서경림, 양시경
-이리: 김규섭, 김길준, 송봉규, 송해룡, 최덕식, 황성근
-순천: 공태주, 김용전, 김용환, 박기영, 서희원, 장만기, 조택순
-인천: 박영복, 신맹순, 오경환, 임송산, 정세국, 주괄, 최단옥, 홍재웅, 홍후자, 황상근
-구리 • 미금 • 남양주: 김월운, 오승호, 유철, 이광식, 최상인, 한상석
-광명: 강대용, 권도용, 김만중, 김성배, 김학태, 백승대, 서충훈, 이인재, 조명규
-수원: 강영식, 김종오, 안광수, 이화수, 전영을
-포항: 권영준, 최일휴
-안산: 권태근, 이경석

제4기	**의장:** 박종규 **부의장:** 김성남	1995.7.~1997.7.

▸ **정책연구위원회:** 강철규, 권광식, 권용우, 김기석, 김기원, 김상균, 김성재, 김수삼, 김영래, 김완배, 김용익, 김익기, 김인철, 김장권, 김장호, 김재한, 김정훈, 김종석, 김지석, 김태동, 김헌민, 김현민, 나성린, 류우익, 문용린, 박덕제, 박명진, 백용호, 성경륭, 손동현, 송근원, 신봉호, 신혜수, 안국신, 안철원, 양봉민, 옥규성, 원제무, 윤석원, 윤영섭, 윤영오, 윤원배, 윤창호, 이광택, 이근식, 이기우, 이만우, 이성섭, 이수복, 이영희, 이윤보, 이정희, 이종찬, 이진순, 이창수, 이춘섭, 이필상, 이한구, 이희선, 임천순, 임현진, 장덕주, 장성수, 장세진, 장오현, 장지상, 전영서, 정무권, 정무성, 정병호, 정부성, 조우현, 주성수, 주한광, 지병문, 차용호, 최광, 최막중, 최명근, 최병선, 최정표, 하성규, 한상진, 홍원탁, 황경식

▸ **농업개혁위원회:** 김성훈, 김완배, 장원석, 정성헌

▸ **노사관계개혁위원회:** 김문수, 김장호, 박남수, 박세일, 조우현

▸ **시민입법위원회:** 강경근, 김미화, 김삼화, 김석준, 김성남, 김일수, 김주원, 박은정, 박인제, 박재창, 박주현, 박진순, 박헌권, 안경환, 안상수, 양건, 오창수, 윤철홍, 이경우, 이상경, 이승우, 이용철, 이은기, 이호선, 정미화, 정종섭, 조경근, 조병윤, 한만수, 홍준형

▸ **부정부패추방운동본부:** 박헌권, 신대균, 이각범, 인명진, 조영황

▸ **지방자치특별위원회:** 김병준, 송창석, 심현천, 이기우, 이상목, 조창현, 허명화

▸ **통일협회:** 강만길, 박상섭, 박종화, 신용하, 심의섭, 오용석, 윤석원, 이근식, 이삼열, 이장희, 이정자, 이종훈, 조요한, 지만원, 홍택기

▸ **환경개발센터:** 김명자, 김일태, 김정욱, 김찬호, 김창섭, 박종관, 윤여창, 이광준, 이민부, 이정전, 한인섭, 황명찬

▸ **알뜰가게:** 곽영훈, 김홍신, 박문숙, 성백엽, 이순자, 이숭리, 이재우, 조미애, 최은숙, 허경식

▸ **정농생협:** 김영희, 백한기, 서원석, 오재길, 이애숙, 정상묵, 정종진, 주형노, 한승주

▸ **주간 〈시민의신문〉:** 권황복, 김광식, 김순영, 김완수, 김형국, 남상만, 박주현, 손숙, 손중양, 오상현, 이석원, 이수성, 이영우, 이창식, 이형모, 임희동, 조광희, 최방식, 최승은, 홍용찬

▸ **잡지 〈경제정의〉:** 김희섭, 박기봉, 안병영

▸ **경제정의연구소:** 곽수근, 김일섭, 김평기, 윤원배, 이덕준, 이종훈, 이해익, 한정화

▸ **조직위원회:** 김영래, 윤경로, 정승화

▸ **과학기술위원회:** 김진옥, 노병철, 박기영, 박창규, 양지원, 이병령, 이병민

▸ **경제정의실천불교시민연합:** 김귀순, 김규범, 김동흔, 김영숙, 김오만, 김재일, 김철수, 노귀남, 노부호, 류관희, 민법현, 박재방, 박종애, 박헌주, 송영석, 신응균, 연기영, 윤소년, 이경용, 이금현, 이명규, 이범래, 이희태, 임효정, 최병춘

▸ **교통광장:** 권영선, 김세영, 박용훈, 유재건, 임통일, 진삼현, 한충희

▸ **기청협:** 김세준, 박수경, 박철수, 안신길, 이문식, 이응찬, 이종림, 조현일, 한승호

▸ **기독시민회:** 백종국, 우상두

▸ **시민회:** 김종덕, 김종배, 김화수, 박명만, 박세영, 백종환, 송일섭, 신성일, 심유중, 원궁재, 이재식, 이희헌

▸ **풀뿌리시민회:** 김용수, 서승완, 서원석, 이유재, 정노숙, 정수복, 차명제, 최원준

▸ **청년회:** 공창배, 김대선, 김병욱, 김태현, 김태호, 민선정, 박병호, 박수정, 신경숙, 윤여진, 이정원, 이충직, 정경아, 정상용, 정세홍

▸ **노동자회:** 김종관, 김현동, 김현삼, 노기수, 유승호, 이태영, 전대석, 최낙용

▸ **대학생회:** 강준호, 고상진, 고재영, 곽현, 김용태, 김우남, 김원주, 김지훈, 김진경, 김현철, 류홍채, 박종하, 백준현, 신국균, 신의섭, 유재현, 이수현, 임기헌, 정진원, 조순진, 한건웅, 한건희, 황인석, 황현부

▸ **바른경제동인회:** 김영호, 김종수, 박종규, 이갑산, 이동환

▸ **지역경실련**

-수원: 강영식, 강헌구, 권영육, 김동균, 김성엽, 김욱용, 김원일, 김종오, 김종철, 김진춘, 박경조, 신경환, 안광수, 이승억, 전영을, 한풍교

-순천: 공태주, 김대희, 김용환, 나갑주, 박흥수, 방성룡, 서종식, 서희원, 신준식, 신현일, 이병수, 장민기, 조택순, 주세일, 허상만

-부산: 김대래, 김성국, 김장환, 문석웅, 박형준, 손태화, 우주호, 이남중, 이동환, 이종석, 장차남, 정영문, 정일수, 허진호
-구리: 김순섭, 류도현, 송두상, 유철, 이범, 진항범, 최상섭, 한상석
-안양: 구본영, 김승일, 김양중, 김영선, 김원대, 김진근, 김해룡, 박천복, 박태식, 설삼용, 송연자, 신우진, 오은택, 윤병섭, 이광렬, 이병택, 정동화, 조용덕, 최해광, 한기림
-울산: 김덕진, 김동훈, 김복만, 김승석, 김용언, 류석환, 박상호, 성인수, 옥복언, 이상희, 이용선, 장병익, 장태원
-춘천: 권오서, 김종식, 김홍주, 문선재, 박승한, 박용수, 박형일, 변지량, 안동규, 양완모, 이영련, 이택수, 임신영, 진장철, 최윤
-인천: 김기웅, 김종화, 박영복, 박창화, 오경환, 이국성, 이영환, 임송산, 정세국, 정재영, 조원민, 최계운, 황보윤식
-광명: 강대용, 공금영, 권도용, 김경환, 김용석, 김학태, 백승대, 유승희, 이식영, 이인재, 이흥국, 조근식, 조운천, 조흥식
-이리: 고광성, 김성자, 김재백, 김판식, 송천은, 유만영, 조만식, 최희섭, 황성근, 황세연
-포항: 김기철, 김종열, 서상순, 서일수, 유병생, 윤자현, 이동조, 이상일, 주경신, 허대만
-광주: 김갑수, 김용채, 김인천, 김종재, 김준원, 김태규, 박광서, 박종열, 배영남, 서인근, 윤범내, 이동화, 이민원, 이식재, 임장배, 정영재, 조국현, 조운식, 조인선, 황승룡
-전주: 강희봉, 고상순, 권휘일, 김종규, 김진섭, 모완종, 박경기, 서거석, 유명숙, 이국행, 이영한, 이종현, 최규호, 최덕식, 홍기자
-제주: 고경휴, 고동희, 고충석, 김부찬, 김용범, 문대탄, 양승주, 양시경, 이영운, 이행철, 장성철, 한림화, 한철호, 허인옥, 현영진
-강릉: 김선연, 김재관, 김홍목, 목영주, 서완수, 심재상, 유삼열, 윤경호, 이원종, 이현모, 전방욱, 전주현, 최홍순, 한재덕, 홍동선
-구미: 강정근, 고영호, 김복룡, 김종길, 김진규, 김희철, 손명식, 이동규, 이석묵, 조근래, 허창수
-안동: 권순석, 권정관, 권추업, 김원진, 김준, 김태계, 박인수, 손영호, 신영재, 윤병진, 윤지홍, 이동일, 이유린, 이재갑, 장찬덕
-부천: 도우현, 박상호, 박전걸, 서상수, 신종철, 윤권용, 임영담, 전광현, 정행원, 천경화, 한효석, 홍갑표
-대전: 강성두, 강은이, 김광수, 김영철, 김진옥, 김해숙, 박경, 양지원, 윤영구, 이병민, 장갑덕, 장순관, 조윤재, 최호용, 현영석, 황규상
-청주: 김광렬, 박병호, 박찬정, 신현각, 양희택, 우정순, 이인세, 이주형, 장병순, 장이두, 정명수, 정헌교, 조수종, 주서택, 최병곤, 최병준
-대구: 강인성, 권오상, 금병태, 김명환, 김인섭, 김준곤, 김준권, 김태환, 남호진, 민영창, 배국진, 서석구, 이갑수, 전성수, 하종호
-안산: 강승규, 국승철, 권태근, 김성봉, 김장훈, 김춘호, 민병우, 박종배, 송현진, 신군식, 양창삼, 오광석, 이홍구, 임경, 임덕호, 채규성
-거제: 강명득, 권순옥, 김수영, 김원배, 김윤탁, 박기섭, 박동철, 반대식, 이상영, 이종삼, 이행규, 황송주
-노원•도봉구지부: 강희성, 김기윤, 김영민, 김용은, 김자현, 김주문, 노철환, 민병록, 박준범, 박지영, 박진선, 우승수, 이기태, 이대희, 최경주, 최상일, 최재만, 황옥분
-통영(준): 김일용, 모경책, 박연식, 박우동
-고성(준): 박윤태, 조정식, 최규수, 황진실
-속초(준): 박영철, 정양언, 최진철, 황용구
-태백(준): 박영종, 배철환, 이정규, 주응한
-동해(준): 김원규, 심상대, 이석희, 이주강
▸ 기타: 강인원, 권수옥, 김근수, 김성수, 김영호, 김은희, 김인배, 김진홍, 김철환, 류해신, 박광순, 박성남, 박영률, 박철수, 박춘노, 박혜경, 송일수, 신형원, 신혜수, 심상원, 안기옥, 안용백, 양요한, 여운, 윤석규, 이문옥, 이용선, 이희택, 임계묵, 임종한, 전성은, 정성길, 조성기, 조유동, 조정근, 최병철, 최병춘, 최정이, 최중숙, 한상진, 한인규, 홍용찬
▸ 사무국: 고은택, 곽창규, 권오구, 김경호, 김근식, 김동규, 김동흔, 김매련, 김순영, 김제동, 김종익, 김진희, 김혜경, 김홍권, 박병옥, 박승룡, 박용준, 서경석, 서왕진, 손중양, 송향섭, 신남희, 신대균, 신철영, 심상원, 양대석, 오균현, 유병진, 유재현, 유종성, 이경한, 이대영, 이정수, 이진아, 이철규, 이형모, 임영래, 장신규, 전병화, 전성, 정태윤, 조근식, 최방식, 하승창, 한승주

제5기	**의장:** 김성남 **부의장:** 강철규, 김종오, 이정자, 서경석	1997.7.~1999.7.

- 자료 없음 -

제6기	[대의원회] **의장:** 이정자 **부의장:** 김일수, 김명한	1999.7.~2001.7.

- 자료 없음 -

제7기	[대의원회] **의장:** 윤경로 **부의장:** 김일수, 하성규, 목영주, 조수종	2001.7.~2003.12.

▸ **정책협의회**
-경제개혁: 권영준, 김완배, 나성린, 박정수, 서희열, 안종범, 윤건영, 윤석원, 이의영, 이종영, 정미화, 최정표, 홍종학
-사회개혁: 강태중, 김재춘, 김진수, 김진현, 김철환, 김통원, 서정화, 신현호, 양봉민, 양봉민, 이광택, 이광택, 이병훈, 최성재
-정보과학: 문영성, 정태명
-어린이환경: 신동천, 이순형
▸ **조직위원회**
-위원장: 김태룡
-서울시민정책위원회: 김태룡, 조명래
-미디어워치: 김선숙, 최성주
▸ **시민입법위원회**
-법제: 강경근, 김동성, 김삼화, 김상겸, 김성수, 박상기, 서헌제, 이기한, 이봉의, 이상윤, 전삼현
-공익소송: 김갑배, 이은기, 황도수
-정치개혁: 송병록, 윤종빈, 이정희, 정진민
-정부개혁: 권해수, 김영미, 유평준, 유희숙, 이종수
-지방자치: 김병준, 김익식, 유재원, 홍준현
▸ **국제위원회:** 구본영, 구정모, 김영호, 김인철, 김혜경, 박명광 , 이각범, 인명진
▸ **윤리위원회:** 김석준, 김일수, 이광택
▸ **시민사업위원회:** 황이남
▸ **개별기구**
-(사)경제정의연구소: 김광윤, 김국주, 노부호, 노영록, 박의범, 백삼균, 표정호, 한홍렬, 함시창, 홍길표
-예산감시위원회: 강제상, 김재인, 김종하, 김헌동, 박재완, 이원희, 조형준, 최종일
-(사)경실련 통일협회: 고유환, 김갑배, 김근식, 김재민, 류길재, 박용현, 서동만, 송병록, 심의섭, 이우영, 임통일, 장명봉, 최완규
-민화회: 김찬호, 리항우, 박남근, 이웅립, 정영수, 조대용, 조용길
-(사)도시개혁센터: 김수삼, 김태환, 류중석, 오영태, 이경희, 이재준, 최재순, 황희연
-부정부패추방운동본부: 나완수, 나태균, 박병식, 손봉호, 이대순, 이종수, 장영, 장인태, 조현, 황영호
▸ **부설기관**
-알뜰가게: 김춘호, 백풍혜, 조미애, 황수자
-경실련 정농생협: 노현숙, 석정아, 이문희, 이영욱, 정영숙, 허경식, 허정자
-환경농업: 권광식, 민승규, 정진영, 최덕천
▸ **유관기관**
-경불련: 김광하, 김동흔, 박재방, 신응균, 이금현, 이명규, 임영래, 임효정
부설기관
-알뜰가게: 김춘호, 백풍혜, 조미애, 황수자
-경실련 정농생협: 노현숙, 석정아, 이문희, 이영욱, 정영숙, 허경식, 허정자
-환경농업: 권광식, 민승규, 정진영, 최덕천
유관기관
-경불련: 김광하, 김동흔, 박재방, 신응균, 이금현, 이명규, 임영래, 임효정
중앙사무국: 고계현, 김동흔, 박병옥, 박완기, 신철영, 위정희, 위정희, 위평량, 윤순철, 이강원, 이대영

▸ **지역경실련**
-인천: 김종화, 은옥주, 이국성, 정재영, 조대흥, 최병길, 최정철
-부천: 권순호, 김동선, 박성희, 박현식
-광명: 방송섭, 양정현, 조흥식, 지미선
-안양의왕: 김성균 , 김영선, 윤병섭, 최영인
-안산: 권태근, 김낙동, 김성봉, 김현삼, 김현호, 민병우, 서정열
-군포: 곽도, 권경화 , 박충수, 주삼식
-수원: 노건형, 서정근, 이윤규, 전영을, 정광섭
-김포: 김병욱, 김창집
-강릉: 김재관, 목영주, 송문길, 신승춘, 윤경호, 이정임
-춘천: 박승한, 안동규, 여윤택, 혜욱
-속초: 김창균, 박창근, 최진철
-동해: 김희남
-태백: 서우봉
-청주: 김병식, 김일종 , 김준태, 박경수 , 신승주, 이장희, 한성철
-대전: 김주홍, 김혜천, 박영해, 오종탁, 이광진, 이승복, 이옥희, 이해정, 조연상
-단양: 이수재
-광주: 김용채, 김종재, 박용섭, 성봉규, 안병주, 이민원, 이인화, 임장배, 정동기, 조국현
-순천: 박철우, 송상기, 임승규, 주세일
-여수: 권동채, 김홍용, 박효준, 복문수, 신옥경, 조장영, 한병세
-목포: 김준형, 김호성, 박정희, 송영종, 조순형
-제주: 고병련, 김명범 , 김성준, 오상준, 장은식, 한일, 허인옥
-전주: 김종국, 심갑용, 안자섭, 원용찬, 최종문
-김제: 김규욱, 양태진
-군산: 김귀동, 오치원, 윤덕희, 이복, 최산호
-정읍: 고세창, 김성인, 심요섭, 이창희, 장건원
-익산: 김상기, 송광섭, 유량면, 조현민
-남원: 소한명, 한병옥, 황의동
-무주: 박준하, 송재호, 이재화, 이흥주, 전선자, 추인엽
-대구: 김성곤, 김수원, 김영재, 김종웅, 남병탁, 박동희, 박준상, 손광락, 양승대, 이근원, 이인식, 전영평, 조광현, 조봉래
-구미: 김복용, 김재홍, 류호일, 이필용, 장혼성, 조근래
-경주: 강태호, 김인식, 조관제, 허용
-포항: 김용호, 윤재섭, 이주봉, 편두현
-부산: 김대진, 김태경, 김홍술, 범산, 변재우, 신봉기, 이동환, 조광수, 하재필, 허진호
-울산: 김창선, 박무호, 서기영, 성창기, 유종선 , 이상희, 이용선, 황인석
-거제: 권순옥, 김수영, 김용운, 박동철, 박용호, 이길종
-진해: 최연길
-노원도봉: 이대희

 # 상임집행위원회 선출직
▸ **중앙**
-본부: 김성남, 김영래, 김일수, 김장호, 박세일, 서경석, 신철영, 유재현, 유종성, 윤건영 , 윤경로 ,
이근식,, 이성섭, 이영희, 이정자, 이현배, 정성철, 하성규
-경제: 김준호, 이의영, 홍기택
-사회: 김진수, 김진현, 허준수
-도시: 권용우, 이경희, 황희연
-경불련: 김귀순, 서현철, 이주원
-입법: 김삼화, 김호성, 윤철홍, 황도수
-지방자치: 신봉기
-통일협회: 김갑배, 심의섭, 이웅립
▸ **지역**
-김영일, 이민원, 임덕호, 전영평, 조수종
▸ **중앙사무국:** 김용철, 김태현, 김한기, 박완기, 박정식, 위정희, 위평량, 이강원, 장영권, 전병화, 정원철, 차승렬
▸ **지역사무국:** 김송원, 김재석, 김종익, 김준영, 민영창, 이두영, 이주형, 장남수, 장세광 , 장재환, 전갑생, 조광현, 한동환

제8기	**의장:** 서경석 **부의장:** 이광택, 권용우, 임덕호, 이용선	2004.1.~2005.12.

▸ **정책협의회**
-경제: 권영준, 김완배, 김용하, 김재구, 박재완, 박정수, 양혁승, 윤석원, 이의영, 전강수, 정미화, 최용록, 최정표, 홍종학
-사회: 강태중, 김진수, 김진현, 김철환, 김통원, 이병훈, 허식, 허준수
-정보과학: 문영성, 이주연, 정범석, 최영식, 황이남
-정치개혁: 김용호, 박명호, 이정희, 임성호, 정진민
-정부개혁: 권해수, 김재일, 이종수, 최영출
▸ **조직위원회**
-서울시민정책위원회: 김태룡, 조명래
-미디어워치: 김선숙, 최성주, 한상희
▸ **시민입법위원회**
-법제: 김상겸, 김성수, 김유환, 박상기, 손동권, 이기한, 이봉의, 전삼현
-공익소송: 이은기, 황도수
▸ **지방자치위원회:** 김익식, 임승빈, 홍준현
▸ **예산감시위원회**
-예산감시: 김재인, 김종하, 신영철, 이원희, 조형준
-공공사업: 김헌동, 조영준
▸ **국제연대:** 구정모, 김영호, 김용복, 김인철, 이각범,
인명진
▸ **경제정의연구소:** 권영준, 김용덕, 김헌, 박의범, 백삼균, 신건철, 표정호, 한홍렬, 함시창, 홍길표
▸ **통일협회**
-통일협회: 고유환, 김근식, 김영수, 류길재, 박용현, 송병록, 이우영, 최대석, 최완규
-민화회: 김건진, 박남근, 박용현, 이웅립, 조대용
▸ **도시개혁센터:** 김세용, 김태환, 류중석, 박경난, 변병설, 오영태, 이경희, 이재준, 최재순
▸ **부정부패추방운동본부/시민권익센터:** 나완수, 나태균, 이대순, 이종수, 장영, 조현, 황영호
▸ **정농생협:** 노현숙, 배주윤, 이영욱, 허경식, 허정자
▸ **환경농업:** 권광식, 민승규, 정진영, 최덕천
▸ **경불련:** 김광하, 김동흔, 박재방, 신웅균, 이금현, 이명규, 임영래, 임효정
▸ **중앙사무국**
-고계현, 박병옥, 박완기, 위정희, 위평량, 윤순철, 이강원, 이대영
▸ **지역경실련**
-인천: 김종화, 은옥주, 이국성, 정재영, 조대흥, 최정철
-광주: 김승용, 김용채, 박진석, 안병주, 이민원, 이상동, 이인화, 임장배, 정찬영, 조국현
-대구: 김성곤, 김수원, 김종웅, 박준상, 손광락, 전영평
-대전: 김주홍, 김혜천, 박규용, 신동호, 이광진, 이승복, 이옥희, 이용훈, 이해정
-부산: 김대진, 박동일, 범산, 변재우, 안원하, 이동환, 조광수, 차진구
-울산: 김창선, 서기영, 성창기, 유종선, 이상희, 이용선
-부천: 권순호 김동선, 박성희, 박현식, 신동태
-광명: 노신복, 방송섭, 양정현, 조은주, 조흥식, 지미선, 허정규
-안양의왕: 김성균, 김영선, 서길수, 윤병섭, 최영인,
-안산: 권태근, 김성봉, 김현삼, 김현호
-군포: 곽도, 권경화 , 김희정, 박충수, 박태환, 주삼식
-수원: 김필조, 노건형, 서정근, 이윤규, 전영을
-김포: 김창집
-이천여주: 이계찬, 주상운
-강릉: 김재관, 목영주, 신승춘, 윤경호
-춘천: 박승한, 안동규, 여윤택, 혜욱
-속초: 김태영, 박창근, 최진철
-청주: 김병식, 김준태, 신승주, 한성철
-순천: 박철우, 방성용, 송상기, 임승규, 장문석, 장민기, 주세일

-여수: 박효준, 복문수, 신옥경, 신장호, 조장영
-목포: 김명진, 김준형, 마용철, 박정희, 송영종, 이인수, 조순형
-제주: 강경선, 강민수, 고병련, 오상준, 장은식, 한림화, 허인옥
-전주: 김영, 김종국, 심갑용, 원용찬, 최종문
-군산: 김귀동, 오치원, 윤덕희, 최산호
-정읍: 고세창, 김성인, 이창희, 장건원
-익산: 유량면, 조현민
-남원: 이점수, 한병옥, 황의동
-무주: 송재호, 이재화
-구미: 김재홍, 류호일, 장혼성, 조근래
-경주: 강태호, 정병호, 허용
-거제: 진휘재, 이길종, 박동철, 김용운, 김수영, 강학도
-노원도봉: 이대희

상임집행위원회 선출직

▸ 전 주요임원

김광윤, 김성남, 김영래, 김완배, 김일수, 박세일, 서경석, 신철영, 양혁승, 유재현, 유종성, 윤건영, 윤경로, 이근식, 이성섭, 이영희, 이정자, 이현배, 임덕호, 정성철, 진용주, 하성규, 황이남

▸ 통일협회: 김갑배, 심의섭
▸ 도시개혁센터: 권용우, 황희연
▸ 경제정책위원회: 나성린, 서희열, 윤석원, 이종영, 정미화
▸ 사회정책위원회: 김재춘, 신현호, 이광택
▸ 정치개혁위원회: 윤종빈
▸ 정부개혁위원회: 김영미, 유희숙
▸ 시민입법위원회: 강경근, 김갑배, 김동성, 김삼화, 서헌제
▸ 중앙사무국: 김미영, 김용철, 김태현, 김한기, 남은경, 박정식, 서희경, 정원철
▸ 지역사무국: 김송원, 김재석, 김종익, 김준영, 이두영, 장남수, 장세광, 장재환, 조광현

제9기	**의장:** 이근식 **부의장:** 황이남, 황희연, 조연상, 최인식	2005.1.~2007.12.

▸ **정책위원회**

-정책위원장: 김상겸
-재벌개혁위원회: 이봉의, 홍종학
-재정세제위원회: 김용하, 이종영
-노동위원회: 김영호, 김재구, 이병훈
-e-비지니스위원회: 이은재, 최용록
-공기업개혁위원회: 신동엽, 양혁승, 여영현
-과학기술위원회: 정범석
-보건의료위원회: 김진현, 신현호
-정치개혁위원회: 김인영, 김형준, 윤종빈, 임성호
-금융개혁위원회: 경수근, 권영준
-중소기업위원회: 김광희, 이정희
-예산감시위원회: 심충진, 옥동석, 이원희
-토지주택위원회: 박훈, 서순탁
-농업개혁위원회: 민승규, 윤석원, 이태호
-사회복지위원회: 김진수, 김통원, 최성재
-정부개혁위원회: 김재일
-지방자치위원회: 소순창, 임승빈

▸ **시민입법위원회:** 김상겸, 김유환, 손동권, 이기한, 이은기 , 장용근, 전삼현, 전학선
▸ **국책사업감시단:** 신영철
▸ **아파트값거품빼기운동본부:** 김헌동
▸ **국제위원회:** 구정모, 김혜경, 이태주
▸ **조직위원회:** 박동철

▸ **회원조직**

-미디어워치: 박행우, 최성주, 한상희
-민화회: 박남근, 이웅립

▸ **특별기구**

-(사)경제정의연구소: 권영준, 김용덕, 김헌, 백삼균, 신건철, 이의영, 함시창
-(사)통일협회: 고유환, 김근식, 김영수, 박용현, 이우영, 최완규, 홍용표
-(사)도시개혁센터: 권영진, 김세용, 김태환, 나경준, 류중석, 민범기, 박경난, 백인길, 변병설, 이경희 , 이제선, 조명래, 최정민, 한상삼
-시민권익센터: 나완수, 나태균, 이대순, 이종수, 장영, 조현, 황도수
-갈등해소센터: 오성호, 이선우

▸ **부설기관**

-환경농업실천가족연대: 권광식, 민승규, 정진영, 최덕천

▸ **중앙사무국**

-강지형, 고계현, 김건호, 김미영, 김성달, 김태현, 김한기, 남은경, 노정화, 박병옥, 박완기, 박정식, 서희경, 위정희, 윤순철, 윤철한, 이강원, 이대영, 임지순

▸ **지역경실련**

-강릉: 고재정, 송문길, 심재상, 최복규
-거제: 김용운, 송오성, 진휘재, 최운용
-경주: 안상은, 이성타, 정병우, 한동훈
-광명: 강찬호, 김태경, 노신복, 이승봉, 장남수
-광주: 공수현, 김승용, 문병규, 박진석, 안병주, 이민원, 이상동, 정찬영, 조형수
-구미: 김재홍, 류호일, 윤임식, 윤종욱, 장흔성, 조근래
-군산: 김귀동, 김항석, 양태윤, 곽병선
-군포: 곽도, 박태환, 이문식, 주삼식
-김포: 신성식, 이종준
-남원: 이점수, 한병옥
-노원도봉: 배재환, 임국환
-대구: 김성곤, 김수원, 박동희, 박준상, 오경학, 이기훈
-대전: 김갑용, 김주홍, 박규용, 이문지, 이용훈, 한명진
-목포: 김명진, 마용철, 이인수, 조순형
-부산: 박동일, 범산, 변재우, 안원하, 차진구
-부천: 권순호, 김동선, 조관제
-속초: 김태영, 박창근
-수원: 김미정, 김재기, 김필조, 이윤규, 최인수, 최종후
-순천: 박철우, 장문석, 장민기, 황의병
-안산: 김경민, 김성봉, 김현삼, 김현호
-안양의왕: 김성균, 서길수, 최영인
-울산: 김승석, 김연민, 서기영, 성창기, 오문완, 이용선
-여수: 박효준, 복문수, 신장호, 조장영
-이천여주: 이계찬, 주상운
-인천: 김송원, 김종화, 은옥주, 이국성, 조대흥, 최정철
-전주: 김영, 김종국, 원용찬, 최종문
-정읍: 고세창, 김성인, 김형보, 이창희
-청주: 강호승, 김준태, 박주호, 신승주, 이주형, 조수종
-춘천: 박승한, 안동규, 여윤택, 유성선, 윤재경, 전운성, 하상준, 혜욱
-통영: 송성욱, 장영석, 조동규
-포항: 강인순, 윤재섭, 이재형, 정휘

 # 상임집행위원회 선출직

▸ **전·현직 주요임원**

권용우, 권해수, 김광윤, 김성남, 김수삼, 김영래, 김완배, 김익식, 김일수, 김진현, 김철환, 김태룡, 나성린, 남주하, 문영성, 박상기, 서경석, 심의섭, 유종성, 윤경로, 윤종빈, 이광택, 이근식, 이대순, 이원희, 이의영, 이정자, 이정희, 이현배, 임덕호, 임성호, 전강수, 정미화, 정성철, 정재영, 정진민, 조명래, 진용주, 최정표, 하성규, 허식, 허준수, 황이남, 황희연

▸ **지역사무국**
강경하, 구명예, 김미정, 김송원, 김은정, 김재석, 김종익, 김준섭, 김준영, 김창선, 변동철, 이광진, 이두영, 이성채, 이현호, 장세광, 조광현, 최운용, 최은영, 하상준, 한영조

제10기	**의장:** 황이남 **부의장:** 김완배, 권영준, 김숙정, 박종두	2008.1.~2009.12.

▸ **주요임원 및 정책위원회**
-상집위원장: 정미화 / 부위원장: 김철환

-정책위원장: 양혁승
-금융개혁위원회: 권영준
-중소기업위원회: 김광희, 최용록
-예산감시위원회: 김정완, 이원희
-농업개혁위원회: 김완배, 정명채
-정보통신위원회: 문영성, 최영식
-사회복지위원회: 김진수, 최성재
-정부개혁위원회: 채원호, 최영출
-지방자치위원회: 소순창, 이기우, 임승빈
-재정세제위원회: 박훈, 심충진
-노동위원회: 김영호, 김재구
-토지주택위원회: 서순탁
-교육위원회: 김재춘
-과학기술위원회: 정범석
-보건의료위원회: 김진현, 신현호
-정치개혁위원회: 김인영, 윤종빈

▸ **시민입법위원회:** 김상겸, 김성수, 김유환, 손동권, 전삼현, 전학선
▸ **국제위원회:** 김혜경, 이태주
▸ **국책사업감시단:** 신영철, 정희창
▸ **아파트값거품빼기운동본부:** 김헌동

▸ **회원조직**
-미디어워치: 박행우, 한상희
-민화회: 박남근, 박용현, 이웅립

▸ **특별기구**
-(사)경제정의연구소: 김헌, 백삼균, 이의영, 이현식, 임효창, 표정호, 홍종학
-(사)통일협회: 고유환, 김근식, 김용현, 박용현, 선월몽산, 이우영, 이웅립, 전영선, 전현준, 최완규
-(사)도시개혁센터: 권영진, 김세용, 민범기, 박경난, 백인길, 이재준, 이정식, 이제선, 조명래
-시민권익센터: 권해수, 나완수, 나태균, 이대순, 장영, 조현, 황도수, 황민호
-갈등해소센터: 오성호, 이선우,
▸ **부설기관**
-환경농업실천가족연대: 최덕천
▸ **중앙사무국**
-고계현, 김건호, 김미영, 김태현, 김한기, 남은경, 노정화, 박완기, 박정식, 서희경, 위정희, 윤순철, 윤철한, 이강원, 이대영, 임지순
▸ **지역경실련**
-강릉: 고재정, 박웅섭, 송문길, 심재상, 최복규
-거제: 김경진, 김숙정, 박동철, 송오성, 지영배, 진휘재, 최운용
-경주: 손영태, 안상은, 이상기, 이성타
-광명: 노신복, 윤문선, 이승봉, 정상영, 허정호
-광주: 공수현, 김미남, 김승용, 김용채, 박종렬, 안병주, 정찬영, 조형수
-구미: 김재홍, 김희철, 박재동, 윤종욱, 장병기, 조근래
-군산: 강희관, 곽병선, 김귀동, 김항석, 양태윤, 한광수
-군포: 곽도, 김영희, 박태환, 석경수, 오은정, 이흥주, 주삼식
-김포: 신성식, 이적, 이종준, 채신덕
-남원: 이점수, 한병옥

-노원도봉: 노철환, 조영환
-대구: 김수원, 박동희, 박준상, 오경학, 이기훈, 정경선, 정민재, 최은영
-대전: 김갑용, 김형태, 신상구, 이문지, 이용훈, 이현호, 최봉문, 한명진
-목포: 김문재, 박종두, 송영종, 조성익, 조순형
-부산: 권기철, 김대래, 김봉규, 범산, 변재우, 오태석, 이광열, 이만수, 차진구, 한성안
-부천: 권순호, 조관제
-속초: 김태영, 박근철, 박창근, 이철 , 전형배, 조성진
-수원: 김미정, 박영양, 서정근, 이종령, 최인수
-순천: 김준선, 박철우, 임승규, 장문석, 장민기, 조영석, 황의병
-안산: 김경민, 김성봉, 박태순, 최복수
-여수: 고용국, 김신, 문봉호, 박효준, 이식, 조장영, 한병세
-이천여주: 김광수, 신종옥, 이계찬, 주상운, 하춘남
-인천: 이의재, 정석환, 조남진, 지영일, 최병길, 최혜자
-정읍: 고세창, 김형보, 이원직, 차운호
-제주: 고석만, 고창완, 김동욱, 김현철, 홍현숙
-청주: 강호승, 신승주, 이주형, 조수종
-춘천: 김한택, 변용환, 윤재경, 하상준
-태백정선: 최병조, 최종연
-포항: 강인순, 이재형, 정휘

 # 상임집행위원회 선출직

▸ 전·현직 주요임원

권해수, 김갑배, 김성남, 김수삼, 김일수, 김철환, 김통원, 류중석, 박동철, 박병옥, 송병록, 심의섭, 유희숙, 윤경로, 이광택, 이정희, 이현배, 임덕호, 임성호, 임효정, 정성철, 정재영, 정진민, 조연상, 진용주, 최덕천, 최인식, 하성규, 황이남, 황희연

▸ 지역사무국

강경하, 김기홍, 김송원, 김옥경, 김재석, 김종익, 김준섭, 김항성, 도영실, 박완기, 오은정, 이광진, 이두영, 이병관, 이성채, 이종철, 장미, 조광현, 한영조

제11기	**의장:** 김완배 **부의장:** 김갑배, 김익식, 안동규, 최인수	2010.1.~2011.12.

▸ 주요임원 및 정책위원회

-상집위원장: 이의영 / 부위원장: 권해수, 김철환, 황도수
-정책위원장: 이기우
-재벌개혁위원회: 김호균, 홍종학
-금융개혁위원회: 정미화
-재정세제위원회: 김유찬, 박훈
-공기업개혁위원회: 양혁승
-중소기업위원회: 김광희, 이정희
-노동위원회: 김재구
-대외통상위원회: 김종걸
-예산감시위원회: 김정완, 이원희
-토지주택위원회: 서순탁
-농업개혁위원회: 정명채, 최덕천
-교육위원회: 김재춘
-정보통신위원회: 문영성
-과학기술위원회: 정범석, 황이남
-사회복지위원회: 김진수, 최성재, 허준수
-보건의료위원회: 이인영, 신현호
-정부개혁위원회: 최영출, 채원호

-정치개혁위원회: 김인영, 박명호, 윤종빈
-지방자치위원회: 소순창, 임승빈

▸ **시민입법위원회:** 김성수, 김유환, 손동권, 전학선

▸ **국책사업감시단:** 신영철, 정희창

▸ **아파트값거품빼기운동본부:** 김헌동

▸ **조직위원회:** 조근래

▸ **회원조직**

-미디어워치: 강미화, 박행우, 한상희
-민화회: 박남근, 박용현, 박준우, 임홍승

▸ **특별기구**

-(사)경제정의연구소: 김헌, 김호균, 백삼균, 임효창, 정미화, 홍종학, 황호찬
-(사)통일협회: 김수동, 박순장, 선월몽산, 이우영, 전영선, 전현준
-(사)도시개혁센터: 김세용, 민범기, 박경난, 백인길, 이정식, 이제선
-시민권익센터: 권해수, 나태균, 박경준, 이대순, 장영, 최정표, 황민호
-(사)갈등해소센터: 오성호, 이선우, 주재복

▸ **중앙사무국**

-고계현, 권오인 , 김건호, 김미영, 김성달, 김태현, 김한기, 남은경, 노정화, 위정희, 윤순철, 윤철한, 이강원, 이대영, 채준하

▸ **지역경실련**

-강릉: 고재정, 송문길, 심재상, 심헌섭, 정세환, 최복규
-거제: 김범용 , 송오성, 지영배, 진휘재, 최운용
-경주: 김영길, 김형기, 손영태, 이상기, 이성타, 정병우, 정진철
-광명: 고완철, 노신복, 신은숙, 원명, 윤문선, 조흥식, 허정호
-광주: 공수현, 김승용, 류한호, 박종렬, 안병주, 오지홍, 윤홍성, 조형수, 최주영
-구미: 김재홍, 박재동, 윤종욱, 이덕신, 장병기
-군산: 강희관, 곽병선, 김귀동, 김항석, 노치우, 한광수
-군포: 석경수, 오은정, 이흥주, 주삼식
-김포: 신성식, 이적, 이종준, 채신덕
-남원: 이점수, 한병옥
-대구: 김성곤, 김원구, 박동희, 오경학, 이기훈, 정경선, 정민재, 최은영
-대전: 권순자, 김갑룡, 김경태, 김형태, 신상구, 이승복, 이용훈, 정예성, 정진숙, 최봉문
-마산창원(준): 김시식, 김진곤, 이지영
-목포: 김문재, 모청용, 송영종, 정승임, 정총무, 조순형, 홍순길
-부산: 강재구, 김대래, 변재우, 신용헌, 오태석, 이만수, 차진구, 한성안
-속초: 김태영, 박종학, 이철, 전형배
-수원: 김미정, 김재기, 서정근, 이원재, 이종령, 장성근, 최인수
-순천: 김준선, 송상기, 이상휘, 임승규, 임종채
-안산: 김경민, 김성봉, 김춘호, 최복수
-안양의왕: 김성균, 송준일, 최영인
-여수: 김성춘, 김신, 문봉호, 이식, 한병세
-이천여주: 김광수, 김우재, 신종옥, 주상운
-인천: 강경하, 김명재, 류권홍, 이의재, 정석환, 조남진, 지영일, 최병길, 최혜자
-전주: 강현구, 김득수, 송광인, 신봉기, 정상권, 최낙관, 최이천, 한병규
-정읍: 고세창, 김형보, 이용관, 이원직
-제주: 고창완, 김동욱, 김상환, 박호래, 양시경, 장은식
-천안아산: 김의영, 김재환, 오수균, 윤일규, 정병인, 최장호
-청주: 강호승, 손세원, 신승주, 이만형, 이주형, 조수종, 최윤정, 황신모
-춘천: 김한택, 변용환, 윤재경, 하상준
-충주(준): 이주성, 최현청
-태백정선: 남선식, 양기현
-포항: 강인순, 김용호, 이재형, 이찬우, 정휘

#상임집행위원회 선출직

▸ 전·현직 주요임원

김재일, 김진수, 김진현, 김철환, 김태룡, 김통원, 나병현, 류중석, 박경준, 박동철, 박병옥, 송병록, 신철영, 심의섭, 심충진, 유희숙, 윤경로, 이광택, 이대영, 이정희, 이종수, 이현배, 임덕호, 임성호, 임효정, 정성철, 정진민, 조연상, 진용주, 최덕천, 최인식, 하성규, 황이남, 황희연

▸ 지역사무국

김갑배, 김수삼, 김일수, 강경하, 김기홍, 김송원, 김재석, 김종익, 김준섭, 박완기, 이광진, 이두영, 이성채, 장미, 조광현, 한영조

제12기	**의장:** 박상기 **부의장:** 권해수, 류중석, 김대래, 이국성	2012.1.~2013.12.

▸ 주요임원

-상임집행위원장: 김갑배, 김호균
-상임집행부위원장: 김유찬, 김철환, 양혁승

▸ 정책위원회

-정책위원장: 송병록, 채원호
-재정세제위원회: 김유찬, 박훈, 심충진
-중소기업위원회: 김광희, 이정희
-대외통상위원회: 김종걸
-토지주택위원회: 서순탁
-교육위원회: 김재춘, 나병현
-과학기술위원회: 맹성렬, 황이남
-보건의료위원회: 김진현, 신현호, 이인영
-정치개혁위원회: 김용호, 박명호, 윤종빈,
-재벌개혁위원회: 이의영, 최정표
-공기업개혁위원회: 양혁승
-노동위원회: 김재구
-예산감시위원회: 김정완, 이원희,
-농업개혁위원회: 정명채, 최덕천
-정보통신위원회: 문영성
-사회복지위원회: 김진수, 허준수
-정부개혁위원회: 김재일, 이영범, 채원호
-지방자치위원회: 소순창, 손희준

▸ 시민입법위원회: 김성수, 박상기, 박찬운, 이은기, 황도수
▸ 국제위원회: 오수용
▸ 국책사업감시단: 신영철, 정희창
▸ 아파트값거품빼기운동본부: 김헌동
▸ 회원조직

-미디어워치: 박준영, 박행우
-민화회: 박순장, 이웅립, 임홍승

▸ 조직위원회: 이광진
▸ 특별기구

-(사)경제정의연구소: 김호균, 백삼균, 임효창, 정미화
-(사)통일협회: 김근식, 김수동, 박순장, 선월몽산, 이우영, 임을출, 전영선
-(사)도시개혁센터: 김세용, 민범기, 박경난, 배웅규, 이제선, 최봉문
-시민권익센터: 김태룡, 나태균, 박경준, 이대순, 장영, 황민호
-(사)갈등해소센터: 이선우, 오성호, 주재복

▸ 중앙사무국

고계현, 권오인, 김건호, 김미영, 김삼수, 김성달, 김한기, 남은경, 노정화, 윤순철, 윤철한, 이강원, 이기웅, 채준하, 최승섭

▸ 지역경실련

-강릉: 송문길, 송재석, 심재상, 심헌섭, 정세환
-거제: 강학도, 김숙정, 김용운, 박동철, 진휘재
-경주: 김영길, 김형기, 오영석, 윤정원, 이상기, 정병우, 정진철, 조관제
-광명: 고완철, 김희수, 신은숙, 조흥식, 허정호
-광주: 공수현, 류한호, 박종렬, 안병주, 오지홍, 이정학
-구미: 김재홍, 박재동, 윤종욱, 이덕신
-군산: 강희관, 곽병선, 김동곤, 김재훈, 김철호, 노치우, 장화영
-군포: 구본영, 김연승, 김영식, 석경수, 오은정, 이흥주, 조용석, 주삼식

-김포: 이적, 이종준
-남원: 이점수, 한병옥
-대구: 김성곤, 김수원, 박동희, 박준상, 오경학, 이기훈, 정경선, 정민재, 최은영
-대전: 김경태, 김기오, 김형태, 김혜천, 신상구, 오원관, 이용훈, 정예성, 차정민, 한명진
-마산창원(준): 이지영, 정시식
-목포: 모청용, 민찬홍, 이인수, 전종국, 정승임, 홍순길
-부산: 강재호, 김대래, 박재운, 변재우, 신용헌, 이정주, 이훈전, 차진구
-속초: 김태영, 박종학, 이철
-수원: 강민철, 김재기, 이원재, 이윤규, 이찬용, 장성근, 조은석
-순천: 신현일, 이상휘, 임승규, 임종채
-안산: 김경민, 김성봉, 윤응노, 최복수
-여수: 강규호, 김성춘, 김신, 박효준, 이식, 한병세
-이천여주: 김광수, 김우재, 신종옥, 주상운
-인천: 강경하, 강승진, 김명재, 정석환, 조인숙, 조현근, 지영일, 최병길, 허선규
-전주: 김득수, 김병훈, 박서희, 신봉기, 한병규, 최낙관
-정읍: 고세창, 김을수, 박래수, 백낙종, 이용관, 최성열
-제주: 고성봉, 김상훈, 박호래, 양시경, 장은식
-천안아산: 김의영, 오수균, 윤권종, 윤일규, 정병인
-청주: 김연식, 변상호, 양희석, 주석택, 현진, 황신모
-춘천: 권용범, 김한택, 변용환, 윤재경, 이석원, 하상준
-포항: 강형구, 김용호, 정휘

#상임집행위원회 선출직

▸ **전·현직 주요임원**

강철규, 권해수, 김세용, 김영미, 김완배, 김재일, 김종근, 김진현, 김철환, 김태룡, 남현주, 류중석, 박동철, 박종두, 백학순, 보선, 송병록, 신철영, 안기호, 안동규, 유희숙, 윤경로, 윤종빈, 이광택, 이국성, 이근식, 이기우, 이상기, 이정희, 이종수, 이현배, 임덕호, 임성호, 임현진, 임효정, 전현준, 정성철, 정진민, 조연상, 조진만, 최영출, 최인수, 최인식, 하성규, 황도수, 황희연

▸ **지역사무국**

김기홍, 김송원, 김종익, 박완기, 이두영, 이성채, 이재형, 이현호, 장미, 조광현, 조근래, 최혜자, 한영조

제13기	**의장:** 박상기 **부의장:** 이기우, 권해수, 공재식, 황신모	2014.1~2015.12.

▸ **주요임원**

-상임집행위원장: 김호균, 김태룡
-상임집행부위원장: 김유찬, 김철환, 양혁승

▸ **정책위원회**

-정책위원장: 채원호, 서순탁
-금융개혁위원회: 김호균, 정미화
-공기업개혁위원회: 양혁승
-예산감시위원회: 김정완
-농업개혁위원회: 김호, 최덕천
-정보통신위원회: 노규성
-사회복지위원회: 김진수, 남현주, 정창률
-정부개혁위원회: 김재일, 이영범, 채원호
-지방자치위원회: 소순창, 손희준
-재벌개혁위원회: 박상인, 이의영
-재정세제위원회: 박훈, 심충진
-중소기업위원회: 신범철, 이정희
-토지주택위원회: 서순탁
-교육위원회: 나병현
-과학기술위원회: 황이남, 맹성렬
-보건의료위원회: 김진현, 신현호
-정치개혁위원회: 박명호, 윤종빈, 조진만

▸ **시민입법위원회:** 김갑배, 이은기, 황도수
▸ **국제위원회:** 김태균
▸ **조직위원회:** 이광진
▸ **국책사업감시단:** 신영철, 정희창
▸ **아파트값거품빼기운동본부:** 김헌동
▸ **소비자정의:** 김성훈, 박성용, 장진영

▸ **회원조직**
-미디어워치: 박준영
-민화회: 박순장, 임홍승
▸ **특별기구**
-(사)경제정의연구소: 설원식, 이광택, 임효창, 원동환
-(사)통일협회: 서보혁, 이종수, 임을출, 전영선, 정동욱
-(사)도시개혁센터: 김세용, 류중석, 박찬우, 배웅규, 최봉문
-시민권익센터: 김태룡, 나태균, 박경준, 장영, 조순열, 황민호
-(사)갈등해소센터: 이선우, 오성호, 주재복
▸ **중앙사무국**
고계현, 권오인, 김삼수, 김한기, 남은경, 윤순철, 윤철한, 이강원, 이기웅, 채준하, 최승섭
▸ **지역경실련**
-강릉: 송문길, 심재상, 심헌섭, 이윤일
-거제: 강학도, 박동철, 김용운, 노재하, 진휘재, 이양식
-경주: 권오현, 김경대, 김형기, 박찬진, 이상기, 정진철
-광명: 고완철, 김희수, 조흥식, 허정호
-광주: 김미남, 문병규, 박종렬, 오승용, 오지홍, 이정학, 조형수
-구미: 권보, 김재홍, 박재동, 오영재, 윤종욱, 이덕신, 정영광
-군산: 강희관, 김동곤, 김재훈, 서지만, 장화영, 채정룡
-군포: 구본영, 김연승, 박충수, 오은정
-김포: 이적, 이종준
-남원: 이점수, 한병옥
-대구: 공재식, 김수원, 박동희, 이기훈, 정경선, 최은영
-대전: 김응배, 김혜천, 신상구, 신희권, 오원관, 이용훈, 정예성, 한명진
-마산창원(준): 이지영, 오정환, 정시식
-목포: 김두영, 김명진, 민찬홍, 조순형
-부산: 김대래, 김봉규, 박재운, 변재우, 신용헌, 이만수, 이정주, 이훈전, 조용언, 차진구
-속초: 김경석, 김태영, 박종학, 이철
-수원: 강민철, 박흥덕, 오동석, 이원재, 조은석
-순천: 신현일, 이상휘, 임승규, 임종채
-안산: 고선영, 김경민, 김성봉, 신광재, 윤응노, 최복수
-여수: 강규호, 김신, 이식, 이철, 임호상
-이천여주: 김광수, 김대록, 김우재, 신종옥, 주상운
-인천: 김계원, 김명제, 김연옥, 이한용, 조인숙, 조현근, 지영일, 허선규
-전주: 김병훈, 김수태, 김판용, 박서희, 최낙관, 최정일, 한병규, 홍춘의
-정읍: 김을수, 박래수, 최성열
-제주: 고성봉, 배후주, 한영조
-천안아산: 오수균, 윤권종, 윤일규, 정병웅, 정병인
-청주: 김성수, 김연식, 이재덕, 주서택, 현진, 황신모
-춘천: 권용범, 김한택, 이석원, 윤재경

#상임집행위원회 선출직
▸ **전·현직 주요임원**
강철규, 권순남, 김대래, 김영미, 김완배, 김유찬, 김철환, 보선, 송병록 , 신철영, 안기호, 안동규, 유희숙, 윤종빈, 이근식, 임효정, 전현준, 조연상, 조현, 최인식, 황영호, 황희연
▸ **지역사무국**
김기홍, 김송원, 김준영, 노건형, 박완기, 박효준, 이병관, 이성채, 이현호, 이훈전, 장미, 조광현, 조근래, 좌광일, 최윤정 , 최혜자

제14기	**의장:** 권영준 **부의장:** 김호균, 이기우, 문병규, 김춘호	2016.1.~2017.12.

▸ **주요임원**
-상임집행위원장: 양혁승
-상임집행부위원장: 김유찬, 서순탁, 채원호

▸ **정책위원회**
-정책위원장: 서순탁, 소순창
-금융개혁위원회: 김호균, 양채열, 정미화
-중소기업위원회: 이정희, 신범철
-예산감시위원회: 김정완
-농업개혁위원회: 김호, 최덕천
-정보통신위원회: 김송식, 노규성, 방효창
-사회복지위원회: 남현주, 이상은, 정창률
-정부개혁위원회: 김재일, 김찬동, 채원호
-지방자치위원회: 소순창, 손희준
-재벌개혁위원회: 박상인, 이의영
-재정세제위원회: 박훈
-노동위원회: 김혜진, 노상헌
-서민주거안정운동본부: 박경준, 김헌동
-교육위원회: 나병현
-과학기술위원회: 맹성렬
-보건의료위원회: 김진현, 신현호,
-정치개혁위원회: 윤종빈, 조진만

▸ **시민입법위원회:** 김갑배, 이은기, 황도수
▸ **국제위원회:** 김태균, 이주하
▸ **경실련 아카데미:** 김태룡
▸ **국책사업감시단:** 신영철, 정희창
▸ **소비자정의:** 권순남, 김성훈, 박성용

▸ **회원조직**
-미디어워치: 박준영
-민화회: 박순장, 임홍승

▸ **특별기구**
-(사)경제정의연구소: 김종근, 이광택, 임효창
-(사)통일협회: 이종수, 임을출, 전영선, 정동욱
-(사)도시개혁센터: 김세용, 류중석, 배웅규, 백인길, 이제선, 최봉문, 홍경구
-시민권익센터: 김숙희, 나태균, 심제원, 장영, 조순열, 하성용, 황이남

▸ **중앙사무국** : 고계현, 권오인, 김삼수, 김성달 , 김한기, 남은경, 윤순철, 윤철한, 채준하, 최승섭

▸ **지역경실련**
-강릉: 송문길, 심재상, 심헌섭, 이윤일
-거제: 김용운, 송오성, 이광재, 이양식, 이헌, 진휘재
-경주: 권오현, 길종구, 김경대, 도형수, 박찬진, 정진철, 최병철, 한동훈
-광명: 고완철, 김희수, 이승봉, 조흥식, 허정호
-광주: 명노민, 문병규, 박상규, 박종렬, 백석, 오승용, 오지홍, 조형수
-구미: 권보, 오영재, 이덕신, 정영광
-군산: 김원태, 김재훈, 서지만, 석초
-군포: 구본영, 오은정, 김연승, 박충수
-김포: 이적, 이종준
-남원: 이점수
-대구: 권오숙, 김수원, 박동희, 박영식, 서정걸, 오경학, 이기훈, 정경선, 최은영
-대전: 김응배, 김형태, 신상구, 신창호, 신희권, 오원관, 이용훈, 한명진
-목포: 강병국, 김광배, 김두영, 김문재, 송영종, 윤치술, 조기석 , 조순형
-부산: 김대래, 김봉규, 박승제, 방성애, 변재우, 원허, 윤재철, 이만수, 조용언
-속초: 김경석, 김태영, 박종학, 이철
-수원: 강민철, 박흥덕, 오동석, 이원재

-순천: 박철우, 신현일, 장홍영, 임승규
-안산: 고선영, 김춘호, 신광재, 이경석, 조안호
-양평: 여현정, 유영표, 임승기, 정주영, 조춘선, 최갑주
-여수: 강규호, 김성춘, 김신, 이식, 장준배
-이천여주: 김우재, 김광수, 김상실, 김대록
-인천: 김연옥, 김재식, 김태호, 노국진, 이한용, 정지은, 지영일, 최광용
-전주: 국승철, 김수태, 김판용, 이영식, 최정일
-정읍: 고세창, 김영진, 김은정, 김을수, 박래수, 최성열
-제주: 고성봉, 김정수, 이태운
-창원(준): 김진철, 이지영, 정시식,
-천안아산: 노순식, 오수균, 윤권종, 이상호, 정병웅, 정병인
-청주: 김성수, 김준태, 이재덕, 현진,
-춘천: 권용범, 김한택, 윤재경, 이석원, 진장철, 허장현
-포항: 강창성, 박정한, 손종수, 이동훈, 정휘, 최동수, 최태열

#상임집행위원회 선출직
▸ 전·현직 주요임원
강철규, 권순남, 권영준, 김성훈, 김완배, 김철환, 박상기, 보선, 송병록, 신철영, 안기호, 안동규, 이근식, 인명진, 임현진, 임효정, 정미화, 조현, 최인수, 최인식, 최정표
▸ 지역사무국
김동헌, 김성아, 김송원, 김신숙, 김은정, 김준영, 김창근, 노건형, 박수민, 서해림, 신명자, 신명자, 유병욱, 유영아, 윤정선, 이광진, 이병관, 이현호, 이훈전, 정병인, 조광현, 조근래, 좌광일, 주상운, 최미영, 최윤정, 최은영

제15기	**의장:** 이의영 **부의장:** 김호균, 김철환, 김형태, 조문수	2018.1.~2019.12.

▸ 주요임원
-상임집행위원장: 채원호
-상임집행부위원장: 서순탁
▸ 정책위원회
-정책위원장: 소순창, 박상인
-금융개혁위원회: 양채열, 박래수
-중소기업위원회: 박근호
-대외통상위원회: 김종걸
-서민주거안정운동본부: 박경준
-교육위원회: 나병현
-과학기술위원회: 맹성렬
-보건의료위원회: 김진현, 신현호, 송기민
-정치개혁위원회: 엄기홍, 윤종빈, 조진만
-재벌개혁위원회: 박상인, 이의영
-재정세제위원회: 김정기, 박훈
-노동위원회: 노상헌
-예산감시위원회: 김정완
-농업개혁위원회: 김호, 최덕천
-정보통신위원회: 김송식, 방효창
-사회복지위원회: 남현주, 이상은
-정부개혁위원회: 김대건, 김찬동, 배귀희
-지방자치위원회: 김찬동, 손희준, 허훈

▸ 시민입법위원회: 김현수, 박선아, 이주희, 잉헌환, 전학선, 정지웅, 최덕현, 황도수
▸ 국제위원회: 김태균, 이주하
▸ 조직위원회: 이광진
▸ 경실련 아카데미: 김태룡
▸ 국책사업감시단: 박종국, 신영철, 오희택
▸ 소비자정의: 권순남, 박성용, 오길영

▸ 특별기구
-(사)경제정의연구소: 임효창, 원동환
-(사)통일협회: 김일한, 송영훈, 양문수, 이우영, 정동욱, 최완규
-민화회: 박순장, 임홍승
-(사)도시개혁센터: 류중석, 배웅규, 백인길, 이제선, 최봉문, 홍경구
-시민권익센터: 김숙희, 나태균, 심제원, 이대순, 장영, 하성용, 황이남
▸ 중앙사무국
권오인, 김삼수, 김성달, 남은경, 노건형, 윤순철, 윤철한, 채준하, 최승섭
▸ 지역경실련
-강릉: 목영주, 심재섭, 심헌섭, 전영권
-거제: 배동주, 유천업, 이광재, 이헌, 진휘재
-경주: 권오현, 길종구, 도형수, 한동훈
-광명: 고완철, 구교형, 김희수, 신성은, 이승봉, 허정호
-광주: 명노민, 박광복, 박상규, 박종렬, 백석, 안병주, 오지홍, 임종연, 조경록
-구미: 권보, 오영재, 이덕신, 정영광, 최낙렬
-군산: 김원태, 김재훈, 서지만, 석초
-군포: 구본영, 김연승, 박충수, 오은정, 주삼식, 황은아
-김포: 이적, 이종준
-대구: 권오숙, 김대진, 박영식, 서정걸, 이기훈, 정경선, 황광석
-대전: 김응배, 김주홍, 김형태, 신상구, 신창호, 오원관
-목포: 강병국, 김광배, 김두영, 이정진, 전원신, 조기석
-부산: 김봉규, 박승제, 변재우, 윤재철, 이만수, 조용언
-속초: 김경석, 김태영, 박종학, 이철
-수원: 강민철, 박제헌, 박흥덕, 오동석, 유병욱, 이원재, 조은석
-순천: 고선휘, 박철우, 신현일, 임승규, 장홍영
-안산: 고선영, 김춘호, 이경석, 조안호
-양평: 권오병, 박민기, 여현정 , 유영표, 임승기, 정주영
-여수: 강규호, 김성춘, 김신, 이철, 장준배
-이천여주: 권영배, 김대록, 김상실, 김우재, 신종옥
-인천: 김승희, 김연옥, 김재식, 김태호, 이한용, 최광용, 최선애, 최현
-전주: 김수태, 김판용, 이영식, 최정일
-정읍: 고세창, 김영진, 김을수, 최성열
-제주: 고태식, 김은숙, 문건식, 조문수, 조시중
-천안아산: 노순식, 이상호, 오수균, 윤권종
-청주: 김준태, 류덕환, 이재덕, 현진
-춘천: 권용범, 김진상, 김한택, 윤재경

#상임집행위원회 선출직
▸ 전·현직 주요임원
강철규, 권순남, 김갑배, 김대래, 김성훈, 김완배, 김재구, 김재구, 김종근, 김창선, 김철환, 몽산, 박경준, 보선, 서순탁, 소순창, 송병록, 신철영, 신현호, 안기호, 안동규, 양혁승, 윤종빈,
이광택, 이근식, 이기우, 이대순, 이정희, 이종수, 임현진, 임효정, 정미화, 정희창, 조현, 최인수, 최인식, 최정표, 허훈, 홍미미, 황이남
▸ 지역사무국
고영삼, 김동헌, 김성아, 김송원, 김신숙, 김은정, 김준영, 김태형, 도한영, 마대현, 서재숙, 서해림,
여현정, 유병욱, 유영아, 윤정선, 이광진,, 이병관, 이상휘, 이수희 , 이훈전, 조광현, 조근래, 주상운,
최미영, 최수진, 최윤정, 최은영, 최진숙

8. 고문 지도위원

	성 명	기 간
1기	▲ **고문:** 강문규, 김관석, 강석주, 김서운, 대천덕, 문병란, 박완서, 박홍, 송남헌, 이돈명, 이세중, 이윤구, 이호철, 임원택, 임택진, 원경선, 전대련, 홍남순	1989.7.~1990.7.
	▲ **자문위원:** 고준환, 권태준, 김낙중, 김세열, 김영청, 김용복, 김월서, 김은용, 김지하, 김진홍, 손봉호, 이기춘, 이만열, 이수성, 오경환, 이건호, 이인호, 전계량, 전철환, 조영황, 황산성, 신익호, 유경재, 정순모, 김희섭, 우창웅, 전호진, 조형	1989.7.~1990.7.
2기	▲ **고문:** 강만길, 강문규, 강석주, 김서운, 김용준, 김찬국, 노정현, 대천덕, 문병란, 박완서, 박홍, 서영훈, 송남헌, 오병수, 원경선, 이돈명, 이세중, 이윤구, 이한빈, 이호철, 임원택, 임택진, 전대련, 조요한, 주종환, 홍남순	1990.7.~1991.7.
	▲ **지도:** 고준환, 권태준, 김성훈, 김세열, 김영청, 김용복, 김월서, 김은용, 김지하, 김진홍, 김희섭, 손봉호, 신용하, 신익호, 안병영, 오경환, 유경재, 이건호, 이기춘, 이만열, 이삼열, 이수성, 이인호, 인명진, 전철환, 전호진, 정순모, 조영황, 조창현, 조형, 황산성, 홍원탁	1990.7.~1991.7.
3기	▲ **고문:** 한승헌, 김성수, 이효재	1991.7.~1992.7. (제3기 4차 상집회의록) - 명단 일부
	▲ **지도:** 서광선, 안병직, 이재웅, 이종훈, 한완상, 김성남	1991.7.~1992.7. (제3기 4차 상집회의록) - 명단 일부
4기	▲ **고문:** 강만길, 강문규, 김동희, 김성수, 김용준, 김윤환, 김찬국, 노명식, 문병란, 박완서, 박홍, 박형규, 변형윤, 서영훈, 송남헌, 오병수, 오재길, 오재식, 원경선, 이돈명, 이세중, 이윤구, 이한빈, 이호철, 이효재, 임원택, 장을병, 전대련, 조요한, 주종환, 한승헌, 한완상, 홍남순	1992.7.~1993.7.
	▲ **지도:** 김성남, 김성훈, 김용복, 김지하, 김진홍, 박종규, 박종후, 배무기, 서광선, 신법타, 신용하, 신익호, 안병영, 안병직, 오경환, 유경재, 유재건, 이기춘, 이만열, 이문옥, 이삼열, 이수성, 이인호, 이재웅, 이재정, 이종훈, 전철환, 조영황, 조창현, 조형, 황명찬, 황산성, 홍원탁	1992.7.~1993.7.
5기	▲ **고문:** 강만길, 강문규, 김동희, 김성수, 김용준, 김윤환, 김찬국, 노명식, 문병란, 박완서, 박홍, 박형규, 변형윤, 서영훈, 송남헌, 오병수, 오재길, 오재식, 원경선, 이돈명, 이세중, 이윤구, 이한빈, 이호철, 이효재, 임원택, 장을병, 전대련, 조요한, 조정근, 주종환, 한승헌, 한완상, 홍남순	1993.7.~1994.7.
	▲ **지도:** 김명자, 김성남, 김성훈, 김용복, 김지하, 김진홍, 박종규, 박종후, 배무기, 서광선, 신법타, 신용하, 신익호, 안병영, 안병직, 오경환, 유경재, 유재건, 이기춘, 이만열, 이문옥, 이삼열, 이수성, 이영희, 이재웅, 이재정, 이종훈, 전철환, 조영환, 조창현, 황명찬, 황산성, 홍원탁	1993.7.~1994.7.
6기	▲ **고문:** 강만길, 강문규, 김동희, 김성수, 김영한, 김용준, 김윤환, 김중배, 김찬국, 노명식, 문병란, 기영희, 문선재, 박권상, 박완서, 박종규, 박형규, 변형윤, 서영훈, 송남헌,	1994.7.~1995.7. 1994.7.~1995.7.

6기	오병수, 오재길, 오재식, 원경선, 이돈명, 이설조, 이세중, 이윤구, 이장호, 이종석, 이종훈, 이한빈, 이호철, 이화수, 이효재, 임원택, 전대련, 조요한, 조정근, 조창현, 주종환, 한승헌, 한완상, 홍남순, 허창수, 남세종 ▲ **지도:** 권황복, 김기태, 김명자, 김성남, 김용복, 김진홍, 김형국, 박종후, 박형호, 배무기, 서광선, 신법타, 신용하, 신익호, 안동일, 안병직, 옥여환, 유경재, 류강하, 유재천, 이경의, 이기춘, 이만열, 이재우, 이재정, 전철환, 정병호, 조영황, 조형, 황명찬, 황산성, 홍원탁	
7기	▲ **고문:** 강만길, 강문규, 김동희, 김성수, 김영한, 김용준, 김윤환, 김중배, 김진현, 김찬국, 노명식, 문병란, 리영희, 문선재, 박권상, 박종규, 박형규, 변형윤, 서영훈, 송남헌, 오병수, 오재길, 오재식, 원경선, 이돈명, 이설조, 이세중, 이윤구, 이장호, 이종석, 이종훈, 이한빈, 이호철, 이화수, 이효재, 임원택, 전대련, 조요한, 조정근, 조창현, 주종환, 한승헌, 한완상, 홍남순, 허창수, 남세종	1995.7.~1996.7. (1996년 제4차 전국회원총회 자료집)
	▲ **지도:** 권황복, 김기태, 김명자, 김성남, 김용복, 김종오, 김지하, 김진홍, 김형국, 박종후, 박형호, 배무기, 서광선, 신법타, 신용하, 신익호, 안동일, 안병직, 오경환, 유경재, 류강하, 유재천, 이경의, 이기춘, 이만열, 이재우, 이재정, 전철환, 정병호, 조영황, 조형, 황명찬, 황산성, 홍원탁	1995.7.~1996.7. (1996년 제4차 전국회원총회 자료집)
8기	▲ **고문:** 강만길, 강문규, 김동희, 김성수, 김용준, 김윤환, 김진현, 김찬국, 노명식, 문병란, 리영희, 문선재, 박권상, 박완서, 박종규, 박형규, 변형윤, 서영훈, 송남헌, 오재길, 오재식, 원경선, 이돈명, 이설조, 이세중, 이윤구, 이장호, 이종훈, 이종석, 이한빈, 이호철, 이화수, 이효재, 임원택, 전대련, 조요한, 조정근, 조창현, 주종환, 한승헌, 한완상, 홍남순, 허창수, 남세종, 권태준	1996.7.~1997.7. 7-8주년 자료집 (1997. 7. 5)
	▲ **지도:** 강철규, 권황복, 김기태, 김명자, 김성남, 김성훈, 김용복, 김종오, 김지하, 김진홍, 김형국, 박종후, 박형오, 신법타, 신용하, 신익호, 안동일, 안병직, 오경환, 유경재, 류강하, 서경석, 유재천, 이경의, 이기춘, 이근식, 이만열, 이재우, 이재정, 이현배, 전철환, 정병호, 조영황, 조형, 황명찬, 황산성, 홍원탁	1996.7.~1997.7. 7-8주년 자료집 (1997. 7. 5)
9기	▲ **고문:** 강만길, 강문규, 강원용, 권태준, 금영균, 김동희, 김성수, 김영환, 김용준, 김진현, 남세종, 노명식, 리영희, 문병란, 문선재, 박상중, 박완서, 박종규, 박형규, 변형윤, 서영훈, 손봉호, 송남헌, 송월주, 송재건, 송종래, 신용하, 오재길, 오병수, 오재식, 원경선, 이돈명, 이세중, 이윤구, 이장호, 이종석, 이종훈, 이호철, 이화수, 임원택, 전대련, 조승혁, 조요한, 조정근, 조창현, 주종환, 한완상, 허창수, 홍남순	1997.7.~1998.7.
	▲ **지도:** 강철규, 권황복, 구석모, 금영균, 김기태, 김명자, 김석철, 김용복, 김종오, 김지하, 김진홍, 김호진, 류강하, 박종후, 박형오, 서경석, 신법타, 안동일, 안병직, 안재웅, 오경환, 유경재, 유재천, 윤홍택, 이경희, 이근식, 이만열, 이재우, 이재정, 이현배, 인명진, 정병호, 조영황, 홍원탁,황명찬, 황산성	1997.7.~1998.7.
10기	▲ **고문:**	1998.7.~1999.7.
	▲ **지도:**	1998.7.~1999.7.

기수	명단	기간 및 출처
11기	**▲ 고문:** 강만길, 강원용, 구석모, 김동희, 김성수, 김영환, 김용준, 김진현, 김찬국, 김호진, 금영균, 노명식, 문병란, 리영희, 문선재, 박상중, 박종규, 박완서, 박형규, 변형윤, 서영훈, 손봉호, 송남헌, 송월주, 송종래, 신용하, 오병수, 오재길, 오재식, 원경선, 이돈명, 이세중, 이장호, 이종석, 이종훈, 이윤구, 이호철, 이화수, 임원택, 전대련, 조요한, 조정근, 조승혁, 조창현, 주종환, 한승헌, 한완상, 홍남순, 허창수, 남세종, 송재건	1999.7.~2000.7. 6차 회원총회 자료집(1999. 7. 10._ 1999.7.~2000.7. 6차 회원총회 자료집(1999. 7. 10._
	▲ 지도: 강철규, 권태준, 권황복, 김기태, 김명자, 김용복, 김종오, 김지하, 김진홍, 박종후, 박형오, 신법타, 안동일, 안병직, 오경환, 유경재, 류강하, 유재천, 이경희, 이근식, 이만열, 이재우, 이재정, 전철환, 정병호, 조영황, 황명찬, 황산성, 홍원탁, 김성훈, 김석철, 서경석, 이현배, 인명진, 안재웅, 윤홍택, 구석모, 김호진	
12기	**▲ 고문:** 강만길, 강문규, 강원룡, 권태준, 김동희, 김성수, 김영한, 김용준, 김윤환, 김진현, 남세종, 노명식, 리영희, 문병란, 문선재, 박상중, 박종규, 박형규, 변형윤, 서영훈, 손봉호, 송남헌, 송월주, 송재건, 송종래, 신용하, 오병수, 오재길, 오재식, 원경선, 이돈명, 이설조, 이세중, 이윤구, 이장호, 이종훈, 이호철, 이화수, 임원택, 전대련, 조승혁, 조요한, 조정근, 주종환, 한승헌, 한완상, 허창수, 홍남순	2000.7.~2001.7. 2000.7.~2001.7.
	▲ 지도: 강철규, 권황복, 구석모, 금영균, 김기태, 김명자, 김석철, 김용복, 김종오, 김지하, 김진홍, 김호진, 류강하, 박종후, 서경석, 신법타, 안동일, 안병직, 안재웅, 오경환, 유경재, 유재천, 윤홍택, 이경희, 이근식, 이만열, 이재우, 이재정, 이현배, 인명진, 전철환, 정병호, 조영황, 홍원탁, 황명찬, 황산성	
13기	**▲ 고문:**	2001.7.~2002.7. 2001.7.~2002.7.
	▲ 지도:	
14기	**▲ 고문:** 강만길, 강문규, 강원룡, 권태준, 김동희, 김성수, 김영한, 김용준, 김진현, 남세종, 노명식, 문병란, 문선재, 박상중, 박완서, 박종규, 박형규, 변형윤, 서영훈, 손봉호, 송남헌, 송월주, 송재건, 오재길, 오재식, 원경선, 이경희, 이돈명, 이명호, 이세중, 이윤구, 이종석, 이현배, 이호철, 인명진, 임원택, 정병호, 조영황, 조요한, 조정근, 조종환, 조창현, 한승헌, 한완상, 허창수, 황산성	2002.7.~2003.12. 2002.7.~2003.12.
	▲ 지도: 강철규, 구석모, 권황복, 금영균, 김기태, 김명자, 김석철, 김성훈, 김용복, 김종오, 김지하, 김진홍, 김호진, 류강하, 리영희, 박종후, 박형오, 송종래, 신법타, 신용하, 안동일, 안병직, 안재웅, 오경환, 오병수, 유경재, 유재천, 윤홍택, 이근식, 이만열, 이장호, 이재우, 이종훈, 이화수, 전대련, 전철환, 조승혁, 홍남순, 홍원탁, 황명찬	
15기	**▲ 고문:**	2004.1.~2004.12. 2004.1.~2004.12.
	▲ 지도:	
16기	**▲ 고문:**	2005.1.~2005.12. 2005.1.~2005.12.
	▲ 지도:	

Ⅰ. 경실련의 발자취
Ⅱ. 경실련의 조직 및 운영
Ⅲ. 경실련의 활동
Ⅳ 경실련 사람들

기수	명단	기간
17기	▲ **고문:** 강만길, 강문규, 강원룡, 권태준, 김동희, 김성수, 김영한, 김용준, 김진현, 남세종, 노명식, 문병란, 문선재, 박상중, 박완서, 박종규, 박형규, 변형윤, 서영훈, 손봉호, 송남헌, 송월주, 송재건, 오재길, 오재식, 원경선, 이경희, 이돈명, 이명호, 이세중, 이윤구, 이종석, 이현배, 이호철, 인명진, 임원택, 정병호, 조영황, 조요한, 조정근, 조종환, 조창현, 한승헌, 한완상, 허창수, 황산성	2006.1.~2006.12.
	▲ **지도:** 강철규, 구석모, 권황복, 금영균, 김기태, 김명자, 김석철, 김성훈, 김용복, 김종오, 김지하, 김진홍, 김호진, 류강하, 리영희, 박종후, 박형오, 송종래, 신법타, 신용하, 안동일, 안병직, 안재웅, 오경환, 오병수, 유경재, 유재천, 윤홍택, 이근식, 이만열, 이장호, 이재우, 이종훈, 이화수, 전대련, 전철환, 조승혁, 홍남순, 홍원탁, 황명찬	2006.1.~2006.12.
18기	▲ **고문:** 강만길, 강문규, 강원룡, 권태준, 김동희, 김성수, 김영한, 김용준, 김진현, 남세종, 노명식, 문병란, 문선재, 박상중, 박완서, 박종규, 박형규, 변형윤, 서영훈, 손봉호, 송남헌, 송월주, 송재건, 오재길, 오재식, 원경선, 이경희, 이돈명, 이명호, 이세중, 이윤구, 이종석, 이현배, 이호철, 인명진, 임원택, 정병호, 조영황, 조요한, 조정근, 조종환, 조창현, 한승헌, 한완상, 허창수	2007.1.~2007.12.
	▲ **지도:** 강철규, 구석모, 권황복, 금영균, 김기태, 김명자, 김석철, 김성훈, 김용복, 김종오, 김지하, 김진홍, 김호진, 류강하, 리영희, 박종후, 박형오, 송종래, 신법타, 신용하, 안동일, 안병직, 안재웅, 오경환, 오병수, 유경재, 유재천, 윤홍택, 이근식, 이만열, 이장호, 이재우, 이종훈, 이화수, 전대련, 전철환, 조승혁, 홍남순, 홍원탁, 황명찬	2007.1.~2007.12.
19기	▲ **고문:** 강만길, 강문규, 강원룡, 권태준, 김동희, 김성수, 김영한, 김용준, 김진현, 남세종, 노명식, 문병란, 문선재, 박상중, 박완서, 박종규, 박형규, 변형윤, 서영훈, 손봉호, 송남헌, 송월주, 송재건, 오재길, 오재식, 원경선, 이경희, 이돈명, 이명호, 이세중, 이윤구, 이종석, 이현배, 이호철, 인명진, 임원택, 정병호, 조영황, 조요한, 조정근, 조종환, 조창현, 한승헌, 한완상, 허창수, 황산성	2008.1.~2008.12.
	▲ **지도:** 강철규, 구석모, 권황복, 금영균, 김기태, 김명자, 김석철, 김성훈, 김용복, 김종오, 김지하, 김진홍, 류강하, 리영희, 박종후, 박형오, 송종래, 신법타, 신용하, 안동일, 안병직, 안재웅, 오경환, 오병수, 유경재, 유재천, 윤홍택, 이근식, 이만열, 이장호, 이재우, 이종훈, 이화수, 전대련, 전철환, 조승혁, 홍남순, 홍원탁, 황명찬	2008.1.~2008.12.
20기	▲ **고문:**	2009.1.~2009.12.
	▲ **지도:**	2009.1.~2009.12.
21기	▲ **고문:**	2010.1.~2010.12.
	▲ **지도:**	2010.1.~2010.12.
22기	▲ **고문:** 권태준, 김성훈, 김윤환, 박종규, 변형윤, 손봉호, 송월주, 신용하, 이종훈, 이효재, 조창현, 홍원탁, 오경환, 이설조, 강만길, 박경서, 이명호, 조영황, 한완상, 조수종, 김성남, 이정자, 김정련, 이종석, 이정식, 정재영, 법등, 김용채, 김영래, 심의섭, 이현배, 김종오, 윤원배	2011.1.~2011.12. (제22기 3차 상집회의록)
	▲ **지도:** 윤경로, 황이남, 하성규, 권용우, 양지원, 유재현, 이광택, 이석형, 이성섭, 이장희, 이종수, 이진순, 이필상, 조우현, 최완규, 목영주, 조연상, 김태동, 권영준, 김병준, 김장호, 박상기, 신대균, 함시창, 박종두, 유종성, 임덕호, 최인식, 신철영, 김숙정, 김상겸, 김영수, 이대영	2011.1.~2011.12. (제22기 3차 상집회의록)

기수	구분	기간
23기	▲ **고문:**	2012.1.~2012.12.
	▲ **지도:**	2012.1.~2012.12.
24기	▲ **고문:**	2013.1.~2013.12.
	▲ **지도:**	2013.1.~2013.12.
25기	▲ **고문:**	2014.1.~2014.12.
	▲ **지도:**	2014.1.~2014.12.
26기	▲ **고문:** 강철규, 김법등, 김성남, 김성훈, 김영래, 김용채, 박종규, 박종두, 보선, 손봉호, 송월주, 안기호, 윤경로, 이근식, 이정식, 이정자, 이종석, 이종훈, 이현배, 정재영, 조수종, 조창현, 조현, 황이남	2015.1.~2015.12.
	▲ **지도:** 권영준, 권용우, 김갑배, 김완배, 김장호, 김종오, 목영주, 박병옥, 신대균, 신철영, 심의섭, 양지원, 유재현, 유종성, 이광택, 이대영, 이석형, 이은기, 이장희, 이종수, 이진순, 임덕호, 조연상, 최완규, 하성규	2015.1.~2015.12.
27기	▲ **고문:** 강철규, 김법등, 김성남, 김성훈, 김영래, 김용채, 박종규, 박종두, 보선, 손봉호, 송월주, 안기호, 윤경로, 이근식, 이정식, 이정자, 이종석, 이종훈, 이현배, 임현진, 정재영, 조수종, 조창현, 최인수, 조현, 최정표, 황이남	2016.1.~2016.12.
	▲ **지도:** 권영준, 권용우, 김갑배, 김완배, 김장호, 김종오, 김태룡, 목영주, 박병옥, 박상기, 신대균, 신철영, 심의섭, 양지원, 유재현, 유종성, 이광택, 이대영, 이석형, 이은기, 이장희, 이종수, 이진순, 임덕호, 조연상, 최완규, 하성규	2016.1.~2016.12.
28기	▲ **고문:** 강철규, 김법등, 김성남, 김성훈, 김영래, 김용채, 박종규, 박종두, 보선, 손봉호, 송월주, 안기호, 윤경로, 이근식, 이정식, 이정자, 이종석, 이종훈, 이현배, 임현진, 정재영, 조수종, 조창현, 최인수, 조현, 최정표, 황이남	2017.1.~2017.12.
	▲ **지도:** 권용우, 김갑배, 김장호, 김종오, 목영주, 박병옥, 박상기, 신대균, 신철영, 심의섭, 양지원, 유종성, 이대영, 이석형, 이은기, 이장희, 이종수, 이진순, 임덕호, 조연상, 최완규, 하성규	2017.1.~2017.12.
29기	▲ **고문:** 강철규, 김대래, 김법등, 김성남, 김성훈, 김영래, 김완배, 김용채, 박상기, 박종규, 박종두, 보선, 선월몽산, 손봉호, 송월주, 안기호, 윤경로, 이근식, 이정식, 이정자, 이종석, 이종훈, 이현배, 임현진, 정재영, 조수종, 조창현, 최인수, 조현, 최정표, 황이남	2018.1.~2018.12.
	▲ **지도:** 권용우, 김갑배, 김장호, 김종오, 류중석, 목영주, 박병옥, 박상기, 신대균, 신철영, 심의섭, 양지원, 유종성, 이광택, 이대영, 이석형, 이은기, 이장희, 이종수, 이진순, 임덕호, 조연상, 최완규, 하성규	2018.1.~2018.12.
30기	▲ **고문:**	2019.1.~2019.12.
	▲ **지도:**	2019.1.~2019.12.

2. 기구 및 기관 임원

1. 정책위원회

1.1. 재벌개혁운동본부

- 위원장 : 박상인 강철규 최정표 변형윤 홍종학 이의영
- 위원 : 김호균 김호 김진현 남현주 노상헌 박근호 박선아 박훈 방효창 양채열 임효창 이의영 조연성 조진만 곽만순 김주한 김종석 김형욱 신민호 신장철 신성휘 이재희 유진수 이성욱 임향근 전영서 장지상 최성용 함시창 황신준

1.2. 시민공정거래위원회

- 대표 : 변형윤
- 집행위원장 : 강철규, 최정표
- 위원 : 강병산, 고익, 김광희, 김일수, 김종걸, 김준호, 김형욱, 나성린, 노부호, 박창길, 신도철, 신익철, 신현윤, 연기영, 유병린, 윤원배, 이경재, 이상경, 이의영, 이종대, 이종웅, 이진순, 이필상, 이형모, 이해익, 임배근, 임향근, 장지상, 조영황, 조한천, 최동규, 최완진, 한정화, 황신준
- 고발창구 : 양대석

1.3. 금융개혁위원회

- 위원장 : 양채열 권영준 남주하 윤원배 이필상 정미화
- 위원 : 박래수 김범 이근태 조영호 주한광 김관영 진태홍 김동원 김충환 송병호 김종일 홍기택 정지만 현성민 김봉호 박헌영 김석진 진태홍 김세진 구석모 박진수 고강석 윤석헌

1.4. 재정세제위원회

- 위원장 : 박훈 김용하 김유찬 나성린 박정수 심충진 안종범 이진순 장오현
- 위원 : 김미희 김정기 박용준 유호림 안병선 고광복 고지석 김광윤 김성순 노형규 박일렬 손장엽 원윤희 임주영 최명근 조유동 현진권 주만수 이만우 서희열 윤건영 이종영 최원욱

1.5. 노동위원회

- 위원장 : 노상헌 김장호 김재구 이광택 허식 이병훈 김혜진
- 위원 : 권순식 김호균 임효창 나동만 강명세 조준모 김선봉 윤조덕 백삼균 이상윤 심상완 어수봉 박수근 류성민

1.6. 농업개혁위원회

- 위원장 : 김호 김성훈 김완배 장원석 권광식 윤석원 정명채 이태호
- 위원 : 강마야 양성범 임영환 김기흥 이춘수 최덕천 유덕기 조명기 김종섭 정성헌 곽노성 강국희 김동희 김정주 민승규 손상목 이기석

1.7. 중소기업위원회

- 위원장 : 박근호 김광희 김재구 이의영 이정희 이현배 한정화 최용록 신범철

- 위원 : 김종근 고경일 나준희 설원식 원동환 이민호 이영주 임효창 조연성 최용록 이춘우 장영현 조원길 김태환 문형남 한창희 황민호 박정구 박추환

1.8. 대외통상위원회
- 위원장 : 이성섭, 한홍렬, 서철원, 김재구, 김종걸

1.9. 공기업개혁위원회
- 위원 : 양혁승 신동엽 권구혁 문명재 유철근

1.10. 과학기술위원회
- 전 위원장 : 이병민, 황이남, 박기영, 정범석
- 위원 : 김진옥 노병철 박기영 박창규 양지원 이병령 이병문 황이남 정범석 맹성렬 이덕희 이주연 최덕호

1.11. 정보통신위원회
- 위원장 : 방효창 정태명, 문영성 최영식 노규성
- 위원 : 채기준, 윤영민, 김송식, 배유석, 이재용, 유동호, 김경엽, 심상오, 우상하, 최필식

1.12. 예산감시위원회
- 위원장 : 윤영진, 강인재, 황윤원, 박재완, 이원희, 김정완
- 위 원 : 권수형, 박종구, 김선구, 김헌동, 서원교, 강제상, 김종하, 조형준, 최종일, 김재훈, 신영철, 옥동석, 심충진, 정금채, 김재영, 김승욱, 문석진, 임준목, 하연섭, 곽도, 이상호 노형규, 허만영, 조영준, 이창원, 박기묵, 박길용, 김성철
- 예산감시단장 : 김재인

1.13. 정치개혁위원회
- 정치자금연구소위원회 : 박세일
- 부정부패척결특별연구소위원회 : 이근식
- 위원장 : 김석준, 이정희, 송병록, 김왕식, 정진민, 임성호, 김인영, 윤종빈, 김용호, 박명호, 조진만
- 위원 : 가상준, 강주현, 곽진영, 김광린, 김영태, 김왕식, 김연숙, 김인영, 김준석, 김학량, 김형준, 김호성, 박상헌, 박원호, 손병권, 송병록, 신두철, 안순철, 엄기홍, 은민수, 이송호, 이준한, 이철희, 이홍종, 장승진, 정회옥

1.14. 정부개혁위원회
- 위원장 : 이종수, 권해수, 최영출, 채원호, 이영범, 김재일, 김찬동, 배귀희
- 위원 : 강황선, 고혜원, 김영미, 김재일, 김대건, 김정완, 김종석, 김찬동, 남재걸, 박상헌, 박용성, 오영균, 유평준, 유희숙, 이광석, 이상엽, 이홍종, 조명래, 조태준,

1.15. 지방자치위원회
- 위원장 : 조창현, 김병준, 김익식, 임승빈, 이기우, 소순창, 손희준, 김찬동,
- 위원 : 강문희, 강헌구, 강형기, 고충석, 금창호, 김경환, 김병완, 김병준, 김성호, 김순은, 김영래, 김용철, 김익식, 김장원, 김정훈, 김홍식, 배인명, 사득환, 소순창, 손희준, 송광태, 송창석, 신봉기, 심재현, 안영훈, 양영철, 우동기, 우지영, 유재원, 유지태, 윤경준, 이기우, 이상범, 이용규, 임승빈, 장노순, 정인화, 조기현, 조진상, 주용학, 하연섭, 허훈, 홍준현, 황아란

1.16. 사회복지위원회

- 운영위원장 : 김상균 김진수 김통원 남현주 이상은 정창률 최성재 허준수,
- 운영위원 : 강욱모, 권혁창, 김병익, 김상균, 김진수, 김진욱, 김통원, 김혜련, 남상권, 남현주, 박수경, 박순우, 박용오, 배화숙, 성경룡, 손병덕, 신용규, 유은주, 이상은, 이영환, 이혜경, 이호경, 이희선, 전광현, 전석균, 정무권, 정무성, 정창률, 주성수, 차용호, 최균, 최성재, 하연섭, 허수연, 허준수

1.17. 보건의료위원회

- 위원장 : 김진현, 김철환, 신현호, 양봉민, 이인영
- 위원 : 김용익, 김진현, 김창엽, 김철환, 박용준, 송기민, 신현호, 양봉민, 이모세, 이윤성, 이인영, 이종찬, 이준영, 임종환, 정승준, 조병희, 최병호, 홍승권

1.18. 교육위원회

- 위원장 : 나병현, 서정화
- 위원 : 강인수, 강태중, 김성재, 김숙이, 김재춘, 김현철, 나병현, 노경주, 서정화, 송경환, 신재철, 이미나, 이재윤, 이지혜, 임천순, 조화태, 최돈민, 허병기, 홍성훈

1.19. 소비자정의센터

- 대표 : 김성훈, 박성용
- 운영위원장 : 장진영, 박성용, 오길영
- 운영위원 : 강경희, 권순남, 김보라미, 민노씨, 박휘영, 방정혜, 오길영, 유록수, 이용재, 이정희, 이혜연, 전태석, 정윤석, 정혜승, 최수진, 황민호, 전태석, 조대진, 최수진, 한경주

2. 조직위원회

2.1. 조직위원회

- 위원장 : 신대균, 윤경로, 김영래, 김석준, 신철영, 김동흔, 김재관, 박동철, 조근래, 조광현, 이광진
- 위 원 : 박병옥, 이대영, 김재석, 김현삼, 이광진, 김창선, 김종익, 윤순철, 박완기, 고계현, 이강원, 위정희, 김한기, 김준섭, 이두영, 차진구, 김기홍, 최윤정, 심헌섭, 김송원, 이훈전, 허정호, 김동헌

3. 시민입법위원회

3.1. 시민입법위원회

- 위원장 : 김성남, 김일수, 강경근, 김상겸, 박찬운, 김성수, 김갑배, 황도수, 이헌환, 박선아
- 위 원 : 정미화, 김삼화, 김석준, 김주원, 박은정, 박재창, 김동성, 김유환, 박상기, 손동권, 서헌제, 이기한, 이봉의, 이은기, 전삼현, 전학선, 이석연, 이상윤, 권성연, 송병록, 권해수, 장용근, 김현수, 이주희, 전학선, 정지웅, 최덕현, 김범진, 김은혜, 백혜원, 황도수, 황보람

4. 국제위원회

4.1. 국제위원회
- 위원장 : 백용호, 이성섭, 유종성 구정모 박명광 박영호 김혜경 이태주 오수용 김태균 이주하
- 위　원 : 강명득 이각범 인명진 김용복 이강현 박영혜 이상만 이문숙 구본영
- 베트남사업위원장 : 강명득

5. 경실련아카데미

5.1. 경실련아카데미
- 원　장 : 박세일, 김태룡
- 위　원 : 김동흔, 고계현, 윤순철, 김기홍, 최윤정,

6. 부설기관 및 특별기구

6.1. (사)경제정의연구소
- 이사장 : 김호균 이광택 정미화 권영준 정재영 박세일 이근식 강철규 이종훈김윤환 변형윤
- 연구소장 : 김종근 원동환 임효창 김호균 홍종학 이의영 권영준 정재영 함시창 나성린 이필상 이진순 윤원배 서경석 유재현 강철규
- 이사 및 정책위원 : 강명헌, 고윤배, 구연관, 고계현, 곽수근, 곽지웅, 구석모, 구종권, 권순원, 권오영, 권혁중, 김국주, 김경철, 김기홍, 김광한, 김길생, 김만환, 김미형, 김선구, 김수진, 김숭환, 김완희, 김용환, 김재진, 김지환, 김태동, 김현두, 김현철, 김형진, 김홍권, 김 헌, 김정인, 나준희, 남상만, 노부호, 노영록, 노태우, 류용규, 류원우, 문국현, 박구진, 박건영, 박승준, 박인제, 박형래, 박종오, 박원희, 박창길, 배성길, 백윤정, 서헌제, 서순탁, 송운학, 송정훈, 신대균, 신범철, 심현천, 안동규, 양유석, 양영철, 양혁승, 오일석, 유연상, 유재현, 윤민상, 윤태화, 염지환, 안병선, 이승창, 이성섭, 이성주, 이순재, 이용철, 이영철, 이일수, 이재용, 이재윤, 이종영, 이한구, 이해익, 이현구, 이현식, 이영희, 임건우, 임세은, 장민석, 장민수, 장오현, 전희준, 정건해, 정상욱, 정성철, 정길채, 정덕주, 정윤선, 정영기, 정해봉, 조성도, 조용희, 조연성, 조창현, 조희욱, 채규대, 최무열, 최병규, 최종태, 최재윤, 최정철, 한기수, 한상덕, 한상진, 한정화, 한홍렬, 홍길표, 홍순영, 홍용찬, 황인철
- 기업평가위원회 위원장 : 고경일 곽수근 김종근 박병일 백삼균 설원식 원동환 원종근 임효창 이해익 이혜영 함시창 황호찬
- 다국적기업평가위원회 위원장 : 김광윤 김용덕 박의범 표정호

6.2. (사)경실련도시개혁센터
- 이사장 : 최봉문 이명호 홍철 김수삼 하성규 이정식 황희연 류중석
- 이　사 : 김형욱 나경준 배웅규 백인길 윤순철 이제선 홍경구 권용우 고계현 구용현 구자훈 김기선 김기철 김경민 김세용 김승렬 김영모 김영수 김익희 김재익 김찬경 김현선 민경렬 박병옥 박연심 박찬환 서경석 서순탁 신철영 유종성 이경희 이기우 이금숙 이대영 이석연 이세훈 이양재 이창수 임경수 임길진 임진택 조명래 최승호 최병선 최원태 최재순 홍성표
- 운영위원회 : 백인길 하성규 권용우 황희연 류중석 이재준 김세용 최봉문 이제선

- 도시대학장 : 최병선, 김수삼, 이경희, 조명래, 이창수, 류중석, 백인길, 김세용, 배웅규
- 재생위원회 : 구자훈 권 일 김경배 김근영 김세용 김영환 김용석 김형욱 류중석 박영민 반영운 변병설 배웅규 백인길 엄수원 유상오 이민화 이재준 이제선 이창수 이현주 서순탁 최정우 최봉문 현경학
- 안전위원회 : 김수삼 이송 홍갑표 김태환 나경준 한상천 오종우 류병선 이종필 김동식 하상우 이창주 함승희
- 주거위원회 : 권오정 강순주 곽인숙 박경난 이경희 이유미 진미윤 최재순 최정민 한상삼 홍형옥
- 문화위원회 : 권용우 조명래 김세용 민범기 박찬우
- 교통위원회 : 김익기 오영태 배기목 하동익
- 아파트공동체위원회 : 곽도

6.3. 통일협회

- 이사장 및 대표 : 조요한, 강만길, 한완상, 김성훈, 송월주, 윤경로, 박경서, 선월몽산, 이종수, 최완규
- 운영위원장 : 김성훈, 강만길, 서경석, 유재현, 이장희, 이근식, 윤경로, 심의섭, 김갑배, 최완규, 김영수, 홍용표, 전현준, 김근식, 정동욱
- 정책위원장 : 양문수 이장희, 이철기, 서동만, 최완규, 이우영, 김근식, 전영선, 임을출, 서보혁
- 이사 : 강만길, 노명식, 김성훈, 이영희 이정자, 김홍신, 윤경로, 서경석, 유재현, 이장희, 이근식, 강철규, 장원석, 오용석, 김태홍, 이장호, 이윤구, 장명봉, 홍택기, 이철기, 이형모, 이재용, 김재민, 법 륜, 이석연, 홍순명, 강정구, 김순권, 김완배, 박경서, 박용현, 법륜, 심의섭, 서동만, 신영철, 이상회, 임통일, 장도송, 허형, 김동흔, 김영수, 목용주, 송병록, 최대석, 이우영, 고유환, 박병옥, 최평규, 윤순철, 차성환, 김근식, 홍용표, 박완기, 신봉철, 이종수, 전현준, 이웅립, 이대영, 정미화, 박순장, 박영자, 법 혜, 보 각, 배인교, 백학순, 서보혁, 송정호, 신동호, 이명자, 이의영, 임광빈, 정동욱, 정창현, 심재환, 김수동, 김용현, 김진환, 김학성, 노귀남, 김재기, 김형남, 문희성, 박경란, 신경화, 전영선, 임을출, 최범산, 김호균, 김영윤, 김희주, 이정철, 양혁승, 일허, 양문수, 김일한, 전철호

6.4. 환경개발센터

- 이사장 : 원경선
- 부이사장 : 유재현
- 대표 : 권태준, 이정전
- 이사 : 강철규, 권태준, 김명자, 김용준, 남승우, 문국현, 백덕현, 서경석, 신의손, 유재현, 유종성, 이경재, 이상곤, 정상묵
- 운영위원장 : 유재현
- 정책위원장 : 이경재
- 운영위원 : 김명자, 김일중, 김일태, 김정욱, 김찬호, 문국현, 박종관, 서경석, 서원석, 유종성, 윤여창, 이민우, 이상곤, 이정전, 이진아, 장신규, 전재경, 정미홍, 조상희, 한인섭
- 연구위원 : 강인식, 김갑수, 김경림, 김남천, 김명자, 김상환, 김숙희, 김윤신, 김장권, 김정옥, 도갑수, 문석웅, 성진근, 신동수, 신응배, 신의순, 양봉민, 유근배, 유영제, 윤여창, 이기춘, 이명현, 이상돈, 이정전, 이진순, 장원석, 정재춘, 최명근, 최병두, 최병철

6.5. 갈등해소센터

- 이사장 : 이선우
- 위 원 : 권해수, 김광구, 김상겸, 김재구, 문병기, 박노재, 박병옥, 심재웅, 심준섭, 오성호, 원창희,

위평량, 윤성복, 윤순철, 장원경, 정인수, 주재복, 하동현, 홍성만, 임재형, 김두수, 이강원

6.6. 시민권익센터
- 대표 : 이종수, 최정표, 김태룡, 조현, 황이남, 이대순
- 운영위원장 : 이대순, 황도수, 권해수, 박경준, 조순열, 김숙희
- 운영위원 : 권해수, 김두진, 김상헌, 김석기, 김성근, 김성천, 김숙희, 김영균, 김영미, 김종묵, 김현아, 나완수, 나태균, 류병균, 박경준, 박명환, 박선영, 박성아, 박휘영, 배규태, 변재근, 심제원, 염규석, 유주상, 이대순, 이상진, 이주아, 이지연, 임웅찬, 장　영, 장윤정, 장철원, 장효죽, 조순열, 조　현, 하성용, 황영호, 홍미미, 황도수, 황민호

6.7. 부정부패추방운동본부
- 본부장 : 김태룡, 박헌권, 손봉호, 신대균, 이석형, 이종수, 인명진, 정성철, 조영황
- 운영위원장 : 이종수, 황영호, 신대균, 이석형, 박헌권
- 정책위원장 : 황영호, 신대균, 이규태
- 운영위원 : 김종구, 김종성, 김종호, 나완수, 나태균, 민병기, 류병균, 박병식, 박종훈, 박헌권, 신철영, 유병린, 이각범, 이규태, 이대순, 임세동, 장영, 장인태, 조현, 하태웅, 황영호

6.8. 경제부정고발센터
- 대표 : 황인철
- 운영위원장 : 박인제
- 운영위원 : 박인제, 심재두, 양승찬, 오창수, 우수영, 이경우, 이문성
- 운영위원 : 김동현, 김삼화, 김수원, 박성귀, 박연철, 박영립, 손광운, 신기남, 윤종현, 이건호, 이세중, 전욱, 정성철, 천정배, 한기찬, 한만수, 김주원, 황산성, 김일수, 박세일, 양건

6.9. 부동산건설개혁본부
- 주택문제연구소위원회 : 하성규
- 토지주택위원회 : 김태동, 전강수, 서순탁
- 본부장 : 김헌동
- 위원 : 박경준, 박선아, 백혜원, 정희창, 조정흔

6.10. 아파트값거품빼기운동본부
- 본부장 : 김헌동
- 위원 : 권영준 류중석 박훈 백인길 서순탁 신영철 이원희 전강수 조명래 홍종학 황도수

6.11. 국책사업감시단
- 감시단장 : 김헌동 신영철
- 정책위원 : 정희창, 함형욱, 오희택

6.12. 서민주거안정운동본부
- 본부장 : 서순탁
- 위원 : 김유찬 박경준 정미화 황도수

6.13. 노사관계특별위원회
- 대표 : 박세일, 김장호, 김윤환
- 위원 : 이영희, 조우현, 이각범, 박덕제, 이원희, 인명진, 이광택, 박종규, 박남수, 김종수, 이상천, 최낙용, 김현삼, 김종관, 김문수, 신철영, 이재기

6.14. 무주택문제대책본부
- 위원 : 이호철

6.15. 깨끗한 정치제도 연구 특별위원회
- 위원 : 박세일, 이수성, 김일수, 강경근, 이석연

6.16. 여성위원회
- 위원장 : 이숭리, 조미애
- 위 원 : 이계경, 이숭선, 성백엽, 신 선, 나영희, 박혜경, 이현주, 한인규, 권수옥, 이영욱, 김은희, 허경식, 이경진, 최성숙, 민영미, 김순실, 이순자, 이순영, 박기영, 임소애, 김태의, 최숙경, 이경희, 이영미, 이영주, 심상원, 김봉선, 윤수경, 전상금, 정은, 최경혜, 임희경, 윤복경, 이은주, 김수임, 나운경, 박은주, 강명자, 기소영, 김복순, 김영순, 김은나, 김태자, 김현양, 민기남, 박혜경, 유승희, 이구인, 이순례, 이효재, 장동인, 장혜숙, 정명자, 정순자, 정효진, 최중숙, 허명화, 이정자, 하경석, 이영욱

7. 회원조직 및 유관기관

7.1. 경제정의실천불교시민연합(경불련)
- 경제정의실천불교시민연합
  - 고문 : 송월주, 이설조, 주종환, 한상범
  - 지도법사 : 법타, 범산, 현응, 정덕, 원종, 정산, 법륜
  - 지도위원 : 강인성, 김규범, 김정호, 김철수, 박세일, 연기영, 이경용, 이상번, 최일산
  - 부회장 : 종후, 이금현
  - 운영위원 : 김동흔, 김광하, 김정자, 노귀남, 노부호, 박재방, 신응균, 이금 현, 이명규, 임영래, 임효정, 위정희, 장순자, 정혜옥
  - 정책위원 : 노부호, 노귀남, 박경준, 연기영, 유승무, 이희태, 전재성
  - 주요 위원 : 임영래, 김정자, 노귀남, 정혜옥, 임효정, 신응균, 위정희
- 자비의 집
  - 고문 : 범주, 동광
  - 지도법사 : 도안, 법수, 지홍, 원적, 승오
  - 지도위원 : 김영민, 박종환, 박찬수, 이용청
  - 회장 : 광복 / 부회장 : 호명
  - 운영위원장 : 신응균
  - 주요 임원 : 장순자, 이문희, 이일형
- 외국인 노동자 인권문화센터
  - 회장 : 정영도
  - 상임운영위원 : 김광하 / 운영위원 : 김상익, 김강태, 임영래, 신응균
  - 자문위원 : 전재성, 유승무, 이은기, 박구진, 이범래

- 지도법사 : 정산, 법현, 동출
- 간사 : 정진우

- (사)이웃을 돕는 사람들
  - 고문 : 임송산
  - 지도법사 : 묘순, 일진, 초격, 유수, 원명
  - 지도위원 : 김인기
  - 회장 : 종후
  - 이사장 : 김동흔 / 이사 : 대휴, 법현, 노귀남, 박재방, 임영래
  - 감사 : 강경식, 이범래
  - 내친구 초록이 : 서현철
  - 아침을 여는집 : 이주원
  - 희망학교 : 정희수, 김혜영
- Nepal Buddha Service Center
  - 고문 : 김인기, 앙도르지 세르파, 갼날 수레스타, 샤키야
  - 지도법사 : 금정, 제즈쿠제즈 린포체, 칼상 라마
  - 지도위원 : 건비르 구릉
  - 회장 : 티르만 샤카
  - 사무총장 : 모나 구릉
  - 이사 : 닐 구릉, 먼주 타파, 모노즈 쿠마르 쉬레스타, 커먼싱 라이, 타네소르 반자데, 프로비나 구릉

7.2. 바른경제동인회

- 회장 : 조순, 김진현, 한승헌, 전철환, 박종규
- 이사장 : 이우영, 박종규, 김동수
- 위원 : 김영호, 김종수, 이갑산, 이동환

7.3. 민족화해아카데미총동창회

- 회장단 : 이규동, 박동일, 이준행, 조태욱, 여익구, 리향우, 김찬호, 조유동, 조용길, 윤영전, 박용현, 이웅립, 박순장

7.4. 청년회

- 회장 : 김병욱, 이정원, 공창배
- 부회장 : 정세홍, 박수정, 공창배, 윤여진, 장미경, 정세홍, 신경숙
- 회　원 : 강원철, 곽영훈, 권황복, 김대선, 김병욱, 김영호, 김재학, 김종수, 김태호, 김태현, 도재영, 두만석, 문하연, 민선정, 박기봉, 박병호, 박성애, 박성현, 박영복, 배유현, 배현수, 송창석, 성상건, 심현천, 안희숙, 여성훈, 오수관, 오의교, 이갑산, 이경남, 이영우, 이은상, 이형모, 이충직, 이훈민, 이희택, 인창혁, 임　석, 임용호, 장미경, 정경아, 정상용, 정세홍, 정일용, 최병춘, 최정명, 한두성, 한보찬, 홍용찬, 황철민

7.5. 대학생회

- 회장 : 이정수, 고상진, 곽현
- 회원 : 강준호, 고상진, 고재열, 고재영, 김민정, 김영덕, 김용태, 김우남, 김원주, 김준영, 김지훈, 김진경, 김현철, 류홍채, 박용운, 박정열, 박종하, 백준현, 배유현, 신　호, 신국균, 신의섭, 신현영, 원석준, 양윤철, 오창수, 유승원, 유재현, 유지호, 이대규, 이병진, 이수현, 이지현, 이화영, 임기헌, 전재헌, 정진원, 정효명, 조순진,

최철규, 한건웅, 한건희, 황인석, 황현부

7.6. 노동자회
- 위원 : 김종관, 김현동, 김현삼, 노기수, 유승호, 이태영, 전대석, 최낙용

7.7. 미디어워치
- 회장 : 최은주, 최성주
- 부회장 : 최성주, 김태현

7.8. 환경농업실천가족연대
- 공동대표 : 권광식, 김연화, 이재우, 조한규
- 운영위원장 : 노상국
- 운영위원 : 강낙원, 고진광, 금창연, 김대권, 김상형, 김용문, 김이현, 김재오, 김택열, 노상국, 민승규, 박 경, 박봉근, 박영수, 김용현, 서경원, 송한철, 신미녀, 신철영, 왕진무, 윤석원, 유금종, 이영문, 이혜숙, 임성실, 정무자, 정상묵, 정재돈, 정재환, 정진영, 조명제, 조한규, 최덕천, 함원신, 황용철, 홍쌍리
- 감사 : 강태욱, 박대석, 최도찬, 김경명

7.9. 서울 구 지부
- 노원 도봉 구지부 : 김기윤, 김용은, 김자현, 김주문, 민병록, 박준범, 이대희, 최경주, 최상일, 황옥분, 우승수, 이기태, 강희성, 노철환, 김영민, 박진선, 최재만, 박지영, 배재환, 임국환, 조영환, 김동흔
- 강동 송파 구지부 : 문정희, 주성수, 김기성, 오명균

7.10. 중소상공인회
- 회장: 이현배
- 위원 : 강원철, 곽영훈, 권황복, 김영호, 김재학, 김종수, 도재영, 두만석, 문하연, 박기봉, 박성현, 박영복, 배현수, 성상건, 여성훈, 오수관, 오의교, 이갑산, 이경남, 이영우, 이형모, 이훈민, 이희택, 임 석, 임용호, 정일용, 최병춘, 최정명, 한두성, 한보찬, 홍용찬, 황철민

7.11. 의정감시단
- 의정감시단 : 황인철
- 시민입법감시단 : 김일수, 김유환

7.12. 깨끗한 사회를 만드는 시민회
- 회장 : 김종배
- 부회장 : 박병만, 한상석
- 운영위원 : 김경환, 박세영, 황희남
- 감사 : 백종환
- 총무 : 심유종
- 위원 : 김종덕, 김화수, 송일섭, 신성일, 원궁재, 이재식, 이희헌, 송일섭

7.13. 풀뿌리시민회
- 운영위원장 : 이유재
- 운영위원 : 정수복, 차명제, 서승완, 서원석, 정노숙, 김용수
- 감사 : 최원준

7.14. 교통광장
- 대표 : 유재건
- 위원 : 김경환, 박세영, 황의남, 백종환, 심유중, 권영선, 박용훈, 임통일, 진삼현, 한충희, 양해일, 안태희, 고경복, 이관영

7.15. 세입자협의회
- 위원 : 이호철, 신대균

7.16. 도시빈민협의회
- 위원 : 한인선, 박창숙, 신태상, 장형욱, 박동규, 김인배, 정순자, 조용만, 전길자, 곽영화, 김종덕, 정길안, 안대식, 김양전, 이영순, 유영식

7.17. 기독청년학생협의회
- 고문 : 손봉호, 이만열
- 지도위원장 : 서경석
- 위원 : 김세준, 박은조, 박철수, 백종국, 서경석, 이문식, 이민우, 이응찬, 조현일, 최일도, 홍인기, 송현정, 한승호, 이종림, 안신길, 박수경, 구교형, 김두회, 김은숙, 김한기, 안효진, 오승아, 이상훈

7.18. 기독시민회
- 회원 : 우상두, 백종국

7.19. 목회자협의회
- 회장 : 오병수

8. 사업기구

8.1. 정농생협
- 이사장 : 오재길, 김성훈, 서원석
- 부이사장 : 서경석, 서원석
- 전무이사 : 이승선, 서원석
- 이사 : 강대인, 권광식, 김복관, 김영희, 김완배, 김형로, 백한기, 서원석, 오재길, 유종성, 이구인, 이애숙, 이영욱, 이정수, 이정숙, 이형모, 장신규, 장혜숙, 정경식, 정상묵, 정종인, 정종진, 조미애, 주형노, 한승주, 허경식

8.2. 알뜰가게
- 이사장 : 김홍신, 이재우

- 이사 : 곽영훈, 서경석, 이영희, 이근식, 이숭리, 허경식, 이순자, 이형모, 이근식, 유재현, 유종성, 이영욱, 이경진, 송향섭
- 운영위원장 : 이숭리, 이영욱
- 운영위원 : 곽영훈, 김홍신, 박문숙, 성백엽, 송숙자, 송향섭, 오정숙, 이경진, 이순자, 이재우, 이영욱, 조미애, 조혜자, 허경식, 황은주, 최정숙, 송명진, 진위향, 최은숙, 백풍혜, 황수자, 김춘호
- 지원봉사 : 김애화, 배길선, 송숙자, 김소연, 왕세경, 한성숙, 이영화, 이영자, 박정재, 한경실, 장명엽

8.3. 경실련 HITEL 정보교육원

- 이사장 : 김윤환, 김국주
- 원장 : 김용석, 이승룡

8.4. 시민의 신문

- 대표이사 회장 : 서영훈
- 대표이사 사장 : 이형모
- 이사 : 곽영훈, 권황복, 김완수, 남상만, 박종규, 서경석, 서석민, 유재현, 유종성, 유준걸, 이영우, 이종훈, 이현배, 홍용찬
- 운영위원장 : 이수성, 권황복
- 운영위원 : 곽영필, 김석기, 최승은, 유재천, 노경래, 오상현, 임건우
- 편집위원 : 권황복, 김광식, 김순영, 김완수, 김종배, 김희섭, 김형국, 나영희, 남상만, 박기봉, 박주현, 백용호, 손 숙, 손중양, 이근식, 이석원, 이수성, 이영우, 이정자, 이창식, 임희동, 안병영, 양대석, 유재천, 유종성, 윤경로, 오상현, 조광희, 황규환, 홍용찬, 최방식, 최승은

3. 회원

경실련 회원은 경실련의 창립정신과 목적에 동의하고 사업에 참여하여 회원 등록을 하는 일반회원과 일반회원으로서 회비를 1년 이상 납부한 정회원 그리고 목적과 사업을 지원하고자 하는 개인과 단체 및 법인의 후원회원이 있다. 경실련 활동과 발전을 위해 후원을 해주신 평생회원, 회원 그리고 회관 건립과 개보수를 지원해 주신 회원 명단(2019.8 기준)이다.

평생회원

Rose
강길원
강대인
강명득
강문규
강지형
강철규
강희일
고경휴
고계현
고광복
고두모
고병련
고봉화
고은택
고지석
고 진
고현석
공덕귀
공태주
곽수근
곽영훈
곽주영
곽지중
곽창림
구경철
구석모
권광식
권영만
권영준
권영진
권용우
권태준
권태진
권혁정
기우봉
김갑배
김건상
김건호
김광두
김광수
김광윤
김광호
김기홍
김낙중
김남용
김대중
김대훈
김도형
김동녕
김동수
김명식
김문식
김미영
김석기
김석준
김선진
김성남
김성달
김성배
김성수
김성훈
김세용
김세진
김수삼
김수성
김수주
김순영
김승용
김신숙
김연수
김영래
김영분
김영숙
김영종
김영진
김영철
김영춘
김영호
김영환
김완배
김용구
김용복
김용석
김용자
김용채
김용철
김용환
김우재
김우정
김원호
김유환
김윤상
김윤환
김의중
김일봉
김일수
김장호
김재홍
김정수
김종걸
김종녀
김종철
김종훈
김주수
김중수
김진수
김진현
김진형
김창성
김창환
김철경
김철환
김태동
김태현
김통원
김판수
김학수
김한근
김한기
김행길
김현수
김현식
김형수
김호용
김호진
김홍구
김홍권
김홍신
나태균
나형수
남궁호상
남기영
남복동
남상만
남은경
남한서
노명구
노원호
노정화
도기준
도재영
류동길
류정은
류중석
류한승
류현석
목요상
문국현
문대탄
문동신
문현종
민승규
민영빈
박광태
박기봉
박남근
박노설
박동일
박래후
박민환
박병옥
박병진
박상옥
박상천
박성귀
박성수
박성환
박세일
박수현
박숙란
박순희
박양진
박영남
박영동
박영률
박영복
박영화
박완기
박용성
박월서
박은조
박인제
박재완
박재준
박재현
박정식
박종권
박종규
박종식
박주탁
박주현
박준우
박중원
박지원
박찬주
박창주
박헌권
박형호
배기선
배성수
배유현
백기영
백삼균
백수근
법등
변문수

변병설
변종경
서경석
서동부
서동우
서동해
서명수
서미성
서석구
서원석
서재현
서정민
서항룡
서희경
서희원
성기남
성기학
성낙운
소영일
손경한
손광운
손동현
손봉호
손영운
손장엽
송병호
송상섭
송월주
송인철
송재건
송진섭
송환기
신경화
신광철
신동윤
신봉희
신성복
신성식
신준수
신준식
신철영
신해진

신현호
심상필
심재우
심현천
안병영
안병헌
안상국
안상수
안상욱
안석교
안창호
양건
양금옥
양요한
양원진
양유석
양종수
여성운
여운
오병문
오상환
오세관
오세직
오영수
오인탁
오장수
오재길
왕 인
우상두
우성호
우주호
우지영
원경선
원궁재
원임진
원제무
원철희
위정희
위평량
유계상
유상부
유영경

유인애
유재현
유종근
유종성
유 철
유택희
유학상
윤건영
윤경로
윤경숙
윤석원
윤성모
윤소영
윤순철
윤영훈
윤원배
윤정문
윤준식
윤철한
이각모
이각범
이갑산
이강원
이계호
이관우
이규수
이근식
이기남
이기춘
이기홍
이대영
이도형
이동환
이만수
이만희
이문옥
이문원
이민규
이민원
이병선
이병순
이병인

이삼열
이상목
이상번
이상용
이상희
이석형
이선우
이설조
이성섭
이성욱
이성유
이세중
이 송
이수경
수경스님
이순례
이숭리
이승규
이영우
이영호
이영희
이용철
이원희
이윤갑
이윤구
이윤정
이은기
이의영
이인기
이인호
이장호
이재윤
이재준
이재찬
이재현
이정수
이정우
이정웅
이정자
이정화
이정환
이종균

이종민
이종수
이종수
이종웅
이종훈
이주상
이중완
이진성
이진수
이진순
이진아
이창수
이충렬
이현구
이현배
이형모
이혜숙
이혜영
이화수
이효수
이훈구
이희택
이희호
임건우
임길진
임동진
임소영
임영란
임영애
임은옥
임종관
임종인
임지순
임현진
장도송
장민석
장성기
장세헌
장신민
장 영
장영권
장원석

장은식
장인태
장지상
장철수
장홍석
전광희
전병화
전세호
전숙녀
전신용
전철환
전태수
전홍근
정광영
정련
정명채
정방우
정성철
정성혜
정시몬
정원철
정은주
정의종
정일수
정재근
정준희
정중재
정태명
정태원
정판진
정해봉
조경기
조광현
조기현
조남준
조대용
조동의
조무현
조미란
조병호
조세형
조승규

조영황
조우현
조유동
조재민
조천업
조현
조형
조희욱
주괄
주동수
주승용
주종환
지태홍
차광은
차미례
차승렬
최경호
최동진
최문석
최문철
최미순
최병기
최병선
최상환
최성재
최요한
최우영
최은숙
최의연
최재웅
최전수
최정우
최창환
최천수
최천식
최춘선
최혜수
최환영
추지석
하성규
하태구
한덕수

한병성
한상진
한상철
한상희
한세희
한재현
함시창
함영호
허경만
허동섭
허수경
허재호
홍갑표
홍사덕
홍세균
홍순후
홍용남
홍용찬
홍재남
홍재삼
황경식
황락규
황보윤식
황산성
황상근
황상모
황순택
황윤원
황이남
황인철
황충상
황희연

회 원

Laam Hae
LI JIAHUI
가상준
가순창
가의현

감동근
감신
강강호
강경덕
강경모
강경묘
강경선
강경수
강경식
강경욱
강경이
강경인
강경일
강경주
강경진
강경철
강경태
강경하
강경호
강경희
강계백
강관보
강 광
강광규
강구덕
강국신
강국희
강권희
강귀덕
강귀원
강규성
강규현
강규호
강금중
강기성
강기철
강기현
강기화
강길섭
강길웅
강길중
강낙원

강남구
강남길
강남석
강남수
강남연
강남욱
강남일
강내원
강 님
강다은
강대균
강대봉
강대성
강대수
강대영
강대옥
강대완
강대용
강대우
강대욱
강대운
강대익
강대준
강대치
강대한
강대헌
강덕순
강덕우
강덕중
강도묵
강돈희
강동구
강동석
강동수
강동완
강동우
강동원
강동윤
강동호
강동훈
강두수
강두현

강득수
강락선
강래호
강래훈
강마야
강만곤
강만길
강만성
강만승
강명구
강명근
강명모
강명선
강명성
강명수
강명은
강명임
강명자
강명천
강명철
강문구
강문국
강문선
강문수
강문호
강문희
강미경
강미라
강미란
강미성
강미순
강미심
강미정
강미화
강 민
강민구
강민석
강민수
강민숙
강민오
강민재
강민정

강민철
강백현
강벼
강병국
강병규
강병근
강병도
강병산
강병삼
강병석
강병용
강병재
강병조
강병주
강병찬
강병천
강병철
강병호
강병희
강보라
강보석
강보성
강복란
강봉석
강봉수
강삼균
강삼옥
강상곤
강상구
강상규
강상섭
강상식
강상욱
강상원
강상호
강서구
강 석
강석권
강석립
강석영
강석우

강석일
강석종
강석찬
강석철
강석태
강석형
강석훈
강선구
강선미
강선욱
강선정
강선중
강선호
강선희
강성곤
강성관
강성권
강성규
강성도
강성래
강성민
강성배
강성보
강성수
강성식
강성실
강성오
강성우
강성운
강성원
강성윤
강성일
강성종
강성주
강성중
강성진
강성창
강성채
강성철
강성태
강성호
강성후

강성훈
강성희
강세위
강송희
강수문
강수진
강수철
강수화
강수희
강순규
강순부
강순주
강순태
강승구
강승규
강승균
강승범
강승수
강승연
강승진
강승표
강승환
강시명
강시영
강식근
강신길
강신빈
강신석
강신순
강신영
강신우
강신욱
강신웅
강신원
강신익
강신재
강신직
강신현
강신화
강신희
강연구
강연성

강연임
강연태
강연화
강연환
강연희
강영건
강영국
강영권
강영규
강영기
강영만
강영미
강영부
강영순
강영식
강영실
강영애
강영웅
강영재
강영주
강영준
강영철
강영태
강영호
강영화
강영훈
강영희
강예닮
강예윤
강오일
강옥선
강옥엽
강옥영
강옥희
강왕근
강왕기
강요식
강용구
강용복
강용봉
강용수
강용원

강용훈
강우경
강우영
강원구
강원균
강원기
강원민
강원석
강원순
강원정
강원철
강원택
강원호
강유동
강유심
강유정
강유창
강 윤
강윤구
강윤숙
강윤실
강윤영
강윤욱
강윤필
강윤형
강은석
강은선
강은섭
강은숙
강은주
강은현
강은희
강응만
강의용
강인덕
강인선
강인수
강인식
강인영
강인용
강인중
강인창

강인형
강인호
강일영
강일우
강일형
강일환
강자영
강장봉
강재구
강재규
강재근
강재수
강재혁
강재현
강재호
강점문
강점숙
강정구
강정규
강정근
강정길
강정남
강정덕
강정미
강정석
강정성
강정숙
강정순
강정연
강정이
강정임
강정자
강정호
강정화
강정효
강정훈
강정휴
강정희
강제석
강종권
강종균
강종률

강종석
강종우
강종화
강주덕
강주례
강주천
강주하
강주현
강주호
강주환
강준구
강준기
강준모
강준혁
강준희
강중묵
강중환
강지명
강지민
강지영
강지용
강지원
강지은
강지헌
강지현
강지혜
강지화
강진구
강진규
강진성
강진수
강진숙
강진영
강진원
강진탁
강진형
강진호
강찬구
강찬규
강찬웅
강찬호
강창걸

강창구
강창규
강창균
강창수
강창식
강창영
강창원
강창조
강창환
강창회
강창훈
강 철
강철승
강철원
강철호
강철훈
강청길
강청룡
강태경
강태관
강태구
강태문
강태선
강태연
강태열
강태영
강태욱
강태운
강태윤
강태재
강태철
강태현
강태호
강태홍
강태훈
강태희
강평구
강평재
강필균
강필원
강필호
강학도

강학천
강한규
강한석
강한원
강해상
강해신
강행옥
강헌구
강혁
강현구
강현국
강현덕
강현민
강현수
강현신
강현정
강현주
강현호
강형민
강형선
강형숙
강혜경
강혜정
강호문
강호석
강호수
강호승
강호욱
강호윤
강홍구
강홍빈
강홍선
강홍일
강홍천
강화명
강화연
강환경
강효경
강훈열
강훈철
강희관
강희규

강희덕
강희두
강희범
강희석
강희선
강희수
강희원
강희정
강희진
경관수
경규성
경규현
경명자
경민수
경삼수
경상훈
경수근
경양옥
경인구
경준용
경창수
경희창
계기석
계기성
계 성
계충미
계훈찬
고강석
고강일
고 건
고건일
고경근
고경수
고경식
고경아
고경애
고경업
고경일
고경표
고경호
고계곤
고계성

고관
고광균
고광록
고광수
고광호
고광희
고권만
고근
고금순
고기준
고기창
고나현
고남용
고내수
고대업
고대우
고덕균
고덕봉
고덕영
고덕재
고덕희
고돈일
고동성
고동우
고동철
고동희
고만원
고말임
고맹효
고명석
고명식
고명한
고명희
고무영
고미나
고미라
고미선
고미순
고미자
고미정
고범석
고병기

고병식
고병억
고병진
고병현
고병호
고보경
고보선
고복순
고봉석
고봉수
고봉재
고봉철
고부규
고부섭
고상돈
고상붕
고상순
고상작
고석건
고석규
고석만
고석봉
고석원
고석주
고석진
고석철
고석태
고선애
고선영
고선창
고성관
고성민
고성보
고성봉
고성순
고성은
고성일
고성재
고성진
고성철
고성필
고성현

고성훈
고세규
고세일
고세창
고수남
고수련
고수미
고수영
고수일
고숙남
고순계
고순생
고순영
고순희
고승일
고승재
고승한
고승환
고애신
고연금
고연아
고영경
고영구
고영동
고영래
고영례
고영미
고영민
고영범
고영빈
고영삼
고영수
고영술
고영식
고영원
고영인
고영일
고영자
고영재
고영주
고영진

고영호	고재천	고행곤	공양석	곽민수	곽임근
고영회	고재흥	고행산	공영민	곽병미	곽재윤
고옥자	고정규	고헌주	공영선	곽병선	곽정동
고완철	고정녀	고현구	공영태	곽병수	곽정섭
고욥	고정민	고현국	공인숙	곽병용	곽정수
고용국	고정숙	고현동	공인주	곽병혁	곽정순
고용길	고정연	고현선	공재묵	곽보경	곽종권
고용석	고정윤	고현정	공재식	곽복남	곽종문
고용선	고정한	고현주	공정관	곽복률	곽종오
고용진	고정훈	고형남	공정옥	곽상순	곽종환
고유나	고정희	고형복	공정표	곽상원	곽주섭
고유미	고제권	고형석	공정희	곽상진	곽준석
고유석	고제열	고형선	공진권	곽상희	곽지웅
고유승	고종문	고형숙	공진섭	곽새별	곽진영
고유환	고주헌	고형일	공진하	곽석주	곽진주
고윤선	고준영	고혜란	공진희	곽선희	곽창규
고윤지	고지숙	고홍민	공창배	곽성규	곽창록
고은석	고진강	고홍진	공태영	곽성기	곽천수
고은옥	고진곤	고화석	공효식	곽성실	곽춘식
고은주	고진배	고화연	곽건영	곽수용	곽충삼
고은지	고진수	고황기	곽경배	곽수자	곽태암
고은진	고창배	고효종	곽경환	곽수현	곽태영
고은희	고창식	고훈석	곽규은	곽승호	곽판영
고인선	고창실	고희경	곽규칠	곽안나	곽현
고인수	고창완	고희석	곽기복	곽애림	곽현구
고인정	고창은	고희숙	곽기용	곽영교	곽현옥
고인홍	고창훈	고희은	곽기훈	곽영규	곽현철
고일두	고천명	공경율	곽나현	곽영기	곽형근
고일용	고천주	공규현	곽남준	곽영미	곽형식
고일현	고철수	공금영	곽남해	곽온	곽혜정
고장옥	고철주	공두상	곽남현	곽왕구	곽홍규
고재구	고청환	공명식	곽노성	곽용화	곽효상
고재석	고탁중	공명환	곽달순	곽원병	곽효석
고재성	고태규	공미선	곽덕신	곽원자	곽희남
고재영	고태선	공미애	곽덕환	곽윤경	곽희동
고재우	고태성	공민지	곽 도	곽윤열	곽희섭
고재욱	고태식	공병승	곽도훈	곽은진	구강운
고재원	고태영	공병욱	곽동주	곽의영	구건서
고재인	고태현	공병준	곽동철	곽이구	구경민
고재일	고평국	공상열	곽만순	곽인상	구경이
고재정	고평화	공성식	곽문호	곽인섭	구경혜
고재진	고해숙	공수현	곽미연	곽일환	구경희

구광범
구교인
구교준
구교현
구교형
구금숙
구길두
구남옥
구남혁
구남휘
구명예
구명종
구무섭
구미현
구민정
구민진
구범림
구법모
구병회
구본숙
구본순
구본영
구상회
구선서
구선정
구성찬
구성호
구수정
구수회
구숙경
구신회
구안서
구연기
구영수
구용현
구용회
구윤회
구은경
구은영
구인모
구인숙
구자근

구자길
구자돈
구자민
구자범
구자빈
구자상
구자안
구자윤
구자은
구자일
구자헌
구자형
구자홍
구자훈
구재록
구정모
구정수
구정하
구제길
구종권
구종근
구주영
구주형
구준모
구지은
구차환
구찬회
구창모
구창우
구창욱
구태서
구형모
구혜인
구효송
구희선
국방현
국승민
국승철
국정아
국중교
국중석
국형민

국희원
권 강
권경무
권경미
권경상
권경섭
권경숙
권경옥
권경자
권경향
권경희
권계영
권계옥
권광건
권광운
권광윤
권광일
권광택
권광호
권구일
권구혁
권구홍
권규향
권근영
권금례
권기대
권기돈
권기락
권기범
권기숙
권기승
권기억
권기운
권기웅
권기찬
권기창
권기철
권기혁
권기흡
권길성
권남구
권내경

권대규
권대용
권대우
권대현
권도엽
권도원
권도혁
권도형
권동섭
권동일
권동채
권동철
권동혁
권동현
권두성
권득용
권락순
권만열
권명보
권명섭
권명회
권미경
권미영
권미정
권민석
권민성
권민철
권민호
권범현
권변수
권병구
권병섭
권병창
권병철
권병훈
권보
권보현
권봉수
권봉철
권부창
권삼웅
권상근

권상도
권상동
권상안
권상주
권상철
권상헌
권석준
권선애
권선태
권성경
권성규
권성빈
권성순
권성안
권성원
권성윤
권성일
권성택
권성하
권세기
권소림
권소영
권수광
권수범
권수복
권수연
권수원
권순남
권순문
권순범
권순복
권순서
권순식
권순신
권순옥
권순용
권순웅
권순원
권순일
권순자
권순철
권순탁

권순태
권순택
권순필
권순형
권순호
권술용
권승렬
권승철
권안석
권영갑
권영국
권영기
권영도
권영두
권영미
권영배
권영복
권영봉
권영석
권영숙
권영순
권영애
권영욱
권영익
권영주
권영중
권영진
권영천
권영한
권영헌
권영화
권영훈
권영희
권오건
권오경
권오구
권오기
권오남
권오명
권오문
권오병

권오상
권오석
권오섭
권오성
권오수
권오숙
권오순
권오식
권오연
권오용
권오율
권오은
권오인
권오주
권오준
권오진
권오택
권오혁
권오현
권오훈
권외분
권용관
권용규
권용남
권용범
권용복
권용성
권용습
권용완
권용주
권용환
권용희
권우형
권욱
권욱한
권운희
권원용
권윤정
권윤집
권윤택
권윤혁
권윤희

권율학
권은경
권은남
권은선
권은심
권의경
권의구
권익환
권인식
권인용
권인철
권인홍
권일
권일민
권자영
권재구
권재국
권재영
권재천
권재현
권재형
권재희
권정
권정수
권정숙
권정아
권정윤
권정호
권정희
권 종
권종숙
권종식
권종천
권종현
권주리애
권준기
권준석
권준우
권준혁
권중길
권중배
권중성

권중화
권지설
권지영
권지오
권지현
권진구
권진수
권진숙
권진오
권진일
권진형
권찬
권창용
권창주
권창호
권철명
권철민
권청치
권충혁
권충화
권태규
권태근
권태선
권태섭
권태성
권태수
권태승
권태연
권태영
권태윤
권태일
권태진
권태하
권태호
권태환
권태희
권택중
권하영
권학태
권해문
권해수
권해숙

권해순
권해안
권향년
권헌구
권혁
권혁경
권혁근
권혁무
권혁민
권혁봉
권혁상
권혁석
권혁성
권혁왕
권혁운
권혁이
권혁일
권혁조
권혁종
권혁주
권혁준
권혁중
권혁진
권혁찬
권혁천
권혁철
권혁훈
권혁흥
권현덕
권현미
권현진
권형
권형윤
권형준
권혜영
권혜정
권호철
권호택
권후남
권휘동
권흥석
권희창

금경섭
금동섭
금명기
금명환
금병찬
금빛내렴
금성진
금영균
금창호
금청하
금홍섭
기경완
기경희
기동진
기보중
기봉서
기선학
기세룡
기영간
기영식
기우태
기은선
기일형
기정희
기창선
기창표
기태선
기호경
기희영
길광섭
길기관
길남섭
길래현
길병두
길성민
길용수
길우경
길윤기
길윤옥
길은애
길재호
길정숙

길종구
길종원
길태호
길호양
길화성
김가야
김가연
김가형
김간중
김갑동
김갑봉
김갑생
김갑수
김갑순
김갑열
김갑용
김갑중
김갑환
김강
김강문
김강민
김강산
김강석
김강식
김강일
김강준
김강태
김개순
김건규
김건도
김건수
김건식
김건영
김건우
김건일
김건진
김건희
김걸
김경건
김경낙
김경님
김경대

김경덕
김경도
김경동
김경락
김경록
김경률
김경림
김경만
김경모
김경목
김경미
김경민
김경배
김경범
김경복
김경생
김경석
김경섭
김경세
김경수
김경숙
김경순
김경식
김경아
김경애
김경언
김경열
김경엽
김경옥
김경완
김경용
김경욱
김경운
김경원
김경은
김경일
김경자
김경조
김경준
김경중
김경지
김경진

김경창
김경철
김경태
김경택
김경표
김경하
김경현
김경호
김경홍
김경화
김경환
김경회
김경훈
김경희
김계남
김계례
김계숙
김계승
김계옥
김계원
김계희
김관규
김관덕
김관섭
김관성
김관식
김관열
김관영
김관옥
김관용
김관호
김관희
김광겸
김광권
김광기
김광남
김광렬
김광록
김광만
김광모
김광배
김광범

김광병
김광복
김광서
김광석
김광선
김광섭
김광성
김광수
김광식
김광실
김광언
김광업
김광열
김광영
김광오
김광욱
김광윤
김광율
김광인
김광일
김광종
김광직
김광진
김광창
김광철
김광태
김광하
김광현
김광호
김광홍
김광화
김광회
김광훈
김광희
김교선
김교영
김교은
김교인
김교현
김교환
김구영
김구현

김국기
김국주
김국태
김국현
김국환
김군수
김군택
김 권
김권수
김권호
김귀동
김귀선
김귀성
김귀순
김귀영
김귀옥
김귀자
김귀태
김귀해
김귀호
김귀화
김규갑
김규광
김규동
김규미
김규민
김규범
김규선
김규설
김규수
김규식
김규영
김규원
김규학
김규현
김규화
김규활
김규흔
김균
김균률
김균배
김균수

김균식
김근복
김근상
김근성
김근수
김근식
김근영
김근준
김근중
김근철
김근초
김근하
김근해
김근호
김금녀
김금선
김금송
김금숙
김금순
김금연
김금옥
김금희
김긍열
김긍태
김기권
김기남
김기덕
김기량
김기령
김기만
김기배
김기범
김기보
김기봉
김기빈
김기상
김기석
김기선
김기섭
김기성
김기수
김기숙

김기순
김기승
김기연
김기열
김기영
김기오
김기완
김기우
김기욱
김기운
김기은
김기인
김기임
김기자
김기재
김기정
김기종
김기주
김기준
김기중
김기진
김기창
김기천
김기철
김기탁
김기태
김기학
김기한
김기현
김기형
김기호
김기홍
김기환
김기황
김기회
김기훈
김길년
김길락
김길생
김길섭
김길성

김길수
김길순
김길신
김길연
김길자
김길현
김길호
김길홍
김길후
김나
김나경
김나나
김나리
김나미
김나영
김나현
김나희
김낙관
김낙궁
김낙기
김낙동
김낙형
김남경
김남국
김남권
김남규
김남균
김남기
김남덕
김남돈
김남동
김남두
김남선
김남수
김남순
김남식
김남신
김남언
김남열
김남영
김남인
김남일
김남준
김남중
김남진
김남철
김남춘
김남혁
김남현
김남형
김남호
김남훈
김남희
김내현
김년수
김능현
김다솜
김달기
김달환
김대
김대건
김대곤
김대광
김대규
김대균
김대근
김대기
김대년
김대래
김대봉
김대상
김대석
김대선
김대성
김대수
김대식
김대연
김대영
김대오
김대옥
김대용
김대우
김대웅
김대원
김대윤
김대인
김대일
김대종
김대주
김대중
김대진
김대진
김대철
김대측
김대현
김대형
김대호
김대화
김대환
김대희
김 덕
김덕곤
김덕근
김덕기
김덕률
김덕수
김덕용
김덕운
김덕유
김덕은
김덕재
김덕종
김덕중
김덕현
김덕호
김덕홍
김덕환
김덕희
김도
김도경
김도균
김도남
김도삼
김도영
김도완
김도용
김도원
김도인
김도준
김도중
김도천
김도한
김도현
김도형
김도희
김돈기
김돈우
김동걸
김동곤
김동구
김동국
김동권
김동규
김동균
김동근
김동기
김동님
김동련
김동렬
김동록
김동명
김동목
김동범
김동별
김동석
김동선
김동섭
김동수
김동숙
김동순
김동승
김동식
김동안
김동암
김동억
김동언
김동연
김동영
김동옥
김동완
김동우
김동욱
김동운
김동원
김동율
김동익
김동인
김동일
김동전
김동조
김동주
김동준
김동진
김동진
김동찬
김동채
김동철
김동춘
김동태
김동한
김동헌
김동현
김동형
김동호
김동환
김동후
김동훈
김동흔
김동희
김두관
김두선
김두성
김두영
김두종
김두한
김두현
김두호
김두홍
김두환
김두희
김득기
김득란
김득수
김락기
김란희
김래관
김래은
김력균
김령대
김로본
김록호
김만곤
김만구
김만규
김만기
김만석
김만수
김만식
김만영
김만일
김만재
김만종
김만허
김만호
김만환
김말숙
김말순
김말자
김매련
김매향
김맹호
김면식
김면중
김명경
김명구
김명규
김명균
김명근
김명기
김명남
김명랑
김명련

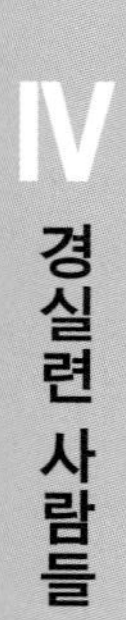

김명림
김명묵
김명민
김명배
김명범
김명사
김명석
김명선
김명섭
김명성
김명수
김명숙
김명순
김명술
김명식
김명신
김명애
김명연
김명열
김명옥
김명욱
김명원
김명임
김명자
김명제
김명주
김명준
김명중
김명진
김명찬
김명철
김명한
김명해
김명혜
김명호
김명화
김명환
김명희
김모드
김모은
김몽룡
김무근

김무룡
김무준
김무중
김무환
김문경
김문교
김문규
김문기
김문란
김문보
김문빈
김문석
김문섭
김문성
김문수
김문순
김문영
김문오
김문옥
김문원
김문재
김문종
김문한
김문환
김문희
김미경
김미나
김미남
김미녀
김미라
김미란
김미랑
김미령
김미선
김미소
김미수
김미숙
김미순
김미아
김미양
김미연
김미영

김미옥
김미자
김미정
김미주
김미진
김미향
김미현
김미혜
김미화
김미희
김 민
김민기
김민배
김민범
김민산
김민석
김민섭
김민성
김민수
김민숙
김민식
김민연
김민영
김민재
김민정
김민주
김민준
김민중
김민지
김민진
김민찬
김민철
김민혁
김민형
김민호
김민환
김민희
김방현
김백규
김백근
김백수
김백종

김백철
김범
김범기
김범수
김범용
김범조
김범준
김범중
김범진
김범철
김범현
김범훈
김법선
김법운
김병각
김병곤
김병구
김병국
김병권
김병규
김병기
김병남
김병내
김병년
김병노
김병래
김병만
김병목
김병문
김병민
김병복
김병석
김병선
김병섭
김병성
김병수
김병숙
김병순
김병양
김병연
김병열
김병옥

김병완
김병용
김병우
김병욱
김병의
김병익
김병일
김병장
김병재
김병조
김병주
김병준
김병직
김병진
김병찬
김병철
김병철
김병포
김병하
김병학
김병헌
김병현
김병호
김병홍
김병환
김병회
김병효
김병훈
김병휘
김보경
김보금
김보라미
김보람
김보성
김보엘
김보준
김보현
김복녀
김복분
김복석
김복수
김복순

김복실
김복연
김복자
김복준
김복찬
김복환
김복희
김봉곤
김봉교
김봉구
김봉국
김봉규
김봉균
김봉덕
김봉래
김봉미
김봉석
김봉섭
김봉수
김봉식
김봉일
김봉조
김봉주
김봉준
김봉진
김봉철
김봉표
김봉현
김봉호
김봉화
김봉훈
김봉희
김부경
김부근
김부민
김부봉
김부석
김부식
김부영
김부찬

김북철
김분란
김분이
김분자
김 비
김사겸
김사길
김사연
김사훈
김 삼
김삼덕
김삼문
김삼석
김삼수
김삼엽
김삼용
김삼칠
김삼현
김삼호
김삼화
김삼회
김상겸
김상곤
김상관
김상구
김상국
김상권
김상규
김상균
김상근
김상기
김상길
김상덕
김상도
김상돈
김상동
김상두
김상래
김상례
김상룡
김상무
김상묵

김상미
김상민
김상배
김상백
김상범
김상병
김상분
김상석
김상섭
김상수
김상식
김상실
김상열
김상영
김상오
김상옥
김상용
김상우
김상욱
김상운
김상웅
김상원
김상윤
김상을
김상일
김상정
김상준
김상중
김상진
김상천
김상철
김상태
김상택
김상하
김상헌
김상혁
김상현
김상형
김상호
김상환
김상회
김상훈

김상희
김새별
김생수
김서연
김서영
김서진
김서현
김서희
김 석
김석구
김석규
김석근
김석기
김석동
김석래
김석만
김석배
김석범
김석봉
김석부
김석용
김석웅
김석원
김석재
김석정
김석준
김석중
김석진
김석창
김석채
김석철
김석태
김석헌
김석호
김석환
김석흠
김선경
김선곤
김선구
김선규
김선기
김선녀

김선년
김선례
김선명
김선미
김선민
김선배
김선봉
김선숙
김선실
김선심
김선아
김선연
김선영
김선완
김선우
김선욱
김선이
김선일
김선자
김선정
김선주
김선직
김선진
김선철
김선태
김선필
김선혁
김선호
김선홍
김선화
김선희
김 설
김성개
김성경
김성곤
김성국
김성권
김성규
김성균
김성근
김성금
김성길

김성남
김성대
김성덕
김성돈
김성동
김성두
김성득
김성란
김성래
김성록
김성룡
김성림
김성만
김성모
김성미
김성민
김성보
김성봉
김성부
김성상
김성석
김성수
김성숙
김성순
김성식
김성실
김성애
김성연
김성열
김성영
김성옥
김성완
김성용
김성우
김성욱
김성웅
김성원
김성윤
김성율
김성은
김성은
김성응

김성인
김성일
김성자
김성재
김성제
김성종
김성주
김성준
김성중
김성진
김성찬
김성천
김성철
김성춘
김성칠
김성태
김성택
김성특
김성표
김성필
김성하
김성학
김성한
김성헌
김성현
김성형
김성호
김성화
김성환
김성회
김성훈
김성희
김세검
김세곤
김세동
김세린
김세만
김세명
김세미
김세민
김세열
김세엽

김세영
김세운
김세웅
김세원
김세윤
김세정
김세준
김세중
김세진
김세태
김세한
김세현
김세형
김세호
김세화
김세훈
김세희
김셩민
김소당
김소라
김소림
김소미
김소연
김소윤
김소정
김소진
김소희
김송미
김송식
김송원
김송일
김송철
김송희
김수겸
김수경
김수광
김수근
김수기
김수남
김수도
김수동
김수만

김수미
김수민
김수병
김수빈
김수성
김수아
김수연
김수열
김수엽
김수영
김수용
김수원
김수은
김수인
김수자
김수정
김수지
김수진
김수철
김수태
김수학
김수한
김수혁
김수현
김수형
김수호
김수홍
김수환
김수희
김숙경
김숙자
김숙정
김숙현
김숙희
김순관
김순구
김순권
김순규
김순기
김순남
김순덕
김순득

김순래
김순례
김순복
김순봉
김순섭
김순아
김순애
김순업
김순엽
김순영
김순옥
김순은
김순이
김순임
김순자
김순재
김순종
김순주
김순천
김순철
김순향
김순호
김순화
김순환
김순희
김숭환
김슬기
김승겸
김승권
김승규
김승기
김승길
김승남
김승련
김승모
김승문
김승미
김승민
김승배
김승범
김승보
김승복

김승수
김승숙
김승식
김승열
김승옥
김승완
김승우
김승욱
김승웅
김승원
김승일
김승재
김승주
김승준
김승진
김승찬
김승철
김승태
김승필
김승하
김승한
김승현
김승형
김승호
김승환
김승효
김승훈
김승희
김시약
김시연
김시영
김시운
김시원
김시철
김시춘
김시헌
김시현
김시형
김시황
김 신
김신규
김신성

김신순
김신영
김신옥
김신일
김신택
김신호
김신희
김쌍우
김아영
김아현
김안나
김안두
김안범
김안식
김안용
김안준
김애경
김애란
김애령
김애영
김애자
김양곤
김양규
김양기
김양두
김양보
김양선
김양수
김양숙
김양순
김양식
김양자
김양지
김양진
김양호
김여진
김 연
김연고
김연규
김연금
김연기
김연미

김연상
김연수
김연숙
김연순
김연승
김연식
김연아
김연옥
김연우
김연욱
김연일
김연자
김연재
김연주
김연중
김연택
김연형
김연호
김연환
김연희
김염수
김 영
김영건
김영걸
김영경
김영곤
김영관
김영구
김영국
김영권
김영규
김영균
김영근
김영기
김영길
김영남
김영단
김영대
김영덕
김영도
김영동

김영두
김영락
김영란
김영래
김영로
김영록
김영림
김영만
김영모
김영무
김영묵
김영문
김영미
김영민
김영배
김영범
김영복
김영봉
김영삼
김영석
김영선
김영섭
김영세
김영수
김영숙
김영순
김영식
김영신
김영실
김영아
김영애
김영오
김영옥
김영우
김영욱
김영은
김영이
김영익
김영인
김영일
김영자
김영재
김영종
김영주
김영준
김영중
김영지
김영진
김영집
김영찬
김영채
김영천
김영철
김영추
김영춘
김영출
김영태
김영택
김영표
김영필
김영하
김영학
김영현
김영혜
김영호
김영화
김영환
김영회
김영훈
김영희
김예경
김예론
김예린
김예성
김예승
김예식
김예영
김예원
김예은
김예자
김예진
김오건
김오녕
김오성
김오열
김오태
김오현
김 옥
김옥경
김옥광
김옥기
김옥덕
김옥래
김옥분
김옥빈
김옥산
김옥선
김옥수
김옥숙
김옥순
김옥우
김옥자
김옥정
김옥태
김옥현
김옥희
김완구
김완규
김완동
김완래
김완배
김완우
김완욱
김완일
김완주
김완호
김완희
김왕곤
김왕수
김왕식
김왕의
김외식
김외자
김요나단
김요한
김 용
김용건
김용곤
김용관
김용교
김용구
김용국
김용권
김용규
김용기
김용길
김용남
김용대
김용덕
김용두
김용득
김용란
김용래
김용로
김용모
김용미
김용민
김용범
김용보
김용복
김용분
김용상
김용상
김용석
김용선
김용섭
김용성
김용수
김용숙
김용순
김용술
김용승
김용식
김용애
김용옥
김용운
김용원
김용일
김용자
김용재
김용주
김용준
김용직
김용진
김용찬
김용철
김용칠
김용태
김용택
김용필
김용하
김용학
김용한
김용현
김용호
김용화
김용환
김용훈
김용휘
김우경
김우남
김우비
김우빈
김우석
김우영
김우익
김우정
김우준
김우진
김우철
김 욱
김욱용
김욱점
김욱중
김운경
김운기
김운동
김운섭
김운용
김운태
김 웅
김웅규
김웅배
김웅식
김웅일
김웅제
김원경
김원구
김원규
김원균
김원근
김원기
김원길
김원년
김원대
김원동
김원락
김원민
김원배
김원삼
김원석
김원선
김원수
김원숙
김원식
김원용
김원익
김원일
김원재
김원준
김원중
김원철
김원태
김원하
김원화
김원희
김위상
김 유
김유경
김유길
김유남
김유래

김유룡
김유리
김유미
김유석
김유성
김유승
김유식
김유신
김유영
김유정
김유진
김유찬
김유천
김유철
김유학
김유현
김유호
김육봉
김 윤
김윤경
김윤권
김윤근
김윤기
김윤두
김윤모
김윤배
김윤석
김윤선
김윤섭
김윤수
김윤식
김윤아
김윤애
김윤영
김윤옥
김윤자
김윤재
김윤정
김윤중
김윤지
김윤철
김윤태

김윤하
김윤호
김윤희
김융
김은경
김은미
김은배
김은상
김은서
김은섭
김은성
김은수
김은숙
김은순
김은아
김은영
김은옥
김은용
김은유
김은이
김은임
김은자
김은재
김은정
김은종
김은주
김은중
김은진
김은태
김은하
김은현
김은호
김은화
김은환
김은효
김은희
김을수
김을윤
김을지
김응란
김응례
김응배

김응일
김응종
김응철
김응태
김응하
김응환
김의남
김의도
김의명
김의민
김의복
김의선
김의섭
김의수
김의식
김의아
김의연
김의영
김의용
김의자
김의환
김이강
김이선
김이태
김이현
김익기
김익남
김익수
김익식
김익진
김익찬
김익태
김익현
김익환
김익희
김인곤
김인규
김인기
김인득
김인만
김인배
김인범

김인봉
김인석
김인선
김인섭
김인성
김인수
김인숙
김인순
김인영
김인오
김인옥
김인욱
김인원
김인윤
김인자
김인종
김인천
김인철
김인태
김인한
김인환
김인효
김일
김일경
김일곤
김일구
김일기
김일동
김일룡
김일복
김일부
김일섭
김일수
김일술
김일식
김일연
김일영
김일우
김일종
김일중
김일태
김일한

김일호
김일환
김임옥
김임형
김자애
김자영
김잠이
김장근
김장기
김장렬
김장섭
김장업
김장영
김장일
김장준
김장철
김장현
김장환
김재강
김재경
김재곤
김재관
김재구
김재군
김재기
김재길
김재남
김재득
김재령
김재룡
김재린
김재만
김재명
김재목
김재문
김재민
김재범
김재복
김재봉
김재부
김재붕
김재석

김재선
김재섭
김재성
김재수
김재숙
김재순
김재식
김재실
김재업
김재연
김재열
김재엽
김재영
김재오
김재옥
김재완
김재왕
김재용
김재욱
김재운
김재웅
김재원
김재육
김재윤
김재익
김재일
김재임
김재정
김재종
김재준
김재중
김재진
김재찬
김재천
김재철
김재춘
김재하
김재학
김재항
김재헌
김재혁

김재현
김재형
김재호
김재홍
김재화
김재환
김재후
김재훈
김재흥
김전국
김전승
김전이
김전임
김점수
김점유
김점이
김점자
김 정
김정각
김정관
김정국
김정권
김정규
김정균
김정근
김정기
김정길
김정남
김정단
김정대
김정돈
김정란
김정량
김정렬
김정만
김정문
김정미
김정민
김정범
김정복
김정봉
김정분
김정석
김정선
김정설
김정섭
김정수
김정숙
김정순
김정승
김정식
김정신
김정실
김정아
김정애
김정업
김정연
김정열
김정영
김정오
김정옥
김정완
김정용
김정우
김정욱
김정웅
김정원
김정윤
김정은
김정이
김정인
김정일
김정임
김정자
김정제
김정주
김정준
김정중
김정진
김정천
김정철
김정초
김정춘
김정태
김정택
김정하
김정학
김정한
김정해
김정현
김정호
김정화
김정환
김정회
김정효
김정훈
김정희
김제동
김제봉
김제선
김제영
김제원
김제창
김제천
김제현
김제후
김조영
김종각
김종건
김종경
김종곤
김종관
김종광
김종구
김종국
김종규
김종균
김종근
김종기
김종길
김종남
김종담
김종덕
김종도
김종득
김종래
김종렬
김종록
김종률
김종만
김종목
김종문
김종민
김종배
김종백
김종범
김종복
김종삼
김종상
김종석
김종선
김종섭
김종성
김종소
김종수
김종숙
김종순
김종술
김종식
김종신
김종실
김종악
김종안
김종언
김종열
김종영
김종오
김종옥
김종완
김종용
김종우
김종욱
김종운
김종웅
김종원
김종윤
김종율
김종익
김종인
김종일
김종임
김종재
김종준
김종진
김종찬
김종천
김종철
김종춘
김종칠
김종태
김종택
김종하
김종학
김종한
김종헌
김종혁
김종현
김종형
김종혜
김종호
김종화
김종환
김종훈
김좌관
김좌남
김주권
김주규
김주남
김주란
김주묵
김주복
김주봉
김주생
김주석
김주성
김주순
김주승
김주신
김주엽
김주영
김주오
김주용
김주원
김주일
김주종
김주철
김주표
김주한
김주현
김주형
김주호
김주홍
김주화
김주환
김주희
김 준
김준경
김준기
김준년
김준배
김준봉
김준상
김준석
김준선
김준섭
김준성
김준수
김준순
김준식
김준안
김준언
김준연
김준영
김준우
김준원
김준임
김준제
김준철
김준태
김준한
김준혁
김준현

김준형
김준호
김준홍
김준환
김준희
김중기
김중남
김중돈
김중렬
김중성
김중신
김중옥
김중용
김중원
김중진
김중태
김중행
김중호
김지경
김지권
김지나
김지만
김지선
김지수
김지숙
김지순
김지연
김지열
김지엽
김지영
김지용
김지욱
김지원
김지윤
김지은
김지응
김지의
김지인
김지현
김지형
김지혜
김지호
김지환
김지훈
김직란
김진
김진경
김진곤
김진관
김진구
김진국
김진규
김진기
김진길
김진담
김진덕
김진두
김진만
김진명
김진목
김진묵
김진미
김진배
김진복
김진봉
김진상
김진석
김진선
김진섭
김진성
김진수
김진숙
김진순
김진식
김진심
김진아
김진억
김진연
김진영
김진옥
김진완
김진용
김진우
김진욱
김진웅
김진이
김진일
김진주
김진준
김진중
김진찬
김진창
김진천
김진철
김진춘
김진태
김진평
김진표
김진필
김진하
김진학
김진한
김진현
김진형
김진호
김진홍
김진화
김진환
김진회
김진효
김진흥
김진희
김집중
김차근
김차중
김차환
김 찬
김찬경
김찬구
김찬기
김찬동
김찬득
김찬미
김찬석
김찬성
김찬수
김찬숙
김찬영
김찬중
김찬형
김찬호
김찰영
김창고
김창규
김창균
김창근
김창기
김창남
김창덕
김창래
김창모
김창문
김창미
김창범
김창석
김창선
김창섭
김창세
김창수
김창숙
김창순
김창술
김창식
김창연
김창열
김창영
김창완
김창우
김창원
김창일
김창재
김창주
김창준
김창진
김창집
김창하
김창학
김창한
김창현
김창호
김창희
김채균
김채수
김채월
김채윤
김 천
김천광
김천권
김천규
김천성
김천수
김천식
김천옥
김천일
김천종
김천주
김천화
김 철
김철갑
김철경
김철관
김철광
김철규
김철기
김철년
김철도
김철문
김철미
김철민
김철수
김철승
김철언
김철연
김철우
김철웅
김철원
김철주
김철진
김철현
김철호
김철홍
김철환
김철훈
김철희
김청극
김청집
김청하
김초환
김춘근
김춘기
김춘길
김춘덕
김춘만
김춘삼
김춘섭
김춘식
김춘열
김춘옥
김춘일
김춘자
김춘진
김춘호
김춘희
김충곤
김충관
김충구
김충규
김충남
김충렬
김충로
김충식
김충신
김충환
김충효
김치수
김치열
김칠성
김칠수
김칠영
김칭우
김쾌환

김타균
김탄일
김태걸
김태경
김태계
김태광
김태구
김태규
김태균
김태근
김태령
김태룡
김태만
김태명
김태복
김태봉
김태석
김태선
김태섭
김태성
김태수
김태승
김태식
김태연
김태열
김태영
김태옥
김태완
김태용
김태우
김태욱
김태운
김태웅
김태원
김태유
김태윤
김태인
김태일
김태준
김태중
김태진
김태평
김태학
김태헌
김태현
김태형
김태호
김태호
김태환
김태효
김태훈
김태희
김 택
김택모
김택성
김택술
김택열
김택진
김택한
김판권
김판규
김판길
김판열
김판용
김판조
김판중
김판희
김평기
김평안
김평진
김평호
김평환
김표식
김풍곤
김필관
김필래
김필성
김필제
김필조
김필중
김하곤
김하나
김하성
김하양
김하영
김하운
김하현
김학경
김학구
김학군
김학균
김학근
김학남
김학래
김학렬
김학모
김학무
김학민
김학봉
김학서
김학선
김학성
김학소
김학송
김학수
김학숙
김학술
김학승
김학신
김학실
김학용
김학윤
김학일
김학재
김학준
김학중
김학진
김학철
김학태
김학현
김학훈
김한경
김한근
김한기
김한나
김한민
김한석
김한슬
김한식
김한신
김한엽
김한영
김한용
김한일
김한정
김한주
김한준
김한중
김한진
김한태
김한택
김한표
김항석
김항성
김해경
김해권
김해덕
김해룡
김해만
김해몽
김해미
김해성
김해수
김해숙
김해심
김해연
김해영
김해정
김해진
김해창
김해철
김햇님
김행선
김행조
김행철
김향남
김향미
김향숙
김향옥
김향우
김향자
김향희
김헌
김헌동
김헌동
김헌무
김헌석
김 혁
김혁동
김혁수
김혁호
김 현
김현광
김현구
김현권
김현규
김현근
김현기
김현남
김현덕
김현동
김현모
김현미
김현민
김현봉
김현삼
김현상
김현석
김현선
김현섭
김현성
김현수
김현숙
김현순
김현식
김현아
김현영
김현옥
김현우
김현욱
김현익
김현자
김현재
김현정
김현조
김현주
김현중
김현진
김현채
김현천
김현철
김현태
김현택
김현하
김현호
김현희
김형걸
김형경
김형곤
김형관
김형국
김형권
김형규
김형균
김형근
김형기
김형남
김형득
김형래
김형만
김형민
김형보
김형상
김형석
김형선
김형섭
김형수
김형숙
김형식
김형옥
김형우
김형욱

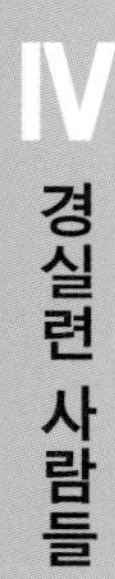

김형원
김형자
김형조
김형준
김형중
김형진
김형창
김형천
김형철
김형탁
김형태
김형표
김형호
김형환
김혜경
김혜련
김혜림
김혜민
김혜선
김혜숙
김혜순
김혜신
김혜연
김혜영
김혜옥
김혜은
김혜정
김혜진
김혜천
김혜초
김혜형
김 호
김호경
김호균
김호기
김호남
김호동
김호득
김호민
김호범
김호선
김호섭

김호성
김호수
김호숙
김호식
김호연
김호열
김호영
김호일
김호정
김호준
김호철
김호탁
김호현
김 홍
김홍갑
김홍건
김홍경
김홍관
김홍구
김홍국
김홍권
김홍규
김홍기
김홍돈
김홍목
김홍묵
김홍배
김홍석
김홍섭
김홍성
김홍수
김홍숙
김홍순
김홍식
김홍업
김홍연
김홍완
김홍원
김홍재
김홍전
김홍준
김홍중

김홍진
김홍철
김홍태
김홍환
김홍휘
김화겸
김화궁
김화수
김화연
김화중
김화춘
김화택
김화형
김환국
김환규
김환빈
김환섭
김환식
김환준
김황건
김황래
김황룡
김황식
김황현
김회웅
김회중
김효근
김효남
김효부
김효선
김효섭
김효성
김효숙
김효실
김효열
김효엽
김효영
김효원
김효일
김효정
김효중
김효진

김후남
김후련
김후섭
김후송
김후승
김 훈
김훈채
김훈태
김휘연
김휘용
김휴진
김휴환
김흥국
김흥기
김흥년
김흥배
김흥수
김흥식
김흥일
김흥주
김희경
김희곤
김희관
김희규
김희근
김희남
김희년
김희대
김희덕
김희라
김희란
김희만
김희모
김희민
김희석
김희선
김희성
김희수
김희숙
김희식
김희연
김희엽

김희영
김희정
김희제
김희주
김희준
김희중
김희진
김희철
김희칠
김희헌
김희환
나경열
나경준
나권일
나기백
나기석
나기열
나기천
나남열
나동만
나동민
나동현
나명란
나명희
나문영
나미영
나미혜
나민수
나민찬
나병선
나병월
나병철
나병현
나상민
나상일
나상철
나성균
나성린
나성영
나성환
나세호
나수용

나순팔
나승수
나승원
나승일
나승춘
나승훈
나아란
나양임
나양주
나영각
나영구
나영란
나영미
나영우
나영자
나영진
나영희
나완수
나용철
나윤미
나윤환
나윤희
나인수
나일주
나정균
나정숙
나제선
나종팔
나종훈
나준희
나중헌
나지애
나지향
나진석
나창수
나채경
나춘균
나태균
나태성
나태현

나판수
나형선
나형숙
나혜균
나혜윤
나혜진
나효훈
나흥덕
남강우
남경래
남경수
남경숙
남경우
남경윤
남경태
남경필
남궁기순
남궁빈
남궁운
남궁탁
남권우
남기상
남기석
남기순
남기양
남기용
남기우
남기욱
남기원
남기진
남기찬
남기창
남기철
남기태
남기표
남기학
남기헌
남기후
남대업
남대우
남대진
남덕현

남덕희
남동강
남동일
남동헌
남득현
남명숙
남명자
남명희
남문일
남민화
남병우
남병탁
남병헌
남봉현
남 불
남삼현
남상경
남상구
남상권
남상규
남상길
남상덕
남상우
남상욱
남상준
남상진
남상호
남새인
남석준
남선식
남선우
남성옥
남성우
남성욱
남성환
남세종
남세진
남수진
남수희
남승대
남승용
남승하

남시호
남아름
남양숙
남연심
남영석
남영우
남영진
남영현
남오철
남용대
남운환
남원식
남원표
남원호
남윤빈
남윤영
남윤진
남윤화
남은숙
남익선
남인순
남인주
남인철
남일
남일현
남재걸
남재욱
남정국
남정군
남정애
남정임
남정필
남종순
남종희
남준
남지승
남지영
남지훈
남진
남진원
남창섭
남창수

남창우
남창욱
남창익
남창현
남천우
남철수
남태우
남태현
남택진
남평오
남해덕
남해안
남현우
남현주
남형우
남혜경
남혜리
남호원
남호진
남호현
남화선
남효석
남흥우
남희정
네모토 마사쯔구
노건형
노경관
노경래
노경범
노경수
노경숙
노경욱
노경윤
노경임
노경조
노경주
노경택
노관숙
노광수
노광진
노광해
노국진

노국환
노귀남
노규성
노근호
노금희
노낙현
노남수
노덕우
노동근
노동식
노동환
노두승
노만균
노명수
노명준
노민호
노법영
노병곤
노병문
노병성
노병일
노봉호
노상국
노상래
노상열
노상엽
노상진
노상채
노상헌
노상훈
노서진
노석현
노선일
노선희
노설기
노성관
노성창
노소례
노수한
노순식
노승관
노승돈

노승복
노승조
노승환
노신복
노연경
노연상
노영돈
노영록
노영민
노영성
노영수
노영애
노영우
노영욱
노영필
노영희
노옥현
노외근
노용래
노용주
노우석
노우성
노우철
노우호
노웅래
노원경
노원섭
노월순
노윤경
노은경
노은영
노은혁
노은희
노익환
노인수
노일용
노장환
노재구
노재남
노재덕
노재량
노재범

노재분
노재옥
노재원
노재천
노재하
노재화
노재환
노재훈
노정호
노정화
노정희
노종용
노종우
노종혁
노지원
노진국
노진주
노진표
노진호
노진희
노창수
노창숙
노창현
노철호
노치우
노태균
노태우
노태훈
노필순
노필영
노필원
노해규
노해룡
노현석
노형규
노형근
노형복
노혜숙
노혜진
노효길
노희옥
노희정

노희준
노희철
단호섭
당명숙
덕암
도갑선
도건우
도경민
도규희
도기성
도남선
도대환
도명신
도문길
도봉희
도상록
도상욱
도선붕
도세영
도승기
도영환
도원중
도인호
도재영
도종환
도지성
도진욱
도진호
도한영
도현순
도형수
도호기
도회근
동병희
동영수
두병운
라갑주
라병희
라영재
라영찬
라용일
라윤애

라윤흠
라제민
라종근
라주애
라형연
류강렬
류경수
류경순
류경희
류고윤
류광열
류광태
류국현
류권홍
류규식
류규하
류근모
류근윤
류근필
류근화
류금렬
류기덕
류기완
류기홍
류길수
류길재
류내순
류내하
류대현
류덕환
류도암
류동훈
류동휘
류만형
류명현
류명훈
류명희
류문식
류미리
류미숙
류병균
류병선

류병희
류복석
류봉열
류봉현
류봉호
류석렬
류석환
류성돈
류성룡
류성민
류수연
류수열
류수현
류숙경
류승권
류승민
류승범
류승수
류승열
류승옥
류승찬
류시건
류시근
류시문
류시웅
류양석
류연욱
류연희
류영곤
류영국
류영수
류영숙
류영신
류영철
류옥란
류용걸
류용규
류우열
류원우
류원형
류위훈
류윤세

류은영
류이중
류인근
류인평
류인학
류일형
류임상
류재득
류재문
류재순
류재욱
류재중
류재학
류재형
류재호
류정민
류정현
류정호
류정희
류제원
류제홍
류제환
류종관
류종길
류종성
류종회
류중렬
류중석
류지남
류지봉
류지성
류지헌
류지황
류진하
류진호
류진희
류찬걸
류찬무
류창기
류창열
류창우
류충남

류충렬
류충성
류탁렬
류토형
류학곤
류학천
류한나
류한범
류한원
류한호
류해식
류현경
류현숙
류현정
류형욱
류형주
류형춘
류호신
류호웅
류홍번
류화근
류황건
류희복
리영희
리항우
마경화
마대현
마리아
마미영
마상준
마상호
마석홍
마선희
마세진
마순영
마신혁
마아인
마애진
마양호
마영철

마용석
마용철
마일남
마재광
마재명
마재필
마종욱
마창수
마창일
마춘희
마태근
마효술
만성웅
맹경숙
맹경제
맹광영
맹국재
맹상현
맹석주
맹성렬
맹일영
맹정임
맹주철
맹창호
맹하영
맹현숙
명경식
명광연
명근홍
명노민
명노주
명선목
명승영
명영호
명 옥
명원석
명을식
명정희
명주영
명진아
명창준
명홍진

명희수
모경순
모미정
모삼선
모상근
모선화
모성은
모영환
모완종
모지환
모청용
모현숙
목금철
목동훈
목영주
목인순
목정훈
목진호
목현실
문가야
문갑형
문강섭
문건식
문경식
문경열
문경옥
문경우
문경재
문경춘
문경혜
문경환
문경훈
문관호
문광기
문광래
문광승
문귀일
문규성
문규환
문금순
문금희
문기동

문기영
문기지
문길현
문대골
문덕술
문동구
문동현
문란
문만식
문명순
문명심
문명완
문명재
문명화
문명희
문문옥
문미란
문미미
문미영
문미자
문미희
문민규
문민수
문민정
문버들
문병관
문병규
문병기
문병남
문병돈
문병란
문병무
문병삼
문병수
문병은
문병익
문병준
문보나
문봉철
문봉호
문상균
문상돈

문상모
문상범
문상봉
문상식
문상엽
문상준
문상철
문상필
문상희
문서현
문석기
문석보
문석웅
문석진
문석홍
문선교
문선미
문선영
문선재
문성대
문성병
문성수
문성오
문성익
문성현
문성환
문세영
문세희
문소상
문수헌
문순심
문순옥
문승국
문승욱
문승현
문양고
문연래
문연숙
문연철
문영기
문영덕
문영민

문영복
문영빈
문영성
문영세
문영수
문영식
문영실
문영준
문영철
문영환
문예심
문옥희
문용국
문용린
문용옥
문용주
문용희
문 웅
문윤순
문은경
문은정
문 인
문인규
문인섭
문인수
문인숙
문인철
문일권
문일범
문장협
문재천
문재철
문재학
문정균
문정란
문정수
문정식
문정열
문정원
문정찬
문제용
문제행

문종국
문종극
문종오
문종원
문종철
문종화
문종환
문주리
문주원
문준석
문준용
문준호
문지선
문지연
문지원
문지회
문직호
문진섭
문진숙
문차호
문찬익
문창룡
문창부
문창성
문창업
문창호
문천만
문철
문철봉
문태범
문태성
문태식
문태현
문택곤
문평일
문행규
문현국
문현미
문현수
문현정
문현태
문형남

문혜령
문혜옥
문 호
문호길
문호준
문홍민
문홍윤
문환규
문효상
문희
문희경
문희숙
문희정
문희창
민경국
민경남
민경록
민경민
민경삼
민경석
민경선
민경수
민경억
민경자
민경준
민경춘
민경호
민경환
민관식
민광기
민광남
민광석
민근홍
민나영
민남미
민남순
민노씨
민덕기
민덕주
민동국
민동식
민문식

민범기
민법현
민병관
민병권
민병우
민병욱
민병윤
민병준
민병채
민병한
민상숙
민석원
민선식
민선옥
민선정
민선희
민성기
민성준
민성환
민소영
민수영
민승기
민승례
민승현
민언련
민영란
민영창
민예슬
민옥순
민우기
민윤자
민응기
민인홍
민재기
민정윤
민제홍
민종규
민준식
민준형
민중기
민지연
민지훈

민진섭
민진영
민찬식
민찬홍
민찬흥
민창남
민창필
민창현
민철기
민청식
민충식
민태식
민태운
민한기
민현선
민현숙
민현정
민호성
민홍기
민화식
민희숙
박갑석
박갑제
박강두
박강욱
박강일
박강호
박건대
박건섭
박건영
박건용
박경규
박경난
박경도
박경란
박경룡
박경미
박경복
박경부
박경삼
박경서
박경석

박경수
박경숙
박경순
박경실
박경심
박경아
박경애
박경오
박경옥
박경용
박경우
박경욱
박경원
박경은
박경이
박경자
박경재
박경종
박경주
박경준
박경채
박경철
박경태
박경호
박경화
박경효
박경희
박계량
박계원
박계화
박공규
박공삼
박공주
박공진
박관복
박관수
박관식
박관영
박관용
박관우
박관주
박광국

박광근
박광렬
박광민
박광배
박광범
박광복
박광서
박광수
박광열
박광영
박광옥
박광원
박광인
박광준
박광진
박광태
박광헌
박광호
박광희
박교영
박구병
박구서
박구원
박구정
박구진
박구현
박국순
박국인
박국현
박권중
박귀덕
박귀례
박귀룡
박귀문
박귀현
박귀희
박규돈
박규리
박규만
박규선
박규용
박규한

박규현
박균성
박균태
박근갑
박근배
박근빈
박근성
박근수
박근식
박근영
박근용
박근철
박근태
박근호
박금동
박금순
박금열
박금자
박금해
박기관
박기남
박기두
박기만
박기묵
박기배
박기번
박기서
박기석
박기수
박기연
박기영
박기옥
박기용
박기웅
박기원
박기은
박기주
박기준
박기창
박기철

박기학
박기현
박기환
박기훈
박길상
박길수
박길용
박길호
박나연
박나영
박남귀
박남규
박남근
박남성
박남수
박남순
박남용
박남주
박남희
박내규
박노건
박노란
박노복
박노수
박노영
박노일
박노진
박노현
박노훈
박능순
박다예
박다진
박달재
박달혁
박달현
박대경
박대근
박대기
박대녕
박대수
박대순
박대연

박대영
박대준
박대진
박대형
박덕규
박덕균
박덕근
박덕기
박덕숙
박덕순
박덕열
박덕영
박덕원
박덕희
박도범
박도선
박도수
박도영
박도현
박동구
박동규
박동균
박동근
박동길
박동남
박동렬
박동범
박동빈
박동삼
박동석
박동선
박동섭
박동수
박동신
박동엽
박동완
박동용
박동운
박동원
박동윤
박동일
박동주

박동진
박동철
박동하
박동현
박동호
박동환
박동희
박두석
박두순
박두영
박두인
박두찬
박두춘
박두호
박래수
박래우
박래하
박만규
박만복
박만식
박만용
박만철
박만호
박면규
박명규
박명성
박명수
박명숙
박명순
박명식
박명옥
박명욱
박명운
박명원
박명은
박명자
박명제
박명종
박명진
박명철
박명호
박명환

박명흠
박명희
박문경
박문규
박문길
박문성
박문수
박문옥
박문일
박문희
박미경
박미나
박미라
박미선
박미숙
박미순
박미애
박미영
박미옥
박미자
박미정
박미주
박미진
박미현
박미화
박민
박민관
박민규
박민기
박민서
박민수
박민숙
박민순
박민아
박민영
박민완
박민우
박민자
박민정
박민주
박민준
박민진

박민철
박민향
박반석
박발진
박범수
박범일
박범출
박범혁
박병건
박병곤
박병관
박병국
박병규
박병근
박병기
박병대
박병돈
박병래
박병만
박병문
박병석
박병섭
박병숙
박병식
박병영
박병오
박병우
박병욱
박병일
박병주
박병준
박병집
박병철
박병탁
박병호
박병화
박병환
박병효
박병훈
박병희
박보미
박보선

박보성
박보영
박보정
박복규
박복숙
박복연
박복용
박복임
박복자
박복희
박봉규
박봉석
박봉선
박봉수
박봉주
박봉찬
박봉호
박봉화
박봉환
박봉휘
박부성
박분옥
박빈호
박삼균
박삼석
박삼종
박삼희
박상국
박상규
박상균
박상근
박상기
박상길
박상녀
박상대
박상덕
박상도
박상돈
박상래
박상렬
박상림
박상면

박상명
박상문
박상미
박상민
박상범
박상병
박상봉
박상선
박상섭
박상성
박상수
박상숙
박상순
박상신
박상안
박상언
박상옥
박상용
박상우
박상욱
박상원
박상위
박상윤
박상율
박상은
박상인
박상임
박상제
박상조
박상준
박상찬
박상천
박상철
박상표
박상필
박상혁
박상현
박상현
박상형
박상호
박상화
박상환

박상훈
박상희
박새봄
박서연
박서윤
박서정
박서희
박석규
박석동
박석두
박석민
박석봉
박석순
박석원
박석일
박석현
박선규
박선녀
박선덕
박선미
박선민
박선심
박선아
박선애
박선영
박선오
박선옥
박선용
박선우
박선일
박선자
박선주
박선현
박선홍
박선화
박선희
박설웅
박설혜
박성국
박성권
박성규
박성극

박성근
박성남
박성대
박성덕
박성도
박성돈
박성동
박성득
박성렬
박성림
박성미
박성민
박성배
박성범
박성수
박성숙
박성순
박성식
박성신
박성실
박성아
박성애
박성업
박성연
박성영
박성용
박성우
박성욱
박성원
박성은
박성인
박성일
박성자
박성정
박성준
박성진
박성찬
박성철
박성탄
박성표
박성하
박성한

박성혁
박성현
박성호
박성화
박성환
박성훈
박성흔
박성희
박세간
박세권
박세미
박세범
박세복
박세영
박세웅
박세원
박세인
박세정
박세준
박세증
박세찬
박세천
박세현
박세환
박세훈
박소영
박소운
박송철
박송춘
박 수
박수경
박수근
박수민
박수범
박수빈
박수생
박수석
박수선
박수성
박수영
박수완
박수원

박수은
박수인
박수자
박수정
박수진
박수행
박수혁
박수현
박수형
박수호
박수환
박숙희
박 순
박순갑
박순규
박순금
박순기
박순남
박순덕
박순례
박순배
박순열
박순영
박순옥
박순용
박순우
박순원
박순이
박순자
박순장
박순재
박순집
박순천
박순철
박순하
박순환
박숭렬
박숭채
박슬아
박승갑
박승균
박승노

박승대
박승민
박승배
박승봉
박승상
박승선
박승성
박승식
박승언
박승영
박승오
박승옥
박승용
박승원
박승자
박승제
박승준
박승중
박승지
박승진
박승찬
박승철
박승한
박승해
박승헌
박승호
박승훈
박승희
박시근
박시우
박시환
박신숙
박신용
박안수
박애경
박애숙
박애순
박애영
박양래
박양림

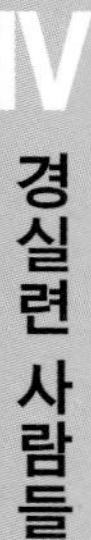

박양수
박양우
박양제
박양준
박양춘
박양희
박연기
박연석
박연수
박연숙
박연순
박연식
박연우
박연이
박연정
박연주
박연학
박연호
박연환
박연희
박영강
박영경
박영관
박영광
박영권
박영규
박영균
박영근
박영기
박영길
박영남
박영대
박영덕
박영두
박영록
박영미
박영민
박영병
박영복
박영봉
박영서
박영석
박영선
박영성
박영수
박영숙
박영순
박영식
박영신
박영심
박영양
박영옥
박영용
박영웅
박영재
박영주
박영준
박영진
박영창
박영천
박영철
박영춘
박영출
박영한
박영현
박영혜
박영호
박영환
박영후
박영훈
박영희
박예숙
박오범
박오중
박옥경
박옥남
박옥란
박옥선
박옥현
박옥희
박완균
박완근
박완서
박완식
박완희
박 왕
박외옥
박요한
박 용
박용규
박용균
박용기
박용남
박용대
박용묵
박용범
박용석
박용섭
박용수
박용식
박용신
박용안
박용연
박용오
박용우
박용운
박용인
박용자
박용정
박용제
박용주
박용준
박용직
박용진
박용하
박용한
박용해
박용현
박용호
박용환
박용희
박우근
박우룡
박우석
박우성
박우영
박우용
박우재
박우진
박우혁
박운남
박 웅
박웅기
박웅길
박웅섭
박원국
박원규
박원근
박원삼
박원석
박원식
박원열
박원정
박원진
박원태
박원호
박원희
박유리
박유승
박유신
박유정
박유현
박육용
박윤경
박윤국
박윤기
박윤서
박윤수
박윤숙
박윤우
박윤일
박윤춘
박윤현
박윤호
박윤환
박윤희
박은
박은경
박은미
박은서
박은석
박은성
박은숙
박은아
박은영
박은정
박은주
박은준
박은현
박은호
박응도
박응순
박의경
박의범
박의봉
박의용
박의일
박의황
박이규
박이숙
박이화
박익규
박익론
박익종
박 인
박인구
박인국
박인규
박인근
박인기
박인동
박인복
박인선
박인성
박인수
박인숙
박인순
박인애
박인영
박인오
박인옥
박인웅
박인자
박인재
박인철
박인출
박인혁
박인현
박인호
박인환
박일권
박일렬
박일성
박일엽
박임관
박임수
박장수
박장헌
박재갑
박재건
박재경
박재곤
박재관
박재금
박재락
박재방
박재범
박재본
박재선
박재성
박재순
박재식
박재신
박재열
박재완
박재우
박재욱
박재운
박재웅
박재원
박재윤
박재율

박재익
박재일
박재천
박재철
박재평
박재헌
박재현
박재형
박재호
박재홍
박재환
박재희
박전희
박점수
박 정
박정갑
박정곤
박정교
박정구
박정권
박정규
박정근
박정기
박정남
박정덕
박정득
박정란
박정렬
박정림
박정민
박정삼
박정상
박정석
박정선
박정섭
박정수
박정숙
박정식
박정연
박정열
박정옥
박정용
박정우
박정웅
박정원
박정윤
박정은
박정인
박정주
박정태
박정표
박정하
박정현
박정호
박정화
박정환
박정훈
박정희
박제국
박제란
박제성
박제헌
박제호
박제화
박제환
박종갑
박종걸
박종견
박종관
박종구
박종국
박종군
박종균
박종근
박종기
박종길
박종남
박종대
박종덕
박종두
박종두
박종득
박종락
박종렬
박종례
박종룡
박종률
박종만
박종명
박종무
박종미
박종민
박종배
박종범
박종복
박종빈
박종삼
박종서
박종석
박종선
박종성
박종소
박종수
박종숙
박종순
박종시
박종식
박종연
박종열
박종영
박종오
박종옥
박종우
박종운
박종원
박종을
박종익
박종인
박종임
박종제
박종준
박종진
박종천
박종철
박종춘
박종칠
박종태
박종필
박종학
박종헌
박종혁
박종호
박종홍
박종화
박종환
박종회
박종효
박종훈
박종희
박주리
박주모
박주미
박주승
박주언
박주영
박주운
박주원
박주은
박주이
박주한
박주향
박주혁
박주형
박주혜
박주호
박주훈
박준곤
박준국
박준규
박준기
박준모
박준배
박준범
박준복
박준상
박준서
박준수
박준순
박준식
박준연
박준영
박준용
박준우
박준재
박준철
박준필
박준하
박준혁
박준형
박준호
박준홍
박준훈
박준희
박중구
박중규
박중민
박중석
박중순
박중용
박중철
박중현
박중훈
박중희
박지령
박지선
박지수
박지숙
박지영
박지웅
박지원
박지윤
박지은
박지인
박지헌
박지혜
박지호
박지환
박지후
박진
박진경
박진국
박진규
박진기
박진만
박진석
박진성
박진수
박진순
박진아
박진열
박진영
박진용
박진우
박진욱
박진원
박진이
박진제
박진철
박진태
박진택
박진형
박진호
박진홍
박진화
박진효
박찬구
박찬규
박찬대
박찬병
박찬석
박찬수
박찬숙
박찬억
박찬영
박찬용
박찬우
박찬욱
박찬운
박찬일
박찬준

박찬진
박찬헌
박찬호
박찬화
박찬환
박찬훈
박창규
박창근
박창기
박창래
박창렬
박창민
박창석
박창선
박창섭
박창수
박창숙
박창식
박창옥
박창욱
박창원
박창윤
박창임
박창재
박창진
박창헌
박창호
박창화
박창환
박창희
박천곤
박천도
박천환
박 철
박철규
박철균
박철기
박철민
박철석
박철수
박철순
박철완

박철용
박철우
박철웅
박철원
박철인
박철주
박철중
박철진
박철한
박철현
박철호
박철홍
박철희
박청환
박 초
박추자
박추홍
박춘건
박춘광
박춘노
박춘만
박춘배
박춘복
박춘선
박춘섭
박춘엽
박춘영
박춘호
박춘희
박충권
박충규
박충수
박충의
박치권
박치득
박치만
박치상
박치우
박치욱
박치현
박치흥
박칠용

박태경
박태광
박태권
박태규
박태만
박태문
박태봉
박태서
박태선
박태성
박태순
박태순
박태영
박태우
박태원
박태일
박태조
박태주
박태준
박태진
박태호
박태환
박태훈
박택원
박택준
박판기
박판년
박판순
박평수
박평식
박평원
박필규
박필섭
박필수
박필숙
박하림
박학준
박한규
박한기
박한석
박한수
박한승

박한용
박한정
박한호
박항수
박해구
박해덕
박해령
박해부
박해순
박해식
박해원
박해철
박행우
박행자
박향란
박향미
박향숙
박헌남
박헌명
박헌영
박헌용
박혁진
박현규
박현길
박현덕
박현두
박현미
박현선
박현수
박현숙
박현순
박현식
박현우
박현욱
박현웅
박현유
박현일
박현자
박현정
박현조
박현주
박현진

박현택
박현호
박현희
박형구
박형국
박형규
박형근
박형기
박형배
박형삼
박형수
박형숙
박형순
박형오
박형우
박형일
박형주
박형준
박형중
박형진
박형철
박형태
박혜경
박혜란
박혜령
박혜산
박혜수
박혜숙
박혜영
박혜자
박혜정
박혜진
박 호
박호걸
박호경
박호군
박호래
박호석
박호실
박호영
박호정
박호제

박호표
박 홍
박홍기
박홍남
박홍래
박홍렬
박홍례
박홍배
박홍복
박홍수
박홍숙
박홍순
박홍열
박홍재
박화영
박화자
박화진
박환용
박환진
박황보
박회자
박효경
박효명
박효민
박효빈
박효순
박효재
박효정
박효준
박후근
박훈
박훈민
박휘영
박흥근
박흥기
박흥덕
박흥석
박흥수
박흥식
박흥열
박흥주
박흥철

박희경
박희권
박희덕
박희돈
박희동
박희령
박희범
박희분
박희빈
박희서
박희선
박희식
박희연
박희영
박희원
박희자
박희정
박희제
박희조
박희종
박희준
박희진
박희찬
박희천
박희철
박희춘
반가영
반극동
반기룡
반기숙
반대식
반병찬
반상진
반아
반영덕
반영수
반영숙
반영운
반영일
반영진
반영철
반영현

반일록
반전호
반정희
반종국
반주현
반준환
반창오
반철진
반태연
반혜숙
반호임
방경식
방광설
방기복
방기호
방남휴
방대선
방대식
방만근
방명덕
방명열
방미숙
방미연
방미자
방민경
방민식
방민원
방병철
방복길
방상윤
방성섭
방성애
방성용
방소현
방수미
방수진
방수환
방승범
방승현
방영목
방영석
방영식

방영종
방오원
방옥자
방욱영
방원욱
방윤숙
방은경
방은주
방인혁
방재환
방정영
방정혜
방정환
방정희
방종복
방종설
방종수
방진홍
방창훈
방춘배
방택훈
방현주
방현철
방호석
방호운
방호현
방화섭
방효창
방희선
배갑선
배건웅
배경옥
배경희
배관희
배광효
배국환
배권식
배귀희
배규한
배근미
배금란
배금직

배기만
배기수
배기연
배기재
배기정
배길태
배남혜
배덕광
배덕현
배도경
배동국
배동문
배동원
배동이
배동주
배동준
배동호
배두리
배만병
배명길
배명한
배문환
배미원
배미자
배민주
배백호
배범식
배범재
배병기
배병달
배병두
배병미
배보현
배봉준
배상기
배상길
배상도
배상은
배상철
배석오
배석운
배석진

배선길
배선일
배선주
배선한
배성갑
배성도
배성수
배성완
배성윤
배성준
배성철
배성호
배성훈
배세훈
배수미
배수용
배수종
배승주
배승철
배승휘
배애정
배양섭
배연
배연정
배영규
배영기
배영길
배영옥
배영욱
배영임
배영제
배영철
배영환
배영효
배영희
배외옥
배용곤
배용일
배용준
배용태
배우근
배우한

배웅규
배위진
배유석
배유아
배유진
배유한
배윤규
배윤수
배윤환
배은경
배은석
배은숙
배은영
배은정
배의용
배인교
배인명
배인자
배인태
배인호
배인환
배일균
배일성
배일진
배장동
배장렬
배장수
배재숙
배재준
배재호
배재훈
배정란
배정수
배정숙
배정순
배정충
배정한
배정현
배정희
배종국

배종근
배종민
배종서
배종석
배종성
배종출
배주경
배주락
배주한
배준
배준현
배증열
배지수
배지영
배진성
배진수
배진용
배진원
배진주
배창덕
배창수
배천호
배철선
배철현
배철호
배칠용
배태홍
배한용
배한주
배해영
배혁신
배현미
배현수
배현주
배현진
배형남
배혜래
배호원
배화숙
배화영
배환미
배효상

배효준
배효진
배후주
배흥주
배흥진
배희연
백경아
백계연
백광수
백교선
백기화
백낙승
백낙종
백낙현
백남춘
백남호
백대영
백대진
백도명
백동수
백만두
백명기
백명선
백명숙
백명자
백명희
백무열
백미경
백미순
백미옥
백미자
백민경
백민섭
백병성
백보현
백복수
백상일
백상진
백상철
백 석
백석기
백선열

백선행
백성곤
백성남
백성수
백성창
백성칠
백성현
백세정
백순자
백순정
백순환
백승경
백승관
백승국
백승기
백승대
백승도
백승돈
백승동
백승민
백승용
백승우
백승유
백승일
백승진
백승철
백승혁
백승협
백승호
백연순
백영국
백영기
백영대
백영임
백오형
백옥수
백완근
백요한
백용
백용구
백용호
백용흠

백우현
백운기
백운성
백원종
백윤식
백윤철
백은경
백은기
백은숙
백은정
백은총
백응기
백응섭
백이천
백익순
백인기
백인길
백인성
백인순
백인용
백인천
백인철
백재봉
백재호
백정근
백정기
백정대
백정숙
백정순
백정심
백정애
백정웅
백정원
백정호
백종구
백종기
백종대
백종덕
백종두
백종무
백종옥
백종우

백종일
백종철
백종헌
백종환
백종효
백준기
백준환
백지수
백진기
백진오
백진옥
백진일
백진현
백진희
백창석
백청만
백태헌
백평효
백풍혜
백학순
백해숙
백향숙
백현규
백현태
백형기
백형철
백혜랑
백혜련
백홍기
백화숙
백희숙
범산
범원균
범희전
변관현
변광섭
변규현
변길주
변대근
변동철
변동훈
변만수

변미애
변민수
변병욱
변부형
변삼용
변상준
변상태
변상해
변상호
변석주
변성민
변성수
변성언
변성준
변수원
변수정
변양훈
변영구
변영선
변영욱
변영호
변용섭
변용주
변용환
변원섭
변윤섭
변윤진
변은영
변의수
변인미
변인신
변자영
변장섭
변재근
변재영
변재우
변정도
변정용
변정철
변정해
변종계
변종옥

변종윤
변종인
변좌용
변준섭
변준성
변지량
변창우
변창흠
변천수
변치수
변태수
변판섭
변필섭
변한주
변현진
변화진
변희중
보 선
복아영
복진곤
복진덕
복혜경
봉만철
봉성범
봉신민
봉원진
봉윤근
봉인식
봉형균
봉흥선
부두봉
부상원
부성철
부윤삼
부윤희
부인신
부정익
부좌영
부찬희
부태길
부현석
빈성운
빈종진
사동천
사주영
상정균
서강석
서건석
서경국
서경락
서경배
서경석
서경수
서경숙
서경순
서경옥
서경원
서경태
서경호
서경희
서관승
서관우
서광선
서광자
서광춘
서귀선
서규석
서규수
서규정
서근식
서기룡
서기석
서기준
서기환
서길석
서길수
서길용
서나영
서다정
서대석
서대원
서대일
서덕조
서덕진
서동국
서동부
서동석
서동열
서동욱
서동일
서동준
서동환
서두원
서득관
서만석
서명규
서명근
서명대
서명립
서명원
서명자
서명희
서무건
서문동군
서문석
서문영
서문현
서문혜경
서미경
서미선
서미자
서미화
서민정
서민호
서방자
서범석
서범수
서병로
서병섭
서병수
서병열
서병천
서병철
서보국
서보성
서보혁
서복이
서봉균
서봉근
서봉성
서봉원
서봉임
서부길
서부열
서북원
서삼례
서상국
서상기
서상배
서상범
서상보
서상섭
서상옥
서상용
서상우
서상인
서상철
서상호
서상후
서상훈
서석범
서석장
서선자
서성국
서성완
서성우
서성원
서성진
서성택
서성환
서성희
서수경
서수금
서수연
서수원
서수정
서수진
서순례
서순복
서순자
서순탁
서순희
서승완
서승원
서승찬
서승희
서시온
서신범
서양석
서양수
서연수
서연숙
서연희
서영규
서영균
서영기
서영남
서영대
서영덕
서영민
서영삼
서영상
서영석
서영순
서영완
서영원
서영종
서영주
서영준
서영학
서영현
서영화
서영훈
서영희
서옥선
서옥순
서완석
서완수
서왕진
서용석
서용섭
서용성
서용수
서용욱
서용원
서용주
서용찬
서용현
서우봉
서우석
서우환
서웅찬
서원경
서원교
서원배
서원석
서원애
서유경
서유리
서유리아
서윤석
서은경
서은숙
서은영
서은옥
서은정
서은주
서은진
서은호
서은희
서의석
서이석
서이채
서인경
서인숙
서인식
서인우
서인호
서장석
서재덕

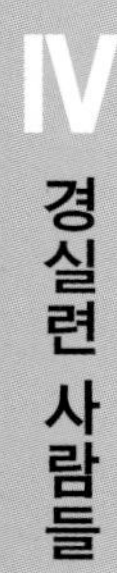

서재령
서재분
서재송
서재수
서재열
서재웅
서재원
서재형
서재호
서정걸
서정규
서정근
서정남
서정상
서정숙
서정순
서정승
서정신
서정열
서정옥
서정욱
서정원
서정익
서정일
서정임
서정천
서정태
서정혜
서정호
서정화
서정환
서정훈
서정희
서조원
서종국
서종대
서종석
서종철
서주선
서주원
서주종
서준석
서준수
서준철
서지훈
서지희
서직원
서진석
서진숙
서진호
서진희
서찬규
서창교
서창규
서창근
서창우
서창현
서창호
서철원
서충원
서태원
서한석
서한선
서한송이
서한이랑
서한형
서한희
서해동
서해림
서해안
서해자
서해진
서헌제
서 혁
서현국
서현기
서현도
서현수
서현숙
서현식
서현주
서형달
서형원
서형호
서혜경
서혜성
서혜숙
서혜원
서혜주
서호성
서호영
서홍기
서환
서효경
서효석
서효정
서휘봉
서흥률
서흥석
서흥원
서희경
서희숙
서희열
석경수
석기영
석대식
석명용
석명환
석성우
석승희
석영기
석영복
석 일
석재준
석정태
석종배
석 준
석중준
석진국
석진성
석진열
석철수
석태호
석학주
석현경
선공평
선규용
선근우
선다윗
선대식
선동수
선동식
선병군
선석렬
선석열
선영복
선오채
선원규
선월몽산
선일식
선종국
선종아
선종열
선종철
선종필
선종훈
선주완
선지연
선호기
설경철
설광석
설동경
설동철
설동필
설동현
설동호
설미심
설봉규
설상욱
설수환
설원식
설원출
설재탁
설점순
설조영
설창인
설혜영
설호석
성경미
성경자
성경호
성광
성광기
성광문
성광식
성광철
성군경
성귀동
성금성
성기건
성기남
성기석
성기승
성기원
성기태
성낙인
성낙철
성대동
성덕규
성덕주
성동제
성만호
성명순
성명호
성무정
성문현
성미금
성미숙
성민수
성백인
성백천
성병국
성병근
성병창
성병화
성보근
성보빈
성복임
성석원
성석진
성석훈
성성자
성수미
성수환
성순옥
성승규
성승제
성승현
성시규
성시융
성시홍
성시훈
성 신
성열호
성영락
성영미
성영애
성영희
성외경
성 용
성용원
성우스님
성욱진
성원규
성원현
성윤경
성윤상
성윤숙
성윤형
성은경
성은영
성인규
성인숙
성인제
성일승
성재도
성재상
성재훈
성정옥
성정우
성정화
성정환

성종규
성종운
성주영
성주우
성 준
성준모
성진기
성창기
성창환
성창희
성춘기
성춘호
성치원
성치윤
성태용
성통렬
성하현
성해석
성향숙
성현구
성현욱
성현출
성혜란
성혜진
성호준
성환용
성환웅
성환중
성환진
성환필
성흥철
성희승
성희연
소경섭
소경숙
소녹영
소동호
소두열
소문섭
소문식
소문주
소범환
소삼영
소세영
소순창
소영칠
소유리
소일호
소재두
소재선
소재성
소재영
소진성
소창진
소철민
소평진
소평호
소현민
소형석
손건일
손경심
손경익
손경자
손경종
손경호
손경환
손관구
손광락
손규장
손극혜
손기범
손기산
손기석
손기원
손기훈
손낙조
손남옥
손대겸
손대근
손덕길
손동석
손동숙
손동옥
손동원
손동혁
손동희
손두범
손만복
손만호
손명국
손명규
손명식
손무길
손무치
손미경
손미란
손병권
손병기
손병렬
손병섭
손병열
손병옥
손병익
손병일
손병호
손봉주
손봉준
손부철
손산
손상경
손상목
손상석
손상영
손상용
손상현
손상호
손상흠
손석우
손선주
손성국
손성만
손성목
손성미
손성민
손성배
손성복
손성일
손성태
손세욱
손세원
손세창
손솔이
손수석
손수익
손수호
손 숙
손숙미
손순용
손승민
손승완
손승천
손승태
손승희
손쌍인
손양호
손연덕
손영민
손영상
손영선
손영섭
손영수
손영숙
손영순
손영일
손영태
손영호
손영환
손영희
손옥분
손용락
손우기
손우성
손우영
손원기
손원석
손원우
손원희
손유영
손윤선
손윤희
손은경
손은성
손은주
손은희
손인천
손인혁
손일선
손장식
손장원
손재복
손재운
손재희
손점식
손정근
손정식
손정아
손정우
손정찬
손정현
손정호
손정환
손정훈
손종배
손종보
손종서
손종천
손종헌
손주현
손준혁
손중성
손중진
손지애
손진영
손진우
손진일
손진향
손창민
손창옥
손창우
손철
손철완
손철홍
손춘수
손치배
손치훈
손태일
손태준
손필규
손필태
손해영
손해진
손행섭
손현기
손현미
손현식
손현주
손형주
손혜원
손혜정
손호상
손호준
손호중
손홍철
손효정
손효진
손흥주
손희경
손희정
손희준
송갑석
송강욱
송경섭
송경성
송경숙
송경식
송경열
송경용
송경은
송경자
송경하

송경훈
송경희
송계섭
송계수
송계주
송관석
송관종
송관호
송광섭
송광용
송광운
송광인
송광일
송광태
송광희
송교옥
송교호
송귀봉
송귀옥
송근수
송금배
송금옥
송금자
송기돈
송기민
송기범
송기봉
송기석
송기성
송기열
송기영
송기우
송기원
송기은
송기진
송기출
송기태
송기평
송기호
송기훈
송길화
송남석

송다겸
송대성
송대영
송대진
송덕원
송덕재
송덕진
송도영
송동영
송동호
송만성
송만호
송명근
송명기
송명섭
송명원
송명희
송문길
송문민
송문성
송문숙
송미경
송미량
송미선
송미승
송미애
송미영
송미옥
송미정
송미희
송민규
송민서
송민석
송민수
송민아
송민영
송민정
송민종
송민호
송바우나
송방용
송배찬

송백곤
송병광
송병구
송병규
송병록
송병선
송병주
송병훈
송봉섭
송봉순
송봉화
송사현
송상기
송상령
송상수
송상연
송상우
송상호
송상훈
송 샘
송석근
송석만
송석문
송석암
송석언
송석인
송선영
송선용
송선호
송선홍
송성규
송성복
송성수
송성아
송성영
송성준
송성환
송세현
송수경
송수영
송숙희
송 순

송순식
송순임
송슬기
송승일
송승종
송승준
송승하
송승호
송신헌
송쌍옥
송애영
송약용
송언종
송연미
송연숙
송연자
송영근
송영기
송영동
송영득
송영렬
송영민
송영배
송영범
송영선
송영섭
송영식
송영웅
송영윤
송영재
송영종
송영주
송영준
송영진
송영현
송영호
송영환
송영훈
송오성
송완섭
송요찬
송요창

송용대
송용석
송용완
송용하
송용한
송용해
송우경
송우범
송우철
송운학
송원규
송원기
송원덕
송원섭
송원식
송원찬
송유숙
송유정
송 윤
송윤길
송윤섭
송윤주
송은숙
송은우
송은주
송은희
송을로
송의영
송의천
송이식
송이은
송이한
송인걸
송인구
송인선
송인섭
송인윤
송인철
송인헌
송인혜
송인환
송일근

송일섭
송장근
송장섭
송장호
송재경
송재광
송재구
송재규
송재근
송재봉
송재석
송재섭
송재은
송재창
송재특
송재호
송재환
송점룡
송점순
송정규
송정근
송정도
송정로
송정복
송정석
송정숙
송정엽
송정일
송정자
송정호
송제철
송종경
송종규
송종두
송종래
송종만
송종섭
송종찬
송종철
송종화
송종환
송주섭

송주성
송주승
송주희
송준규
송준일
송준현
송준호
송지봉
송지열
송지영
송지은
송지홍
송진목
송진우
송진원
송진호
송 찬
송찬주
송창근
송창석
송창섭
송창식
송창신
송창훈
송채권
송채영
송천방
송천수
송철원
송철이
송청길
송충섭
송치호
송태교
송태석
송태성
송태영
송태운
송태종
송태진
송태화
송팔현

송포명
송필수
송하동
송하복
송하철
송하태
송학동
송한철
송합근
송해나
송해용
송행선
송향섭
송혁호
송 현
송현담
송현상
송현숙
송현진
송현호
송형일
송혜근
송혜령
송혜선
송혜영
송혜정
송혜진
송호석
송호섭
송호영
송호준
송홍구
송홍범
송홍석
송홍섭
송화섭
송효진
송효헌
송후빈
송훈석
송희년
송희삼

송희연
송희자
송희준
송희진
수북회
승동철
승병화
승정자
신가람
신강훈
신 건
신경근
신경남
신경범
신경수
신경식
신경아
신경영
신경옥
신경용
신경운
신경철
신경하
신경환
신경훈
신경희
신계영
신관용
신광식
신광재
신광철
신광하
신광훈
신국범
신국철
신국희
신군재
신권대
신궤식
신귀분
신규상
신규식

신규철
신근택
신금옥
신기루
신기범
신기수
신기숙
신기엽
신기영
신기완
신기원
신기현
신길수
신길호
신나영
신남균
신남숙
신남호
신다영
신다은
신단비
신대균
신대량
신대섭
신대수
신대식
신대언
신덕선
신덕유
신도선
신동국
신동기
신동렬
신동룡
신동립
신동만
신동민
신동선
신동섭
신동수
신동숙
신동식

신동신
신동애
신동엽
신동예
신동오
신동완
신동우
신동욱
신동윤
신동일
신동조
신동준
신동진
신동천
신동현
신동호
신동환
신동훈
신동희
신두임
신두철
신록휴
신만석
신만섭
신면호
신명분
신명섭
신명수
신명숙
신명순
신명열
신명자
신명호
신명희
신무용
신문숙
신미경
신미애
신미영
신미이
신미자
신미정

신미향
신민선
신민식
신민호
신민희
신백석
신범순
신범식
신범철
신법타
신병대
신병은
신병철
신병훈
신보필
신복용
신복인
신봉기
신봉승
신봉진
신봉철
신봉호
신봉훈
신부연
신비인
신사도
신삼홍
신상구
신상돈
신상목
신상문
신상복
신상수
신상오
신상옥
신상윤
신상준
신상진
신상천
신상해

신상헌
신상혁
신상호
신상효
신석민
신선관
신선영
신선옥
신선익
신선재
신선철
신선호
신성교
신성길
신성도
신성만
신성수
신성운
신성원
신성은
신성일
신성주
신성진
신성철
신성필
신성호
신성환
신성휘
신세민
신송해
신수민
신수용
신수진
신수철
신수홍
신 숙
신숙영
신숙진
신순봉
신순자
신순철
신순화
신승각
신승균
신승만
신승수
신승숙
신승식
신승연
신승우
신승윤
신승주
신승진
신승창
신승춘
신승한
신승현
신시온
신양수
신양희
신언관
신언빈
신연아
신영구
신영근
신영란
신영무
신영미
신영민
신영섭
신영수
신영순
신영아
신영옥
신영욱
신영은
신영자
신영재
신영창
신영철
신영하
신영호
신영효
신영희
신예원
신예진
신예철
신오섭
신오일
신오철
신옥
신옥희
신완기
신완섭
신완재
신완철
신용건
신용관
신용규
신용삼
신용석
신용선
신용식
신용우
신용재
신용준
신용철
신용하
신용한
신용헌
신용호
신우기
신우창
신우철
신우현
신원득
신원섭
신원용
신원철
신원훈
신유진
신유천
신윤관
신윤우
신윤철
신윤희
신율기
신은선
신은숙
신은순
신은식
신은정
신은철
신은혜
신은화
신은희
신의섭
신의수
신의숙
신의항
신이건
신이섭
신익철
신인섭
신인철
신인호
신일구
신일승
신임균
신장식
신장용
신장호
신장환
신재민
신재범
신재술
신재안
신재옥
신재우
신재욱
신재원
신재유
신재택
신재현
신재호
신 정
신정무
신정미
신정숙
신정식
신정옥
신정웅
신정원
신정은
신정익
신정인
신정임
신정철
신정택
신정희
신종국
신종민
신종성
신종숙
신종옥
신종우
신종운
신종은
신종이
신종인
신종출
신종학
신종한
신종현
신종화
신종환
신종효
신주식
신주영
신주환
신준화
신중광
신중식
신지식
신지영
신지훈
신진구
신진만
신진숙
신진영
신진옥
신진욱
신진호
신진홍
신찬숙
신창근
신창섭
신창승
신창오
신창현
신창호
신천일
신철란
신철성
신철승
신청하
신청호
신춘식
신충기
신태경
신태기
신태석
신태순
신태식
신태용
신태철
신태현
신태호
신택진
신필희
신하늘
신한기
신한미
신한수
신한철
신해경
신해기
신해송
신해식
신해운
신해철
신행복

신행생
신행숙
신향님
신현
신현각
신현교
신현규
신현기
신현무
신현민
신현수
신현숙
신현식
신현우
신현일
신현제
신현주
신현진
신현창
신현택
신형이
신형조
신형철
신혜경
신혜숙
신혜영
신혜인
신혜정
신혜진
신호석
신호윤
신호철
신홍명
신홍식
신홍우
신홍준
신홍철
신화섭
신화숙
신화정
신화철
신효영

신흥권
신흥범
신흥사
신흥섭
신흥식
신흥일
신희권
신희균
신희라
신희숙
신희식
신희영
신희우
신희정
신희철
심갑섭
심강섭
심건해
심걸택
심경순
심경자
심경진
심경택
심관보
심광선
심교섭
심규대
심규만
심규석
심규호
심기송
심기택
심대보
심동준
심동희
심만식
심명필
심미예
심민규
심민자
심병철
심병호

심복순
심삼옥
심상길
심상도
심상록
심상복
심상선
심상오
심상용
심상원
심상조
심상철
심상학
심상희
심서현
심선섭
심설희
심성구
심성보
심수영
심숙희
심순혁
심연삼
심연섭
심연흠
심영국
심영길
심영미
심영섭
심영숙
심영주
심영철
심예댄
심완보
심요섭
심용대
심우극
심우섭
심우성
심우열
심우영
심우진

심우철
심원
심윤보
심윤자
심윤정
심은희
심응무
심의보
심의섭
심익섭
심인보
심인석
심인섭
심인철
심일우
심재걸
심재경
심재광
심재구
심재국
심재금
심재민
심재삼
심재상
심재석
심재선
심재수
심재숙
심재식
심재원
심재준
심재천
심재필
심재현
심재형
심재호
심재환
심재훈
심정규
심정보
심정섭
심정순

심정환
심제원
심종식
심종진
심종호
심종화
심준섭
심준신
심진섭
심진용
심진행
심창선
심청풍
심춘옥
심충식
심충진
심평섭
심학용
심헌섭
심헌창
심현섭
심현열
심현우
심현자
심현진
심형모
심형보
심형진
심형철
심형환
심혜섭
심혜인
심혜정
심혜진
심화섭
심후연
심훈섭
심희보
아영아
안갑환
안건수
안경래

안경모
안경미
안경민
안경복
안경수
안경숙
안경애
안경옥
안경완
안경자
안경희
안광석
안광정
안광주
안광호
안교석
안국자
안규창
안근
안금주
안기봉
안기석
안기영
안기옥
안기정
안기호
안기희
안길만
안남주
안대석
안대수
안대승
안대준
안도호
안동규
안동찬
안두옥
안득기
안란희
안명관

안명록
안명복
안명석
안명옥
안명자
안무일
안문상
안문석
안미경
안미나
안미숙
안미영
안미옥
안미자
안민기
안민석
안민홍
안병관
안병권
안병길
안병노
안병대
안병로
안병록
안병민
안병배
안병상
안병선
안병순
안병억
안병욱
안병운
안병율
안병일
안병주
안병준
안병직
안병진
안병천
안병현
안병화
안봉섭
안봉진
안상길
안상록
안상요
안상용
안상은
안상의
안상익
안상현
안상환
안상훈
안샘물
안석모
안석화
안선자
안선찬
안선회
안성관
안성기
안성민
안성용
안성호
안성화
안성환
안세길
안세영
안세준
안세찬
안세희
안소현
안송자
안수경
안수진
안수현
안순덕
안술용
안승덕
안승득
안승준
안승희
안신실
안신용
안애경
안양근
안양수
안양숙
안여종
안연균
안연준
안영구
안영균
안영기
안영미
안영배
안영봉
안영산
안영상
안영석
안영수
안영숙
안영일
안영재
안영준
안영찬
안영철
안영하
안영호
안영후
안영훈
안예인
안옥희
안완모
안완용
안용식
안용직
안용훈
안원하
안원현
안원호
안윤섭
안윤숙
안윤정
안윤태
안윤홍
안은경
안은미
안은정
안은주
안은희
안이준
안익현
안인숙
안인철
안인화
안일규
안임태
안자영
안장헌
안재경
안재균
안재민
안재범
안재순
안재영
안재준
안재철
안재현
안재형
안재호
안재홍
안정민
안정섭
안정숙
안정이
안정향
안정혜
안정호
안정훈
안정희
안종국
안종군
안종무
안종범
안종복
안종삼
안종석
안종선
안종욱
안종원
안종일
안종찬
안종태
안종팔
안종한
안종향
안종호
안종훈
안종희
안주영
안주현
안주형
안준태
안중기
안중산
안중승
안중용
안지명
안지민
안지숙
안지완
안지현
안진걸
안진주
안진호
안창만
안창수
안창언
안창열
안창현
안창호
안철만
안철원
안철한
안철환
안춘자
안춘회
안춘훈
안치석
안치용
안치우
안태욱
안태희
안평순
안평환
안필규
안한진
안해진
안헌주
안현구
안현석
안현정
안현철
안형고
안형동
안형숙
안형택
안혜숙
안혜영
안혜윤
안혜정
안호열
안호원
안호진
안호춘
안홍빈
안홍순
안화석
안화성
안효군
안효덕
안효상
안효성
안효승
안효정
안효철
안후순
안흥남
안희삼
안희상
안희섭

안희숙
안희열
안희정
안희철
안희태
양경모
양경미
양경석
양경순
양경준
양경화
양경희
양계인
양계호
양관운
양광렬
양광모
양광범
양광열
양광회
양궁용
양귀순
양귀영
양균화
양근모
양근서
양근홍
양금석
양금선
양기대
양기동
양기석
양기원
양기정
양기춘
양기태
양기헌
양기현
양끝선
양남숙
양남열
양대건

양대권
양대규
양대승
양대열
양대혁
양대환
양덕순
양덕연
양동규
양동만
양동석
양동수
양동숙
양동식
양동열
양동요
양동윤
양동일
양동현
양동호
양두석
양두영
양만춘
양명모
양명순
양명애
양명하
양명희
양문석
양문수
양문종
양미경
양미선
양미승
양미영
양미옥
양미화
양민숙
양민호
양백윤
양범모
양병성

양병술
양병호
양보람
양복식
양복심
양봉석
양봉직
양부식
양분순
양비화
양삼덕
양석영
양석준
양석희
양선미
양선엽
양성국
양성범
양성열
양성주
양성하
양성호
양세영
양세웅
양세훈
양수근
양수장
양순례
양순열
양승구
양승두
양승만
양승예
양승오
양승의
양승재
양승전
양승조
양승주
양승찬
양승탁
양승혜

양승희
양시경
양애란
양언석
양연식
양영순
양영재
양영전
양영주
양영태
양영희
양옥희
양요환
양용래
양용배
양우석
양우선
양우준
양우창
양우혁
양우현
양운학
양원규
양원석
양원재
양원철
양원표
양유식
양유정
양유필
양윤복
양윤석
양윤숙
양윤철
양은승
양은진
양은하
양의동
양의만
양의열
양익권
양인자

양인준
양인채
양인회
양장윤
양재길
양재란
양재봉
양재성
양재일
양재준
양재철
양재화
양정규
양정분
양정식
양정애
양정우
양정자
양정태
양정현
양종광
양종수
양종철
양종필
양종호
양주화
양준열
양준호
양지영
양지현
양진석
양진영
양진오
양진옥
양진우
양진웅
양진원
양진태
양진하
양진환
양찬섭
양찬웅

양창모
양창삼
양창승
양창영
양창우
양창준
양창진
양창훈
양채열
양천석
양철상
양철성
양철영
양철우
양철원
양철호
양충규
양태선
양태식
양태주
양태호
양태훈
양택근
양판승
양필호
양해영
양해웅
양해준
양해택
양헌모
양혁승
양혁승
양 현
양현규
양현석
양현숙
양현승
양현욱
양현인
양현택

양형택
양혜경
양혜령
양호섭
양호연
양홍석
양홍식
양화준
양회욱
양회천
양효진
양휘모
양희석
양희순
양희연
양희자
양희진
양희천
어경숙
어덕경
어미선
어성준
어수봉
어우영
어원우
어윤식
어주하
어준용
어중석
어진석
엄경선
엄경출
엄권섭
엄금자
엄기동
엄기운
엄기찬
엄기체
엄기태
엄기홍
엄대선
엄덕용
엄도현
엄도희
엄득종
엄라미
엄명용
엄명희
엄미화
엄미희
엄범식
엄병훈
엄붕훈
엄상섭
엄선덕
엄선미
엄성섭
엄성호
엄세원
엄수원
엄수훈
엄숙자
엄승용
엄승호
엄애영
엄양순
엄연주
엄영동
엄영숙
엄영순
엄영호
엄완섭
엄용섭
엄용수
엄웅구
엄원용
엄원종
엄은주
엄인수
엄인용
엄자부
엄정태
엄주연
엄주천
엄찬진
엄창수
엄창호
엄천수
엄청나
엄춘성
엄태성
엄태영
엄태인
엄태준
엄태희
엄현자
엄현철
엄호천
엄홍길
엄희만
엄희석
엄희용
여경섭
여군자
여규옥
여규현
여근식
여남권
여대수
여대환
여만식
여명수
여병규
여병찬
여상구
여상근
여상범
여상욱
여상화
여수정
여순연
여순임
여승철
여영준
여영현
여우현
여운식
여운신
여운태
여은미
여은상
여은희
여인철
여일구
여재관
여재돈
여재욱
여재혁
여재호
여정경
여정근
여정애
여정옥
여정주
여주아
여진
여태용
여택동
여한구
여한수
여해경
여현정
여호진
여환광
연광석
연권흠
연규민
연규순
연규식
연규용
연기영
연대길
연도현
연방희
연성희
연소희
연순동
연영규
연영석
연영태
연영흠
연용희
연인하
연정숙
연제숙
연제호
연준
연지민
연창희
연철상
연철흠
연호석
연홍숙
염경수
염규석
염규용
염규현
염기명
염기성
염기현
염봉순
염성철
염승원
염오용
염요셉
염우
염은식
염재봉
염진형
염창우
염채은
염충
염태연
염해숙
염헌모
염현
염홍철
엽은호
엽찬영
예병렬
예인기
예창수
오갑진
오거돈
오경나
오경래
오경례
오경미
오경서
오경섭
오경수
오경숙
오경아
오경옥
오경은
오경자
오경준
오경진
오경철
오경환
오관식
오관영
오광덕
오광민
오광수
오광식
오광종
오광택
오광환
오교천
오국진
오근중
오근철
오금륜
오금석
오금연
오금희
오기모
오기민
오기석
오기형
오기환

오길영
오까겐고
오남근
오남숙
오남옥
오남준
오남진
오다현
오대길
오대정
오덕진
오덕철
오동규
오동남
오동석
오동엽
오동욱
오동진
오동현
오동환
오두영
오랑식
오만수
오명기
오명선
오명섭
오명숙
오명진
오명화
오명환
오명훈
오명희
오모현
오무
오무성
오문주
오미경
오미단
오미숙
오미애
오미영
오미정
오미현
오민근
오민미
오민범
오민석
오민자
오민정
오민환
오병건
오병루
오병선
오병수
오병용
오병일
오병재
오병직
오병집
오병찬
오복수
오복연
오봉교
오봉태
오분례
오빈
오상경
오상록
오상엽
오상윤
오상준
오상철
오상현
오상환
오상훈
오서운
오석건
오석송
오석연
오석호
오선미
오선자
오선진
오성관
오성광
오성규
오성근
오성님
오성복
오성수
오성순
오성용
오성주
오성진
오성철
오성탁
오성택
오성훈
오성희
오세광
오세권
오세근
오세란
오세룡
오세린
오세민
오세범
오세봉
오세식
오세영
오세웅
오세윤
오세익
오세일
오세전
오세정
오세준
오세중
오세진
오세학
오세헌
오세형
오세호
오세환
오세훈
오소영
오수균
오수빈
오수열
오수영
오수용
오수정
오수진
오수철
오수필
오수학
오수환
오수희
오숙진
오순택
오순한
오순혜
오승석
오승암
오승용
오승원
오승재
오승주
오승진
오승택
오승한
오승현
오승호
오승화
오승환
오승훈
오시덕
오신석
오신아
오애란
오양환
오연경
오연석
오영
오영근
오영미
오영석
오영선
오영성
오영수
오영애
오영익
오영자
오영재
오영주
오영진
오영택
오영필
오영현
오영호
오영환
오영희
오완근
오완석
오왈명
오요안
오용길
오용범
오용상
오용석
오용식
오용주
오우석
오운석
오원선
오원준
오윤석
오윤섭
오윤숙
오윤영
오윤주
오윤택
오윤환
오은석
오은영
오은정
오응준
오익현
오인순
오인철
오인택
오인표
오일남
오일석
오일용
오장세
오장택
오장환
오재만
오재석
오점순
오점열
오정균
오정록
오정림
오정수
오정순
오정연
오정욱
오정준
오정진
오정택
오정환
오정훈
오제균
오제명
오제문
오제세
오종선
오종섭
오종영
오종우
오종학
오종현
오종호
오주석
오주섭
오주한
오주홍
오준영

오중근
오중협
오중환
오지석
오지영
오지은
오지현
오지혜
오지홍
오진우
오진호
오진희
오창근
오창길
오창면
오창민
오창수
오창식
오창우
오창진
오창현
오창훈
오채운
오천호
오철조
오철환
오청
오춘란
오치원
오치홍
오치환
오칠석
오탁순
오태경
오태석
오태승
오태진
오태화
오태훈
오학길
오학석
오한기

오한명
오해경
오해승
오해정
오현석
오현옥
오현주
오현철
오형선
오형열
오형종
오혜란
오혜석
오호경
오호성
오홍석
오홍진
오화윤
오환성
오환진
오효석
오훈
오훈영
오흥미
오흥범
오흥월
오희
오희성
오희엽
오희택
옥근호
옥기향
옥대석
옥도훈
옥동건
옥동석
옥두표
옥둘선
옥문현
옥민석
옥방호
옥성애

옥숙표
옥영민
옥영숙
옥용석
옥원수
옥진우
옥춘금
옥충석
옥한흠
옥혁수
왕경희
왕상한
왕서정
왕연대
왕은미
왕은희
왕정식
왕진산
왕혜련
용성중
용재명
용준형
우경선
우관섭
우국택
우근배
우금옥
우대윤
우도균
우동기
우동락
우동수
우동진
우동호
우동훈
우명자
우미경
우미선
우미화
우병설
우병훈
우봉탁

우상동
우상붕
우상원
우상하
우상현
우상훈
우석희
우선근
우성
우성대
우성덕
우성만
우성열
우성용
우성일
우성칠
우성태
우성훈
우수나
우수홍
우숙희
우순애
우순희
우승완
우승원
우승윤
우승한
우양미
우여동
우영구
우영수
우예현
우용안
우원조
우은자
우장명
우정숙
우정순
우정용
우정인
우정임
우정호

우정훈
우종만
우종복
우종서
우종술
우종원
우종철
우종환
우주택
우준원
우지혜
우진영
우진호
우진환
우창기
우태구
우태우
우태호
우현구
우현녀
우형택
우혜정
우호식
우홍주
우흥명
우희곤
우희숙
우희창
원건형
원경숙
원경희
원광식
원광희
원국
원기
원기환
원노미
원대한
원동재
원동준
원동환
원두영

원미숙
원미정
원민선
원민철
원범재
원부희
원상순
원상호
원상희
원석희
원선목
원수남
원순실
원승택
원영미
원영진
원영현
원완권
원요준
원용벽
원용식
원용자
원용진
원용철
원용희
원유환
원윤규
원윤희
원은주
원재희
원정순
원제환
원종광
원종규
원종모
원종문
원종선
원종성
원종수
원종순
원종오
원종찬

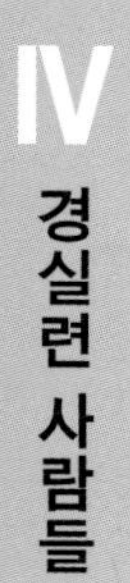

원종철
원종태
원종호
원종환
원주영
원허
원형곤
원형민
원혜영
원혜정
원호식
원호연
원흥식
원희균
원희수
원희연
위규량
위길환
위미영
위성욱
위성철
위성태
위영석
위재복
위재정
위정임
위종훈
위형근
유가형
유강식
유경
유경상
유경생
유경수
유경숙
유경아
유경애
유경윤
유경재
유경태
유경훈
유경희

유계형
유관식
유관영
유관재
유관준
유광선
유광설
유광식
유광옥
유광현
유광호
유구희
유국렬
유국열
유군종
유근수
유근식
유근애
유금봉
유금순
유금자
유기석
유기선
유기옥
유기완
유기용
유기천
유기청
유기현
유길종
유남기
유남석
유남숙
유남식
유남열
유남주
유대환
유대희
유덕기
유덕열
유덕현
유동수

유동숙
유동엽
유동진
유동현
유동호
유동훈
유두석
유랑면
유록수
유명길
유명선
유명숙
유명식
유명인
유명진
유명호
유명화
유명희
유무열
유문종
유미
유미경
유미리
유미선
유미숙
유미애
유미정
유미진
유미하
유민상
유민채
유방실
유배근
유범열
유범익
유병갑
유병관
유병교
유병국
유병규
유병린
유병민

유병상
유병서
유병선
유병연
유병완
유병용
유병욱
유병윤
유병주
유병한
유병호
유병홍
유복영
유봉열
유봉옥
유봉준
유부연
유사현
유삼종
유상경
유상국
유상권
유상규
유상보
유상열
유상일
유상재
유상진
유상철
유상태
유상호
유상희
유석만
유석춘
유선규
유선기
유선영
유선옥
유선우
유선일
유선주
유성근

유성범
유성봉
유성선
유성수
유성애
유성엽
유성우
유성욱
유성재
유성하
유성호
유성훈
유세민
유세영
유소영
유송
유수연
유수열
유수윤
유수일
유수현
유숙경
유숙현
유숙희
유순영
유승국
유승규
유승덕
유승민
유승분
유승열
유승영
유승주
유승준
유승중
유승철
유승호
유승희
유시경
유시송
유시춘
유애순

유애지
유양옥
유연삼
유연식
유연태
유연희
유염재
유영
유영경
유영규
유영길
유영남
유영도
유영란
유영록
유영명
유영모
유영민
유영숙
유영신
유영아
유영암
유영억
유영재
유영제
유영주
유영진
유영창
유영철
유영춘
유영태
유영택
유영표
유영필
유영학
유영현
유영호
유영환
유영훈
유옥순

유옥희
유완식
유왕근
유외자
유용덕
유용상
유우권
유웅주
유원문
유원장
유유희
유은정
유응모
유인규
유인기
유인봉
유인상
유인섭
유인수
유인철
유인택
유인호
유인환
유일수
유일용
유임자
유장렬
유장수
유장연
유재경
유재근
유재기
유재남
유재도
유재민
유재선
유재성
유재수
유재순
유재식
유재엽
유재영

유재욱
유재원
유재일
유재준
유재중
유재진
유재천
유재철
유재청
유재춘
유재풍
유재학
유재헌
유재혁
유점자
유정규
유정기
유정동
유정무
유정민
유정운
유정은
유정훈
유정희
유제상
유제원
유제태
유제현
유제홍
유종국
유종남
유종명
유종석
유종순
유종연
유종완
유종일
유종하
유종훈
유주상
유주하
유주희

유준영
유준호
유중기
유중원
유지상
유지숙
유지연
유지영
유지원
유지태
유지현
유진
유진상
유진성
유진수
유진식
유진영
유진이
유진자
유진호
유차상
유창민
유창범
유창선
유창성
유창엽
유창원
유창제
유창진
유창희
유채연
유천업
유천호
유철근
유철상
유철우
유철웅
유철재
유철종
유철호
유 청
유춘원

유충식
유충옥
유충웅
유태경
유태균
유태무
유태열
유태영
유평준
유필우
유학선
유한사
유한원
유항봉
유해신
유해용
유행열
유향임
유현
유현덕
유현민
유현숙
유현지
유현찬
유현철
유형래
유형석
유형식
유형열
유혜란
유혜영
유혜정
유호림
유호석
유호선
유호성
유호양
유호원
유호천
유홍상
유홍성
유홍천

유화분
유화웅
유화정
유화준
유환철
유황빈
유효상
유흥우
유희경
유희동
유희락
유희숙
유희정
육근효
육길수
육무영
육미선
육상수
육상일
육순일
육심관
육영수
육용수
육은정
육정임
육종근
육종길
육준혜
윤강식
윤강원
윤강훈
윤 건
윤건영
윤건호
윤견수
윤경란
윤경만
윤경미
윤경선
윤경수
윤경숙
윤경아

윤경이
윤경일
윤경재
윤경준
윤경태
윤경학
윤경호
윤경효
윤경희
윤관수
윤관식
윤관옥
윤관희
윤광로
윤광석
윤광훈
윤광희
윤구용
윤국렬
윤국진
윤권섭
윤권종
윤권현
윤귀현
윤귀훈
윤규석
윤규식
윤규옥
윤균상
윤금옥
윤금진
윤기복
윤기선
윤기섭
윤기순
윤기영
윤기옥
윤기왕
윤기용
윤기혁
윤기홍
윤기환

윤기활
윤기희
윤길정
윤나영
윤남권
윤남선
윤남열
윤남용
윤다미안
윤달근
윤대기
윤대성
윤대원
윤대진
윤대현
윤덕규
윤덕중
윤덕희
윤도식
윤도현
윤도형
윤동구
윤동삼
윤동섭
윤동열
윤동욱
윤동혁
윤동희
윤두종
윤두천
윤두환
윤득구
윤 명
윤명국
윤명숙
윤명원
윤명자
윤명철
윤명희
윤무곤
윤무숙
윤문선
윤문종
윤미경
윤미선
윤미숙
윤미애
윤미옥
윤미정
윤민호
윤병기
윤병길
윤병선
윤병섭
윤병엽
윤병용
윤병우
윤병일
윤병진
윤병희
윤봉근
윤봉란
윤봉영
윤사열
윤상경
윤상균
윤상근
윤상돈
윤상미
윤상민
윤상선
윤상순
윤상연
윤상영
윤상옥
윤상욱
윤상이
윤상준
윤상찬
윤상필
윤상현
윤상화
윤상훈
윤서성
윤서영
윤서희
윤 석
윤석구
윤석규
윤석미
윤석신
윤석용
윤석원
윤석위
윤석윤
윤석준
윤석진
윤석표
윤석헌
윤석호
윤선권
윤선호
윤선희
윤성권
윤성미
윤성용
윤성욱
윤성웅
윤성원
윤성진
윤성한
윤성현
윤성호
윤성희
윤세왕
윤세준
윤세홍
윤송현
윤수금
윤수성
윤수영
윤수용
윤수정
윤수철
윤수현
윤숙자
윤 순
윤순금
윤순덕
윤순모
윤순성
윤승형
윤신남
윤양덕
윤언철
윤여국
윤여림
윤여문
윤여신
윤여일
윤여진
윤연상
윤영곤
윤영규
윤영기
윤영돈
윤영락
윤영모
윤영민
윤영부
윤영선
윤영수
윤영오
윤영우
윤영전
윤영주
윤영진
윤영창
윤영천
윤영철
윤영태
윤영호
윤영환
윤영희
윤예숙
윤용규
윤용석
윤용선
윤용익
윤용택
윤용혁
윤용호
윤우종
윤원상
윤원진
윤월성
윤 위
윤유정
윤윤식
윤은경
윤은란
윤은상
윤은선
윤은수
윤은숙
윤은주
윤은희
윤응노
윤의영
윤이숙
윤인규
윤인미
윤인섭
윤인숙
윤인오
윤인효
윤일경
윤일규
윤일상
윤일성
윤일채
윤임식
윤자원
윤장혁
윤재경
윤재권
윤재근
윤재길
윤재민
윤재선
윤재성
윤재식
윤재용
윤재웅
윤재철
윤재춘
윤재향
윤재현
윤재호
윤재훈
윤재희
윤정
윤정구
윤정근
윤정노
윤정렬
윤정미
윤정석
윤정선
윤정섭
윤정수
윤정숙
윤정심
윤정원
윤정은
윤정인
윤정중
윤정하
윤정현
윤정혜
윤정환
윤정희
윤제근
윤종관
윤종길
윤종대
윤종미
윤종빈
윤종석
윤종성

윤종운
윤종임
윤종호
윤종훈
윤주만
윤주병
윤주성
윤주헌
윤준
윤준구
윤준규
윤준식
윤준형
윤준호
윤중걸
윤중기
윤중길
윤중식
윤중완
윤중조
윤지민
윤지석
윤지선
윤지성
윤지숙
윤지영
윤지원
윤지의
윤지희
윤진국
윤진성
윤진숙
윤진식
윤진원
윤진철
윤진현
윤진희
윤찬수
윤찬열
윤찬영
윤창기
윤창순
윤창원
윤창일
윤천준
윤 철
윤철복
윤철수
윤철웅
윤철원
윤철한
윤철희
윤초이
윤춘현
윤충식
윤치술
윤치업
윤치형
윤치훈
윤태권
윤태룡
윤태범
윤태성
윤태수
윤태영
윤태우
윤태운
윤태한
윤태헌
윤태환
윤태희
윤택구
윤필원
윤학권
윤학로
윤한수
윤한식
윤한용
윤한철
윤한필
윤향숙
윤현봉
윤현식
윤현우
윤현웅
윤현준
윤현진
윤현철
윤현희
윤형로
윤형석
윤형식
윤형신
윤혜경
윤혜령
윤혜숙
윤혜양
윤혜정
윤호
윤호섭
윤호영
윤홍구
윤홍묵
윤홍성
윤홍식
윤황로
윤효상
윤효숙
윤희경
윤희근
윤희대
윤희동
윤희용
윤희윤
윤희정
윤희종
윤희주
윤희태
윤희택
은광석
은난순
은소영
은억수
은영주
은옥주
은용우
은윤수
은재식
은종원
은종준
은희강
음유정
이가빈
이갑선
이갑수
이갑숙
이갑순
이갑영
이갑준
이갑출
이 강
이강구
이강근
이강녕
이강덕
이강문
이강부
이강석
이강선
이강섭
이강수
이강숙
이강순
이강식
이강신
이강욱
이강운
이강자
이강재
이강진
이강천
이강태
이강파
이강한
이강현
이강회
이강훈
이건국
이건복
이건수
이건옥
이건우
이건욱
이건철
이건택
이건학
이건행
이건호
이건홍
이건희
이검호
이견직
이경
이경국
이경덕
이경도
이경동
이경락
이경란
이경명
이경미
이경민
이경보
이경복
이경산
이경삼
이경상
이경석
이경선
이경섭
이경수
이경숙
이경순
이경식
이경아
이경애
이경연
이경오
이경옥
이경우
이경욱
이경원
이경은
이경임
이경자
이경재
이경종
이경주
이경준
이경진
이경춘
이경탁
이경태
이경필
이경학
이경해
이경헌
이경혜
이경호
이경화
이경환
이경훈
이경희
이계문
이계삼
이계순
이계승
이계영
이계인
이계자
이계진
이계찬
이계춘
이계환
이곤섭
이공래
이관
이관구
이관순
이관행
이관호
이광규

이광근
이광렬
이광만
이광무
이광백
이광복
이광석
이광섭
이광세
이광수
이광숙
이광승
이광식
이광열
이광영
이광오
이광용
이광원
이광월
이광윤
이광의
이광일
이광자
이광재
이광종
이광주
이광준
이광진
이광춘
이광택
이광필
이광현
이광호
이광훈
이광희
이교관
이교석
이교선
이교현
이구헌
이국성
이국수

이국찬
이국행
이국희
이군자
이군표
이권기
이권렬
이권세
이권용
이귀남
이귀녀
이귀복
이귀선
이귀숙
이귀순
이귀인
이귀향
이귀형
이귀희
이규남
이규도
이규동
이규봉
이규삼
이규상
이규석
이규선
이규섭
이규송
이규영
이규옥
이규용
이규운
이규인
이규진
이규찬
이규창
이규철
이규태
이규헌
이규현
이규혜

이규호
이규홍
이규환
이규희
이균성
이균재
이그루
이근
이근덕
이근미
이근봉
이근석
이근세
이근수
이근신
이근영
이근용
이근우
이근원
이근재
이근조
이근주
이근철
이근태
이근택
이근행
이근형
이근호
이근환
이금란
이금석
이금숙
이금순
이금현
이금호
이금화
이금희
이긍로
이기국
이기남
이기덕
이기동

이기룡
이기만
이기명
이기문
이기범
이기상
이기석
이기섭
이기송
이기순
이기연
이기영
이기용
이기우
이기웅
이기원
이기자
이기정
이기종
이기중
이기철
이기추
이기태
이기택
이기현
이기형
이기호
이기홍
이기화
이기환
이기훈
이기흥
이길남
이길성
이길수
이길숙
이길승
이길영
이길용
이길웅
이길원
이길윤

이길재
이길종
이길한
이길환
이길훈
이나영
이낙연
이낙원
이난희
이 남
이남걸
이남경
이남규
이남기
이남선
이남주
이남중
이남헌
이남호
이남희
이내법
이내수
이내흥
이노성
이노수
이다래
이다빈
이다은
이다혜
이달훈
이대규
이대길
이대로
이대륜
이대범
이대복
이대선
이대성
이대순
이대식
이대안
이대열

이대영
이대용
이대원
이대윤
이대응
이대재
이대준
이대혁
이대현
이대형
이대희
이덕근
이덕남
이덕수
이덕승
이덕식
이덕연
이덕열
이덕영
이덕우
이덕일
이덕형
이덕호
이덕환
이덕희
이데레사
이도균
이도상
이도연
이도영
이도종
이도준
이도현
이도형
이도홍
이도희
이돈국
이돈섭
이돈숙
이 동

이동걸
이동교
이동권
이동규
이동균
이동근
이동기
이동덕
이동로
이동률
이동민
이동복
이동석
이동섭
이동성
이동수
이동순
이동식
이동언
이동연
이동열
이동엽
이동영
이동우
이동욱
이동원
이동윤
이동인
이동일
이동재
이동정
이동종
이동주
이동준
이동진
이동찬
이동채
이동철
이동하
이동학
이동한
이동헌
이동현
이동협
이동호
이동환
이동훈
이동희
이두성
이두안
이두열
이두영
이두진
이두형
이두호
이래경
이량건
이로사
이루다
이리라
이리열
이린우
이림주
이마리아
이막달
이만
이만배
이만세
이만수
이만식
이만우
이만주
이만진
이만춘
이만형
이만호
이만흥
이만희
이말복
이매자
이맹원
이맹화
이명곤
이명관
이명구
이명규
이명균
이명근
이명남
이명상
이명석
이명선
이명성
이명수
이명숙
이명순
이명식
이명신
이명애
이명욱
이명위
이명자
이명재
이명진
이명천
이명철
이명춘
이명하
이명호
이명회
이명훈
이명휴
이명희
이모세
이무상
이무성
이무송
이무승
이무웅
이무춘
이무충
이무황
이문교
이문규
이문근
이문길
이문도
이문성
이문수
이문숙
이문식
이문영
이문용
이문의
이문주
이문지
이문형
이문희
이미경
이미나
이미남
이미라
이미란
이미룡
이미선
이미숙
이미순
이미아
이미옥
이미자
이미재
이미정
이미조
이미해
이미현
이미화
이미희
이 민
이민경
이민구
이민규
이민근
이민부
이민석
이민세
이민수
이민숙
이민아
이민영
이민우
이민원
이민재
이민정
이민종
이민지
이민철
이민혁
이민형
이민호
이민화
이민휘
이민히
이박우
이반석
이방우
이방주
이배근
이배호
이백선
이범구
이범국
이범규
이범래
이범례
이범석
이범선
이범수
이범열
이범원
이범재
이범주
이범진
이범철
이법락
이벽희
이병걸
이병곤
이병관
이병국
이병권
이병규
이병기
이병노
이병덕
이병득
이병렬
이병로
이병무
이병문
이병삼
이병석
이병선
이병성
이병수
이병숙
이병술
이병승
이병엽
이병영
이병우
이병욱
이병은
이병인
이병주
이병준
이병진
이병찬
이병창
이병채
이병철
이병태
이병하
이병호
이병홍
이병화
이병환
이병훈
이병희
이보금
이보실
이보연
이보영

이보철
이보향
이보화
이복관
이복남
이복례
이복수
이복순
이복연
이복우
이복자
이복준
이복찬
이본수
이봉규
이봉로
이봉섭
이봉숙
이봉우
이봉의
이봉재
이봉주
이봉진
이봉하
이봉현
이봉형
이봉호
이봉훈
이부경
이부길
이부생
이부성
이부순
이부용
이부형
이분선
이산학
이삼규
이삼노
이삼수
이삼열
이삼중
이삼희
이상갑
이상건
이상걸
이상경
이상곤
이상관
이상구
이상국
이상권
이상귀
이상규
이상균
이상근
이상기
이상길
이상녀
이상년
이상대
이상덕
이상도
이상동
이상두
이상락
이상록
이상룡
이상림
이상만
이상면
이상명
이상무
이상묵
이상문
이상미
이상민
이상발
이상백
이상범
이상벽
이상복
이상봉
이상빈
이상석
이상선
이상섭
이상수
이상숙
이상순
이상술
이상식
이상애
이상열
이상엽
이상영
이상옥
이상용
이상우
이상욱
이상운
이상원
이상윤
이상은
이상을
이상익
이상인
이상일
이상재
이상정
이상조
이상종
이상주
이상준
이상직
이상진
이상채
이상천
이상철
이상춘
이상태
이상특
이상표
이상필
이상학
이상한
이상해
이상헌
이상혁
이상현
이상협
이상호
이상화
이상훈
이상휘
이상희
이생수
이서경
이서영
이석교
이석구
이석규
이석기
이석남
이석락
이석륭
이석무
이석문
이석민
이석범
이석붕
이석석
이석연
이석용
이석원
이석재
이석제
이석주
이석진
이석행
이석형
이석호
이석환
이석희
이선
이선경
이선규
이선덕
이선미
이선수
이선숙
이선순
이선신
이선아
이선열
이선영
이선옥
이선용
이선우
이선자
이선정
이선주
이선태
이선하
이선혜
이선호
이선화
이선희
이설하
이 성
이성가
이성각
이성계
이성관
이성구
이성국
이성권
이성규
이성균
이성근
이성기
이성길
이성노
이성락
이성렬
이성로
이성림
이성만
이성미
이성민
이성복
이성수
이성숙
이성순
이성식
이성실
이성언
이성열
이성우
이성욱
이성원
이성일
이성자
이성재
이성조
이성주
이성준
이성진
이성철
이성칠
이성타
이성학
이성한
이성해
이성현
이성형
이성혜
이성호
이성환
이성효
이성훈
이성휘
이성희
이세경
이세라
이세비
이세영
이세원
이세재
이세정

이세종
이세현
이세형
이세홍
이세훈
이소림
이소망
이소연
이소영
이소정
이소현
이소형
이 송
이송수
이송애
이송이
이송재
이송주
이송호
이송희
이 수
이수금
이수나
이수림
이수명
이수복
이수석
이수성
이수아
이수연
이수열
이수영
이수옥
이수용
이수우
이수웅
이수원
이수인
이수정
이수직
이수진
이수철

이수한
이수행
이수향
이수헌
이수현
이수호
이수홍
이수희
이숙
이숙경
이숙란
이숙아
이숙애
이숙영
이숙일
이숙자
이숙향
이숙희
이순곤
이순구
이순금
이순기
이순남
이순덕
이순목
이순민
이순배
이순복
이순애
이순영
이순옥
이순용
이순우
이순자
이순재
이순정
이순주
이순창
이순철
이순한
이순호
이순환

이순희
이승건
이승국
이승규
이승근
이승기
이승길
이승남
이승노
이승대
이승록
이승룡
이승만
이승모
이승미
이승민
이승배
이승백
이승복
이승봉
이승섭
이승수
이승숙
이승순
이승억
이승언
이승연
이승열
이승엽
이승오
이승옥
이승용
이승우
이승욱
이승일
이승재
이승종
이승주
이승준
이승직
이승진
이승철

이승타
이승현
이승협
이승형
이승호
이승화
이승후
이승훈
이승희
이시범
이시연
이시영
이시우
이시혜
이시호
이시화
이 식
이신권
이신복
이신정
이신철
이신형
이신호
이신희
이심열
이아름
이아리
이애경
이애란
이애리
이애리나
이애선
이애영
이애자
이애정
이애지
이애형
이애화
이애희
이양구
이양섭
이양순

이양식
이양우
이양익
이양재
이양주
이양희
이언석
이언우
이언주
이여송
이여애
이연
이연배
이연숙
이연옥
이연우
이연이
이연재
이연호
이연환
이연희
이열호
이 영
이영갑
이영광
이영구
이영국
이영권
이영규
이영기
이영길
이영남
이영도
이영동
이영란
이영련
이영로
이영롱
이영림
이영면
이영묵
이영미

이영민
이영백
이영범
이영복
이영분
이영석
이영선
이영섭
이영수
이영숙
이영순
이영식
이영신
이영심
이영애
이영연
이영오
이영우
이영욱
이영음
이영익
이영인
이영일
이영자
이영재
이영종
이영주
이영준
이영직
이영진
이영채
이영철
이영춘
이영태
이영필
이영학
이영현
이영호
이영화
이영환
이영활
이영훈

이영희
이예린
이예원
이오동
이오식
이오원
이오형
이옥
이옥규
이옥기
이옥란
이옥련
이옥례
이옥선
이옥인
이옥형
이옥화
이옥희
이완수
이완식
이완영
이완용
이완우
이완표
이완홍
이왕효
이외우
이외자
이요한
이용곤
이용관
이용국
이용근
이용남
이용덕
이용만
이용몽
이용민
이용배
이용백
이용복
이용상

이용석
이용선
이용성
이용세
이용숙
이용승
이용식
이용신
이용연
이용우
이용욱
이용운
이용원
이용일
이용재
이용주
이용준
이용진
이용창
이용채
이용천
이용철
이용칠
이용태
이용학
이용한
이용해
이용호
이용화
이용훈
이용희
이우경
이우구
이우근
이우동
이우석
이우식
이우연
이우영
이우인
이우정
이우종

이우진
이우철
이우현
이우환
이욱
이욱재
이운규
이운석
이운연
이운영
이운용
이운정
이운주
이운창
이운학
이운향
이웅립
이웅열
이웅재
이웅천
이원경
이원관
이원구
이원규
이원근
이원기
이원두
이원선
이원순
이원식
이원영
이원옥
이원욱
이원익
이원자
이원재
이원종
이원주
이원준
이원직
이원진
이원학

이원현
이원호
이원효
이원희
이월선
이월향
이월형
이위덕
이위주
이유경
이유근
이유리
이유미
이유빈
이유설
이유숙
이유식
이유신
이유열
이유정
이유진
이유토
이유현
이유형
이 윤
이윤경
이윤구
이윤규
이윤덕
이윤로
이윤미
이윤배
이윤범
이윤상
이윤석
이윤선
이윤성
이윤숙
이윤순
이윤식
이윤용
이윤우

이윤이
이윤일
이윤전
이윤정
이윤주
이윤준
이윤철
이윤행
이윤호
이윤희
이 은
이은경
이은규
이은나래
이은림
이은미
이은방
이은상
이은석
이은수
이은숙
이은아
이은영
이은옥
이은용
이은욱
이은일
이은자
이은재
이은정
이은주
이은지
이은진
이은하
이은한
이은혜
이은호
이은홍
이은화
이은희
이을용
이을찬

이응대
이응도
이응복
이응선
이응칠
이응한
이의봉
이의성
이의송
이의수
이의숙
이의용
이의자
이의재
이의정
이의종
이의태
이의협
이의훈
이이섭
이이슬
이익모
이익재
이익현
이인
이인경
이인구
이인규
이인균
이인덕
이인배
이인범
이인석
이인선
이인섭
이인세
이인수
이인숙
이인순
이인식

이인엽 이인영 이인우 이인원 이인재 이인조 이인철 이인탁 이인택 이인형 이인화 이인희 이 일 이일곤 이일광 이일권 이일규 이일만 이일영 이일용 이일우 이일재 이일택 이일학 이일한 이일환 이일희 이임경 이임숙 이임순 이자성 이자형 이장도 이장명 이장수 이장우 이장원 이장준 이장춘 이장표 이장한 이장환

이장희 이재갑 이재강 이재걸 이재경 이재관 이재광 이재교 이재구 이재국 이재권 이재근 이재길 이재덕 이재득 이재량 이재련 이재림 이재면 이재명 이재문 이재민 이재범 이재복 이재봉 이재부 이재석 이재선 이재섭 이재성 이재수 이재숙 이재순 이재술 이재식 이재신 이재심 이재안 이재연 이재열 이재영 이재오

이재옥 이재완 이재왕 이재용 이재우 이재욱 이재운 이재운 이재웅 이재원 이재윤 이재은 이재익 이재인 이재일 이재임 이재정 이재준 이재중 이재진 이재찬 이재창 이재천 이재철 이재춘 이재택 이재필 이재하 이재학 이재헌 이재혁 이재현 이재호 이재홍 이재화 이재환 이재활 이재훈 이재흥 이재희 이전도 이전수

이점수 이점순 이점예 이점용 이점호 이 정 이정갑 이정건 이정경 이정구 이정국 이정규 이정균 이정근 이정길 이정남 이정노 이정대 이정돌 이정란 이정래 이정량 이정림 이정미 이정민 이정배 이정병 이정복 이정산 이정석 이정섭 이정성 이정수 이정숙 이정순 이정식 이정실 이정아 이정안 이정애 이정연 이정엽

이정영 이정오 이정옥 이정용 이정우 이정욱 이정웅 이정원 이정윤 이정의 이정이 이정익 이정일 이정임 이정자 이정전 이정조 이정주 이정준 이정진 이정철 이정태 이정택 이정표 이정하 이정학 이정행 이정향 이정현 이정협 이정형 이정호 이정화 이정환 이정후 이정훈 이정휘 이정희 이제공 이제두 이제선 이제수

이제숙 이제순 이제승 이제영 이조경 이조형 이종갑 이종건 이종걸 이종겸 이종경 이종광 이종구 이종국 이종권 이종규 이종균 이종근 이종기 이종길 이종남 이종대 이종덕 이종득 이종락 이종란 이종령 이종률 이종림 이종만 이종명 이종문 이종민 이종배 이종범 이종복 이종삼 이종서 이종석 이종선 이종설 이종섭

이종성
이종송
이종수
이종숙
이종순
이종식
이종실
이종암
이종열
이종엽
이종영
이종오
이종옥
이종우
이종욱
이종웅
이종원
이종윤
이종은
이종익
이종인
이종일
이종주
이종준
이종진
이종찬
이종창
이종철
이종칠
이종태
이종택
이종표
이종필
이종하
이종학
이종한
이종헌
이종혁
이종현
이종호
상허스님
이종화
이종환
이종회
이종후
이종훈
이종희
이주대
이주란
이주봉
이주분
이주삼
이주석
이주선
이주섭
이주성
이주식
이주아
이주엄
이주연
이주열
이주엽
이주영
이주옥
이주용
이주윤
이주일
이주하
이주한
이주헌
이주현
이주형
이주호
이주홍
이주환
이주훈
이주희
이준구
이준균
이준근
이준기
이준길
이준모
이준배
이준봉
이준석
이준성
이준수
이준승
이준엽
이준영
이준용
이준우
이준의
이준한
이준혁
이준호
이준홍
이준휘
이준희
이중길
이중량
이중석
이중섭
이중엽
이중완
이중우
이중원
이중재
이중진
이중찬
이중택
이중하
이중헌
이중화
이중훈
이증연
이지문
이지수
이지숙
이지안
이지애
이지언
이지연
이지영
이지용
이지욱
이지원
이지은
이지현
이지형
이지혜
이지홍
이지훈
이진
이진경
이진관
이진구
이진국
이진권
이진규
이진근
이진기
이진락
이진만
이진석
이진성
이진수
이진숙
이진아
이진여
이진연
이진영
이진옥
이진용
이진우
이진원
이진재
이진주
이진준
이진태
이진헌
이진혁
이진현
이진형
이진호
이진화
이진환
이진휴
이진희
이차독
이차복
이차영
이찬기
이찬식
이찬열
이찬영
이찬용
이찬우
이찬호
이창건
이창관
이창국
이창규
이창기
이창대
이창록
이창모
이창민
이창범
이창복
이창석
이창선
이창섭
이창수
이창숙
철우스님
이창연
이창엽
이창영
이창용
이창우
이창운
이창원
이창익
이창일
이창재
이창주
이창진
이창필
이창헌
이창현
이창형
이창호
이창화
이창환
이창효
이창훈
이창휴
이창흔
이창희
이채오
이채운
이채원
이채윤
이처영
이천석
이천수
이천오
이천호
이천환
이천희
이철
이철구
이철규
이철두
이철로
이철민
이철수
이철승
이철용
이철우
이철윤
이철은
이철재
이철정
이철종
이철주
이철준
이철진

이철현
이철호
이철희
이청연
이청재
이청호
이춘구
이춘길
이춘로
이춘석
이춘성
이춘수
이춘식
이춘엽
이춘영
이춘우
이춘자
이춘하
이춘형
이춘화
이춘희
이충대
이충목
이충연
이충열
이충엽
이충우
이충웅
이충원
이충일
이충재
이충직
이충현
이충환
이충훈
이충희
이치주
이칠형
이태경
이태규
이태근
이태길
이태동
이태범
이태섭
이태수
이태열
이태영
이태용
이태우
이태운
이태원
이태정
이태주
이태준
이태진
이태학
이태호
이태홍
이태환
이태희
이택근
이택기
이택수
이택승
이특구
이판수
이판용
이평일
이평주
이평호
이평화
이평훈
이필구
이필근
이필상
이필생
이필선
이필순
이필영
이필용
이필재
이필훈
이하나
이하인
이학균
이학범
이학봉
이학섭
이학수
이학용
이학재
이학철
이한경
이한구
이한국
이한규
이한길
이한득
이한례
이한민
이한범
이한선
이한섭
이한솔
이한수
이한슬
이한승
이한용
이한일
이한재
이한주
이한진
이한표
이한훈
이항재
이항주
이해균
이해기
이해나
이해남
이해란
이해명
이해석
이해숙
이해승
이해식
이해우
이해원
이해익
이해정
이해종
이해중
이해천
이해철
이해희
이행규
이행남
이행만
이행섭
이행숙
이행찬
이향노
이향란
이향미
이향선
이향숙
이향원
이향월
이향이
이헌
이헌건
이헌근
이헌길
이헌종
이혁
이혁규
이혁세
이혁재
이현경
이현구
이현근
이현기
이현녀
이현대
이현미
이현민
이현범
이현석
이현선
이현섭
이현성
이현수
이현숙
이현순
이현식
이현옥
이현우
이현자
이현재
이현정
이현제
이현주
이현준
이현중
이현철
이현필
이현호
이현화
이현희
이형각
이형구
이형단
이형동
이형두
이형로
이형모
이형민
이형범
이형복
이형세
이형수
이형순
이형열
이형오
이형완
이형우
이형욱
이형의
이형일
이형주
이형진
이형찬
이형태
이형택
이형하
이형학
이형호
이형희
이 혜
이혜경
이혜구
이혜란
이혜령
이혜린
이혜림
이혜명
이혜수
이혜숙
이혜연
이혜영
이혜자
이혜정
이혜지
이혜진
이 호
이호경
이호국
이호군
이호근
이호돌
이호동
이호람
이호만
이호상
이호석
이호선
이호섭
이호신
이호연
이호열
이호영

이호욱
이호웅
이호일
이호재
이호정
이호준
이호진
이홍구
이홍근
이홍기
이홍길
이홍민
이홍범
이홍석
이홍섭
이홍성
이홍수
이홍식
이홍열
이홍우
이홍표
이홍희
이화남
이화련
이화백
이화순
이화신
이화영
이화용
이화주
이화창
이화회
이환석
이환열
이환웅
이환철
이회대
이효군
이효근
이효림
이효상
이효성

이효숙
이효일
이효재
이효주
이후삼
이후성
이후재
이후택
이훈
이훈모
이훈상
이훈섭
이훈재
이훈전
이훤
이휴정
이흥국
이흥근
이흥록
이흥선
이흥섭
이흥우
이흥주
이흥철
이희걸
이희경
이희관
이희광
이희길
이희남
이희동
이희상
이희선
이희수
이희숙
이희승
이희신
이희연
이희영
이희우
이희원
이희자

이희재
이희전
이희정
이희종
이희준
이희중
이희창
이희철
이희탁
이희택
이희헌
이희환
인명진
인미화
인병하
인성익
인연순
인창혁
인치숭
인태명
인태연
인형수
인희옥
일허스님
임가춘
임강민
임건묵
임건철
임건호
임건휘
임경미
임경선
임경수
임경순
임경아
임경윤
임경은
임경화
임경희
임계묵
임공규
임관섭

임관영
임광재
임광희
임교빈
임구원
임규삼
임규석
임규양
임규찬
임 근
임근상
임근수
임근식
임근형
임근호
임금순
임금자
임기상
임기수
임기운
임기중
임노간
임노열
임다정
임달숙
임대식
임덕규
임덕수
임덕순
임덕호
임동관
임동규
임동근
임동모
임동범
임동순
임동식
임동신
임동원
임동일
임동준
임동철

임동춘
임동표
임동헌
임동현
임동훈
임동휘
임두종
임명선
임명섭
임명수
임명원
임명자
임명진
임명호
임명희
임무진
임문웅
임문희
임미선
임미애
임미정
임미진
임민호
임배근
임병구
임병동
임병락
임병오
임병원
임병일
임병진
임병철
임병태
임보향
임복석
임봉주
임삼
임삼례
임삼진
임상규
임상묵
임상열

임상일
임상혁
임상호
임상훈
임서구
임석
임석규
임석순
임석술
임선미
임선영
임선우
임선희
임성관
임성권
임성규
임성렬
임성만
임성복
임성빈
임성수
임성식
임성애
임성인
임성준
임성진
임성충
임성태
임성표
임성호
임성화
임성훈
임성희
임세영
임세운
임세은
임수정
임수철
임숙경
임숙자

임순옥
임순희
임승관
임승규
임승기
임승빈
임승안
임승욱
임승원
임승한
임시연
임신영
임애순
임양희
임여진
임 영
임영관
임영기
임영길
임영란
임영록
임영범
임영복
임영빈
임영삼
임영우
임영욱
임영율
임영진
임영춘
임영호
임영화
임영환
임영희
임예경
임예진
임오진
임옥주
임용관
임용기
임용선
임용수
임용숙
임용순
임용익
임용재
임용현
임용호
임용희
임우섭
임우택
임웅섭
임웅찬
임원걸
임원선
임원섭
임원택
임유본
임유진
임윤빈
임윤섭
임윤재
임윤택
임윤희
임은경
임은기
임은정
임은주
임은혁
임을출
임의순
임익조
임익홍
임인걸
임인영
임인태
임일규
임일남
임일수
임일용
임자희
임장배
임장원
임장훈
임재경
임재권
임재규
임재근
임재덕
임재선
임재성
임재오
임재우
임재욱
임재율
임재익
임재일
임재환
임점택
임정규
임정근
임정길
임정미
임정숙
임정아
임정애
임정종
임정주
임정지
임정현
임정혜
임정호
임정환
임정훈
임정휘
임제수
임종관
임종국
임종규
임종균
임종대
임종두
임종렬
임종민
임종빈
임종상
임종석
임종수
임종숙
임종승
임종연
임종오
임종완
임종원
임종윤
임종지
임종채
임종철
임종필
임종학
임종한
임종혁
임종화
임종회
임주석
임주억
임주영
임준순
임준택
임지민
임지순
임지연
임지영
임지은
임지인
임지혜
임진선
임진섭
임진성
임진원
임진택
임진희
임차남
임찬수
임창규
임창선
임창신
임창욱
임채국
임채권
임채규
임채란
임채록
임채수
임채영
임채욱
임채호
임채훈
임천순
임철
임철만
임철선
임철순
임철재
임청빈
임춘구
임춘례
임태규
임태선
임태성
임태연
임태영
임태우
임태정
임택
임학현
임한근
임한빈
임한수
임한준
임한택
임한필
임향택
임향근
임향선
임헌경
임헌권
임헌만
임헌섭
임헌숙
임혁빈
임현규
임현수
임현옥
임현주
임현준
임현진
임현철
임형백
임형석
임형섭
임형요
임형준
임형채
임형칠
임형택
임형호
임혜경
임혜숙
임호
임호경
임호삼
임호상
임호성
임호순
임호식
임호진
임호현
임홍승
임화자
임효민
임효정
임효창
임훈
임흥기
임흥재
임희동
임희숙
임희영
임희옥
임희윤
임희진

임희철
임희청
장강창
장건원
장경동
장경민
장경봉
장경석
장경섭
장경순
장경식
장경완
장경용
장경우
장경운
장경익
장경자
장경태
장경택
장경현
장경호
장경훈
장계영
장계원
장계현
장고현
장광빈
장광현
장교환
장권
장귀덕
장귀봉
장귀익
장귀환
장규환
장근호
장금구
장금석
장기남
장기범
장기석
장기선
장기섭
장기수
장기숙
장기열
장기영
장기인
장기정
장기준
장기출
장기태
장기학
장길섭
장길수
장길호
장남수
장남운
장다감
장다목
장달근
장달상
장대중
장대현
장대호
장덕기
장덕수
장덕종
장도영
장도익
장동구
장동군
장동권
장동규
장동근
장동길
장동대
장동만
장동민
장동범
장동빈
장동석
장동수
장동식
장동완
장동일
장동찬
장동현
장동호
장두호
장래범
장래인
장만호
장말순
장면홍
장명봉
장명석
장명수
장명순
장명옥
장명진
장명희
장목
장문석
장문숙
장문정
장문호
장미
장미경
장미나
장미라
장미란
장미숙
장미순
장미애
장미은
장미정
장미진
장미화
장미희
장민규
장민기
장민수
장민욱
장민주
장병기
장병순
장병열
장병우
장병윤
장병호
장병화
장병희
장보름
장보웅
장복수
장복심
장봉섭
장봉자
장봉주
장부연
장삼기
장삼수
장상배
장상해
장서연
장석구
장석림
장석재
장석주
장석준
장석찬
장석춘
장석호
장석환
장석희
장 선
장선미
장선배
장선애
장선옥
장선이
장선익
장선주
장성
장성국
장성근
장성문
장성미
장성수
장성순
장성욱
장성원
장성일
장성자
장성진
장성채
장성현
장성호
장세광
장세규
장세봉
장세웅
장세진
장세훈
장소영
장송수
장수용
장수호
장숙희
장순옥
장순이
장순임
장순태
장순택
장순환
장승진
장승화
장승희
장시내
장시성
장시영
장신규
장심영
장안심
장애천
장양례
장여진
장여훈
장연덕
장연주
장영
장영건
장영규
장영기
장영달
장영란
장영범
장영석
장영수
장영식
장영안
장영열
장영오
장영옥
장영익
장영중
장영철
장영춘
장영헌
장영현
장영호
장영화
장영환
장예진
장오송
장오현
장옥경
장옥숙
장온균
장완희
장왕명
장용근
장용덕
장용석
장용섭
장용진
장용철
장용호
장우석

장우식
장욱
장운
장운갑
장운영
장원규
장원섭
장원용
장원자
장원재
장원주
장원철
장원택
장유덕
장유리
장유림
장유진
장유환
장육남
장윤석
장윤정
장윤주
장은경
장은미
장은선
장은숙
장은실
장은영
장은주
장은진
장은혜
장을규
장을병
장응선
장의수
장의태
장이두
장익
장인석
장인섭
장인성
장인수

장인순
장인철
장인호
장인환
장일성
장일진
장일진
장일훈
장장목
장재구
장재봉
장재수
장재식
장재영
장재원
장재철
장재필
장재헌
장재현
장재호
장재환
장재훈
장점숙
장점오
장정곤
장정구
장정근
장정만
장정민
장정우
장정호
장정환
장정훈
장정희
장조영
장종국
장종길
장종대
장종오
장종원
장종호
장주열

장주영
장준배
장준석
장준우
장준호
장준흠
장중철
장지은
장지태
장 진
장진서
장진성
장진수
장진식
장진아
장진영
장진욱
장진원
장진호
장진희
장차남
장찬옥
장찬홍
장창국
장창식
장창원
장천호
장철규
장철기
장철수
장철원
장철호
장춘순
장춘식
장춘호
장충구
장충석
장태규
장태산
장태원
장태환
장택규

장하덕
장하영
장해룡
장해열
장해욱
장해철
장혁준
장현갑
장현권
장현봉
장현수
장현순
장현실
장현주
장현지
장현철
장형근
장형기
장형순
장형원
장형환
장혜령
장혜원
장호경
장호광
장호순
장호열
장호익
장호진
장호형
장홍기
장홍래
장홍석
장홍선
장홍원
장화선
장화식
장화영
장회숙
장효성
장효숙
장효죽

장효진
장훈
장휘국
장흔성
장흥재
장희곤
장희순
장희정
재연주
전갑길
전갑생
전경아
전경진
전경희
전관순
전광섭
전광수
전광식
전광우
전광일
전광재
전광현
전광호
전국진
전귀영
전귀옥
전귀정
전규복
전규호
전규화
전균섭
전근범
전근상
전근수
전근우
전금식
전금희
전기동
전기성
전기운
전기택
전기풍

전기호
전기환
전길수
전길자
전년규
전대길
전대련
전대숙
전대실
전대철
전대홍
전덕채
전덕표
전도영
전동기
전동운
전동준
전동철
전동춘
전동환
전득배
전만수
전만식
전명석
전명수
전명숙
전명순
전명재
전명진
전무수
전문식
전문학
전미숙
전미애
전미연
전미영
전미옥
전미자
전민규
전방욱
전병관
전병생

전병선
전병수
전병순
전병식
전병악
전병옥
전병용
전병찬
전병창
전병환
전보름
전보익
전복실
전봉락
전봉수
전봉양
전봉진
전삼현
전상금
전상길
전상대
전상룡
전상섭
전상용
전상욱
전상윤
전상익
전상인
전상진
전상천
전상현
전상훈
전상희
전석균
전석만
전석환
전선식
전선영
전선임
전선자
전선화
전선희
전 성
전성구
전성기
전성식
전성욱
전성은
전성인
전성재
전성철
전성현
전성호
전성휘
전성희
전세식
전세표
전송임
전수현
전순득
전순위
전순진
전승배
전승봉
전승예
전승희
전양수
전양호
전연성
전연숙
전영구
전영권
전영근
전영기
전영길
전영렬
전영미
전영봉
전영석
전영선
전영숙
전영순
전영식
전영애
전영우
전영원
전영을
전영인
전영일
전영주
전영진
전영찬
전영철
전영춘
전영평
전영하
전영해
전오식
전오진
전옥균
전왕규
전용갑
전용국
전용근
전용대
전용렬
전용배
전용범
전용석
전용성
전용세
전용일
전용준
전용표
전우봉
전우석
전우영
전우용
전우종
전우진
전우철
전운배
전운성
전운찬
전원탁
전유문
전유정
전윤한
전은영
전은이
전은진
전은혜
전은호
전응휘
전의수
전이령
전익하
전인숙
전인자
전인찬
전인철
전인현
전일수
전일순
전임숙
전작
전장군
전장규
전장영
전장호
전재근
전재돈
전재만
전재복
전재상
전재석
전재연
전재은
전재진
전재철
전재현
전재형
전재호
전재희
전정기
전정재
전정표
전정호
전정희
전종국
전종덕
전종만
전종봉
전종석
전종식
전종은
전종주
전종찬
전종한
전종호
전주상
전주언
전주일
전준권
전준모
전준열
전준영
전준호
전중근
전지랑
전지현
전지훈
전진대
전진석
전진수
전진업
전진영
전진택
전진학
전찬기
전찬섭
전찬영
전찬일
전찬호
전창주
전창해
전창호
전창훈
전창희
전천운
전철균
전철영
전철웅
전철호
전철홍
전태상
전태석
전필기
전하연
전학선
전학용
전한성
전해진
전향옥
전혁구
전현수
전현준
전현중
전형배
전형수
전형욱
전형천
전혜정
전호갑
전호성
전호열
전호영
전홍구
전홍모
전홍수
전화열
전희경
전희락
전희숙
전희영
전희찬
전희택
정갑수
정갑천
정강석

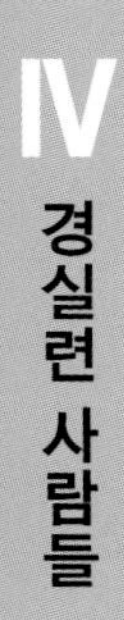

정강자
정강주
정강택
정건해
정경규
정경균
정경룡
정경배
정경석
정경선
정경수
정경숙
정경순
정경식
정경연
정경옥
정경임
정경조
정경진
정경화
정경환
정경훈
정경희
정계영
정계화
정관균
정관순
정관우
정광렬
정광림
정광모
정광민
정광석
정광선
정광섭
정광수
정광연
정광우
정광철
정광하
정광현
정광화
정광훈
정교순
정교진
정구만
정구봉
정구상
정구선
정구수
정구연
정구영
정구창
정국교
정권수
정권영
정권용
정권율
정귀봉
정규산
정규식
정규용
정규호
정균
정근
정근호
정금순
정금옥
정금자
정금호
정기만
정기선
정기섭
정기성
정기수
정기영
정기태
정기호
정길모
정길순
정길영
정길재
정길채
정길호
정낙식
정낙형
정남선
정남수
정남숙
정남운
정남준
정남희
정념
정념스님
정노숙
정다운
정달식
정대근
정대민
정대성
정대순
정대식
정대영
정대용
정대조
정대진
정대천
정대철
정대하
정대호
정대훈
정덕범
정덕영
정덕임
정덕주
정덕현
정덕훈
정도영
정도우
정도환
정동균
정동기
정동만
정동섭
정동수
정동식
정동신
정동열
정동영
정동욱
정동운
정동원
정동일
정동준
정동한
정두선
정두숙
정두용
정득년
정란아
정란희
정련스님
정만석
정만중
정말순
정맹훈
정명교
정명규
정명길
정명민
정명석
정명숙
정명순
정명식
정명영
정명오
정명자
정명주
정명진
정명호
정명환
정명희
정무권
정무원
정문교
정문기
정문섭
정문성
정문수
정문순
정문정
정문탁
정문현
정문호
정미경
정미선
정미숙
정미순
정미영
정미정
정미주
정미한
정미혜
정미화
정미희
정민
정민경
정민곤
정민숙
정민영
정민자
정민재
정민정
정민호
정박문
정범석
정병건
정병관
정병규
정병로
정병록
정병만
정병성
정병수
정병숙
정병순
정병연
정병열
정병오
정병우
정병웅
정병인
정병일
정병일
정병조
정병주
정병진
정병철
정병태
정병호
정병화
정병환
정병훈
정보건
정보경
정복근
정봉수
정봉애
정봉자
정봉재
정봉진
정봉철
정봉희
정부교
정부자
정부정
정분도
정빈근
정삼룡
정삼수
정삼철
정삼환
정상경
정상교
정상권
정상귀
정상규
정상래
정상모
정상문
정상미
정상민

정상배
정상섭
정상신
정상영
정상옥
정상완
정상용
정상욱
정상원
정상중
정상찬
정상철
정상택
정상현
정상호
정상훈
정상희
정생규
정석광
정석구
정석규
정석근
정석기
정석만
정석연
정석용
정석우
정석원
정석윤
정석조
정석중
정석호
정석환
정석훈
정석희
정선
정선경
정선국
정선수
정선숙
정선애
정선영

정선오
정선옥
정선용
정선우
정선유
정선이
정선재
정선철
정선태
정선혜
정선호
정선화
정선희
정성균
정성근
정성기
정성남
정성대
정성래
정성로
정성록
정성만
정성무
정성문
정성봉
정성심
정성애
정성옥
정성욱
정성운
정성윤
정성은
정성진
정성철
정성필
정성한
정성헌
정성호
정성환
정성훈
정성희
정세국

정세빈
정세영
정세웅
정세윤
정세자
정세진
정세택
정세현
정세홍
정세화
정세환
정세훈
정소영
정소현
정송자
정수
정수경
정수관
정수길
정수득
정수복
정수용
정수일
정수진
정수창
정수혁
정수현
정수화
정숙영
정순관
정순남
정순둘
정순렬
정순례
정순모
정순미
정순배
정순섭
정순심
정순영
정순옥
정순일

정순조
정순창
정순천
정순철
정순택
정순학
정순현
정순혜
정순화
정순흥
정순희
정승권
정승래
정승룡
정승상
정승수
정승연
정승오
정승용
정승우
정승인
정승일
정승임
정승준
정승진
정승현
정승화
정승환
정승훈
정승희
정신모
정아루
정안철
정애니
정애리
정애숙
정애자
정애진
정양심
정양언
정양웅
정양이

정양훈
정연경
정연권
정연규
정연길
정연대
정연미
정연석
정연섭
정연수
정연숙
정연식
정연욱
정연이
정연주
정연준
정연중
정연진
정연철
정연태
정연택
정연호
정연홍
정연환
정연훈
정영곤
정영기
정영대
정영동
정영래
정영만
정영모
정영문
정영미
정영민
정영배
정영석
정영섭
정영수
정영숙
정영식
정영아

정영애
정영오
정영욱
정영은
정영일
정영재
정영점
정영주
정영진
정영창
정영철
정영태
정영학
정영현
정영현
정영혜
정영호
정영훈
정영희
정예성
정예솔
정오손
정옥석
정옥진
정완철
정완호
정왕국
정왕규
정용건
정용기
정용길
정용남
정용대
정용도
정용민
정용범
정용성
정용수
정용식
정용연

정용완
정용우
정용욱
정용인
정용주
정용진
정용찬
정용채
정용충
정용탁
정용택
정용화
정용훈
정용희
정우루
정우상
정우석
정우성
정우열
정우영
정우진
정우찬
정우철
정우택
정우혁
정우형
정욱형
정운섭
정운수
정운양
정운용
정웅노
정원경
정원모
정원영
정원우
정원임
정원재
정원제
정원조
정원종
정원주
정원철
정원태
정원희
정유리
정유림
정유미
정유석
정유화
정윤남
정윤락
정윤선
정윤세
정윤수
정윤숙
정윤영
정윤정
정윤조
정윤지
정윤채
정윤필
정윤호
정윤홍
정윤희
정 은
정은경
정은교
정은미
정은선
정은섭
정은성
정은솔
정은수
정은숙
정은식
정은영
정은자
정은정
정은조
정은주
정은준
정은채
정은철
정은하
정은해
정은향
정은혜
정은호
정은희
정음스님
정의곤
정의근
정의달
정의대
정의석
정의성
정의일
정의정
정의택
정의호
정의훈
정이백
정이성
정이식
정이진
정익수
정익훈
정인교
정인구
정인권
정인봉
정인성
정인수
정인식
정인애
정인우
정인웅
정인호
정인화
정인환
정일
정일구
정일기
정일섭
정일수
정일용
정일지
정일택
정일품
정일환
정일훈
정임선
정임식
정자홍
정장연
정장영
정장한
정장호
정장훈
정재광
정재교
정재규
정재근
정재동
정재득
정재량
정재령
정재명
정재문
정재복
정재석
정재성
정재연
정재영
정재운
정재웅
정재윤
정재은
정재조
정재진
정재필
정재현
정재형
정재호
정재홍
정재환
정재훈
정재희
정정구
정정남
정정대
정정래
정정문
정정석
정정섭
정정수
정정숙
정정순
정정식
정정영
정정용
정정일
정정임
정정자
정정필
정정현
정정호
정정화
정정희
정제봉
정제영
정제용
정종근
정종길
정종덕
정종명
정종민
정종선
정종섭
정종식
정종암
정종언
정종원
정종인
정종철
정종춘
정종태
정종택
정종학
정종현
정종화
정종훈
정종희
정주묵
정주연
정주영
정주현
정주호
정주희
정준기
정준수
정준영
정준우
정준택
정중식
정중신
정중한
정중헌
정중희
정지나
정지만
정지모
정지민
정지선
정지성
정지숙
정지연
정지영
정지용
정지운
정지웅
정지원
정지은
정지한
정지향
정지홍
정지환
정지훈
정지희
정 진
정진걸

정진경
정진곤
정진교
정진근
정진대
정진민
정진복
정진생
정진석
정진선
정진수
정진숙
정진아
정진오
정진용
정진우
정진욱
정진웅
정진원
정진주
정진철
정진하
정진학
정진한
정진헌
정진호
정진희
정차섭
정찬고
정찬규
정찬기
정찬숙
정찬순
정찬식
정찬영
정찬용
정찬욱
정찬흥
정창관
정창교
정창근
정창길
정창률
정창성
정창수
정창영
정창오
정창완
정창욱
정창운
정창현
정창화
정창훈
정창희
정채경
정채섭
정철
정철구
정철근
정철석
정철성
정철옥
정철웅
정철종
정철하
정철훈
정철희
정초연
정총무
정총복
정춘묵
정춘수
정춘식
정춘용
정춘화
정춘희
정충교
정충남
정충부
정충선
정충영
정충의
정충현
정치금
정치화
정치훈
정칠성
정쾌영
정탁영
정태근
정태명
정태민
정태선
정태성
정태영
정태옥
정태완
정태용
정태원
정태윤
정태의
정태정
정태준
정태진
정태철
정태현
정태호
정태화
정태효
정태흥
정태희
정택균
정택동
정택수
정판개
정평국
정필성
정필승
정필현
정하국
정하근
정하나
정하룡
정하성
정하영
정하용
정하웅
정하윤
정하주
정하준
정하진
정학균
정학련
정학수
정한구
정한균
정한기
정한섭
정한성
정한식
정한영
정한웅
정해관
정해광
정해균
정해명
정해석
정해숙
정해영
정해옥
정해용
정해진
정해춘
정행섭
정행원
정향
정향숙
정향진
정향희
정헌상
정헌섭
정혁제
정혁환
정현
정현걸
정현곤
정현교
정현돈
정현명
정현석
정현성
정현숙
정현순
정현오
정현우
정현욱
정현인
정현재
정현정
정현주
정현준
정현채
정현철
정현태
정현표
정현호
정형명
정형묵
정형석
정형섭
정형순
정형식
정형원
정형종
정형철
정형태
정형호
정혜경
정혜련
정혜명
정혜민
정혜선
정혜수
정혜순
정혜승
정혜영
정혜원
정혜진
정혜희
정 호
정호순
정호식
정호영
정호원
정홍기
정화석
정화양
정화영
정화자
정환규
정환모
정환송
정환영
정환종
정환채
정환필
정회봉
정회성
정회승
정회진
정효순
정효진
정후정
정훈
정훈영
정휘돈
정휴준
정흔교
정흥준
정흥진
정흥태
정희교
정희균
정희대
정희문
정희상
정희석
정희숙
정희윤
정희정

정희진	조경화	조금자	조동암	조민성	조상곤
정희창	조경환	조금현	조동욱	조민수	조상국
제갈근	조경희	조기근	조동일	조민영	조상근
제갈삼	조계덕	조기석	조동주	조민정	조상범
제갈음미	조계만	조기선	조동준	조민주	조상봉
제문규	조관제	조기섭	조동현	조민진	조상수
제미경	조광덕	조기연	조동환	조민철	조상익
제보녀	조광득	조기재	조두연	조민호	조상제
제성명	조광래	조기철	조두현	조민환	조상준
제수경	조광수	조기현	조락현	조민훈	조상현
제연화	조광욱	조기환	조래영	조방제	조상호
제영기	조광제	조길문	조만석	조방희	조상희
제용모	조광진	조길자	조만행	조백훈	조생남
제윤경	조광태	조길조	조명국	조뱡현	조서동
제정헌	조광현	조난주	조명기	조범경	조석귀
제종길	조광형	조남광	조명래	조범상	조석원
제진수	조광환	조남섭	조명상	조병갑	조석환
제창록	조광희	조남숙	조명수	조병걸	조선신
제희문	조교영	조남순	조명순	조병돈	조선익
조갑래	조국현	조남슬	조명식	조병록	조선일
조강석	조군휘	조남식	조명제	조병모	조선진
조강열	조귀남	조남윤	조명조	조병섭	조선환
조강훈	조규량	조남인	조명철	조병수	조선휘
조강희	조규만	조남진	조명환	조병연	조선희
조건영	조규민	조남철	조무현	조병옥	조설희
조경구	조규상	조남호	조문경	조병익	조성갑
조경국	조규석	조남환	조문근	조병혁	조성구
조경남	조규식	조남훈	조문기	조병호	조성근
조경두	조규영	조대영	조문배	조병홍	조성기
조경래	조규완	조대주	조문석	조병희	조성남
조경록	조규용	조대흥	조문선	조보현	조성님
조경민	조규욱	조덕선	조문수	조복순	조성래
조경봉	조규장	조덕수	조문영	조봉래	조성렬
조경석	조규태	조덕순	조문하	조봉수	조성룡
조경송	조규호	조덕현	조미경	조부근	조성모
조경순	조규홍	조덕형	조미수	조부연	조성무
조경엽	조근래	조도형	조미옥	조부평	조성배
조경자	조근식	조돈철	조미자	조삼래	조성복
조경주	조근환	조돈행	조미정	조삼순	조성부
조경진	조금선	조동범	조미진	조삼영	조성수
조경태	조금숙	조동수	조미현	조삼현	조성숙
조경호	조금용	조동순	조민상	조 상	조성순

조성식
조성아
조성연
조성열
조성오
조성욱
조성운
조성원
조성은
조성익
조성일
조성자
조성재
조성제
조성준
조성진
조성천
조성철
조성태
조성하
조성호
조성화
조성환
조성회
조성훈
조성희
조세열
조소연
조송주
조수강
조수완
조수종
조수진
조수형
조수희
조순득
조순열
조순오
조순일
조순형
조순호
조순홍

조순환
조순희
조승남
조승래
조승백
조승범
조승연
조승유
조승재
조승제
조승주
조승헌
조승혁
조승현
조승환
조시종
조시중
조시형
조신옥
조신일
조신형
조실제
조아라
조안호
조애리
조양래
조양묵
조양호
조양희
조연상
조연성
조연숙
조연승
조연실
조연정
조연환
조연희
조영관
조영교
조영규
조영기
조영도

조영래
조영록
조영문
조영미
조영범
조영봉
조영상
조영석
조영일
조영주
조영준
조영철
조영춘
조영표
조영호
조영화
조영환
조영훈
조영희
조예지
조오섭
조오현
조옥경
조옥진
조완근
조완영
조완형
조용규
조용기
조용길
조용덕
조용문
조용석
조용섭
조용수
조용숙
조용식
조용신
조용언
조용우
조용원
조용월

조용준
조용진
조용철
조용태
조용한
조용현
조용호
조용화
조우경
조우성
조우영
조우종
조우현
조운기
조운식
조운정
조운현
조원경
조원민
조원배
조원일
조원주
조원호
조유경
조유장
조유현
조윤경
조윤득
조윤식
조윤연
조윤재
조윤정
조윤제
조윤주
조윤준
조윤행
조윤호
조윤환
조윤희
조은미
조은석
조은숙

조은아
조은애
조은영
조은정
조은주
조은지
조은하
조은혜
조은호
조을선
조이현
조익건
조익진
조익현
조인구
조인권
조인규
조인수
조인숙
조인순
조인지
조인형
조인호
조일기
조일성
조일원
조일현
조일흠
조임갑
조임곤
조자영
조장래
조장영
조재경
조재곤
조재국
조재기
조재길
조재동
조재룡
조재만
조재범

조재선
조재성
조재연
조재용
조재우
조재웅
조재원
조재형
조재호
조재훈
조재희
조점국
조점이
조정곤
조정규
조정균
조정근
조정묵
조정선
조정손
조정숙
조정순
조정식
조정엽
조정은
조정인
조정학
조정현
조정형
조정호
조정화
조정훈
조정흔
조정희
조종만
조종석
조종성
조종운
조종철
조종호

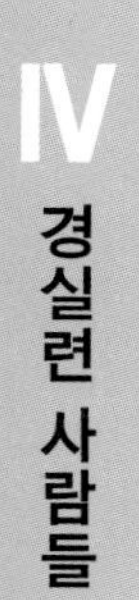

조주석
조주영
조주현
조주호
조주희
조준모
조준범
조준식
조준영
조준택
조준형
조중연
조중현
조지연
조지웅
조지혜
조지희
조진만
조진상
조진수
조진오
조진용
조진혁
조진현
조진형
조진환
조진희
조찬완
조찬호
조창구
조창덕
조창래
조창무
조창섭
조창영
조창현
조창환
조채익
조철제
조철현
조철호
조철휘
조춘선
조춘수
조춘순
조춘희
조충규
조충신
조충연
조충현
조치경
조치영
조태섭
조태성
조태식
조태업
조태영
조태옥
조태은
조태임
조태준
조태현
조태형
조택선
조택순
조택용
조평래
조풍현
조하심
조하영
조한
조한수
조한영
조한육
조한희
조항규
조항범
조항욱
조항전
조해길
조해성
조향숙
조헌상
조헌숙
조혁신
조 현
조현경
조현국
조현근
조현민
조현선
조현성
조현수
조현숙
조현식
조현용
조현익
조현일
조현정
조현제
조현종
조현주
조현준
조현지
조현철
조현혁
조현호
조현희
조형규
조형근
조형기
조형수
조형익
조형준
조형훈
조혜경
조혜숙
조혜영
조혜인
조혜주
조혜형
조호권
조호성
조호익
조홍규
조홍준
조화영
조화윤
조화현
조환익
조효미
조효제
조훈
조휘동
조휘명
조휴석
조흥복
조흥식
조희경
조희근
조희문
조희선
조희숙
조희연
조희완
조희정
조희창
종걸
좌광일
좌정훈
주갑식
주강현
주경님
주경미
주경식
주경일
주공규
주관수
주광애
주광호
주규환
주기종
주기현
주낙균
주대성
주대하
주동일
주만수
주명식
주명여
주문욱
주문환
주미희
주범석
주 빈
주삼식
주상운
주상중
주상환
주상희
주서택
주석부
주성규
주성종
주성탁
주성환
주성훈
주세일
주수현
주승우
주신경
주아름
주안나
주영래
주영선
주영수
주영숙
주영훈
주옥규
주옥련
주용규
주용재
주용학
주용헌
주유신
주윤식
주윤철
주율택
주은선
주은영
주이슬
주익철
주인권
주인철
주일원
주장배
주재구
주재민
주재우
주재헌
주재호
주재훈
주정봉
주정순
주정식
주정아
주정운
주정훈
주정희
주종섭
주지민
주지은
주지형
주진규
주진배
주진영
주진혁
주찬식
주찬용
주창백
주창열
주창혁
주채빈
주청철
주춘
주춘식
주충식
주충실
주태진
주태환
주필순
주현미

주현석
주현자
주현진
주현태
주형노
주형석
주호연
주홍규
주홍수
주흥종
주희숙
주희옥
주희재
지건태
지경구
지경림
지경아
지광문
지국표
지길용
지대근
지도영
지동규
지동섭
지동익
지동현
지만원
지명선
지명순
지미선
지민
지병구
지병근
지상수
지상오
지상해
지 석
지성구
지성권
지성애
지소연
지소영
지순이
지승호
지연옥
지연희
지영근
지영배
지영석
지영일
지영호
지용태
지용택
지용희
지우
지유석
지은민
지은숙
지은아
지은영
지은주
지은희
지응구
지의경
지정배
지정철
지정호
지정희
지준만
지준식
지찬근
지창구
지창림
지창수
지창환
지천섭
지철환
지태섭
지헌성
지현도
지현희
지효숙
진건용
진경수
진경애
진길부
진남주
진남희
진대운
진덕환
진동규
진동섭
진동식
진동춘
진동희
진두생
진랑규
진미숙
진미윤
진민자
진범이
진병규
진상욱
진상표
진상화
진상훈
진석수
진석화
진선미
진선종
진성
진성우
진성진
진성학
진성희
진송주
진수진
진수환
진승일
진승화
진쌍열
진쌍일
진아연
진연수
진영문
진영세
진영수
진영현
진오용
진용상
진용석
진용욱
진용주
진원석
진원식
진유성
진유식
진의준
진인주
진일두
진일범
진장수
진장철
진장호
진장훈
진재덕
진재원
진정현
진종헌
진준호
진중난
진중화
진창길
진창섭
진창순
진창호
진춘선
진태홍
진한종
진혁화
진현철
진형배
진호실
진효상
진휘재
진희종
차경수
차경아
차경열
차경은
차경희
차광윤
차광철
차광표
차규근
차금호
차기명
차동박
차동빈
차동숙
차동열
차동욱
차동현
차동환
차득기
차득선
차명환
차병일
차병주
차병철
차봉기
차부연
차삼준
차상열
차상조
차석규
차선각
차성란
차성룡
차성미
차성수
차성열
차성환
차수철
차숙희
차순규
차순례
차승주
차승환
차시현
차애리
차여준
차연수
차연옥
차영순
차영태
차용욱
차용진
차용호
차우진
차운호
차위방
차윤성
차은교
차은녀
차은상
차은숙
차인용
차장훈
차재명
차재민
차재숙
차재옥
차재욱
차정민
차정운
차정자
차정환
차종범
차종석
차종수
차종술
차주영
차주환
차준기
차준은
차준희
차중근
차지승
차진각

차진구
차진근
차창호
차태영
차태익
차태헌
차한규
차해든
차현석
차현승
차화조
차효선
차흥수
차희상
차희영
채경철
채관병
채국병
채규성
채규현
채금복
채기준
채대영
채대홍
채동수
채두병
채두환
채득석
채명기
채명석
채명순
채민성
채민자
채병철
채봉수
채부숙
채선엽
채성삼
채솔
채송희
채수관
채수권
채수아
채수현
채순옥
채신덕
채연희
채영균
채영남
채예정
채오길
채옥진
채옥희
채용기
채용생
채원석
채원호
채유진
채윤영
채은석
채은영
채이석
채인기
채재선
채정은
채종현
채종화
채주석
채준하
채진석
채찬수
채찬욱
채천석
채천수
채태준
채평석
채풍묵
채 현
채현식
채형옥
채혜원
채호진
채홍기
채홍대
채홍석
채홍섭
채홍철
채 훈
채희관
채희남
채희성
채희호
천경미
천경화
천광민
천귀선
천귀애
천규승
천기영
천기웅
천대웅
천동석
천명근
천명위
천명윤
천명희
천문수
천미림
천민승
천민정
천병기
천병식
천병우
천병훈
천상국
천상기
천상덕
천상렬
천상수
천성미
천성은
천성필
천세완
천수진
천숭걸
천영미
천영복
천영수
천영애
천영태
천옥자
천용규
천용욱
천일봉
천일수
천일용
천재관
천재영
천정기
천정배
천정호
천주영
천지연
천진호
천평욱
천현미
천현수
천현숙
천현정
천현종
천형욱
천홍석
천희영
청담
초의수
최가을
최가일
최각규
최간란
최갑모
최갑수
최갑식
최갑주
최강림
최개천
최거훈
최경구
최경덕
최경란
최경봉
최경수
최경숙
최경순
최경식
최경신
최경아
최경애
최경영
최경용
최경원
최경윤
최경일
최경자
최경주
최경준
최경천
최경호
최경화
최경환
최경훈
최경희
최계락
최계운
최계원
최계자
최공림
최관식
최관영
최광
최광규
최광림
최광민
최광석
최광섭
최광식
최광옥
최광용
최광은
최광현
최교열
최구길
최구철
최구호
최귀성
최귀숙
최귀술
최규덕
최규만
최규수
최규장
최규재
최규정
최규천
최규철
최규현
최규호
최균
최극렬
최근기
최근묵
최근석
최근애
최근우
최근현
최근호
최금상
최금자
최금행
최기배
최기수
최기자
최기태
최기호
최기환
최 길
최길균
최길상
최길성
최길순
최낙관
최낙구
최낙근

최낙렬
최낙선
최낙수
최낙신
최낙용
최낙철
최낙훈
최남수
최남식
최남연
최남용
최남주
최내영
최녹현
최다니엘
최다정
최다희
최달옹
최달현
최대규
최대락
최대석
최대웅
최대일
최대철
최덕림
최덕신
최덕천
최덕현
최덕호
최덕희
최도애
최도윤
최돈식
최돈혁
최돈환
최 동
최동건
최동권
최동규
최동기
최동락

최동명
최동민
최동성
최동수
최동식
최동영
최동욱
최동주
최동준
최동하
최동학
최동현
최동호
최동훈
최두순
최두식
최두열
최두영
최두호
최득완
최만순
최만식
최만욱
최매희
최맹섭
최명규
최명근
최명길
최명덕
최명섭
최명수
최명숙
최명식
최명옥
최명용
최명자
최명제
최명철
최명희
최무령
최무룡
최무숙

최무현
최문교
최문규
최문영
최문준
최문진
최문찬
최문태
최문하
최문희
최미경
최미곤
최미나
최미선
최미숙
최미애
최미영
최미옥
최미은
최미자
최미정
최미화
최미희
최 민
최민경
최민규
최민식
최민지
최백근
최백순
최 범
최범산
최범석
최범식
최병구
최병규
최병근
최병기
최병길
최병락
최병렬
최병로

최병률
최병민
최병삼
최병선
최병수
최병식
최병암
최병연
최병오
최병옥
최병완
최병요
최병용
최병우
최병윤
최병익
최병인
최병정
최병조
최병종
최병주
최병준
최병진
최병집
최병찬
최병창
최병철
최병춘
최병탁
최병태
최병하
최병혁
최병호
최병홍
최병환
최병훈
최병흥
최보규
최보훈
최복규
최복수
최복순

최복자
최복희
최봄빛
최봉문
최봉수
최봉준
최봉현
최부근
최부환
최산호
최삼룡
최삼주
최삼호
최상경
최상국
최상동
최상만
최상범
최상석
최상수
최상영
최상원
최상의
최상천
최상철
최상택
최상필
최상호
최상희
최서규
최서호
최서희
최석근
최석기
최석남
최석락
최석림
최석범
최석봉
최석운
최석재
최석준

최석포
최석현
최석환
최선경
최선규
최선도
최선미
최선숙
최선아
최선애
최선영
최선웅
최선종
최선호
최선희
최성관
최성구
최성규
최성균
최성기
최성달
최성룡
최성문
최성배
최성범
최성수
최성식
최성실
최성심
최성업
최성열
최성옥
최성용
최성우
최성욱
최성원
최성은
최성을
최성일
최성종

최성주
최성준
최성진
최성태
최성현
최성호
최성훈
최성희
최세환
최소영
최소현
최송길
최송식
최수만
최수미
최수병
최수영
최수원
최수진
최수환
최숙경
최숙종
최 순
최순기
최순식
최순애
최순영
최순옥
최순웅
최순일
최순자
최순주
최순철
최순호
최순회
최순희
최승걸
최승교
최승구
최승권
최승대
최승덕
최승룡
최승만
최승명
최승민
최승섭
최승영
최승우
최승주
최승준
최승철
최승호
최승홍
최승환
최승희
최시영
최신수
최신애
최신영
최쌍종
최안섭
최암
최애리
최애자
최양근
최양란
최양숙
최양오
최양원
최양이
최양호
최억석
최연각
최연선
최연숙
최연식
최연지
최연태
최연호
최 영
최영걸
최영국
최영규
최영균
최영기
최영길
최영남
최영덕
최영도
최영란
최영록
최영만
최영명
최영미
최영민
최영보
최영봉
최영삼
최영선
최영세
최영숙
최영순
최영식
최영안
최영애
최영옥
최영은
최영인
최영자
최영조
최영주
최영준
최영중
최영진
최영찬
최영철
최영춘
최영출
최영태
최영택
최영필
최영현
최영혜
최영호
최영화
최영환
최영효
최영희
최예슬
최예지
최오진
최옥명
최옥선
최옥현
최온아
최완규
최완수
최왕규
최요일
최용두
최용록
최용부
최용석
최용우
최용이
최용주
최용준
최용찬
최용철
최용호
최용환
최용흠
최우곡
최우석
최우식
최우영
최우용
최우진
최우헌
최 욱
최 운
최운용
최운침
최운호
최웅
최웅환
최원규
최원균
최원대
최원석
최원선
최원아
최원영
최원용
최원일
최원준
최원천
최원철
최원태
최원호
최원희
최유미
최유섭
최유성
최유영
최유자
최유정
최윤경
최윤구
최윤규
최윤길
최윤령
최윤석
최윤성
최윤수
최윤숙
최윤실
최윤아
최윤영
최윤재
최윤정
최윤지
최윤진
최윤철
최윤하
최융선
최은경
최은석
최은송
최은수
최은숙
최은순
최은식
최은실
최은영
최은정
최은주
최은진
최은채
최은철
최은형
최은희
최을림
최의규
최의택
최이랑
최이성
최이천
최이화
최익
최익석
최익수
최익완
최인걸
최인경
최인권
최인규
최인근
최인선
최인섭
최인수
최인숙
최인식
최인용
최인자
최인찬
최인철
최인태
최인한
최인호
최 일

최일동
최일문
최일봉
최일산
최일송
최일진
최일환
최임석
최임이
최자경
최장규
최장열
최장옥
최장온
최장원
최장집
최장천
최장호
최장환
최재경
최재곤
최재관
최재국
최재근
최재란
최재마로
최재명
최재문
최재민
최재석
최재성
최재수
최재순
최재식
최재영
최재완
최재용
최재우
최재웅
최재원
최재윤
최재은

최재인
최재일
최재천
최재학
최재헌
최재혁
최재호
최재화
최재훈
최재흥
최 정
최정관
최정구
최정근
최정남
최정락
최정묵
최정민
최정범
최정상
최정석
최정섭
최정수
최정숙
최정순
최정술
최정엽
최정옥
최정용
최정우
최정욱
최정원
최정윤
최정일
최정자
최정철
최정표
최정호
최정홍
최정화
최정환
최정희

최제일
최종
최종국
최종권
최종근
최종기
최종대
최종락
최종렬
최종림
최종만
최종명
최종무
최종문
최종민
최종범
최종봉
최종상
최종석
최성지
최종섭
최종성
최종수
최종숙
최종악
최종연
최종예
최종운
최종원
최종윤
최종익
최종인
최종일
최종천
최종철
최종태
최종필
최종해
최종현
최종환
최종후
최종희

최주규
최주영
최주옥
최주용
최주환
최준경
최준광
최준상
최준수
최준식
최준영
최준오
최준용
최준혁
최준호
최중근
최중길
최중민
최지만
최지문
최지민
최지성
최지원
최지윤
최지인
최지철
최지한
최지현
최지훈
최진건
최진경
최진규
최진석
최진수
최진숙
최진식
최진애
최진영
최진옥
최진완
최진용
최진우

최진욱
최진철
최진학
최진혁
최진혜
최진호
최진환
최진희
최찬규
최찬기
최찬용
최찬호
최창구
최창규
최창도
최창렬
최창배
최창석
최창선
최창송
최창수
최창식
최창열
최창욱
최창준
최창필
최창현
최창호
최창환
최채림
최철규
최철영
최철웅
최철원
최철호
최철화
최철환
최철휴
최청자
최춘길
최춘묵
최춘봉

최춘일
최춘자
최춘파
최충식
최충익
최충진
최치영
최칠규
최탁
최태영
최태용
최태중
최태진
최태호
최택수
최택헌
최통성
최판규
최평규
최필식
최필원
최필재
최학규
최학종
최한경
최한규
최한석
최해남
최해섭
최행용
최 혁
최혁용
최혁인
최혁재
최현
최현구
최현규
최현덕
최현돌
최현미

최현석
최현수
최현숙
최현이
최현익
최현일
최현자
최현정
최현준
최현철
최현태
최현택
최현희
최형규
최형균
최형덕
최형도
최형락
최형석
최형섭
최형수
최형순
최형식
최형영
최형욱
최형익
최형임
최혜강
최혜경
최혜란
최혜림
최혜선
최혜은
최혜자
최혜정
최혜진
최 호
최호균
최호근
최호길
최호석
최호승

최호연
최호영
최호용
최호원
최호창
최홍규
최홍기
최홍림
최홍배
최홍범
최홍식
최홍엽
최홍원
최홍윤
최홍재
최화식
최화영
최화주
최환석
최환용
최환호
최효근
최효섭
최효숙
최효실
최효영
최후식
최 훈
최훈석
최흥선
최흥운
최흥주
최희란
최희석
최희수
최희순
최희원
최희정
최희준
추규호
추남진
추동균

추명구
추봉엽
추승열
추승우
추연화
추예령
추우성
추은경
추응식
추재훈
추종권
추평석
추현숙
추현철
추효현
탁동철
탁명희
탁 민
탁영민
태성문
편공민
편남숙
편창도
평효순
표갑수
표규열
표기석
표명순
표상욱
표영희
표정신
표정호
표태수
표한홍
표현호
풍경섭
피광희
하강삼
하경민
하경선
하경철
하경태

하계열
하광호
하나연
하능식
하덕만
하덕철
하동익
하락종
하만철
하만효
하맹수
하명기
하명신
하명준
하명희
하보균
하상대
하상복
하상용
하상우
하상욱
하상윤
하상준
하상철
하석남
하석용
하선우
하성락
하성란
하성민
하성백
하성용
하성철
하성택
하성훈
하소영
하수진
하숙례
하순금
하순정
하순진
하순화

하승보
하승수
하승재
하승창
하승훈
하신호
하연문
하연호
하영구
하영백
하영식
하영진
하옥란
하옥이
하외숙
하용호
하윤정
하윤진
하은규
하은미
하은이
하은정
하은호
하은희
하인철
하일선
하장보
하재경
하재구
하재생
하재성
하재연
하재웅
하재필
하재헌
하재훈
하정성
하정수
하정순
하정우
하정하
하정호

하종률
하종문
하종수
하종식
하종윤
하종진
하종호
하주수
하주아
하지선
하지훈
하진용
하진철
하창수
하창호
하춘남
하태길
하태봉
하태영
하태완
하태웅
하태종
하태주
하태홍
하헌홍
하헌희
하현아
하현진
하형태
하혜경
하혜자
하효찬
하희섭
한가희
한갑수
한강석
한건준
한건희
한경만
한경석
한경수
한경애

한경옥
한경이
한경임
한경자
한경춘
한경헌
한경환
한경희
한곡지
한광덕
한광민
한광배
한광수
한광식
한광운
한광익
한광호
한구연
한국남
한국철
한국희
한권동
한권욱
한귀임
한규섭
한규일
한금상
한금숙
한긍희
한기남
한기성
한기수
한기억
한기온
한기원
한기종
한기준
한기태
한기평
한기황
한기훈
한길심

한난영
한남석
한대근
한대수
한대운
한대호
한덕상
한덕이
한도수
한도희
한돈집
한동민
한동범
한동섭
한동수
한동식
한동운
한동준
한동현
한동환
한동훈
한두현
한둘숙
한림화
한만성
한만송
한만신
한만웅
한만준
한만홍
한명석
한명섭
한명수
한명순
한명진
한묘순
한문교
한문수
한문식
한문자
한문희
한미숙

한미영
한미현
한민규
한민석
한민영
한민호
한바름
한범덕
한병규
한병근
한병무
한병세
한병수
한병옥
한병철
한병현
한병호
한병후
한복미
한봉금
한봉섭
한봉수
한사윤
한상경
한상교
한상국
한상기
한상담
한상덕
한상래
한상룡
한상미
한상민
한상복
한상삼
한상숙
한상열
한상오
한상우
한상욱
한상원
한상윤

한상율
한상익
한상인
한상일
한상준
한상천
한상철
한상호
한상화
한상효
한상훈
한 샘
한 석
한석우
한석웅
한석희
한선아
한선희
한 성
한성국
한성림
한성수
한성숙
한성식
한성안
한성우
한성욱
한성원
한성재
한성철
한성희
한소람
한소리
한소영
한소현
한수동
한수성
한수연
한수환
한숙희
한순금
한순배

한순택
한순희
한숭동
한승구
한승규
한승연
한승우
한승정
한승주
한승태
한승현
한승호
한승환
한승훈
한신구
한신애
한애순
한연수
한연숙
한연하
한 영
한영관
한영석
한영선
한영섭
한영수
한영숙
한영순
한영옥
한영인
한영일
한영임
한영조
한영진
한영철
한옥련
한옥례
한옥자
한옥주
한옥희
한완상
한용교

한용석
한용섭
한용우
한용환
한우기
한우진
한욱재
한운탁
한원영
한원정
한원종
한월봉
한월자
한윤근
한윤선
한윤정
한은례
한은상
한은수
한은순
한은주
한은진
한의환
한이남
한익돈
한인경
한인석
한인섭
한인수
한인숙
한 일
한일주
한장용
한장우
한장한
한장훈
한재관
한재길
한재덕
한재수

한재용
한재욱
한재준
한재철
한재혁
한재현
한재환
한재훈
한정국
한정규
한정민
한정숙
한정여
한정용
한정우
한정원
한정인
한정현
한정화
한정환
한정훈
한종규
한종문
한종석
한종설
한종수
한종식
한종우
한종윤
한종인
한종해
한주성
한주엽
한준구
한준태
한준학
한준호
한준희
한중근
한증호
한지양
한지연

한지은
한지형
한지훈
한진석
한진영
한진예
한찬욱
한창균
한창석
한창섭
한창옥
한창원
한창인
한창현
한창효
한천수
한철호
한철희
한충구
한충규
한태경
한태석
한태수
한태순
한태식
한태연
한태영
한태원
한태호
한평전
한풍교
한해광
한현민
한현태
한형교
한형규
한형철
한혜경
한혜란
한혜숙
한혜정
한혜진

한호기
한호범
한호현
한홍구
한홍기
한홍렬
한화교
한효관
한효주
한효준
한희민
한희자
한희정
한희주
한희환
함광수
함국기
함기열
함기철
함대욱
함도용
함동균
함두호
함라연
함명옥
함문숙
함미경
함범석
함병석
함보금
함복남
함상식
함성훈
함세영
함송자
함수경
함승희
함식
함연자
함영달
함영선
함영우

함영춘
함옥출
함인석
함종록
함종본
함종수
함종철
함준식
함준하
함지현
함진웅
함창모
함창학
함태성
함태준
함현주
함형기
함형욱
함형주
함혜종
허갑동
허갑용
허강무
허경덕
허경미
허경숙
허경인
허경주
허경희
허 관
허 권
허규석
허근선
허기복
허기석
허기용
허길선
허남두
허남렬
허남욱
허남종
허남주

허노목
허대영
허도병
허도한
허동일
허두불
허두영
허림
허맹구
허명한
허명현
허명회
허무삼
허무열
허문수
허 민
허민규
허민도
허민영
허범녕
허범석
허병권
허병행
허봉복
허부영
허상만
허서윤
허 석
허석렬
허선구
허선규
허성관
허성권
허성균
허성만
허성민
허성삼
허성우
허성임
허성태
허세녕
허수경

허수범
허수행
허 순
허순강
허 숭
허 식
허심덕
허양무
허여령
허 연
허 영
허영구
허영국
허영식
허영준
허영혜
허영호
허옥경
허옥환
허 용
허용범
허우린
허우범
허우섭
허운열
허 원
허원영
허원철
허윤범
허윤정
허윤화
허윤회
허윤희
허은도
허은미
허은태
허은하
허은희
허의남
허익배
허인설
허인영

허인학
허인회
허임범
허자환
허장권
허장현
허장협
허재구
허정규
허정석
허정수
허정아
허정준
허정호
허종구
허종식
허종영
허종은
허종일
허종호
허주현
허주형
허준석
허준수
허준환
허지영
허지훈
허 진
허진욱
허진호
허창수
허창순
허창원
허창재
허창환
허창희
허철성
허철수
허철호
허추구
허춘
허충구

허충근
허탁
허태석
허태준
허태현
허택
허해녕
허행식
허현도
허현주
허현태
허현회
허형도
허형만
허형우
허 호
허호무
허화진
허 환
허효영
허희경
현경수
현경학
현경호
현계담
현 고
현광진
현길화
현남원
현덕진
현동명
현명덕
현명화
현미영
현미정
현병렬
현병석
현상두
현상주
현석진
현석한
현선옥

현성곤
현성규
현성민
현승근
현승만
현영철
현우창
현웅택
현유경
현정관
현정미
현정임
현종철
현주섭
현준녀
현지혜
현지훈
현 진
현진권
현창석
현철규
현철재
현화영
형근혜
형민우
형석임
형성훈
형천호
혜성스님
호희국
혼순경
홍각표
홍강아
홍강희
홍건문
홍건숙
홍경구
홍경남
홍경미
홍경선
홍경순
홍경식

홍경아
홍경자
홍경표
홍관표
홍광선
홍광연
홍광은
홍광일
홍국선
홍근우
홍근표
홍기남
홍기동
홍기배
홍기범
홍기석
홍기수
홍기원
홍기춘
홍기태
홍기혁
홍기홍
홍기흔
홍길표
홍남기
홍남식
홍대식
홍대의
홍덕근
홍덕순
홍덕표
홍도천
홍동근
홍동유
홍련암
홍명관
홍명근
홍명숙
홍명호
홍무경
홍미미
홍민호

홍바울
홍배영
홍병엽
홍보람
홍복선
홍봉선
홍사준
홍상기
홍상수
홍상우
홍상의
홍상표
홍서영
홍서희
홍석리
홍석만
홍석복
홍석원
홍석주
홍석준
홍선기
홍선영
홍선표
홍선희
홍성교
홍성균
홍성기
홍성길
홍성덕
홍성도
홍성동
홍성명
홍성범
홍성봉
홍성석
홍성시
홍성식
홍성연
홍성완
홍성욱
홍성원
홍성유

홍성준
홍성진
홍성찬
홍성창
홍성철
홍성태
홍성표
홍성학
홍성해
홍성현
홍성호
홍성화
홍성환
홍성훈
홍성희
홍세은
홍세화
홍수경
홍수희
홍순갑
홍순경
홍순관
홍순권
홍순기
홍순길
홍순만
홍순민
홍순성
홍순엽
홍순영
홍순이
홍순익
홍순주
홍순천
홍순표
홍순필
홍순향
홍순호
홍승
홍승국

홍승권
홍승기
홍승용
홍승우
홍승욱
홍승원
홍승종
홍승철
홍승태
홍승표
홍승현
홍승활
홍승희
홍신아
홍신영
홍애경
홍연수
홍연숙
홍영락
홍영식
홍영신
홍영월
홍영종
홍영진
홍영호
홍영희
홍예림
홍오성
홍요셉
홍용기
홍용길
홍용의
홍용표
홍우경
홍우표
홍욱표
홍운표
홍원백
홍원선
홍원탁
홍원표
홍유나
홍은선
홍은주
홍은하
홍응표
홍인성
홍인수
홍인숙
홍인식
홍인표
홍일표
홍장표
홍재용
홍재욱
홍재웅
홍재일
홍재형
홍전희
홍정석
홍정순
홍정식
홍정일
홍정혜
홍정훈
홍정희
홍종달
홍종대
홍종민
홍종성
홍종수
홍종욱
홍종원
홍종인
홍종일
홍종학
홍종화
홍종환
홍주현
홍준모
홍준표
홍준현
홍지훈
홍진구
홍진원
홍진표
홍진호
홍차식
홍찬의
홍창기
홍창식
홍창의
홍창표
홍창환
홍천동
홍철
홍철민
홍철표
홍철호
홍춘식
홍춘의
홍태선
홍태영
홍해용
홍헌표
홍현석
홍현선
홍형득
홍형옥
홍혜진
홍혜표
홍호승
홍홍기
홍화분
홍효진
홍흥표
홍희경
홍희영
홍희자
홍희청
화강윤
황갑임
황강욱
황건우
황경복
황경선
황경수
황경순
황경애
황경하
황경희
황광석
황광선
황광열
황광하
황구연
황국자
황군주
황귀남
황귀선
황규돈
황규록
황규문
황규민
황규숙
황규영
황규철
황규표
황규혁
황규훈
황근식
황금석
황금숙
황금영
황기명
황기봉
황길식
황길영
황남숙
황남훈
황대빈
황대승
황대중
황대호
황덕성
황덕자
황덕주
황덕호
황도수
황도연
황돈영
황동식
황동혁
황동현
황동훈
황락훈
황량하
황맹근
황명구
황명숙
황명희
황무수
황미자
황미화
황민
황민석
황민철
황민호
황민희
황범
황범하
황병관
황병노
황병복
황병석
황병숙
황병일
황병철
황병태
황병해
황병훈
황보관석
황보석
황보승희
황보연
황보용
황보해용
황봉연
황분희
황상석
황상연
황상철
황상하
황서영
황석광
황석주
황선건
황선영
황선용
황선원
황선주
황성남
황성우
황성원
황성재
황성주
황성춘
황세운
황소연
황수범
황수복
황수연
황수영
황수익
황수자
황순갑
황순찬
황순천
황순철
황승례
황승순
황시영
황신모
황신영
황신준
황신혜
황안철
황애경
황애자
황연실
황연화
황영미

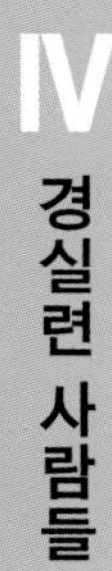

황영민
황영삼
황영상
황영석
황영숙
황영순
황영식
황영이
황영재
황영철
황영필
황영환
황영희
황옥분
황옥자
황 완
황용경
황용선
황용우
황용운
황용원
황용철
황우필
황운재
황운조
황원섭
황원준
황원태
황원학
황위성
황유경
황유민
황윤경
황윤곤
황윤구
황윤선
황윤성
황윤용
황윤필
황윤혁
황은경
황은남

황은숙
황은순
황은아
황은우
황은자
황은주
황의달
황의민
황의병
황의빈
황의서
황의순
황의태
황이숙
황이택
황 인
황인구
황인국
황인달
황인동
황인란
황인문
황인배
황인석
황인선
황인섭
황인성
황인숙
황인순
황인옥
황인재
황인찬
황인창
황인환
황일기
황일도
황일준
황자숙
황재각
황재석
황재연
황재웅

황재익
황재찬
황재한
황재향
황적웅
황전택
황점득
황정경
황정국
황정우
황정일
황정현
황정호
황정환
황정훈
황제우
황종대
황종빈
황종숙
황종엽
황종헌
황주란
황주안
황주홍
황주환
황주희
황준연
황중현
황증규
황지선
황지숙
황지연
황지영
황진선
황진영
황진환
황창렬
황채용
황천순
황 철
황철용
황철진

황청연
황춘심
황춘호
황치영
황치일
황태성
황태준
황태진
황택성
황하연
황하중
황하현
황한성
황 혁
황현석
황현선
황현숙
황현주
황형주
황혜숙
황혜승
황혜정
황혜헌
황호규
황호명
황호선
황호숙
황호식
황호연
황호철
황호청
황홍현
황환수
황환식
황환철
황활한
황황욱
황효숙
황효열
황효진
황훈주
황희석

황희선
황희성
황희정

회 관 건 립

Rose Guercio
강경근
강금실
강길원
강만길
강명득
강문규
강석조
강영원
강영주
강원택
강재섭
강지원
강지형
강철규
강태중
강학서
강학중
강희대
고건
고계현
고광복
고두모
고봉화
고영구
고은택
고재득
고지석
고충석
고현석
곽도
곽수근
곽신도

곽주영
곽창림
구경철
구본영
구석모
구정모
국찬표
권광식
권영만
권영준
권영호
권오만
권용우
권이종
권창주
권태주
권해수
기우봉
김갑배
김건진
김건태
김건호
김경남
김경섭
김경중
김관식
김광윤
김국주
김귀곤
김규배
김근태
김금수
김기홍
김길생
김대송
김대훈
김덕규
김도종
김동녕
김동선

김동성
김동수
김동식
김동열
김동일
김동흔
김명섭
김명자
김명호
김문식
김미영
김미현
김병숙
김삼수
김상겸
김상경
김상희
김석기
김석준
김선진
김성남
김성달
김성재
김성주
김성호
김성훈
김세용
김세진
김소미
김소선
김수삼
김수현
김순영
김순임
김순호
김영래
김영자
김영종
김영진
김영태
김영호
김영환

김완배
김왕식
김용석
김용운
김용자
김용채
김용철
김용호
김용환
김원호
김유환
김윤규
김윤기
김윤환
김은혜
김응연
김의중
김일수
김일영
김재민
김재영
김재택
김정욱
김제남
김종걸
김종구
김종녀
김종원
김종인
김종철
김종훈
김준호
김준홍
김지모
김진모
김진수
김진현
김찬경
김찬호
김창국
김창성
김철환

김충환
김태동
김태룡
김태유
김태조
김태현
김통원
김판수
김학수
김한기
김해성
김헌동
김현수
김형수
김형옥
김혜정
김호선
김호진
김홍구
김홍권
김홍신
김화곤
김환태
나성린
나완수
나태균
남상만
남은경
노경주
노영록
노의현
노정화
도은정
라영재
류덕열
류병균
류정은
류중석
류한승
류현석
맹성렬
목영주

목요상
문동신
문병권
문석남
문승국
문영성
민경렬
민병문
민병채
민성웅
민승규
민영빈
민영창
박경난
박경수
박광태
박구진
박기영
박남근
박돈희
박동일
박명호
박병무
박병옥
박병호
박상기
박상수
박상옥
박상중
박상천
박성수
박세영
박세일
박수경
박수현
박숭
박양제
박영남
박완기
박용성
박용현
박원순

변정수
변종경
변형윤
서경석
서동만
서미성
서미영
서민지
서복학
서상섭
서용원
서정민
서정열
서정우
서정화
서정후
서항룡
서헌제
성병구
성재상
성타
성한표
소영인
손경한
손봉호
손승룡
손장엽
송규헌
송병록
송병호
송상섭
송석우
송성근
송 암
송영호
송월주
송재건
송정훈
송진섭
송환기
수 경
신 건

신광훈
신대균
신동태
신동혁
신법타
신상진
신성복
신영수
신용하
신율
신준수
신준식
신철영
신철종
신필균
신현호
신혜수
신 홍
신희택
심상필
심의섭
심이택
안동규
안상국
안상욱
안상운
안순철
안영수
안준태
안창호
앵태전
양기진
양유석
여운영
염일순
염태영
오경환
오관치
오광섭
오병렬
오상환
오영석

우지영
원경선
원철희
원혜영
위정희
위평량
유경재
유계상
유동준
유병률
유상부
유성희
유승규
유영경
유인봉
유인애
유인태
유재현
유종근
유종성
유창호
유택희
유학상
윤건영
윤경로
윤경숙
윤길준
윤석원
윤석호
윤소영
윤순철
윤영오
윤영훈
윤원배
윤조덕
윤종빈
윤철한
이각모
이갑산
이강용
이강원
이경숙
이경우
이경희
이계신
이계진
이계호
이관우
이광택
이구택
이근식
이기종
이난현
이남순
이남주
이남중
이대공
이대길
이대순
이대영
이도형
이동걸
이두안
이래경
이만수
이명호
이명희
이문원
이민규
이민부
이범환
이병규
이병령
이병순
이삼영
이상기
이상석
이상용
이상호
이상환
이상희
이석연
이석형
이 선
이선종
이설조
이성섭
이성유
이세인
이세중
이송
이수경
이승리
이승우
이영우
이영호
이영희
이왕조
이용섭
이용순
이용철
이웅렬
이원덕
이원희
이윤갑
이윤정
이은기
이은희
이의근
이의영
이장호
이재윤
이재준
이재현
이정식
이정우
이정웅
이정자
이정재
이정화
이정환
이종훈
임건우
임길진
임덕호
임동진
임배근
임종관
임좌순
임주환
임지순
임통일
임한선
임향순
임형택
임형호
장도송
장명봉
장상빈
장석준
장성욱
장신규
장영
장영권
장영배
장영철
장원석
장인석
장인태
장철수
장충구
장해걸
장형덕
장홍석
장화순
전경미
전병화
정 련
조만진
조민래
조성원
조세형
조수종
조순형
조승규
조영동
조영황
조요한
조우현
조유동
조창현
조태호
조 현
조희욱
종 후
주성수
주성학
지은희
지태홍
진민자
차광은
차성환
채수일
최경호
최 광
최금순
최덕천
최두영
최명근
최명식
최병선
최부근
최성재
최성주
최우영
최의영
최재순
최정우
최정표
최종성
최종찬
최준구
최준호
최진수
최천수
최홍식
최환영
추지석
탁병오
하성규
한경준
한덕수
한동환
한병수
한상진
한상희
한석원
한세희
한양상
한완상
한재현
한택수
한홍렬
함시창
함영우
함영호
허 강
허덕행
허상만
허수경
허재호
홍갑표
홍기택
홍도천
홍사덕
홍성환
홍세균
홍순영
홍용남
홍재남
홍재삼
홍종학
홍준표
홍 철
황규주
황도수
황상모
황순택
황영호
황 완

황윤원
황이남
황장수
황희현
회 관
개보수

강철규
고계현
권순남
권영준
권용우
김성훈
김영래
김완배
김용채
김유찬
김장호
김재일
김진현
김철환
김태룡
김혜진
김호
김호균
나병현
나태균
남현주
노규성
류성민
류중석
몽 산
박상기
박상인
박성용
박종규
박종두
배웅규
법 등
보 선
서순탁
손봉호

손희준
신영철
신철영
신현호
심의섭
양혁승
원동환
유종성
윤경로
윤영오
이광택
이근식
이기우
이석형
이은기
이의영
이정희
이종수
이종훈
임현진
임홍승
임효정
임효창
장명봉
장 영
전영선
전현준
정동욱
정미화
조진만
조 현
채원호
최덕천
최봉문
최정표
황동수
황이남
(사)이웃을 돕는사람들
(사)좋은벗들
(주)성주인터내셔널
CJ
INI스틸

KT
KT&G
KTF
LG칼텍스정유
LG화학
POSCO
SBS
SK텔레콤
가이오산업(주)
강릉경실련
건강보험심사평가원
경동보일러
경불련
경실련정농생협
경실련환경농업실천가족연대
계양전기
광주경실련
교보생명
구미경실련
국민체육진흥공단
국제옥수수재단
군산경실련
군포경실련
기아자동차
노사정위원회
녹색연합
농심
농협중앙회
대구경실련
대덕GDS
대덕전자
대웅제약
대한건설협회
대한법무사협회
대한병원협회
대한상공회의소
대한한의사협회
동국제강
동부그룹
동원F&B
동화약품공업(주)
두산건설

두산건설
롯데그룹
마산종합유선
목포경실련
문화연대
미도파
부산경실련
부천경실련
비씨카드
삼성전자
삼성정밀화학
삼화회계법인
생명보험협회
생협연대
서울YMCA
서울지방변호사회
성원제강
소망교회
순천경실련
신세계
안동교회
안산경실련
엠에스컨설팅
영진로지스틱스
우리민족서로돕기운동
울산경실련
웅진닷컴
웅진코웨이
유한양행
유한킴벌리
유한회사정농
윤용공영
이천경실련
인천경실련
일산방직
전국경제인연합회
전국문화방송노동조합
전주경실련
㈜남영L&F
㈜녹십자
㈜중앙건설
주택협회

㈜풍산
㈜한일시멘트
㈜홍성
㈜효성
지구촌나눔운동
참여연대
청주경실련
춘천경실련
태평양
퍼시스
평화산업
평화환경
포항경실련
한국YMCA전국연맹
한국경영자총협회
한국공인중개사협회
한국기독학생회총연맹
한국노동연구원
한국동물약품협회
한국백신
한국세무사고시회
한국수자원공사
한국전력
한국정보산업
한국타이어
한국프로야구선수협의회
한미약품
한솔
한솔교육
한화종합화학
함께하는시민행동
현대모비스
현대약품
현대자동차(주)
호이트한국(주)
환경운동연합
환경재단
환경정의시민연대
휴맥스
흥사단

4. 상근활동가

1. 중앙 상근활동가(1998년 이전)

강홍천 (정책실 간사)
고은택 (정보자료국장)
곽창규 (경제정의연구소 연구원)
구교형 (조직국 간사)
권오구 (기획실 부장)
권우성 (시민의신문 기자)
김경호 (부정부패추방운동본부 간사)
김교근 (시민의신문 업무팀)
김근식 (조직국 부장)
김기연 (정책연구부장)
김동규 (통일협회 부장)
김병기 (시민의신문 기자)
김봉선 (기획실 간사)
김성연 (정책실 간사)
김성은 (국제국 간사)
김세진 (기청협 간사)
김소연 (조직국 간사)
김순영 (경제정의 편집장)
김영웅 (기획실 간사)
김은희 (경제정의 편집장)
김의연 (정책실 간사)
김정희 (경제정의 편집부 간사)
김제동 (부정부패추방운동본부 간사)
김진희 (경제정의 편집부 간사)
김찬숙 (회원사업팀 간사)
김현숙 (회원사업팀 간사)
김혜경 (국제국장)
나권일 (시민의신문 기자)
나영삼 (정책실 간사)
노정현 (조직국 간사)
류정은 (조직구 간사)
문영미 (국제국 간사)
민동혜 (국제국 간사)
박광렬 (통일협회 간사)
박귀문 (경제정의 업무팀)
박기영 (정책실 부장)
박명숙 (환경개발센터 간사)
박선영 (기획실 간사)
박승룡 (베트남 사업팀 부장)
박영홍 (도시개혁센터 간사)
박용준 (노동자회 부장)
박용철 (커뮤니케이션국 간사)
배영환 (시민의신문 기자)
배유현 (조직국 간사)
백승대 (조직국 부장)
서진석 (시민의신문 기자)
성순복 (기획실 간사)
손중양 (시민의신문 편집국장)
손치훈 (시민의신문)
송운학 (기획실장)
송향섭 (알뜰가게 사무국장)
신남희 (통일협회 사무국장)
신지호 (통일협회 부장)
심상원 (회원사업부장)
양대석 (부정부패추방운동본부 사무국장)
양윤정 (조직국 간사)
오승훈 (조직국 간사)
오혜근 (회원사업팀 간사)
우종호 (정책연구부장)
유병진 (환경개발센터 부장)
유정은 (조직국 간사)
이경한 (정보자료실 부장)
이경희 (홍보팀 간사)
이미영 (환경개발센터 부장)
이선주 (조직국 간사)
이수현 (환경개발센터 간사)
이순희 (기획실 간사)
이영미 (정책실 간사)
이오이 (조직국 간사)
이용선 (기획실장)
이은상 (회원사업팀 부장)
이은주 (회계 간사)
이인경 (부정부패추방운동본부 부장)
이재성 (국제국 간사)
이정수 (기획실장)
이종인 (기획실 간사)
이준환 (경제정의 간사)
이지연 (지방자치국 간사)
이진아 (환경개발센터 사무국장)
이창용 (조직국 부장)
이철규 (통일협회 사무국장)
인창혁 (조직국 간사)
임성현 (기획실 간사)
임혜영 (조직국 간사)
장신규 (기획실장)
전성 (기획실장)
정란아 (조직국 간사)
정봉자 (조직국 연구원)
정선숙 (조직국 간사)
정지환 (시민의신문 기자)
정태윤 (정책실장)
조근식 (조직국 부장)
조민성 (통일협회 부장)
조승헌 (경제부정고발센터 부장)
조영환 (부정부패추방운동본부 간사)
조재범 (시민의신문 기자)
조형준 (국제국 간사)
최동민 (지방자치국 부장)
최방식 (시민의신문 편집부장)
최홍엽 (정책연구부장)
추미경 (기획실 간사)
추장민 (조직국 부장)

한규정 (기획실 간사)
한승주 (정농생협 사무국장)
한주옥 (국제국 간사)
허수경 (조직국 간사)
황의중 (기획실 간사)
황훈영 (시민의신문 기자)

1998년

기획실: 실장-김용환, 간사-최양숙, 신성희, 황의중
조직국: 국장-박병옥, 부국장-윤순철, 이강원, 간사-정선애, 김지영, 권순호
정책실: 실장-하승창, 부실장-김승보, 간사-조양호, 김민영
시민입법위원회: 국장-고계현
환경개발센터: 국장-서왕진, 간사-오성규, 곽현, 류휘종, 이세희, 유정민
도시개혁센터: 국장-김종익, 간사-김병수, 정성훈
부정부패추방운동본부: 국장-이광렬, 간사-김한기, 최인욱, 정수희
지방자치위원회: 국장-김종익, 간사-김영홍
정보자료실: 간사-조경만
회원부: 간사-권순호
경제정의연구소: 국장-문광승, 부국장-전병화, 오관영, 간사-장문경, 정창수, 엄수정
통일협회: 국장-김서진, 간사-차승렬, 배진숙
월간경실련: 간사-김은영
경불련: 국장-임영래, 간사-이주원

1999년

기획실: 실장-김서진, 간사-이상현, 황의중, 정은주, 김수진, 이정화, 정학
조직국: 국장-김용환, 부국장-윤순철, 이강원, 간사- 권순호, 채기섭, 김용철, 우지영, 김진이, 이지은, 이정은, 이민규
정책실: 부실장-김승보, 위평량, 간사-정원철, 이윤정, 이영민, 이선규, 안영석, 서희경, 정원철, 안영석, 박정식, 김영재
시민입법위원회: 국장-고계현, 간사-김영재, 김미영, 장홍석
환경개발센터: 국장-서왕진, 간사-오성규, 곽현, 류휘종, 윤종호, 이세희, 유정민
도시개혁센터: 국장-김종익, 간사-김병수, 김현하, 김성달, 김대훈, 김용자, 성은영
부정부패추방운동본부: 국장-이광렬, 간사-김한기, 최인욱, 정수희
지방자치위원회: 국장-김종익
정보자료실: 간사-조경만, 김재호
회원부: 간사-권순호, 김진이
경제정의연구소: 국장-문광승, 부국장-전병화, 오관영, 간사-장문경, 정창수, 엄수정, 백현석, 이충렬, 박종설, 최승은, 최진호, 서미성
통일협회: 간사-차승렬, 정지은, 정성철
월간경실련: 간사-김은영, 국장-박충렬, 부국장-장영권
경불련: 국장-임영래, 간사-이주원, 부장-위정희, 간사-서현철
국제국: 국장-김매련
환경농업실천가족: 처장-김상형, 간사-윤철한
실업모니터링팀: 부국장-이강원, 간사-이지은, 이민규, 이정은
환경부: 팀장-박태순, 간사-장미정

2001년

기획조정실: 실장-박병옥, 부장-정원철, 간사-박정식, 이민규, 정은주, 이정화, 김종녀
- Cyber NGO: 간사-강화수, 이언경
- 회원팀: 간사-임지순, 이민규, 우지영, 김종녀, 강지형, 류한승

정책실: 실장-김용환, 부실장-위평량, 이강원, 부장-김한기, 간사-이윤정, 서희경, 정원철, 이동욱, 강화수, 윤철한
- 시민입법국: 국장-고계현, 간사-김미영, 장홍석, 이재현
- 지방자치국: 국장-윤순철, 간사-김용철
- 국제국: 국장-김매련, 유인애

조직국/시민참여국
- 지역지원팀: 국장-박완기, 간사-장홍석(시민사회단체연대회의 파견)
- 예산감시팀: 국장-이대영, 간사-김건호, 김용자, 이영란
- 미디어워치: 간사-김태현
- 어린이환경감시팀: 간사-장미정

도시개혁센터: 간사-김대훈, 김성달, 남은경
경제정의연구소: 국장-위평량, 실장-전병화, 간사-박종설, 이충열, 서미성
부정부패추방운동본부: 부장-김한기, 간사-박혜령, 노정화
통일협회: 부장-차승렬, 간사-김삼수
월간경실련: 부국장-장영권, 간사-김판수, 김시영, 윤소영
경불련(사)이웃을 돕는 사람들: 사무처장-신응균, 국장-위정희, 부장-서현철, 간사-정진우, 김형준, 이주원, 이일형
환경농업실천가족연대: 사무처장-최덕천, 간사-윤철한

2002년

(사무처: 처장-이대영)
기획조정실: 실장-김용환, 부장-정원철, 간사-정은주, 이정화, 서희경, 정말임
- 회원사업국: 국장-위정희, 간사-임지순, 김종녀, 이민규, 이재현, 박신용철
- Cyber NGO팀: 간사-노정화

정책실: 실장-고계현, 부장-김한기, 박정식, 간사-김대훈, 우지영, 류한승
- 시민입법국: 간사-김미영
- 지방자치국: 국장-박완기, 부장-김용철, 간사-강지형
- 국제국: 간사-유인애

시민감시국: 국장-이강원
- 예산감시팀: 간사-김건호, 김용자
- 공기업감시팀: 간사-이윤정
- 미디어워치: 부장-김태현

도시개혁센터: 간사-김성달, 남은경
- 어린이환경감시팀:

경제정의연구소: 국장-위평량, 실장-전병화, 간사-이충열, 서미성
부정부패추방운동본부: 간사-김경식, 장홍석
통일협회: 부장-차승렬, 박준우
월간경실련: 국장-장영권, 간사-김판수, 윤소영, 양세훈
경불련(사)이웃을 돕는 사람들: 사무처장-신응균, 부국장-서현철, 간사-정진우, 이주원, 이일형, 신석환, 우미영
환경농업실천가족연대: 사무처장-최덕천, 간사-윤철한

2003년

사무총장: 신철영
사무처: 처장-이대영
- 기획팀: 국장-위정희, 간사-서희경, 정말임, 임지순, 김금아
- 홍보팀: 부장-김태현, 간사-김미영, 노정화, 유정윤, 김경철
- 월간경실련: 간사-양세훈, 광고기획국장-이우진

지역협력 • 지방자치국: 국장-윤순철, 간사-강지형
정책실: 실장-고계현, 김한기, 김용철, 간사-김대훈, 류한승, 차은상, 이성희
• 국제연대: 간사-유인애, Rose, 김도혜
• 통일협회: 부장-정원철, 간사-박준우
시민감시국: 국장-이강원, 부장-박정식, 간사-김용자
• 부정부패추방운동본부: 간사-윤철한
• 미디어워치: 부장-김태현, 간사-서미성
서울시민사업국: 국장-박완기, 간사-서미성, 김건호, 이민규
경제정의연구소: 국장-위평량, 실장-전병화, 간사-권오인, 오지영, 곽선희
도시개혁센터: 국장-박완기, 간사-남은경, 박신용철, 박영웅
경불련(사)이웃을 돕는 사람들: 사무처장-신응균, 부국장-서현철, 부장-정진우, 이주원, 간사-신석환, 우미영, 이정희, 구본희
환경농업실천가족연대: 사무처장-최덕천

2004년

사무총장: 박병옥
사무처: 처장-이대영
• 기획팀: 국장-위정희, 간사-서희경, 채준하, 김성달, 오지영
• 홍보팀: 부장-김태현, 간사-김미영, 임지순, 노정화, 김건호, 김경철
• 월간경실련: 간사-양세훈, 기획국장-이우진
• 국제연대: 간사-유인애, Rose, 김도혜, 이인영
지역협력 • 지방자치국: 국장-윤순철, 간사-강지형
정책실: 실장-고계현, 국장-윤순철
• 경제정책팀: 팀장-김한기, 간사-강지형
• 공공/예산감시팀: 팀장-박정식, 간사-김성달
• 사회정책팀: 팀장-김대훈, 간사-차은상
• 정치입법팀: 팀장-김용철, 간사-서희경
• 통일협회: 팀장-정원철
시민감시국: 국장-박완기
• 서울/도시팀: 팀장-서미성, 간사-남은경, 이민규, 박영웅
• 미디어워치: 팀장-서미성
• 시민권익팀: 팀장-정원철, 간사-윤철한
경제정의연구소: 국장-위평량, 간사-권오인, 곽선희
도시개혁센터: 국장-박완기, 간사-남은경, 박영웅
경불련(사)이웃을 돕는 사람들: 사무처장-신응균, 부국장-서현철, 부장-정진우, 이주원, 간사-신석환, 이정희, 구본희
환경농업실천가족연대: 사무처장-최덕천

2005년

사무총장: 박병옥
사무처: 처장-이대영
- 기획 • 총무팀: 국장-위정희, 간사-임지순, 채준하, 엄라미
- 커뮤니케이션팀: 팀장-김미영, 간사-김건호, 노정화, 김경철
    - 월간경실련: 편집국장-위정희, 기획국장-이우진
경제정의연구소: 국장-위평량, 팀장-서희경, 간사-권오인, 곽선희
정책실: 실장-윤순철
- 경제정책팀: 팀장-김한기, 간사-강지형, 오지영
    - 국제연대: 간사-김도혜, 유인애, Rose
시민입법국: 국장-이강원
- 정치 • 행정 • 입법국: 간사-강지형, 곽선희
    - 통일협회: 팀장-정원철, 간사-김삼수
    - 갈등해소센터: 국장-이강원

사회정책국: 국장-김태현, 간사-김동영
- 시민권익센터: 간사-윤철한
- Media watch: 팀장-한상희

시민감시국: 국장-박완기
- 아파트값거품빼기운동본부: 간사-김성달
- 도시개혁센터: 팀장-남은경, 간사-이민규

공공 • 예산감시국: 국장-박정식, 간사-윤은숙
<공직자투기 및 건설부패 신고센터>: 간사-조덕현
경불련(사)이웃을 돕는 사람들: 간사-이치훈, 이정희
환경농업실천가족연대: 사무처장-최덕천

2006년

사무총장: 박병옥
사무처: 처장-이대영
- 기획 • 총무: 국장-위정희, 부장-임지순, 간사-채준하, 엄라미
  - 월간경실련: 편집국장-위정희, 기획국장-이우진, 간사-이민재

정책실: 실장-박완기
경제정책국: 부장-김건호, 간사-오지영, 윤은숙, 이정주
시민입법국: 국장-이강원, 부장-강지형, 간사-곽선희, 이상진
- 갈등해소센터: 간사-강영실

사회정책국: 국장-김태현, 간사-김동영
- 시민권익센터: 부장-윤철한

국제위원회: 간사-김도혜, 유인애
시민감시국: 국장-윤순철, 부장-김성달, 간사-조덕현, 문일수, 김준호, 차성옥
<공직자투기 및 건설부패 신고센터>: 간사-조덕현
커뮤니케이션국: 국장-박정식, 부장-김미영, 간사-김건호, 노정화, 김지성
경제정의연구소: 부장-서희경, 간사-권오인, 유현석
통일협회: 간사-김삼수
도시개혁센터: 팀장-남은경, 간사-이민규, 김준호
Media watch: 팀장-한상희

2007년

사무총장: 박병옥
협동사무총장: 이대영
사무처: 처장-고계현
- 기획 • 총무팀: 부장-임지순, 간사-채준하
- 회원팀: 부장-노정화, 간사-엄라미

정책실: 실장-박완기
경제정책국: 부장-김건호, 간사-오지영, 이정주
시민입법국: 국장-위정희, 간사-곽선희
사회정책국: 국장-김태현, 간사-김동영
- 시민권익센터: 부장-윤철한

시민감시국: 국장-윤순철, 부장-김성달, 간사-조덕현, 차성옥, 서두진
<공직자투기 및 건설부패 신고센터>: 간사-조덕현
커뮤니케이션국: 국장-박정식, 부장-김미영, 간사-김지성, 이상진
- 월간경실련: 기획국장-이우진, 기획간사-이민재

경제정의연구소: 국장-김한기, 부장-서희경, 간사-권오인
통일협회: 국장-이강원, 간사-김삼수
도시개혁센터: 부장-남은경, 간사-유현석
국제위원회: 간사-김도혜, 최수영
갈등해소센터: 국장-이강원, 간사-강영실
Media Watch: 팀장-한상희

2008년

사무총장: 이대영
협동사무총장: 김재석, 조근래
- 기획 • 총무팀: 간사-채준하, 엄라미
- 커뮤니케이션팀: 부장-노정화, 간사-곽선희, 김지성, 차성옥
- 지역지원팀: 국장-차진구

정책실: 실장-고계현
- 경제정책팀: 국장-김한기, 부장-김건호, 임지순, 간사-유현석
- 정치입법팀: 부장-김미영, 간사-곽선희
- 사회정책팀: 국장-김태현, 간사-김동영

시민감시국: 국장-윤순철
- 공공건설: 간사-조덕현
- 토지 • 주택: 간사-서두진
- 한반도 대운하 개발감시단: 국장-차진구
- 예산감시팀: 국장-박정식

경제정의연구소: 국장-김한기, 부장-서희경, 간사-권오인
통일협회: 국장-고계현, 간사-김삼수
도시개혁센터: 국장-윤순철, 부장-남은경, 간사-이상진
시민권익센터: 국장-김태현, 부장-윤철한
국제위원회: 간사-최수영
갈등해소센터: 국장-이강원, 간사-강영실
Media watch: 팀장-한상희
- 월간경실련: 국장-위정희, 부장-김미영, 간사-곽선희

2009년

사무총장: 이대영
협동사무총장: 김종익, 박완기
기획실: 실장-위정희
- 기획 • 총무팀: 간사-채준하, 엄라미
- 커뮤니케이션팀: 부장-노정화, 간사-김지성

정책실: 실장-고계현
- 경제정책팀: 국장-김한기, 부장-김건호
- 정치입법팀: 부장-김미영, 간사-곽선희
- 사회정책팀: 국장-김태현

시민감시국: 국장-윤순철
- 공공건설:
- 토지 • 주택: 간사-서두진, 권오인

경제정의연구소: 국장-김한기, 부장-서희경
통일협회: 국장-고계현, 간사-김삼수
도시개혁센터: 국장-윤순철, 부장-남은경
시민권익센터: 국장-김태현, 부장-윤철한
국제위원회: 간사-최수영
갈등해소센터: 국장-이강원, 간사-강영실
Media watch: 국장-김태현
- 월간경실련: 국장-위정희, 부장-노정화, 간사-엄라미

2010년

사무총장: 이대영
협동사무총장: 김종익, 박완기
기획실: 실장-윤순철
- 기획 • 총무팀: 간사-채준하, 엄라미

- 커뮤니케이션팀: 부장-노정화, 간사-김지성

정책실: 실장-고계현
- 경제정책팀: 부장-김건호, 남은경, 간사-권오인, 이기웅
- 정치입법팀: 부장-김미영
- 사회정책팀: 국장-김태현

시민감시국:
- 토지 • 주택: 부장-김성달, 간사-김세현, 최승섭
- 국책감시: 간사-박성진

(사)경제정의연구소: 국장-고계현, 간사-권오인
(사)통일협회: 국장-위정희
(사)도시개혁센터: 국장-김한기
시민권익센터: 국장-김태현, 부장-윤철한
(사)갈등해소센터: 국장-이강원, 간사-강영실, 김숙현
Media watch: 팀장-신진욱
- 월간경실련: 이사-김용재, 실장-음유정, 국장-정성환

2011년

사무총장: 고계현
기획 • 총무팀: 팀장-윤순철, 부장-채준하, 간사-엄라미
회원 • 홍보팀: 팀장-노정화, 간사-고영민, 이현숙
경제정책팀: 팀장-김한기, 부장-권오인, 간사-이기웅, 손무길
정치입법팀: 팀장-김미영, 간사-김상혁, 최유미(육아휴직)
사회정책팀: 팀장-김태현, 부장-남은경, 간사-곽선희(육아휴직)
국제팀:
부동산감시팀: 팀장-김성달, 간사-박성진, 최승섭
국책사업팀: 팀장-김건호
(사)경제정의연구소: 팀장-권오인
(사)경실련통일협회: 간사-김삼수
(사)경실련도시개혁센터: 국장-김성달, 간사-최승섭
(사)갈등해소센터: 국장-이강원, 간사-조근형, 박한
시민권익센터: 국장-윤철한
Media watch(회원조직): 팀장-신진욱
월간경실련: 이사-김용재, 실장-음유정, 국장-정성환

2012년

사무총장: 고계현
기획 • 총무팀: 팀장-윤순철, 부장-채준하, 간사-권태환
회원 • 홍보팀: 팀장-노정화, 간사-안세영, 김인선
경제정책팀: 팀장-김한기, 부장-권오인, 간사-이기웅, 손무길, 신동엽
정치입법팀: 팀장-김삼수, 간사-김상혁, 최유미(육아휴직)
사회정책팀: 팀장-남은경, 간사-최희정, 곽선희(육아휴직), 박진호
국제팀: 이연희
부동산감시팀: 팀장-김성달, 간사-최승섭
국책사업팀: 팀장-권오인
(사)경제정의연구소: 부장-권오인, 간사-정지영
(사)경실련통일협회: 부장-김삼수
(사)경실련도시개혁센터: 국장-김성달, 간사-최승섭, 정회성
(사)갈등해소센터: 국장-이강원, 간사-박한
시민권익센터: 국장-윤철한, 간사-박지호
Media watch(회원조직): 간사-정회성
월간경실련: 이사-김용재, 실장-음유정, 이우진

2013년

사무총장: 고계현
기획 • 총무팀: 팀장-윤순철, 부장-채준하, 간사-권태환
회원 • 홍보팀: 간사-안세영, 김인선, 최예지
경제정책팀: 팀장-김한기, 부장-이기웅, 간사-신동엽
정치입법팀: 팀장-김삼수, 간사-김상혁, 수습간사-허진경
사회정책팀: 팀장-남은경, 간사-박진호, 정택수
국제팀: 간사-정의정
부동산감시팀: 부장-최승섭, 팀장-김성달(육아휴직)
국책사업팀: 팀장-권오인
(사)경제정의연구소: 간사-정지영
(사)경실련통일협회: 간사-홍명근
(사)경실련도시개혁센터: 간사-오세형
(사)갈등해소센터: 소장-이강원, 간사-박한
시민권익센터: 국장-윤철한
소비자정의센터: 간사-박지호
Media watch(회원조직):
월간경실련: 이사-음유정, 실장-이우진

2014년

사무총장: 고계현
기획 • 총무팀: 사무처장-윤순철, 부장-채준하, 간사-오세형
회원 • 홍보팀: 간사-정지영
경제정책팀: 팀장-김한기, 간사-최예지, 이학린
정치입법팀: 팀장-김삼수, 간사-유애지
사회정책팀: 팀장-남은경, 간사-정택수
국제팀: 간사-정의정, 박종남, 이현아
부동산감시팀: 팀장-윤철한, 윤은주
국책사업팀: 부장-최승섭
(사)경제정의연구소: 팀장-권오인
(사)경실련통일협회: 간사-홍명근
(사)경실련도시개혁센터: 팀장-윤철한
시민권익센터: 팀장-이기웅, 간사-권태환
소비자정의센터: 간사-박지호
Media watch(회원조직):
월간경실련: 이사-음유정, 김용재

2015년

사무총장: 고계현
기획 • 총무팀: 사무처장-윤순철, 부장-채준하, 간사-오세형
회원 • 홍보팀: 간사-정지영, 심재석, 수습간사-백승혜, 황주란
경제정책팀: 팀장-김한기, 간사-최예지, 정택수, 수습간사-방승범
정치사법팀: 팀장-김삼수, 간사-유애지, 정유림
사회정책팀: 팀장-남은경, 간사-김용석
국제팀: 간사-이현아, 이수련
부동산국책사업감시팀: 팀장-윤철한, 부장-최승섭, 간사-윤은주
(사)경제정의연구소: 팀장-권오인
(사)경실련통일협회: 간사-홍명근
(사)경실련도시개혁센터: 팀장-윤철한
시민권익센터: 팀장-이기웅, 간사-권태환
소비자정의센터: 간사-박지호
월간경실련: 이사-음유정, 김용재

2016년

사무총장: 고계현
기획총무팀 • 조직교육팀: 국장-김한기, 부장-채준하, 간사-오세형
회원홍보팀: 국장-윤철한, 간사-김지경, 수습간사-이창재, 김은혜
조직교육팀: 처장-윤순철
경제정책팀: 부장-권오인, 간사-최예지, 정택수, 김지경, 이성윤
정치사법팀: 부장-김삼수, 간사-유애지, 정유림
사회정책팀: 국장-남은경, 간사-김용석
국제팀: 간사-이현아, 이수련
부동산국책사업감시팀: 처장-윤순철, 부장-최승섭, 간사-윤은주
(사)경제정의연구소: 부장-권오인
(사)경실련통일협회: 부장-김삼수, 간사-조성훈
(사)경실련도시개혁센터: 처장-윤순철
시민권익센터: 간사-권태환
소비자정의센터: 간사-박지호
월간경실련: 이사-음유정, 김용재

2017년

사무총장: 윤순철
기획교육팀: 국장-김한기, 간사-최윤석
회원팀: 부장-채준하, 간사-윤은주
홍보팀: 간사-유애지, 허재필
경제정책팀: 국장-권오인, 간사-최예지, 오세형, 이성윤
정치사법팀: 국장-김삼수, 간사-유애지, 허재필, 정택수
사회정책팀: 간사-박지호
국제팀: 간사-정호철
부동산국책감시팀: 국장-김성달, 부장-최승섭, 간사-장성현
(사)경제정의연구소: 국장-권오인
(사)경실련통일협회: 국장-김삼수, 간사-조성훈
(사)경실련도시개혁센터: 국장-남은경, 간사-김정훈
시민권익센터: 간사-권태환
소비자정의센터: 국장-윤철한
월간경실련: 이사-음유정, 김용재

2018년

사무총장: 윤순철
기획교육팀: 팀장-노건형, 간사-최윤석
회원팀: 팀장-채준하, 간사-윤은주, 이성윤
홍보팀: 간사-유애지, 허재필
경제정책팀: 팀장-권오인, 간사-오세형
정치사법팀: 팀장-김삼수, 간사-서휘원
경실련통일협회: 간사-조성훈
사회정책팀: 팀장-최예지, 간사-장혜승
국제팀: 정호철
부동산국책감시팀: 팀장-김성달, 부장-최승섭, 간사-장성현
(사)경제정의연구소: 팀장-권오인
(사)경실련도시개혁센터: 팀장-남은경, 간사-김정훈
시민권익센터: 팀장-윤철한
소비자정의센터: 팀장-윤철한, 간사-정택수
월간경실련: 이사-음유정, 김용재

2019년

사무총장: 윤순철
기획연대국: 국장-노건형, 김삼수, 간사-최윤석
회원미디어국: 국장-채준하, 간사-이성윤, 수습간사-권소희, 조혜진
30주년사업국: 국장-김삼수, 팀장-정택수, 간사-윤은주
정책실: 실장-윤철한, 팀장-최예지, 간사-조성훈, 서휘원
재벌개혁본부: 국장-권오인, 팀장-오세형, 간사-정호철, 김건희
부동산건설개혁본부: 국장-김성달, 팀장-최승섭, 간사-장성현
(사)도시개혁센터: 국장-남은경
(사)경제정의연구소: 국장-권오인
경실련통일협회: 간사-조성훈
시민권익센터: 실장-윤철한
소비자정의센터: 실장-윤철한
월간경실련: 이사-음유정, 김용재

2. 지역경실련 상근활동가

권역	지역	상근자
강원	**춘천**	• **책임자**: 변지량, 최윤, 하광윤, 한동환, 박관희, 하상준, 권용범(현) • **활동가**: 이은숙, 길선영, 김승태, 변윤자, 정명희, 박재호, 김병훈, 이규열, 장미경, 장미숙, 오연옥, 서준호, 이복희. 전규호, 이경욱
	강릉	• **책임자**: 김재관, 이정임, 최복규, 김경목, 심헌섭(현) • **활동가**: 김은미, 김진욱, 홍문정, 엄영록, 김병훈, 김기윤, 김진욱, 김세윤, 박광수
	속초	• **책임자**: 최동훈, 장재환, 김준섭, 김경석(현) • **활동가**: 김선희, 김은일, 이미화. 김미정, 정연미
	태백(준)	• **책임자**: 원웅호, (준비위원장: 주용환) • **활동가**: 한경옥, 김남희
	고성(준)	• **책임자**: 김홍수 • **활동가**:
	태백 · 정선	• **책임자**: 김항성, 남선식 • **활동가**: 김진호
	동해(준)	• **책임자**: (준비위원장: 김희남) • **활동가**: 김용철, 정해진, 주응환

인천 경기	**광명**	• **책임자**: 정상영, 양정현, 강찬호, 윤문선,백승대, 장남수, 이복자, 허정호(현) • **활동가**: 백진희, 심상용, 이준구, 최경선, 장귀익, 장화정, 백종미, 이신정, 조은하 최혜은, 김선미, 임선희, 노희준, 허정호, 조범상, 허창순, 최미영, 김정숙
	인천	• **책임자**: 정세국, 김송원(현) • **활동가**: 백영임, 박영희, 최혜자, 강경하, 김선희, 김성아, 이혜정, 이경진, 정지은
	안산	• **책임자**: 권태근, 김제동, 김현삼, 김경민, 고선영(현) • **활동가**: 박홍래, 고문상, 김옥경, 윤명희, 최윤정, 허경미
	수원	• **책임자**: 박완기, 노민호, 노건형, 김필조, 김미정, 유병욱(현) • **활동가**: 노민호, 노건형, 김은영, 이은경, 김희수, 김옥경, 정재욱, 문은정
	양평	• **책임자**: 최갑주, 여현정(현) • **활동가**: 김은미, 정혜진
	군포	• **책임자**: 김정미, 박경숙, 임구원, 권경화, 권지은, 김희정, 박경숙, 오은정, 황은아(현) • **활동가**: 황운재, 이유하, 윤지연
	이천・여주	• **책임자**: 주상운(현) • **활동가**: 곽규섭, 김회남, 김성균, 김영욱, 박금분, 김영은, 박정란, 변정해
	김포	• **책임자**: 김창환, 김성균, 이종민, 어중석, 이종준(현) • **활동가**: 조민숙, 박찬주, 심민자, 황인순, 황규숙
	구리・미금・남양주	
	안양・의왕	• **책임자**: 백승대, 강문철, 김성균, 정성우 • **활동가**: 김미란, 최윤희, 황운재, 최미정, 이승수, 김성은
	부천	• **책임자**: 송은주, 권순호 • **활동가**: 오혜란, 황운재, 이숙연, 이채연
	하남	
	오산・화성 (준)	
대전 충청	**대전**	• **책임자**: 김광수, 김영범, 이광진(현) • **활동가**: 김일호, 권혜진, 박상우, 이현호, 도영실, 이윤경, 윤인원, 김주홍, 채관병, 고희경, 김현숙, 안종호, 차정민, 김태형, 김창근, 서해림, 김원숙, 이선경,
	청주	• **책임자**: 이두영, 이주형, 최윤정(현) • **활동가**: 이순남, 변지숙, 천영태, 임차남, 김제선, 임희영, 이현호, 김미영, 공진희, 김두호, 구명예, 한정현, 이경순, 김유미, 이병관, 김진형, 이형만, 최영선, 최난규, 권은자, 정은숙, 이미영, 한도희, 조상현, 전주일, 허 영, 김춘희, 유정훈, 안혜정, 김용욱, 한정연, 오연경, 김태희, 신명자, 신명수, 유영아, 김미진
	천안・아산	• **책임자**: 정병인, 이수희, 김지희(현)
	충주지회	• **책임자**: 김주철
	단양	• **책임자**: 이웅재

광주 전라 제주	지역	명단
	광주	• **책임자**: 박종렬, 손길옥, 정영재, 김재석, 김기홍, 김동헌, 고영삼, 오주섭(현) • **활동가**: 변동철, 유세영, 김미경, 최주영, 손희정, 신송해, 김나영, 서영화, 윤정철, 이세형, 강경민, 김세현, 박수민, 이창재, 박유진, 박향미
	제주	• **책임자**: 강원철, 김명범, 김용범, 오명문, 오상준, 이영운, 장성철, 김인성, 한영조, 좌광일 • **활동가**: 이옥, 조미경, 박연정, 이명희, 변지숙, 박승필, 현경애, 홍정순, 김성일, 황경수, 김신숙, 김은숙(현)
	순천	• **책임자**: 김준영, 김보현, 김용환, 이종철, 조영석, 이상휘, 장홍영, 고선휘(현) • **활동가**: 이복남, 김경남, 박영례, 김유리
	전주	• **책임자**: 조진화. 최미자, 장세광, 김성인, 이해숙, 정상도, 한병규, 최수진(현) • **활동가**: 심준섭, 김영숙, 정은란, 최지선, 박서희, 권미경, 고동우, 강형민
	군산	• **책임자**: 이복, 김현일, 김은정, 박주향, 이복, 서재숙(현) • **활동가**: 박동하, 김윤경, 강은주, 송재호, 문승현, 김청, 김승옥, 박종성, 김민정, 이은진, 김정자, 배영옥, 최기자
	정읍	• **책임자**: 이재산, 김성인, 김형보, 김은정(현) • **활동가**: 손연주, 박성례, 조현숙
	여수	• **책임자**: 이대영, 박효준, 변영욱 • **활동가**: 주수현, 설재탁, 정은숙, 최진숙(현)
	목포	• **책임자**: 김종익, 장미, 김창모 • **활동가**: 박혜옥, 김태현, 박미영, 전원신
	이리	
	전북	
	익산	• **책임자**: 김상기, 조현민 • **활동가**: 이문수, 장철호, 황은영, 기영서, 박옥경
	장흥(준)	
	여천	
	김제	• **책임자**: 조상식, 이동수, 방원필 • **활동가**: 이주미
	남원	• **책임자**: 양영순, 김상현, 염봉섭, 이성채, 이점수 • **활동가**: 채현진
	무주	• **책임자**: 이성수, 추인엽, 이재화 • **활동가**:
	광양(준)	• **책임자**: 양정화 • **활동가**:

지역	지부	구성원
대구 부산 경상	**대구**	• **책임자**: 민영창, 이창용, 조광현(현) • **활동가**: 최은영, 이희동, 송순임, 김형섭, 이선혜, 장철규, 박은영
	부산	• **책임자**: 이동환, 차진구, 이훈전, 도한영(현) • **활동가**: 손치훈, 김승정, 조재범, 김순엽, 정미정, 하재필, 김현진, 윤지환, 김가람, 유지숙, 유종문, 이문숙, 강미라, 고은석, 윤정선, 김민정, 임영, 오태석, 이주희, 이상윤, 김유하, 한은주, 배성훈, 김상배, 이주빈, 정애니, 안일규, 한가희, 김세윤
	구미	• **책임자**: 조근래(현) • **활동가**:
	거제	• **책임자**: 전갑생, 권순남, 변광룡, 박동철, 장남수, 최운용, 김범용, 노재하, 김용운, 이양식, 배동주(현) • **활동가**: 원영미, 정지숙, 신미정, 한상희, 황현숙, 정춘미, 안미나, 황분희, 박희자, 허윤하
	포항	• **책임자**: 권오만, 김동억, 김용호, 서득수, 이재형, 장정선 • **활동가**: 김홍렬, 한경선, 김인숙, 김병수, 장재환, 장재봉, 장현정
	울산	• **책임자**: 이상희, 정몽주, 김창선 • **활동가**: 조수경, 이주형, 권필상, 정소영, 민정희, 김수정, 황인석, 서경달, 오영은, 이승진
	안동	• **책임자**: 민덕기, 김웅주 • **활동가**: 최운연
	경주	• **책임자**: 신경준, 최병익, 은재원, 은윤수, 안상은, 이원희 • **활동가**: 최미영, 이경숙, 문혜경, 하지영, 황보선희, 김소연, 윤진혜, 이정욱, 이경임, 정은미, 방현주, 왕서정, 김향희
	통영(준)	• **책임자**: 강명득, 최운용 • **활동가**: 이규성, 하은경
	마산창원(준)	• **책임자**: • **활동가**: 김은정
	영천	• **책임자**: 이형수 • **활동가**: 허필연, 김미자
	진해(지회)	• **책임자**: 최연길 • **활동가**: 석미경, 박영옥
	울릉(지회)	• **책임자**: 김유길, • **활동가**:
서울 구 지부	**강동·송파**	• **책임자**: 이주현 • **활동가**: 진두생
	노원·도봉·강북	• **책임자**: • **활동가**: 김혜숙, 구미경, 이규옥
	강남·서초(준)	
	강서·양천	

경제정의실천시민연합

경제정의실천시민연합 30년사 편찬위원회

위원장 : 채원호 상임집행위원장(가톨릭대 행정학과 교수)

위　원 : 권영준 공동대표(한국뉴욕주립대 교수)

정미화 공동대표(법무법인 남산 대표변호사)

이의영 중앙위원회 의장(군산대 경제학과 교수)

박상인 정책위원장(서울대 행정대학원 교수)

김호균 경제정의연구소 이사장(명지대 경영정보학과 교수)

서순탁 전 정책위원장(서울시립대 총장)

임효창 전 경제정의연구소 소장(서울여대 경영학과 교수)

박　훈 재정세제위원장(서울시립대 세무학과 교수)

방효창 정보통신위원장(두원공과대 스마트IT과 교수)

박성수(박병옥) 전 사무총장

이대영 전 사무총장

고계현 전 사무총장

윤순철 사무총장

자문 및 집필위원

김　호 단국대 환경자원경제학과 교수
김진수 연세대 사회복지학과 교수
김진현 서울대 간호대 교수
김철환 새안산상록의원 원장
김태룡 상지대 행정학과 교수
김헌동 부동산건설재벌개혁본부장
김호균 명지대 경영정보학과 교수
류중석 중앙대 도시공학과 교수
박경준 변호사, 법무법인 인의
박선아 한양대 법학전문대학원 교수
박성수(박병옥) 전 사무총장
박성용 한양여대 경영학과 교수
백인길 대진대 도시공학과 교수
소순창 건국대 행정학과 교수
신영철 건설경제연구소 소장
신현호 변호사, 법무법인 해울
오길영 신경대 경찰행정학과 교수
우지영 나라살림연구소 책임연구원
윤순철 사무총장
이광택 국민대 명예교수
이근식 서울시립대 명예교수
이우영 북한대학원대학교 교수
이인영 홍익대 법학과 교수
이종수 한성대 명예교수
임효창 서울여대 경영학과 교수
정미화 변호사, 법무법인 남산
정승준 한양대 의대 교수
채원호 가톨릭대 행정학과 교수
최봉문 목원대 도시공학과 교수
홍승권 가톨릭대 의대 교수

고선영 안산경실련 사무국장
고선휘 순천경실련 사무국장
고영삼 前광주경실련 사무처장
권오인 재벌개혁본부 국장
권용범 춘천경실련 사무국장
김건희 재벌개혁본부 간사
김경석 속초경실련 사무국장
김미정 속초경실련 부장
김미진 청주경실련 간사
김삼수 30주년사업국 국장
김성달 부동산재벌개혁본부 국장
김성아 인천경실련 사무국장
김송원 인천경실련 사무처장
김은숙 제주경실련 팀장
김은정 정읍경실련 사무국장
김지희 천안아산경실련 간사
남은경 도시개혁센터 국장
도한영 부산경실련 사무처장
박향미 광주경실련 간사
배동주 거제경실련 사무국장
서재숙 군산경실련 간사
서해림 대전경실련 사무국장
서휘원 정책실 간사
심헌섭 강릉경실련 사무처장
양혁승 연세대경영학과 교수
여현정 양평경실련 사무국장
오세형 재벌개혁본부 팀장
유병욱 수원경실련 사무국장
윤철한 정책실장 => 가나다 순
이광진 대전경실련 기획위원장
이병관 청주경실련 정책국장
이종준 김포경실련 사무국장
장성현 부동산건설개혁본부 간사
전원신 前목포경실련 간사
정호철 재벌개혁본부 간사
조광현 대구경실련 사무처장
조근래 구미경실련 사무국장
조성훈 정책실 간사
주상운 이천여주경실련 사무국장
최미영 광명경실련 부장
최수진 전주경실련 사무국장
최승섭 前부동산건설개혁본부 부장
최예지 정책실 팀장
최윤정 청주경실련 사무처장
최은영 대구경실련 사무국장
최진숙 여수경실련 간사
허정호 광명경실련 사무국장
황은아 군포경실련 사무국장

30th Anniversary 1989~2019
경제정의실천시민연합 30년사

경실련 30년 다시 경제정의다 2권

초판 1쇄 인쇄 2019년 10월 28일
초판 1쇄 발행 2019년 11월 04일

지 은 이_경제정의실천시민연합 30년사 편찬위원회
펴 낸 이_소재두
펴 낸 곳_논형
인쇄_DESIGN단비

등록번호_제2003-000019호
등록일자_2003년 3월 5일
주소_서울시 영등포구 양산로 19길 15 원일빌딩 204호
전화_02-887-3561
팩스_02-887-6690
ISBN 978-89-6357-812-5(set)
978-89-6357-813-2(1권)
978-89-6357-814-9(2권)
값 30,000 원

이 도서의 국립중앙도서관 출판예정도서목록(CIP)은 서지정보유통지원시스템 홈페이지(http://seoji.nl.go.kr)와 국가자료종합목록 구축시스템(http://kolis-net.nl.go.kr)에서 이용하실 수 있습니다.(CIP제어번호 : CIP2019042776)